ARBRE DE FUMÉE

du même auteur
chez le même éditeur

DES ANGES
DES ÉTOILES À MIDI
PISTES
DÉJÀ MORT
JESUS'SON
LE NOM DU MONDE
RÊVES DE TRAIN
UN PENDU RESSUSCITÉ

dans la collection « Titres »

DES ANGES

DENIS JOHNSON

ARBRE DE FUMÉE

Traduit de l'anglais (États-Unis)
par Brice MATTHIEUSSENT

*Ouvrage traduit avec le concours
du Centre national du livre*

Collection « Fictives »
dirigée par Brice Matthieussent
CHRISTIAN BOURGOIS ÉDITEUR ◊

Titre original :
Tree of Smoke

© Denis Johnson, 2007
© Christian Bourgois éditeur, 2008.
pour la traduction française

ISBN 978-2-267-01991-9

Remerciements

J'ai plaisir à remercier les personnes et les institutions dont les encouragements et l'aimable assistance ont rendu possible l'écriture de ce livre :

Les fondations Lannan, Whiting et Guggenheim ; le centre Bellagio de la fondation Rockefeller ; le département d'anglais San Marco de l'université de l'État du Texas ; Bob Cornfield, Robert Jones et Will Blythe ; Rob Hollister ; Ida Miller, Nick Hoover, Margaret, Michael et French Fry ; William F. X. Band III et la belle Cindy Lee.

Pour les détails concernant les débuts de la carrière militaire du personnage du colonel Sands, l'auteur s'est inspiré des souvenirs réunis par William F. X. Band dans son livre *Warriors Who Ride the Wind* (Castle Books, 1993).

Une fois encore, pour H. P. et Ceux Qui

1963

La nuit précédente à trois heures du matin le président Kennedy avait été assassiné. Le matelot Houston et les deux autres recrues dormaient tandis que les premiers reportages faisaient le tour du monde. Il y avait sur l'île un petit boui-boui ouvert toute la nuit, un club déglingué doté de gros ventilateurs à pales fixés au plafond, d'un seul bar et d'un flipper; les deux marines qui tenaient ce club étaient venus les réveiller pour leur apprendre ce qui était arrivé au président. Les deux marines restèrent assis avec les trois matelots sur les bat-flanc de la cabane en préfabriqué destinée aux simples soldats de passage, à regarder le climatiseur fuir dans une boîte de café et à boire des bières. Toute la nuit, la radio des forces armées, installée à Subic Bay, continua de diffuser des bulletins d'information sur ce meurtre incompréhensible.

C'était maintenant la fin de matinée et le matelot breveté William Houston Jr sentait son ébriété se dissiper peu à peu tandis qu'il marchait dans la jungle de Grande Island avec un fusil de calibre .22 qu'il venait d'emprunter. Le bruit courait que des sangliers sauvages écumaient l'île et ce centre de repos de l'armée, qui était tout ce que Houston avait vu jusque-là des Philippines. Il ne savait pas quoi penser de ce pays. Il avait simplement envie de chasser un peu dans la jungle. Le bruit courait qu'il y avait des sangliers sauvages dans le coin.

Il avançait avec prudence, en pensant aux serpents et en s'efforçant d'être silencieux, car il voulait entendre le sanglier avant que celui-ci ne chargeât. Il avait conscience de l'ampleur du risque. De partout lui arrivaient les dix mille bruits de la jungle, ainsi que les cris des mouettes et la rumeur de l'océan; lorsqu'il restait parfaitement immobile pendant une minute, aux aguets, il entendait bientôt son pouls ricaner dans la chaleur de sa chair et la sueur ruisseler dans ses oreilles. S'il demeurait sans bouger quelques secondes de plus, les insectes volants le repéraient et vrombissaient autour de sa tête.

Il posa le fusil contre un bananier rabougri, retira son bandana, l'essora, s'essuya le visage et se tint un moment là, chassant les moustiques avec ce bout de tissu et se grattant l'entrejambe d'un air absent. Tout près, une mouette semblait se disputer avec elle-même, en une série de glapissements aigus interrompus par des cris contradictoires plus sourds ressemblant à *Huh! Huh! Huh!* Alors, une forme qui se déplaçait d'un arbre à l'autre attira l'attention du matelot Houston.

Il garda les yeux rivés sur l'endroit où il l'avait vue parmi les branches d'un hévéa et tendit la main vers le fusil sans modifier la direction de son regard. La chose bougea encore. Il comprit qu'il s'agissait d'une sorte de singe, pas beaucoup plus gros qu'un chihuahua. Pas vraiment un sanglier sauvage, mais la bestiole s'offrait à l'examen humain, accrochée de la main gauche et des deux pieds au tronc de l'arbre et arrachant la mince écorce avec une hâte fébrile et exaspérée. Le matelot Houston prit le mince dos du singe dans la ligne de mire. Sans bien réfléchir à ce qu'il faisait, il appuya sur la détente.

Le singe s'aplatit contre l'arbre, il écarta bras et jambes avec enthousiasme, puis, passant les mains derrière lui comme pour se gratter le dos, il dégringola par terre. Terrifié, le matelot Houston assista aux convulsions de l'animal. S'appuyant sur un bras, le singe se hissa au-dessus du sol pour s'adosser au tronc d'arbre et écarta les jambes devant lui, comme quelqu'un qui se repose après un labeur épuisant.

Le matelot Houston s'obligea à avancer de quelques pas et, à une distance de trois ou quatre mètres seulement, il constata que la fourrure du singe était très brillante, qu'elle paraissait teinte au henné parmi les ombres et en blond dans la lumière, tandis que les feuilles remuaient doucement au-dessus de lui. L'animal regardait à gauche et à droite, sa respiration était haletante et profonde, à chaque inspiration son ventre se gonflait énormément, comme un ballon. La balle l'avait touché assez bas, elle était ressortie par l'abdomen.

Le matelot Houston sentit son propre ventre se déchirer. « Seigneur Dieu ! » cria-t-il au singe, comme si cette exclamation avait pu améliorer l'état à la fois déplorable et gênant de l'animal blessé. Il

crut que sa tête allait exploser, si le soleil presque au zénith continuait d'embraser la jungle autour de lui, si les mouettes continuaient
de crier, si le singe continuait d'examiner les alentours avec attention, en remuant la tête et ses yeux noirs de gauche et de droite, tel
un témoin qui aurait suivi le déroulement d'une espèce de conversation, d'une sorte de débat ou de combat que la jungle – cette matinée – cet instant précis – menait. Le matelot Houston marcha
jusqu'au singe, posa le fusil à côté de lui et souleva l'animal entre ses
mains, tenant ses fesses dans l'une, sa tête dans l'autre. D'abord fasciné, puis horrifié, il s'aperçut que le singe pleurait. Sa respiration
était hachée de sanglots, des larmes coulaient de ses yeux à chaque
battement de paupières. Il regardait çà et là, apparemment guère plus
intéressé par cet homme que par tout ce qu'il pouvait voir autour de
lui. « Hé », dit Houston, mais le singe ne parut pas l'entendre.
  Alors qu'il le tenait dans ses mains, le cœur du singe s'arrêta.
Houston secoua son menu fardeau en sachant très bien que c'était
inutile. Il eut le sentiment que tout était de sa faute et, parce que
personne ne pouvait le voir, il se laissa aller à pleurer comme un
enfant. Il avait dix-huit ans.

  Quand il revint au club tout proche de l'océan, Houston vit qu'un
banc de méduses violettes s'était échoué sur la plage grise ; il y en
avait des centaines, chacune de la taille d'une main, translucide et
ratatinée au soleil. Le petit port de l'île était vide. Aucun bateau n'y
venait jamais, sauf le ferry de la base navale de l'autre côté de Subic
Bay.
  Seulement quelques mètres plus loin, deux bungalows en bambou
se dressaient au bord de la bande de sable sous les arbres grandioses
qui semaient de petites fleurs pourpres sur leur toit. De l'intérieur
d'un bungalow sortaient les cris d'un couple en train de faire
l'amour, une prostituée et un marin, pensa le matelot Houston. Il
s'accroupit à l'ombre et écouta jusqu'à ne plus entendre ni fou rire ni
souffle rauque ; alors sous le rebord du toit du bungalow un lézard se
mit à appeler – un bref roucoulement préliminaire, puis une série de
gloussements durs, de staccatos secs – *gek-ko, gek-ko, gek-ko...*
  Au bout d'un moment l'homme sortit, il avait environ quarante-
cinq ans, les cheveux coupés en brosse, une serviette blanche coincée
sous la bedaine, une cigarette entre les incisives, et il resta là, bien
campé sur ses jambes, retenant d'une main la serviette contre sa

hanche, regardant un objet proche mais invisible, en oscillant d'avant en arrière. Sans doute un officier. Il prit la cigarette entre le pouce et l'index, tira une bouffée, puis laissa une brume lui entourer le visage. « Encore une mission accomplie. »

La porte du bungalow voisin s'ouvrit et une Philippine, nue, la main plaquée sur l'entrejambe, lança :

« Il aime pas le faire.

— Hé, Lucky ! » cria l'officier.

Un petit Asiatique franchit la porte, vêtu d'un treillis militaire.

« Tu l'as pas expédiée au septième ciel ?

— C'est peut-être la malchance, dit l'autre.

— Le karma, fit l'officier.

— Possible », acquiesça le petit homme.

À Houston l'officier dit :

« Tu cherches une bière ? »

Houston avait eu l'intention de déguerpir. Il s'apercevait maintenant qu'il avait oublié de le faire et que cet homme s'adressait à lui. De sa main libre l'officier jeta sa cigarette et écarta la serviette autour de ses reins. À Houston il dit – en lâchant un jet presque rectiligne qui écuma contre le sol et détruisit son mégot : « Préviens-moi si tu vois un truc intéressant. »

Convaincu d'être un imbécile, Houston rejoignit le club. À l'intérieur, deux jeunes Philippines aux robes fleuries et colorées jouaient au flipper et parlaient si vite, tandis que les grands ventilateurs tournoyaient au-dessus d'elles, que le matelot Houston se sentit vaciller. Sam, l'un des deux marines, était derrière le bar. « La ferme, la ferme ! » hurla-t-il. Il leva la main, laquelle tenait une cuillère en bois.

« Qu'est-ce que j'ai dit ? demanda Houston.

— Pardon. » Sam se pencha vers la radio, en se concentrant tel un aveugle sur le son qui en sortait. « Ils ont chopé le type.

— Ils l'ont déjà annoncé avant le petit déj. On le sait.

— Y a d'autres infos sur lui.

— Okay », dit Houston.

Il but un verre d'eau glacée et écouta la radio, mais il souffrait maintenant d'une telle migraine qu'il ne comprenait pas un traître mot.

Une ou deux minutes plus tard, l'officier entra en arborant une gigantesque chemise hawaiienne, accompagné du jeune Asiatique.

« Mon colonel, ils l'ont chopé, dit Sam à l'officier. Il s'appelle Oswald.

— Mais qu'est-ce que c'est que ce nom ? s'indigna le colonel, apparemment aussi offusqué par le nom de l'assassin que par son forfait.

— Putain d'enculé, fit Sam.

— L'enculé, reprit le colonel. J'espère bien qu'ils vont lui couper les couilles. J'espère qu'ils vont lui flanquer une balle dans le cul. » Il essuya ses larmes sans la moindre gêne et ajouta : « Oswald, c'est son prénom ou son nom de famille ? »

Houston se dit que d'abord il avait vu cet officier pisser par terre et maintenant il le voyait pleurer.

Au jeune Asiatique, Sam dit :

« Monsieur, on a le sens de l'hospitalité ici. Mais d'habitude on sert pas les soldats philippins.

— Lucky vient du Vietnam, rectifia le colonel.

— Du Vietnam ? Z'êtes perdu ?

— Non, pas perdu, répondit l'homme.

— Ce type, dit le colonel, est déjà pilote d'avion à réaction. Il est capitaine dans l'armée de l'air du Sud Vietnam. »

Sam demanda au jeune capitaine :

« Alors, y a la guerre là-bas ou quoi ? La guerre ? *Taca-taca-tac.* » Il leva les mains devant lui comme s'il tenait une mitrailleuse et les agita spasmodiquement. « Oui ? Non ? »

Le capitaine se détourna de l'Américain, aligna les mots mentalement, les répéta en silence, tourna la tête en sens inverse et dit :

« Je ne sais pas si c'est la guerre. Beaucoup de gens sont morts.

— C'est bien, opina le colonel. Ça compte.

— Et tu fais quoi ici ?

— Je suis ici pour formation hélicoptères, répondit le capitaine.

— T'as même pas l'air assez vieux pour faire du tricycle, dit Sam. T'as quel âge ?

— Vingt-deux ans.

— J'offre sa bière à ce petit bridé. T'aimes la San Miguel ? Ça t'ennuie si je te traite de bridé ? C'est une mauvaise habitude que j'ai.

— Appelle-le Lucky, dit le colonel. Cet homme paie pour toi, Lucky. Quel est ton poison préféré ? »

Le garçon se renfrogna, délibéra mystérieusement avec lui-même, puis répondit :

« J'aime Lucky Lager.

— Et quelle marque de cigarettes fumes-tu ? s'enquit le colonel.

— J'aime Lucky Strike », répondit-il en faisant rire tout le monde.

Soudain Sam regarda le jeune matelot Houston comme s'il venait de le reconnaître et lui lança :

« Où est mon fusil ? »

Le temps d'un battement de cœur Houston ne comprit absolument pas de quoi l'autre parlait. Puis il éructa :

« Merde.

— Où est-il ? » Sam n'avait pas l'air très intéressé par la réponse, seulement curieux.

« Merde, répéta le matelot Houston. Je vais le chercher. »

Il lui fallut retourner dans la jungle. L'air était tout aussi chaud, et tout aussi humide. Les mêmes animaux y faisaient les mêmes bruits, et la situation était tout aussi terrible, Houston était loin des lieux qu'il connaissait, il devait encore faire deux ans dans la marine et le président, le président de son pays, était toujours mort – mais le singe avait disparu. Le fusil de Sam était posé à l'endroit où il l'avait laissé dans les fourrés, et le singe n'était nulle part visible. Quelque chose l'avait emporté.

Il s'était attendu à devoir le revoir ; il se sentit donc soulagé de retourner à pied vers le club sans avoir été obligé de constater de nouveau ce qu'il avait fait. Mais il comprit, sans beaucoup d'inquiétude ni de malaise, que ce spectacle ne lui serait pas toujours épargné.

Le matelot Houston fut promu une fois, puis rétrogradé. Il eut un aperçu de quelques grandes capitales de l'Asie du Sud-Est, il traversa à pied des nuits enivrées où des brises moites agitaient les lanternes des rues, mais jamais il ne resta assez longtemps à terre pour perdre le pied marin, seulement assez longtemps pour ne rien comprendre, pour voir les visages vaciller et entendre les rires douloureux. Lorsqu'il acheva son tour de service, il se réengagea, surtout ravi du pouvoir qu'il avait de créer son propre destin simplement en apposant sa signature au bas d'une feuille de papier.

Houston avait deux frères plus jeunes que lui. Le cadet, James, s'engagea dans l'infanterie et fut envoyé au Vietnam ; un soir, juste avant la fin de son second tour de service dans la marine, Houston prit un train à la base navale de Yokosuka, au Japon, à destination de la ville de Yokohama, où James et lui avaient prévu de se retrouver au Peanut Bar. C'était en 1967, plus de trois ans après l'assassinat de John F. Kennedy.

Dans le wagon Houston se trouvait gigantesque chaque fois qu'il regardait au-dessus d'une tête couverte de cheveux noirs. Les petits passagers japonais le considéraient sans joie, sans pitié, sans honte, jusqu'à ce qu'il ait l'impression qu'on l'étranglait. Il descendit du train et garda la bonne direction à travers la bruine du soir en suivant des voies de tramway mouillées jusqu'au Peanut Bar. Il mourait d'envie de dire quelque chose en anglais.

Le Peanut Bar était un vaste établissement bondé de marins et d'impeccables officiers de la marine marchande ; les voix résonnaient dans la tête de Houston, la fumée lui emplissait les poumons.

Il repéra James près de la scène et s'avança vers lui, la main tendue. « Je quitte Yokosuka, mec ! Je suis de retour sur un rafiot ! » Telles furent ses premières paroles.

L'orchestre submergea ses mots – quatre jeunes imitateurs japonais des Beatles, aux vêtements blancs aveuglants, à la frange noire. James, en civil, assis à une petite table, les dévorait des yeux, seulement conscient de ce spectacle, et Bill lui lança une cacahuète dans la bouche.

James montra les musiciens. « C'est vraiment ridicule. » Il lui fallut hurler pour se rendre à peine audible.

« Que veux-tu que je te dise ? C'est pas Phoenix.

— Presque aussi ridicule que toi en uniforme de marin.

— Ils m'ont libéré il y a deux ans, mais j'ai remis ça. Je sais pas pourquoi, mais je l'ai fait.

— T'étais bourré ?

— J'étais pas mal bourré, ça oui. »

Bill Houston découvrit avec stupéfaction que son frère cadet n'était plus un gamin. James arborait une coupe de cheveux en brosse qui accentuait la largeur et la puissance de sa mâchoire, et il se tenait très droit sur sa chaise, en homme qui sait ce qu'il veut. Malgré ses vêtements civils, on aurait dit un soldat.

Ils commandèrent chacun un pichet de bière et tombèrent d'accord pour dire qu'en dehors de quelques trucs bizarres, comme le Peanut Bar, ils aimaient bien le Japon – même si jusque-là James avait seulement passé six heures dans ce pays entre deux vols, et même si le lendemain matin il devait monter dans un autre avion à destination du Vietnam – ou, en tout cas, qu'ils n'avaient rien contre les Japonais.

« Je suis ici pour te le dire, ajouta Bill dès que le groupe marqua une pause et que chacun pût enfin entendre la voix de l'autre, ces Japs sont des types vraiment réglo. Mais les tropiques, mon vieux, c'est rien que de la merde. Là-bas, tout le monde a le ciboulot complètement ramollo.

— C'est ce qu'on m'a dit. Je m'en apercevrai bien assez tôt.

— Et les combats ?

— Quoi, les combats ?

— On en dit quoi ?

— Paraît que d'habitude on tire sur des arbres et que les arbres ripostent.

— Mais pour de vrai. C'est vraiment moche ?

— Je le saurai bientôt.

— T'as la trouille ?

— Pendant la formation, j'ai vu un type buter un autre type par accident.

— Ah bon ?

— Il a pris une balle dans le cul, si tu peux croire ça. C'était rien qu'un accident.

— À Honolulu, dit Bill Houston, j'ai vu un mec assassiner quelqu'un.

— Comment ça, dans une bagarre ?

— Eh bien, ce fils de pute devait du pognon à l'autre fils de pute.

— C'était où, dans un bar ?

— Non. Pas dans un bar. Le mec a fait le tour de son immeuble et il l'a appelé à la fenêtre. Nous, on passait dans le coin et le voilà qui dit : "Attends, faut que je rappelle une dette à ce type." Ils ont parlé une minute et puis le type avec qui je me baladais, il a abattu l'autre. Il a mis son flingue contre la moustiquaire, mon vieux, et *boum*, une seule balle, comme ça. Un automatique, un .45. Le mec a dû valser en arrière dans son appart.

— Sans blague ?

— Je te jure que je blague pas.

— T'es sérieux ? T'étais là ?

— On se baladait. J'avais pas la moindre idée qu'il allait buter quelqu'un.

— Et t'as fait quoi ?

— J'ai bien failli chier dans mon froc. Le mec se retourne, il glisse son feu sous sa chemise et il dit : "Hé, si on allait s'en jeter un ?" Comme si l'incident était clos.

— Et toi t'as dit quoi ?

— Il m'a semblé que j'avais pas très envie d'en causer.

— J'imagine bien, mais... merde, t'as dit quoi ?

— T'as raison de croire que je me posais des questions, car j'avais assisté au meurtre. C'est pour ça que j'ai raté l'embarquement. L'assassin faisait partie de mon équipage. Si j'avais levé l'ancre avec lui, j'étais bon pour huit semaines sans fermer l'œil de la nuit. »

Les deux frères burent simultanément une gorgée de bière, puis chacun chercha un sujet de conversation.

« Quand ce type a pris une balle dans le cul, dit James, il a aussitôt été en état de choc.

— Merde. Quel âge as-tu ?

— Moi ?

— Ouais.

— Presque dix-huit, dit James.

— L'armée t'a laissé t'enrôler alors que t'as seulement dix-sept ans ?

— Non. Je leur ai menti.

— T'as la trouille ?

— Oui. Mais pas tout le temps.

— Pas tout le temps ?

— J'ai pas vu le moindre combat. J'ai envie d'en voir, de vivre le vrai truc, la vraie merde. J'en ai vraiment envie.

— Pauvre petit con. »

Le groupe se remit à jouer : un morceau des Kinks intitulé *You Really Got Me* :

> *You really got me...*
> *You really got me...*
> *You really got me...*

Avant longtemps les deux frères se mirent à se disputer pour une broutille, et Bill Houston renversa un pichet de bière sur les cuisses d'une personne assise à la table voisine – une jeune Japonaise qui rentra aussitôt la tête dans les épaules et prit un air triste, humilié. Elle était assise avec une amie et deux Américains, deux jeunes qui ne savaient pas comment réagir.

La bière dégoulinait de la table tandis que James essayait avec maladresse de remettre d'aplomb le pichet vide, en disant : « C'est le genre de truc qui arrive. Quand on s'y attend pas. »

La jeune fille ne fit pas le moindre geste pour s'adapter à la situation. Elle se contentait de regarder ses cuisses.

« Qu'est-ce qui cloche chez nous ? demanda James à son frère aîné. On est débiles, ou quoi ? Chaque fois qu'on est ensemble, c'est la cata.

— Je sais.

— Y a un truc foireux.

— Foireux, merdique, je suis d'accord. Parce que nous sommes de la même famille.

— Du même sang.

— Maintenant j'en ai plus rien à foutre de toute cette merde.

— Sans doute que tu n'y es pas si indifférent, insista James, sinon t'aurais pas fait tout ce chemin pour me retrouver à Yokohama.

— Ouais, dit Bill, au Peanut Bar.

— Au Peanut Bar !

— Et pourquoi j'ai raté mon bateau ?

— T'as raté ton bateau ? s'étonna James.

— J'aurais dû embarquer à quatre heures de l'après-midi.

— Tu l'as loupé ?

— Il est peut-être encore à quai. Mais pour moi, à l'heure qu'il est, il a quitté le port. »

Bill Houston sentit les larmes lui envahir les yeux, une soudaine émotion l'empêcher de respirer, à cause de sa vie, de cet endroit où tout le monde conduisait à gauche.

James dit : « Je t'ai jamais aimé.

— Je sais. Moi non plus.

— Moi pareil.

— Je t'ai toujours pris pour un sale petit fils de pute, dit Bill.

— J'ai jamais pu te sentir, fit son frère.

— Bon Dieu, je suis désolé », dit Bill Houston à la jeune Japonaise. Il sortit de l'argent de son portefeuille et le lança sur la table trempée, cent yens ou mille yens, il était incapable de faire la différence.

« C'est ma dernière année dans la marine », expliqua-t-il à la fille. Il aurait volontiers jeté d'autres billets sur la table, mais son portefeuille était vide. « J'ai traversé cet océan et je suis mort. Il leur suffira de rapatrier mes os. J'ai changé du tout au tout. »

L'après-midi de ce jour de novembre 1963, le lendemain de l'assassinat de John F. Kennedy, le capitaine Nguyen Minh, le jeune pilote de l'armée de l'air du Sud Vietnam, plongea avec un masque et un tuba tout près du rivage de Grande Island. C'était une passion récente. Cette expérience s'approchait des plaisirs que les oiseaux savourent à travers les airs, en planant au-dessus d'un paysage, propulsés par l'action de leurs propres membres, volant pour de bon et non pas pilotant une machine. Les palmes fixées à ses pieds lui donnaient une bonne impulsion tandis qu'il nageait au-dessus d'un vaste banc de poissons-perroquets qui se nourrissaient dans un récif, leurs becs minuscules et innombrables tapotant le corail comme une averse de pluie. Les soldats de la marine américaine, qui adoraient plonger avec ou sans tuba, avaient tellement écumé ces récifs coralliens que les poissons étaient devenus très farouches : le banc tout entier disparut en un clin d'œil dès qu'il s'en approcha.

Minh n'était pas très bon nageur et, parce qu'il était tout seul, il pouvait se laisser envahir par la peur qu'il ressentait vraiment.

Il venait de passer toute la nuit précédente avec la prostituée payée par le colonel. La fille avait dormi par terre et lui dans le lit. Il n'avait pas eu envie d'elle. Il n'avait pas confiance en ces Philippins.

Et puis aujourd'hui, en fin de matinée, ils étaient entrés dans ce club pour y apprendre que le président des États-Unis, le président John Fitzgerald Kennedy, avait été assassiné. Les deux Philippines les accompagnaient et chaque fille s'empara d'un des bras massifs du colonel et s'y accrocha comme pour aider l'officier à demeurer ancré au sol tandis qu'il tâchait de maîtriser sa surprise et sa douleur. Ils restèrent toute la matinée assis à une table afin d'écouter les bulletins d'information. « Pour l'amour du ciel, disait le colonel. Pour l'amour du ciel. » En début d'après-midi, le colonel se sentit ragaillardi et la bière coula à flots. Minh essaya de ne pas trop boire, mais il tenait à se montrer poli et bientôt il fut très ivre. Les filles disparurent, puis revinrent, le ventilateur tournait au plafond. Une très jeune recrue les rejoignit, puis quelqu'un demanda à Minh s'il y avait vraiment la guerre quelque part au Vietnam.

Ce soir-là le colonel voulut échanger les filles et Minh décida de procéder comme la nuit précédente, simplement pour faire plaisir au colonel et lui manifester une sincère reconnaissance. En tout cas, cette fille était celle qu'il préférait. Elle lui semblait plus jolie et elle parlait un meilleur anglais. Mais elle lui demanda de mettre le climatiseur en marche. Minh voulait le garder éteint. Quand ce climatiseur fonctionnait, il n'entendait plus rien. Il aimait dormir les fenêtres ouvertes. Il aimait le bruit des insectes qui cognaient contre les moustiquaires métalliques. Il n'y avait pas ce genre de moustiquaire dans sa maison familiale du delta du Mékong, ni même chez son oncle à Saigon.

« Tu as envie de quoi ? demanda la fille, qui le méprisait absolument.

— Je ne sais pas, dit-il. Déshabille-toi. »

Ils retirèrent leurs vêtements et s'allongèrent côte à côte sur le lit double dans l'obscurité, puis restèrent immobiles. Il entendait un marin américain, quelques portes plus loin, s'adresser bruyamment à l'un de ses amis, peut-être pour lui raconter une histoire. Minh ne comprenait pas un seul mot de ce que l'autre disait, même s'il considérait son propre anglais comme plutôt bon.

« Le colonel en a une grosse. » La fille lui caressait le pénis. « Est-il ton ami ?

— Je ne sais pas, dit Minh.

— Tu ne sais pas s'il est ton ami ? Pourquoi es-tu avec lui ?

— Je ne sais pas.

— Quand l'as-tu rencontré pour la première fois ?

— Il y a une ou deux semaines.

— Qui est-il ? dit-elle.

— Je ne sais pas », répondit Minh. Pour qu'elle cesse de s'intéresser à son entrejambe, il la serra contre lui.

« Tu veux juste *body-body* ? dit-elle.

— Ça veut dire quoi ?

— Juste *body-body* », répondit-elle. Puis elle se leva pour fermer la fenêtre. La paume de sa main effleura le climatiseur, mais elle n'en toucha pas les boutons. « Donne-moi une cigarette, dit-elle.

— Non. Je n'ai pas de cigarettes. »

Elle fit passer sa robe au-dessus de sa tête, glissa les pieds dans ses sandales. Elle ne portait aucun sous-vêtement. « Donne-moi deux *quarters*, demanda-t-elle.

— Qu'est-ce que ça veut dire ?

— Qu'est-ce que ça veut dire ? répéta-t-elle. Ce que ça veut dire ? Donne-moi deux *quarters*. Donne-moi deux *quarters*.

« — C'est de l'argent ? Ça fait combien ?

— Donne-moi deux *quarters*. Je veux voir s'il va me vendre des cigarettes. Je veux deux paquets de cigarettes, un pour moi, l'autre pour ma cousine. Deux paquets.

— Le colonel peut le faire, dit-il.

— Un Winston. Un Lucky Strike.

— Excuse-moi. Il fait frais ce soir », dit-il. Minh se leva et s'habilla.

Il sortit du bungalow. Derrière lui il entendit les bruits feutrés de la jeune femme qui à l'intérieur prenait son sac à main et le posait sur une table. Elle fit claquer ses paumes l'une contre l'autre, puis les frotta, et par la fenêtre ouverte une bouffée de parfum dériva dans l'air jusqu'à lui et il l'inhala. Ses oreilles tintèrent, les larmes lui obscurcirent la vue. Il s'éclaircit la gorge pour en chasser la boule qui venait de s'y former, pencha la tête, cracha entre ses pieds. Il avait le mal du pays.

Quand il avait rejoint l'armée de l'air et été transféré à Da Nang pour suivre une formation d'officier à l'âge précoce de dix-sept ans, il avait pleuré tous les soirs dans son lit pendant plusieurs semaines. Il pilotait maintenant des avions à réaction depuis près de trois années, depuis l'âge de dix-neuf ans. Il en avait vingt-deux depuis deux mois et il comptait effectuer des missions jusqu'à celle où il trouverait la mort.

Plus tard, il resta longtemps assis sur une chaise en toile de la véranda, le buste incliné en avant, les avant-bras posés sur les genoux, pour fumer – il avait bel et bien un paquet de Lucky –, quand le colonel revint du club en enlaçant les épaules des deux filles. La copine de Minh tenait un paquet à la main, qu'elle agita joyeusement en l'air.

« Alors, tu as exploré les profondeurs salées aujourd'hui ? »

Minh, sans bien comprendre ce que l'autre voulait dire, répondit : « Oui.

— Tu es déjà descendu dans un de ces tunnels ? s'enquit le colonel.

— C'est quoi, "tunnels" ?

— Des tunnels, fit le colonel. Des tunnels qui courent sous tout le Vietnam. Tu es déjà descendu dans un de ces machins ?

— Pas encore. Je ne crois pas.

— Moi non plus, fiston, dit le colonel. Je me demande ce qu'ils contiennent.

— Je n'en sais rien.

— Personne le sait.

— Les cadres se servent des tunnels, dit Minh. Le Viêt-minh. »

Soudain le colonel parut se désoler encore pour son président, car il dit : « Ce monde crache un homme formidable comme si c'était du poison. »

Minh avait déjà constaté qu'on pouvait parler longtemps au colonel sans remarquer qu'il était saoul.

Il avait rencontré le colonel quelques matinées plus tôt seulement, devant le hangar d'entretien des hélicoptères de la base de Subic Bay, et depuis ce jour-là ils ne se quittaient plus. Le colonel ne lui avait pas été présenté – il s'était présenté tout seul – et il ne semblait pas être un supérieur hiérarchique de Minh. Ils logeaient ensemble, ainsi que des dizaines d'autres officiers en transit, dans une caserne aménagée au milieu d'un groupe de bâtiments originellement construits puis vite abandonnés, selon le colonel, par la Central Intelligence Agency américaine.

Minh savait qu'il lui fallait rester avec le colonel. Minh avait pour habitude d'interpréter les situations ou les gens comme un coup de chance ou de malchance. Il buvait de la Lucky Lager, il fumait des Lucky Strike. Le colonel l'appelait « Lucky ».

« John F. Kennedy était un homme formidable, dit le colonel. Voilà ce qui l'a tué. »

1964

Nguyen Hao arriva sain et sauf au temple de l'Étoile Nouvelle sur sa moto japonaise, une Honda 30, en pantalon impeccable et chemise coupée droit ; il portait des lunettes de soleil et de la pommade fondait dans ses cheveux. Sa triste tâche consistait à faire office de seul représentant de sa famille au service funèbre du neveu de son épouse. La femme de Hao était clouée au lit par la fièvre. Les parents du garçon étaient décédés et son unique frère effectuait des missions aériennes dans l'armée de l'air.

Hao se retourna pour regarder l'endroit où il venait de déposer Trung Than, un ami d'enfance que tout le monde avait toujours surnommé le Moine et qui était passé au Nord au moment de la partition du pays. Avant cet après-midi-là, Hao n'avait pas revu le Moine depuis une décennie et maintenant il était parti : il avait quitté la moto en sautant vers l'arrière et retiré ses sandales avant de s'éloigner nu-pieds sur le sentier.

Hao prit garde de rouler lentement sur tout ce qui pouvait ressembler à une flaque d'eau et quand il atteignit les rizières, il descendit de moto et marcha avec grand soin en la poussant le long des digues. Il devait garder ses vêtements propres ; il passerait la nuit ici, sans doute dans la salle de classe mitoyenne du temple. Le village n'était guère éloigné de Saigon et à une époque plus clémente il aurait pu rentrer à moto au crépuscule, mais les zones dangereuses s'étaient tellement étendues qu'aujourd'hui après trois heures de l'après-midi les petites routes proches de la Route 22 étaient peu sûres.

Il installa sa natte en paille sur le sol de terre battue tout près de la porte de la salle de classe, afin de pouvoir retrouver aisément son lit plus tard dans la nuit.

Il n'y avait pas le moindre signe de vie parmi la rangée des huttes en dehors des poulets qui picoraient et des vieilles femmes immobiles sur leur seuil. Il ôta le couvercle en bois du puits bétonné, y fit descendre le seau, puis hissa hors de l'obscurité de quoi boire et se laver. Ce puits, foré par une machine, était profond. L'eau en sortit limpide et fraîche sur sa main et son visage.

Aucun bruit ne venait du temple. Le maître faisait sans doute la sieste. Hao fit rouler sa moto à l'intérieur – des poutres en bois brut, un toit en tuiles vernissées et un sol en terre, environ quinze mètres sur quinze, d'une superficie guère plus grande que le rez-de-chaussée de la maison de Hao à Saigon. Plutôt que de réveiller le maître, il tourna les talons et ressortit avant même que sa vision ne se fût habituée à l'obscurité, mais aussitôt la terre odorante du sol et l'arôme des bâtons d'encens le ramenèrent vers son enfance, quand il avait servi ici au temple durant deux ou trois ans. Il discerna en lui un tiraillement en provenance de cette époque, un fil relié à une tristesse qui d'habitude demeurait en sommeil, rapidement oubliée. Presque tous les événements de ce temps-là avaient été recouverts par le restant de sa vie.

Il ressentait aussi une tristesse ahurie face à la mort absurde de son neveu. Inconcevable. La première fois qu'on lui en avait parlé, Hao s'était dit que le garçon était mort dans un incendie accidentel. Mais non, il s'était lui-même brûlé vif – comme récemment deux ou trois moines plus âgés. Néanmoins, ces autres s'étaient suicidés de manière spectaculaire dans les rues de Saigon afin de protester contre le chaos. Et puis c'étaient des hommes mûrs. Thu avait tout juste vingt ans et il avait mis le feu à son propre corps dans la jungle située derrière le village, lors d'une cérémonie solitaire. Incompréhensible, délirant.

Quand le maître se réveilla, il sortit non pas en robe, mais habillé pour les champs. Hao se leva et inclina la tête ; le maître s'inclina profondément, un petit homme au torse massif et aux membres grêles, le crâne couvert de chaume – Hao pensa alors que c'était sans doute Thu qui l'avait rasé. Ce pauvre Thu aujourd'hui disparu.

« Je comptais prendre la houe cet après-midi, dit le maître. Je suis content que tu m'en dispenses. »

Ils s'installèrent sur la véranda et entamèrent une conversation polie, se déplaçant vers le seuil du temple quand une pluie bruyante se mit à tomber. Le maître choisit apparemment de laisser le babil de l'averse faire office de menus propos, car dès qu'elle cessa il évoqua aussitôt le décès de Thu pour déclarer qu'il n'y comprenait rien. « Mais cette mort te ramène vers nous. À quelque chose malheur est bon.

— L'atmosphère du temple est très puissante, dit Hao.

— Tu as toujours paru hésitant ici.

— Mais j'ai fait ce que vous m'avez suggéré de faire. J'ai transformé mes doutes en vocation.

— Ce n'est pas tout à fait ainsi que je le formulerais.

— Ce sont les mots que vous avez prononcés.

— Non. J'ai dit que tu devais permettre à tes doutes de devenir ta vocation, que tu devais leur donner cette liberté. Je ne suggère pas que tu en fasses ainsi, seulement que tu laisses faire les choses. Laisse tes doutes devenir ta vocation. Alors tes doutes seront invisibles. Tu les habiteras comme une atmosphère. »

Le maître proposa un peu de champooy, que Hao refusa. Il approcha de ses lèvres le fruit séché et épicé, puis le suça vigoureusement en fronçant les sourcils. « Un certain Américain assistera au service.

— Je le connais, dit Hao. Le colonel Sands. »

Le maître ne dit rien, et Hao se sentit contraint de poursuivre : « Le colonel connaît mon neveu Minh. Ils se sont rencontrés aux Philippines.

— C'est ce qu'il m'a dit.

— Vous le connaissez personnellement ?

— Il est venu plusieurs fois, dit le maître. Il était assez proche de Thu. Je crois que c'est un homme bon. Ou du moins un homme prudent.

— Il s'intéresse à la pratique. Il désire étudier le souffle.

— Son haleine sent la viande de bétail, le cigare et l'alcool. Et toi ? As-tu continué avec le souffle ? »

Hao ne répondit pas.

« As-tu continué de pratiquer ?

— Non. »

Le maître cracha le noyau de son champooy. Un chiot squelettique jaillit de sous la véranda et le goba aussitôt, en tremblant, puis se dématérialisa. « Dans leurs rêves, dit le vieillard, les chiens voyagent entre ce monde et l'autre monde. Dans leurs rêves, ils visitent l'avant-vie et ils visitent l'après-vie.

— Les Américains, dit Hao, vont devenir actifs ici, et destructeurs.

— Comment le sais-tu ? » Cette question était très indiscrète ; pourtant, malgré le silence de Hao, il insista : « Est-ce que cet Américain t'a parlé ?

— C'est le frère de Thu qui me l'a dit.

— Minh ?

— Notre aviation va participer au conflit.

— Le jeune Minh bombardera-t-il son propre pays ?

— Minh ne pilote pas un bombardier.

— Mais les forces aériennes vont-elles nous détruire ?

— Minh m'a dit de vous emmener loin d'ici. Je ne peux pas vous en dire plus, car c'est tout ce que je sais. » De fait, colporter des informations plus précises que celle-ci le terrifiait. Aurait terrifié n'importe qui. Aurait dû terrifier le maître.

Hao aborda un autre sujet : « Je viens de voir le Moine. Il s'est présenté chez moi pour me demander de l'argent. Ensuite, je l'ai amené ici sur le siège arrière de ma moto. »

Le maître se contenta de l'observer.

Oui, il savait que le maître avait des nouvelles de Trung. « Quand l'avez-vous vu pour la dernière fois ?

— Récemment, reconnut le maître.

— Il est revenu depuis quand ?

— Qui peut le dire ? Et toi ? Tu ne l'avais pas vu depuis combien de temps ?

— De nombreuses années. Il a l'accent du Nord maintenant. » Hao se retint d'en dire davantage et fixa ses pieds.

« Tu as été troublé de le revoir.

— Il est venu dans ma maison. Il voulait de l'argent pour la cause.

— Pour le Viêt-minh ? Ils ne lèvent pas d'impôt en ville.

— S'il m'a demandé, c'est qu'on lui a dit de le faire. C'est de l'extorsion. Puis il a insisté pour que je l'emmène sur ma moto.

— Il se sait en sécurité, dit le maître. Il sait que tu ne donneras pas son nom à ses ennemis.

— Peut-être que je devrais. Si le Viêt-minh gagne, alors mon affaire familiale sera détruite.

— Et notre temple aussi, probablement. Mais ces étrangers détruisent le pays tout entier.

— Je ne peux pas donner de l'argent aux communistes.

— Peut-être puis-je convaincre Trung que tu n'as pas d'argent. Que tu as tout dépensé pour quelque chose.

« — Pour quoi donc ?

— Une chose qui te place au-delà de tout reproche.

— Dites-le-lui, s'il vous plaît.

— Je dirai seulement que tu as fait tout ce que tu pouvais.

— Je vous en suis très reconnaissant. »

Hao sentit la brume du lendemain matin commencer à prendre forme dès que le soleil sombra derrière la colline la plus proche située à l'ouest, appelée montagne de la Chance Heureuse. Malgré son nom, cette montagne connaissait un revers de fortune. Car le bras bâtisseur de l'armée américaine construisait un camp là-haut, selon la plupart des gens une zone d'atterrissage permanente pour les hélicoptères. Hao avait également appris qu'ils allaient répandre des produits chimiques le long de la Route 1 et de la Route 22 pour y supprimer toute végétation. Priver d'abri les ennemis embusqués était en soi une bonne idée, pensa-t-il. Mais il s'agissait de la plus merveilleuse campagne de toute la planète. Certes, le désespoir et la guerre s'y étaient installés, mais la maladie du désespoir n'avait jamais auparavant imprégné la terre elle-même. Hao n'aimait pas la voir empoisonnée.

À cause de l'arrivée possible de ce colonel américain ils retardèrent le service funèbre jusqu'à quatre heures passées de l'après-midi, mais le colonel n'arriva pas et les risques d'embuscade le tiendraient désormais à l'écart des routes, si bien qu'ils procédèrent sans lui. Ils tinrent le service dans le temple. Huit villageois y assistèrent, sept vieillards et le petit-fils de quelqu'un, tous assis à la lueur des bougies autour de l'autel central du temple, sans le moindre cadavre à contempler, seulement une modeste assemblée de bouddhas dépareillés, en bois recouvert de peinture dorée pour la plupart. Une décoration lumineuse, fonctionnant sur piles, qu'on trouvait souvent dans les bars à GI, couronnait l'édifice : un disque sur lequel des triangles multicolores tournaient dans le sens des aiguilles d'une montre. Le maître parlait d'une voix forte. Il parlait comme s'il enseignait. Comme si personne n'apprenait jamais rien.

« Nous autres Vietnamiens avons deux philosophies pour nous soutenir. La confucéenne nous dit comment nous comporter quand le destin nous accorde la paix et l'ordre. La bouddhiste nous aide à accepter notre sort quand règnent la violence et le chaos. »

Les Américains arrivèrent juste avant la tombée de la nuit dans une jeep ouverte. Soit ils ne craignaient pas les routes, soit ils avaient bivouaqué là-haut avec les soldats américains du chantier de construction, sur la montagne de la Chance Heureuse. Le vigoureux colonel, en tenue civile comme toujours, était assis au volant, un fusil dépassant entre ses genoux, le cigare vissé aux lèvres, accompagné par un soldat de l'infanterie américaine et par une Vietnamienne en corsage blanc et jupe grise, qu'il présenta comme Mme Van, employée des services de renseignements des États-Unis.

Ils avaient apporté un projecteur et un écran pliant, dans l'intention de montrer un film d'une heure aux habitants du village.

Le colonel Sands s'inclina devant le maître, après quoi ils échangèrent une vigoureuse poignée de main à l'américaine. « Monsieur Hao, nous allons installer le projecteur dans la grande salle, si vous n'y voyez pas d'inconvénient. Pouvez-vous le lui annoncer ? »

Hao traduisit et dit au colonel que le maître était d'accord. Le jeune soldat mit en place la machine, les câbles ainsi que quatre chaises pliantes en toile – « pour les anciens », précisa le colonel – et un petit générateur qu'il fit démarrer à quelques mètres derrière les portes en bois du temple, qui remplit la vallée de son boucan et infesta toute la région de ses gaz nauséabonds. Hao expliqua que le maître et lui-même devaient rendre visite à un villageois malade, mais qu'ils assisteraient sans doute plus tard à la fin du film. Le colonel dit qu'il comprenait, mais Hao en douta. Lorsque le crépuscule arriva, puis la nuit, et qu'il devint évident qu'absolument personne ne viendrait, le colonel Sands demanda à ce qu'on projetât le film pour lui seul. Le projecteur, alimenté par le bruyant générateur, emplit le temple d'une lumière clignotante, d'une voix creuse tonitruante et d'une musique stridente. Le film, *Years of Lightning, Day of Thunder* (« Années d'éclairs, jour de tonnerre »), retraçait la vie brève, tragique, héroïque, du président John F. Kennedy. Le soldat américain et Mme Van le regardèrent aussi. Mme Van était venue afin de traduire le récit pour le public, mais cette tâche était bien sûr superflue. Le colonel avait annoncé que le film durerait cinquante-cinq minutes et cinq minutes avant la fin, dans l'obscurité, Hao et le maître rejoignirent à pas de loup les Américains ; le maître s'installa sur son oreiller au fond de la salle, derrière l'écran portable, d'où il ne voyait en fait rien du tout, et Hao sur une chaise à côté du jeune soldat. Mme Van, assise derrière le colonel, jeta un coup d'œil à Hao, mais parut décider qu'il pouvait traduire les paroles pour lui-même. En réalité, il ne le put pas. Car afin de comprendre un discours prononcé en anglais, il avait d'habitude besoin des gestes et des expressions faciales du locuteur. Et de toute façon le colonel parlait déjà plus fort que la voix enregistrée, assis, les bras croisés sur ses poings, adressant d'amères intonations au spectacle scintillant alors que la musique prenait son essor et que la caméra s'approchait de la flamme éternelle signalant la tombe de John F. Kennedy, une torche trapue dont les Américains comptaient entretenir à jamais le feu. « La flamme éternelle, dit le colonel. Éternelle ? Si on a pu tuer cet homme, on pourra foutrement zigouiller aussi cette flamme. Il n'y a pas à tortiller : nous mourrons tous au fil du temps. À la fin nous redeviendrons poussière. Regardons la réalité en face : toute notre civilisation est une simple couche sédimentaire. À la fin un bâtard barbare se réveille un beau matin et se dresse, un pied sur un rocher et l'autre sur le réceptacle renversé de la flamme éternelle de Kennedy. Ce réceptacle est froid et mort, ce fils de pute ne sait même pas qu'il est debout dessus. Il se contente de pisser dans le jour naissant. Et moi quand je me lève le matin, que je vais faire un tour derrière ma tente pour me vider la vessie en pétant, sur la tombe de qui est-ce que je pisse ? – Monsieur Hao, mon anglais est-il trop rapide ? Est-ce que je me fais bien comprendre ? »

Hao devina l'intention du colonel. Oui, voulut-il acquiescer, c'est simplement l'eau qui rejoint des rivières plus larges avant de se jeter dans des mers encore plus vastes, et seul ce que nous faisons à cet instant précis peut nous sauver... Son vocabulaire lui permit seulement de dire : « C'est vrai. Je le pense aussi. Oui. »

Les deux hommes furent alors distraits par un petit rat ou une grenouille audacieuse qui bondit dans la salle par la porte du temple. Le colonel étonna Hao par la réaction violente qu'il eut à cette intrusion, car il se jeta de toutes ses forces contre le petit homme et le fit tomber en arrière, avec sa chaise, si bien que la nuque de Hao percuta la terre damée et qu'une onde instantanée de souffrance lui brouilla la vue comme une explosion d'aiguilles glacées. Quand sa vision s'éclaircit, l'objet, car c'était bien ce dont il s'agissait, et non pas de quelque rongeur, s'arrêta à un mètre seulement de son visage, et Hao comprit soudain que c'était sans doute une grenade : il allait mourir. Alors quelque chose s'abattit sur la grenade. Le soldat venait de la recouvrir de son casque et il s'abaissa ensuite, non pas tout de suite mais avec une réticence évidente, pour recouvrir le casque avec son corps, en regardant d'abord la terre du sol puis le visage de Hao, seulement éloigné de quelques centimètres, si bien que l'expression de ses yeux devint parfaitement lisible quand il s'enroula autour de sa terreur. De longues secondes passèrent dans un silence assourdissant.

Ce silence dura de longues secondes encore. Le visage du soldat ne changea pas d'expression et l'Américain ne respira pas, mais son âme retrouva le chemin de ses yeux et il regarda Hao avec une sorte de compréhension.

Hao prit conscience du fait que le colonel était vautré en travers de son buste, qu'il s'était jeté là tout comme le soldat s'était jeté sur le casque. Il prit conscience d'une douleur dans ses mollets, sa tête, du poids considérable du gros colonel. Hao tétait l'air, il étouffait. Le soldat lui-même poussa un long soupir et Hao sentit sur son visage l'haleine de son voisin tout proche. Enfin le colonel posa les paumes par terre, de part et d'autre des épaules de Hao ; il se hissa à genoux et Hao put enfin remplir ses poumons.

Le colonel se releva comme un homme très âgé, puis s'inclina pour saisir le bras du soldat. « Il se passera rien, fils. » Le soldat était sourd. « Debout. Debout, fils. Allez, mon vieux. Lève-toi. » Le jeune homme, retrouvant ses sens, émergea de son état de choc et roula sur le dos. Aussitôt, le colonel jeta le casque à l'écart, ramassa la grenade, puis la lança vers l'entrée du temple, mais elle percuta le mur et s'arrêta sur le seuil. « Merde alors ! » s'écria-t-il. Il s'en approcha, se pencha, s'en empara fermement, franchit la porte et rejoignit le puits. Il écarta le couvercle et jeta l'arme dans les profondeurs. Puis il retourna vers le temple et éteignit le générateur.

Les autres le suivirent au-dehors, peut-être sans grande prudence. Mme Van s'occupa du soldat, à qui elle parlait dans un anglais rapide, et dont elle époussetait avec énergie la chemise et le pantalon, presque hystériquement, comme pour éteindre des flammes. Quand elle eut fini, elle s'occupa de Hao, en tapotant le dos de sa chemise. « Ce sont des gens méchants, dit-elle en anglais. Voilà ce qui arrive avec ces horribles gens. »

Le maître sortit du temple. De l'endroit où il était assis derrière l'écran il n'avait presque rien vu. Lorsque Hao lui parla de la grenade, il fit deux longs pas en arrière pour s'éloigner de la margelle du puits.

« Écoutez, dit le colonel, je suis navré. Le puits est l'endroit qui m'est tout de suite venu à l'esprit. »

Hao traduisit les excuses du colonel, puis la réponse du maître :

« Je crois que nous ne risquons rien.

— Si cette grenade explose, elle va rendre votre eau boueuse.

— Plus tard, dit le maître, elle redeviendra limpide.

— Ce truc a l'air vraiment profond. C'est du béton ?

— Construction en béton, confirma Hao.

— Nickel.

— Nickel ?

— Très bien réalisé.

— Oui. Il a été aménagé par la Croix-Rouge suisse.

— À quelle époque ?

— Je ne sais pas quand. »

Le colonel poursuivit : « Ils ont entendu le boucan de cette saleté de générateur, pas vrai ? »

En guise de réponse, Hao fit une moue.

Hao resta poliment à proximité tandis que les visiteurs rechargeaient leur matériel et appelaient par radio le camp sur la montagne de la Chance Heureuse.

« Nous allons remonter sur la colline, annonça le colonel.

— Bonne idée, approuva Hao. C'est plus sûr là-haut. »

Quelques minutes plus tard, une patrouille composée de trois jeeps arriva, ainsi que de nombreux soldats, puis le convoi s'éloigna en rugissant dans la nuit.

Hao entra en rampant dans la salle de classe et tâtonna le long du mur à la recherche d'un clou. Il se dévêtit, accrocha sa chemise et son pantalon, balaya de ses mains la natte en paille, déroula deux mètres de tissu pour s'en couvrir le corps et se prémunir des moustiques. Le maître l'entendit de l'autre côté du mur, dans le temple, et lui souhaita bonne nuit. Hao répondit doucement avant de s'allonger en short et maillot de corps dans l'obscurité complète.

Ce colonel, Hao ne l'avait jamais vu en uniforme. Ça lui convenait. Curieusement, il considérait tous les Américains comme des civils, même si de sa vie il avait seulement croisé des Américains du gouvernement et des militaires américains, plus quelques missionnaires. En tout état de cause, il voyait les Américains comme des cow-boys. Le courage du jeune soldat le stupéfiait. C'était peut-être une bonne chose qu'ils soient venus au Vietnam.

Mais même à travers le mur il sentait le maître en colère contre lui-même à cause de cet échange avec le colonel. Certes l'Américain était séduisant, fascinant, mais en fin de compte les Américains constituaient simplement une nouvelle horde de marionnettistes. Le rideau tombe sur les Français, puis le rideau se lève, cette fois sur le théâtre de marionnettes américain. Néanmoins, le temps des esclaves et des marionnettes était bel et bien révolu. Mille ans sous la coupe de la Chine, puis la domination française – tout cela était terminé. Maintenant, place à la liberté.

Hao parla doucement au maître. Il lui souhaita des rêves heureux. Lui-même ne pouvait pas dormir. Il avait la peur au ventre. Et si une autre grenade jaillissait de la nuit et roulait vers lui? À l'affût de ses assassins, il prit conscience de la vie oppressante de la jungle, du rugissement collectif des insectes, aussi énorme que celui de n'importe quelle ville à midi. Une malédiction planait sur tout. Son épouse était malade, son neveu était mort, les guerres ne s'arrêteraient jamais. Ses pieds trouvèrent ses sandales, il rejoignit le puits, remplit une conserve en fer-blanc dans l'obscurité, but et reprit courage. Rien ne pouvait l'atteindre. Il avait vécu, connu l'amour et la bonté d'autrui. Quelle vie heureuse! Il rafraîchit ses entrailles avec l'eau qui venait des entrailles du Vietnam.

Après avoir expédié son engin dans le temple, Trung fit volte-face, courut derrière la rangée des huttes aussi discrètement qu'il le put et rejoignit le sentier. Quand il eut parcouru quelques mètres, il ralentit, tendit l'oreille. Des voix, des mouvements divers. Mais pas d'explosion.

Une minute; deux minutes. Si le bruit assourdissant s'était produit, le vacarme de son sang l'avait peut-être empêché de l'entendre.

Il restait debout sur l'étroite piste, les bras serrés autour du buste, la souffrance s'épanchant hors de lui. Il n'avait pas prévu que ces crétins seraient assis là tout près de l'Américain. Il n'avait pas pleuré depuis des années.

Je pleurerais sans doute moins si je les avais tués pour de bon.

Cet effondrement intérieur était bénéfique. Les vieilles femmes disaient toujours : « Répands tes larmes, elles profiteront aux cultures. » Durant sa jeunesse il avait pleuré pour un oui ou pour un non. Mais pas souvent depuis.

Il repartit sur le sentier. À Saigon on ne lui avait donné qu'une seule grenade. Bah.

On lui avait dit d'attendre le civil américain qui arriverait avec le projecteur de cinéma. Il constituait sa cible. Il n'avait pas demandé pourquoi ils n'avaient pas envoyé un bon tireur, avec un fusil. Il devina que la mort de cet Américain devait paraître fortuite.

Il lui fallait suivre brièvement un ruisseau pour contourner un hameau où vivaient des chiens bruyants. Marchant vers l'aval, il atteignit la maison du cadre principal de la région. Les occupants dormaient. Dans le minuscule jardin de derrière il s'accroupit en calant ses fesses contre un tronc d'arbre, se cacha la tête sous un chiffon et posa la face sur ses genoux. Il récupéra ainsi pendant deux heures.

Il ne savait pas pourquoi il avait réclamé de l'argent à son vieil ami Hao. Il n'avait pas reçu l'ordre d'amorcer le moindre contact. Il ne pensait pas devoir examiner ses raisons.

Aussitôt après le deuxième cri du coq, il réveilla le cadre et lui fit part de son échec. On lui donna un fusil chinois de calibre .56 et deux étuis de munitions, chacun contenant trente balles, puis on lui dit de retourner au campement des gamins pouilleux, près de la rivière Van Co Dong, un « détachement perdu » de guérilleros hoahao. Ils s'étaient dits prêts à accepter la migration et l'endoctrinement.

« Il y a eu des problèmes ? demanda-t-il au cadre.

— Personne ne leur a fait de mal. Tu ne rencontreras aucune tension là-bas.

— Très bien. Gardez le fusil. Mais donnez-moi une lampe torche. »

Il y avait beaucoup d'eau dans la rivière. Trung dut trouver un gué assez loin en amont du campement, traverser, puis longer l'autre rive vers l'aval, cinq ou six kilomètres de marche en tout.

Il hulula avant d'atteindre un avant-poste, une cabane en bambou recouverte de feuilles de bananier, mais personne ne répondit.

Le sentier aboutissait à une zone noircie et scarifiée, au bord de la rivière, une ancienne place de marché. Les gens du cru avaient été chassés par une épidémie, puis un sorcier avait ordonné qu'on brûlât les maisons lors d'une cérémonie rituelle. Une petite grange toute proche, épargnée par le feu, faisait maintenant office de caserne.

Les jeunes gens s'étaient regroupés derrière cette bâtisse pour enterrer l'un de leurs camarades. Une crise de malaria qui durait depuis deux semaines, expliquèrent-ils, avait entraîné son décès. Ils l'avaient déshabillé. Ils répandirent des grains de riz dans sa bouche ouverte, firent descendre le cadavre nu dans la tombe profonde d'environ un mètre trente, sans le moindre cercueil, puis le recouvrirent de mottes de terre jaunâtres et détrempées.

Trung resta là à regarder, en écartant les mouches de son visage. Les garçons se tinrent une minute rassemblés en silence autour du tertre. Enfin, l'un d'eux parla : « C'est moche, dit-il. Encore un de moins. »

Tous étaient jeunes, beaucoup avaient moins de vingt ans. Leur groupe n'avait jamais fait partie du Viêt-minh. C'étaient des montagnards incultes, originaires de Ba Den, qui ne savaient pas comment enterrer leurs morts.

Quand ils eurent fini, il resta avec eux derrière leur caserne pour leur parler, mais il réussit seulement à répéter ce que d'autres avaient déjà dit : « Nous pouvons vous donner des médicaments contre la malaria. Nous pourrons sans doute vous réinstaller dans le Nord, dans une ferme collective que nous appelons kolkhoze, où vous vivrez dans la paix et l'ordre. Mais si vous désirez continuer de vous battre, nous pourrons accroître votre efficacité.

» Nous sommes centralisés. Nous avons une discipline de fer. Nous sommes abrités dans un seul poing qui disparaît à l'intérieur d'une manche quand il le faut. Notre volonté est inébranlable. Notre volonté est notre arme. Les plus grandes armées coloniales n'y résistent pas. Nous avons chassé les Français et nous allons chasser les Américains, sans oublier de massacrer et d'enterrer leurs marionnettes. Affirment-ils avoir vaincu ? Laissez-les se vanter. Les envahisseurs luttent contre l'océan. Peu importe le nombre des vagues qu'ils repoussent, l'océan de notre résolution sera toujours là.

» Désirez-vous être libres ? La libération individuelle est la libération nationale. Les hommes qui vous ont dirigés au début le comprenaient, ils l'apprirent avec les Hoa-hao, et ils vous ont emmenés jusqu'ici. Maintenant vous devez venir avec nous et lutter jusqu'à la fin – laquelle est le commencement que nous avons tous espéré, le premier jour de notre liberté nationale. »

Il n'avait pas suivi le moindre cours de propagande depuis si longtemps qu'il ne savait plus très bien ce qu'il disait.

On avait envoyé Trung ici à cause de tout le temps qu'il avait passé au temple de l'Étoile Nouvelle dans le village voisin. On pensait qu'il connaissait sans doute ces gens. Un léger quiproquo. Car ces petits garçons, ces orphelins, avaient été recrutés – kidnappés – loin en amont de la rivière par les guérilleros hoa-hao, originaires du delta du Mékong, puis chassés dans les collines par le Viêt-minh. Les chefs des garçons avaient abandonné les jeunes recrues ou été tués. Pendant ce temps, le village de leurs ancêtres avait disparu, rayé de la carte par les combats. Au fil des ans, les garçons étaient descendus de plus en plus en aval de la Van Co Dong, sans trouver le moindre accueil nulle part, et ils avaient fini par échouer le long de cette portion de la rivière, bien connue dans la région à cause de sa malaria particulièrement virulente, surnommée « pisse-sang ». Personne ne les dérangeait tandis que l'un après l'autre ils mouraient.

Trung expliqua que sa propre famille venait de Ben Tre, mais qu'il avait passé de nombreuses années dans le Nord. Pour l'heure, et jusqu'à la réunification, le cœur du Vietnam se trouvait au Nord. « Après la réunification, tout le Vietnam sera notre patrie. Des millions de kilomètres carrés de Vietnam sans partition, sans déplacement de populations, sans la moindre rupture du tissu national. Le soir nous nous coucherons en paix et au réveil nous goûterons une autre journée de paix. Quant à ceux qui meurent en chemin, comme votre ami, ils trouveront la paix dans leur tombe. »

Regardez-vous, pensa-t-il, depuis votre naissance jusqu'à votre mort, seulement l'exil, l'errance, la guerre.

« À quoi ça ressemble de vivre dans une ferme de kolkhoze ?

— Désirez-vous travailler ? Là-bas vous aurez le travail et la liberté.

— Mais nous vivons seuls depuis longtemps. Nous sommes déjà libres.

— Dans cette ferme vous goûterez un genre différent de liberté. » Oui, oui, oui, rien que des conneries, quelle monstruosité, et il se maudit d'y participer. Mourez ici, mourez plus loin, se retint-il de leur dire. Restez à l'écart du kolkhoze. « L'heure est venue de vous rattacher à un groupe qui va partir dans le Nord. Il y a un camp près de Bau Don. C'est une longue marche. Si nous partons très tôt demain, nous pouvons y être avant la nuit.

— Nous en avons déjà parlé, lui dit l'un des hommes. Nous ne pouvons rien faire d'autre. Mais ce soir la lune est vide. Nous ne pouvons pas voyager demain. Juste après la lune vide, entamer un voyage porte malheur. Nous venons de perdre un autre garçon, à cause de cette malchance.

— La malaria n'est due ni à la malchance ni à des dieux malveillants. Elle est causée par des organismes vivants trop petits pour qu'on puisse les voir, aussi venimeux qu'un serpent, mais plus petits qu'un grain de poussière. Nous appelons ces organismes des microbes.

» Mes jeunes frères, mettez-vous bien ça dans le crâne. Nous mourons tous. Voulez-vous mourir à cause d'un microbe ? L'ultime victoire sera composée de maintes défaites. Souhaitez-vous être vaincus par un microbe ? Plus tôt nous partirons, mieux cela vaudra. »

Ils le regardaient comme s'ils ne comprenaient pas ce qu'il disait. Bon nombre d'entre eux ne le pouvaient sans doute pas, car ils venaient de très loin en amont de la rivière, d'une région où l'on parlait des dialectes différents. « Nous allons y réfléchir », dit l'homme.

Tandis qu'ils discutaient entre eux, Trung s'écarta du groupe et regarda ailleurs. Le même homme s'approcha et lui toucha le bras. « Nous partirons demain.

— Si telle est votre décision, dit Trung, alors tant mieux. »

Le groupe avait veillé toute la nuit précédente leur camarade malade. Tout le monde était fatigué. Comme il n'y avait rien à faire, ils dépêchèrent quelques sentinelles et les autres traînèrent autour de la caserne. Trung s'assit contre le mur. Il remarqua les paquets de cigarettes aplatis qui masquaient les fuites du toit de chaume. Plusieurs chats étiques vaquaient en mangeant les ordures qui souillaient le sol.

L'un des guérilleros, un jeune borgne, apporta une brassée de noix de coco vertes. De l'index il montra son buste. « Mon Mosa », dit-il à Trung en une sorte de langue montagnarde. « Mon *nom* », le corrigea un autre. « Mon nom Mosa », dit-il en tournant la tête de côté afin de cadrer Trung dans le champ visuel de son seul œil valide. Il sourit : ses dents, à la manière de ces tribus montagnardes, avaient été limées afin d'être alignées. Avec une machette aussi grande que sa jambe, il décapita les noix de coco. Ils en burent le lait, puis grattèrent l'intérieur mou et translucide avec des éclats de coque.

Les hommes lui donnèrent un lit de camp et même un petit oreiller. Puis ils organisèrent le bivouac : dehors un homme montait la garde ; à l'intérieur, cinq hommes jouaient aux cartes tandis qu'un autre commentait la partie et qu'un septième ronflait à proximité. Trung tenta vainement de trouver le sommeil. Il imagina qu'ils passaient de nombreuses journées ainsi. Dehors le vent tomba. Il entendait les eaux enflées de la rivière racler le long des berges. La nuit arriva. Les sentinelles abandonnèrent leurs avant-postes et vinrent prendre le repas du soir. Il ne semblait pas y avoir plus d'une quinzaine de ces hommes silencieux et émaciés le long de cette portion de la Van Co Dong, qui se protégeaient contre tous les intrus possibles, et peu leur importait qui étaient ces intrus, mais ils ne comprenaient apparemment pas que personne ne viendrait jamais.

Toute la nuit, afin de chasser les moustiques, ils entretinrent le feu sur lequel ils cuisinaient. Trung dormit, son bandana étalé sur le nez et la bouche. Les autres ne paraissaient pas incommodés par la fumée.

Longtemps après la tombée de la nuit il se mit à pleuvoir. Les hommes commencèrent à réunir leurs affaires à la verticale des parties étanches du toit et tous se réinstallèrent en répétant « Bouge ! Bouge ! » Ils s'allongèrent à leur nouvel emplacement tandis qu'autour d'eux la pluie traversait abondamment le toit. Personne ne parlait à cause du bruit de l'eau. À la lueur d'une bougie, Trung distinguait leurs visages qui ne regardaient rien. Mais leur moral s'améliorait. Il y eut des chants et des rires. C'étaient de braves garçons. Ils se contentaient de faire ce qu'ils croyaient devoir faire. Quand la pluie se mit à tomber plus fort, ils coincèrent d'autres paquets de cigarettes aplatis çà et là dans le toit.

À minuit, quatre chiens entrèrent dans la grange. Trung était le seul à ne pas dormir. Il braqua sur eux le faisceau de sa lampe torche tandis qu'ils erraient en silence. Quand le pinceau de lumière les trouva, ils filèrent par la porte ouverte. La lumière traversait la fumée du feu de camp et jouait sur les hommes et les garçons endormis par groupes de deux ou trois. Ils étaient allongés côte à côte, leurs bras enlaçaient le corps voisin ou le touchaient comme on touche une peau familière.

À l'aube il sortit discrètement, s'assit en tailleur sur le sol mouillé, puis s'éclaircit les idées en se concentrant sur le va-et-vient de l'air à travers ses narines, comme durant son enfance il l'avait fait chaque matin et chaque soir au temple de l'Étoile Nouvelle. Et voilà maintenant presque un an qu'il le refaisait quotidiennement, sans savoir pourquoi. Cette pratique faisait de lui un mauvais communiste. En fait, il n'était plus convaincu que le sang et la révolution constituaient d'utiles outils pour modifier les concepts dans l'esprit des humains. Qui avait dit : « Je ne peux pas créer une sculpture à partir d'une pierre en me servant d'un marteau-pilon ; je ne peux pas libérer l'âme d'un homme par la violence » ? Sans doute Confucius.

La paix était ici, la paix était maintenant. La paix promise dans un autre temps ou un autre lieu était un mensonge.

Les quatre chiens de la nuit dernière avaient été les Quatre Nobles Vérités, chassant ses mensonges dans les ténèbres...

Il perdit le fil, se concentra de nouveau sur le mouvement de son souffle à travers ses narines.

Une fois encore, il se demanda pourquoi il avait réclamé de l'argent à Hao.

Le visage de Hao quand il me vit : comme le chiot avec lequel j'ai joué trop violemment. Ce petit animal me craignait désormais. J'adorais ça. Ah, non...

Tôt ou tard l'esprit s'empare d'une pensée et la suit dans le labyrinthe, une pensée en entraîne une autre. Alors le labyrinthe se recroqueville sur lui-même et tu te retrouves dehors. Tu n'as jamais été à l'intérieur – c'était un rêve.

Il se concentra de nouveau sur son souffle.

Le matin : une brume dissimule la rivière, un nuage reste accroché aux pics lointains. Il entend les garçons s'agiter à l'intérieur, s'éveiller pour découvrir le triomphe absolu de la terre, une autre journée hors de la tombe. Les yeux pleins de sommeil, ils avancent tous à tâtons, une couverture serrée sur les épaules, pour pisser. « Jeunes gens, tant que vous vivrez, leur dit-il, tâchez de vous réveiller de ce cauchemar. » Leurs visages endormis se tournent vers lui.

1965

Selon ce qui était devenu une routine hebdomadaire, le lundi soir William « Skip » Sands de la Central Intelligence Agency des États-Unis testait son énergie en accompagnant une patrouille composée à la fois de soldats et de policiers philippins dans la traque infructueuse d'individus invisibles parmi les montagnes obscurcies. Cette fois, son ami le commandant Aguinaldo ne put venir et personne d'autre ne savait quoi faire de l'Américain. Comme d'habitude ils avaient roulé toute la nuit bruyamment et sans un mot sur des chemins pleins d'ornières, dans un convoi de trois jeeps, à l'affût du moindre signe des guérilleros huk, comme d'habitude sans trouver le moindre opposant, et juste avant l'aube Sands revint à la résidence du personnel, où il découvrit les lumières éteintes et les climatiseurs silencieux. Pour la troisième fois de la semaine, l'électricité était coupée. Il ouvrit sa chambre à la rumeur de la jungle et transpira en pyjama.

Quatre heures plus tard le climatiseur de la fenêtre se remit en marche et Sands s'éveilla en sursaut, complètement, entre des draps trempés de sueur. Il avait dormi très tard, sans doute raté le petit déjeuner, et il lui faudrait mettre une croix sur sa gymnastique matinale. Il prit une douche rapide, enfila un pantalon kaki et une chemise de confection locale coupée droit, un vêtement vaporeux appelé barong tagalog, cadeau de son ami philippin, le commandant Aguinaldo.

En bas, dans la salle à manger, il trouva un seul couvert dressé pour lui sur l'acajou de la table. Les glaçons avaient fondu dans son verre d'eau. À côté étaient posés les journaux du matin, qui étaient en réalité ceux de la veille, acheminés à partir de Manille dans une sacoche de courrier. Sebastian, le domestique, émergea de la cuisine et dit :

« Bonjour, Skiip. Le barbier arrive.

— Quand ?

— Il vient maintenant.

— Où est-il ?

— Il est dans la cuisine. Tu veux le petite déjeuner d'abord ? Tu veux œuf ?

— Juste du café, merci.

— Tu veux bacon et œuf ?

— Acceptes-tu que je prenne seulement du café ?

— Un œuf comment ? À la coque ?

— Parfait. Parfait. »

Il s'installa à la table devant une grande baie vitrée qui donnait sur le spectacle délirant d'un terrain de golf à deux trous assiégé par une jungle exubérante. On avait construit cette minuscule unité d'habitation – une résidence, les quartiers des domestiques, une cabane et un atelier – pour accueillir en vacances le personnel de la société Del Monte. Sands n'avait encore rencontré personne de chez Del Monte et il ne s'y attendait plus. Selon toute apparence seuls deux autres hommes vivaient ici, un Anglais spécialiste des moustiques et un Allemand que Sands soupçonnait d'être un spécialiste d'une nature plus sinistre, peut-être un tireur d'élite.

Des œufs au bacon en guise de petit déjeuner. Des œufs minuscules. Le bacon avait toujours bon goût. Du riz, pas de pommes de terre. Un petit pain moelleux, pas de toasts. Les Philippins évoluaient dans la maison en uniforme blanc, avec serpillières et chiffons, pour traquer la poussière et la moisissure. Un jeune homme seulement vêtu d'un short noir franchit l'arche qui donnait sur la pièce principale, en patinant sur les deux moitiés retournées d'une noix de coco, afin de cirer le parquet.

Sands parcourut la première page du *Times* de Manille. Un gangster nommé Boy Golden avait été tué dans le salon de son appartement. Sands examina la photo du cadavre de Boy Golden, en peignoir, les membres de guingois et la langue tirée entre les mâchoires ouvertes.

Le barbier arriva, un vieillard qui tenait une boîte en bois, et Skip lui dit : « Installons-nous derrière. » Ils sortirent dans le patio par les portes vitrées.

C'était une belle journée, apparemment inoffensive. Pourtant, il se méfiait du ciel. De la pluie durant six semaines d'affilée, depuis son arrivée à Manille à la mi-juin, et puis un beau jour plus rien. C'était son premier voyage au-delà des frontières de l'Amérique. Il n'avait jamais résidé en dehors du Kansas, jusqu'au matin où, avec une valise rouge orangé, il avait pris le car pour Bloomington, dans l'Indiana, afin d'aller à l'université ; mais plusieurs fois dans son enfance et une fois encore pendant son adolescence il s'était rendu à Boston pour séjourner dans la branche paternelle de sa famille, la dernière fois passant presque tout l'été chez des parents de son père, une horde irlandaise de gros flics et d'anciens combattants semblables à des mastiffs et leurs épouses effarées qui évoquaient des caniches. Ils l'avaient submergé de leur vulgarité bon enfant et de leur tonitruant esprit grégaire, ils l'avaient étreint et aimé, en se révélant à lui comme la famille qu'il n'avait jamais trouvée au sein du groupe maternel originaire du Middle West, où chacun traitait les autres comme de simples connaissances. Il conservait peu de souvenirs de son père, tué à Pearl Harbor. Ses oncles irlandais de Boston avaient montré à Skip ce qu'il allait devenir, dessiné la silhouette qu'un jour, lorsqu'il serait adulte, il remplirait. Mais il ne croyait pas s'y ajuster. Cette silhouette montrait seulement combien il restait petit.

Et maintenant, il trouvait chez ces Philippins, ces charmants Irlandais miniatures, le même accueil chaleureux. Il venait d'entamer sa huitième semaine aux Philippines. Il aimait les gens, détestait le climat. Il était au début de sa troisième année au service des États-Unis, en tant que membre de la Central Intelligence Agency. Il considérait tant l'Agence que son pays comme glorieux.

« Je veux simplement que tu me dégages bien les oreilles », dit-il au vieillard. Sous l'influence de feu le président Kennedy, il avait commencé à laisser pousser ses cheveux coupés en brosse, et depuis une date récente – peut-être influencé par les vestiges espagnols de la région – il se laissait pousser la moustache.

Tandis que le vieillard s'activait sur sa chevelure, Sands consulta un second oracle, l'*Enquirer* de Manille ; le plus grand article figurant en première page s'annonçait comme le premier d'une série consacrée aux témoignages de pèlerins philippins sur des miracles stupéfiants : des guérisons d'asthmatiques, une croix de bois transformée en or massif, une croix de pierre qui bougeait, une icône en plâtre qui pleurait, une autre qui saignait.

Le barbier lui tint devant le visage un miroir de vingt centimètres sur quinze. Par bonheur, il n'était pas contraint de promener cette tête dans la capitale. La moustache était aussi peu substantielle que l'espoir et les cheveux avaient atteint un stade intermédiaire, trop longs pour passer inaperçus, trop courts pour être maîtrisés. Depuis combien d'années se coiffait-il en brosse ? – huit, neuf ans – depuis le matin de son entretien avec les recruteurs de l'Agence qui avaient débarqué sur le campus de Bloomington. Ces deux types arboraient un costume d'homme d'affaires et une coupe en brosse, ainsi qu'il l'avait déjà remarqué l'après-midi précédent, en espionnant leur arrivée à la résidence universitaire des invités – l'arrivée des recruteurs à la coupe en brosse, venus de la CIA. Le mot *Central* lui avait particulièrement plu.

Ici, à une journée en voiture de Manille sur des routes affreuses, il ne se sentait pourtant au centre de rien. Lire des journaux superstitieux. Regarder la vigne sur les murs en stuc, les traces de moisissure sur les murs, les lézards sur les murs, les mouchetures de boue sur les murs.

De son perchoir du patio Sands décela une tension sourde dans l'air, une espèce de différend qui couvait entre les employés – il n'aimait pas les considérer comme des « domestiques » – de la maison. L'atmosphère piqua sa curiosité. Mais son éducation au cœur de l'Amérique le vouait à se tenir à l'écart de toute controverse personnelle, à ne pas remarquer les mines renfrognées, à honorer les paroles évasives, à ne pas entendre les éclats de voix dans les pièces voisines.

Un Sebastian très nerveux arriva dans le patio et annonça :
« Quelqu'un ici pour vous.

— Qui est-ce ?

— Ils diront. Moi pas le dire. »

Mais vingt minutes plus tard, personne n'était venu voir Sands.

Une fois sa coupe de cheveux terminée, il retourna dans la fraîcheur du salon au parquet ciré. Vide. Et personne dans la salle à manger, sinon Sebastian qui mettait le couvert pour le déjeuner. « Quelqu'un est passé me voir ?

— Quelqu'un ? Non... Je crois personne.

— Tu ne m'as pas annoncé que j'avais un visiteur ?

— Personne, monsieur.

— Super, merci, laisse-moi deviner. »

Il s'installa sur le patio dans un fauteuil en rotin. Ici, il pouvait soit lire le journal, soit regarder l'entomologiste anglais, un certain

Anders Pitchfork, envoyer une balle de golf dans un sens puis dans l'autre avec un fer numéro trois, entre les deux greens de taille normale de ce terrain de golf singulièrement minuscule. Les deux arpents de pelouse étaient minutieusement entretenus et biologiquement uniformes, encerclés par une haute et solide clôture que les végétaux environnants étreignaient sombrement et inexorablement. Pitchfork, un Londonien grisonnant en bermuda et chemise Ban-lon jaune, un expert des moustiques anophèles, passait toutes ses matinées ici sur le terrain de golf jusqu'à ce que le soleil éclaire le toit de la résidence et que l'expert parte faire son boulot, lequel consistait à éradiquer la malaria.

Au bout de la colonnade, Sands aperçut le visiteur allemand qui prenait son petit déjeuner en pyjama dans le patio privé situé devant sa chambre. L'Allemand était venu dans cette région pour tuer quelqu'un – Sands croyait lui avoir adressé deux fois seulement la parole. Le chef de section l'avait accompagné depuis Manille, et bien que la visite du chef eût ostensiblement pour seul but de mettre Sands au parfum, il avait passé tout son temps avec l'Allemand et seulement ordonné à Sands de « rester disponible » et de « laisser l'homme tranquille ».

Quant à Pitchfork, le spécialiste de la malaria affublé de ce nom inoubliable – « Fourche à foin » –, il rassemblait simplement des informations. Peut-être chapeautait-il des agents, dans les villages.

Sands aimait deviner l'occupation de chacun. Les gens allaient et venaient selon des itinéraires plus ou moins louches. En Grande-Bretagne, on aurait sans doute appelé cette résidence un « refuge ». Mais aux États-Unis, en Virginie, Sands avait été formé à ne considérer aucune maison comme un refuge. À ne trouver aucune île nulle part en mer. Le colonel, son officier formateur le plus assidu, s'était assuré que chacune des recrues apprît par cœur ce passage de *Moby Dick* de Melville (chapitre « La Terre sous le vent ») :

Mais parce que c'est loin, très loin des terres que réside la vérité la plus haute, sans rivage, comme Dieu infinie, mieux vaut périr dans les clameurs de la tempête qu'être ignominieusement précipité sur les rives sous le vent, comme si là est la sécurité ! Simple vermisseau, celui qui voudrait revenir lâchement en se traînant sur le ventre [1] !

1. Traduction Philippe Jaworski, Bibliothèque de la Pléiade, Gallimard. (*N.d.T.*)

Pitchfork installa sa balle sur un tee, choisit dans son sac de golf posé près du green un bois à tête massive, puis envoya la balle au-dessus de la clôture, au fin fond de la végétation.

Pendant ce temps, à en croire l'*Enquirer*, des pirates s'étaient emparés d'un pétrolier dans la mer de Soulou et avaient tué deux hommes d'équipage. Dans la ville de Cebu, un candidat aux élections municipales et l'un de ses partisans avaient été criblés de balles par le propre frère du candidat. L'assassin soutenait l'adversaire de son frère – leur père. Et puis le gouverneur de la province de Camiguin avait été abattu, selon le journal, par un « amok », qui avait aussi tué deux autres personnes « avant de perdre entièrement la raison ».

Et maintenant l'Allemand s'entraînait face à un hévéa avec une sarbacane : de fabrication tout sauf primitive, décida Sands, car elle se démontait précisément en trois parties. Assemblée, elle faisait plus d'un mètre cinquante de long et les fléchettes étaient longues d'une bonne vingtaine de centimètres – blanches, effilées ; semblables, oui, à de très longs tees de golf. L'Allemand les décochait avec adresse dans l'écorce de sa cible, en s'arrêtant souvent pour s'essuyer le visage avec un mouchoir.

Skip avait rendez-vous au village avec son ami, le commandant Eddie Aguinaldo, de l'armée philippine.

Skip et l'assassin allemand, qui n'était peut-être pas un assassin, ni même allemand, descendirent ensemble au marché, lequel se trouvait à mi-pente de la montagne. Ils prirent la voiture de fonction climatisée, regardèrent par les fenêtres fermées de la banquette arrière les maisons en chaume au bois de construction vrillé et brut, les chèvres au piquet, les poulets errants, les chiens vacillants. Lorsqu'ils passaient devant des grands-mères qui, accroupies sur des perrons poussiéreux, crachaient des noix de bétel rouges, des essaims d'enfants minuscules se détachaient des vieilles pour courir le long de la voiture.

« Qu'est-ce que c'est ? Ils disent quelque chose.

— "Tcheuse", précisa Sands à l'Allemand.

— Qu'est-ce que c'est ? Vous avez dit "tcheuse" ? Ça veut dire ? Qu'est-ce que ça veut dire ?

— Autrefois leurs parents demandaient des allumettes aux GI. "*Matches ! Matches !*" Et aujourd'hui ils crient simplement : "Tcheuse,

tcheuse, tcheuse!" Ils ne savent pas ce que ça veut dire. Il n'y a plus le moindre GI dans la région, et quand ils veulent une allumette ils disent *posporo*. »

Mais les vieilles femmes s'agrippaient furieusement aux enfants, avec une ténacité qu'il ne leur avait jamais vue. « Qu'arrive-t-il à ces gens ? demanda-t-il à l'Allemand.

— Il leur faudrait un meilleur régime alimentaire. Ils manquent de protéines.

— Vous sentez ça ? Quelque chose se prépare.

— Ils ont trop peu de poissons dans les montagnes. La protéine est insuffisante.

— Ernest, dit Skip en se penchant vers l'avant pour parler au chauffeur, y a-t-il un événement prévu au village aujourd'hui ?

— Peut-être quelque chose, je ne sais pas, répondit Ernest. Je peux me renseigner pour vous. » Il venait de Manille et son anglais était excellent.

Le commandant Eduardo Aguinaldo, en treillis impeccable, attendait sur le siège arrière d'une Mercedes noire devant le Monte Mayon, un restaurant tenu par un Italien et sa famille philippine. Pavese, l'Italien, servait tout ce que les gens pouvaient acheter, c'est-à-dire pas grand-chose. Pour les visiteurs, Pavese préparait de délicieux spaghettis sauce bolognaise avec beaucoup de foie de chèvre. Le commandant accueillit l'Allemand avec chaleur, insista pour qu'il l'appelle « Eddie » et pour qu'il se joigne à eux au déjeuner.

À la grande surprise de Skip, l'Allemand accepta. Leur invité mangea abondamment, voluptueusement. Il n'était pas gros, mais la nourriture semblait être sa passion. Skip ne l'avait jamais vu aussi heureux. C'était une sorte d'ours barbu doté de lunettes à épaisse monture marron, d'une peau qui brûlait au lieu de bronzer et de grosses lèvres molles qui s'humectaient dès qu'il parlait.

« Prenons un espresso de Pavese, parce qu'il est plein de vie, proposa Aguinaldo. Skip est resté debout toute la nuit. Il est fatigué.

— Jamais de la vie ! Je ne suis jamais fatigué.

— Mes hommes se sont montrés aimables envers toi ?

— Très respectueux. Merci.

— Mais vous n'avez pas repéré de Huks ?

— À moins qu'ils n'aient été cachés au bord de la route. En tout cas, nous n'en avons vu aucun.

— Et les PP ?

— Les PP ? » C'étaient les hommes de la police philippine. « Les PP ont été parfaits. Ils sont restés entre eux.

— Ils se contrefichent de l'aide de l'armée. Je ne peux pas le leur reprocher. Ce n'est pas la guerre. Ces Huks sont seulement des renégats. On les a réduits au statut de bandits.

— Exact. » Mais ces excursions nocturnes constituaient pour Sands sa seule stratégie pour gagner des points et décrocher un nouveau poste à Manille ou, mieux encore, à Saigon. Surtout, ces patrouilles dans la jungle le soulageaient du sentiment désagréable d'avoir subi un entraînement rigoureux, descendu des falaises au bout d'une corde, été parachuté au beau milieu de nuages d'orage, transpiré en apprenant à fabriquer des matériaux hautement explosifs, enjambé des barbelés, traversé des torrents bouillonnants au cœur de la nuit, été interrogé durant des heures tout en étant ligoté à une chaise, toutes ces épreuves endurées afin de devenir un rond-de-cuir, rien de plus qu'un simple rond-de-cuir. Compiler. Trier. Accomplir ce que n'importe quelle vieille fille bibliothécaire pouvait accomplir. « Et toi, qu'as-tu fait hier soir ? demanda-t-il à Eddie.

— Moi ? Je me suis couché de bonne heure et j'ai lu James Bond.

— Sans blague ?

— Peut-être partirons-nous en patrouille ce soir ? Voulez-vous venir ? proposa Aguinaldo à l'Allemand. C'est parfois très excitant. » L'Allemand était troublé. « Quel est le but ? demanda-t-il à Sands.

— Notre ami ne viendra pas, dit Sands à Eddie.

— Je descends plus bas, expliqua l'Allemand.

— Plus bas ?

— Jusqu'au train.

— Oh. La gare. Vous allez à Manille, dit Aguinaldo. Dommage. Nos petites patrouilles proposent des expériences vivifiantes. »

Comme si on les canardait jamais. Pour autant que Skip le sût, elles n'avaient jamais subi la moindre attaque. Eddie était un gamin, mais il aimait paraître menaçant.

Trois semaines plus tôt, à Manille, Sands avait vu Eddie jouer le rôle de Henry Higgins dans une mise en scène de *My Fair Lady*, et il ne pouvait chasser de son esprit l'image de son ami le commandant outrageusement maquillé et poudré, en train de se pavaner sur les planches en veston de smoking, s'arrêtant avant de se retourner vers une ravissante actrice philippine pour lui dire : « Liza, où diable sont mes chaussons ? » Le public, composé d'hommes d'affaires philippins et de leurs familles, s'était alors levé en rugissant. Sands aussi avait été impressionné.

« Quel est cet objet avec lequel vous vous entraînez ? demanda Sands à l'Allemand.

— Vous voulez dire le *sumpit*. Oui.

— Une sarbacane ?

— Oui. De la tribu des Moros.

— *Sumpit* est un mot tagalog ?

— Je crois qu'on l'utilise dans toutes les régions, dit Eddie.

— C'est un mot employé partout dans ces îles, confirma l'Allemand.

— Et c'est fabriqué en quoi ?

— La construction, vous voulez dire ?

— Oui.

— Magnésium.

— Magnésium ? Incroyable.

— Très solide. Très léger.

— Qui vous l'a faite ? »

Il posait simplement ces questions pour alimenter la conversation, mais il fut stupéfait de voir Eddie et l'assassin échanger alors un regard. « Une entreprise privée de Manille », dit l'Allemand, et Sands laissa tomber le sujet.

Après leur repas, tous trois prirent des espressos dans des tasses minuscules. Avant d'aller dans ce village reculé, Sands n'y avait jamais goûté.

« Que se passe-t-il aujourd'hui, Eddie ?

— Je ne comprends pas ta question ?

— Est-ce une sorte de... je ne sais pas... d'anniversaire triste ? Par exemple, le jour de la mort d'un grand chef ? Pourquoi tout le monde semble-t-il si morose ?

— Tu veux dire *nerveux* ?

— Oui. Nerveusement morose.

— Je crois, Skip, qu'ils ont été ensorcelés. Il y a un vampire dans les environs. Une espèce de vampire nommée *aswang*.

— Un vampire ? dit l'Allemand. Vous voulez dire Dracula ?

— L'*aswang* peut se transformer en n'importe qui, prendre n'importe quelle forme. Vous voyez tout de suite le problème : ça veut dire que n'importe qui peut être un vampire. Quand ce genre de rumeur se met à circuler, elle envahit un village comme un poison glacé. Un soir de la semaine dernière – mercredi dernier, vers huit heures – j'ai vu un rassemblement à la sortie du marché, des gens qui battaient une vieille femme en criant *"Aswang! Aswang!"*

— Ils la battaient ? Une vieille femme ? fit Skip. Ils la battaient avec quoi ?

— Avec tout ce qui leur tombait sous la main. Je n'ai pas très bien vu. Il faisait nuit. Il m'a semblé qu'elle s'était enfuie dans une autre rue. Mais plus tard un boutiquier m'a dit qu'elle s'était changée en perroquet avant de s'envoler. Ce perroquet a mordu un petit bébé, et le bébé est mort en moins de deux heures. Le prêtre ne peut rien faire. Même le prêtre est impuissant.

— Ces gens sont comme des enfants fous », dit l'Allemand.

Après le repas, leur compagnon monta dans la voiture de fonction et poursuivit sa descente de la montagne vers la voie de chemin de fer à destination de Manille, et Skip demanda :

« Tu connais ce type ?

— Non, répondit Eddie. Tu crois vraiment qu'il est allemand ?

— Je crois qu'il est étranger. Et étrange.

— Il a rencontré le colonel, et maintenant le voilà parti.

— Le colonel ? Quand ?

— Il est significatif qu'il ne se soit pas présenté.

— Lui as-tu demandé son nom ?

— Non. Comment s'appelle-t-il ?

— Je ne lui ai pas demandé.

— Il n'a jamais proposé de payer sa part du repas. Je vais payer. » Eddie conféra avec une Philippine rebondie que Skip identifia comme étant Mme Pavese, puis il revint en disant : « Je vais prendre quelques fruits pour le petit déjeuner de demain.

— Je crois, dit Sands, que la mangue et les bananes sont très bonnes à cette époque de l'année. Tous les fruits tropicaux.

— S'agit-il d'une blague ?

— Oui, c'est une blague. »

Ils entrèrent au marché, sous la bâche bigarrée qui faisait office de toit assez bas, dans les odeurs de viande fétide et de légumes putrescents. Des mendiants incroyablement difformes et infirmes se précipitèrent derrière eux en se traînant sur la terre compacte du sol. Des petits enfants les accostèrent aussi, mais les mendiants, sur des chariots à roues ou des moignons chaussés de demi-noix de coco, ou encore défigurés de cicatrices, aveugles et édentés, dispersèrent la

nuée des enfants à coups de canne et d'extrémité de membres ampu-
tés, avec force jurons et sifflements. Aguinaldo dégaina son arme de
ceinture et la braqua sur la petite meute surexcitée, qui recula aussitôt comme un seul homme et renonça à ses projets. Il marchanda
durement avec une vieille vendeuse de papayes, puis ils ressortirent
dans la rue.

Eddie ramena Sands à la résidence Del Monte dans sa Mercedes.
Rien, pour l'instant, n'avait transpiré entre eux. Sands se retenait de
demander si leur rencontre avait une raison précise. Eddie entra dans
le restaurant avec lui, mais pas avant d'avoir ouvert le coffre de la
voiture, pour y prendre un lourd paquet oblong entouré de papier
brun et d'une ficelle. « J'ai quelque chose pour toi. Un cadeau
d'adieu. » À sa demande ils se réinstallèrent sur la banquette arrière
– la sellerie en cuir était protégée d'un drap blanc qui virait au gris.

Eddie tint le paquet sur ses genoux et déballa une carabine M1
modèle parachutiste, dotée d'un canon métallique pliant. Le bois du
fût avait été retravaillé et gravé d'un motif compliqué. Eddie tendit
l'arme à Skip.

Sands la fit pivoter entre ses mains. Eddie dirigea le faisceau d'une
lampe-stylo sur la partie gravée. « C'est formidable, Eddie. Un boulot fantastique. Je te remercie infiniment.

— La bandoulière est en cuir.

— Oui. C'est vrai.

— C'est une très bonne arme.

— Je suis honoré et reconnaissant. » Sands était sincère.

« Deux types du National Bureau of Investigation l'ont essayée.
Ce sont de merveilleux armuriers.

— Magnifique. Mais tu as parlé de cadeau d'adieu. Qui s'en va?

— Ainsi, tu n'as toujours pas reçu d'ordre?

— Non. Rien. De quoi s'agit-il?

— De rien. » Le commandant arbora son sourire affecté, à la
Henry Higgins. « Mais peut-être vas-tu recevoir une nouvelle affectation.

— Ne me mets pas sur des charbons ardents, Eddie, ne me mets
pas sous la pluie! Ne me mets pas sous une tente ruisselante!

— Ai-je dit quoi que ce soit? Je suis aussi ignorant que toi. En
as-tu parlé avec le colonel?

— Je ne l'ai pas vu depuis des semaines. Il est à Washington.

— Il est ici.

— Tu veux dire à Manille ?

— Ici, à San Marcos. En fait, je suis sûr qu'il est dans la résidence.

— Dans la résidence ? Pour l'amour de Dieu. Non. C'est un gag.

— Je crois qu'il fait partie de ta famille.

— C'est un gag, hein ?

— Pas du tout, à moins que ce ne soit lui qui ait monté ce gag. Je lui ai parlé au téléphone ce matin. Il m'a dit qu'il appelait de cette maison.

— Hum hum. » Sands se sentit stupide d'articuler de simples onomatopées, mais les mots lui manquaient.

« Tu le connais bien ?

— Aussi bien que... hum. Je ne sais pas. C'est lui qui m'a formé.

— Ça veut dire que tu ne le connais pas. C'est lui qui te connaît.

— D'accord, d'accord.

— C'est vrai que le colonel est un parent à toi ? Ton oncle ou quelque chose comme ça ?

— C'est la rumeur du moment ?

— Peut-être suis-je indiscret ?

— Oui, c'est mon oncle. Le frère de mon père.

— Fascinant.

— Désolé, Eddie. Je déteste avoir à dire ça.

— Mais c'est un homme formidable.

— C'est pas ça. Je déteste profiter de son nom.

— Tu devrais être fier de ta famille, Skip. Sois toujours fier de ta famille. »

Sands entra dans la résidence pour s'assurer qu'il s'agissait d'une erreur, mais c'était absolument vrai. Le colonel, son oncle, était assis au salon et buvait des cocktails avec Pitchfork.

« Je vois que tu es habillé pour la soirée », dit le colonel en faisant allusion au barong de Skip. Il se leva et tendit une main musclée, légèrement humide et froide à cause du verre qu'elle venait de serrer. Le colonel portait lui-même l'une de ses chemises hawaiiennes. Il avait un torse massif et une grosse bedaine, des jambes arquées et des coups de soleil. Il n'était pas beaucoup plus grand que le commandant philippin, mais on aurait dit une montagne. Il avait des cheveux argentés coupés en brosse et une tête en forme d'enclume. À cette heure il était saoul, mais il se tenait droit dans ses bottes par le pouvoir de sa propre histoire : le football pour Knute Rockne à Notre-

Dame, des missions pour les Tigres Volants en Birmanie, des opérations antiguérilla ici dans la jungle avec Edward Lansdale et, plus récemment, au Sud Vietnam. En 41, il avait passé des mois en Birmanie comme prisonnier de guerre, avant son évasion. Il avait combattu les Tigres malais et le Pathet Lao ; il avait affronté des ennemis lors de nombreux conflits asiatiques. Skip l'aimait, mais il n'était pas content de le voir.

« Eddie ! » fit le colonel en prenant la main du commandant entre les siennes, avant de déplacer sa main gauche pour lui saisir le bras au-dessus du coude et lui masser le biceps. « Enivrons-nous.

— Trop tôt !

— Trop tôt ? Merde – trop tard pour que je puisse faire machine arrière !

— Trop tôt ! Juste un thé, s'il vous plaît », demanda Eddie au domestique, et Skip réclama la même chose.

Le colonel considéra avec curiosité le paquet sous le bras de Skip. « Du poisson pour le dîner ?

— Montre-lui ! » dit Eddie, et Skip posa le M1 sur la petite table en cuivre, niché dans son emballage ouvert.

Le colonel s'assit et tint l'arme en travers de ses cuisses, exactement comme Skip l'avait fait dans la voiture quelques instants plus tôt, en faisant courir ses doigts sur le bois gravé. « Un boulot fantastique. » Il sourit. Mais il ne regardait personne en souriant. Il baissa la main vers le sol, puis tendit à Skip un sac d'épicerie en papier brun. « Pour toi.

— Non merci, dit Skip.

— Que contient ce sac ? demanda Eddie.

— Courrier de l'ambassadeur, dit le colonel.

— Ah ! Des mystères ! »

Comme toujours, le colonel buvait dans deux verres à la fois. Il agita son verre vide en direction du domestique.

« Sebastian, il n'y a vraiment plus de Bushmills ?

— Whisky irlandais Bushmills arriver ! s'écria le jeune homme.

— Les domestiques semblent bien vous connaître, dit Pitchfork.

— Je ne suis pas un visiteur très assidu.

— Je crois que vous les terrifiez.

— Peut-être que je leur donne de gros pourboires. » Le colonel se leva pour rejoindre le seau posé sur la desserte, y prendre des glaçons avec les doigts et les mettre dans son verre, puis il resta là, les yeux baissés, comme quelqu'un qui se prépare à partager une réflexion. Ils attendirent, mais à la place il se mit à boire à petites gorgées.

« Colonel, reprit Pitchfork, jouez-vous au golf? »

Eddie éclata de rire. « Si vous attirez le colonel sur les greens, il va bousiller le paysage.

— Je reste à l'écart du soleil tropical », dit le colonel. Il suivit d'un regard ravi le derrière d'une domestique qui installait le service à thé sur la table basse en cuivre. Quand les autres eurent une tasse ou un verre en main, il leva le sien : « Au dernier des Huks. Puisse-t-il rejoindre bientôt sa tombe.

— Au dernier des Huks! » s'écrièrent les autres.

Le colonel but longuement, émit un « Ah » sonore, puis ajouta : « Puisse l'ennemi se montrer digne de nous.

— Bravo! » fit Pitchfork.

Skip emporta dans ses quartiers le sac en papier et le beau fusil, qu'il posa tous deux sur le lit, soulagé d'être seul pour une minute. La domestique avait ouvert sa chambre durant la journée. Il referma fenêtres et vitres à claire-voie, puis mit en route le climatiseur.

Il renversa le contenu du sac sur le lit : une douzaine de pots de deux cent cinquante grammes de colle au caoutchouc. Tel était le principal ingrédient de son existence.

Tout le système de fiches du colonel, plus de mille neuf cents entrées classées de la plus ancienne à la plus récente, était disposé sur quatre tables pliantes poussées contre le mur, de part et d'autre de la porte de la salle de bains de Skip, plus de mille neuf cents bristols de huit centimètres sur douze, alignés dans une douzaine d'étroits tiroirs en bois fabriqués, lui avait appris le colonel, dans les ateliers gouvernementaux de l'enceinte du front de mer, à Manille. Par terre sous ces tables attendaient sept boîtes contenant chacune quinze kilos de bristols vierges, et deux boîtes remplies de milliers de photocopies de format A4, un double du même ensemble des mille neuf cents bristols, à raison de quatre par page. Le principal boulot de Skip, sa tâche essentielle durant cette période de sa vie, son but ici dans cette vaste chambre située derrière le minuscule terrain de golf, consistait à créer un second catalogue classé selon des catégories spécifiquement conçues par le colonel, puis à croiser les deux. Sands n'avait aucune secrétaire, aucune aide – c'était la centrale de renseignements privée du colonel, sa cachette, son secret. Il prétendait avoir réalisé toutes les photocopies lui-même, affirmait que Skip était la seule autre personne à être entrée en contact avec ces mystères.

Le grand massicot en forme de guillotine, les longues, longues rangées de pots de colle. Et les douzaines de tiroirs à bristols, ces massives auges longues de un mètre, comme celles des bibliothèques, chacune portant quatre chiffres peints au pochoir sur le carré en bois de la face avant :

2242

— le nombre porte-bonheur du colonel : le 2 février 1942, date de son évasion du camp de prisonniers japonais.

Il entendit le colonel raconter une histoire. Son rugissement traversa toute la maison tandis que les autres riaient. En présence de son oncle, Sands ressentait un désespoir honteux et féminin. Comment pourrait-il un jour devenir quelqu'un d'aussi entier et impressionnant que le colonel Francis Sands ? Très tôt il avait admis qu'il était faible et impressionnable, et il avait décidé de trouver de vrais héros. John F. Kennedy en avait été un. Lincoln, Socrate, Marc Aurèle... Le sourire du colonel tandis qu'il examinait ce fusil – le colonel savait-il à l'avance que Skip devait recevoir ce cadeau ? Parfois, le colonel avait un de ces sourires qui irritaient Skip, la moue de celui qui sait.

Bien avant de suivre les pas de son oncle dans les services secrets – en fait, avant même la fondation de la CIA –, encore enfant, Skip avait fait de Francis Sands une légende personnelle. Francis soulevait des haltères, pratiquait la boxe et le football américain. Il était aviateur, guerrier, espion.

À Bloomington ce jour-là, neuf ans plus tôt, le recruteur avait demandé : « Pourquoi désirez-vous entrer dans l'Agence ?

— Parce que mon oncle dit qu'il veut m'avoir comme collègue. »

Le recruteur ne broncha pas. Comme s'il s'était attendu à cette réponse. « Et qui est votre oncle ?

— Francis Sands. »

Alors l'homme broncha. « Pas le colonel ?

— Si. Il a été colonel pendant la guerre. »

Le second type intervint alors : « Une fois colonel, toujours colonel. »

Il était en première année à l'université, il avait dix-huit ans. Cette inscription à l'université de l'Indiana constituait son premier déménagement depuis 1942, quand après le décès de son père à bord de l'*Arizona* à Pearl Harbor, sa mère, veuve depuis peu, l'avait ramené de San Diego, en Californie, vers les plaines de sa propre jeunesse, à Clements, au Kansas, pour passer le restant de son enfance avec elle dans la maison paisible, au milieu d'une tristesse qui s'ignorait. Elle le ramena à Clements début février, le mois précis où son beau-frère Francis Xavier, le Tigre Volant capturé, s'évada en sautant dans la mer de Chine par-dessus le bastingage d'un bateau japonais de prisonniers de guerre.

Diplômé, Skip accepta d'entrer dans la CIA, mais avant même le début de sa formation il dut retourner à la fac pour faire un mastère de littérature comparée à l'université George Washington, où il aida des exilés nationalistes chinois à traduire des essais, des nouvelles et des vers issus du continent communiste. La poignée de journaux publiant ces textes étaient presque entièrement financée par la CIA. Il obtint une allocation mensuelle de la World Literature Foundation, une antenne de la CIA.

En entendant le nom de son oncle durant cette matinée de 1955, les deux recruteurs sourirent et Skip les imita, mais seulement parce qu'ils souriaient. Le second type dit : « Si vous souhaitez faire carrière parmi nous, je crois que nous pouvons vous accueillir. »

C'était ce qu'ils avaient fait. Et ici, sous ses yeux, s'étalait cette carrière : mille neuf cents résumés d'entretiens, presque tous incompréhensibles pour lui...

Duval, Jacques (?), propriétaire de 4 bateaux de pêche (hélios, souvenir, devinette, renard). [*Golfe de Da Nang*], épouse [*Tran* Lu (Luu??)] bateaux mvs ét poss util criminel/intel. Aucun bénéf de la pêche. CXR

— les trois dernières lettres désignaient l'interrogateur qui avait rédigé cette note. Skip avait pris l'habitude d'ajouter ses propres commentaires, des citations de ses héros personnels – « Ne demandez pas ce que votre pays peut faire pour vous... » – sur des bristols marqués JFK, LINC, SOC, le plus grand nombre de ces citations étant tirées des *Pensées* de Marc Aurèle, des messages que le vieil empereur romain, assiégé et solitaire à la frontière de son empire, avait rédigés pour lui seul au deuxième siècle après Jésus-Christ :

Rien ne saurait être bon pour un homme, à moins de l'aider à le rendre juste, autodiscipliné, courageux et indépendant; et rien ne saurait être mauvais, à moins d'avoir l'effet contraire. MAP

Alors que Skip approchait du salon, Pitchfork glapissait : « Bravo! Bravo! »

On leur avait déjà servi un plat de poisson et de riz. Skip prit place devant une assiette vide, près du coude gauche du colonel, et le domestique lui servit sa portion. Ils mangeaient dans la pénombre des candélabres. Quand il y eut une panne d'électricité, l'atmosphère ne changea pas notablement. Le bourdonnement des climatiseurs se tut dans les pavillons, au salon le ventilateur du plafond cessa de vrombir et de tourner.

Pendant ce temps, le colonel pérorait, poignardant l'air de sa fourchette, l'autre main serrée autour de son verre comme pour le river à la nappe. Il s'exprimait avec un accent irlandais de Boston, modifié par toutes les années passées sur des bases de l'armée de l'air au Texas et en Géorgie. « Le seul vrai but de Lansdale, c'est de connaître les gens, d'apprendre d'eux. Ses efforts relèvent de l'art.

— Bravo! s'écria Pitchfork. Totalement absurde, **mais** bravo, bravo!

— Edward Lansdale est un être humain exemplaire, assena le colonel. Je le dis sans rougir.

— Et quel est le rapport entre Lansdale et l'*aswang* ou la moindre de nos légendes? demanda Eddie.

— Permettez-moi de le répéter, peut-être que vous m'entendrez cette fois-ci, dit le colonel. Edward Lansdale est absolument fasciné par les gens, leurs chansons, leurs histoires, leurs légendes. Tout ce qui est créé par cette fascination en termes de *renseignements* – vous me suivez? – relève du sous-produit. Bon Dieu, ce poisson était plutôt maigrichon. Sebastian, où est mon petit poisson? Où est-il passé? Hé – tu serais pas en train de lui servir mon poisson? » À cet instant précis, le domestique Sebastian tendait le plateau de bangos à Skip pour lui proposer d'en reprendre. Skip savait que c'était le plat préféré du colonel. Avait-on averti de sa visite jusqu'au cuisinier? « Okay, je viens de pêcher une baleine, dit le colonel en se resservant. Je remets à plus tard mon histoire d'*aswang*. »

Sebastian prit sur lui de servir un troisième poisson dans l'assiette du colonel, puis il retourna vers la cuisine en riant tout seul. Là, le personnel parlait à voix haute et riait. Dès que le colonel arrivait avec ses blagues, les Philippins perdaient les pédales. L'affection évidente qu'il leur manifestait les plongeait dans une espèce de délire. Y compris Eddie. Il avait déboutonné sa tunique et troqué l'eau glacée contre le chardonnay. Skip voyait déjà la soirée s'achever avec des disques de phonographe répandus un peu partout sur le parquet ciré, tout le monde dansant le Limbo Rock et tombant sur les fesses.

Soudain, Eddie s'écria : « J'ai bien connu Ed Lansdale ! J'ai long-temps travaillé avec lui ! »

Vraiment ? Eddie ? Skip n'arrivait pas à y croire.

« Anders, demanda Skip à Pitchfork, quel est le nom scientifique de ce poisson ?

— Les bangos ? On appelle ça le poisson-lait. Il fraye en amont des rivières, mais vit en mer. *Chanos salmoneus.*

— Pitchfork, commenta Eddie, parle plusieurs langues. »

Les bangos avaient une chair goûteuse, semblable à celle de la truite, qui ne sentait quasiment pas le poisson. L'AID [1] avait contri-bué à financer un élevage au pied de la montagne. Le colonel man-geait régulièrement et avec soin, retirant les arêtes minuscules du bout de sa fourchette et faisant descendre ses bouchées de bango avec plusieurs verres de whisky. Ses habitudes n'avaient pas changé : tous les soirs après cinq heures, il buvait copieusement et sans s'excuser. Le point de vue de la famille, même s'il n'était jamais formulé claire-ment, était que les Irlandais boivent, mais boire avant cinq heures faisait brouillon, décadent, voire patricien. « Parle-nous de l'*aswang.* Raconte-nous une belle histoire, demanda-t-il à Eddie.

— Bon, très bien, acquiesça Eddie en jouant une fois de plus, selon Skip, son personnage de Henry Higgins. Voyons voir ; il était une fois – c'est bien ainsi que ce genre de chose commence – un frère et une sœur qui vivaient avec leur mère, laquelle était en fait veuve suite au décès du père dans des circonstances tragiques, je suis désolé de ne pas me rappeler exactement lesquelles, mais je suis sûr que c'était héroïque. Je regrette seulement que vous ne m'ayez pas pré-venu à l'avance : j'aurais pu consulter ma grand-mère ! Quoi qu'il en soit, je vais tâcher de me rappeler cette histoire. Deux jeunes enfants donc, un frère et une sœur, et maintenant je vous prie encore de m'excuser, car il s'agit d'une paire d'orphelins, leurs deux parents ont

1. Agency for International Development (Agence pour le développement international). (*N.d.T.*)

été tués et en fin de compte ce n'est pas leur mère, mais la vieille tante de leur mère qui s'occupait d'eux dans une hutte à quelque distance d'un de nos villages de Luzon. Peut-être notre propre village de San Marcos, je ne l'exclus nullement. Le garçon était fort et courageux, la jeune fille belle et aimable. La grand-tante était – eh bien, je suis sûr que vous avez deviné –, elle adorait tourmenter ces deux merveilleux enfants en les accablant de tâches innombrables, en les injuriant et en les battant à coups de balai pour qu'ils travaillent plus vite. Le frère et la sœur lui obéissaient sans rechigner, car ils étaient parfaitement dociles.

» Le village avait longtemps vécu heureux, mais une malédiction était tombée sur ses habitants depuis peu : un *aswang* assoiffé de sang dévorait les agneaux ainsi que les jeunes chevreaux ; pis encore, il dévorait les petits enfants et surtout les jeunes filles comme la sœur. Parfois l'*aswang* prenait la forme d'une vieille femme, parfois celle d'un sanglier gigantesque aux énormes défenses, parfois même il apparaissait comme un adorable bambin pour tromper les petits, les attirer dans l'ombre et sucer leur sang innocent. Les habitants de la région étaient terrifiés, ils ne souriaient plus, ils restaient chez eux la nuit, près des bougies allumées, ils n'allaient plus jamais dans la forêt ni dans la jungle pour cueillir les avocats ou les plantes médicinales, pour chasser et manger de la viande. Tous les après-midi ils se rassemblaient dans la chapelle du village afin de prier pour la mort de l'*aswang*, mais en vain. Pire, lorsque après ces prières ils rentraient chez eux à pied, ils étaient parfois victimes d'une agression sauvage et sanglante.

» Bon, ainsi qu'il convient dans ce genre de situation, un saint apparut alors au frère et à la sœur. Saint Gabriel, vêtu des haillons d'un vagabond, se matérialisa un beau jour dans la jungle. Il rencontra les enfants au puits quand ils vinrent y puiser de l'eau, et donna au garçon un arc ainsi qu'un sac de flèches – comment appelez-vous ce sac ?

— Un carquois, dit Pitchfork.

— Un carquois de flèches. Voilà une expression vraiment magnifique. Il donna donc au gamin un carquois de flèches et un arc très solide en lui ordonnant de passer toute la nuit au grenier situé au bout du chemin, car là il allait tuer l'*aswang*. De nombreux chats se rassemblaient la nuit dans ce grenier, l'un d'eux était en fait l'*aswang*, qui prenait cette forme afin de se camoufler. "Mais, monsieur, comment reconnaîtrai-je l'*aswang*, car vous ne m'avez pas donné assez de flèches pour tuer tous les chats ?" Saint Gabriel répondit : "L'*aswang* ne jouera pas avec son rat quand il en attrapera un : il le mettra aussitôt en pièces pour se repaître de son sang. Quand tu verras un chat se comporter de la sorte, tu devras l'abattre sur-le-champ, car ce chat sera l'*aswang*. Bien sûr, si tu échoues, je n'ai pas besoin de te dire que tu te sentiras toi-même déchiqueté par les crocs de l'*aswang*, et qu'il boira ton sang tandis que tu mourras."

» "Je n'ai pas peur, dit le garçon, car je sais que vous êtes saint Gabriel déguisé. Je n'ai pas peur et avec l'aide des saints je vais réussir."

» Quand le garçon rentra chez lui avec ces flèches et le reste, la tante de sa défunte mère refusa de le laisser ressortir. Elle affirmait qu'il devait dormir chaque nuit dans son lit. Elle s'en prit à lui avec son balai, lui confisqua ses armes et les cacha dans le chaume de la hutte. Mais pour la première fois, le garçon désobéit à sa tutrice et les reprit cette nuit-là, puis il rejoignit le grenier en silence, avec une bougie ; il attendit parmi les ombres, et je vous assure qu'il s'agissait d'ombres très étranges ! Des silhouettes de rats détalaient dans l'obscurité presque absolue. Et des silhouettes de chats rampaient partout, environ trois douzaines de chats. Lequel était l'*aswang* ? Laissez-moi seulement vous dire qu'une paire de crocs écarlates brilla tout à coup dans la nuit, on entendit le sifflement d'un *aswang*, puis son cri et, alors qu'un visage horrible bondissait vers sa gorge, le garçon décocha une flèche et entendit un bruit sourd quand la créature maléfique retomba en arrière, puis un gémissement étranglé, après quoi il entendit des griffes gratter le sol tandis que le monstre blessé se traînait par terre pour chercher refuge quelque part. En explorant ensuite les environs, le garçon découvrit la patte coupée d'un chat géant aux griffes mortelles, la patte avant gauche : la flèche la transperçait de part en part.

» Le jeune héros rentra chez lui et son affreuse vieille tutrice le réprimanda. Sa sœur aussi était réveillée. La grand-tante leur servit du thé et un peu de riz. "Où es-tu allé, mon frère ?" "J'ai combattu l'*aswang*, ma sœur, et je crois que je l'ai blessé." Et la sœur dit : "Tante bien-aimée, toi aussi tu t'es absentée cette nuit. Où étais-tu ?"

» "Moi ? fit la tante bien-aimée. Non, je suis restée ici avec toi toute la nuit." Mais elle servit le thé très vite, puis s'excusa et partit s'allonger.

» Plus tard, le lendemain, les deux enfants trouvèrent la vieille femme pendue à l'arbre devant la hutte. Sous son cadavre le sang faisait une flaque en gouttant de l'endroit où son bras gauche manquait. Plus tôt, en servant le thé, elle leur avait caché sous sa robe le spectacle de son bras coupé, de son sang qui coulait, le sang empoisonné de l'*aswang*.

» C'est une vieille histoire, dit Eddie. Je l'ai entendue maintes fois. Mais les gens croient qu'elle va arriver pour de bon, et maintenant ils croient qu'elle est arrivée ici, hier, cette semaine. Mon Dieu, ajouta-t-il en remplissant son verre de chardonnay et en agitant la bouteille renversée au-dessus du verre tandis que son modeste public applaudissait, ai-je bu toute cette bouteille en vous racontant mon histoire? »

Le colonel faisait déjà tourner le tire-bouchon dans le goulot d'une autre bouteille. « Y a de l'Irlandais en toi, mon gaillard. » Il porta un toast : « Aujourd'hui, c'est l'anniversaire du commodore Anders Pitchfork. *Salud!*

— Commodore? s'étonna Eddie. Vous plaisantez!

— Je plaisante pour le rang. Mais pas pour l'anniversaire. Pitchfork : vous souvenez-vous où vous étiez le jour de votre anniversaire, il y a vingt-deux ans?

— Il y a exactement vingt-deux ans, répondit Pitchfork, je me balançais sous un parachute par une nuit obscure, au-dessus de la Chine. Je ne connaissais même pas le nom de la province où j'allais atterrir. Et qui était aux commandes de l'avion d'où je venais de sauter? Qui venait de me donner une demi-douzaine de barres chocolatées avant de me pousser par la porte de l'appareil? Et qui maintenant s'en retournait vers un douillet lit de camp?

— Et qui ne l'a jamais rejoint, ce lit de camp, parce que ces salauds m'ont abattu? Et à qui avez-vous, vingt jours plus tard, donné un œuf dur dans un camp de prisonniers de guerre? »

Pitchfork tendit le doigt vers le colonel. « Pas parce que je suis généreux. Parce que c'était l'anniversaire de ce malheureux. »

Eddie en resta bouche bée. « Vous avez survécu à un camp jap? »

Le colonel repoussa sa chaise et s'essuya le visage avec sa serviette. Il transpirait en clignant des yeux. « Ayant été un hôte très déshonoré des Japonais... comment expliquer... je sais ce que signifie être prisonnier. Laissez-moi dire ça autrement – laissez-moi tourner ça autrement – donnez-moi une minute et je vais vous expliquer ça différemment... » La tête baissée, il les regardait sombrement, surtout Skip, alors que le jeune homme se convainquait peu à peu et sans joie que son oncle avait perdu le fil de ses pensées et que dans son délire il allait brusquement changer de sujet.

« Les Japonais », lui souffla Sands sans avoir le courage de s'en abstenir.

Le colonel se tenait assis loin de la table, les genoux écartés, les doigts de la main droite serrés autour du verre posé sur sa cuisse, le dos absolument droit, son visage rubicond couvert de sueur. Voici un grand homme, annonça Sands à lui-même. Distinctement mais en silence, il le dit : L'incarnation de la grandeur torturée. En cet instant il ne put s'empêcher de dramatiser, car c'était vraiment merveilleux.

« Ils n'avaient pas de cigares », reprit le colonel. Son attitude rigide et laconique inspirait une admiration terrifiée, mais pas forcément la confiance. Il était saoul, après tout. Et il transpirait tant qu'ils auraient aussi bien pu le contempler à travers du verre pilé. Mais quel guerrier !

Sands se surprit à se parler de nouveau à lui-même : Peu importe où ce voyage nous emmènera, j'en serai.

« Durant cette guerre, dit Pitchfork, je savais précisément qui haïr. C'étaient nous les guérilleros. Nous, les Huks. Et voilà ce qu'il nous faut être pour vaincre les salopards au Vietnam. Lansdale le prouve, si vous voulez mon avis. Nous avons besoin d'être les guérilleros.

— Moi je vais vous dire qui nous devons être, dit le colonel. Je vais vous dire ce qu'Ed Lansdale a appris à devenir : un *aswang*. Voilà ce qu'est Ed Lansdale : un *aswang*. Oui. Je vais respirer deux fois, m'éclaircir les idées, et je vais vous dire. » Il prit une respiration, mais aussitôt se tourna vers Pitchfork : « Non, non – n'allez pas beugler "Bravo, bravo !" »

Eddie s'écria :

« Bravo, bravo !

— Bon, le moment est venu de vous raconter mon histoire d'*aswang*. Dans les collines là-bas au-dessus d'Angeles, tout là-haut à la verticale de la base aérienne de Clark, Lansdale a ordonné aux commandos philippins avec qui il travaillait de kidnapper deux guérilleros huk pendant une de leurs patrouilles, de prendre ces deux types en queue de leur groupe. Il les a fait étrangler, pendre par les pieds, puis vider de leur sang » – le colonel posa deux doigts sur son propre cou – « par deux trous pratiqués dans la jugulaire. Puis il a laissé les cadavres sur le sentier pour que leurs camarades les découvrent le lendemain. Ce qu'ils ont fait... Et à dater de ce jour, on n'a plus jamais entendu parler de Huks dans le secteur.

— Bravo, bravo! s'écria Pitchfork.

— Bon, maintenant réfléchissons un peu, suggéra le colonel. Ces Huks ne vivaient-ils pas de toute manière dans l'ombre de la mort? Lansdale et sa force de frappe les tuaient lors de petites escarmouches au rythme, disons, d'une demi-douzaine par mois. Si la menace de leurs exterminateurs quotidiens ne réussissait pas à les impressionner, pourquoi la mort de ces deux types les a-t-elle fait décamper d'Angeles?

— Eh bien, c'est la peur superstitieuse, avança Eddie. La peur de l'inconnu.

— Inconnu, mon cul! Nous devons analyser cette situation en termes pour nous exploitables, tonna le colonel. J'affirme que ces Huks se sont alors trouvés impliqués au niveau du mythe. D'ailleurs, quatre-vingt-dix pour cent de la guerre relève du mythe, non? Pour mener nos propres guerres nous les élevons au niveau du sacrifice humain, n'est-ce pas, et nous invoquons sans cesse notre Dieu. Il faut qu'il y ait un autre enjeu que la seule mort, sinon nous déserterions tous. Je crois qu'il nous faut devenir beaucoup plus conscients de cette vérité. Je crois qu'il nous faut aussi invoquer les dieux du type d'en face. Ainsi que ses démons, son *aswang*. Il redoute davantage ses dieux, ses démons et son *aswang* qu'il ne nous redoutera jamais.

— Je crois le moment bien choisi pour que vous lanciez "Bravo, bravo!" » dit Eddie à Pitchfork. Mais l'Anglais se contenta de finir son vin.

« Colonel, arrivez-vous de Saigon? demanda Eddie.

— Non. Mindanao. J'étais à Davao City. Et à Zamboanga. Et dans un endroit appelé Damulog, un village de la jungle – vous y êtes allé, n'est-ce pas?

— Deux ou trois fois, oui. À Mindanao.

— Damulog?

— Non. Ça ne me dit rien.

— Je suis surpris de l'entendre, fit le colonel.

— Et pourquoi cette surprise? s'enquit Eddie.

— Quand on aborde certains aspects de Mindanao, on apprend que c'est vous le spécialiste.

— Désolé, dit Eddie, mais je ne peux pas vous aider. »

Le colonel agita sa serviette sous le nez de Skip : « C'est quoi, ça ?

— Ah ! s'écria Eddie. Le premier à remarquer la moustache ! Oui, il se métamorphose en Wyatt Earp. » Eddie lui-même en arborait une, à la mode des jeunes Philippins, des poils noirs largement espacés qui étaient comme une ébauche de moustache.

« Un moustachu doit avoir un talent particulier, dit le colonel, un don spécial, susceptible de lui faire pardonner sa vanité. Le tir à l'arc, les tours de cartes, de quoi...

— Les palindromes », proféra Anders Pitchfork.

Sebastian apparut et annonça : « Crème glacée au dessert. Nous devons la manger en entier, sinon sans électricité elle va fondre.

— Nous ? s'étonna le colonel.

— Peut-être que, si vous ne la finissez pas, nous devrons la finir à la cuisine.

— Pas de dessert pour moi. Je nourris mes vices, dit le colonel.

— Oh, pour l'amour du ciel ! fit Eddie. J'ai un instant oublié ce qu'est un palindrome. Les palindromes ! Oui ! »

Les lampes se rallumèrent, çà et là dans la résidence les climatiseurs reprirent lentement vie. « Mangez donc cette glace quand même », dit le colonel à Sebastian.

Après le dîner ils s'installèrent dans le patio pour le cognac et les cigares, ils écoutèrent le grésillement de la lampe anti-insectes et abordèrent le sujet dont ils avaient évité de parler pendant tout le dîner, ce sujet dont tout le monde finissait par parler, tous les jours.

« Mon Dieu, dit Eddie, à Manille nous avons appris la nouvelle aux environs de trois heures du matin. À l'aube tout le monde était au courant. Pas seulement par la radio, mais de cœur à cœur. Tous les Philippins sont descendus dans les rues de Manille pour pleurer.

— Notre *président*, dit le colonel. Le président des *États-Unis*. Saleté. Quelle saleté.

— Ils ont pleuré comme pour un grand saint.

— C'était un homme magnifique, dit le colonel. Voilà pourquoi nous l'avons tué.

— Nous ?

— La frontière qui sépare la lumière et les ténèbres traverse le centre de chacun de nos cœurs. De chacune de nos âmes. Il n'y a pas un seul d'entre nous qui ne soit pas coupable de sa mort.

— Ça paraît... » Skip ne voulait pas le dire. Religieux. Mais il le dit quand même : « Ça paraît religieux.

— Ma seule religion c'est mes cigares, dit le colonel. En dehors de ça... la religion ? Non. C'est davantage que la religion. Il s'agit de la vérité, bordel ! Tout ce qui est bon, tout ce qui est beau, nous sautons dessus, et *blam !* Vous voyez ces pauvres bestioles ? » Il se tourna vers les fils de la lampe anti-insectes, sur lesquels les moustiques tombaient et voletaient brièvement. « Les bouddhistes ne gâcheraient jamais l'électricité de la sorte. Vous savez ce qu'est le "karma" ?

— Voilà que vous redevenez religieux.

— Je le suis, bon Dieu. Je dis qu'elle est en nous, toute cette saleté de guerre. C'est la religion, pas vrai ?

— De quelle guerre parlez-vous ? De la guerre froide ?

— Ce n'est pas la guerre froide, Skip. C'est la troisième guerre mondiale. » Le colonel marqua une pause pour arrondir la cendre de son cigare contre le talon de sa chaussure. Eddie et Pitchfork ne disaient rien, ils regardaient fixement les ténèbres, ivres ou épuisés par la faconde du colonel – Skip n'arrivait pas à se décider – tandis que le colonel, ainsi qu'il était prévisible, émergeait frais comme un gardon du nuage où il avait un peu plus tôt semblé se perdre. Mais Skip faisait partie de la famille : il devait se montrer à la hauteur. À la hauteur de quoi ? De l'escalade de ce mont Everest social : une soirée passée à festoyer et à boire avec le colonel Francis X. Sands. Pour se préparer à cette ascension, il se déplaça jusqu'à la desserte.

« Où vas-tu ?

— Je me sers un cognac. Puisque la troisième guerre mondiale est là, autant que je profite une dernière fois des bonnes choses de la vie.

— Nous sommes en plein conflit mondial, ça fait près de vingt ans que ça dure. Je ne crois pas que la Corée nous l'a suffisamment prouvé, en tout cas notre analyse n'a pas été digne des faits. Mais depuis le soulèvement de la Hongrie, nous acceptons enfin de regarder la réalité en face. C'est une troisième guerre mondiale qui ne veut pas dire son nom. L'Apocalypse en catimini. C'est un combat entre le bien et le mal, et son vrai champ de bataille est le cœur de chaque être humain. Et maintenant je vais pousser le bouchon encore un peu plus loin. Je vais te dire une bonne chose, Skip : je me demande parfois si ce n'est pas Alamo, bordel. Nous vivons dans un monde déchu. Dès que nous avons les yeux tournés, les rouges gagnent du terrain.

— Mais c'est pas seulement un combat entre le bien et le mal, répondit Skip. C'est entre les cinglés et ceux qui ne le sont pas. Il suffit de nous accrocher jusqu'à ce que le communisme s'effondre sous le poids de ses propres inepties économiques. Sous le poids de sa propre folie.

— Les cocos sont peut-être dingos, mais ils ne manquent pas de jugeote ni de culot. Ils croient au pouvoir central et au sacrifice impensable. J'ai peur », dit le colonel avant d'avaler une gorgée de son verre ballon. Cette hésitation donna l'impression qu'il était arrivé à la fin de sa phrase et qu'il avait donc peur... Il se racla la gorge et reprit : « J'ai peur que tout cela ne rende les communistes invincibles. »

Ce genre de discours embêtait Sands. Il n'y croyait absolument pas. Il avait trouvé la joie et vu la vérité ici dans une jungle où les sacrifices avaient saigné à blanc la fausse foi et où le centre de commandement avait pourri sur pied, où le communisme était mort. Ils avaient éliminé les Huks ici à Luzon et ils finiraient par les éliminer jusqu'au dernier, tous les communistes de la planète. « Vous vous rappelez la crise des missiles de Cuba ? Kennedy leur a tenu tête. Les États-Unis d'Amérique ont tenu tête aux Soviétiques et les ont obligés à reculer.

— À la baie des Cochons il a tourné casaque et laissé mourir de nombreux braves dans la poussière. – Non, non, non, ne te méprends pas, Skip. Je suis pour Kennedy et je suis un patriote. Je crois à la liberté et à la justice pour tous. Je ne suis pas assez sophistiqué pour avoir honte de le clamer. Mais ça ne veut pas dire que je regarde mon pays à travers une sorte de brume rosée. Je travaille dans le renseignement. Je cherche la vérité. »

Pitchfork parla dans l'obscurité : « Je connaissais beaucoup de bons Chinois en Birmanie. Nous avons sacrifié nos vies les uns pour les autres. Certains parmi ces mêmes types sont aujourd'hui de bons communistes. J'attends le jour où ils se feront tous abattre.

— Anders, vous êtes saoul ?

— Un peu.

— Seigneur, dit Skip, quel dommage qu'il soit mort ! Comment est-ce arrivé ? Qu'allons-nous faire maintenant ? Et quand viendra le jour où nous cesserons de répéter toutes ces questions ?

— Je ne sais pas si tu es au courant, Skip, mais il y a des gens très haut placés qui nous croient à l'origine de ce forfait. Notre équipe. En particulier, les bons amis de Cuba sont dans le collimateur, les types qui ont monté la baie des Cochons. Alors arrivent l'enquête, la commission, Earl Warren et Russell et les autres – Dulles a bossé là-dessus pour écarter tous les soupçons. Il a bossé comme un malade. Ce qui a fait de nous les coupables rêvés. »

Eddie se redressa brusquement. Son visage était une ombre, mais il avait l'air mal en point. « Je ne trouve pas un seul palindrome, annonça-t-il. Je prends congé.

— Tu te sens bien ?

— J'ai besoin de rouler un peu, de prendre l'air.

— Allez, de l'air, de l'air, dit le colonel.

— Je te raccompagne à ta voiture » – mais Skip sentit la main du colonel sur son bras.

« Inutile », dit Eddie, et bientôt ils entendirent la Mercedes démarrer de l'autre côté de la maison.

Le silence. La nuit. Non, pas le silence, mais le sombre et violent crépitement des insectes de la jungle.

« Bah, fit le colonel, je n'espérais pas tirer quoi que ce soit de ce brave Eddie. Je ne sais pas ce qu'ils manigancent. Et pourquoi prétend-il avoir longtemps travaillé avec Ed Lansdale ? Du temps de Lansdale, Eddie était encore en culottes courtes. En 52 c'était un minuscule bébé.

— Oh, bon », dit Sands en pensant que, lorsque la passion s'emparait du cœur du commandant Eddie, il s'exprimait volontiers sur un mode poétique qu'il était sans doute injuste de confondre avec le mensonge.

« Comment as-tu fait pour t'occuper ici ?

— Les patrouilles de nuit en compagnie d'Aguinaldo. Et puis, conformément aux ordres, je me suis familiarisé avec le fichier de cartes. J'ai suivi les horribles consignes : découper et coller.

— Bon. Très bien, *sir*. Des questions ?

— Oui. Pourquoi le fichier ne contient-il aucune référence à cette région-ci ?

— Parce qu'il n'a pas été constitué ici. Tout concerne manifestement Saigon. Et ses environs. Il y en a aussi sur Mindanao, dont j'ai hérité. Oui, je suis l'officier de section pour Mindanao, où il n'y a aucune section. Besoin de quelque chose ?

— Je stocke les duplicatas dans les boîtes après les avoir mis au bon format. J'aurais besoin d'autres tiroirs. »

Le colonel saisit l'assise de sa chaise entre ses jambes et s'approcha tout près de Skip. « Sers-toi seulement des boîtes en carton, d'accord? Nous allons bientôt les expédier. » Une fois encore il parut pris de boisson, son regard était vague, et sans doute, si on avait pu le voir, son nez était-il rouge, une réaction à l'alcool partagée par tous les hommes de son côté de la famille; mais ses mots restaient précis et brusques : « D'autres questions?

— Qui est cet Allemand? Si c'est bien ce qu'il est?

— L'Allemand? C'est l'homme d'Eddie.

— L'homme d'Eddie? Aujourd'hui nous avons déjeuné avec lui et Eddie ne semblait absolument pas le connaître.

— Eh bien, si ce n'est pas l'homme d'Eddie, je ne sais pas de qui il prend ses ordres. Certainement pas de moi.

— Eddie prétend que vous l'avez rencontré.

— Eddie Aguinaldo, dit le colonel, est l'équivalent philippin du menteur invétéré. D'autres questions?

— Oui : Anders, c'est quoi ces petites mouchetures de boue sur les murs?

— Vous demande pardon?

— Ces petites taches de boue? Quelque chose à voir avec des insectes? Vous êtes bien entomologiste? »

Pitchfork, réveillé de son somme, but une gorgée méditative de cognac. « Je m'intéresse en particulier aux moustiques.

— Les espèces les plus nocives, précisa le colonel.

— Je défends surtout le drainage des marais, expliqua Pitchfork.

— Anders m'a fait un rapport très positif sur toi. Vraiment élogieux, dit le colonel.

— C'est un bon gars. Il manifeste une curiosité louable, fit Pitchfork.

— Un membre de notre équipe à Manille t'a-t-il contacté?

— Non. À moins que vous ne considériez Pitchfork, qui vit surtout ici, comme un contact.

— Pitchfork ne fait pas partie de notre équipe.

— Alors dans quelle équipe joue-t-il?

— Je suis un empoisonneur, dit Pitchfork.

— Anders est réellement et honorablement employé par la société Del Monte. Elle contribue généreusement à l'éradication de la malaria.

— Je travaille sur le DDT et l'assèchement des marécages. Mais j'ignore quelle sorte d'organisme crée ces petites mouchetures de boue. »

Le colonel Francis Sands renversa la tête en arrière et avala la moitié d'un verre ballon, avant de cligner des yeux face à l'obscurité, de tousser et de dire : « Ton papa – mon propre frère – a trouvé la mort au cours de ce répugnant raid japonais sur Pearl Harbor. Et qui étaient nos alliés durant cette guerre ?

— Les Soviétiques.

— Et qui est notre ennemi aujourd'hui ? »

Skip connaissait le scénario : « Les Soviétiques. Et qui sont nos alliés ? Les répugnants Japonais.

— Et qui, intervint Pitchfork, combattais-je dans la jungle malaise en 51 et 52 ? Ces mêmes guérilleros chinois qui nous ont filé un sacré coup de main en Birmanie en 40 et 41.

— Nous devons, dit le colonel, conserver nos idéaux, leur faire traverser sains et saufs le dédale. Je devrais plutôt parler de course d'obstacles. Avec des obstacles où les plus coriaces peuvent se casser les dents.

— Bravo, bravo ! » s'écria Skip. Il détestait entendre son oncle dramatiser l'évidence.

« La survie est le fondement du triomphe, dit Pitchfork.

— Qui est pour ? demanda le colonel.

— Mais en fin de compte, ajouta Pitchfork, c'est soit la liberté soit la mort. »

Le colonel leva son verre vide en direction de Pitchfork. « À Forty Kilo, Anders a fait fonctionner une petite radio à transistors pendant sept mois. Aujourd'hui encore il refuse de me dire où il la cachait. Il y avait dans ce camp au moins une douzaine de petits salopards de Japs qui jour et nuit passaient tout leur temps à essayer de mettre la main dessus. » Forty Kilo était l'avant-poste birman sur une voie de chemin de fer, où toute leur bande avait été enfermée par les Japonais en 1940. « Nous nous servions de noix de coco en guise de bol pour le riz, dit-il. Chaque prisonnier avait sa noix de coco. » Il tendit le bras pour saisir le poignet de son neveu.

« Hum, hum, fit Skip. Êtes-vous encore avec nous ? »

Le colonel regardait dans le vide. « Eh. »

Il bondit pour ramener son oncle sur terre. « Colonel, le fichier de cartes inclut bien Saigon, n'est-ce pas ? »

Le colonel le regarda dans l'obscurité en se déplaçant un peu, en procédant à de minuscules ajustements dans sa posture, peut-être pour maintenir sa tête en équilibre sur son cou. Apparemment comme une sorte d'exercice de focalisation de la vision, il examina ce qu'il restait de son cigare, essaya diverses distances, puis sembla reprendre conscience, et se redressa sur sa chaise.

« Je travaille mon français, dit Sands. Trouvez-moi un poste au Vietnam.

— Où en est ton vietnamien ?

— J'ai besoin de le rafraîchir.

— Tu ne parles pas un traître mot de cette langue.

— Je l'apprendrai. Envoyez-moi à l'école de langues de l'armée.

— Personne ne veut de Saigon.

— Moi si. Mettez-moi dans un bureau là-bas. Je m'occuperai de votre fichier. Faites de moi votre conservateur.

— Parle à mon cul, ma tête est malade.

— Je rendrai la plus insignifiante des données accessible en un clin d'œil – il vous suffira de chercher avec ces deux doigts et hop là, tout ce que vous voudrez quand vous voudrez, *sir*.

— Tu es donc tombé amoureux des fichiers ? Tu es tombé sous le charme de la colle au caoutchouc ?

— Nous allons les battre. Je veux être là-bas pour ça.

— Personne ne veut aller à Saigon. Tu veux Taiwan.

— Colonel, avec tout le respect que je vous dois, *sir*, ce que vous avez déclaré un peu plus tôt est entièrement faux. Nous allons les battre à plate couture.

— Je n'ai pas dit que nous ne les battrions pas, Skip. J'ai dit que nous ne les battrions pas automatiquement.

— Je m'en rends bien compte. J'espère qu'ils seront dignes de nous.

— Aaaah – malgré tous les efforts que j'ai pu faire, tu es l'un de ces nouveaux garçons. Tu es d'une espèce différente.

— Envoyez-moi au Vietnam.

— Taiwan. Là où il fait bon vivre et où tu pourras rencontrer tous les gens qui montent. Ou Manille. Pour moi, Manille est numéro deux.

— Mon français s'améliore. Je le lis bien, depuis toujours. Envoyez-moi à l'école de langues de l'armée et je débarquerai à Saigon en parlant comme un indigène.

— Arrête ça. Saigon est une porte à tambour. Aussitôt arrivés, les gars s'en vont.

— J'ai besoin d'élastiques. Longs et épais. Je désire classer vos cartes par régions jusqu'à ce que vous me donniez d'autres tiroirs. Et d'autres tables de bridge. Accordez-moi une pièce et deux assistants à Saigon. Je vous écrirai une encyclopédie. »

Le colonel pouffa de rire, un gloussement bas, sifflant – sarcastique, histrionique –, mais Skip savait que c'était bon signe. « Très bien, Will. Je vais t'envoyer dans cette école, on trouvera une astuce. Mais d'abord j'ai besoin que tu accomplisses une mission pour moi. Mindanao. J'ai un zigoto là-bas sur qui je désire en apprendre davantage. Ça t'irait d'aller traîner un peu tes basques à Mindanao ? »

Sands domina une bouffée de terreur et répondit avec emphase : « Je suis votre homme, *sir*.

— Fonds-toi dans le paysage. Baise avec les serpents. Mange de la chair humaine. Apprends tout.

— Vaste programme...

— Il y a là-bas un type nommé Carignan, un prêtre, il vit dans ce pays depuis des décennies et des décennies. Le père Thomas Carignan. Tu le trouveras dans le fichier. Familiarise-toi avec tout ce qui concerne ce type nommé Carignan. Citoyen américain au fin fond de la brousse, un *padre*. Il réceptionne des armes, un truc de ce genre.

— Qu'est-ce que ça veut dire ?

— J'en sais rien, ce que ça veut dire. C'est la phraséologie en vigueur. Il réceptionne des fusils. Je ne sais rien de plus.

— Et ensuite ?

— Tu vas là-bas. Tu vois le zigue. On dirait bien que nous allons finaliser ce dossier.

— Finaliser ?

— Nous repérons le terrain. Ce sont les ordres.

— "Finaliser" paraît un peu... » Il ne réussit pas à finir sa phrase. « Paraît un peu... quoi ?

— Il me semble que ça ne concerne pas seulement les dossiers.

— Aucune décision ne sera prise avant des mois. En attendant, nous voulons que tout soit en place. S'il y a une embrouille, elle ne viendra pas de nous. Tu vas là-bas pour me transmettre ton rapport. Tu me l'enverras par la station de radio Voice of America de Mindanao.

— Et ensuite je deviens votre archiviste au Vietnam ?

— Le Vietnam. Tu ferais mieux d'expédier ton fusil M1 à ta maman au pays. Nous ne fournissons plus ce genre de munitions.

— Merde. Je crois que je vais prendre un autre cognac. »

Le colonel tendit son verre tandis que Skip servait. « Un toast – mais pas au Vietnam. À l'Alaska. Banzaï ! »

Anders et Skip levèrent leurs verres.

« C'est une heureuse coïncidence. Parce que je voulais te confier une petite mission, et je crois que si ta conduite sur le terrain est aussi exemplaire que je l'avais prévu, alors j'aurai toutes les raisons de te trouver un nouveau poste.

— Est-ce que vous me faites marcher ? Vous me faites marcher depuis le début de la soirée ?

— Le début de la soirée ?

— Non. Pas le début de la soirée. Depuis...

— Depuis quand, Skip ? » Il tira sur son cigare et son visage empâté se mit à briller d'une lueur orangée dans l'obscurité.

« Vous êtes un comédien.

— Je te fais marcher ?

— Depuis que j'ai douze ans.

— Tu sais, je suis allé une fois en Alaska, dit le colonel. J'ai inspecté la route Alaska-Canada qu'ils ont construite pendant la guerre. Fantastique. Pas la route, le paysage. Cette puissante voie n'était qu'une petite égratignure insignifiante dans le paysage. Tu n'as jamais vu un monde semblable. Il appartient au dieu qui était dieu avant la Bible... Dieu avant qu'il ne se réveille et ne se contemple... Dieu qui était son propre cauchemar. Il n'y a pas de pardon là-bas. À la moindre erreur, ce paysage te broie, te transforme en bouillie sanguinolente, et sans attendre une seule seconde, fiston. » L'œil rouge, il regarda autour de lui, comme s'il reconnaissait à peine son environnement immédiat. Sands se contraignit à ne pas se sentir trop déconcerté. « J'ai rencontré une dame qui vivait là depuis pas mal d'années – plus tard, quoi, c'est à Noël dernier que j'ai eu ce plaisir. Une femme âgée, qui a passé sa jeunesse et presque toute sa vie d'adulte près du fleuve Yukon. Quand j'ai évoqué l'Alaska, elle a émis un seul commentaire. Elle a dit : "C'est une terre oubliée de Dieu."

» Pauvres fils de pute confits de politesse. J'interprète votre silence comme un signe de respect. Je l'apprécie sincèrement. Voulez-vous que j'aille droit au but ?

» La remarque de cette dame m'a fait réfléchir. Tous les deux, nous avions eu la même expérience de cet endroit : c'était davantage qu'un simple environnement étranger. Nous avions tous deux perçu le ministère d'un dieu étranger.

» Seulement quelques jours plus tôt, deux jours avant tout au plus, vraiment, j'avais relu un ou deux passages du Nouveau Testament.

Ma fille chérie m'en a fait cadeau. En ce moment même je l'ai dans mes affaires. » Le colonel se leva à demi, se rassit. « Je vous en fais grâce. L'essentiel c'est – aha ! oui ! Ce saligaud a quelque chose à dire, et il n'est pas trop torché pour en faire part –, voici l'essentiel, Will. » Personne ne l'avait jamais appelé Will. « Saint Paul dit qu'il y a un seul Dieu, il le confirme, mais il ajoute : "Il y a un seul Dieu, et maints ministères." Selon moi, ça veut dire qu'on peut sortir d'un univers et pénétrer dans un autre ; il suffit de se tourner dans une direction et de marcher tout droit. Je veux dire, on peut débarquer dans une contrée où le destin des êtres humains est absolument différent de ce que tu croyais qu'il était. Et cet univers entièrement différent est administré par la terre elle-même. Par la poussière, bordel.

» Alors quelle est la chose essentielle ? L'essentiel c'est le Vietnam. L'essentiel c'est le Vietnam. L'essentiel c'est le Vietnam. »

Fin septembre Sands prit le train dans la ville située au bas de la montagne pour aller à Manille. Il faisait très chaud. Il s'installa près d'une fenêtre ouverte. Aux arrêts, des vendeurs montaient dans les wagons avec des tranches de mangues et d'ananas, des cigarettes et des chewing-gums qu'ils proposaient à l'unité, dans des paquets ouverts. Un petit garçon essaya de lui fourguer une photo carrée, de trois centimètres de côté, où Sands mit un temps fou à reconnaître l'entrejambe nu d'une femme, vu de très près.

Conformément aux ordres, il ne se rendrait pas à l'ambassade ni ne contacterait le moindre individu pour évoquer sa mission. Il aurait volontiers retrouvé le commandant, mais on lui avait très clairement notifié de rester à l'écart d'Eduardo Aguinaldo. Néanmoins, le club des officiers dans l'enceinte du front de mer ne lui avait pas été interdit, et l'on y servait les meilleures côtes de porc qu'il eût jamais goûtées. À la gare de Manille il se faufila rapidement à travers la horde des mendiants et des petits trafiquants, sa main droite serrant son portefeuille au fond de sa poche de pantalon, puis il rejoignit l'enceinte de Dewey Boulevard dans un taxi qui empestait l'essence.

Dans le club climatisé du front de mer, il pouvait regarder par la baie vitrée sud le soleil qui descendait au-dessus de la baie de Manille, ou bien, de l'autre côté de la pièce, par la baie vitrée nord, la piscine. Deux malabars, sans doute des marines qui gardaient l'ambassade, exécutaient des plongeons acrobatiques, des sauts périlleux avant et arrière. Une Américaine aux cheveux noirs, en maillot de bain deux pièces couleur fauve et imitation léopard, le scandalisa. C'était quasiment un bikini à la française. Elle parlait à son fils adolescent, assis tête baissée sur le repose-pieds d'une chaise longue. Elle n'était plus jeune, mais elle était formidable. Toutes les autres femmes présentes ce jour-là à la piscine portaient des maillots de bain une pièce. Skip avait peur des femmes. Les côtes de porc arrivèrent, succulentes, onctueuses. Il ne s'y connaissait pas assez en cuisine pour deviner l'astuce qui permettait d'obtenir de telles côtes de porc.

Avant de partir, il acheta un paquet plat de cigarettes Benson & Hedges qu'il prit sur le présentoir proche de la caisse — même s'il ne fumait pas. Il aimait bien les distribuer autour de lui.

Il attendit un taxi à la sortie du club, debout dans la lumière déclinante en regardant le grand parc, les jacarandas et les acacias, le mur couvert de pointes acérées, l'entrée de l'enceinte, le drapeau américain. Au spectacle de ce drapeau, il sentit les larmes lui monter aux yeux. Devant la bannière étoilée, toutes les passions de sa vie s'unissaient pour faire sourdre la douleur qui était indissociable de son amour des États-Unis d'Amérique — son amour des visages sales, ingrats, honnêtes des GI sur les photographies de la Seconde Guerre mondiale, son amour des rideaux de pluie qui se succédaient sur le terrain de football à la fin de l'année scolaire, son amour des souvenirs sensuels des étés de son enfance, ces nombreux étés du Kansas où il courait d'une base à la suivante, tombait sur l'herbe sans se faire mal, sa tête toute palpitante de chaleur, les rues hébétées des après-midi sans vent, l'épaisse ombre palpable des ormes colossaux, le babil des radios derrière le rebord des fenêtres, le bruissement des corbeaux à ailes rouges, la tristesse des adultes obnubilés par leurs entreprises incompréhensibles, les voix qui fusaient dans les jardins lors de crépuscules de plus en plus tardifs, les trains traversant la ville vers le ciel. L'amour qu'il vouait à son pays, à sa patrie, était un amour pour les États-Unis d'Amérique en été.

Le drapeau ondoyait dans la brise salée et derrière lui le soleil sombrait. Sands n'avait jamais contemplé aucun spectacle naturel aussi embrasé et écarlate que ces couchers de soleil sur la baie de Manille. La lumière mourante chargeait l'eau et les nuages bas d'une vitalité terrifiante. Un taxi miteux s'arrêta devant lui, deux hommes jeunes et soigneusement anonymes du Foreign Service en descendirent et le jeune homme anonyme de l'Intelligence Service les remplaça sur la banquette arrière.

Carignan se réveilla après un rêve agité qui ressemblait à un cauchemar et le laissa tout tremblant, mais quelle partie de ce rêve devait l'effrayer? Un rêve, ou plutôt une visite : une silhouette, un moine doté d'un pâle ovale uniforme à la place du visage, lui dit : « Ton corps est le rameau qui allume la passion entre ton amour de Jésus et la grâce de Dieu. » Il avait tellement oublié la langue anglaise que certaines expressions lui semblaient effacées alors même qu'il les répétait mentalement et les essayait sur ses lèvres – passion, allumer. Des années s'étaient écoulées depuis qu'il avait ne fût-ce que chuchoté de tels mots. Et il fut surpris de rêver de grâce ou de Jésus-Christ, car depuis belle lurette il n'avait pas laissé ce genre de chose le troubler.

La solitude de ma propre vie – le voyage solitaire de Judas rentrant chez lui.

Il se leva de son lit dans l'angle de l'église humide, rejoignit la rivière brun pâle avec un lingot de savon brun pâle. Deux petits gamins le regardèrent, tandis qu'assis sur le large dos d'un carabao, le buffle d'eau domestiqué local, ils pêchaient en tenant leur fil à la main. Un autre animal similaire se vautrait non loin dans un profond trou boueux à proximité de la berge : seuls ses naseaux étaient visibles, et une partie de ses cornes. En sous-vêtements et tongs, Carignan faisait glisser le savon sous le tissu et se baignait avec vivacité, de peur que les sangsues ne s'intéressent à lui.

Quand il fut rentré et eut changé de short, mis un pantalon kaki et un T-shirt, puis fixé son col, Pilar avait préparé le thé.

Le prêtre s'assit sur une souche toute proche d'une table branlante sous un palmier, alluma la première cigarette de la journée, et but dans une tasse en porcelaine.

« Aujourd'hui, annonça-t-il à Pilar, je vais voir le maire de Damulog. Le maire Luis.

— Tout le chemin jusqu'à Damulog?

— Non. Nous allons tous les deux à Basig, c'est là que nous nous verrons.

— Aujourd'hui?

— Oui, il a fixé le rendez-vous à aujourd'hui.

« — Qui vous l'a dit?

— Le *datu* de Basig.

— Bien. Je vais tout emporter chez ma sœur et je ferai le lavage là-bas.

— Aucun service religieux avant dimanche matin. » Il lui suffisait de l'annoncer à Pilar, tout le monde en serait bientôt informé.

« D'accord.

— Nous devons voir les trois autres *datus*. À cause du mission-naire – tu te rappelles, celui qui a disparu?

— Le missionnaire de Damulog.

— Ils croient l'avoir retrouvé.

— Blessé?

— Mort. Si c'est bien lui. »

Pilar se signa. C'était une veuve d'âge mûr, à la nombreuse paren-tèle, tant musulmane que catholique, et elle s'occupait bien de lui.

« Apporte-moi mes tennis, s'il te plaît », dit-il.

C'était une journée grise, mais il mit son chapeau de paille pour effectuer les dix kilomètres de marche sur le chemin de terre rouge jusqu'à Basig. Le vent se leva, les tiges frémirent et s'agitèrent, puis les palmiers, puis les maisons. Des nuages de minuscules scarabées noirs, aussi nombreux que des gouttes de pluie, infestèrent les bour-rasques puis s'en allèrent. Les enfants qui jouaient sur les chemins criaient dès qu'ils le voyaient, et détalaient. À Basig, il gagna la place du marché en se disant comme chaque fois que son existence s'amé-liorerait s'il vivait ici dans une ville. Mais cette ville était musulmane, il était hors de question d'y installer une église.

Avant qu'il n'ait rejoint le marché, le *datu* de Basig et les deux autres de Tanday, un village situé dans les collines, – des hommes frisant la soixantaine, tous les trois, chacun portant un jean ou un pantalon kaki dépenaillé, un chapeau conique comme le sien, l'un tenant une longue lance – le rejoignirent et l'encadrèrent, et bientôt dans la sécurité de la ville les enfants réfugiés dans l'ombre d'avant-toits en chaume crièrent doucement « pa-dair, pa-dair » – *father, father* (père, père)... Les quatre hommes entrèrent ensemble au café pour tuer le temps avant l'arrivée du maire Luis. Carignan demanda du riz avec un plat de viande de chèvre et du café soluble. Les autres commandèrent du riz et de la seiche.

Carignan acheta un paquet de cigarettes Union, en alluma une, et si ça déplaisait à ces musulmans, tant pis pour eux. Mais chacun des trois *datus* lui en demanda une et tous les quatre se retrouvèrent à fumer.

La semaine précédente le maire Luis avait fait savoir que les gens en possession du cadavre et des effets personnels du mort avaient déjà été informés de quelques détails permettant d'identifier la victime. Les *datus* avaient dit qu'ils retourneraient jusqu'à Basig avec le verdict – s'agissait-il du missionnaire américain disparu? – le mardi. Carignan croyait qu'on était déjà jeudi. Aucune importance.

Le minibus en provenance de Carmen arriva couvert de passagers et les essaima comme une gigantesque cosse. Le maire de Damulog était sans doute à l'intérieur.

Les gens passaient devant la porte du café, devant les fenêtres, regardaient dans la salle, mais personne n'y entrait. Un vieux poivrot édenté, assis tout seul à une autre table, marmonnait une chanson. Une musique tout à fait différente venait du fond de la pièce, où quelques gamins étaient accroupis autour d'une radio grésillante de l'armée américaine. La station la plus audible était celle de Cotabato. De la musique populaire américaine vieille de plusieurs mois. Ils adoraient les rythmes rapides ou les ballades tristes.

Luis, le maire de Damulog, un petit homme rondouillard, entra dans le café en souriant et en frappant dans ses mains, se comportant comme son entourage. Il rejoignit les hommes assis et considéra la pièce.

« Vous leur avez demandé? fit-il en anglais.

— Non. »

Passant au cebuano, Luis dit à Saliling, le plus âgé, celui qui tenait une lance : « Les gens qui ont trouvé l'homme mort dans la rivière Pulangi.

— Oui.

— Nous leur avons demandé de regarder les chaussures. Nous avons envoyé un dessin. Et l'étiquette de la chemise. Nous avons envoyé un dessin.

— Ils n'ont que des os, répondit Saliling. Et la bague du doigt.

— À la main gauche? Une bague en or?

— Ils n'ont pas précisé.

— Cette main. La gauche.

— Non. Ils n'ont rien dit.

— Ont-ils regardé les dents? Il a du métal dans les dents. Tu leur as dit? » Il se fourra un doigt dans la bouche et demanda à Carignan : « Vous en avez? Pouvez-vous leur montrer? »

Carignan ouvrit grand la bouche pour offrir une bonne vision de ses molaires aux trois *datus*, qui semblèrent ravis de ce spectacle.

« Ont-ils trouvé du métal dans les dents ? demanda le maire.

— Nous allons chercher ce genre de dent, fit Saliling. Mais il y a un problème dans notre *barangay* dont nous voulons parler.

— Je ne suis pas le *datu* de votre *barangay*. C'est vous les *datus*. C'est votre fonction, pas la mienne.

— Notre école a besoin de réparations. Le toit nous protège du soleil, mais pas de la pluie.

— Il veut de l'argent, expliqua en anglais le maire à Carignan.

— Je parle cebuano, dit Carignan.

— Je sais. Seulement j'aime bien dire des choses que ces musulmans ne peuvent pas comprendre. Je suis chrétien, monsieur. Septième jour. Je suis adventiste du septième jour. Mais nous formons une seule grande famille face à ces musulmans.

— Ce missionnaire disparu est aussi un adventiste du septième jour, n'est-ce pas ?

— Oui. C'est très triste pour la ville de Damulog.

— Donnez-lui cinquante pesos.

— Vous croyez que j'ai cinquante pesos ? Je ne suis pas riche !

— Dites-lui que vous paierez plus tard. »

Luis s'adressa à Saliling : « Combien pour réparer l'école ?

— Deux cents.

— Je peux donner vingt. Pas maintenant. La semaine prochaine.

— Les planches coûtent cher. Au moins cent cinquante pour les planches.

— J'ai des planches à Damulog. Si vous avez besoin de planches, je peux vous en donner.

— Un peu de planches, un peu d'argent.

— Vingt-cinq pesos. »

Saliling parla avec les autres. Luis regarda Carignan, mais le prêtre secoua la tête. Il ne reconnaissait pas ce dialecte.

« Dix planches d'au moins trois mètres, dit Saliling en cebuano. Les épaisses.

— Oui.

— Combien donnerez-vous en argent ?

— Quarante pesos est la limite. Je ne fais pas semblant.

— Cinquante.

— D'accord. Cinquante pesos en argent et dix planches épaisses. La semaine prochaine. »

Les *datus* se mirent à discuter. La patronne du café arriva, une femme soucieuse au dos voûté, qui apporta deux petits pains pour le prêtre, ainsi qu'une cuillère en métal, bien qu'il eût déjà fini de manger son repas avec les doigts comme les autres. Convaincue que les Blancs aimaient le pain, et non le riz, elle allait toujours acheter des petits pains au marché dès qu'il arrivait en ville.

« C'est très bien si vous attendez une semaine, dit Saliling. Pour l'instant, nous devons retourner à Carmen, et puis de l'autre côté des collines jusqu'à la rivière Pulangi.

— Ils ne sont pas encore allés à la rivière ! dit Luis en anglais.

— Je comprends.

— Ces musulmans ont l'esprit lent. Ils adorent nous faire perdre notre temps. »

Le missionnaire était porté manquant depuis la saison des pluies. La nouvelle d'un cadavre repêché dans la rivière remontait à plus d'un mois.

Le *datu* Saliling dit : « Nous nous retrouverons ici dans deux semaines. Ou bien nous irons à Damulog. Nous apporterons une réponse ; vous apporterez le bois et l'argent.

— Pas deux semaines – une semaine, s'il vous plaît ! Mme Jones attend. Pauvre Mme Jones ! »

Les hommes parlèrent entre eux dans l'autre dialecte. « Non, expliqua ensuite le *datu*, on ne peut pas le faire en une semaine. C'est loin et les gens de la rivière Pulangi ne sont pas fiables. Ce ne sont pas des musulmans. Ce sont des chrétiens. Ils ont d'autres dieux. »

Carignan eut de la peine pour Mme Jones, l'épouse du missionnaire. Il eut aussi une idée : « Peut-être que nous pouvons y aller et ramener le corps à Damulog.

— Je suis d'accord, dit Luis, pour voyager avec vous jusqu'à Tanday, si nous y allons tous les deux. Mais quant à traverser la Pulangi, non. Je ne veux pas mourir. Je désire vivre longtemps.

— Très bien.

— Vous partirez donc avec eux, mon père ?

— Oui.

— Tout seul ?

— Si je suis avec eux, je ne suis pas tout seul. »

Ils tombèrent d'accord : les *datus* rejoindraient Luis à Damulog dans deux semaines. Luis commanda une San Miguel. « J'aime les restaurants catholiques, dit-il à ses compagnons. Dans notre religion du septième jour nous n'avons pas de bière. Ce n'est pas sain. » La patronne leur servit quelques morceaux de viande tirés d'un grand pot. Des villageois réunis de part et d'autre de la porte du café regardaient bouche bée.

« Je peux trouver de l'avocat, dit la patronne à Carignan. Venez déjeuner et je vous préparerai le milk-shake à l'avocat. »

Il prit une bouchée de viande de carabao attendrie dans les épices, incroyablement faisandée. Il hocha la tête pour signifier qu'elle lui plaisait, et on lui en apporta une assiette pleine. Ce n'était pas mauvais. Mais elle laissait dans la bouche un arrière-goût répugnant, comme l'odeur du carabao. Des voix jaillirent de la foule agglutinée près de la porte – « pa-dair, pa-dair, pa-dair ».

Judas partit et se pendit.

« Je vais prononcer une prière pour chacun de vous », leur annonça le prêtre.

Saliling se leva brusquement et chargea les intrus. Il fit claquer son pied nu par terre, secoua sa lance. Le groupe recula de quelques pas.

D'une main molle, la patronne se mit à frapper le vieux poivrot assis à la table voisine en criant des injures incompréhensibles. Il semblait indifférent.

« Ah, vos ouailles désirent se confesser », dit Luis.

Judas se jeta d'un lieu élevé et se fracassa le ventre sur les pierres. Il se demanda si ces gens, qui survivaient à grand-peine, connaissaient la culpabilité. Ces êtres difformes couleur acajou qui trottinaient jusqu'ici pour se confesser. Il partit avec les autres, les *datus* écartant les villageois. « Je vais prier. Tout le monde doit prier. Prier les saints du paradis. »

Il irait avec les deux *datus* jusqu'à leur *barangay* appelé Tanday. Il n'y avait pas de jeep pour aller à Tanday et, au bout d'un moment, plus de route. Ils marcheraient donc. Carignan comprenait seulement que les gens qui détenaient la dépouille du missionnaire vivaient près de la rivière Pulangi. Il ne savait pas combien de temps il mettrait pour les trouver. Les *datus* parlaient de vingt-cinq kilomètres, mais il avait eu tort de leur poser la question, car que pouvaient-ils savoir ? Par courtoisie ils avancèrent une estimation : deux jours de marche. Les *datus* insistèrent pour partir tout de suite afin d'atteindre Tanday avant la tombée de la nuit.

Ils marchèrent ensemble jusqu'à midi et atteignirent Maginda. Là, les *datus* eurent l'amabilité d'emprunter pour lui un cheval, pas plus grand qu'un poney, équipé d'une selle en bois. Derrière les trois vieillards, la bête étique cahota sous le poids de Carignan et parcourut quelques kilomètres jusqu'au bas de la colline située derrière Tanday, après quoi il dut descendre de sa monture et gravir le chemin derrière elle tandis que le jour quittait les plis et les replis des montagnes basses.

Le chemin qui montait vers le sommet de la colline était large et, de ce point de vue, aisé, débroussaillé par les villageois, mais il était raide et le prêtre n'en pouvait plus. Il était trop âgé pour ce genre d'aventures – quel âge ? Presque soixante ans. Il ne se rappelait plus très bien. À mi-chemin ils entendirent un sifflement bas et un quatrième homme se joignit à eux. « Bonsoir, pa-dair, dit-il en anglais. Je vais vous accompagner. » Le jeune homme se présenta sous le nom de Robertson, un neveu de Saliling. Le visage de Robertson était invisible dans la lueur du soir.

Des pensées de Judas, des images, le moine, le rêve, l'avaient assailli toute la journée. Le moine du rêve, un nuage argenté en guise de visage. Peut-être pourrait-il trouver quelqu'un pour l'interpréter.

Ils franchirent la crête et s'installèrent dans l'école afin d'y passer la nuit. Les hommes lui apportèrent un dîner composé de riz gluant et d'une plante verte qu'ils appelaient *hwai-an*, et bientôt, à cause de la noirceur de la nuit, il n'y eut d'autre choix que de se coucher. Comme ses compagnons de voyage, il s'allongea sur le côté à même le plancher en bois, sans natte ni couverture. Il ne trouva pas le sommeil. L'air avait une autre odeur que celui de sa chambre à côté de la rivière puante proche de Basig, on étouffait dans cette salle de classe, les énormes feuilles des bananiers bouchaient les fenêtres, même les lézards qui piaillaient sous les avant-toits semblaient étrangers. Peu avant minuit il se mit à pleuvoir avec régularité, de plus en plus fort, jusqu'à ce que l'orage fît mine d'arracher le toit en métal, les noyant d'abord sous son vacarme, menaçant presque aussitôt de les noyer sous les trombes d'eau. La pluie s'infiltrait par les jointures des plaques métalliques ; Carignan tira deux bureaux l'un contre l'autre et rampa dessous pour se mettre à l'abri. Des villageois dont les toits fuyaient encore plus entrèrent à pas de loup dans la nuit noire de la salle de classe, jusqu'à ce qu'il y en ait environ deux douzaines. Quand l'orage s'éloigna, il l'entendit rugir pendant des heures sur le versant de la colline.

Il se réveilla à l'aube après avoir à peine fermé l'œil et sortit pour soulager sa vessie contre le mur de l'école. Après la pluie nocturne il faisait frais, sans le moindre brin d'air. À cette heure la terre paraissait offerte, prête à livrer son secret.

Quelle offrande déposerais-je au pied de la croix du voleur ?

Lorsqu'il lâcha un pet, quelques enfants qui l'observaient derrière l'angle de l'école avancèrent leurs lèvres pour imiter le bruit en riant.

Quelle consolation au pied de son cadavre ?

Sans préliminaires ni au revoir, les trois *datus* sortirent de l'école et reprirent leur voyage. Comme ils ne portaient rien, lui-même ne portait rien. Ils marchaient pieds nus, mais lui avait ses Keds.

Ils suivirent un sentier aisé qui descendait vers une longue crête, puis ils la longèrent vers une autre montagne. Une frontière du monde s'embrasa, le soleil monta dans le ciel et les engloba, brûlant l'humidité en contrebas et paraissant façonner, à partir de la seule brume, un paysage plus majestueux et complexe, foisonnant de collines et de ravins, de portions de rivière et d'une végétation colorée non seulement des innombrables nuances du vert, mais aussi d'argent, de noir, de violet. Ils firent halte dans un *barangay* constitué de plusieurs huttes sur la colline voisine, ils burent du café indigène et chacun d'eux mangea un bol de riz. Saliling parla avec le chef en dialecte bisayan et Carignan les écouta évoquer des coups de feu qu'ils avaient entendus ce matin-là de l'autre côté de la vallée.

« Il nous prévient de combats un peu plus loin, expliqua Robertson.

— J'avais compris », dit Carignan.

Ils poursuivirent leur marche.

De l'autre côté de la montagne ils descendirent en suivant un large chemin uni, égalisé par les sabots des carabaos. Ce chemin devint de plus en plus étroit jusqu'au moment où Carignan dut plaquer ses bras contre son buste pour éviter qu'ils ne soient déchiquetés par les épines qui dépassaient à droite et à gauche. Saliling marchait en tête, l'extrémité de sa lance frottant contre les feuilles supérieures et projetant les gouttes de pluie de la nuit précédente vers le visage de Carignan. Les deux autres avançaient voûtés derrière le prêtre. Soudain Saliling quitta le sentier et plongea dans une mer d'herbe éléphant sous laquelle, quelque part dans le voisinage de leurs pieds, filait un sentier large d'une quinzaine de centimètres. Le soleil était maintenant au-dessus de leurs têtes et néanmoins, sous leurs pas, une épaisse boue rouge qui semblait vivante s'accrochait aux chaussures de Carignan, collait à ses semelles, montait sur les côtés, l'aspirait jusqu'aux chevilles. Les autres, qui marchaient pieds nus, avançaient facilement, alors que Carignan avait beaucoup de mal à rester parmi eux, à cause de ses tennis incrustées de paquets de boue rouge aussi lourds que du béton. Redoutant de voir ses Keds volées par cette mélasse, il les retira, en noua les lacets et les laissa pendre au bout de son poing.

Alors qu'ils quittaient la mesa et descendaient vers une rivière profondément encaissée au fond d'un ravin, Carignan désespérant de cette nouvelle descente, certainement suivie d'une nouvelle montée, ils entendirent un faible crépitement qui venait de derrière le pic suivant, et ils furent recouverts par l'ombre d'une masse de fumée dans le ciel devant eux, une colonne noire qui montait tout droit dans le jour sans vent. Il y aura du sang et du feu et des palmiers de fumée – dans Joël, n'est-ce pas ? Incroyable comme l'anglais revient vite. Et les Écritures aussi, sortant des ténèbres. Joël, oui, chapitre II, d'habitude traduit par « colonnes de fumée », mais l'hébreu original disait « palmiers de fumée ».

Quand ils traversèrent la rivière tout au fond du ravin, Carignan essaya de nettoyer ses chaussures. La boue ne se dissolvait pas dans l'eau, il dut la gratter et la frotter avec les doigts. L'eau semblait limpide. Il se demanda si elle était potable. Quelque part le long de leur cours, toutes les rivières de la région servaient à un clan ou à un village pour l'irrigation, mais aussi pour y déverser leurs ordures, et puis les animaux s'y baignaient. Il mourait de soif, tout son être palpitait de soif, mais comme les autres hommes ne buvaient pas, il ne but pas. Il remit ses chaussures trempées sur ses pieds nus. Puis ils se dirigèrent droit vers le monolithe de fumée noire.

Ils atteignirent la crête et redescendirent sur un sentier à la fois boueux et caillouteux vers un *barangay* de plusieurs huttes, toutes en feu, toutes presque détruites jusqu'au plancher et ce plancher encore noir et fumant. Saliling mit ses mains en porte-voix et hulula. Une réponse arriva. Derrière un contrefort rocheux ils trouvèrent un vieillard vêtu d'un pagne de jute. Carignan s'assit sur une plaque d'herbe rêche et écarta la fumée de ses yeux, pendant que Saliling et son neveu parlaient au vieillard. « Il dit que les Tad-tad sont venus détruire, rapporta Robertson au prêtre. Mais tout le monde s'est enfui. Il est trop vieux pour fuir. Ils lui ont tiré une balle dans la main et il se cache. » Les Tad-tad étaient une secte chrétienne. Leur nom signifiait « coupe-coupe ».

De tous les habitants du village il ne restait que ce vieil homme à la main trouée d'une balle. Il l'avait enveloppée dans un cataplasme de feuilles et d'œufs de mouche. « Dans ce clan, dit Robertson, même quand ils ont une vilaine blessure, ils ne coupent jamais leur membre. Ce n'est pas nécessaire, leur membre ne s'infecte jamais, car ils laissent les œufs s'installer et manger la pourriture de leur chair.

— Ah. Aha, fit Carignan.

— C'est une bonne manière. Mais parfois ça rend la personne malade, et elle meurt. »

Le vieillard semblait immensément malade, avec sa face de singe ratatinée et sa peau tannée qui au niveau des articulations pendait des os. Il lui restait deux ou trois dents au fond de la bouche, qu'il utilisait à cet instant précis pour rogner une mangue avec une intense concentration. Il répondit d'un air bourru aux questions de Saliling, mais quand il eut fini de manger son fruit, il en jeta le noyau et montra à Carignan son *anting-anting*, un bracelet de graines creuses autour de son poignet. Sa magie, expliqua-t-il, lui garantissait une mort paisible. Ainsi, cette blessure par balle ne signifiait rien.

Le vieillard parlait un dialecte cabuano-bisayan que Carignan comprenait assez bien, ce qui n'empêchait pas le jeune Robertson de traduire pour lui : « Il a seulement besoin de boire un peu de sang de singe, et il sera comme neuf.

— Emmenez-moi à la rivière, dit le vieillard. Je veux boire de la boue.

— Maintenant il veut venir avec nous, dit Robertson.

— Oui. J'ai compris.

— Ce clan croit que la boue donne la vie. Le vieux désire la rivière.

— Je comprends ses paroles », insista le prêtre.

Le vieillard tendit la main vers l'est, au-dessus d'une colline, et parla d'un pays imaginaire, d'une contrée de légende.

« Il dit que derrière cette montagne se trouve un endroit appelé Agamaniyog.

— Ce sont des histoires pour enfants », fit Carignan.

Montrant toujours l'est, le vieillard dit : « Agamaniyog. C'est la terre des noix de coco.

— Agamaniyog, fit Carignan, c'est pour les enfants.

— Alors n'y va pas », répliqua le vieux.

Ils repartirent, pataugeant au milieu de la rivière dans l'étroite vallée, avant de gravir le versant de montagne opposé, en agrippant des touffes d'herbe pour se hisser vers le haut, Carignan affligé à chaque pas de l'escalade par l'aiguillon de l'Accusateur : Jusque dans l'exercice de ma volonté souveraine, je suis impie, et incomplètement repentant. Bien qu'un tout petit peu repentant. Mais très incomplètement. J'ai échoué dans l'esprit de mon rapport au Père. Il étouffa la voix du diable, qui était la sienne, puis concentra son écoute sur les bruits extérieurs, le frémissement des feuilles mouillées dans le vent, le ricanement des perroquets, le bagou malhonnête des jeunes singes dans les fourrés. Les plantes se refermaient sur eux. Le sentier n'existait plus désormais que dans l'esprit de Saliling. Carignan, qui trébuchait sans cesse, tenait seulement debout par peur d'être perdu dans la végétation si jamais il tombait. Ses vêtements étaient trempés, même ses poches étaient pleines de sueur. Le sentier s'élargit de nouveau et ils arrivèrent sur une crête qui dominait le monde. Leur progression fut désormais plus facile. Moins de deux heures plus tard, ils découvrirent à leurs pieds la vallée Arakan, large de quelque cinq kilomètres, et la rivière Pulangi, d'un vert olive terne, qui coulait tout en bas. Des acacias gigantesques en forme de champignon haut de dix étages et large d'une trentaine de mètres masquaient presque entièrement la rivière. Saliling ne lui avait pas adressé une seule fois la parole, mais il se tourna alors vers lui et dit en cebuano : « Retournez-vous — vous voyez d'où nous sommes partis. Nous avons parcouru vingt kilomètres. » Carignan regarda vers l'ouest : la jungle gris-vert baignée de lumière rosâtre s'effritait dans le chaudron du coucher de soleil.

La descente leur prit encore une heure jusqu'à ce qu'il restait du *barangay* de Tatug. Les inondations de l'année précédente avaient aplati les herbes et arraché les maisons à leurs pilotis bas, mais les habitants y vivaient toujours. Carignan, si épuisé qu'il ne put même pas lever la main pour ôter son chapeau, s'effondra sur un monticule qu'il identifia vaguement comme étant une tombe. D'autres tombes l'entouraient, pas encore tout à fait submergées par l'implacable luxuriance des herbes et de la vigne rampante. Quelque chose avait massacré une douzaine de ces gens, plus, vingt, vingt-cinq — une épidémie, une inondation, des maraudeurs. Il trouva la force d'enlever son chapeau. Il entendit des enfants rire, il entendit une femme pleurer. « Venez, ne restez pas ici, vous ne devez pas vous asseoir ici », dit Robertson. Saliling lui saisit le bras. Robertson ajouta : « Regardez, nous avons une boîte. » Il tenait entre ses mains une boîte fabriquée en vieilles planchettes mangées aux vers. « Ce sont les os de votre compatriote. »

Pour sa première opération officielle en tant que membre des services de renseignements, Sands arriva à l'aéroport civil de Manille à quatre heures quinze du matin, un samedi, pour prendre un DC-3 à destination de Cagayen de Oro, la ville située le plus au nord de l'île de Mindanao, et il se joignit à la foule rassemblée devant le guichet de vente, une masse de gens à moitié endormis, un foulard autour du cou, s'éventant lentement avec des journaux froissés, progressant doucement mais fermement vers le visage fermé des employés. Puis ils disparurent avant même de monter dans l'avion. Le nom de Skip figurait à la quarantième place sur la liste d'attente écrite à la craie à même le mur, mais les trente-neuf voyageurs précédents ne se présentèrent pas, et il fut le premier à monter dans le DC-3, qui transporta cinq passagers en tout et pour tout au-dessus de jungles iridescentes et d'une mer obscure, avant d'atterrir sans heurt sur une piste cahoteuse de terre rouge. Ces DC-3, il le savait, pouvaient voler avec une seule aile – il avait entendu maintes anecdotes racontées par le colonel.

Sands trouva un taxi pour rejoindre le marché de De Oro, sauta le petit déjeuner et monta dans un car qui se dirigeait vers le sud à travers l'île. Il avait un appareil photo bon marché, un Imperial Mark XII vert pastel qui avait perdu sa broche de flash, mais il passa presque tout le temps du voyage à regarder le paysage mûr, spongieux. Ils roulèrent vite, ralentissant presque jusqu'à l'arrêt pour laisser les passagers monter et descendre en chemin, mais sans jamais s'arrêter complètement. Dans tous les hameaux qu'ils traversaient, des vendeurs couraient le long du car pour proposer des tranches de mangue ou d'ananas enveloppées dans du papier, du Coca-Cola dans des poches plastique tressautantes, fermées d'un nœud serré et percées d'une paille, et tel fut son voyage jusqu'à Malaybalay, une ville des montagnes centrales où ils firent étape pour la nuit.

Durant tout ce voyage il fut submergé par des vagues de mal du pays : lui manquaient non pas les États-Unis ni le Kansas ni Washington, mais la résidence dans les montagnes de Luzon, ses chambres climatisées, ses soupes Campbell et le beurre de cacahuètes Skippy qui venait de l'intendance de l'ambassade sur le front de mer. Ces minuscules accès de panique, il les accueillait comme autant de signes d'une immersion approfondie dans son environnement. Une idée avancée par le colonel continuait de l'intriguer : un seul Dieu, mais différents ministères. Ses peurs concernaient aussi l'extrémité opposée de sa mission : qui lirait son rapport sur le père Thomas Carignan ? Et les lecteurs de son rapport seraient-ils impressionnés ?

Malaybalay, bien que pauvre et surtout bâtie en contreplaqué et en tôle galvanisée, était grouillante de monde, de bruit et de mouvement. À côté de la place de l'église catholique il trouva un hôtel et une chambre dotée d'une salle d'eau privée à la musulmane – un box contenant à la fois un trou en guise de toilettes et un robinet d'eau froide auquel était fixé un mètre de tuyau en caoutchouc. Ce système exotique le plongea dans une nausée spirituelle. Lors de missions de ce genre il s'était attendu à connaître la solitude et la terreur ; mais pas à cause du simple spectacle de la plomberie. **Allongé** sur le lit, il essayait de retrouver son souffle tandis que ses forces quittaient son sang surchauffé. Les étroites fenêtres de la chambre étaient trop élevées pour qu'on pût regarder au-dehors. L'air de ce monde semblait ne contenir aucun oxygène, seulement le bêlement d'enfants et le vacarme des rues. Il ressortit avec son appareil photo et s'assit sur un banc de pierre de la place, pour se faire cirer les chaussures. Le petit cireur, qui ne devait guère avoir plus de sept ou huit ans, fut bientôt en nage, de grosses gouttes de transpiration perlaient sur sa lèvre supérieure, et il fit claquer violemment sa brosse contre la boîte pour signifier à son client qu'il devait changer de pied. Sands le photographia. Le gamin ne broncha pas, fit comme s'il n'avait rien remarqué. Ça devrait être bon, j'ai pris le visage de cet enfant. Sands paya généreusement, puis entra dans l'église – pas de murs, juste un vaste dôme surmontant des rangées de prie-dieu – et attendit le service religieux du samedi soir. Quelques autres hommes se joignirent à lui. La nuit tomba. Des chauves-souris voletaient dehors autour de la place. Le latin l'apaisa. Pour l'homélie le jeune prêtre s'exprima en bisayan, mais Skip reconnut de nombreux mots anglais – « possession démoniaque », « exorcismes », « anges déchus », « quête spirituelle », « quête psychologique ». Quand la congrégation se leva pour communier, il quitta l'église et rejoignit cette ville effroyablement étrangère.

En accostant des passants jusqu'à en trouver un qui parlât anglais, il apprit l'existence d'un restaurant de style western et s'assit bientôt à La Pasteria, un établissement italien qui servait peut-être en partie le contenu de boîtes de conserve, mais aussi une salade mélangée, des pâtes avec des radis et du céleri frais, même des olives. Des nappes blanches, des bougies fichées dans des bouteilles de chianti, un phonographe sur lequel les serveurs jouaient de vieux soixante-dix-huit tours de jazz Dixieland.

Les volets en bois, ouverts, laissaient entrer le vent qui en soirée descendait des montagnes et était aussi frais qu'il était possible à cette latitude. À côté d'une des fenêtres, une femme était assise seule, une Britannique ou une Américaine, Sands en était certain, jeune mais dotée de la gravité d'une femme mûre, quelque chose comme une bibliothécaire célibataire ou la sœur non mariée d'un pasteur. Mais pendant tout le repas, chaque fois qu'il lui lançait un coup d'œil, elle le regardait avec une étonnante candeur.

Quand le serveur débarrassa la table de sa cliente, celle-ci se leva et rejoignit directement celle de Skip. Elle tenait à la main sa tasse de café, qu'elle posa à côté de celle du jeune Américain. Elle tendit la main. « Nous échangeons des regards depuis le début de la soirée. Autant nous présenter. Je m'appelle Kathy Jones. »

Elle prit la main tendue et la garda dans la sienne. Pas seulement par amitié. Elle riva son regard à celui de Skip, un regard presque larmoyant, brûlant de détresse. Sands en resta sans voix. Il n'avait jamais su s'y prendre avec les femmes. Ce sourire forcé, noyé de désespoir, fit éclore dans son cœur une bouffée de pitié. Elle était malade, ivre, peut-être les deux.

« Oh, pour l'amour de Dieu », fit-elle en se détournant avec un petit rire ou un léger sanglot. Abandonnant son café sur la table du jeune homme, elle sortit d'un pas rapide.

Sands frémit intérieurement, et ne put manger. Il commanda malgré tout un dessert. Quand il arriva – des *cannoli* –, le serveur affreusement gêné s'attarda près de lui et réussit enfin à dire : « La dame n'a pas payé aujourd'hui. Est-ce vous qui allez payer ? » et Skip paya.

L'après-midi suivant, lorsqu'il descendit du car dans la grande rue non pavée du village de Damulog, il fut accueilli par un petit homme rondouillard qui semblait avoir pour habitude d'examiner les nouveaux arrivants et qui se présenta sous le nom d'Emeterio D. Luis, maire de Damulog. Luis l'accompagna jusqu'à l'unique hôtel, qui appartenait à un certain Freddy Castro, en montrant tout le long du chemin les endroits importants de Damulog, le marché, le restaurant, le bâtiment des combats de coqs, la mercerie.

Damulog se trouvait au bout d'une route bétonnée, au terminus du car et des lignes à haute tension. La ville avait beau avoir l'électricité, il n'y avait pas d'égouts et, pour autant que Sands put le constater, pas de plomberie, certainement pas en tout cas dans l'hôtel de M. Castro, qui était construit dans un bois massif, mais où cet après-midi-là la pluie traversait non seulement le toit mais encore les deux étages supérieurs pour dégoutter du plafond de la chambre de Skip, située au rez-de-chaussée. Il lui fallut faire preuve d'ingéniosité pour garder au sec son lit et ses affaires. Au crépuscule, le maire ainsi que M. Castro, un jeune homme parlant bien anglais, l'emmenèrent à l'une des cinq sources de la ville, où Sands, en short à carreaux et tongs jaunes, devant un public de femmes et d'enfants bouche bée, se baigna dans l'eau limpide qui à flanc de colline jaillissait d'un tuyau.

« Prenez votre bain, prenez votre bain, vous ne risquez rien, promit le maire. Nous n'avons pas de crocodiles ici. Nous n'avons pas de malaria. Nous n'avons pas de maraudeurs. Je crois que nous constatons une certaine activité organisée parmi les groupes musulmans du sud, mais seulement à Cotabato. Nous ne sommes pas à Cotabato. Ici c'est Damulog. Bienvenue à Damulog. »

Quand Skip tourna le dos, les enfants se mirent à l'appeler. Cette île de Mindanao n'avait vu aucun militaire américain ; personne ne lui donna donc du Joe. Les enfants l'appelèrent « pa-dair, pa-dair... » – *father* (père)... Ils le prenaient pour un prêtre.

Quels rêves étranges la nuit dernière, Seigneur...

Assise sur un banc du marché, elle remettait de l'ordre dans ses terreurs de la nuit passée, en attendant le départ de six heures du matin, en attendant son café tandis qu'à proximité deux femmes à moitié endormies ouvraient leur échoppe pour la journée. Je me préparais en vue du Jugement dernier, mais quoi avant ça, quoi, j'avais mon sac, j'entrais dans un magasin pour acheter un crayon, mais ce magasin était une scène dans un grand stade noir au bout du monde, et ensuite j'étais morte et je devais rendre compte de mes péchés. Mais j'en étais incapable. Et les ténèbres étaient ma mort éternelle.

Quelle voix avait donc murmuré dans le rêve ? La dame était maintenant prête à lui vendre un café, en versant l'eau brûlante d'une thermos dans la tasse en plastique et sur une cuillerée de Nescafé en poudre. La dame mit en marche son transistor – DXOK depuis Cotabato City, de la musique pop suivie d'une interruption à six heures du matin pour cinq *Je vous salue Marie*.

Le car était là, mais le chauffeur se faisait attendre. Elle se moquait de savoir s'ils partiraient à l'heure ou pas. Elle ne portait pas de montre, n'en possédait aucune depuis des années.

Mais qui voilà ? À moins de trente pas, assis à une autre échoppe et demandant un petit pain sucré, c'était l'homme devant lequel elle s'était comportée comme une idiote au restaurant, à La Pasteria. Idiote, idiote ! La veille au soir pourtant, en le voyant là, elle avait ressenti une telle souffrance, une telle soif. Avec ses vêtements philippins, son pantalon beige, ses sandales marron, sa chemise sport toute blanche, dans la pénombre des bougies, avec ses cheveux hirsutes et sa moustache en bataille, il ressemblait tellement à Timothy le jeune arrivant, Timothy le porteur de bonnes nouvelles et d'un avenir réjouissant. Et elle s'était jetée à la tête de cet Américain aussi aveuglément qu'elle l'aurait fait avec Timothy s'il était revenu vers elle en jaillissant à l'improviste hors de ce point d'interrogation où il avait disparu.

Pas encore l'aube. Un temps bizarre dans ces montagnes, le soleil vous tombait dessus comme une enclume, mais il faisait frais à l'ombre, et presque froid après la tombée de la nuit. Elle se pelotonna dans sa parka, le visage invisible sous la capuche, et à trente pas elle observa l'Américain. Dès le premier instant hier soir, Timothy, j'ai cru qu'il était toi, le sang m'est monté à la tête, m'a envahi les doigts, je n'y voyais plus clair, et ici, en train de boire un Coca-Cola à six heures du matin, un bras passé dans la poignée de son sac en coton, Timothy, il te ressemble encore comme deux gouttes d'eau. Alors un autre homme arriva, sans doute le chauffeur du car, il s'assit près de l'Américain et commanda du café. Tout là-haut dans l'avant-toit en fer-blanc, les fragiles néons assaillis par des cohortes d'insectes ailés... Les boutiquières endormies, le corps enveloppé d'une légère couverture, à côté de caisses en bois ouvertes pour proposer œufs durs, cigarettes, confiseries, petits pains sucrés. Timothy, es-tu vivant ? La femme qui s'occupe de l'échoppe voisine fabrique des boîtes minuscules en tissant des feuilles de cocotier, pour les cadeaux de fêtes. Une autre femme circule, pliée en deux au-dessus d'un petit balai, un simple boisseau de paille... Pourvu que je me rappelle toujours la vérité que je ressens à cet instant précis... Timothy, nous vivons, nous mourons.

96

Le chauffeur ouvrit son car et l'Américain y monta à sa suite. Impossible de rejoindre ce car, d'être vue. Elle prendrait le suivant. Elle lui tourna le dos pour demander un œuf, un petit pain et encore du Nescafé, puis elle rassembla ses affaires et marcha. Elle portait ses affaires dans un sac en papier brun muni de poignées en ficelle.

Elle s'assit sur un banc de Rizal Plaza et regarda une demi-douzaine de femmes et d'enfants étaler la récolte de riz sur le terrain de basket, puis la sillonner avec des râteaux pour retourner les grains. Elle n'avait nulle part où aller. Plutôt parier sur les horaires moins fiables du car de l'après-midi que passer une nuit de plus ici. La ville n'ayant pas d'église du septième jour, elle s'était installée dans une pension où l'arrivée d'une femme voyageant seule avait suscité une sollicitude tendue qu'elle avait ressentie comme de la haine. Tout le monde s'efforçait d'être poli. Voilà pourquoi elle s'était rendue à La Pasteria, bien qu'elle en eût à peine les moyens – elle avait donc eu une bonne raison pour y aller, mais aucune pour aborder ainsi un inconnu.

Ressemblait-il vraiment à Timothy? De son bagage en papier elle sortit un paquet de photos, l'unique raison de ce voyage. La semaine passée, dans le fouillis des affaires de Timothy, elle avait trouvé une bobine de film, puis voyagé jusqu'ici pour entrer en contact avec un homme équipé d'une chambre noire. Presque toutes les photos étaient bien sorties, une vingtaine, trois montrant Timothy, deux de façon très périphérique – Timothy avec un groupe d'ingénieurs venus de Manille et regardant le site d'une future usine d'épuration d'eau, le maire Luis se ruant vers le premier plan comme un gros rongeur satisfait; Timothy tout proche mais flou, donnant apparemment ses consignes au photographe novice – et puis un cliché où Timothy enlaçait de son bras les épaules de Kathy, posant avec un cortège de mariage philippin devant une église en stuc rose. Il avait pris les autres images dans l'intention de les envoyer aux jeunes mariés : Cotabato City; Kathy reconnut l'église rose. Elle avait effectué avec lui ce qu'il appelait « une broutille », près de cent kilomètres sur des routes défoncées en compagnie de plusieurs douzaines d'autres passagers dans un minibus conçu pour huit personnes. À l'église de Cotabato ils l'avaient reçu comme un dieu, abreuvé de leurs soucis, submergé de menus cadeaux, supplié d'assister au mariage d'inconnus, autorisé à immortaliser la cérémonie avec son appareil photo fabriqué en Allemagne.

En plus de ces images le sac en papier de Kathy contenait sa tenue vestimentaire de la veille et un petit coussin qu'elle glissa entre ses fesses et le banc de bois dans le car où elle s'installa cet après-midi-là pour redescendre des montagnes. La route s'abaissait peu à peu, en une longue ligne droite déclinante, le spectacle qui s'offrait devant le car était immense et splendide, plus de mille nuances de vert sous le noir et le gris de gros nuages d'orage qui s'amassaient. Le vent de la vitesse hurlait par les fenêtres ouvertes, sentant d'abord le pin, puis la fermentation des basses terres. Le car traversa une grosse averse et arriva tout ruisselant à Damulog vers quatre heures de l'après-midi.

Pas de maire Luis à l'arrêt du car ce jour-là. Il devait être occupé à parier. Elle entendit les hommes rugir dans le bâtiment consacré aux combats de coqs, de l'autre côté de la place. Les volatiles, armés de rasoirs fixés aux ergots, se mettaient en pièces au bout de quelques secondes.

Timothy et elle habitaient à proximité de cette place dans une maison de trois chambres aux fenêtres équipées de moustiquaires et au toit étanche, qu'ils partageaient avec leur domestique Corazon et aussi, d'habitude, deux ou trois nièces de Cory, pas toujours les mêmes. Elle trouva la maison vide. Les jours de sabbat et les dimanches, les filles rentraient chez elles dans le *barangay* de Kinipet.

Après l'odeur de pin et la fraîcheur relative de la ville montagnarde, elle respira de nouveau celle de sa maison, bois humide et linge acide. La bâtisse était plongée dans l'obscurité. Dans la cuisine elle tira la chaînette qui pendait du plafond – l'électricité fonctionnait. Les cafards coururent se réfugier dans les recoins. Cory lui avait laissé un peu de riz dans un bol recouvert d'une assiette. Les fourmis s'en repaissaient. Quel endroit horrible et désespérant c'était sans Timothy...

Elle lança la nourriture, avec le bol, vers la bande de terre située à la lisière du terrain et partit, trois minutes après être rentrée chez elle.

Elle dîna au Sunshine Eatery et s'y retrouva coincée par le second orage de la journée. L'électricité de la ville cessa de fonctionner, et Kathy attendit la fin de la pluie dans une salle éclairée à la bougie, en bavardant avec un certain Romy, arrivé de Manille en compagnie d'une équipe de géomètres, et avec Boy Sedosa, qui arborait l'uniforme d'un policier en patrouille. Romy buvait une pinte d'Old Castle Liquor, Sedosa une pinte de rhum Tanduay. Thelma, la patronne du People's Sunshine Eatery, assise à l'autre bout de la salle sur un haut tabouret derrière le comptoir, écoutait la radio.

Alors l'Américain qui ressemblait à Timothy entra, trempé jusqu'aux os, avec ce qui était sans doute la lanière d'un appareil photo enroulée autour du poignet, et une fois passé le seuil il hésita. Les discussions s'arrêtèrent. Il s'assit à la table la plus proche et demanda un café. S'il la reconnut, il fut trop poli pour le manifester.

Ah, elle aurait dû s'en douter. Damulog était le terminus de la ligne de car et le seul arrêt où l'on pouvait se loger.

Il posa son appareil photo sur la table. Tous le regardèrent boire son café pendant qu'au-dehors il continuait de pleuvoir avec régularité.

Une bande de jeunes poivrots envahit soudain le café, courant au milieu des tables et des chaises qu'ils renversaient. La lueur des bougies les transformait en silhouettes violentes, effrayantes. Thelma applaudit et rit comme s'il s'agissait de ses propres fils. Ils partirent et elle entreprit de remettre le mobilier d'aplomb. Le policier Sedosa se secoua et braqua le faisceau de sa lampe derrière eux dans la pluie. Une folle entra alors pour mendier. Thelma et elle s'embrassèrent comme des sœurs, ce qu'elles étaient peut-être.

Le policier Sedosa, tout en gardant les épaules et le menton très droits, s'abaissa vers la flamme de la bougie. Il regarda fixement l'Américain assis à la table voisine jusqu'à ce que celui-ci fût contraint de le remarquer. « J'aimerais vous demander votre nom.

— Je m'appelle William Sands.

— Je vois. William Sands. » Le visage de Sedosa appartenait au cinéma – des yeux morts d'ivrogne, perdus parmi des traits empâtés, luisants de sueur. Il avait un nez tranchant, arabe. Ses yeux ne clignaient pas. « Sans vouloir nullement offenser votre personnalité, reprit Sedosa, pouvez-vous me montrer quelques papiers justifiant vos déplacements dans notre province ?

— Je n'ai pas la moindre pièce d'identité sur moi, dit l'Américain. J'ai une seule poche. » Il portait un T-shirt blanc et ce qui était sans doute un maillot de bain.

« Je vois. » Sedosa le considérait comme s'il l'avait oublié.

« Je suis un ami du maire Luis, dit Sands. Il a officiellement approuvé ma visite.

— Vous travaillez pour l'armée des États-Unis, peut-être ?

— Je suis avec la société Del Monte.

— Je vois. C'est bien. Je vérifie juste.

— Je comprends.

— Demandez simplement Boy Sedosa si vous avez besoin de mon aide, ajouta le policier.

— Okay. Et s'il vous plaît, appelez-moi Skip.

— Skiip! » s'écria Sedosa.

Puis Romy, de l'équipe des géomètres, fit : « Ah! Skiip! »

Et Thelma, perchée sur son tabouret derrière les bocaux de nourriture, se mit à applaudir et lança : « Hello, Skiip! »

— Buvons à Skip », dit Kathy.

Était-ce Dieu possible? Il avait révélé son surnom. Il n'aurait plus jamais le moindre ennui dans cette ville.

Il leva son verre pour leur porter un toast à tous.

« Je vois que vous promenez un appareil photo sous la pluie, dit-elle.

— Je ne suis pas très crédible ce soir, reconnut-il.

— Vous l'emportez partout avec vous?

— Non. J'essaie de ne pas m'y attacher. Si on ne fait pas attention, il devient votre œil, le seul rêve par lequel regarder.

— Vous avez dit "rêve"?

— Pardon?

— Vous avez dit qu'il devient le seul rêve par lequel regarder?

— J'ai dit ça? Je voulais dire "œil". Votre appareil photo devient votre œil.

— Lapsus vraiment bizarre, monsieur. Rêviez-vous de devenir photographe dans votre jeunesse?

— Non, certainement pas, m'dame. Rêviez-vous de Sigmund Freud?

— Vous avez quelque chose contre Sigmund Freud?

— Freud incarne la moitié des maux de ce siècle.

— Vraiment? Et qui est responsable de l'autre moitié?

— Karl Marx. »

Bien qu'elle ne fût pas d'accord, elle éclata de rire. « Sans doute la première fois qu'on prononce ces noms dans cette ville », dit-elle.

Romy, le géomètre, se faufila dans l'espace qui séparait Kathy et l'Américain, saisit la main de ce dernier et la serra. « Nous ferez-vous, s'il vous plaît, l'honneur de votre compagnie? » Il tira jusqu'à ce que Skip quitte sa chaise et se joigne à eux. « Nous ferez-vous le plaisir de prendre un café avec nous? Ou une boisson encore plus agréable?

— Bien sûr. Qui veut une cigarette? Elles sont un peu humides.

— Pas de problème », fit le policier Sedosa qui en accepta une et la tint près de la flamme d'une bougie pour la faire sécher. « Ah! Benson & Hedges! C'est une bonne! »

En revoyant maintenant l'Américain, cette fois d'encore plus près, elle ne sentit rien s'agiter en elle. Kathy le regretta. La ville était envahie par la boue, elle empestait toutes sortes d'excréments et d'infestations. Maintenant qu'elle avait vu cet endroit sans Timothy, il lui sortait par les yeux, avec ou sans lui.

Les hommes parlèrent de boxeurs philippins poids coq dont elle n'avait jamais entendu le nom. De minuscules insectes volants gisaient çà et là sur la table, autour de la bougie plantée bien droit dans un bidon qui avait contenu de la Tamis Anghang Banana Catsup, une énigme culinaire. Les hommes parlèrent de politiciens qui ne l'intéressaient pas. Ils parlèrent de basket, une sorte de passion nationale. Quand elle en eut assez, elle rentra à pied chez elle sous une légère bruine, dans une obscurité complète, en traversant les flaques d'eau, heureuse de rester au milieu de la rue, encore plus heureuse de retrouver sa maison.

Elle laissa ses chaussures derrière la porte, marcha jusqu'à sa chambre. Elle trouva la lampe torche sur la table de nuit et se déshabilla dans sa faible lueur. Sur la table de nuit était aussi posé le livre de Timothy, elle l'avait découvert parmi ses affaires, les sinistres essais de Jean Calvin et sa doctrine de la prédestination, qui promettait un enfer infesté d'âmes expressément conçues pour être damnées, elle ne savait pas quoi en faire, elle le gardait à portée de la main, incapable de s'empêcher de revenir à cette pornographie spirituelle comme un chien à son vomi. Elle dénicha une allumette, alluma une spirale d'encens insecticide dans une cuvette, se glissa sous la moustiquaire, tira le drap jusqu'à son menton... Certains individus absolument et définitivement choisis pour le salut, d'autres tout aussi absolument voués à la destruction... Couchée là dans la puanteur de son existence, ses cheveux encore trempés par la pluie, elle ne prit pas le livre.

Une lueur aveuglante la réveilla : le plafonnier. Apparemment, la ligne électrique avait été réparée. Il faisait toujours nuit dehors, la pluie avait cessé. Elle tint ses sandales à la main jusqu'à la cuisine, les lança dans l'évier pour en chasser les cafards, alluma la lumière, prit une bouteille d'eau glacée dans le réfrigérateur – qui fonctionnait au gaz –, se servit un verre, puis s'assit à la table pour regarder les photos. Aller faire développer ce film lui avait fourni une occupation pendant qu'elle attendait que quelqu'un lui rapportât l'anneau, la bague, qui avait peut-être été en or, du doigt d'un cadavre échoué sur une berge de la rivière Pulangi. Les habitants de la rivière n'avaient pas vu cette bague. Plutôt que de déranger ces ossements pour trouver cet unique ornement, ils étaient partis à la recherche d'Occidentaux susceptibles de réclamer cette dépouille. Après des semaines de palabres internes, ils l'avaient négociée contre une somme dérisoire, cinquante pesos seulement.

Elle voyait cette fête de mariage à travers les yeux de Timothy.

On les avait prévenus qu'ils allaient être photographiés et ils s'étaient préparés. Certaines petites filles étaient poudrées et maquillées, leurs cheveux noirs brillaient sous la pommade.

Les yeux de Timothy avaient vu, son esprit avait décidé, l'instant exact sur les marches brisées de l'église rose. Au fond à droite une enseigne – « TREADSETTERS / un horizon nouveau dans le monde du rechapage » – et les effigies de saint Michel flottant au-dessus de la foule des célébrants, la lame de ses épées enveloppée de papier d'aluminium. C'était la Saint-Michel. Musulmans, catholiques, tout le monde dansait et chantait les louanges du saint guerrier. Alors que Timothy se débattait avec la broche du flash, les membres de la famille du marié se mirent à s'esclaffer et à rire, et quand le flash se déclencha ils renoncèrent à toute retenue, poussèrent des cris aigus et, en proie à une panique honteuse, essayèrent de se cacher les uns derrière les autres.

Elle sortit de leur boîte rangée au réfrigérateur l'un des cigares philippins de Timothy, s'assit, le tint entre ses doigts, prit une allumette dans la boîte posée sur le plateau de la table, la gratta, tira quelques brèves bouffées avant d'éteindre le cigare dans l'évier, puis se rassit à la table au milieu de la pestilence du mort, saisie de vertige. Dans le vide qui l'entourait, elle traquait jusqu'au plus infime souvenir. Cigares, photographies, objets qu'il avait touchés, menues remarques qui lui revenaient en mémoire, elle les collectait tous compulsivement, comme une espèce de preuve.

Elle se remit au lit sans éteindre le plafonnier. Aussitôt elle ouvrit le livre contenant les œuvres de Calvin, ce livre que Timothy avait trouvé et lu et qu'il ne cessait jamais de lire. Elle fut scandalisée par l'existence d'une phraséologie pour décrire ces souillures, des idées qu'elle croyait être la seule à avoir connues, des doutes affreusement méprisables, jamais exprimés – et Timothy avait sans doute ressenti la même chose, car il ne lui en avait jamais parlé et pas davantage de ce livre. Dans les marges il avait d'une croix marqué certains passages. Elle ferma les yeux et les lut avec ses doigts...

« Ainsi, bien que ces choses qui sont mauvaises, dans la mesure où elles sont mauvaises, ne soient pas bonnes, il est néanmoins bon qu'il existe des choses mauvaises. »

« Et si Dieu savait à l'avance qu'elles seraient mauvaises, alors mauvaises elles seront, même si elles semblent briller de tout l'éclat du bien. »

« Sommes-nous des enfants ? Nous dissimulerons-nous cette vérité, à savoir que Dieu dans Son éternelle bonté a choisi ceux qu'il Lui a plu de choisir pour le salut, et rejeté tous les autres ? »

Ce cœur tressaillant, l'extase de l'abîme, l'implacable vérité de ma damnation prédestinée.

Elle s'endormit la lumière allumée, en serrant contre son sein ces affirmations terrifiantes.

La matinée du lendemain fut ensoleillée et presque fraîche, le ciel plein de beaux nuages véloces, rien à voir avec le chaudron suintant de la nuit précédente. Cory arriva du marché avec le pain et trois œufs minuscules, puis prépara le petit déjeuner, après quoi Kathy retrouva huit aides-soignantes qu'elle avait formées et qui s'occupaient maintenant de dispensaires dans de lointains *barangays*, actuellement quatre dispensaires seulement, six au dernier trimestre, et qui sait, au trimestre prochain, un, six ou dix, selon les fluctuations des rentrées d'argent.

À cette réunion se joignit une femme de la Fondation pour le développement et l'amélioration, Mme Edith Villanueva, qui prit des notes superflues. Les huit aides de Kathy, toutes des femmes, toutes mariées, toutes plusieurs fois mères, et toutes n'ayant guère l'occasion de quitter leur *barangay*, firent de leurs retrouvailles une fête. Elles préparèrent du riz et du sucre frits dans l'huile de noix de coco puis enveloppés dans des feuilles de bananier, du riz enveloppé dans des feuilles de cocotier et du riz nature. « Il n'y a que du riz », dit Mme Villanueva sur le ton de l'excuse.

Toutes ces dames, qui aimaient beaucoup leurs maris, avaient eu vent de la disparition de Timothy et en parlèrent avec respect, d'une manière qui sous-entendait qu'il n'était ni mort ni vivant. Elles l'appelaient Timmy.

Ensuite, après le déjeuner, il fallut rendre visite au maire Emeterio D. Luis, qui jouissait d'une position élevée et centrale parce qu'il avait tout appris sur tous les habitants de Damulog, et qui aurait été maire même si cette fonction municipale n'avait pas existé pour qu'il l'occupât. Kathy lui apporta le restant des friandises disposées sur un plateau d'acajou lui-même enveloppé d'un foulard de soie. Bien que la ville de Damulog abritât un bureau de poste et un hôtel de ville dans les trois pièces d'une maison en parpaings toute proche du marché, le maire l'évitait consciencieusement, lui préférant le modeste salon de son propre foyer, qui était ombragé et bien aéré. Il installa Kathy dans un fauteuil en rotin à côté de son bureau, d'une voix de stentor réclama de l'eau glacée, puis lui demanda des vaccins contre la polio. Elle le connaissait depuis deux ans. Il s'adressa néanmoins à elle pendant quelques minutes comme à une émissaire fraîchement débarquée. « Pouvons-nous distribuer les vaccins contre la polio dans les dispensaires éloignés ? Nous avons des problèmes dans les campagnes. À cause de leur marmaille, les gens ne peuvent pas tous venir à pied jusqu'à Damulog. Ce sont les pauvres des plus pauvres. Et puis il y a parfois des bandits sur les routes. Nous ne voulons pas être les victimes de ces éléments hors la loi. Ce sont les pauvres des plus pauvres. » Dernièrement, Kathy l'avait entendu plusieurs fois employer cette expression. Il inversait invariablement l'ordre des mots. Oui : Emeterio D. Luis ; ce « D », selon le presse-papiers en granite gravé posé sur son bureau, était l'initiale de « Deus ».

Les élections étaient encore éloignées, mais déjà, lui dit-il, son adversaire pour le poste de maire se moquait de lui, le traitait de lâche, d'homme aux « œufs blancs ». Dans ses yeux, derrière les tracas de sa fonction, brillait un bonheur total. Sa sœur, qui enseignait à l'université de Mindanao Sud, chantait des airs traditionnels tribaux dans un petit amplificateur installé dans le patio, et il l'écoutait avec satisfaction, les mains jointes à côté du vase de fleurs en caoutchouc mousse posé sur le bureau.

Il lui parla de l'Américain, Skip Sands, tout comme il avait sans doute parlé d'elle à Skip Sands. Il savait bien sûr qu'elle avait rencontré l'Américain au Sunshine Eatery.

« J'ai demandé à Skiip Sands s'il connaissait le colonel américain, et de fait il y a là une connexion très intéressante... Allez-vous me demander laquelle ?

— Je ne voudrais pas colporter de ragots.

— Les ragots sont antichrétiens! lâcha-t-il. Sauf quand on parle au maire. »

Kathy découvrit les desserts et il examina le plateau comme un échiquier, la main planant au-dessus. « Tant de visiteurs!

— Je crois, dit Kathy, que vous les faites apparaître par magie.

— Oui! Je les fais apparaître par magie! J'ai fait apparaître le colonel américain, et puis le commandant de l'armée philippine, comme j'ai fait apparaître cet autre homme, je crois qu'il était suisse, il était quoi à votre avis?

— Je ne l'ai jamais rencontré. Ni le Philippin. Seulement le colonel.

— Et puis j'ai fait apparaître l'équipe des géomètres. Madame Luis, qu'en pensez-vous? Croyez-vous que je sois un magicien? demanda-t-il à sa femme imposante qui arrivait de la cuisine et traversait le linoléum du sol comme en glissant sur ses tongs à semelles de paille.

— Je trouve que vous avez une voix très forte!

— Kathy croit que je fais apparaître les gens par magie », lança-t-il tandis que son épouse poursuivait vers l'arrière de la maison. « Kathy, dit-il, je veux que l'équipe des géomètres travaille un peu pour moi. Je crois que vous pouvez m'aider à les convaincre.

— Je n'ai aucune influence sur eux, Emeterio.

— Je les ai fait apparaître par magie! Ils doivent travailler pour moi!

— Eh bien, il faudra les convaincre vous-même.

— Kathy. L'Américain nommé Skiip, vous savez ce qu'il m'a dit? Le colonel est son parent. Le colonel est son oncle, pour être exact.

— Eh bien! » fit Kathy. L'homme avait fait sensation, mais elle ne parvenait pas à se rappeler – à faire apparaître – le visage du colonel afin de procéder à une comparaison.

« Quand j'ai interrogé Skiip sur l'officier philippin et l'autre homme, il a fait semblant de ne pas les connaître.

— Pourquoi les connaîtrait-il?

— Tous ces gens se connaissent, Kathy. Ils participent à une mission gouvernementale clandestine.

— Eh bien, tout le monde vient ici incognito. » Elle-même avait débarqué à Damulog sous les auspices de l'International Children's Relief Effort, une organisation dépourvue de toute affiliation religieuse, alors qu'en réalité elle était venue en tant qu'épouse de son mari : un ouvrier dans les vignes du Seigneur.

Le maire lança sa sandale vers un chien qui venait d'entrer dans la pièce, un coup au but, pile sur l'arrière-train de l'animal qui glapit comme un oiseau et bondit par la porte.

« Jouer est entièrement exclu de nos idées, fit-il tout à trac. Le jeu est contre les idées du septième jour. J'essaie de le mettre derrière moi.

— Je parie que vous y arrivez.

— Merci. Oh... "Je parie"! Oui! Ah! ah! ah! "Je parie"! » Il retrouva aussitôt son sérieux. « Mais voyez-vous, je vais aux combats de coqs. C'est mon obligation. Je tiens à rester en contact avec les passions des gens.

— Je parie que vous le faites. »

Un quart d'heure était passé et une jeune femme – domestique, voisine ou parente – posa sur le bureau deux verres remplis d'eau glacée. Du dos de la main, le maire Luis tapota la sueur sur son front. Il soupira. « Votre mari, Timmy. » Tous les Philippins appelaient son mari, pour la première fois de son existence, Timmy. « Nous allons attendre des nouvelles de la dépouille. Ça prend un peu plus de temps. Je conserve bon espoir, Kathy, car il est possible que soudain nous entendions parler de quelques éléments criminels qui l'ont capturé vivant. Nous sommes victimes de tant de hors-la-loi et de kidnappeurs, mais cette fois on peut dire qu'ils nous donnent de l'espoir. » Il sirota son eau dans un silence absolument sincère : Non. Nul espoir.

À deux heures de l'après-midi, après la fin des cours et tandis que la ville somnolait, elle ouvrit les portes de son dispensaire de Damulog, qui se trouvait dans une des quatre salles de classe du bâtiment en parpaings qui tenait lieu d'école. Edith Villanueva, de la Fondation pour le développement et l'amélioration, était là afin d'observer les jeunes mères qui amenaient leurs nourrissons pour qu'on les vaccine. Deux douzaines faisaient la queue, des jeunes filles dont certaines avaient seulement douze ou treize ans – elles en paraissaient neuf ou dix –, saisissaient d'une poigne implacable les membres de leur bébé pour la piqûre, puis chacune recevait une boîte de lait en poudre, laquelle constituait la vraie raison de leur visite.

Pendant ce temps, l'Américain Skip Sands, assis sur la véranda en béton, regardait un livre ; en short à carreaux et T-shirt blanc, des tongs en caoutchouc aux pieds. Apparemment pas dérangé par les cris.

Au moment de partir, Kathy présenta Edith à l'Américain. Il fit mine de se lever, mais Edith s'assit près de lui, puis lissa sa jupe. « C'est quoi, ce livre? demanda Edith. Un code secret?

— Non.

— Quoi? Du grec?

— Marc Aurèle.

— Vous pouvez le lire?

— *Pensées pour moi-même.* Généralement traduit simplement par *Pensées.*

— Un linguiste. Vous êtes linguiste?

— C'est juste pour ne pas perdre la main. J'ai une traduction anglaise à l'hôtel.

— Chez Castro? Dieu, je ne voudrais pas loger là-bas, fit Edith. Je prends le car de quatre heures pour partir d'ici.

— Le toit de M. Castro est troué, mais l'hôtel le plus proche est loin, très loin d'ici.

— Tout seul? » Edith était une femme mariée, d'âge mûr, sinon elle n'aurait jamais flirté ainsi avec lui.

Il sourit et Kathy eut soudain envie de lui flanquer un coup de pied dans le ventre, juste en dessous des côtes – histoire de le réveiller. Histoire de perturber la bonne humeur de sa face d'Américain béat.

« Je peux voir? » fit Kathy. Son livre était très bon marché et laid, imprimé par les Presses de l'Université catholique. Elle le lui rendit. « Vous êtes catholique?

— Catholique irlandais du Midwest. Un sacré méli-mélo, comme on dit dans la famille.

— Le Kansas, avez-vous dit, c'est ça?

— Clements, au Kansas. Et vous?

— Winnipeg, dans le Manitoba. Ou plutôt les environs. Sur la même latitude que le Kansas.

— Longitude.

— D'accord. Nous sommes exactement au nord de vous.

— Mais dans des pays différents, fit Edith.

— Des mondes différents », corrigea Kathy. Elles étaient là, ces deux épouses fatiguées, à le tanner. « Venez donc avec nous », proposa-t-elle et elle lui tendit la main pour l'aider à se remettre sur pied.

Ils se dirigèrent vers la rue de Kathy. « Vous êtes donc du Middle West des États-Unis ? demanda Edith.

— Oui, c'est ça, du Kansas.

— Mon mari aussi, fit Kathy. Springfield, dans l'Illinois.

— Ah.

— Pour l'instant il est porté disparu.

— Je sais, je l'ai appris. Le maire me l'a dit.

— Le maire vous l'a dit – évidemment ! fit Edith.

— Emeterio dit tout à tout le monde, dit Kathy. C'est comme ça qu'il apprend tout. Plus il parle, plus les gens lui parlent. Vous attendiez pour me voir ?

— Eh bien, en fait, oui, avoua-t-il, mais j'ai attendu trop longtemps. Maintenant il faut que je coure.

— Courir ! s'écria Edith. Ce n'est vraiment pas très philippin. »

Après le départ de Skip, Edith déclara : « Il n'avait pas remarqué que j'étais encore avec vous. Il désirait vous voir seule. »

Vers quatre heures cet après-midi-là, alors qu'elles attendaient le car qu'Edith devait prendre pour quitter la ville, les deux femmes aperçurent l'Américain qui déambulait parmi les étals du marché, en bermuda, sur ses jambes couvertes de coups de soleil, une noix de coco poilue et brune à la main. « Je cherche quelqu'un pour la fendre en deux », annonça-t-il.

Les kiosques à toit de chaume de la place du marché occupaient tout un pâté de maisons de la ville autour d'un grand carré désert de terre battue. Ils longèrent donc ces échoppes en cherchant quelqu'un capable de résoudre le problème du visiteur. Le car arriva, le chaos s'abattit alentour, les passagers hissèrent leurs sacs, rassemblèrent leurs enfants en balançant leurs poulets qui, la tête en bas, battaient des ailes. « Le chauffeur a un bolo, j'en suis certaine », dit Edith. Mais Skip trouva un vendeur qui lui-même maniait un bolo et qui d'une main experte décapita la noix de coco, la leva comme pour boire, puis la rendit à l'Américain. Skip la tendit à la ronde : « Qui a soif ? » Les deux femmes éclatèrent de rire. Il goûta le lait. « Pour l'amour du ciel, s'écria Edith, fichez-moi ça par terre. Ça va vous retourner l'estomac. » Skip vida par terre la noix de coco, puis laissa le vendeur la découper en quartiers.

Edith échangea quelques mots avec le chauffeur, puis revint vers eux. « Je lui ai demandé de laver les phares. Ils ne lavent jamais leurs phares. Dès la nuit tombée, à cause de toute cette boue, ils roulent comme s'ils avaient un bandeau sur les yeux. » Elle entama ses adieux à Kathy, puis ses remerciements, mit très longtemps à conclure sa visite. Elle tendit la main à Skip Sands et il lui serra avec gaucherie le bout des doigts. « Merci beaucoup, fit Edith. Je crois que vous êtes une vraie bénédiction pour Damulog. » Son ton était curieusement condescendant et déplacé.

Edith portait un gigantesque sac de paille multicolore avec un fermoir de chanvre. Elle s'éloigna en le balançant, marchant les pieds bien à plat dans ses sandales, son derrière oscillant comme l'arrière-train d'un carabao sous sa jupe de soie. Bon débarras. Tout l'après-midi Kathy avait ressenti dans la nuque et les épaules une tension, le désir de se débarrasser du fardeau qu'incarnait la présence de cette femme. La fin de chaque journée marquait le déclin de la lumière dans son cœur, puis arrivaient la folie torturante de la nuit, les réveils, les pleurs, les tracas, ses lectures sur l'enfer.

D'un autre côté, l'Américain, qui pour elle étendait son mouchoir blanc sur le bois moisi du banc, semblait absurde, idiot, apaisant.

« *Voulez-vous parler français* * ? proposa-t-il.

— Excusez-moi ? – Oh non, nous ne faisons pas ça au Manitoba. Nous ne sommes pas ce genre de Canadiens. Êtes-vous réellement une sorte de linguiste ?

— C'est juste un hobby. Je suis tout à fait sûr qu'un vrai linguiste aurait ici du travail jusqu'à la fin de ses jours. Pour autant que je sache, personne n'a encore essayé d'étudier les dialectes de Mindanao de manière systématique. »

Il prit une tranche de noix de coco. Les fourmis s'y attaquaient déjà. Il souffla dessus pour les chasser, puis en coupa un morceau avec la lame d'un canif bleu foncé des boy-scouts d'Amérique.

« Votre travail est épuisant, dit-il.

— Eh oui. J'ai sous-estimé la nature de cette proposition.

— Vraiment ?

— Sa profondeur, oui, et sa gravité. »

Elle eut envie de lui hurler de se ressaisir.

« Bon, je voulais simplement dire que vous devez traiter avec beaucoup de gens.

— Dès qu'on arrive parmi les païens, tout change. De fond en comble. Tout devient beaucoup plus clair, beaucoup plus vivant,

---

* En français dans le texte original, comme tous les passages en italique suivis d'un astérisque. (*N.d.T.*)

tout devient clairement vivant. Ah, bah, fit-elle, c'est le genre de chose qui devient confus dès qu'on en parle.

— Je suis d'accord.

— Alors n'en parlons plus. Ça vous dérangerait si parfois je note par écrit quelques pensées et que je vous les transmette? Sur le papier?

— Pas du tout, fit-il.

— Et vous alors? Comment va votre travail?

— Je suis plutôt en vacances.

— Quels sont les intérêts de Del Monte ici? Je suis certaine qu'on ne pourrait pas faire pousser beaucoup d'ananas dans ces plaines de Maguindanao. Trop d'inondations.

— Je suis en vacances. Je me promène, voilà tout.

— Vous débarquez donc ici sans la moindre explication. Comme un ambassadeur du destin.

— Eh bien oui. Je vois ça sans doute comme une espèce d'ambassade, si des gens aussi formidables que vous ne faisaient pas déjà un bien meilleur boulot pour nous représenter.

— Représenter qui au juste, monsieur Sands?

— Les États-Unis, madame Jones.

— Je suis canadienne. Je représente les Évangiles.

— Eh bien, idem pour les États-Unis.

— Avez-vous lu un livre intitulé *L'Affreux Américain*?

— Pourquoi aurais-je envie de lire un tel livre? »

Elle le dévisagea.

« Aah, d'accord, j'ai lu *L'Affreux Américain*, concéda-t-il. Je trouve ça ridicule. L'autoflagellation est en vogue. Mais je ne marche pas.

— Et *Un Américain bien tranquille*?

— J'ai aussi lu *Un Américain bien tranquille*. » – Et ce livre-là, elle le remarqua, ne fut pas qualifié de ridicule.

« Nous autres Occidentaux, reprit-elle, jouissons de nombreux avantages. D'un plus grand libre arbitre. Nous sommes affranchis de certains... » Sa phrase cala.

« Nous avons des droits. La liberté. La démocratie.

— Ce n'est pas ce que je veux dire. Je ne sais pas comment dire ça. Ce sont des questions touchant au libre arbitre. » Elle tremblait à l'idée de lui demander maintenant si par hasard il avait lu Jean Calvin... Non. Même cette question était un abîme.

« Vous vous sentez bien?

— Monsieur Sands, connaissez-vous le Christ ?

— Je suis catholique.

— Oui. Mais connaissez-vous le Christ ?

— Eh bien, fit-il, pas de la manière dont selon moi vous voulez parler.

— Moi non plus. »

À cela il ne répondit rien.

« Je croyais connaître le Christ, reprit-elle, mais je me trompais du tout au tout. »

Elle constata qu'il se tenait très droit lorsqu'il n'avait rien à dire.

« Nous ne sommes pas tous cinglés ici, vous savez », dit-elle. – Encore une remarque à laquelle il ne répondit rien. « Je suis désolée. »

Il se racla la gorge avec soin. « Vous pourriez rentrer chez vous, n'est-ce pas ?

— Oh non. Je ne pourrais jamais faire une chose pareille. » Elle sentit qu'il avait peur de demander pourquoi. « Tout simplement parce que dans ce cas je n'aurais jamais rien réglé. »

Cet Américain créait un silence auquel on résistait difficilement. Elle se sentait contrainte de le remplir. « Vous savez, ça n'a rien de bizarre, d'inhabituel ni d'exceptionnel, de tomber au milieu d'une tragédie. Regardez l'endroit où nous sommes ! Le soleil continue de se lever et de se coucher. Chaque journée fait un peu plus de place dans votre cœur – quel serait le mot exact... l'amour est incessant, il pousse sans relâche, il n'arrête pas de pousser et de donner des coups de pied comme un enfant en vous. Bon, ça va ! Ça suffit comme ça ! Quelle imbécile je suis ! » cria-t-elle presque.

Le soleil couchant descendit, émergea des nuages et les frappa de sorte que toute la ville se mit brusquement à palpiter dans une lueur écarlate. L'Américain n'émit pas le moindre commentaire. Il dit simplement :

« Et que se passe-t-il quand tout cela est, est, est... se termine ?

— Ouf, félicitations, vous avez trouvé le mot juste.

— Désolé.

— Vous voulez dire, si Timothy est mort ?

— Si, eh bien... oui. Désolé.

— Nous ignorons ce qui lui est arrivé. Il est monté dans le car pour Malaybalay, et depuis nous attendons son retour. Il avait l'air malade, il a promis de voir un médecin là-bas à l'infirmerie avant tout autre rendez-vous. Pour autant que nous le sachions, personne là-bas à l'infirmerie ne l'a vu. Nous ne sommes même pas sûrs qu'il soit arrivé pour de bon à Malaybalay. Nous sommes allés dans toutes les villes entre ici et là-bas – rien, rien, aucune nouvelle.

— Et j'imagine que ça fait un moment déjà.

— Dix-sept semaines, dit-elle. Tout a été fait.

— Tout?

— Nous avons contacté tout le monde, toutes les autorités, l'ambassade, et nos familles bien sûr. Nous avons passé mille coups de fil, tout le monde est devenu cinglé mille fois. Son père est venu ici en juillet et il a annoncé une récompense par voie d'affichage.

— Une récompense? Est-il riche?

— Non, pas du tout.

— Oh.

— Il y a néanmoins eu une nouvelle. On a découvert des restes humains. »

Fidèle à ses origines du Midwest, l'Américain réagit à cette information en disant « Ah », puis « Hum, hum ».

« Et à l'heure qu'il est nous attendons une description des effets du cadavre.

— Le maire Luis m'en a parlé.

— Et si c'est Timothy? Je resterai un moment, puis je trouverai un nouveau poste, conformément à ce que nous avions de toute façon prévu. Ou alors, si Timothy revient et nous surprend tous – ce dont il est tout à fait capable, vous ne le connaissez pas –, s'il refait surface, nous ne modifierons sans doute rien à nos projets. Il a droit à un changement. Il désirait un changement de poste, un nouveau défi. Ce qui veut dire les mêmes vieux problèmes dans un décor inédit. Et puis je suis infirmière, ils peuvent me faire bosser n'importe où. Thaïlande, Laos, Vietnam...

— Nord Vietnam, ou Sud?

— Nous avons des gens au Nord, rétorqua-t-elle.

— Les adventistes du septième jour?

— L'ICRE – International Children's Relief Effort.

— Exact, l'ICRE. » Et soudain il se lança avec passion : « Écoutez, ces gens autour de nous n'auront jamais un sort bien meilleur que celui qu'ils ont en ce moment. Mais leurs enfants s'en tireront peut-être. La libre entreprise implique l'innovation, l'éducation, la prospérité, tous ces trucs bébêtes. Et la libre entreprise va se répandre, c'est dans sa nature. Leurs arrière-petits-enfants connaîtront une existence bien meilleure que nous aux États-Unis.

— Bon, dit-elle étonnée, ce sont de belles idées, des mots pleins d'espoir. Mais "ces gens" ne se nourrissent pas de mots. Ils ont besoin de riz dans leur ventre, et je veux dire ce soir.

— Sous le communisme leurs enfants mangeront peut-être mieux ce soir. Mais leurs petits-enfants mourront de faim dans un monde réduit à une vaste prison.

— Comment sommes-nous arrivés à ce sujet ?

— Savez-vous que l'ICRE est considéré comme une organisation communiste ?

— Non. C'est vrai ? » En fait elle n'en avait pas entendu parler et elle s'en fichait.

« L'ambassade américaine de Saigon la classe dans la troisième force.

— Eh bien, monsieur Sands, je ne fais partie ni de la cinquième colonne, ni de la troisième force. Je ne sais même pas ce qu'est cette troisième force.

— Elle n'est ni communiste ni anticommuniste. Mais elle est plus utile aux communistes.

— Et vous, les employés de Del Monte, vous passez beaucoup de temps à l'ambassade américaine de Saigon ?

— Nous recevons des informations du monde entier.

— L'ICRE est une minuscule organisation. Nous survivons grâce aux dons d'une douzaine de fondations charitables. Nous avons un bureau à Minneapolis et une quarantaine d'infirmières sur le terrain dans je ne sais pas combien de pays. Quinze ou seize pays, je crois. Monsieur Sands, vous semblez chamboulé.

— Vraiment ? fit-il. Vous-même, l'autre soir, vous étiez sans doute sacrément chamboulée.

— Quand ça ?

— À Malaybalay.

— Malaybalay ?

— Oh, allez – au restaurant italien ? Quand le maire a mentionné Kathy Jones, l'adventiste du septième jour, le nom était le même. Mais je n'ai pas pensé une seconde que c'était vous.

— Et pourquoi donc ?

— Ce soir-là, vous ne ressembliez vraiment pas à une adventiste du septième jour. »

L'Américain au bermuda chamarré paraissait attendre un mot d'elle, même si toute parole était désormais inutile.

« Le maire et sa famille se sont montrés très gentils avec moi, dit-elle.

— Bon, je veux dire... allez.

— Nous ne disons pas toujours tout sur nous-mêmes, pas vrai? Par exemple, le maire croit que vous n'êtes absolument pas ce que vous prétendez être. Il dit que vous êtes ici en mission secrète.

— Je ne bosserais pas pour Del Monte, c'est ça? Je serais un espion pour Dole Pineapple?

— Votre oncle a dit qu'il travaillait pour l'AID.

— Avez-vous eu l'occasion de lui parler?

— C'est un vieux renard haut en couleur.

— Je suppose que vous lui avez parlé. Qui l'accompagnait?

— Personne.

— Oh. Mais le maire a parlé de deux autres hommes. Un Allemand, peut-être.

— Ils sont venus beaucoup plus récemment.

— Les deux autres? Quand ont-ils séjourné ici? Vous vous rappelez?

— Je suis partie vendredi. Ils étaient donc ici jeudi.

— Vous voulez dire jeudi dernier? Il y a quatre jours?

— Un, deux, trois, quatre, oui, quatre jours. C'est une mauvaise nouvelle?

— Non, non, non. Je regrette seulement de les avoir ratés. L'Allemand était avec qui?

— Attendez... Un Philippin. Militaire.

— Aha, le commandant Aguinaldo.

— Je ne l'ai pas vu.

— C'est un ami à nous. Mais je ne suis pas sûr de l'Allemand. Était-il allemand? Je ne suis pas certain de le connaître. Le maire a dit qu'il était barbu.

— Un Suisse, selon le maire.

— Barbu?

— Je ne l'ai pas vu.

— Mais vous avez vu le colonel.

— On ne voit pas beaucoup de barbus dans cette région. Ça doit gratter. Tout comme cette moustache, je parie. »

Il lui faisait face en silence, comme s'il la mettait au défi de l'examiner, lui – pas de chapeau, la sueur dégoulinant de son crâne, tombant aussi de sa moustache en berne... Il se permit bientôt de regarder autour de lui, de remarquer la lueur vermillon qui les baignait et déclinait. « Waouh, fit-il.

— Ma grand-mère appelait ça le brasier.

— Parfois ça vous met au tapis.

— D'ici cinq minutes les moustiques vont grouiller et nous serons dévorés vivants.

— Le brasier. On dirait un mot gaélique.

— Le voilà qui s'en va. C'était presque liquide.

— Ça renforce la croyance au paradis.

— Je ne suis pas certaine que le paradis soit tellement désirable », dit-elle.

Elle avait cru le choquer, mais il répondit : « Je crois comprendre ce que vous voulez dire.

— Vous voyagez avec le Livre ? demanda-t-elle.

— Le Livre... ? Oh.

— Avez-vous une bible avec vous – je veux dire, à l'hôtel ?

— Non.

— Eh bien, nous pouvons certainement nous arranger pour en placer une entre vos mains.

— Eh bien... d'accord.

— Les catholiques ne sont pas des lecteurs aussi assidus de la Bible que nous autres, n'est-ce pas ?

— Je ne sais pas. Je ne sais pas comment lisent les autres.

— Monsieur Sands, comment se fait-il que vous me montriez toujours vos mauvais côtés ?

— Je suis vraiment désolé, dit-il. Ce n'est pas dû à la situation. Simplement, je ne suis pas très poli, je devrais avoir honte. »

Ces excuses la touchèrent. Elle chercha un moyen de manifester qu'elle les acceptait de bonne grâce.

Sands demanda : « Qui arrive là avec le maire Luis ? Le type qui tient une lance ? »

Elle aperçut le maire et les deux autres hommes qui traversaient la boue compacte et les mares peu profondes de la rue, le maire en chemise sport blanche comme un *muumuu* sur sa vaste panse, l'un des hommes pointant une longue lance vers les nuages, l'autre fumant une cigarette, et aussitôt elle sut.

« Oh ! mon Dieu », fit-elle avant de s'écrier : « Maire Luis ! Monsieur le maire ! »

Elle se leva, Skip Sands l'imita. Dans la main gauche elle tenait le mouchoir blanc de l'Américain, sur lequel elle s'était assise. Les hommes tournèrent la tête, puis se dirigèrent vers eux. « Elle est là, elle est là », dit le maire. Leur approche semblait apporter le crépuscule. L'extrémité de la cigarette rougeoyait dans l'obscurité grandissante. « Kathy, reprit le maire, c'est très triste. »

Elle ne se rappela pas, à cet instant précis, si elle avait jamais eu le moindre espoir.

Le maire Luis paraissait s'adresser à Skip : « Je suis très triste que ce soit moi. Mais malheureusement je suis toujours maire. »

Le maire tendit la bague et, afin de la saisir entre ses doigts, elle laissa tomber le mouchoir blanc de l'Américain.

« Kathy, nous sommes tous très tristes ce soir.

— Je ne vois pas si elle est gravée.

— L'inscription est là. Je ressens beaucoup de tristesse en vous apportant cette preuve.

— Tout est donc fini.

— Oui », confirma Luis.

Elle tenait dans sa main la bague de Timothy. « Et maintenant ? Je fais quoi de ça ? » Elle la passa à son index droit.

« Je vais vous laisser, annonça Skip.

— Non, ne partez pas. » Elle s'était emparée de sa main.

« C'est une vraie tragédie, fit-il.

— Allons, Kathy, intervint le maire. Skip vous manifestera sa sympathie plus tard. »

Le plus jeune des deux compagnons du maire lança sa cigarette dans une mare. « Nous avons accompli un long voyage pour vous. »

Maintenant il fallait les payer. Qui payait ? « Est-ce moi qui vous donne les cinquante pesos ? » demanda-t-elle. Personne ne répondit. « Et avez-vous... avez-vous apporté... y a-t-il autre chose ? » Elle se tourna vers le vieillard à la lance, mais son visage restait muet, il ne parlait pas anglais.

« Oui. Nous avons chez moi la dépouille physique de Timmy, dit le maire. Mon épouse ne la quitte pas, elle fait une veillée silencieuse jusqu'à ce que je vous amène là-bas. Oui, Kathy, notre Timmy est décédé. Le temps du deuil est arrivé. »

Sands passa trois ou quatre fois à pied devant la maison de Mme Jones avant de voir de la lumière à l'intérieur. Il était alors plus de onze heures du soir, mais ici les gens faisaient de longues siestes et veillaient jusqu'à n'importe quelle heure de la nuit.

Il gravit les marches et s'arrêta sous la lumière de la véranda, un cercle de néon moucheté d'insectes minuscules. Par la fenêtre il la vit debout au milieu de son salon, l'air perdu. Au bout de son bras pendait une bouteille qu'elle tenait par le goulot.

Apparemment, elle le vit aussi. « Voulez-vous un cigare ? proposa-t-elle.

— Quoi ?

— Voulez-vous un cigare ? »

Une question toute simple à laquelle il ne put répondre.

« Ce soir, je bois un coup ou deux. »

Il dut reculer quand elle ouvrit la porte et s'assit sur la balustrade de la véranda. Elle ne tenait pas bien en équilibre sur ses jambes et il s'attendit à la voir basculer en arrière dans l'obscurité.

« Je veux que vous goûtiez ça.

— C'est quoi ?

— Du brandy.

— Je ne bois pas d'alcool fort.

— C'est du brandy de riz.

— De riz ?

— C'est du brandy de riz. C'est... du brandy de riz.

— Est-ce que vous vous sentez... » Il s'interrompit. Quelle manière idiote de commencer. Son mari était mort.

« Non.

— Non ?

— Pas du tout.

— Vous ne... ?

— Je ne me sens pas du tout...

— Madame Jones, dit-il.

— Non, ne partez pas. Je vous ai déjà demandé de ne pas partir, et vous êtes parti. Écoutez, ne vous en faites pas, j'ai tout le temps su qu'il ne s'en tirerait pas. C'est pour ça que je vous ai pris la main ce soir-là au restaurant. Je savais que c'était sans espoir. C'est sans espoir, alors pourquoi est-ce qu'on ne va pas simplement... au lit.

— Seigneur, fit-il.

— Je ne veux pas dire tout de suite. Si, je veux dire tout de suite. Tais-toi, Kathy, tu es saoule.

— Vous feriez mieux de manger quelque chose.

— J'ai un peu de porc, s'il n'a pas moisi.

— Vous feriez mieux de prendre un vrai repas, vous ne croyez pas ?

— Avec des petits pains.

— Sans doute que des petits pains pourraient... » Il se tut. Il avait failli dire qu'ils absorberaient l'alcool, mais il faisait très chaud, sa nuque était couverte de coups de soleil douloureux, et puis à quoi bon discuter des qualités absorbantes de divers aliments ?

« Qu'y a-t-il, jeune homme ?

— Il n'y a pas de climatiseur dans ma chambre. »

Elle l'examina avec attention. Elle paraissait davantage cinglée que saoule.

Elle dit : « Je suis désolée pour la mauvaise nouvelle au sujet de votre mari.

— Quoi ? »

Son corsage était à moitié déboutonné, légèrement ouvert jusqu'au nombril. D'étonnantes fleurs bleues minuscules décoraient son soutien-gorge. La sueur ruisselait sur son ventre. Lui-même souffrait d'une douloureuse irritation de la peau, depuis les aisselles jusqu'aux mamelons. Il désirait de la glace contre sa chair. Il aurait aimé qu'il neige.

Mme Jones dit : « Si vous entrez et que vous buvez un peu de brandy, je mangerai quelque chose. Il y a la clim. »

Le climatiseur se trouvait dans la chambre, ils se mirent au lit et firent en quelque sorte l'amour. Tout du long il se sentit maladroit. Non. Hideux. Aussitôt après, il ôta de son corps les mains de Kathy, se rhabilla, puis rentra à pied à l'hôtel tandis que le remords le taraudait et l'engluait comme une graisse répugnante. Une veuve, et le jour même où elle avait appris la nouvelle... Quant à Kathy, elle avait ensuite paru fort peu honteuse, et guère ivre. Elle avait seulement semblé en colère contre son mari parce qu'il était mort.

Le lendemain soir il rejoignit à pied la maison de la veuve, mais ne vit aucune lumière à l'intérieur. Il frappa timidement, n'obtint aucune réponse. Plus fort, il risquait de réveiller les voisins. Il s'en alla.

La saison sèche n'était pas encore arrivée, mais il ne pleuvait pas. Aussitôt après chaque coucher de soleil, un couvercle nuageux maintenait la chaleur sur Damulog, écrasait les fleurs, s'immisçait de force sous chaque crâne. Lentement, toute la ville se mit au rhum. Romy, le jeune ingénieur géomètre, se bagarra au Sunshine Eatery avec quelques musulmans qui le flanquèrent dehors sur la place, mais personne ne quitta sa table pour regarder.

Le samedi soir, des guêpes rayées et de petites libellules enduisirent le tube de néon de l'Eatery. S'accouplant avec énergie, elles tombaient dans les assiettes. Une vague après l'autre atterrit sur cette communauté, recouvrit tout le tube fluorescent, puis disparut. Le maire Luis cherchait sans cesse Sands dans ce café. Son sabbat terminé, il était en manque de compagnie.

« Tous les soirs, je vais vous sauver de la même chose », lui dit Luis et il l'emmena dîner dans sa maison en bois et en brique, à l'étrange linoléum. Ils mangèrent un *adobo* de porc épicé, ils burent du *painit*, le café indigène. Et de l'Old Castle Liquor – ni scotch ni bourbon, simplement Liquor. Comme Romy restait dans sa chambre d'hôtel pour cacher ses bleus à tout le monde, la seule distraction de Skip était le maire. Et Kathy Jones ? « Elle est partie pour Manille mardi matin, annonça le maire. Elle va accompagner la dépouille de son mari jusqu'à l'aéroport. »

Cette nouvelle lui fit l'effet d'un coup de poing. « Elle est partie définitivement ?

— Elle va retrouver son beau-père, qui va emmener la dépouille jusqu'aux États-Unis.

— Elle ne retourne pas là-bas avec lui ?

— En fait, elle va seulement mettre les os de son mari dans l'avion, puis elle reviendra à Damulog. Son zèle l'empêche d'aller jusqu'aux États-Unis. »

Le lendemain, il partit avec le maire Luis et un chargement de tuyaux en fonte de dix centimètres de diamètre dans une camionnette Isuzu multicolore, au volant placé à droite, jusqu'au site de la future usine de filtrage de l'eau, où une grosse station de pompage en béton se dressait au milieu d'un champ. De toute évidence, ce projet de pose de canalisations débutait à peine. Le maire Luis envisageait aussi de créer un jour un stade. Il arpenta le périmètre des chambres d'hôtes, des terrains de football et de la piscine au milieu de cette plaine vide couverte d'herbe éléphant, en agitant ses petites mains.

Il ne plut pas pour le troisième jour d'affilée. Chassés de leurs maisons étouffantes, les habitants s'allongeaient sur le terrain de basket, la seule surface bétonnée de Damulog, levaient les yeux vers le ciel bouché, plat, noir, conversaient à peine, attendaient l'aube.

Tous les soirs, Sands errait en ville et il passa plusieurs fois devant la maison de Mme Jones, sans jamais y apercevoir la moindre lumière jusqu'au quatrième soir de ses déambulations.

Elle répondit quand il frappa, mais ne lui proposa pas d'entrer. Elle avait une mine terrible.

« Tu es revenue.

— Va-t'en, dit-elle.

— Je quitte la ville demain.

— Tant mieux. Ne reviens pas.

— Je pourrais m'arranger pour revenir bientôt, dit-il, peut-être dans deux ou trois semaines.

— Je ne peux pas t'en empêcher.

— Puis-je entrer et te parler ?

— Fous le camp. »

Il tourna les talons et commença de s'éloigner.

« D'accord, d'accord, d'accord, lança-t-elle. Viens ici. »

Le lundi en fin de matinée un minibus se gara sur la place et attendit, le capot relevé, deux hommes penchés au-dessus du moteur, les jambes d'un troisième dépassant par-dessous, le conducteur assis au volant et pompant sur la pédale des freins, en s'exclamant.

Sands fut le premier à y monter. Il avait déjà emprunté ce genre de véhicule à Manille pour de courts trajets, mais jamais il n'avait franchi à son bord la moindre montagne, comme il devait le faire ce jour-là. Ces jeeps allongées semblaient capables d'accueillir une douzaine de passagers, devant et derrière, mais en réalité elles en transportaient autant qu'on pouvait en charger sans risquer de briser les essieux, et elles étaient absolument tout-terrain, toujours peintes de couleurs flamboyantes, décorées de fanions, de trophées chromés et de babioles délirantes du genre qu'apprécient les adolescents passionnés de vitesse, et toutes sans exception arboraient en haut du pare-brise leur nom et leurs prétentions : *Commando*, *World Champion*, etc. Celle-ci était baptisée *Still Alive* (Toujours Vivante).

Durant les réparations, Sands attendait sur le banc de la partie passagers du véhicule, les yeux baissés vers le sol couvert de grains de riz, coincé là avec d'autres voyageurs et plusieurs individus qui cherchaient simplement un endroit ombragé. Au bout de deux heures, une fois le problème mécanique résolu et le véhicule chargé d'au moins vingt passagers avec leurs sacs et leurs bardas, Sands crut le moment du départ arrivé. Mais on ajoutait sans cesse de nouveaux corps. Il en compta au moins trente-deux, y compris onze paires de jambes qui pendaient du toit, et deux bébés, l'un endormi, l'autre beuglant. Il entendit aussi des poussins. Les passagers étaient tellement serrés les uns contre les autres que chacun pouvait examiner à loisir les minuscules taches rouges provoquées par la chaleur à la surface de chaque globe oculaire de son voisin, tirer la langue et, s'il en avait envie, goûter la sueur sur la joue la plus proche... Son dernier compte, avant que l'engin ne se mît en branle, propulsé en avant par quelque force surnaturelle, quittant puissamment la ville en dérivant comme un iceberg graisseux et transpirant — à quoi bon des *freins* pour endiguer une charge aussi inexorable ? —, aboutit à quarante et un passagers, vingt-cinq derrière avec lui, trois devant, une douzaine au-dessus. Plus le conducteur. Et d'autres qui montèrent à la dernière seconde, et encore d'autres courant derrière avant de se hisser sur le toit, jusqu'à ce qu'ils aient pris assez de vitesse pour abandonner derrière eux les ultimes traînards, qui riaient en agitant la main. Sands faisait face à un vieillard semblable à un singe, à une vieille femme évoquant un lézard, à une fillette aux pieds de centenaire. Pas très loin après la sortie de la ville ils s'enfoncèrent à toute vitesse sous le plafond bas d'une forêt de bananiers qui assourdit et filtra le rugissement du grand midi, ils dépassèrent de minuscules villages endormis aux huttes à la charpente de chêne, à un autre moment ils foncèrent droit à travers un feu de bambous enflammés en plein milieu de la route défoncée. Alors le minibus se mit à gravir des épingles à cheveux, en brinquebalant et en gémissant. Puis, une crevaison. Presque tout le monde sauta à terre et Sands eut l'occasion de tous les réunir pour une photographie. Quarante-sept personnes se regroupèrent autour du véhicule, fascinées et hurlant lorsqu'il appuya sur le déclencheur.

À trois heures de l'après-midi il descendit à Carmen : une grand-rue asphaltée, plusieurs bâtiments de deux étages en stuc, la civilisation la plus évoluée qu'il eût rencontrée depuis Malaybalay une semaine plus tôt. Il trouva une chambre pour la nuit, s'allongea afin de faire la sieste et ne se réveilla pas avant deux heures du matin. La ville dormait à poings fermés, sauf les chiens et les pêcheurs... À cette heure solitaire Sands se repentit de sa lubricité envers Kathy Jones. Il tomba mentalement au pied de la croix et supplia Jésus de verser sur lui Son sang purificateur. Mme Jones était forte, prête pour un âge mûr qu'elle n'avait pas encore atteint. Elle avait un visage arrondi, des joues rebondies, une couronne d'épais cheveux frisés presque semblables à de la laine d'agneau, des yeux marron très doux et aimables, des mains tout aussi douces mais également puissantes. Quand elle parlait, sa langue touchait ses petites incisives très régulières. Elle était étonnante, agréable, séduisante, mais pas tout à fait ébouriffante. L'âme de Sands rampa entre Jésus et Mme Jones jusqu'à ce qu'il entende le chant du coq.

Skip avait ses cartes. Il les avait compulsées tous les jours, avec une fièvre allègre, affranchi de son propre corps, libre comme un faucon. Le colonel lui avait dit où trouver le prêtre, Carignan ; aucun élément de sa carte de Mindanao n'indiquait un endroit nommé Nasaday sur une rivière nommée Rio Grande. Mais sur sa carte de la province de Cotabato Nord, les églises citadines du diocèse figuraient, et dès le début de la matinée il se rendit au bâtiment de la congrégation, le quartier général assez chic situé à la périphérie de Carmen. Là, on lui dit que le père Haddag se reposait. Vingt minutes plus tard, il arriva, un vieux Philippin au corps noueux, à l'haleine qui empestait le vin de messe. Ils examinèrent ensemble la carte. Le prêtre fit une petite marque avec un crayon. « Je crois que l'église est ici, ou là, dit-il. C'est ma supposition la plus raisonnable. » Dans un fantastique élan de générosité, il prêta à Skip une moto Honda de 50 cc, puis Skip accomplit un trajet d'une trentaine de kilomètres en un peu plus de deux heures, peut-être une quarantaine de kilomètres en tenant compte des légères embardées continuelles qu'il effectua pour éviter les nids-de-poule. L'église attendait là, à l'endroit marqué au crayon, un bloc de béton légèrement incliné, une bâche vert olive tendue sur le toit, à moins qu'elle ne servît de toit. Skip traversa plusieurs hameaux à partir de Carmen, mais cette bâtisse se dressait dans une solitude altière à un kilomètre du groupe de huttes le plus proche, sur une portion de la rivière qui en sapait apparemment les fondations.

Le père Carignan, d'origine canadienne française, les cheveux blancs, la peau tannée, le corps hésitant et le regard embrumé, habitait là depuis si longtemps – trente-trois ans en fait, ayant survécu à l'occupation japonaise, aux soulèvements musulmans, à de célèbres typhons et aux brusques changements catastrophiques du cours de la rivière, parlant cebuano et administrant les catholiques indigènes cuits par le soleil – qu'il n'avait plus la moindre maîtrise de la langue anglaise. S'informant des origines de Skip, il lui demanda qui étaient ses descendants, en voulant dire ses ancêtres.

Carignan l'accueillit avec civilité, il fit servir du thé sur une table installée à l'ombre, il s'assit face à lui, retira ses sandales, glissa ses jambes sous la chaise, écarta les genoux. Il portait un pantalon en denim délavé et un T-shirt bruni par l'eau de la rivière. Il respirait par la bouche, fumait des cigarettes Union, un mot qu'il prononçait « onion ». Lorsqu'il ne fumait pas, il serrait ses cuisses à pleines mains et se balançait doucement sur son siège, le regard fuyant vers le bas ou vers le côté comme le patient d'un hôpital psychiatrique. Il s'efforça de s'intéresser à la situation ; quand Sands s'adressa à lui, il fit face à son hôte avec une expression – involontaire, Sands en était certain – scandalisée, oui, d'incrédulité amicale, comme si Sands était arrivé là sans pantalon. Il semblait absolument incapable du moindre trafic d'armes.

« Est-ce qu'on vous appelle parfois Sandy ?

— Sandy ! Non. Mes amis m'appellent Skip.

— Skip, répéta le prêtre, en prononçant "Skiip" comme un Philippin.

— On m'a dit que vous aviez aidé à retrouver le missionnaire disparu. À rapporter sa dépouille, je veux dire.

— Oui. Oui, c'est vrai, n'est-ce pas ?

— Au bord de la rivière Pulangi ?

— Oui. Au retour, en montant la colline, je me suis évanoui.

— Mais n'est-ce pas la Pulangi qui coule juste ici ? En tout cas, c'est ce que dit ma carte.

— C'est une partie, comment appelle-t-on ça, je ne me souviens pas – un affluent, vous voyez. Cette portion c'est le Rio Grande.

— Un bras.

— Pour rejoindre l'autre bras de la Pulangi, il nous a fallu parcourir de nombreux kilomètres à pied. Beaucoup. La nuit je rêve que je marche encore ! Votre thé vous convient-il ?

— Très bien, merci.

— L'eau est correcte. Nous en avons assez pour nous abreuver, mais pas pour nous laver. Le réservoir fuit. » Il parlait de la citerne en béton, fissurée de partout, qui se trouvait à quelques mètres d'eux.

« Et vous avez quelques catholiques dans votre paroisse ?

— Oh oui. Oui. Des catholiques. J'en ai baptisé des centaines, confirmé des centaines. Je ne sais pas où ils vont ensuite. La plupart, je ne les revois jamais.

— Ils ne viennent pas à la messe ?

— Ils viennent ici en période de troubles. À leurs yeux je ne suis pas vraiment un prêtre de Dieu. Ils aiment avoir recours aux sorciers pour les aider. Je ressemble davantage à cela.

— Ah.

— Ils viendront demain. Quelques-uns. Parce que c'est la fête de sainte Dionysie. Ils croient qu'elle a du pouvoir.

— Aha.

— Et vous ?

— Moi ?

— Vous êtes catholique ?

— Ma mère n'était pas catholique. Mon père l'était.

— Eh bien... d'habitude les pères ne sont pas très pratiquants.

— Le mien est mort à la guerre. J'ai souvent rendu visite à ses parents irlandais de Boston. Des catholiques fanatiques.

— Mais vous avez fait votre confirmation ?

— Oui, j'ai fait ma confirmation à Boston.

— Vous avez dit Boston ? J'ai grandi à Bridgewater. Pas très loin.

— Oui. » Ils répétaient maintenant l'essentiel de cette conversation pour la seconde fois.

Le prêtre lui dit : « Quand j'ai quitté la maison de mes parents, ma mère et mon père ont déménagé à Boston. J'ai parlé à ma mère au téléphone en 1948. Je l'ai appelée du grand hôtel tout neuf de Davao. Tout neuf à l'époque. Toujours grand, peut-être, hé ? Elle m'a dit qu'elle priait sans cesse pour moi. Le fait d'entendre sa voix me l'a rendue plus lointaine que jamais. Quand je suis revenu ici à la paroisse, c'était comme si je recommençais tout depuis le premier jour. De nouveau, je me suis senti loin de chez moi. »

Quatre enfants minuscules, seulement vêtus d'un maillot de corps, debout à l'angle du bâtiment, les observaient. Lorsque Sands leur sourit, il décampèrent en hurlant.

Carignan reprit la parole : « J'ai rencontré l'autre homme. Lui aussi nous a rendu visite.

— Je ne suis pas certain de comprendre.

— Le colonel. Le colonel Sands.

— Ah, bien sûr, le colonel, acquiesça Skip.

— Mais il ne portait pas d'uniforme. À mon avis, les uniformes tiennent trop chaud. Alors je ne sais pas dans quelle partie de l'armée.

— Il est à la retraite.

— Il s'appelle aussi Sands.

— Oui. C'est mon oncle.

— Votre oncle. Je vois. Êtes-vous aussi colonel?

— Non. Je ne suis pas dans l'armée.

— Je vois. Êtes-vous avec le Peace Corps?

— Non. Je travaille pour Del Monte. Je crois en avoir déjà parlé.

— Certaines personnes s'excitent beaucoup à cause du Peace Corps. Tout le monde veut recevoir son visiteur, si possible.

— Je suis désolé de vous dire que je n'y connais pas grand-chose.

— Et les deux autres hier. Le soldat philippin et l'autre homme.

— Hier? »

Carignan fronça les sourcils et dit : « N'était-ce pas hier?

— Laissez-moi remettre de l'ordre dans la séquence des événements, dit Sands. Quand le colonel est-il venu?

— Oh, il y a quelques semaines. Vers la fête de saint Antoine.

— Et les deux autres étaient ici *hier*?

— Je ne les ai pas vus. Pilar me l'a dit. Je suis descendu en aval de la rivière pour accomplir les derniers rites – une femme très âgée. Pilar m'a parlé d'un Philippin et d'un Blanc. Pas un Joe. Un étranger. Ils avaient un bateau à fond plat.

— Je vois, un bateau à fond plat, répéta Sands en sentant les berges s'effriter sous ses pas.

— Boston, donc, fit Carignan.

— Oui, Boston, confirma Sands.

— Vous avez parlé de Del Monte?

— Oui, c'est bien ça. Mais ces deux visiteurs – bizarre, hein?

— Je pense qu'ils sont toujours sur la rivière. Je vais demander à Pilar. Elle centralise toutes les informations des gens de la rivière.

— Pilar est la domestique? La dame qui nous a servi le thé?

— Est-il bon? Nous n'avons pas de lait, lui rappela le prêtre, ainsi qu'il l'avait déjà fait au moment de s'asseoir.

— Seigneur », lâcha Skip.

Le prêtre parut prendre conscience du désarroi de Skip. Il se montra plein de sollicitude. « Nous avons tous une épreuve spirituelle à surmonter. Quand j'étais petit, je haïssais les juifs car j'étais sûr qu'ils avaient crucifié le Christ. Et puis je méprisais absolument Judas, à cause de sa trahison.

— Je vois », dit Sands qui ne voyait rien.

Carignan semblait se débattre en silence. Les mots lui restaient coincés dans la gorge. Du bout des doigts, il se palpa les lèvres. « Eh bien, c'est à chacun de se débrouiller tout seul dans cette expérience », conclut-il, et quelle que fût la vérité qu'il voulait toucher, ses yeux en étaient les cicatrices visibles.

« Puis-je vous photographier ? »

Le prêtre prit soudain un air grave et appliqué, les mains jointes devant la poitrine. Skip régla la bague de la distance, puis appuya sur le déclencheur, et Carignan se détendit. Il demanda : « Êtes-vous une sorte de pèlerin, hum ? Oui. Moi aussi. J'ai effectué une très longue marche jusqu'à la rivière Pulangi.

— Nous pouvons prier l'un pour l'autre, proposa Skip.

— Je ne prie pas.

— Vous ne priez pas ?

— Non, non, non. Je ne prie pas. »

Le Joe aimait le thé. Insistait pour aller le chercher lui-même. Parlait beaucoup des autres visiteurs avec Pilar.

La raison de la venue de ces gens était un mystère.

Le Joe avait paru apprécier son trajet à moto, il cabrait son véhicule au-dessus des ornières du chemin, sa ceinture passée dans la poignée de sa sacoche en tissu, laquelle brinquebalait contre sa hanche.

En l'absence du Joe, les enfants se matérialisèrent autour de la machine, bouche bée, l'effleurant du bout des doigts.

« Le voilà qui arrive ! » cria Carignan en anglais, et les enfants décampèrent.

Pourquoi, ces dernières semaines, son anglais lui revenait-il ? Parce qu'il avait pensé au missionnaire américain ? Des os dans une boîte, ne disant rien, mais dans toutes les langues ? Peut-être parce qu'il avait foré un trou dans son esprit en parlant pour la première fois au visiteur américain, le colonel, le premier Américain depuis des années. Des décennies.

Ce colonel était venu deux fois. Il était arrivé seul et s'était comporté avec respect. Il était bon, et les gens du cru réagirent à sa présence avec enthousiasme. Mais bon ou mauvais, un homme fort crée des troubles.

En ressentant ce que devait ressentir son visiteur, Carignan considéra le sentier de boue rouge qui menait à la berge, la citerne fissurée, le toit bâché, les murs rongés de moisissure. Le Joe utilisait sans doute la pièce bétonnée, l'« installation » du bas – sombre et sale, seulement séparée par un muret de la cuisine où Pilar préparait maintenant du riz et chantait doucement. Si elle en avait envie, elle pouvait très bien s'approcher et le regarder droit dans les yeux tandis qu'il était accroupi au-dessus du trou. Ce Joe aurait besoin de papier-toilette. Il y avait un rouleau dans le local, mais il avait été trempé par la pluie puis séché au soleil, et il était devenu inutilisable.

Pilar cessa de chanter à la cuisine et arriva avec un autre plateau. Mangues et ananas en tranches.

« Pilar, je te l'ai dit : si l'Américain revient, dis-lui que je ne suis pas là.

— Ce n'est pas le même.

— Je n'aime pas voir autant d'Américains.

— Il est catholique.

— Le colonel aussi était catholique.

— Vous n'aimez pas les catholiques ? Vous êtes catholique. Je suis catholique.

— Vous faites de nouveau celle qui ne comprend rien.

— C'est vous qui ne comprenez rien. »

Elle lui en voulait de ne pas profiter d'elle. Et il comprenait cette déception. S'il le faisait, personne ne protesterait. Simplement, toute espèce de contact physique lui faisait affreusement honte.

« Le vieil homme, dit-elle, arrive sur le chemin pour vous parler. Je viens de le voir de la cuisine. Ne lui donnez pas à manger. Il revient toujours.

— Où est l'Américain ? »

Elle répondit en anglais : « Toilettes. »

Le vieil homme attendit que Pilar fût rentrée avant d'apparaître à l'angle de l'église, marchant en crabe par une sorte de déférence, seulement vêtu d'un short kaki au tissu roulé et remonté jusqu'à l'entre-jambe, une corde en guise de ceinture. Carignan lui fit signe d'approcher, le vieux arriva et s'assit. Comme tous les gens du cru, il était ratatiné et presque dépourvu de chair, une momie animée. Il avait le visage plat et fatigué d'un Esquimau très sage. Il souriait beaucoup. Il n'avait presque plus de dents.

« Bénissez-moi, pa-dair, car j'ai péché, dit-il en anglais sans paraître comprendre le sens de ses paroles. Bénissez-moi et je vous demande pardon.

— *Te obsolvo*. Prends un peu d'ananas. »

Le vieillard saisit plusieurs tranches entre ses mains, puis dit : « *Maraming salamat po* » pour le remercier en tagalog, le dialecte de Luzon. Les préliminaires usuels du vieillard semblaient requérir des déclarations dans toute une variété de langues.

« J'ai eu un visiteur dans mes rêves le mois dernier, révéla Carignan au vieillard. Je crois qu'il m'a apporté un message. »

Le vieillard ne dit rien, se concentra seulement sur sa nourriture, la face aussi inexpressive que celle d'un chien.

L'invité américain revint de la cuisine, mais sans apporter de thé. Ce pèlerin Joe avait une démarche alerte, ses membres s'agitaient librement autour de l'énorme fournaise brûlante qui constituait son centre, le feu d'une souffrance qu'il paraissait ignorer.

Quand le Joe approcha, le vieillard quitta la chaise et s'accroupit à côté d'eux.

« Je l'interroge sur le rêve que j'ai fait. Il est capable de trouver son sens, expliqua Carignan à l'Américain.

— Bonjour, pa-dair, dit le vieillard.

— Il vous appelle père », fit Carignan.

Tandis que le vieillard finissait son fruit et se léchait les doigts, il dit en cebuano : « Pourquoi croyez-vous que votre rêve contient un message ?

— C'était un rêve très fort, répondit Carignan.

— Vous êtes-vous réveillé ?

— Oui.

— Vous êtes-vous rendormi ?

— Je suis resté éveillé toute la nuit.

— Alors vous avez fait un rêve très fort.

— Un moine, un saint homme, est venu à moi.

— Vous êtes un saint homme.

— Il portait une capuche. Son visage était un nuage argenté.

— Un homme ?

— Oui.

— De votre famille ?

— Non.

— Avez-vous vu son visage ?

— Non.

— Avez-vous vu ses mains ?

— Non.

— Montrait-il ses pieds ?

— Non. »

Le vieillard se mit à parler à Skip Sands d'une voix sincère et un peu trop sonore.

« Oui. Enchanté », fit Sands.

Le vieillard agrippa le poignet de l'Américain. Il parla. Se tut. Le prêtre traduisit : « Il dit que dans le sommeil, quand on dort, l'esprit quitte le corps. Et le berger ou le gardien des esprits les rassemble et » – il consulta son interlocuteur – « le gardien des esprits chasse les esprits, les rassemble, comme des moutons, vers le rivage, vers le bord de mer. »

L'homme parlait, le prêtre l'interrogeait, l'homme tirait sur le bras de l'Américain et Carignan résumait le récit : Rassemblés sur le rivage, les esprits plongent dans la mer et tout au fond ils trouvent le monde des rêves. Un serpent jaune garde la frontière de la mer des rêves. Quiconque tente d'aller et venir entre les deux mondes sera étouffé dans les anneaux du serpent et mourra dans son sommeil. Carignan ne trouvait pas les mots anglais pour tout traduire. « Il raconte une histoire compliquée. Il est à moitié fou, je crois.

— Ce monde ne garde aucun souvenir de la vie d'avant, et la vie après la mort ne garde aucun souvenir de nos chagrins. Alors sois heureux que la mort arrive. »

Sur ces paroles, le vieillard se leva et prit congé.

« Attendez. Attendez. Quelle est la prophétie de mon rêve ?

— Vous ne m'avez donc pas entendu ? » rétorqua le vieillard.

Le père Carignan insista pour passer la nuit dans un hamac installé dans l'église, tandis que Sands dormirait avec la Sainte Hostie dans la chambre de Carignan, c'est-à-dire que l'hostie était posée sur la commode du prêtre et que Sands essaya de dormir sur les lattes de bois et la natte en paille du lit, sous une moustiquaire de gaze. Une cellule de moine, parfaitement appropriée à son pèlerinage. Il était allongé dans l'obscurité. Un moustique vrombissait à l'extérieur de la gaze. Il prit mentalement note d'interroger Carignan sur une citation de la Bible qu'avait faite le colonel – un truc du genre : il y a un seul

Dieu mais de nombreux ministères. Cette idée séduisait l'employé gouvernemental qu'il était. Une bureaucratie cosmologique... Et puis l'inquiétude le submergea. Le colonel, Eddie Aguinaldo, l'Allemand. Ils avaient voyagé jusqu'ici et personne ne lui avait rien dit. Ça n'irait pas si le colonel lui faisait des cachotteries. Ce silence renforçait les doutes qu'il entretenait, sur la compétence du colonel, son jugement, la puissance de sa perception. Le colonel était un peu cinglé. Mais qui ne l'était pas ? Le problème, c'était que le colonel ne faisait peut-être pas confiance aux talents de son neveu, qu'il lui avait peut-être confié une mission bidon. À un moment de la nuit, il se réveilla d'un rêve à la force biblique, un rêve prophétique, certain que l'île de Mindanao n'était d'aucun intérêt pour les États-Unis, que ce prêtre catholique ne pouvait en aucun cas être un trafiquant d'armes pour les musulmans, que la vie l'avait seulement convoqué – Skip Sands l'Américain bien tranquille, l'Affreux Américain – à cet endroit afin d'élargir sa compréhension et de préparer son travail futur. Car ici, présentement, il n'y avait aucun travail à accomplir. Il ne se rappela pas le moindre détail du rêve. Seulement cette certitude.

Carignan expliqua au Joe que des gens viendraient peut-être assister à la liturgie matinale, car aujourd'hui on célébrait une sainte chère à leur cœur, Dionysie.

Le Joe n'avait jamais entendu parler de sainte Dionysie. Personne ne la connaissait. « Mais si, elle est très puissante ici. À cause de tous les miracles qu'elle a accomplis le long de cette rivière, elle sera bientôt canonisée, si elle n'est pas déjà une sainte. Elle a été martyrisée au cinquième siècle en Afrique du Nord. Un martyre très émouvant. »

Lors d'une homélie prononcée des décennies plus tôt et en toute innocence, Carignan avait fait une description saisissante des dernières souffrances de Dionysie devant une assemblée exceptionnellement nombreuse de célébrants, et maintenant en amont comme en aval de la rivière elle jouissait d'un statut légendaire, et les indigènes lui attribuaient maintes guérisons, témoignaient de maintes apparitions et visitations, de nombreux signes et messages. « J'essaie donc de rappeler à mes ouailles quand arrive le jour de sa fête. Mais il n'est pas toujours facile pour les gens de la rivière de se rappeler la date exacte. Ils n'ont pas de calendrier. »

Quelques personnes seulement assistèrent au service religieux. Auparavant, le prêtre baptisa un nouveau-né sur la berge de la rivière, en faisant couler un peu d'eau boueuse sur le front du bébé. « Nous n'avons pas d'eau bénite ici, expliqua-t-il au Joe. L'évêque a donc décrété que toute la rivière était sainte. Voilà ce que je leur dis. »

Enveloppé dans une écharpe, le bébé était tout mou, les yeux fermés, la bouche ouverte, des bulles de morve aux deux narines. Quant à la mère, c'était une simple enfant.

« Ce bébé a l'air très malade, dit le Joe.

— Vous seriez surpris de voir lesquels meurent et lesquels survivent, rétorqua le prêtre au Joe. C'est toujours stupéfiant. »

Ils s'assemblèrent pour la messe du soir. Carignan voyait tout comme pour la première fois à travers les yeux du visiteur : la petite pièce grise, les planches vrillées des bancs, le sol en terre moisie, et la congrégation, une poignée d'ignorants, dix, onze – quatorze fidèles, le Joe inclus. Quelques vieilles, quelques vieux, plusieurs nourrissons aux yeux sombres et au nez plein de morve. Les bébés ne criaient pas. L'un d'eux toussait parfois ou émettait une espèce de croassement. Les vieilles bêlaient leurs répons, les vieux marmonnaient d'une voix évasive.

Le visiteur, assis sur un banc parmi eux en pantalon kaki et T-shirt blanc sale, rayonnait comme s'il était le dernier Américain sur terre, sincère, bienveillant et attentif, mais au centre même de ses yeux rôdait une solitude terrifiée.

Quelles étaient les lectures du jour ? Il avait encore perdu le livre, oublié le déroulement de la liturgie. En fait, il ne l'avait pas consulté depuis des années, lisant ce qui lui tombait sous la main, les versets qu'il trouvait au hasard dans la Bible. « Voilà quelque chose. » Il lut en anglais : « *Si donc il existe quelque consolation en Christ, quelque réconfort d'amour, quelque camaraderie de l'Esprit, quelque tendresse et compassion...* » Il essaya d'expliquer dans le dialecte local ce que, selon lui, on devait comprendre par « tendresse et compassion », et finit par dire : « Je ne suis pas sûr de ce que cela signifie. Peut-être s'agit-il de ce que nous ressentons envers notre famille. »

Il chercha Matthieu 27,5 : *Et il lança les pièces d'argent dans le temple, et il partit, et il alla se pendre.*

Maintenant l'homélie. « En anglais aujourd'hui. » Il n'expliqua pas pourquoi. Peut-être allait-il de soi que la présence du Joe justifiait cette courtoisie. Non qu'aucun d'entre eux ait pu comprendre ses pensées dans n'importe quelle langue. De superstitieux adorateurs de vampires. Mais un jour lui-même avait vu l'*aswang* voler avec un membre d'enfant sanguinolent entre les mâchoires.

« Je leur ai dit que j'allais prononcer cette homélie en anglais. Mais franchement, je n'ai rien préparé du tout. Nous allons parler de notre lecture d'aujourd'hui, de Judas Iscariote le traître : *Et il lança les pièces d'argent dans le temple, et il partit, et il alla se pendre.*

» Il retourne au temple, vers ceux qui l'ont payé pour trahir son maître. Il veut leur rendre leur argent sale, mais les autres le refusent. Vous êtes-vous déjà demandé pourquoi ? Pourquoi ils n'acceptent pas ce bel et bon argent ? Pourquoi donc ? "Et il lança les pièces d'argent dans le temple, et il partit, et il alla se pendre."

» J'ai fait ma dernière confession. Qui est la personne dans la Bible qui me ressemble le plus – à qui je ressemble le plus ? Judas. Judas le traître – c'est moi. Qu'y a-t-il d'autre à confesser ? Personne ne m'a payé pour trahir Jésus, mais quelle importance, hein ? Je ne pourrais jamais les rembourser. Ils n'accepteraient jamais de reprendre leur argent sale. »

En plus de trente années il n'avait jamais parlé aussi longtemps dans sa langue maternelle. Il laissa ses paroles s'écouler hors de sa bouche, l'anglais lui jaillissant de la tête comme d'un haut-parleur. « Ma grand-mère aimait beaucoup cette expression, "tendresse et compassion". Je ne lui ai jamais demandé ce qu'elle signifiait.

» Je me souviens comment j'ai repoussé ma grand-mère. Je l'aimais beaucoup, j'étais son préféré, mais quand je suis entré dans l'adolescence, vers douze ou treize ans, elle est venue vivre avec nous et j'ai été très méchant avec elle. C'était juste une vieille femme, et j'ai été très méchant.

» Je n'aime pas me rappeler tout ça. Ce souvenir me remplit d'amertume. Ma grand-mère m'aimait et je l'ai traitée sans le moindre respect. Je ne ressentais d'amour pour personne.

» Ici, bien sûr, les gens sont tellement pauvres, tellement malades, qu'on ne peut pas les aimer. Ça vous coulerait aussitôt. Ça vous noierait. Tout le monde ici sait aimer, mais n'allez surtout pas les aimer en retour – des sables mouvants. Je ne suis pas le Christ. Aucun homme n'est le Christ.

» D'autres jours, nous sommes le voleur sur la croix, celui qui a été crucifié à côté de Jésus, le voleur qui s'est tourné vers Jésus pour lui dire : "Souviens-toi de moi quand tu seras dans ton royaume." Et Jésus eut pitié et dit : "Ce jour tu seras avec moi au paradis." Je crois vraiment que nous sommes forcément l'un ou l'autre. Soit le traître, soit le voleur.

» Je regarde autour de moi et pense : Comment suis-je arrivé ici à Nasaday ? Comment suis-je arrivé ici ? C'est un simple angle dans le labyrinthe. L'île est le marécage. Judas a sauté dans un trou et Dieu sait, Dieu seul sait s'il en ressortira jamais, hein ? C'est à Dieu seul d'en décider. Qui sommes-nous ? Nous sommes parfois Judas. Mais Judas... Judas partit se pendre.

» Ces trente années, et plus, que j'ai passées avec ces barbares, vivant en compagnie de leurs puissants dieux et déesses, absorbant en moi leurs traditions, vous savez, qui ne sont pas des contes de fées, elles sont réelles, elles sont réelles une fois que vous les absorbez en vous, et j'ai accueilli dans mon esprit toutes les images de leurs récits et j'ai vécu parmi les aventures de leurs ancêtres, et toutes ces années que j'ai passées face à face avec leurs démons et leurs saints dangereux, des saints qui portent les noms des saints catholiques, mais seulement pour se déguiser... Combien de fois j'ai failli me perdre à jamais, combien de fois j'ai failli m'aventurer dans cette partie du labyrinthe d'où l'on ne revient jamais... mais chaque fois au dernier moment se produit le contact du Saint-Esprit, avant que les dieux et les déesses ne me détruisent, toujours au dernier moment on m'a rappelé qui je suis, et pourquoi je suis venu ici. Un signe entrevu, vous savez, un rappel fugace de qui je suis vraiment. Et puis retour dans le tunnel. »

Après la messe, les célébrants partirent, Carignan se dévêtit, gardant seulement son short et ses tongs, puis descendit se baigner dans la rivière.

Le bruit d'un bateau à fond plat motorisé, très rare sur cette partie de la rivière, le fit s'arrêter et regarder. L'embarcation traversa son champ visuel, décéléra, le moteur tournant au ralenti, les deux hommes à bord scrutant le rivage, s'approchant. Carignan leur adressa un signe de la main. Ils furent tout à coup invisibles, cachés derrière les petits palmiers sago qui poussaient sur la berge.

Il entra dans l'eau jusqu'à la taille et prit son bain.

Quel sermon ridicule. À cause de l'anglais, son vieux tracas s'était réveillé, dressé en se débattant et en lacérant l'air de ses bandages crasseux – son âme et les maladies de son âme.

Comment suis-je arrivé ici ? Judas débarque tout à trac dans le labyrinthe.

Il sortit de la rivière, la tête baissée mais sans regarder ses pieds, préoccupé, troublé par les méchancetés dont il s'était rendu coupable dans son adolescence, aucune vraiment grave, mais maintenant elles le terrifiaient, car elles avaient été perpétrées avec une espèce d'amoralité qui, eût-elle continué, aurait fait de lui un être très dangereux pour le monde.

Il se retourna et vit, parmi le feuillage des palmiers, un spectacle fort curieux : un Occidental habillé à l'occidentale tenant l'extrémité d'un long tube contre sa bouche. Quelque chose comme une tige de bambou. Alors que Carignan observait la scène et s'apprêtait à prononcer une formule de bienvenue, les joues de l'homme s'effondrèrent, quelque chose piqua la chair du *padre* au-dessus de la pomme d'Adam et s'y logea. Il leva la main pour s'en débarrasser. Sa langue et ses lèvres se mirent à le chatouiller, ses yeux le brûlèrent, puis, quelques secondes plus tard, il eut la sensation de ne plus avoir de tête, puis de perdre contact avec ses mains et ses pieds, et brusquement il ne sut plus où se trouvaient les diverses parties de son corps, chacune parut s'en aller. Il ne se sentit pas tomber vers l'eau et, quand il la percuta, il était mort.

Après s'être soulagé derrière un buisson proche de la rivière, Sands rejoignit le sentier en contrebas de l'église et rencontra deux minuscules garçons perchés sur le dos d'un carabao qui longeait une digue d'irrigation. Ils lui adressèrent un sourire timide et dubitatif. « Padair. Padair... »

Peut-être le confondaient-ils avec Carignan — peut-être croyaient-ils que dans tout l'univers il existait un seul prêtre qui adoptait de nombreuses formes.

Il lança des chewing-gums aux deux gamins. L'un rata la tablette et descendit de la large plate-forme du dos de l'animal pour aller la ramasser dans l'herbe, au bord du fossé. « Padair. Padair.

— Je ne suis pas votre père », dit Sands.

Dans la lueur du coucher de soleil il regarda une embarcation à fond plat filer vers l'aval à travers une brume magique, aux couleurs de l'arc-en-ciel, soulevée par une puissante hélice, avec deux passagers à son bord. Les deux hommes n'avaient rien de particulier, si éloignés sur la rivière et voilés par la gerbe d'écume, qui en toute autre circonstance aurait pu le pousser à se dire « C'est Eddie Aguinaldo et l'Allemand », rien d'assez marquant pour qu'il leur accordât une simple mention, disons dans son rapport. Mais ces deux-là avaient rôdé, et maintenant ils surgissaient. Sands allait s'élancer vers l'église pour y prendre ses jumelles, mais il y avait là-bas le prêtre, remarqua-t-il soudain, qui nageait tout près de la berge, la face tournée vers le fond de l'eau. Qui nage ainsi ? Les noyés. Sands entra dans l'eau pour rejoindre le prêtre. Son pied s'enfonça dans un trou et l'eau se referma au-dessus de sa tête. Il refit surface, vit Carignan qui flottait sur le ventre, en dérivant vers l'aval. Sands se mit à nager à sa poursuite, changea d'idée, nagea vers la berge, puis courut sur le sentier en bordure de l'eau jusqu'à ce qu'il soit arrivé en aval de Carignan, envoya promener ses sandales, s'engagea dans l'eau plus profonde et s'élança de nouveau pour essayer d'intercepter le prêtre à la dérive. Il avait mal calculé son coup. Les membres mous, tel un cadavre – peut-être mort –, le prêtre glissa très vite selon une trajectoire tangentielle vers l'aval et le milieu du cours d'eau large de quatre cents mètres.

Une fois encore, Sands renonça à nager, fit demi-tour, grimpa sur la berge et, désormais pieds nus, repartit sur le chemin. Il bifurqua vers une maison, avisa une barque *banca* retournée dans l'herbe toute proche, cria, personne, tenta de la retourner dans le bon sens, échoua, tenta de la tracter vers le sentier. Un homme l'arrêta, un jeune athlète, pieds et torse nus, l'air étonné, en short rouge. Il comprit très vite l'urgence de la situation et prit une rame posée contre le mur de la maison. Chaque homme saisit un côté de la barque et, par à-coups, ils tirèrent le bateau vers la berge, y montèrent acrobatiquement et se lancèrent à la poursuite du cadavre, le Philippin ramant et l'Américain indiquant le cap, leur petite embarcation gagnant régulièrement du terrain sur l'homme assassiné en route vers le royaume des cieux.

Le lendemain Sands rendit la moto Honda au diocèse et rapporta la mort par noyade du père Thomas Carignan. Le père Haddag s'attrista de cette disparition et se montra surpris de l'apprendre aussi vite. « Parfois, les nouvelles mettent des semaines à arriver par les gens de la rivière », dit-il.

Cette visite prit tout l'après-midi. Ensuite, Sands trouva une chambre à Carmen et mangea une brochette de poulet et un bol de riz en compagnie de trois employés du ministère de l'Agriculture, qu'il rencontra simplement sur la route qui traversait la ville, tous errant à la recherche d'un restaurant. Ils choisirent un boui-boui en bordure de route, où un homme faisait cuire au barbecue de chétives cuisses de poulet sur des braises de noix de coco, en les arrosant d'un mélange de sauce au soja, d'épices et de Coca-Cola. Des chiens affamés les regardèrent manger. David Alverol, le chef des deux autres fonctionnaires du ministère de l'Agriculture, désirait faire les quatre cents coups en ville avec cet Américain providentiel, mais Sands était au bout du rouleau. Les deux autres restaient discrets, tandis que David Alverol paraissait si excité d'avoir rencontré cet Américain, que l'Américain en question s'inquiéta bel et bien pour la santé mentale de David. Il se répétait inlassablement, accomplissait les présentations plusieurs fois de suite, le visage luisant de sueur et aussi d'une sorte d'illumination intérieure. Toutes les deux minutes il suggérait que l'Américain vienne chez lui « pour un dialogue ». « Vous êtes très plaisant, dit-il à l'Américain. Mon type d'homme. Vous ne pouvez pas venir avec nous une demi-heure encore ? » David se fit de plus en plus insistant, au grand dam de ses deux compagnons, suppliant l'Américain d'une voix empâtée par l'alcool et les larmes aux yeux, alors que Sands descendait de leur jeep gouvernementale devant son modeste hôtel – « S'il vous plaît, *sir*, s'il vous plaît, seulement une demi-heure, *sir*, *sir*, je vous en prie, oui, s'il vous plaît... » L'Américain prit rendez-vous avec eux pour le lendemain, en les prévenant que son emploi du temps l'empêcherait peut-être d'y être. Sur ce ils se séparèrent, Sands et les deux autres comprenant très bien qu'ils ne se reverraient jamais, David Alverol s'attendant à le retrouver de bon matin.

Sands n'avait pas parlé au père Haddag de la fléchette longue d'une vingtaine de centimètres qui saillait du cou du cadavre de Carignan.

Dans sa chambre à Carmen il s'allongea et repensa au tueur allemand. Ce qui chez l'Allemand lui avait paru efféminé lui semblait maintenant poétique, ses lunettes, ses lèvres épaisses, la pâleur de sa peau. Il trafiquait dans l'intimité de la mort, il savait des choses. Sands l'avait trouvé pompeux et irritable. Il lui apparaissait maintenant lesté d'un fardeau transcendantal.

Alors qu'il arrivait à Damulog, de petites fourmis rouges envahirent la ville. Elles se promenaient partout sur sa table au Sunshine Eatery, partout sur son lit à l'hôtel de Castro.

Il aurait pu poursuivre vers Davao City sur l'extrémité sud de l'île et prendre un avion pour Manille. Au lieu de quoi il retourna à Damulog. Il aurait pu y passer une nuit tout au plus, dans l'attente d'un car. Au lieu de quoi il y resta trois semaines, tandis qu'il rédigeait un rapport dépourvu de toute substance, entièrement fondé sur les rumeurs colportées par le maire Emeterio D. Luis et ne contenant aucune allusion à la nature des contacts du prêtre ni aux responsables de son décès.

Sands était bel et bien absent sans permission. Il enterra sa déréliction dans ses absurdes travaux d'écriture et dissimula son amertume derrière un détachement stoïque. Et il passa ses nuits avec Mme Jones.

1966

Bill Houston commença son escale à Honolulu avec le quart du matin, trop tôt pour un homme qui avait de l'argent à dépenser : pour couronner le tout, la marine souhaitait le priver de toute vie nocturne. Il prit une navette à la base navale, traversa les terrains plats de la base aérienne de l'armée, puis la ville jusqu'à la plage de Waikiki, promena son dégoût parmi les grands hôtels, s'assit dans le sable en Levi's, chemise hawaiienne chamarrée et chaussures impeccables – en daim blanc avec des semelles rouges en caoutchouc –, mangea du porc grillé sur une brochette en bois dans un kiosque, prit un bus municipal jusqu'à Richards Street, réserva un lit au YMCA de l'armée et de la marine, puis, à une heure de l'après-midi, se mit à picoler dans les bars du front de mer.

Il essaya un bar climatisé, un repaire de jeunes officiers, où il s'assit tout seul à une table pour fumer des Lucky Strike et boire de la Lucky Lager. Ainsi eut-il l'impression de courtiser la chance. Quand il eut assez de petite monnaie, il téléphona chez lui sur le continent, bavarda avec son frère James.

Ce qui le déprima davantage. Son frère James était un crétin. Son frère James allait finir dans l'armée comme lui-même.

Il se balada sur le front de mer, la bière palpitant à l'intérieur de son crâne, le cœur chaviré de solitude. Vers trois heures de l'après-midi, les trottoirs de Honolulu étaient si brûlants qu'ils aspiraient les semelles caoutchoutées de ses chaussures.

Il se cacha à l'intérieur du Big Surf Club en buvant des coups avec deux hommes un peu plus âgés que lui-même ; l'un d'eux, un certain Kinney, avait récemment rejoint l'équipage du navire de Houston – le *Toledo*, un T-class transporteur de carburant, au personnel essentiellement composé de civils, dont Kinney faisait partie. Mais il n'y avait pas seulement embarqué pour faire une croisière tropicale. Il avait déjà passé pas mal de temps dans la marine, changeant plusieurs fois de bateau, et il n'avait aucun foyer à terre. Kinney s'était attaché à un clodo de la plage qui se promenait nu-pieds et qui semblait carburer à quelque chose. Ce clodo paya deux pichets d'affilée à la tablée et finit par révéler qu'il avait servi dans le 3ᵉ fusiliers marins au Vietnam avant de rentrer au bercail grâce à une libération anticipée. « Ouais, coco, fit le clodo, j'ai décroché la dispense médicale.

— Pourquoi ?

— Pourquoi ? Parce que je suis handicapé mental.

— T'as l'air en forme.

— T'as l'air en forme quand tu nous paies une bière, renchérit Kinney.

— Pas de problème. Je suis invalide. Deux cent quarante-deux par mois. Je peux m'enfiler une sacrée quantité de Hamm's, mec, si je dors sur la plage comme un Moke et que je bouffe ce que bouffent les Mokes.

— Ils bouffent quoi, les Mokes ? C'est qui, les Mokes ?

— Ici dans le secteur y a les Mokes et les Howlies. Nous on est des Howlies. Les Mokes c'est les enfoirés d'indigènes. Qu'est-ce qu'ils bouffent ? Ils bouffent pas cher. Et puis y a toute une tapée de Japs et de Chinetoques, t'as sans doute remarqué. Ils sont dans la catégorie des Gooks. Tu sais pourquoi la bouffe des Gooks pue tant ? Parce qu'ils y font frire des crottes de rat, des cafards et tout ce qui tombe dans le riz. Ils s'en foutent. Si tu leur demandes ce qui pue tant, ils savent même pas de quoi tu causes. Ouais, j'ai vu des drôles de trucs, continua le clodo. Là-bas les Gooks portent ces drôles de chapeaux de paille, sans doute que t'en as déjà vu – tout pointus ? Les filles à vélo, t'attrapes leur chapeau quand elles passent près de toi et tu leur arraches quasiment la tête, parce que le chapeau est attaché avec une ficelle. Tu la fais tomber de vélo, mec, et elle se vautre salement dans la gadoue. Y a une fois, mec, j'en ai vu une qu'était toute tordue comme ça. Elle avait la nuque brisée. Elle était morte. »

Bill Houston se sentait complètement perdu. « Quoi ? Où ?

— Où ? Au Sud Vietnam, mec, à Bien Hoa. En pleine ville, quasiment.

— C'est dégueulasse, mec.

— Ah ouais ? Et c'est pas dégueulasse quand une de ces salopes te balance une grenade dans les pattes quand tu la laisses se balader près de toi sur la route? Elles connaissent les règles. Elles savent qu'elles doivent garder leurs distances. Celle qui garde pas ses distances, c'est sans doute qu'elle a une grenade. »

Houston et Kinney restèrent silencieux. Ils n'avaient rien de comparable à raconter. Le type buvait sa bière. Un calme presque semblable au sommeil s'empara d'eux. Personne n'avait parlé, mais le clodo dit, comme s'il répondait à une question : « Ça c'est rien. J'ai vu des sacrés trucs.

— Si on commandait des bières? fit Kinney. C'est pas ta tournée? »

Le clodo ne se rappelait apparemment pas qui avait payé quoi. Il continua de faire venir des pichets.

James Houston rentra chez lui après le dernier jour de sa troisième année de lycée. Il descendit du car en pointant le médius vers le chauffeur et en poussant un grand cri de joie.

Sa mère s'était débrouillée pour se faire emmener au travail et, à la demande de son fils, elle avait laissé le pick-up dans l'allée. Burris, le petit frère de James, était debout dans l'allée, un doigt enfoncé dans une oreille, et il regardait le canon d'un pistolet à amorces tout en appuyant sans arrêt sur la détente.

« Fais gaffe à tes yeux, Burris. J'ai entendu parler d'un gamin qui s'est pris une étincelle dans l'œil, il a fallu l'emmener à l'hôpital.

— C'est fait avec quoi, les amorces?

— De la poudre de cartouche.

— QUOI? De la poudre DE CARTOUCHE? »

Le téléphone sonna à l'intérieur.

« J'ai pas le droit de répondre, dit Burris.

— Ils ont remis le téléphone?

— J'en sais rien.

— Quoi, ça sonne, non?

— Ferme-la.

— Maintenant c'est fini, pauvre idiot.

— De toute façon je veux pas répondre. On dirait des insectes qui parlent là-dedans. Pas des gens.

— T'es une drôle de petite tête », dit James avant d'entrer dans la maison, où il faisait très chaud et où ça sentait les ordures ménagères. Tant qu'il faisait moins de trente-cinq degrés, sa mère refusait de brancher le climatiseur à évaporation.

Il transportait un certain nombre de papiers de l'école, cahiers de devoirs, carnet de liaison, bulletin de fin d'année. Il balança le tout dans la poubelle sous l'évier.

Le téléphone sonna encore : son frère, Bill junior.

« Alors, fait chaud à Phoenix ?

— Pas loin de quarante, oui.

— Ici aussi il fait chaud. Il fait *moite*.

— D'où appelles-tu ?

— Honolulu, Hawaii. Il y a une heure, j'étais sur la plage de Waikiki.

— Honolulu ?

— Oui.

— Tu vois des filles qui dansent le hula-hoop ?

— Je vois tout un paquet de putes. Mais je parie qu'elles dansent le hula-hoop.

— Moi aussi je parie qu'elles le font !

— Qu'est-ce que t'en sais ?

— Moi ? J'en sais rien, dit James. C'est juste pour causer.

— Putain, j'aimerais bien être dans ce bon vieil Arizona.

— Ah ça, c'est pas moi qu'ai rempilé.

— Tu peux me balancer dans un joli désert bien plat quand tu veux. Il fait une bonne chaleur là-bas, hein ? Il fait sec et ça cogne. Ici, tout est moite et collant, voilà comment c'est. Hé, petit, imagine un peu ça : as-tu déjà soulevé le couvercle d'une casserole remplie d'eaux usées en ébullition ? Ici, ça fait cet effet-là quand tu sors dans la rue.

— Bon, fit James, qu'est-ce qui se passe d'autre ?

— T'as quel âge maintenant ?

— Bientôt dix-sept.

— Qu'est-ce que tu comptes faire ?

— Ce que je compte faire ? J'en sais rien.

— T'en as marre de l'école ?

— Je sais pas.

— Comment ça, tu sais pas ? T'as ton diplôme ?

— Faut que je fasse encore un an pour avoir le diplôme.

— T'as pas d'autre plan en dehors de ça, exact ?

— Pas que je sache. Sauf que je pensais à l'armée, peut-être.

— Pourquoi pas la marine ?

— Trop de marins dans la marine, mon vieux.

— T'es un malin, frérot. Vaut mieux aller dans l'armée, frérot. Parce que dans mon secteur tu te ferais botter le cul tous les jours. »

James était perdu. Il ne connaissait vraiment pas ce type.

L'opératrice interrompit la communication et Bill dut glisser d'autres pièces dans la fente.

James demanda : « T'es dans un bar, ou quoi?

— Oui, dans un bar. Un bar de Honolulu, à Hawaii.

— Ben je suppose que c'est... » Il ne savait pas comment continuer.

« Ouais. J'ai été aux Philippines, à Hong-Kong, à Honolulu – attends un peu, où encore, je sais pas – mais les tropiques c'est pas un paradis tropical, voilà ce que je pense. C'est pourri – les bestioles, la sueur, la puanteur, et tout le reste est nase. Et puis presque tous les beaux fruits tropicaux que tu vois, ils sont pourris. Écrasés dans la rue. »

James dit : « Bon ben... merci d'avoir appelé.

— Oui, fit Bill.

— Okay.

— Okay, répéta Bill. Hé, dis à maman que j'ai appelé, d'ac? Et dis-lui que je lui dis bonjour.

— Okay.

— Okay... Dis-lui que je l'aime.

— Okay. Salut.

— Hé! Hé, James.

— Ouais.

— T'es toujours là?

— Je suis toujours là.

— Va dans les marines, mec.

— Aah, ils sont surcotés.

— Les marines ont une épée.

— Les marines, en fait c'est la marine, dit James, une partie de la marine.

— Ouais... bon...

— Bon...

— De toute façon, dit Bill junior, seuls les officiers ont une épée.

— Ouais.

— Bon, faut que j'aille baiser, dit Bill.

— Vas-y, fonce!

— Tu connais quoi à ça? » se moqua son frère en riant avant de raccrocher.

James fouilla dans les tiroirs de la cuisine et trouva le paquet de Salem, à moitié plein, de sa mère. Avant qu'il n'ait franchi la porte, le téléphone sonna encore – Bill junior.

« C'est encore toi ?

— La dernière fois que j'ai regardé, oui.

— Quoi de neuf ?

— Dis bonjour pour moi à South Mountain.

— Nous ne voyons plus South Mountain. Nous voyons les Papago Buttes.

— À l'est ?

— On vit dans East McDowell.

— East McDowell ?

— C'est pas merdique, ça ?

— Vous êtes dans le désert !

— Maman bosse dans un ranch de chevaux.

— Putain...

— Elle fréquente les chevaux depuis qu'elle est toute petite.

— Fais gaffe que le grand lézard venimeux te pique pas.

— Y a pas d'ombre, mais c'est sympa. On est tout en haut, près de la réserve de Pima.

— Et tu vas à l'école.

— Je suis allé un moment à Palo Verde, depuis octobre, peut-être.

— Palo Verde ?

— Ouais.

— Palo Verde ?

— Ouais.

— Quand on habitait South Central, notre école jouait contre Palo Verde au basket ou quelque chose, ou au foot. Comment s'appelait notre école à cette époque ?

— J'y suis allé en primaire. L'école primaire Carson.

— Putain, je me souviens même pas du nom du lycée où j'étais.

— C'est pas la merde, ça ?

— Est-ce que tu vas à Florence ?

— Non.

— Est-ce que tu vois papa ?

— Non, dit James. C'est pas mon père, voilà pourquoi.

— Bon, reste à l'écart des ennuis. Suis pas son exemple.

— Je suis aucun de ses exemples. Je m'intéresse même pas à son exemple.

— Bon, fit Bill junior, en tout cas...

— En tout cas. Ouais. T'es vraiment sur la plage de Waikiki?

— Pas vraiment. Pas en ce moment.

— On est juste au carrefour de la Cinquante-deuxième et de McDowell. Y a un zoo dans le coin.

— Un quoi?

— Oui, un petit zoo.

— Hé, dis quelque chose à maman – quand est-ce qu'elle rentre à la maison?

— Plus tard. Dans deux, trois heures.

— Peut-être que je l'appellerai. Je veux lui dire quelque chose. Y a deux types de mon bateau qui sont de l'Oklahoma, alors tu sais ce qu'ils m'ont dit tous les deux? Que j'ai l'accent de l'Oklahoma. Alors je leur ai répondu : "Eh ben, m'sieur, j'ai jamais mis les pieds là-bas – mais mes parents en viennent." Dis ça à maman, d'ac?

— Je le ferai.

— Dis-lui qu'elle m'a mis en route en Oklahoma et que finalement je parle comme si j'avais grandi là-bas.

— Okay.

— Okay! – c'est Oklahoma en raccourci!

— Putain t'as raison, fit James.

— Ouais. C'est pas la merde, ça?

— Okay.

— Okay. Salut. »

Ils raccrochèrent.

Rond comme une queue de pelle, pensa James. Sans doute un alcoolo comme son père.

Burris entra d'un pas martial, son pistolet à amorces dans une main, une sucette dans l'autre, vêtu seulement d'un short, évoquant une petite marionnette. « Je crois que j'ai une étincelle dans l'œil.

— Faut que j'y aille, dit James.

— Est-ce qu'on dirait que j'ai une étincelle dans l'œil?

— Non. Boucle-la, espèce de petit rigolo.

— Est-ce que je peux monter sur le plateau du pick-up?

— Certainement pas, à moins que t'aies envie de te faire éjecter et tuer. »

Il prit une douche, se changea et, alors qu'il allait sortir, le téléphone sonna. Encore son frère.

« Hé... James.

« — Ouais.

— Hé... James.

— Ouais.

— Hé. Hé. Hé. »

James raccrocha et quitta la maison.

James passa prendre Charlotte, puis Rollo, puis une fille que Rollo aimait bien et qui s'appelait Stevie – diminutif de Stephanie – Dale, après quoi ils roulèrent vers les monts McDowell en cherchant une fête dont on leur avait parlé, un truc sauvage et non surveillé, en extérieur, soi-disant, à l'écart de la route et perdu dans le désert ; mais si un tel rassemblement avait réellement lieu, il était planqué dans un dédale de vallons desséchés, si bien qu'ils retournèrent sur la route et s'installèrent sur le plateau du pick-up pour boire de la bière. « T'as pas pu les rafraîchir davantage ? demanda James.

— Je les ai volées dans la glacière de la grange, répondit Rollo.

— On peut même pas trouver une fête un soir de diplôme, dit James.

— C'est pas un soir de diplôme, protesta Charlotte.

— C'est quoi alors ?

— C'est le dernier jour d'école. Je passe pas mon diplôme. Et toi ?

— De la bière chaude, se plaignit James.

— Je passerai jamais ce machin. Je m'en fous.

— Ouais, dit Rollo, on s'en bat les couilles », et cette expression vulgaire les fit tous rire, puis il ajouta : « On est des gars de la campagne.

— Non, c'est pas vrai, dit James.

— Ta mère bosse dans un ranch de chevaux. Mon paternel bidouille l'irrigation. Et y a une énorme grange derrière chez moi, mon pote.

— C'est plus sympa ici, fit Stevie Dale. Pas de flics.

— C'est vrai, dit James, y a personne pour nous emmerder.

— Fais juste gaffe aux serpents.

— Fais gaffe à ce serpent », dit Rollo et les filles éclatèrent de rire.

James constata avec déception que, lorsque les deux filles rirent, Charlotte fut celle qui eut un renvoi de bière par le nez. Stevie était plus jeune, elle était en première année, mais elle semblait plus simple et décontractée. Stevie restait assise bien droite et puis elle avait une manière sexy de fumer. Que faisait-il avec Charlotte ? En fait il aimait bien Stevie.

Il déposa Rollo, puis il ramena Charlotte chez elle. Stevie resta donc la dernière dans le pick-up. Il s'assura de ramener Charlotte d'abord.

Il embrassa Charlotte alors qu'ils se tenaient devant la maison de la fille. Elle lui prit le cou entre les bras et se serra contre lui, les lèvres molles et humides. James la tenait sans grande énergie, seulement de son bras gauche, tandis que le droit pendait, inerte. Le frère aîné de Charlotte, au chômage, sortit et regarda depuis le seuil. « Ferme la porte ou arrête cette saleté de clim, espèce d'idiot », lança la mère à l'intérieur.

Dans le pick-up James demanda à Stevie : « Il faut que tu rentres chez toi ?

— Pas vraiment, dit-elle, pas vraiment.

— Tu veux qu'on aille faire un tour ?

— Bonne idée. Ça pourrait être sympa. »

Ils finirent à l'endroit même où, une heure plus tôt, ils avaient été avec les autres. Ils regardèrent les montagnes basses en écoutant la radio.

« C'est quoi tes projets pour l'été ? demanda Stevie.

— J'attends un signe.

— Tu veux dire que t'en as pas.

— Pas de quoi ?

— Pas de projets.

— Je sais pas si je devrais chercher un boulot pour l'été, ou trouver un truc sérieux, permanent – histoire de pas retourner au lycée.

— Tu veux dire plaquer l'école ?

— Je me dis parfois que je devrais entrer dans l'armée comme mon père. »

Elle ne répondit rien. Elle posa un doigt sur le tableau de bord et le fit aller et venir d'avant en arrière.

James était à court de conversation. Il avait la nuque si raide qu'il doutait de pouvoir tourner la tête. Aucune parole ne lui venait à l'esprit.

Il aurait aimé qu'elle parlât de Charlotte. Mais tout ce qu'elle dit fut : « Pourquoi es-tu si morose ?

— Merde.

— Quoi ?

— Je crois qu'il faut que je rompe avec Charlotte. Faut vraiment que je le fasse.

— Oui... Sans doute qu'elle le sent venir, à mon avis.

— Vraiment ? Tu crois ?

— Franchement, t'as pas l'air ravi avec elle, James, t'es plutôt éteint.

— Ça se voit donc tant que ça, hein ?

— Avec Charlotte, on dirait que t'es juste en dessous d'un gros nuage de pluie.

— Et là, en ce moment ?

— Quoi ?

— Est-ce qu'il flotte sur moi en ce moment précis ?

— Non. » Elle souriait, elle était le soleil. « Tu comptes vraiment t'engager dans l'armée ?

— Oui. L'armée ou les marines. Je crois que maintenant tu vas me laisser t'embrasser, non ? »

Elle rit. « T'es marrant. »

Il l'embrassa longtemps, puis elle dit : « C'est ça qui me plaît chez toi. T'es marrant quand t'es heureux. Et puis t'es mignon – ça gâche rien », et ils passèrent encore un bon moment à s'embrasser, jusqu'à ce qu'une pub interrompe la musique diffusée par la radio, et James tripota longtemps le bouton.

« Hmmm, fit-elle.

— Qu'y a-t-il, Stevie ?

— Je me demandais : est-ce que cet homme embrasse comme l'armée, ou comme les marines ? Hmmmm », fit-elle en l'embrassant. Elle s'éloigna de lui. « Peut-être comme l'US Air Force. »

Il l'embrassa et très doucement lui effleura les bras, les joues, le cou. Il savait très bien qu'il était exclu de la toucher là où il avait envie de la toucher. « Il me reste une bière tiède, dit-il.

— Vas-y. J'ai pas soif. »

Il s'adossa à la portière côté conducteur, et elle côté passager. Il était content que le soleil se couche, car ainsi il n'avait pas besoin de se préoccuper de son apparence. Parfois, il se demandait si l'expression de son visage avait un sens quelconque.

Il se sentit sur le point de roter. Il se lâcha, rota très fort, puis dit : « Salutations distinguées.

— Ton papa est en prison, pas vrai ? fit Stevie.

— Où as-tu été pêcher ça ?

— C'est vrai ?

— Non, ça ressemble plus à mon beau-père, dit James. C'est un type comme un autre. C'est de la faute de ma mère, pas de la mienne.

— Et ton vrai papa est dans l'armée, hein ? »

James prit le volant entre ses bras, posa le menton dessus, regarda au loin... Alors maintenant, elle voulait qu'ils se racontent leurs pires secrets.

Il descendit, se planqua derrière un buisson pour pisser. Le soleil était passé derrière Camelback Mountain, au sud-ouest. Presque tout le ciel restait d'un bleu pur, mais teinté d'une autre couleur vers l'horizon, un jaune rosé qui disparaissait dès qu'on le regardait en face.

De retour près de Stevie dans le pick-up, il dit : « Bon, je viens de prendre ma décision : je vais m'engager dans l'infanterie.

— C'est vrai ? L'infanterie, hein ?

— Exact.

— Et ensuite ? Tu vas te spécialiser ?

— Je vais partir là-bas, au Vietnam.

— Et après ?

— Je vais bousiller une tapée de gens.

— Mon Dieu, fit-elle. T'es pas avec tes copains en ce moment, tu sais. Je suis une fille.

— Tous mes regrets, chef. »

Elle posa la main sur la nuque de James et ses doigts touchèrent avec tendresse les cheveux du garçon. Pour l'empêcher de continuer, il se redressa.

« C'était vraiment horrible de dire une chose pareille, James.

— Quoi ?

— Ce que tu as dit.

— C'est sorti comme ça. Je voulais pas dire ça, je crois pas.

— Alors le dis pas.

— Merde. Tu crois que je suis fondamentalement mauvais ?

— Tout le monde a un côté sombre. Simplement, faut faire en sorte qu'il se développe pas. »

Ils s'embrassèrent encore.

« Bon, dit-il, t'as envie de faire quoi juste maintenant ?

— Quoi... Je sais pas. Nous avons de l'essence ?

— Oui. » Qu'elle ait dit « nous » l'excita.

« On peut faire un tour et voir ce qui se passe.

— Faisons un grand tour. » Ça voulait dire qu'il lui ferait des avances conséquentes.

« Okay. » Ça voulait dire qu'elle acceptait.

James était devant la maison dans l'obscurité quand sa mère rentra du travail dans la Chevy décapotable de Tom Mooney, assise à la place du mort, la bouche ouverte, le visage caché sous un chapeau de paille abîmé, un bandana lui protégeant le cou. Mooney adressa un signe à James, lequel lâcha son mégot par terre, l'écrasa et agita la main. À ce moment-là, la Chevy avait déjà disparu.

Elle entra dans la maison sans adresser un seul mot à son fils, ce silence à la fois inhabituel et bienvenu.

Il dura jusqu'à ce que James l'eût suivie dans la cuisine. « Si tu ne crois pas que ce ranch m'a épuisée, viens donc tâter ce muscle qui a la tremblote sur mon bras. Si je réchauffe une conserve de soupe, t'as intérêt à la manger. Ne me fais pas m'agiter si tu comptes rester assis là à rêvasser. » Elle alluma dans la cuisine et resta sous le plafonnier, menue et vannée. « J'ai de la saucisse et des tomates. Tu veux un sandwich ? Assieds-toi, je vais nous préparer de la soupe et des sandwiches. Où est Burris ?

— Qui ?

— Il va arriver. Il a toujours faim. J'ai perdu du poids quand j'étais enceinte de lui. Je pesais presque soixante kilos au début et au neuvième mois je suis descendue à cinquante-cinq. Il m'a bouffée de l'intérieur. » En s'essuyant le visage, elle le salit avec sa main.

« Maman. Lave-toi avant de faire la cuisine.

— Oh, Seigneur, fit-elle. Je suis tellement crevée que j'en oublie que je suis vivante. Ouvre la conserve pour moi, mon chéri. »

Ils mangèrent du beurre de cacahuètes, de la *jelly* et de la soupe Campbell.

« Je vais couper cette tomate.

— J'ai fini mon repas. J'en veux pas.

— Il faut que tu manges des légumes.

— Y avait des légumes dans la soupe. C'est pour ça qu'elle s'appelle "soupe aux légumes".

— T'en va pas tout de suite. Faut que je te parle. Quand es-tu en vacances pour l'été ?

— J'ai fini l'école aujourd'hui.

— Alors viens travailler au ranch.

— J'y connais rien, à ces trucs-là.

— Qu'est-ce que tu connais pas ? Tu sais pas reconnaître un dollar quand t'en vois un ? Parce que moi j'en vois pas assez, des dollars.

— Je pensais m'engager dans l'armée.

— Quand? Maintenant?

— J'ai dix-sept ans.

— Dix-sept ans et pas beaucoup de jugeote.

— Bill junior avait dix-sept ans. T'as signé pour lui.

— Ça lui a pas fait de mal, j'imagine.

— Il a appelé aujourd'hui.

— Il a appelé? Pour dire quoi?

— Rien. Il est à Honolulu.

— J'ai jamais vu un seul dollar de lui. Mais c'est pas demain la veille que je lui demanderai.

— Si j'entre dans l'armée, je t'enverrai de l'argent.

— Une ou deux fois il en a envoyé un peu. Pas régulièrement. Et rien depuis un bail. Mais je ne peux pas lui demander : j'étoufferais de honte.

— Je t'en enverrai à chaque paie, promis, dit James.

— Tu décides ça tout seul.

— Ça veut dire que tu signerais pour moi? »

Elle ne répondit pas.

Il prit une fourchette et se mit à manger des tranches de tomate. « Envoie-moi une enveloppe vide tous les mois. Je te la renverrai avec de l'argent dedans.

— Tu as déjà parlé aux recruteurs?

— Je vais le faire.

— Quand?

— Je le ferai.

— Tu le feras quand?

— Lundi.

— Si tu as les papiers en règle lundi soir et que tu peux me donner quelques bonnes raisons pour le service, je signerai peut-être. Mais si tu te berces de doux rêves, alors mardi matin au réveil tu viens au ranch avec moi. J'ai fait rebrancher le téléphone, mais le loyer attend que le Seigneur veuille bien me permettre de le payer. Où est Burris?

— Il viendra quand il aura faim.

— Il a toujours faim », dit-elle et elle se mit à répéter tout ce qu'elle venait de lui dire, car elle était incapable de ne pas tout reprendre depuis le début.

Sa mère était incapable de rester silencieuse. Elle lisait tout le temps la Bible. Elle était trop âgée pour être sa mère, trop usée et trop idiote pour être sa mère.

Bill Houston aimait beaucoup la bière, mais il atteignit un point où elle se mit à coller dans sa gorge. Ce bar donnait sans doute sur l'ouest, car la lumière brûlante du soleil entrait à flots par la porte ouverte. Pas de clim, mais il en avait l'habitude dans les endroits où il buvait. C'était un bouge, voilà tout.

À son retour des toilettes, Kinney interrogeait toujours le clodo de la plage : « T'as fait quoi ? Dis-moi exactement ce que t'as fait.

— Rien. Je t'emmerde. »

Bill Houston s'assit et dit : « J'ai rien contre vous, les gars. Mais j'ai un petit frère qui veut entrer dans les marines. »

L'ancien marine était ivre. « Ça c'est que dalle. Moi j'ai vu des trucs.

— Il cause comme s'il avait fait un truc à une femme là-bas, dit Kinney.

— Où ? fit Houston.

— Au Vietnam, putain, dit Kinney. T'écoutes donc pas ?

— J'ai vu des trucs, répéta le type. Voilà ce que c'était : ils immobilisaient cette gonzesse et un type lui a découpé la chatte. Là-bas ce genre de truc arrive tout le temps.

— Bon Dieu de merde. Sans blague ?

— Et j'y ai participé.

— Tu y as *participé* ?

— J'étais là. »

Houston dit : « T'as vraiment » – il n'arrivait pas à le dire – « t'as vraiment fait ça ?

— T'as découpé le con d'une salope ? fit Kinney.

— J'étais pile là quand c'est arrivé. Juste à côté – pile dans le même – presque dans le même village.

— C'étaient tes potes ? Ton unité ? Quelqu'un de ta section ?

— Pas la nôtre. C'étaient des Coréens, une unité coréenne. Ces enfoirés sont complètement dingos.

— C'est ce que je te dis, fit Kinney, c'est exactement ce que je te dis – et maintenant accouche, bordel, dit-il, et raconte-nous ce que t'as fait, putain.

— Il se passe tout un tas de saloperies, fit l'homme.

— Tu déconnes. Les marines américains ne toléreraient jamais ce genre de truc. Tu déconnes à bloc. »

Le clodo leva les mains comme un type en état d'arrestation. « Hé, ho, mec – pourquoi tu t'excites comme ça ?

— Dis-moi simplement que t'as découpé vive une femme, et je reconnais que t'es pas un enfoiré. »

Alors le barman hurla : « Toi ! Je te l'ai déjà dit ! Tu cherches les ennuis ? Tu veux la bagarre ? » – un gros Hawaiien sans chemise.

« C'est ça un Moke », expliqua leur compagnon tandis que le barman jetait son torchon et rappliquait.

« Je t'ai déjà dit de pas refoutre les pieds ici.

— C'était hier.

— Je t'ai dit que je voulais plus jamais te revoir. Ça veut dire hier, aujourd'hui et demain.

— Hé, j'ai une bière là.

— Emporte-la avec toi, rien à foutre. »

Kinney se leva. « Barrons-nous de ce rade merdique fréquenté par les Mokes. » Sa main remonta sous sa chemise au niveau de la ceinture.

« Sors un feu ici et tu vas en taule, si je te tue pas avant.

— Dès qu'il fait chaud, je deviens cinglé.

— Dehors, tous les trois !

— Là tu vas me rendre cinglé. »

Le jeune clodo éclata d'un rire dément et sautilla à reculons vers la porte en agitant les bras comme un singe.

Houston aussi rejoignit rapidement la sortie, en disant : « Vite, vite, vite. » Il était quasi certain d'avoir aperçu la crosse d'un flingue glissé dans la ceinture du jean de Kinney.

« Voyez – c'était un Moke là-bas, dit le clodo. Ils roulent tout le temps les mécaniques. Mais dès qu'on a l'avantage sur eux, ils se mettent à pleurnicher comme des bébés. »

Chacun d'eux se paya une cruche de Mad Dog 20/20 chez un épicier qui exigea qu'ils achètent trois miches de Wonder Bread avec le vin, mais c'était toujours une affaire. Ils mangèrent un peu de pain, puis lancèrent le restant à deux chiens errants. Bientôt ils marchèrent, ivres, au milieu d'une meute de chiens, vers une bande de plage aveuglante, la mer noire et l'écume bleue qui s'écrasait sur le sable.

Un homme arrêta sa voiture, une Ford Galaxy blanche à l'air officiel, et baissa la vitre. C'était un amiral en uniforme. « Alors les gars, on s'amuse comme des malades ?

— *Yes, sir!* fit Kinney qui le salua en portant l'index à son sourcil.

— J'espère bien que vous vous marrez, fit l'amiral. Parce que pour des connards comme vous, les jours craignos ne vont pas tarder. » Puis il fit remonter sa vitre et démarra.

Le reste de l'après-midi, ils le passèrent à picoler sur la plage. Kinney était assis contre le tronc d'un palmier. Le clodo était allongé sur le dos, sa cruche de Mad Dog posée en équilibre sur le buste.

Houston retira ses chaussures et ses chaussettes pour sentir le sable épouser la forme de sa voûte plantaire. Il sentit aussi son cœur s'emballer. À cet instant précis il comprit le sens de l'expression « paradis tropical ».

Il déclara à ses deux camarades : « Ce que j'ai envie de dire, oui, sur ces Mokes... Je crois qu'ils sont reliés aux Indiens qui vivent près de chez moi. Et pas seulement à ces Indiens-là, mais aussi aux Indiens qui vivent en Inde, et à tous les autres individus que vous pouvez imaginer et qui sont comme ça, qui ont un truc oriental, et c'est pour ça que je crois vraiment qu'y a pas tant d'espèces de gens différents sur cette terre. Et c'est pour ça que je suis contre la guerre... » Il brandit son Mad Dog à bout de bras. « C'est pour ça que je suis pacifiste. » C'était merveilleux d'être debout sur cette plage devant ce public, de gesticuler avec un demi-gallon de pinard à la main et de raconter un tas de conneries.

Kinney se mit à faire des trucs bizarres. Avec une expression rêveuse, il inclina sa bouteille au-dessus de ses belles chaussures noires bien cirées et regarda le vin couler sur le devant de ses pompes. Il lança plusieurs pincées de sable en direction du clodo, lui mouchetant le buste, le visage, la bouche. Le clodo époussetait le sable en faisant comme s'il ne savait pas d'où il venait.

Kinney suggéra d'emmener ses copains chez un ami. « Je veux te présenter ce type, dit-il au clodo, et après on va s'occuper de tes conneries.

— Ça me va au poil, trouduc », fit le clodo.

Kinney colla son pouce et son index l'un contre l'autre. « J'aimerais te coincer dans un espace grand comme ça », dit-il.

Ils traversèrent la plage pour trouver la maison de l'ami de Kinney. Houston, qui marchait pieds nus sur le sable brûlant, puis sur l'asphalte noir, souffrait le martyre.

« Où sont tes pompes, espèce de crétin ? »

Houston avait glissé ses chaussettes blanches dans les poches de son Levi's, mais ses chaussures avaient disparu.

Ils s'arrêta dans un magasin pour acheter une paire de tongs à dix-sept cents. Il y avait une braderie sur Thunderbird, mais Kinney déclara que son ami lui devait de l'argent, et il promit de les emmener en ville un peu plus tard.

Il avait adoré ces mocassins en daim blanc ivoire. Pour entretenir leur couleur, il les saupoudrait de talc. Et maintenant? Abandonnés à la marée.

« C'est une base militaire? » demanda Houston.

Ils déambulaient dans un quartier de petites bicoques bon marché, roses et bleues.

« C'est des bungalows, fit le clodo.

— Hé, dit Houston à leur compagnon, c'est quoi ton nom, mec?

— Je le dirai jamais, répondit le clodo.

— Il est vraiment con comme ses pieds », fit Kinney.

Ces bungalows semblaient peut-être un peu miteux, mais certes pas en comparaison de ce que Houston avait pu voir en Asie du Sud-Est. Un voile brumeux de sable blanc recouvrait l'asphalte des trottoirs et, tandis que les trois hommes marchaient parmi les palmes des cocotiers, il entendit le tonnerre lointain des vagues. Il avait déjà fait plusieurs séjours à Honolulu et il aimait beaucoup cette ville. Elle bouillonnait et puait autant que les autres capitales tropicales, mais elle faisait partie des États-Unis et tout y était en bon état.

Kinney regardait les numéros au-dessus des portes d'entrée. « Voici la maison de mon copain. Passons par l'arrière.

— Pourquoi on sonne pas simplement à la porte? demanda Houston.

— Je veux pas sonner à la porte d'entrée. Tu veux sonner à la porte?

— Eh ben non, mec. C'est pas mon ami. »

Ils firent donc le tour du bungalow à la suite de Kinney.

À l'une des fenêtres de derrière, où il y avait de la lumière, Kinney se haussa sur la pointe des pieds pour jeter un coup d'œil à l'intérieur, puis il se cacha derrière le tronc d'un palmier tout proche du mur et dit au clodo de la plage : « Rends-moi service, tapote à la vitre.

— Pourquoi je ferais ça?

— Je veux faire une surprise à ce type.

— Pourquoi ?

— Allez, fais-le, tu veux ? Ce mec me doit du fric, je veux lui faire une surprise. »

Le clodo fit grincer ses ongles contre la moustiquaire de la fenêtre. À l'intérieur la lumière s'éteignit. Le visage d'un homme apparut vaguement à la fenêtre, à peine visible derrière la moustiquaire. « C'est pour quoi, m'sieur ?

— Greg, dit Kinney. Ouvre la fenêtre.

— Qui est là ?

— C'est moi.

— Oh, salut, mec – Kinney.

— Ouais, c'est ça, c'est moi. T'as les deux cent soixante ?

— Je t'ai pas vu dans l'obscurité, mec.

— T'as mes deux cent soixante ?

— Alors comme ça, t'es de retour sur l'île ? Où t'étais ?

— Je veux mes deux cent soixante dollars.

— Merde, mec. J'ai le téléphone. Pourquoi t'as pas appelé ?

— Je t'ai écrit qu'on ferait escale ici la première semaine de juin. Et c'est quelle semaine à ton avis ? C'est la première semaine de juin. Et je veux mon fric.

— Merde, mec. J'ai pas tout ça.

— Combien t'as, Greg ?

— Merde, mec. Je peux sans doute en trouver un peu.

— T'es rien qu'un sale menteur et une vraie merde », dit Kinney.

Il sortit de sa ceinture un .45 automatique bleu, le modèle compact des officiers, le braqua sur l'homme, qui tomba comme une marionnette dont on vient de couper les fils, puis disparut. Alors Houston entendit l'explosion. Il essaya de comprendre d'où ce bruit avait bien pu venir, de lui trouver une explication autre que : Kinney vient d'abattre ce type d'une balle en pleine poitrine.

« Magnez-vous, magnez-vous », dit Kinney.

Il y avait un trou dans la moustiquaire de la fenêtre.

« Houston !

— Quoi ?

— On a fini. On se casse.

— On a… ? »

Houston ne sentait plus ses jambes. Il avançait machinalement. Ils dépassèrent des maisons, des véhicules en stationnement, des immeubles. Bientôt la circulation les entoura. Ils franchirent une distance considérable en ce qui parut trois ou quatre secondes. Il était essoufflé, en nage.

Le clodo cinglé dit : « Vachement réussi, mec. À mon avis, t'as eu le dessus dans cette conversation.

— Je pardonne jamais à mes débiteurs. Je suis sans pitié avec ceux qui essaient de me brûler la politesse.

— Faut que j'y aille.

— Ouais, c'est sûr qu'il faut que t'y ailles, espèce de sale con.

— On est où ? » fit Houston.

Le clodo prenait peu à peu la tangente, s'éloignant du trottoir pour rejoindre la rue.

« Hé, j'aime pas ta gueule, fit Kinney alors que le type s'éloignait. Espèce de cinglé, lâche, traître !

— Quoi ? fit le type. Écoute, déconne pas avec moi.

— Pas déconner avec toi ?

— Je crois que c'est mon bus », fit le type qui piqua un sprint de l'autre côté de la rue à travers les voitures qui pilaient, avant de se mettre à l'abri d'un bus.

Kinney cria : « Hé ! Le marine ! Je t'emmerde ! Ouais ! *Semper fi* ! »

Houston se plia en deux et vomit sur une boîte à lettres.

Kinney non plus n'avait pas l'air dans son assiette. Une fine pellicule grasse lui couvrait les yeux. « Allons boire un verre, dit-il. T'as déjà goûté à la Grenade Sous-Marine ? Une dose de bourbon dans une chope de bière ?

— Oui.

— Je pourrais vider un plein tonneau de cette saloperie.

— Oui, oui », fit Houston.

Ils trouvèrent un bar climatisé et Kinney les installa tous deux dans un box obscur au fond de la salle, se fit servir des bières et des bourbons, puis entama la préparation des Grenades Sous-Marines.

« Ça va te remettre du jus dans le moteur. T'as déjà bu ça ?

— Bien sûr. Tu mets le bourbon dans la bière.

— T'en as déjà bu ?

— Eh ben, je sais comment ça se prépare », dit Houston.

Sans avoir la moindre sensation des heures écoulées, Houston se réveilla en sueur, piqué par les moustiques et les puces des sables, un matelas affaissé l'avalant vivant, une violente migraine lui martelant le crâne. Il entendait aussi le martèlement des vagues. Sa première pensée tout à fait consciente fut qu'il avait vu un homme en abattre un autre, comme ça.

Il était logé dans une espèce de chambre en plein air. Il réussit à rejoindre le robinet d'angle, où il but longuement l'eau douceâtre et pissa dans le lavabo, après en avoir retiré un drap de lit mouillé dont le centre était percé d'un gros trou aux bords carbonisés. Il retrouva sa montre, son portefeuille, son pantalon et sa chemise, mais il avait perdu ses chaussures sur la plage, il s'en souvint bientôt, et il était quasiment certain d'avoir laissé son sac au YMCA. Ses tongs à dix-sept cents semblaient avoir décidé de se faire la malle.

Son portefeuille contenait un billet de cinq et deux de un. Il ramassa pour quatre-vingt-dix cents de pièces éparpillées sur le sol en bambou. Il sortit pour tenter d'y voir plus clair.

La tête lui tournait. L'eau qu'il venait de boire en quantité raviva sa cuite.

L'enseigne annonçait HÔTEL KING KANE, et puis BIENVENUE AUX MARINS.

Il était sur ses gardes à cause de Kinney, mais il ne vit personne, pas une seule âme. On aurait dit une île déserte. Les palmiers, la plage lumineuse, l'océan sombre. Il s'éloigna de la plage, en direction de la ville.

Il ne retourna pas à bord du *Toledo*. Il n'avait aucune intention de s'approcher de son mouillage ni du moindre endroit où il aurait risqué de tomber sur Kinney, la dernière personne qu'il désirait voir. Il rata l'embarquement et passa deux semaines à terre sans autorisation, en déserteur dormant sur la plage et mangeant une fois par jour dans une mission baptiste du front de mer, jusqu'à ce qu'il réussît à se convaincre que Kinney était plus proche de Hong-Kong que de Honolulu ; puis il se présenta de lui-même à la patrouille du front de mer pour une semaine de récupération au trou.

Il fut rétrogradé à l'échelon E-3 et redevint donc marin ordinaire, si bien qu'il perdit automatiquement sa spécialité de technicien de chaudière. Il se voyait rétrogradé pour la seconde fois de sa carrière. Son premier blâme avait résulté d'« infractions mineures répétées » durant son service à la base navale de Subic Bay – quand il se mit à fréquenter trop assidûment les tanières du vice qu'on trouvait juste au-delà des grilles.

Houston passa les dix-huit mois suivants à effectuer des tâches ingrates et des enlèvements d'ordures sur la base de Yokosuka, au

Japon, surtout avec des Noirs bagarreurs, des crapules aux aptitudes limitées, et de complets ratés comme lui-même. Plus souvent qu'il ne l'aurait souhaité, il se rappelait cet amiral à Honolulu qui avait baissé la vitre de sa Ford Galaxy blanche et promis : « Les jours craignos ne vont pas tarder. »

Parce qu'il avait désormais une petite amie qui le laissait aller jusqu'au bout, James oublia un moment l'armée. Une ou deux fois par semaine, il installait un matelas pneumatique et un sac de couchage sur le plateau du pick-up de sa mère, il tirait Stevie Dale hors de sa maisonnée endormie et il lui faisait l'amour dans la fraîcheur du désert avant l'aube. Deux fois, parfois trois par nuit. Il tenait le compte de ses performances. Entre le 10 juillet et le 20 octobre, au moins cinquante fois. Mais moins de soixante.

Stevie ne semblait pas désireuse de participer. Tout ce qu'elle faisait, c'était s'allonger. Il avait envie de lui demander : « Tu n'aimes pas ça ? » Il avait envie de lui demander : « Tu ne pourrais pas bouger un petit peu ? » Mais dans l'atmosphère de déception et de doute qui s'abattait sur lui après leurs ébats amoureux, il se trouvait incapable de communiquer avec elle, réussissant seulement à faire semblant de l'écouter parler. Elle parlait de l'école, de matières, de profs, de *pom-pom girls* – elle faisait partie de leur groupe, comme remplaçante, mais elle s'attendait à rejoindre l'escouade principale dès l'année suivante –, sans discontinuer et tout près de l'oreille de James. La gaieté de Stevie était un poing qui l'enfonçait, lui, un peu plus profond dans la cuvette des toilettes.

Il s'intéressait à d'autres choses qu'à sa vie amoureuse. Il se faisait du souci pour sa mère. Elle ne gagnait pas beaucoup au ranch. Elle rentrait épuisée. Elle était devenue plus mince, plus noueuse. Elle passait la première moitié de tous ses dimanches au Tabernacle de la Foi et tous les samedis après-midi elle faisait en voiture les cent soixante kilomètres qui la séparaient de la prison de Florence pour voir son mari. James ne l'avait jamais accompagnée lors de ces pèlerinages, et Burris, maintenant âgé de presque dix ans, refusait de se joindre à elle – il s'enfuyait tout bonnement parmi les cabanes, les caravanes et les tourbillons de poussière du voisinage dès que la pauvre femme commençait à se préparer le samedi ou le dimanche matin.

James ne savait pas ce qu'il ressentait pour Stevie, mais il savait que sa mère lui brisait le cœur. Chaque fois qu'il parlait de s'engager dans l'armée, elle semblait d'accord pour signer les papiers, mais s'il la quittait demain, que deviendrait-elle sans lui ? Dans ce monde elle pouvait seulement compter sur ses deux mains et sur son amour délirant pour Jésus, qui de son côté semblait n'avoir jamais entendu parler d'elle. James soupçonnait qu'elle se dupait elle-même en se jetant sur la Bible et ses promesses comme un insecte contre une vitre. Une fois qu'il eut à peu près décidé de plaquer l'école pour aller trouver les recruteurs de l'armée, il tergiversa durant de nombreuses semaines, debout à l'extrémité du grand plongeoir. Ou au bord du nid. « Maman, disait-il, tous les aigles ont besoin de voler. » « Vas-y, alors », rétorquait-elle.

L'armée le refusa. Elle n'acceptait pas les mineurs. « Les marines veulent bien de toi même si tu as dix-sept ans, mais pas l'armée, annonça-t-il à sa mère.

— Tu peux donc pas attendre six mois ?

— C'est plutôt neuf mois.

— Ça te laisserait le temps d'apprendre beaucoup de choses à l'école, pour ton éducation. Après, tu pourrais passer ton examen de fin d'études et être prêt pour le service, vraiment prêt.

— Faut que je parte.

— Va dans les marines, alors.

— Je veux pas des marines.

— Pourquoi ça ?

— Ils sont trop bêcheurs.

— Alors pourquoi parlons-nous des marines ?

— Parce que l'armée veut pas de moi avant que j'aie dix-huit ans.

— Même si je signe les papiers ?

— Même si n'importe qui les signe. Il me faut un certificat de naissance.

— J'ai ton certificat de naissance. On y lit "1949". Tu pourrais pas changer la date en "1948" ? T'as qu'à refermer la queue du neuf pour qu'il ressemble à un huit. »

Le dernier vendredi d'octobre, James retourna voir le recruteur de l'armée avec un certificat de naissance truqué, puis il revint à la maison avec l'ordre de se présenter au rassemblement le lundi suivant.

Les deux premières semaines de son entraînement initial à Fort Jackson, en Californie du Sud, furent les plus longues qu'il eût jamais connues. Chaque journée ressemblait à une vie entière, vécue dans l'incertitude, l'humiliation, la confusion, l'épuisement. Puis toutes ces émotions furent balayées par une terreur incessante quand l'idée de tuer et d'être tué se mit à l'obnubiler. Il se sentait bien sur le terrain, dans les rangs, avec les autres, qui hurlaient comme des monstres, enfonçaient leur baïonnette dans des mannequins de paille. Tout seul, il y voyait à peine clair, à cause de sa *trouille*. Seul l'épuisement le sauva. L'obligation de dépasser ses limites physiques dressait un mur de verre entre lui-même et tout le reste – il n'entendait plus, il ne se rappelait plus ce qu'il venait de regarder, ce qu'on venait de lui montrer. Il attendait seulement de dormir. Tout du long il fit des rêves frénétiques, mais dormit aussi longtemps qu'on le laissait dormir.

Il fut affecté au Vietnam. Cette destination équivalait à une condamnation à mort et il le savait. Il n'avait fait aucune demande particulière, ne s'était même pas renseigné pour savoir comment on faisait une demande, on lui avait simplement notifié son affectation. À quatre jours de la fin de son entraînement, il portait son plateau-repas du déjeuner vers une table du mess des simples soldats, l'odeur moite de la purée reconstituée montant vers son visage, les jambes cotonneuses tandis qu'il marchait vers un avenir truffé de pièges diaboliques et de mines antipersonnel : ils étaient en patrouille et lui-même se trouvait trop loin devant la ligne des autres dans la jungle, il était *isolé* et voilà qu'il marchait sur un truc qui lui arrachait les veines, qui l'envoyait éclabousser la végétation comme de la peinture – avant que le fracas n'atteigne ses oreilles, lesquelles étaient déchiquetées – sans doute qu'on entend seulement l'infime début d'un léger sifflement. C'était absurde de s'asseoir là pour ingérer ces fades aliments dans les petits compartiments de son plateau. Il ferait mieux de sauver sa peau, de sortir de ce mess, peut-être pour disparaître dans une grande métropole où les cinémas porno sont ouverts vingt-quatre heures sur vingt-quatre.

Deux gars de son groupe arrivèrent et se mirent à parler du fait de mourir au combat.

« Est-ce que vous essayez de me flanquer encore plus les chocottes ? fit James en essayant d'être drôle.

— T'as toutes les chances de pas te faire tuer.

— Ferme-la.

— C'est vrai, y a pas beaucoup de combats en réalité.

— Vous avez vu ce type là-bas ? » demanda James, et oui ils l'avaient vu : trois tables plus loin était assis un petit Noir en uniforme vert, un sergent-chef. Il ne semblait guère assez corpulent pour être accepté dans l'armée, mais il arborait de nombreux rubans sur la poitrine, dont le bleu aux cinq étoiles blanches, la Médaille d'honneur du Congrès.

Chaque fois qu'ils croisaient un soldat décoré, James et les autres s'en approchaient systématiquement pour y jeter un coup d'œil. C'était ça l'essentiel, pas vrai ? – boire une tasse de café tandis que cette personne en vous était durcie et noircie par des exploits héroïques, tandis qu'autour de vous les gamins étaient pris d'une faiblesse soudaine et s'efforçaient de regarder ailleurs. Mais pour jouir de ce privilège, il fallait revenir vivant.

Après le départ des deux autres, James retourna faire la queue pour manger encore. Les recrues se plaignaient de la nourriture, et donc James s'en plaignait aussi ; mais en fait il l'appréciait.

Le Noir au ruban bleu sur la poitrine lui fit signe de venir à sa table.

James ne sut pas quoi faire sinon obéir.

« Viens, assieds-toi, dit le sergent-chef. Tu as un drôle d'air.

— Ouais ? Quel air ?

— Assieds-toi, insista le sergent-chef. Je suis pas aussi noir que l'ébène. »

James obtempéra.

« Je dis que tu as un drôle d'air.

— Ah bon ?

— Cet air qui dit : je voulais conduire un tank ou bosser sur les moteurs d'hélicoptère, mais à la place ils m'envoient dans la jungle pour que je me fasse tuer. »

James ne dit rien, il craignait de fondre en larmes.

« Ton sergent m'en a parlé, Conrad, Conroy.

— Le sergent, oui », fit James, extrêmement nerveux. « Le sergent Connell.

— Pourquoi, afin de te sortir de ce guêpier, ne t'es-tu pas porté volontaire pour quoi que ce soit ? »

Maintenant James redouta de rire. « Parce que je suis idiot.

— Tu vas dans le 25ᵉ, exact ? Quelle brigade ?

— La 3ᵉ.

— Je suis du 25ᵉ.

— Ah bon? Sans blague?

— Pas dans la 3e, malgré tout. La 4e.

— Mais la 3e... est-ce qu'ils... ils... vous savez... se battent?

— Certaines unités, oui. Malheureusement, oui. »

James sentit que, pour sauver sa peau, il lui suffisait de dire : Sergent, je ne veux pas me battre.

« Tu t'inquiètes à l'idée de te faire tuer?

— Un peu, vous voyez, enfin... *oui*.

— Y a pas à t'inquiéter. Quand la Chose te bouffe, tu es vidé de l'intérieur, tu ne penses plus. C'est rien que du baratin. »

Cette déclaration ne rassura guère James.

« Ouaip. » Le petit Noir se pencha en avant, se tapota rapidement le bout des doigts. « Approche. Écoute », dit-il. James se pencha vers lui, en craignant à moitié que cet homme ne lui attrapât l'oreille ou autre chose. « Dans une zone de combats, il ne faut surtout pas être une épingle plantée sur une carte. Car tôt ou tard l'ennemi va marteler cette épingle avec une force de feu supérieure. Faut que tu te ménages des options de mobilité, d'accord? Tu veux participer aux décisions, pas vrai? Ça veut dire que tu désires te porter volontaire pour une unité de reconnaissance. C'est un choix issu de ta volonté. Tu te portes volontaire pour ça. Mais ensuite, jamais, pour rien au monde, tu n'es volontaire pour quoi que ce soit, pour rien, rien, rien, même pas pour filer au plumard avec une femelle chauffée au rouge, même pas pour la copine de James Bond. C'est la règle numéro un : ne jamais être volontaire. Et la règle numéro deux, c'est qu'en terre étrangère tu ne violes pas les femmes, tu ne fais pas de mal au bétail, si possible tu ne détruis aucun bien privé, sauf que tu dois brûler les bicoques en chaume, ça fait partie du contrat.

— C'est une Médaille d'honneur que vous avez là?

— Oui, c'en est une. Alors écoute bien ce que je te dis.

— D'accord. Okay.

— Je suis peut-être noir comme le charbon, mais je suis ton frère. Tu sais pourquoi?

— Je crois que non.

— Parce que tu intègres le 25e comme remplaçant, c'est bien ça?

— *Yes, sir.*

— Ne me donne pas du *sir*, je ne suis pas un *sir*. Tu entres bien dans le 25e, c'est ça?

— Exact.

— Okay. Et tu sais quoi ? J'étais dans le 25ᵉ. Pas la 3ᵉ, la 4ᵉ. Enfin bref, c'est peut-être *moi* que tu remplaces. Alors je te refile mes bons tuyaux.

— D'accord. Merci.

— Non, tu n'as pas à me remercier, c'est moi qui te remercie. Tu sais pourquoi ? C'est peut-être moi que tu remplaces.

— De rien, fit James.

— Maintenant et comme je t'ai dit, à bon entendeur salut.

— Entendu. »

James appréciait la manière dont s'exprimaient les gars de l'infanterie et il essayait lui aussi de parler ainsi. Options de mobilité. Épingle sur une carte. Force de feu supérieure. À bon entendeur salut. C'étaient les mêmes expressions qu'un sergent de reconnaissance avait utilisées, à peine deux semaines plus tôt, lors d'un cours donné dans leur caserne. Ces expressions sonnaient juste, faisaient sens. Une évidence surtout s'en dégageait : quitte à être troufion, autant viser une unité de reconnaissance.

Après plus d'un an passé aux États-Unis, en Californie – deux mois à l'Institut de langues de la Défense à Carmel, et près de douze mois à l'École navale avancée de Monterey –, Skip Sands retourna en Asie du Sud-Est et, quelque part entre Honolulu et l'île de Wake, volant à plusieurs kilomètres au-dessus du Pacifique à bord d'un Boeing 707, il entra dans l'ombre du mystère qui devait le dévorer.

Après le 707 jusqu'à Tokyo, il alla en avion à hélices jusqu'à Manille, prit un train jusqu'au pied des montagnes situées au nord de cette ville, puis rejoignit en voiture San Carlos et – une fois encore – la résidence du personnel, prêt à une confrontation avec Eddie Aguinaldo, en se réjouissant à l'avance des absurdes patrouilles nocturnes du commandant philippin dans la jungle suffocante, mais il découvrit que ces patrouilles n'existaient plus et qu'Eddie Aguinaldo n'était pas là. Les Huks avaient été déclarés anéantis. Anders Pitchfork était parti depuis belle lurette. Pour toute compagnie Sands avait le personnel de la résidence et parfois des employés de Manille en vacances, d'habitude des courriers surmenés qui dormaient beaucoup. Il attendit près d'un mois que l'un d'eux lui apportât des nouvelles du colonel.

Ces nouvelles arrivèrent par une sacoche de courrier, au dos d'une carte postale figurant le monument de Washington. Un sceau jaune apposé dans un coin avertissait : ENVOYEZ LES MESSAGES OFFICIELS SOUS EMBALLAGE / LES CORRESPONDANTS DOIVENT UTILISER DES ENVELOPPES / MERCI / VOTRE BUREAU DE POSTE AMÉRICAIN

Joyeux Noël avec un peu d'avance. Range tes fichiers, tout le tintouin. File à Manille. Vois la section. Je suis à McLean en train de lancer mon bureau contre les murs. Étais à Boston la semaine dernière. Ta tante et tes cousins t'adressent leurs amitiés. Te verrai à Saigon. Onc FX.

Les fichiers étaient déjà emballés, du moins le pensa-t-il. Dès son arrivée à la résidence, il avait trouvé dans le placard où il les avait laissées trois cantines vert olive de l'armée, toutes lourdement cadenassées, chaque couvercle portant écrit au pochoir le nom BENÉT W. F. – l'accent aigu avait été tracé à la main avec un stylo-bille à pointe fine.

N'ayant aucune idée de l'endroit où se trouvaient les clefs de ces trésors, il remit ce problème à un autre jour et obéit à l'ordre suivant indiqué par son oncle : rejoindre l'ambassade de Manille dans une voiture de fonction presque entièrement remplie par les fichiers du colonel. Là, on lui dit de garder la voiture et de faire une soixantaine de kilomètres supplémentaires au-delà de la capitale jusqu'à la base aérienne de Clark, où il embarquerait à bord d'un transport militaire à destination du Sud Vietnam.

Le lendemain était le 31 décembre. Selon sa feuille de route, il devait décoller ce jour-là de l'aéroport de Clark vers celui de Tan Son Nhut, en dehors de Saigon.

Enfin! Avec l'impression d'avoir déjà quitté les Philippines, assis à l'arrière de la voiture de fonction sur Dewey Boulevard, il voyait le soleil palpiter sur la baie de Manille et, dans cette lumière fabuleuse, afin de se calmer, il examina son courrier. Une lettre d'information des anciens de Bloomington. *Newsweek* et *U.S. News and World Report*, tous deux vieux de plusieurs semaines. Dans une grande enveloppe brune il trouva sa dernière liasse de courrier californien, qu'on lui avait fait suivre de là-bas à son adresse des Postes de l'Armée. Ces lettres lui couraient après depuis deux mois. Sa tante Grace et son oncle Ray – l'aîné des quatre frères de son père – lui envoyaient une carte de bons vœux dans une enveloppe où se baladait quelque chose, l'un des nouveaux demi-dollars à l'effigie de John

F. Kennedy, ainsi qu'il le découvrit, et un bristol épais auquel ils avaient manifestement fixé cette pièce avec du ruban adhésif avant qu'elle ne s'en détache lors de son voyage de quinze mille kilomètres. Skip avait eu trente ans le 28 octobre et, pour commémorer cet événement, on lui envoyait cinquante cents, le double de la somme habituelle – fini les pièces de vingt-cinq cents pour un grand garçon comme lui.

Et puis une rareté : une lettre de la veuve Beatrice Sands, la mère de Skip. Elle était épaisse. Il ne l'ouvrit pas.

Il y avait aussi une lettre de Kathy Jones. Il en avait reçu plusieurs au cours de l'année passée, chacune plus délirante que la précédente, qu'il avait toutes gardées, en répondant seulement deux fois.

> Es-tu enfin ici au Vietnam ? Peut-être dans le village voisin ? Bienvenue à la Bible en Panavision et Technicolor ! Mais ici il fait bon ne pas venir de tes États-Unis d'Amérique. Trop de ressentiments. Par contre, ils n'ont rien contre les Français. Ils ont vaincu les Français.
> Te souviens-tu de Damulog ?

Dans le paragraphe suivant, le mot « liaison amoureuse » lui sauta aux yeux et il arrêta de lire.

Rien d'autre du colonel.

Il n'avait pas vu son oncle depuis plus de quatorze mois, il avait conclu que l'un d'eux, les deux peut-être, avait été mis sur la touche après l'affaire épineuse de Mindanao. Quelque chose, en tout cas, les avait tous deux tenus à l'écart de l'action. Il avait suivi ses cours de vietnamien à l'Institut de langues de la Défense, qu'on n'appelait plus l'école de langues de l'armée, et ce qui ressembla d'abord au prélude raisonnable de son affectation à Saigon se transforma en onze mois stupéfiants passés avec un groupe de trois autres traducteurs, dont aucun de nationalité vietnamienne, travaillant sur un projet d'utilité contestable, ou plutôt attelés à une tâche démente : extraire une encyclopédie de références mythologiques à partir de plus de sept cents volumes de littérature vietnamienne, une entreprise localisée pour l'essentiel dans trois bureaux de l'entresol de l'École navale avancée de Monterey et consistant surtout dans le listage, la description et le catalogage de personnages de contes de fées autochtones.

Il vit dans ce projet la contribution personnelle de son oncle au groupe des *Psychological Operations* du Military Assistance

Command – Vietnam, pour lequel le colonel travaillait désormais, ainsi que le comprit Skip, comme officier de liaison en chef de la CIA. En fait, tout sauf officiellement le colonel dirigeait les *Psy Ops* pour le MAC-V, selon le gars de l'Agence à Langley, nommé Showalter, qui à peu près tous les mois venait voir où en était l'équipe de traduction de Skip ; et avant longtemps Skip aiderait le colonel à les diriger.

« Quand veut-il que je sois là-bas ?

— En janvier, à peu près.

— Incroyable », fit Skip, absolument furieux d'un tel délai. Cette conversation eut lieu en juin.

Ce projet farfelu prit fin avec la soudaine affectation de tous ses participants à d'autres postes, et tous mirent en caisses puis expédièrent à Langley le matériel, inutile.

Il ouvrit la lettre de sa mère.

« Cher fils Skipper » – la grande écriture ronde et inclinée couvrait plusieurs pages de papier à lettres de quinze centimètres sur vingt :

L'écriture n'est certes pas mon fort, alors pour commencer, tout va bien. Je ne voudrais pas que tu croies que seules des mauvaises nouvelles me pousseraient à m'asseoir pour t'envoyer une lettre. En fait c'est tout le contraire, en cette très belle journée de l'été indien. Un ciel bleu magnifique, pas le moindre nuage en vue. Les trains passent avec un bruit différent, dû aux feuilles qui se flétrissent sur les arbres, c'est maintenant un bruit heureux et agréable, bientôt nous entendrons leur sifflement solitaire dans l'hiver nu. Cet après-midi il fait suffisamment chaud pour qu'on ait envie d'avoir un peu d'air dans la maison. D'ouvrir les fenêtres et d'entendre les cris des corbeaux à ailes rouges. Et puis l'herbe pousse toujours, je vois les endroits où il faudrait encore la couper avant l'arrivée officielle de l'automne. Quand j'ai découvert cette belle journée, je me suis dit : Je crois que je vais écrire une lettre !

Merci pour l'argent. J'ai acheté une nouvelle sécheuse pour aller avec le lave-linge. Elle est bourrée de vêtements en ce moment même et elle tourne et tourne sans arrêt. Mais quand il fait beau comme aujourd'hui, j'aime bien mettre les grandes pièces comme les draps et la literie sur les cordes à linge pour les faire sécher à l'air, et c'est exactement ce que j'ai fait. J'ai mis les draps sur la corde comme jadis. Oui, j'ai commandé une sécheuse, pas une télé. Tu m'as dit d'acheter une télé, mais je ne l'ai pas fait. Quand je crois avoir besoin de distraction, je vais chercher sur les étagères *The Old Curiosity Shop*, *Emma* ou *Silas Marner*, je lis un bon vieux passage et neuf fois sur dix il me faut retourner au début et tout relire. C'est plus fort que moi. Ce sont de bons vieux amis.

Je t'ai dit que le vieux rév. Pierce prenait sa retraite. Il y a donc un nouveau à l'église, le pasteur Paul. Plutôt jeune. Il se nomme Conniff, mais tout le monde l'appelle pasteur Paul. Il a apposé sa patte sur tout. Il m'a beaucoup intéressée, tout l'hiver dernier je suis allée l'écouter chaque dimanche, et puis le temps s'améliore, le soleil brille, il faut s'activer, et je n'y suis pas retournée depuis début avril sans doute. Pas de télé, mais j'essaie de me tenir au courant des nouvelles. Ce qui se passe est vraiment terrible, non ? Je ne sais que penser. Parfois, j'aimerais pouvoir parler à quelqu'un de ce que je pense, puis je me dis qu'il ne vaut mieux pas. Je sais que tu as rejoint le gouvernement pour servir le monde, mais nos dirigeants envoient de braves garçons détruire un autre pays et peut-être perdre leur vie sans la moindre explication convaincante.

Bon, une demi-heure s'est écoulée depuis ma dernière phrase. Cette nouvelle sécheuse a sonné et j'ai dû courir plier le linge pendant qu'il était encore chaud. Excuse-moi pour tout ce que je raconte. Je vais peut-être dire ce que j'ai envie de dire, et puis je réécrirai cette lettre, j'en supprimerai les mauvais passages et je t'enverrai les meilleurs. Non, je ne vais pas le faire. La guerre signifie autre chose pour moi que pour les généraux et les soldats. Le 7 décembre prochain, vingt-six années se seront écoulées depuis que nous avons perdu ton père, et chaque jour je regrette comment c'était autrefois. Au bout d'un certain temps j'ai eu des petits amis après ton père, et j'ai passé pas mal de temps avec Kenneth Brooke avant qu'il ne se mette à bosser pour Northern Airlines, mais c'était un peu trop tôt pour nous ; Ken et moi, nous n'avons pas eu le temps de prendre une décision ; et quand il s'est installé à Minneapolis, nous avons cessé de nous voir. Sinon, je crois que nous nous serions fiancés, si bien que tu aurais eu un beau-père. Mais je m'écarte de mon sujet. Au fait, c'était quoi, mon sujet ? Mon Dieu, je ferais bien de ne pas envoyer cette lettre ! Je ne sais pas si tu as même compris que c'était un peu sérieux entre Ken Brooke et moi. Est-ce que tu te souviens seulement de Ken ? Un Noël sur deux, sa famille et lui reviennent au pays pour rendre visite à ses parents et à sa sœur. Les autres Noëls ils les passent dans la ville natale de son épouse. Je ne sais pas où c'est. Seigneur, est-ce une de ces journées où je perds les pédales ?

Je ferais bien de sortir cette vieille tondeuse à gazon afin de m'occuper du jardin une dernière fois pour l'année. Il faut que je la graisse. Des gamins ont tondu pour moi pendant tout l'été, l'un ou l'autre des petits Strauss, Thomas ou Daniel, mais maintenant ils sont à l'école. Ils se sont relayés sur le gros monstre bruyant à essence de leur père. Ils gagnaient deux dollars chaque fois.

Cette ancienne tondeuse est une vieille copine à moi. Tu te rappelles comment je m'en servais dans le jardin – « Et surtout n'approche pas les doigts de ces lames ! » – voilà ce que je braillais, comme si ces lames risquaient de te sauter dessus pour te mordre les doigts, même quand personne ne la poussait. Et puis un jour j'entends des lames qui bourdonnent, je vais à la fenêtre et voilà qu'arrive Skipper en T-shirt avec ses petits bras maigrichons, qui passe devant la fenêtre comme un minuscule lutin serviable. Tu as fait tout le jardin du premier coup. J'espère que tu t'en souviens, parce que moi je m'en souviens comme si c'était hier. J'espère que tu te rappelles combien tu étais heureux, moi-même je m'en souviendrai longtemps.

J'apprécie les petits mots que tu m'envoies. Les gens me demandent de tes nouvelles et je suis contente d'avoir des choses à leur répondre. Fréquenter l'Institut de langues, fréquenter l'École navale avancée, rejoindre l'ambassade des États-Unis, plutôt impressionnant, ça me donne l'impression d'être une star.

Depuis ce matin il fait un temps magnifique, mais vers trois heures de l'après-midi le vent s'est levé, il a agité les draps, les a fait claquer. Ils ne pourraient pas être plus blancs, le mieux c'est de les faire sécher au soleil et dans la brise. Et nous avons de la chance avec ce vent, car les voies du chemin de fer sont toutes proches, mais le vent souffle toujours de l'autre côté, aucune saleté n'arrive ici. Je suis contente d'habiter de l'« autre côté » des voies ! Je me rappelle le jour où je t'ai vu passer devant cette fenêtre. En un éclair j'ai compris ta force de caractère. En te voyant faire, j'ai pensé : C'est un battant comme son père, il va faire des petits boulots et décrocher des bourses pour étudier à l'université, rien ne pourra arrêter ce petit gaillard. Et maintenant encore des études, encore des diplômes. L'armée, la marine, l'ambassade, on dirait bien que tout le monde a besoin de toi.

Là, à six lignes de la fin, il dut interrompre sa lecture et se maudire. Il venait de passer quatorze mois aux États-Unis, il aurait pu rendre visite à sa mère avant de repartir pour l'étranger. Mais il l'avait évitée. Bien sûr : la guerre, les intrigues, le destin – il les avait tous affrontés. Mais, s'il vous plaît, pas maman. Pas sa lessive qui ondoie dans le désespoir printanier. Pas Clements, Kansas, avec sa garantie séculaire de mesquinerie, de dépression et de morale. Ici, à Manille, à environ quatorze degrés de latitude nord et cinquante-sept de longitude est, il n'aurait pas pu trouver beaucoup plus éloigné du Kansas. Mais ce n'était pas encore assez loin. Penser à elle si seule le peinait. Surtout après son séjour à l'Institut de langues. Conformément à la parole donnée par le colonel (« Je t'enverrai dans cette école, nous trouverons un moyen »), il avait été affecté, juste avant le Thanksgiving de 1965, à cet institut bâti sur une butte élevée qui dominait Carmel. La vue se résumait à un brouillard bas accroché à la côte, ou à un brouillard plus épais encore qui dissimulait la terre tout entière, ou bien, par les journées dégagées, au pur océan Pacifique, désespérément éloigné de Skip tandis qu'il se lançait dans son programme d'immersion totale dans la langue vietnamienne, ce qui impliquait quatre semaines entières d'isolement dans ce bâtiment, suivies de quatre autres semaines avec des permissions accordées seulement le week-end. Lors de sa première échappée hors de l'institut, il communia sur la côte, à quelques kilomètres au sud, chez les sœurs de Notre-Dame de Namur, un couvent ouvert au public pour la messe du dimanche matin. Les laïcs étaient assis sur des bancs, et les sœurs, qui avaient fait le vœu de vivre coupées du monde, se tenaient assises ou debout – il était impossible de le savoir – derrière un mur, cachées de leur propre famille, dont certains membres occupaient les bancs pour jeter un coup d'œil aux paumes des nonnes cloîtrées, des paumes qu'elles passaient à travers une petite ouverture et tournaient vers le haut pour recevoir le corps du Christ. Les regarder ce matin-là, y repenser maintenant, lui mit du baume au cœur. Avait-il lui aussi fait un vœu de séparation ? Non. Quelle que fût sa situation, il était libre, et il se battait pour la liberté de tous. Mais sa mère, elle, avait pris une sorte de vœu. Décidé pour elle-même d'une sorte de claustration.

> Skip, je prie pour toi et le pays tout entier. Je vais me remettre à fréquenter l'église.
> Je suis désolée de ne pas t'écrire plus souvent, j'apprécie vraiment tes lettres, mais j'ai besoin d'un certain type de journée pour sortir le papier et un crayon.
> Eh bien voilà, c'est pour toi, encore une lettre ou quelque chose dans ce genre-là !
>
> Ta maman
> qui pense à toi

Après avoir fait ses preuves avec cette lettre, il se dit qu'il pouvait très bien affronter maintenant celle de Kathy Jones. Mais il faisait trop sombre pour pouvoir continuer de lire.

Il avait déjà consacré un temps considérable à son courrier, et sa voiture n'avait pas avancé d'un demi-bloc. « Y a-t-il un problème ? demanda-t-il au chauffeur. Quelque chose ne va pas ?

— Quelqu'un retarde », répondit le chauffeur.

Loin au-delà de la courbe du boulevard qui longeait la côte, il aperçut les lumières de voitures qui roulaient librement. Mais ici ils étaient coincés. « Je reviens », dit-il. Il descendit et marcha vers la raison supposée de cet embouteillage, contournant les voitures immobilisées, s'aventurant parmi les flaques d'eau putride. Un gros bus municipal bloquait le flot des véhicules, lui-même arrêté par un seul homme qui titubait au milieu de la chaussée, saoul, le visage en sang, le T-shirt déchiré sur la poitrine et le ventre, pleurant tout en affrontant le bus, le plus gros objet qu'il ait trouvé pour le défier, apparemment après que le malheureux eut pris une bonne raclée lors d'une bagarre. Klaxons, éclats de voix, moteurs emballés. Restant dans l'ombre, Skip s'arrêta pour regarder : la figure couverte de sang, les traits tordus par la passion, brillait dans la lumière des phares du bus ; la tête était rejetée en arrière, les bras ballants, comme si l'homme était suspendu à des crochets plantés dans ses aisselles. Cette ville puante et désespérée. Elle le remplissait de joie.

Au début de la permission de James, sa mère prit trois jours de congé au ranch McCormick et ils passèrent tout leur temps à regarder la télévision ensemble dans la petite maison à l'orée du désert. Le jour du retour de son fils au foyer, elle déballa son uniforme de Class A et en effaça soigneusement les plis avec son fer à repasser. « Maintenant tu fais quelque chose pour ton pays, dit-elle. Nous devons nous défendre contre les communistes. Ils ne connaissent pas Dieu. » Ç'aurait pu signifier quelque chose, si elle n'avait pas dit la même chose sur les juifs, les catholiques et les mormons.

Après que la vieille femme fut retournée travailler, James vit beaucoup Stevie Dale. L'après-midi de Noël, ils partirent tous deux dans le pick-up de la mère de James sur la Route de l'Insouciance et jusqu'au pied des montagnes, pour rejoindre le site d'un accident impliquant une seule voiture, dont le conducteur était mort.

« Tu vois là-bas ? dit Stevie. Il a percuté un saguaro, puis un palo verde, puis ce gros rocher. »

Quelques jours plus tôt, les premiers secours avaient éloigné du bloc de roc l'épave carbonisée, mais on ne l'avait pas enlevée. La voiture s'était retournée et avait brûlé.

« Il devait foncer comme un malade.

— Une seule personne dans la voiture. Une seule voiture sur la route.

— Je parie qu'il était en retard. »

Ils burent deux ou trois bières chacun et Stevie fut très vite ivre. Assis, ils regardaient l'épave, semblable à une main calcinée tournée vers le ciel.

« Le conducteur est mort carbonisé, dit-elle.

— J'espère qu'il était inconscient. Je l'espère pour lui. »

Cette voiture jadis rouge, les flammes en avaient fait fondre la peinture. Elle exhibait maintenant plusieurs plaques de métal nu et brillant. Ç'avait peut-être été une Chevrolet, mais il était difficile de l'affirmer.

« Toutes les choses du monde brûlent lentement, dit-elle.

— Ouais? Ah bon. Je pige pas.

— Tout s'oxyde. Tout ce qui existe dans le monde. »

Il se dit qu'elle avait appris cette info en cours de chimie.

Durant sa formation de base il avait sans cesse pensé à elle, mais sans la moindre exclusive : il avait tout aussi souvent pensé à au moins sept autres filles de leur lycée. Ici avec elle, même au milieu de ces espaces illimités, il se sentait coincé dans un étau.

« Je peux te demander quelque chose? fit-il. La première fois qu'on l'a fait, tu étais... tu sais... vierge? C'était ta première fois?

— Est-ce que tu es *sérieux*?

— Euh. Ouais.

— Est-ce que tu *blagues*?

— Ouais. Je veux dire : non.

— Pour qui me prends-tu au juste?

— Je posais simplement une question.

— Oui, j'étais vierge. C'est pas une chose qu'on fait tous les jours, ou du moins *moi* je fais pas ça tous les jours. Tu me prends pour qui? dit-elle. Une poule à motards? »

L'expression fit rire James, et Stevie fondit en larmes.

« Stevie, Stevie, Stevie, dit-il, je suis désolé. » Il était content que ce soit la veille de Noël. Elle passerait la journée du lendemain dans sa famille, il ne serait pas obligé de la voir.

Mais c'était seulement la bière qui lui jouait des tours et deux minutes plus tard elle avait accepté les excuses de son compagnon. « Le coucher de soleil est toujours splendide quand il y a des nuages », dit-elle.

Dans le crépuscule imminent l'air se refroidirait très vite. Il sentit naître une brise, le dernier souffle tiède du jour finissant. Stevie le couvrit de baisers.

En Caroline du Sud on l'avait traité comme une bête et il avait survécu. Il était devenu plus gros, plus fort, plus mûr, meilleur. Mais de retour dans le monde où il avait grandi, il ne savait plus rester assis dans une pièce avec sa mère, ni quoi dire à cette fille de seize ans, il ne savait plus comment occuper ces quelques jours de sa vie jusqu'à son départ pour la Louisiane et l'entraînement d'infanterie avancé, jusqu'à ce qu'il retrouve ces gens qui lui disaient quoi faire.

Stevie dit : « Je crois qu'on ouvrira les cadeaux et tous ces trucs de bonne heure », puis elle posa sur la nuque de James le bout de ses doigts aimants. « À quelle heure veux-tu passer à la maison ? »

Il réfléchit à cette question simple, qui parut grandir dans son esprit au point de faire voler en éclats ses pensées.

Il ouvrit violemment la portière, descendit dans l'air du soir, dépassa l'épave explosée, s'arrêta, se pencha et posa les mains sur les genoux, à peine capable de rester debout, le regard levé vers l'horizon hivernal. Il désirait que quelqu'un émergeât des lointains rose et bleu pâle pour le sauver. Très loin il aperçut les ondes vibrantes d'un mirage – soit une mort horrible au Vietnam, comme celle de cet homme brûlé vif et arraché à sa Chevrolet carbonisée, soit l'implacable chapelet d'années remplies des questions de Stevie et de ses doigts lui touchant la nuque.

Sands passa la nuit dans une chambre individuelle avec salle de bains au quartier des officiers célibataires de Clark Field, dont presque tous les locaux étaient occupés par des espèces de dortoirs à l'atmosphère universitaire, des portes s'ouvrant et se refermant sans cesse, des hommes jeunes à demi vêtus courant en criant dans les couloirs parmi le vacarme des douches et les airs de Nancy Sinatra le disputant à la bossa nova instrumentale de Stan Getz, sans oublier la puanteur du spray déodorant *Right Guard*. Il arriva vers huit heures du soir. Le chauffeur et lui portèrent les cantines dans sa chambre. Il ne parla à personne, se coucha de bonne heure, se leva tard le lendemain matin – le 31 décembre –, monta dans la navette de la base et demanda au conducteur philippin de le déposer à un endroit où il pourrait prendre un petit déjeuner.

Ainsi Sands se trouva-t-il à neuf heures du matin, le 31 décembre 1966, au snack-bar d'un bowling bondé, même à cette heure, de soldats de l'armée de l'air qui, dans une ambiance cliquetante et fracassante, tentaient d'améliorer leurs scores. Il mangea des œufs au bacon dans une assiette en plastique, à une table placée le long d'innombrables rangées de boules de bowling, et il regarda. Malgré le bruit général, certains de ces athlètes manifestaient une furtivité remarquable, une concentration de traqueur ou de chien de chasse. D'autres marchaient lourdement jusqu'à la ligne et balançaient leur boule comme des lanceurs de poids. Skip n'avait jamais joué au bowling ni même, jusqu'à cet instant, observé ce jeu. Sa séduction tombait sous le sens, l'impeccable géométrie, les promesses austères de la science balistique, la splendeur organique des pistes en bois et la servitude muette des machines qui déposaient les quilles et balayaient celles qui venaient de choir, surtout l'impuissance et le suspense, la boule tenue, la boule dirigée, la boule s'éloignant tel un fils, sans désormais le moindre espoir d'influence. Un jeu lent, vaste, puissant. Sands décida de tenter sa chance dès que son petit déjeuner serait digéré. En attendant il but du café noir et lut la lettre de Kathy Jones. Son écriture régulière, apparemment au stylo-plume, à l'encre bleue, s'étalait sur une pelure d'oignon impalpable et grisâtre, sans doute de fabrication vietnamienne. Les premières lettres qu'elle lui avait envoyées étaient directes, bavardes, pleines d'affection et de solitude. Elle s'était demandé s'ils ne pourraient pas se retrouver à Saigon, et Sands avait attendu ce moment avec impatience. Mais les lettres récentes, ces ruminations troubles —

> Toute ma vie j'ai eu affaire à des jokers. Juste des jokers. Pas des as, ni des rois. Timothy fut le premier as et il me présenta au Roi – Jésus-Christ. Avant, je suis allée à Minneapolis pour étudier à l'université. Mais j'ai perdu toute envie d'apprendre, si bien que j'ai plaqué la fac pour travailler comme secrétaire, et tous les soirs je buvais des cocktails avec de jeunes types qui bossaient au centre-ville, de jeunes jokers.

— elles étaient peut-être arrachées à un journal intime, adressées à personne. Il ne les supportait plus. Il n'attendait plus avec impatience le jour de leurs retrouvailles.

> Ces gens ici dans les contrées où nous séjournons – regarde un peu ces gens. Ils sont prisonniers des circonstances de la vie

comme des criminels dans leur geôle. Naître, vivre et mourir selon les diktats du monde extérieur – ne jamais dire : je désire vivre à tel endroit plutôt qu'à tel autre, je désire être cow-boy plutôt que paysan. Ils ne peuvent même pas être des paysans – ce sont juste des planteurs. Des laboureurs. Des jardiniers.

Au début, ses lettres n'étaient pas longues, d'habitude les deux côtés d'une feuille de papier, et elles s'achevaient sur « Bon, j'ai mal au poignet ! Autant que je signe et te quitte. À toi, Kathy » ou « Bon, je constate que je suis au bas de la page, faut que je signe et te quitte. À toi, Kathy ». Toujours il avait répondu, et toujours très brièvement. Mais, espérait-il, sans brusquerie. Et il n'avait jamais su quoi dire. La nature de leur relation, assez claire dans la chaleur initiale, était devenue mystérieuse.

Quand je réfléchis au contraste existant entre le fait d'avoir le choix et n'avoir aucune liberté de choix – c'est là que les choses deviennent vraiment compliquées. Vous, l'Amérique, vos forces sont ici pour faire la guerre par choix. Votre ennemi n'a pas le choix. Tous ces gens sont nés dans un pays en guerre.
Mais peut-être n'est-ce pas aussi simple – les États-Unis contre le Nord Vietnam – non, c'est les hommes jeunes qui sont obligés de faire cette guerre, *versus* ceux qui choisissent cette guerre ; les soldats qui meurent *versus* les théoriciens, les dogmatiques, les généraux.

Voilà une pensée bien bancale, et Sands ne la tolérait plus depuis longtemps. Kathy aimerait-elle voir un buste de Lénine dans le hall de toutes les écoles publiques ? Voir la statue de la Liberté renversée lors d'une cérémonie obscène ? Bien sûr que ça lui plairait. Mais ces lubies ridicules séduisaient Sands. Il avait toujours craqué pour les femmes sardoniques, myopes, intellectuelles. Les femmes à l'esprit vif et à la tristesse congénitale. Le visage de Kathy, une combinaison d'agressivité et d'excuses. Des yeux marron très doux.

Tu te rappelles m'avoir demandé quel passage de la Bible dit qu'il existe différents ministères sur cette terre, et je t'ai répondu que je ne le connaissais pas ? Tu avais raison : Première épître aux Corinthiens 12, 5-6, etc. « Et il existe des différences de ministères, mais un Seigneur unique. Et il existe des différences d'opérations, mais c'est le même Dieu qui les décide toutes. »
Voilà qui devrait séduire un agent spécial du FBI comme toi ! (Je ne crois toujours pas que tu travailles pour Del Monte.) Si tu veux penser que différents départements angéliques gèrent différentes

parties du spectacle ici-bas sur terre, libre à toi. En allant simplement de l'aéroport de Manille jusqu'à celui de Tan Son Nhut, près
de Saigon, je suis presque prête à appeler ça des différences de
divinités, des univers différents, tous présents sur la même planète.

Au fait, en Amérique du Nord, de nombreux prêtres espagnols
(l'Église catholique elle-même) ont sans doute cru que certaines
régions étaient placées sous le contrôle du diable – ou du Christ –
d'où des endroits baptisés « mont Diablo », « monts Sangre de
Cristo », etc.

Il glissa la lettre sous sa tasse de café. Il s'en désintéressa. Voyager
l'excitait. La fin de ce monde, l'émergence du suivant, les joueurs de
bowling qui l'entouraient de bruit et de mouvement, lançaient leurs
planètes noires, démolissaient les constellations de quilles en bois.
D'autres objets enfermés dans sa chambre étaient eux aussi voués au
déplacement : le monstrueux fichier du colonel, un sac contenant
deux paires de chaussures de marche et quatre tenues vestimentaires
lavables en machine – pas de costume, pas d'habits officiels – et puis
une petite caisse en rotin tressé, plutôt un panier, mais très solide,
bourré de dictionnaires en plusieurs langues. Skip avait été entraîné
à se rappeler qu'il voyageait comme un civil et qu'il devait s'habiller
de la sorte, éviter les vêtements kaki ou couleur olive, porter des
chaussures marron plutôt que noires, et des ceintures brunes. Il avait
laissé derrière lui sa carabine gravée à la main et il voyageait avec le
type d'arme digne d'un agent secret, un Beretta automatique de
calibre .25, qu'il pouvait dissimuler dans une poche de pantalon.
Son esprit vagabondait très vite autour de ces objets, car Sands avait
bu trop de café. Il renonça à l'idée du bowling, quitta la salle, puis se
mit à marcher dans le midi tropical jusqu'à ce que le sang palpite
sous son crâne et que sa chemise lui colle au dos.

La bibliothèque de la base semblait ouverte. Les climatiseurs rugis-
saient sur le toit du bâtiment. Il approcha de la porte et aperçut les
gens sous les néons, mais la porte refusait de bouger et il connut un
instant de panique où il se sentit lui-même enfermé à l'extérieur et
lançant des regards impuissants au pays des livres. Un homme qui
sortait réussit non sans mal à l'ouvrir – elle était simplement coincée
dans le dormant, gonflée d'humidité –, après quoi Sands put pénétrer dans la salle. Les mains tremblantes à cause de tout le café qu'il
venait de boire, il papillonna d'une étagère à l'autre, examina un
nombre conséquent de livres, sans jamais s'asseoir. Dans un exem-

plaire de *Wilson Tête-de-Mou* de Mark Twain il lut toutes les épigraphes de chapitre, en cherchant celle dont il croyait se souvenir – quelque chose à propos du trésor d'une existence passée dans l'obscurité –, mais elle n'y était pas. Dans la partie réservée aux livres pour enfants il trouva quelques volumes de contes folkloriques philippins. Rien en provenance du Vietnam.

Il fut ravi de tomber ensuite par hasard sur un livre de Knute Rockne. Il s'assit et le feuilleta jusqu'à ce qu'il découvre, page 87, une photo de Rockne sur les terrains de Notre-Dame en 1930 avec la dernière équipe qu'il avait entraînée ; et parmi les footballeurs, au milieu de la troisième rangée, avec davantage de cheveux et nettement moins de rides, et puis cette expression familière de sincérité enthousiaste : oncle Francis. Un étudiant de première année condamné au banc de touche des remplaçants, mais néanmoins l'un des jeunes costauds, débordant de confiance, de Rockne – le torse bombé, le menton relevé, ne regardant guère plus loin que les deux ou trois minutes à venir. Michael, le frère aîné de Francis et le père de Skip, était sorti diplômé de Notre-Dame l'année précédente et il s'était installé dans la ville natale de son épouse, Clements, au Kansas. Francis devait rejoindre l'armée de l'air et la quitter en 1939 pour voler en Birmanie parmi les Tigres Volants, ces prétendus civils. Michael, écœuré par la vente de matériel agricole, rejoignit la marine en 1941 et trouva la mort six mois plus tard lorsque l'*Arizona* fut coulé dans les toutes premières secondes de l'attaque de Pearl Harbor. La mort avait trop souvent visité de manière prématurée la famille de son père – les guerres et les accidents. Le colonel avait une fille, Anne ; un fils, Francis junior, s'était noyé un 4 juillet alors qu'il faisait de la voile dans le port de Boston. Un frère et un fils, tous deux disparus dans des ports. Il y avait eu trois frères et de nombreux cousins, toute une flopée d'enfants, et chacun portait le deuil d'un proche. C'était une famille tonitruante et triste.

Skip examina les rangs des joueurs. Des hommes qui s'élançaient du banc et se ruaient à toute vitesse pour percuter des adversaires en une roborative effusion de sang. Qui se laissaient façonner à coups de marteau pour devenir des flics et des guerriers, qui vivaient dans un univers entièrement inaccessible aux femmes et aux enfants. Ils lui rendaient son regard. Une vieille douleur entonna sa chanson. Enfant unique d'une mère veuve. Curieusement, il était entré dans leur monde sans devenir un homme.

Il referma le livre et, à la place, ouvrit les pages fragiles de la lettre de Kathy Jones :

Ils sont nés dans un pays en guerre. Nés à une époque d'épreuves sans fin.

Un fait qui à mon avis est toujours passé sous silence, c'est que, pour qu'il y ait un enfer, les habitants de cet enfer ne doivent jamais être certains qu'ils y résident. Si Dieu leur disait qu'ils étaient en enfer, alors ils seraient affranchis du tourment de l'incertitude, et leurs souffrances ne seraient pas complètes sans cette question torturante : « Cette douleur que je vois partout autour de moi, est-elle ma damnation éternelle et la damnation éternelle de toutes ces âmes, ou s'agit-il seulement d'un séjour temporaire ? » Un séjour temporaire dans le monde déchu.

Autant que je te le dise, ma foi s'est assombrie, car je me suis mise à lire Calvin, à me battre avec Calvin, et j'ai perdu ce combat et j'ai été entraînée dans le désespoir de Calvin. Calvin ne parle pas de désespoir, mais il s'agit bel et bien de cela. Je sais que l'enfer est ici, ici même, sur la planète Terre, et je sais aussi que toi, moi et nous tous avons seulement été créés par Dieu pour être damnés.

Et alors, soudain, je m'écrie : « Mais Dieu ne ferait pas ça ! »

Tu vois ? Le tourment de l'incertitude.

Ou alors, en tant que catholique, tu pourrais te demander s'il s'agit d'un séjour au purgatoire. Tu te poseras certainement cette question quand tu seras au Vietnam. Cinq ou dix fois par jour, tu t'arrêteras et te demanderas : Quand suis-je mort ? Et pourquoi la punition de Dieu est-elle si cruelle ?

Il passa l'après-midi dans la fraîcheur de la bibliothèque et prit la navette pour retourner au quartier des officiers célibataires.

Il était à peine de retour dans sa chambre depuis une minute quand on frappa à la porte : c'était un homme d'à peu près son âge, en civil, qui tenait dans chaque main une bouteille de bière San Miguel.

« C'est les dernières du seau, mon coco. »

Le sourire de ce type était déconcertant.

« Le Skipper a besoin d'une bière. »

Skip s'écria alors : « Hé !

— Quantico ! »

Il accepta une bouteille et ils se serrèrent la main, Skip tout excité de reconnaître ce type, dont le nom lui échappait pourtant. À Quantico ils avaient suivi ensemble un cours de codes secrets durant vingt et un jours, juste après sa formation à Camp Perry (« The Farm »)

– jamais des grands copains, mais maintenant ravis de se retrouver. Assis, ils parlèrent de tout et de rien, et au bout de quelques minutes Skip sentit que le moment de demander à son ami comment déjà il s'appelait était passé. « À quelle station es-tu affecté maintenant ? demanda-t-il à l'homme. Toujours Langley ?

— Ils m'ont collé au District. Au Département d'État, le grand immeuble de Pennsylvania Avenue. Mais je fais mon petit tour – Saigon, Manille, Washington. Et toi ?

— Je suis transféré. Saigon.

— T'as du bol d'avoir décroché Saigon – tu partages une maison, des domestiques, ce genre de vie. Mais barre-toi à la première occase. Bon Dieu – tous les week-ends. Presque tous les week-ends.

— On m'a dit que c'était un pays magnifique.

— Étonnamment beau. Tu sors d'une hutte en bambou pour pisser un coup, tu secoues la dernière goutte et tu lèves les yeux – Seigneur, t'y crois pas, d'où est-ce que ça a bien pu tomber ?

— C'est tout à fait comme ici, autrement dit.

— Infiniment plus dangereux. Tu mérites vraiment ta prime de risque.

— J'ai hâte d'y être.

— Tu es dans les Opérations, si je ne m'abuse ?

— Exact, dit Skip. Officiellement. Mais il semblerait que je travaille pour les Plans.

— Moi, je suis dans les Plans. Mais il semblerait que je travaille pour le Département d'État.

— Qu'est-ce qui t'amène dans cette base ?

— Un voyage de retour gratuit vers la guerre à vingt heures pile. L'horloge tourne pour moi, fils. Dernière chance de boire une San Miguel. Dommage que je puisse pas en emporter un tonnelet.

— Est-ce que la San Miguel se vend en tonnelets ?

— Maintenant que j'y pense, j'en suis pas certain. Mais elle se vend en bouteilles au Club des officiers. Allons-y.

— Je suis tout crasseux. Je te retrouve là-bas ?

— Ou je t'attends ? Et si on allait en ville ?

— Eh bien, fit Skip, si tu décolles à vingt heures pile...

— Ou on pourrait aller faire un tour au Teen Club, voir ce que mijotent les gosses des officiers. »

Skip lâcha : « Quoi ?

— Au fait, ça me rappelle... je veux dire, à propos des gosses des officiers. Tu serais pas un parent du colonel en personne ?

— Allons bon, quel colonel ?

— Tu serais pas un proche du colonel ? Le colonel Francis Xavier ?

— Je fais partie de ses chouchous, si on parle bien du même type.

— Y a qu'un seul colonel.

— Je ne crois pas.

— J'ai suivi son cours de *Psy Ops*. C'est un homme porteur d'un message.

— Il a une vision, ça oui.

— Tu l'as suivi aussi ? Il s'est gouré de titre. "Théories et réminiscences" aurait mieux convenu.

— C'est bien le colonel.

— Il a rédigé certaines de ses réflexions dans un article pour la revue. Tu l'as lu ?

— Dans la revue ? Tu veux dire dans *Studies* ?

— C'est cela même. »

Ils faisaient allusion à l'organe interne de l'Agence, *Studies in Intelligence* (La Revue du Renseignement). Les réflexions du colonel dans la revue ? Que dire de ça ? Rien.

Il vida sa bière et s'essuya la moustache. Il avait dépassé la période Kennedy broussailleuse. Maintenant, tous les gars revenaient à la coupe en brosse, plate au-dessus – histoire de prouver qu'ils n'étaient pas des Beatles. Mais Skip avait gardé sa moustache. Elle était luxuriante.

« Tu lis beaucoup la revue, Skip ?

— J'ai rattrapé mon retard à Manille. Nous ne l'avions pas dans la cambrousse. J'étais à San Marcos.

— Ah oui – la résidence Del Monte.

— Tu y es déjà allé ?

— Non. Tu n'as pas lu son article ?

— J'arrive pas à croire qu'il ait réussi à coucher ça noir sur blanc pour une publication.

— Ça n'a pas été publié. C'est juste un brouillon.

— Comment as-tu réussi à le lire ?

— Je me demandais si tu en avais déjà lu une esquisse.

— Je savais même pas qu'il avait pris la moindre note. Comment as-tu mis la main dessus ? Tu bosses pour la revue ?

— Comme ça, tu l'as donc pas lu. »

Skip sentit alors son cœur s'arrêter. « Non, répéta-t-il, je viens de te le dire.

— Bon, je vais être franc avec toi. Cet article est un peu déroutant. Une explication, c'est que ce serait une satire. Mais si le colonel
soumet une satire à l'organe de la maison, c'est en soi déroutant. Et
puis c'est inquiétant, aussi, que ce soit déroutant.

— Je vois, dit Skip. Écoute, je me souviens évidemment de toi,
mais j'ai oublié ton nom.

— Voss.

— Rick, c'est ça ?

— *C'est moi* *.

— Ton visage m'était familier, mais...

— Je deviens gras comme un porc.

— Si tu le dis.

— Je me suis marié. On a un gosse. J'ai grossi.

— Fille ou garçon ?

— Une petite fille. Celeste.

— Joli prénom.

— Elle a dix-huit mois.

— Ça doit être dur, hein ? Les voyages, l'absence...

— Je suis très content de voyager. Je suis comme la lune, je vais et
je viens. Pour te dire la vérité, je crois pas que je supporterais ça tous
les jours. Les femmes et les enfants m'effraient. Je les comprends pas.
Je préfère être ailleurs. » Il s'était installé sur le lit ; il se leva pour
s'asseoir sur l'une des cantines. « Et à qui appartient tout ce barda ?

— Je m'occupe simplement de la livraison.

— Qui est W. F. Benét ?

— Le destinataire, je suppose.

— Ou peut-être l'expéditeur, dit Voss.

— En fait, je ne connais pas ce nom.

— Que veut dire le W ? William ?

— Pas la moindre idée.

— Et le F ? Quel est son nom tout entier ?

— Rick... Sur ce coup-là je suis vraiment un courrier aveugle. »
Voss dit : « Tu veux faire un bras de fer ?

— Euh, non, fit Skip.

— Si on fait un bras de fer, tu sais qui va gagner ? »
Skip haussa les épaules.

« Ça t'intéresse ?

— Non, dit Skip.

— Moi non plus. Nous n'avons pas besoin de muscles. Nous
avons maintenant une armée privée. Ces bérets verts sont de vrais

tanks humains. Des machines de mort. Un seul d'entre eux pourrait nous réduire tous les deux en bouillie, pas vrai ? Et ils bossent pour l'Agence. Eh bien, à partir de maintenant nous allons garder les durs en uniforme. Ils n'obtiennent pas de diplôme sur le terrain, ils ne posent pas leurs fesses derrière un bureau, ils ne se mettent pas à tout diriger. Ici, c'est pas l'OSS. Cette guerre sera historique. »

Skip fit tinter sa bouteille contre celle de Voss. Les deux bouteilles étaient vides. « Si nous avions déjà descendu la moitié d'une caisse de ce truc, fit-il, je me dirais qu'on est en pleine séance d'affrontements simulés. S'il était quatre heures du mat' et qu'on était à moitié bourrés.

— Mais c'est pas le cas.

— Non.

— Bien sûr.

— Quand est-ce qu'on va les boire ces bières, alors ? demanda Skip.

— Eh bien, pourquoi pas tout de suite ? »

Les deux hommes se levèrent.

« Oh, flûte, attends une seconde.

— Quoi.

— Ma montre est arrêtée, dit Skip. Quelle heure est-il ?

— Entre le quart et vingt.

— Zut, j'ai un petit briefing dans quarante minutes. Je ferais mieux de me préparer.

— Et ensuite ? Directement à Saigon ?

— Pour autant que je sache.

— Je te verrai sans doute là-bas.

— D'accord, fit Skip, et là-bas on aura le temps de boire toutes ces bières. Au fait, on boit quoi à Saigon ?

— De la Tiger. Ensuite, ils gerbent.

— Ça me va », dit Skip.

Voss regarda un moment le sol en se concentrant avant de lever les yeux, prêt à parler.

« Alors tu es sur le départ », lui rappela Skip.

Voss se leva. « Partie remise », fit-il, et tandis qu'il s'en allait, Skip lui adressa l'ébauche d'un salut.

Le colonel avait toujours dit : « Quand tu mords la poussière, prends une douche et change de fringues. »

Skip fit les deux, puis il emporta sa tenue du jour tout en bas, à la lingerie, avec la ferme intention de rejoindre sa nouvelle affectation dans des vêtements impeccables. Pendant plus d'une heure il resta assis sur une chaise en plastique dans le vrombissement des machines – en se cachant, pour l'essentiel, afin d'échapper à tout regard inquisiteur – en proie à une confusion et à une terreur croissantes. Il en émergea momentanément pour plier ses vêtements, puis s'y trouva replongé. Il s'assit bien droit sur sa chaise, les mains posées sur les cuisses. Il se rappela que sa vie n'était rien. Il se concentra sur le fameux point posé sur l'horizon, le but immuable, fixe, crucial : la défaite du communisme. La panique reflua.

Bientôt il se retrouva à attendre devant le quartier des officiers sous un ciel obscur mais sans pluie. Il y avait une navette tous les quarts d'heure. Il monta dans la première qui arriva et traversa la base sans dépasser la limite de « 15 miles/h — 24 km/h » au milieu de cette ville de bâtisses vertes toutes recouvertes de la même tôle ondulée, jusqu'au dernier arrêt avant le portail, et prit ensuite un taxi pour rejoindre la ville d'Angeles, une grand-rue asphaltée, un dédale de ruelles en terre battue, des bars, des bordels et des cabanes.

« Désirez-vous rencontrer des dames ? proposa le chauffeur de taxi.

— Non, merci.

— Alors voulez-vous aller à la fête foraine ? »

Oui, pourquoi pas, autant aller à la fête foraine, de toute façon pourquoi était-il venu en ville ? Deux arpents de terre battue, voilà tout ce dont cette fête foraine avait besoin pour le tissu moisi de ses tentes marron et leurs cordes élimées au chanvre frémissant, sa demi-douzaine de manèges, ses haut-parleurs qui diffusaient une station locale, ses grandes fresques aux couleurs passées qui se dressaient devant les attractions. Alors qu'il payait le chauffeur, des enfants suppliants s'agglutinèrent autour de lui, et des vendeurs en colère les chassèrent. Il acheta des cacahuètes enveloppées dans une page de magazine. Séduit par l'aspect de la Sirène de Soulou sur une fresque, il entra pour la découvrir. Il était le seul client. Elle avait de longs cheveux noirs attachés avec des fleurs en plastique. Ses petits seins étaient enfermés, comprimés, dans un haut de bikini. En quoi était la queue ? Difficile à dire, une espèce de tissu. Elle n'ondulait pas comme celle d'un poisson. Avec ses seuls bras elle allait et venait dans l'aquarium haut d'un mètre vingt et long de deux mètres cinquante environ, posé sur une estrade à un mètre du sol. Elle remonta respirer à la surface, plongea, fit quelques allers-retours. Remonta encore à la surface, tendit le bras vers une serviette blanche posée au bord de

l'aquarium, s'essuya les mains et la figure, prit un paquet de cigarettes et un briquet sur leur support à côté de la serviette, alluma
adroitement une Marlboro entre ses doigts humides, fuma pendant
une minute, d'un signe de la main ordonna à Skip de décamper, de
s'en aller, et lui tourna le dos. Il partit et se dirigea vers une autre
tente – les Cinq Nains de Bohol. Où se trouvait Bohol ? Quelque
part dans ces îles, se dit-il, il chercherait plus tard sur une carte. Dans
l'immédiat, il rencontrerait seulement quelques-uns de ses habitants,
les barbus, petits et joviaux, dépeints sur l'énorme bannière tendue
au-dessus de l'entrée, deux d'entre eux travaillant dans leur mine d'or
avec leurs pioches à la pointe brillante, les trois autres poussant une
brouette chargée de pépites scintillantes – Franco, Carlo, Paulo,
Santo, Marco, des prénoms bizarres, des hommes magiques. Mais à
l'intérieur, ce n'étaient pas ces hommes. Dans cinq grands berceaux
en rotin, les nains étaient allongés avec des couches sales, aveugles,
agités, comateux, leur nom, âge et poids écrits en grosses lettres sur
des pancartes. Entre dix-sept et vingt-quatre ans. Vingt-huit, vingt-
neuf, trente-trois livres... Pas de barbe, mais de longs filaments d'un
fin duvet jamais coupé. Leurs membres étaient secoués de spasmes,
leurs yeux laiteux frémissaient dans leur crâne... Les mouches se
posaient sur eux... Sands ressortit d'un pas vacillant et s'installa dans
un wagonnet des montagnes russes, rien de très impressionnant, le
genre de manège qu'on démonte et trimballe de ville en ville sur un
camion, et pourtant ce qui lui manquait en hauteur et en largeur il le
rattrapait en vitesse et en accélérations, et lorsque les wagonnets
plongeaient vers le sol ou fonçaient dans un virage, lorsque toute la
structure vacillait et oscillait, la mort obstruait la gorge de Skip, car
qui supervisait l'assemblage de cette folie, qui entretenait ces wagonnets, qui garantissait la sécurité ? – Personne. Attends-toi à une tragédie. En proie à un délicieux vertige, il quitta cette attraction et
s'attarda une fois encore devant la tente de la sirène, la prisonnière
mouillée. Le soleil se couchait. C'était le 31 décembre. Tout l'après-
midi, des pétards avaient explosé de manière sporadique, et maintenant de plus en plus souvent. Pas de sifflement ni de grosse détonation. Une crépitation périphérique, de légères explosions, des éclats
lointains. Sur la grande fresque, la sirène souriait et ne semblait pas
du genre à fumer des Marlboro. Il ressentit soudain l'envie d'y
retourner pour se faire une fois encore chasser.

Une jeep de l'armée de l'air s'arrêta tout près de lui, conduite par
un type de la base. Voss était le seul passager. Il mit pied à terre et ils

restèrent ensemble au bas de la gigantesque image décolorée. « C'était ici ton rendez-vous ?

— Oui.

— Ton briefing ?

— Exact. » Il était partagé entre la peur et l'hilarité. « Tu veux y aller ?

— Je suis déjà venu ici il y a deux ou trois jours. Vas-y, toi.

— J'en reviens, dit Skip avec tristesse.

— Parlons encore un peu.

— D'accord. »

Les deux Américains s'assirent à une table recouverte de linoléum, chacun devant une bouteille de bière San Miguel. Complètement incongrus dans cette échoppe. Voss portait une chemise à fines rayures, un pantalon brun, d'élégantes chaussures marron. Il évoquait un vendeur de bibles à domicile. Skip aussi.

Skip parla en premier : « Il ne s'agit donc pas d'une coïncidence.

— Tu as sûrement compris que je cherche quelque chose avec toi.

— Oui. C'est ce que je viens de dire.

— Je suis ici pour te secouer.

— Tu n'as pas réussi.

— Si, plutôt bien à mon avis, dit Voss. J'espère simplement que j'ai été entendu.

— Tout ce que j'ai entendu, c'est une succession d'âneries dépourvues de toute gratitude.

— Et ça veut dire quoi ?

— Écoute, je crois qu'il existe une chose nommée évolution. Les choses changent, nous formons une génération nouvelle, mais... qu'as-tu donc contre la vieille garde ?

— Rien du tout. Ce sont ces types-là qui dirigent le spectacle. Mais pas le colonel, d'accord ? Le colonel est un spectacle en soi.

— Le connais-tu un peu ? En dehors de son cours que tu as suivi ?

— Je le connais. J'ai travaillé pour lui.

— Vraiment ?

— Durant tout l'été et l'automne derniers. Ce bon vieux F. X. Il m'a kidnappé. M'a fait faire des recherches.

— Des recherches sur quoi ?

— Tout et rien à la fois. Il me surnommait son employé. Je crois que son idée c'était que, puisqu'il devait être prisonnier à Langley, lui-même avait intérêt à y avoir un prisonnier bien à lui, tu vois? Mais je suis reconnaissant envers ce type. J'ai grimpé de deux échelons depuis lors.

— Waouh.

— Depuis juin.

— C'est rapide.

— Comme l'éclair.

— Il a fait ça pour toi?

— Non, Skip. C'est pas le colonel qui m'a décroché ces promos. Mais après ma période à ses côtés, des types ont manifesté leur intérêt.

— Tant mieux. Formidable.

— Non, non, non. Tu as loupé le coche.

— Quoi. Explique.

— Ces types se sont intéressés à moi parce qu'ils s'intéressaient au colonel. »

Il fallait surtout faire le mort, ne rien trahir. « ... S'intéressaient?

— Tu commences à piger.

— Hum, quand tu dis qu'il était "prisonnier" à Langley...

— Tu as pigé. »

La question suivante aurait été : Est-ce que le colonel avait eu de vrais ennuis, des problèmes mettant en cause sa carrière, son destin? Mais la question d'après était : Le colonel avait-il toujours des ennuis? Et ensuite : Qui d'autre a des ennuis? Ai-je, moi par exemple, des ennuis?

Moyennant quoi il ravala toutes ces questions.

Et Voss les cracha aussitôt les unes après les autres.

« Que s'est-il passé à Mindanao il y a quatorze mois?

— Je suppose que tu as vu le rapport.

— Je l'ai lu. J'ai procédé au décodage. J'étais assis juste à côté du télex quand il est arrivé avec la mention *Eyes Only*.

— Eh bien, si c'est arrivé en *Eyes Only*, pourquoi l'as-tu décodé?

— La mention *Eyes Only* n'est pas une classification légale, je suis certain que tu le sais. On la trouve seulement dans James Bond.

— Quand même – par courtoisie...

— Courtoisie envers qui?

— Par courtoisie envers moi et le destinataire.

— Nous examinons tout ce que reçoit le colonel. Et tout ce qu'il envoie.

— Alors tu sais très bien comment ça s'est passé là-bas.

— Oui. Le colonel a merdé.

— Ce n'est pas ce que dit mon rapport, Rick. Relis-le.

— Peux-tu m'expliquer pourquoi il gaspille du temps et des ressources précieuses pour essayer de dégoter des bobines d'actualités sur un match entre deux équipes?

— Non, aucune idée. Du base-ball?

— Football. Un match de foot. Il a tenté de commander un vol transpacifique pour tranporter quelques bobines de film. Il se prend pour le président, ou quoi?

— Le colonel a de bonnes raisons pour faire ce qu'il fait. » Le sang de Skip ne fit qu'un tour. Il était prêt à frapper Voss avec une bouteille. « Quel match de foot?

— Notre-Dame contre Michigan State. Celui du mois dernier.

— Je n'en ai aucune idée.

— Le colonel rassemble davantage d'informations sur ce match Notre-Dame/Michigan que sur l'ennemi. » Voss regarda sa montre, adressa un signe à son chauffeur.

« Accompagnes-tu ce film de foot jusqu'à lui?

— Skip. Skip. Personne ne lui fournit la moindre actu filmée. » Il se leva et tendit la main. Skip la serra le plus fort possible. « Écoute, dit Voss, et tandis qu'il cherchait ses mots, ses yeux s'humectèrent de sympathie : on se verra pendant la guerre. » La jeep avait déjà démarré. Il fit demi-tour.

Sands but deux autres bières et, à la nuit tombée, il s'éloigna à pied de la fête foraine pour aller manger du poisson au riz dans un café. Par la porte d'entrée il regarda un petit spectacle de rue : un jeune type ivre, au bras brûlé et bandé maintenu en écharpe, réussissait malgré tout à allumer toute une succession de pétards avant de les lancer dans les pieds des passants, qui bondissaient en hurlant. Vers neuf heures du soir, des explosions festives pétaradaient dans toute la ville. La fête de l'Indépendance à San Marcos l'avait beaucoup impressionné, mais ces réjouissances étaient plus sauvages et infiniment plus dangereuses, car elles incluaient de vrais coups de feu et de grosses explosions cadencées, comme si l'on attaquait la nuit tout entière. Il se dit que ce serait sans doute plus paisible au Sud Vietnam. Il s'engagea dans le quartier de la prostitution – qui occupait presque toute la superficie d'Angeles –, les ordures, la puanteur écœurante, les regards affamés, platement humains, bouche bée, des femmes quand il dépassait d'humides cahutes toutes palpitantes de rock'n roll, aussi torrides et corrompues que des mausolées de vampires. Le mystère impudique des nuits d'Asie du Sud-Est : il l'aimait aussi passionnément qu'il aimait l'Amérique, mais en secret, avec une sombre lubricité; et il s'avoua sans détour qu'il se fichait de ne jamais rentrer au pays.

À dater du surlendemain de Noël, James cessa de téléphoner à ses amis, cessa de répondre aux appels de Stevie. Il passait ses journées à regarder des dessins animés à la télévision avec son petit frère Burris, âgé de dix ans, en s'imprégnant autant que possible de la sérénité d'une enfance insouciante.

Le 31 décembre il alla à une fête. Stevie y était aussi. Furieuse contre lui, elle le bouda. Elle resta derrière, dans l'obscurité, avec Donna et ses autres amies, les *pom-pom girls* remplaçantes et les futures reines de promo, serrées sous un nuage de ressentiment. Bien. Celle qu'en réalité il avait toujours désirée, c'était Anne Vandergress, qui était entrée au lycée de Palo Verde la même année que James et qui se tenait maintenant au seuil de la cuisine, si belle, en train de parler à deux types qu'il n'avait jamais vus.

Il buvait du rhum. Il y goûtait pour la première fois de sa vie.

« On appelle ça un trois cent deux », dit quelqu'un.

Puisqu'il partait à l'étranger pour se faire exploser par un obus de mortier ou autre chose, alors il regrettait d'avoir jamais connu Stevie Dale.

« De Dieu. Ce trois cent deux se laisse boire plus vite que la bière, acquiesça-t-il.

— Tu devrais essayer ça avec un Coca. »

C'était Anne Vandergress qui parlait. Il n'avait jamais accosté cette blonde platinée toujours maquillée avec beaucoup de goût, car à ses yeux elle était trop jeune, trop pure et éthérée; et puis voilà que pendant toute sa dernière année passée au lycée, il entend raconter qu'elle sort avec un footballeur, un senior, Dan Cordroy, et puis un autre, Will Webb, le copain de Cordroy, et puis la moitié de la putain d'équipe, rien que des seniors, et puis voilà qu'on lui raconte aussi qu'elle s'allongeait pour tous les footballeurs jusqu'au dernier.

« Merde alors, t'es tellement belle, tu sais ça? dit-il. Je te l'ai jamais dit, ajouta-t-il, je te l'ai déjà dit? » — mais il semblait à James qu'elle était un peu moins ravissante que dans son souvenir, un peu plus lourde, les traits empâtés. Plus adulte, mais pas dans le bon sens ; dans un sens qui lui rappelait l'âge mûr.

Sa dernière gorgée de rhum se bloqua dans sa gorge et faillit l'étouffer, mais elle finit par descendre, et après cet incident il ne sentit plus sa gorge et il aurait pu aussi bien avaler des clous, des morceaux de verre ou des braises brûlantes.

Une heure passa à toute allure, comme une chose physique, un couloir. Ses lèvres devinrent caoutchouteuses et il réussit à peine à articuler : « De ma vie j'ai jamais été aussi pété. »

Les gens paraissaient s'attrouper autour de lui, en riant, mais il n'en était pas sûr. La pièce bascula sur le côté, puis le mur lui-même lui frappa le crâne et le mit sur le cul. Des mains et des bras s'emparèrent de lui comme les tentacules d'un monstre pour le relever...

Il quitta un lieu obscur pour atterrir dans son corps et se retrouva dehors, une cigarette dans une main, un verre dans l'autre.

Donna s'approcha, telle une épave fondant sur lui. Folle de rage. « Pourquoi dis-tu ça ? Pourquoi quelqu'un dirait-il une horreur pareille ? » Stevie en arrière-plan, la tête basse, en larmes, les filles autour d'elle lui tapotaient les cheveux et à force de caresses apaisaient sa douleur.

Rollo le maintenait debout dans le jardin. Donna le bombardait de reproches, impossible de l'arrêter. « Donna, Donna... » Rollo riait, reniflait, aboyait : « ... Il ne t'entend pas, Donna. Arrête ton sermon.

— Stevie est presque enceinte. Tu ne savais pas qu'elle était quasi enceinte ? Comment peux-tu te comporter de la sorte ?

— Presque enceinte ? fit Rollo. *Presque* enceinte ? »

James, à quatre pattes, avait les bras serrés autour des jambes de Rollo.

« Elle a *cru* être enceinte. Okay, Rollo ? Okay ? Il peut quand même pas la larguer le dernier soir qu'il passe en ville, juste avant de partir au Vietnam. Okay, Rollo ?

— Okay !

— Dis-lui ça !

— Okay ! Je vais lui dire ! James, fit Rollo. James. Faut que tu parles à Stevie. Tu lui as fait une sacrée peine, James. Lève-toi, lève-toi. »

Ses jambes le traînèrent jusqu'à Stevie, debout à côté d'un barbecue en pierre où il y avait du feu. Il dit quelque chose et Stevie l'embrassa – son haleine rance d'adolescente. « Et en plus tu fumes une cigarette, dit-elle, toi qui n'as jamais fumé.

— Je fume. J'ai toujours fumé. Tu le savais pas, voilà tout.

— Tu ne fumes pas.

— Si, je fume. »

Il se passa quelque chose et Stevie disparut, aussitôt remplacée par, ou transformée en son amie Donna. « C'est la dernière fois que tu lui fais du mal, James.

— Pourtant je fume », essaya-t-il de dire. Mais il n'arrivait ni à fermer la bouche ni à lever le menton au-dessus de la poitrine.

Il retourna dans la cuisine, où Anne Vandergress ne paraissait plus belle du tout. Elle était vieille et usée. Ses cheveux frisaient. Sa figure était plate, rouge, couverte de sueur, son sourire semblait mort. Elle éclata de rire avec tout le monde quand il beugla que c'était une pute. « J'ai mis du temps – mais t'es une pute. T'es vraiment une pute, dit-il très fort. Je veux juste que tu le saches comme tout le monde ici le sait déjà, dit-il. T'es une vraie pute dégueulasse. » Anne, grotesque, riait tant et plus. On aurait dit qu'elle avait tiré un train toute la nuit. L'esprit de James tournait en boucle et il répétait sans arrêt : « Quelle pute – quelle pute – quelle pute... »

Ils le jetèrent à terre et l'arrosèrent. La poussière se transforma en boue autour de lui et il s'y tint accroupi, en battant des bras et en essayant de se remettre debout.

Ce n'était pas radicalement différent de son entraînement de base. Ses pieds dérapèrent, il se vautra de tout son long et mangea de la boue, en pensant : Très bien, les gars ; c'est parti.

1967

L'après-midi du 1ᵉʳ janvier 1967, Nguyen Hao se rendit en voiture à l'aéroport de Tan Son Nhut avec Jimmy Storm, un intime du colonel. Jimmy Storm portait toujours des vêtements civils, même si la première fois que Hao l'avait vu, il s'était tenu accroupi sur les talons devant la villa des *Psy Ops* de la CIA, faisant la pause-cigarette et vêtu d'un treillis de l'armée américaine qui arborait des galons de sergent.

Cet après-midi-là, M. Jimmy portait ce même uniforme, et durant tout le trajet jusqu'à l'aéroport, M. Jimmy ou le sergent Storm, assis très droit sous sa casquette et sur la banquette arrière, là où il ne s'était jamais assis jusque-là, ne dit strictement rien – peut-être un peu de nervosité, pensa Hao, avant d'accueillir le nouvel arrivant.

Mais n'importe quelle raison aurait pu expliquer ce silence. M. Jimmy Storm était un jeune homme bizarre et compliqué. Quand ils virent William Sands descendre sur la passerelle du DC-3 d'Air America en inclinant un peu la tête pour se protéger contre le vacarme des avions à réaction et les bourrasques humides, M. Jimmy avait retrouvé tout son bagou et il parla d'un ton allègre avec Sands, trop vite pour que Hao pût suivre.

Ils mirent deux malles dans le coffre de la Chevrolet noire, puis ils durent installer la troisième sur la banquette arrière avec le nouvel arrivant, qui demanda à ses hôtes de l'appeler Skip.

« D'accord, d'accord, d'accord, acquiesça M. Jimmy avant de se rétracter : Laisse-moi t'appeler Skipper. Skip c'est trop bref. Ça sonne comme une esquive. » M. Jimmy était maintenant assis à l'avant avec Hao.

« Monsieur Skip, dit Hao, je suis heureux de vous accueillir. Votre oncle connaît mon neveu. Maintenant je connais le neveu de votre oncle.

— J'ai quelque chose pour toi. » Le nouveau venu tendit une cartouche de cigarettes. Le graphisme de la boîte ressemblait tout à fait à celui des Marlboro, mais c'était l'autre marque. Des Winston. Hao dit : « Merci beaucoup, monsieur Skip. »

Alors qu'ils attendaient à un feu rouge, une bicyclette approcha sur leur droite. M. Jimmy baissa rapidement sa vitre, cria « *Diddy mao !* » en faisant un geste du bras et le cycliste s'éloigna aussitôt.

M. Skip dit en vietnamien : « Puis-je parler vietnamien, monsieur Hao ? » et Hao répondit en vietnamien : « C'est mieux. Mon anglais est celui d'un enfant.

— Aujourd'hui c'est le début de notre nouvelle année, dit M. Skip. Bientôt je fêterai un autre début, votre Têt.

— Votre prononciation est excellente.

— Merci.

— Êtes-vous venu de nombreuses fois au Vietnam ?

— Non. Jamais.

— C'est surprenant, dit Hao.

— J'ai suivi un cours intensif », dit M. Skip en utilisant les mots anglais pour « cours intensif ».

« Alors tout est là, hein ? – les trois cent cinquante kilos au complet », dit le jeune M. Jimmy en se retournant pour poser la main sur la cantine. « Les clefs du royaume enchanté de *Duke of Earl.* Tu connais cette chanson ? »

Hao fut soudain convaincu que, même si les deux hommes ne s'étaient jamais rencontrés, Jimmy Storm nourrissait une profonde haine envers Skip Sands. De son côté, Skip semblait se méfier de Storm et il eut une légère hésitation avant de répondre : « Plutôt cent kilos. »

Le coucher de soleil incendia le ventre des nuages. Ils entrèrent dans Saigon et longèrent une rue où des enfants jouaient à la corde à sauter dans les dernières lueurs du jour, et des bribes de leurs chants magiques atteignirent les oreilles des passagers. Puis ils roulèrent dans les rues à GI et les avenues de commerces pouilleux, ils dépassèrent des entrées semblables à des bouches, chacune vomissant sa musique, ses voix, sa puanteur, puis ils traversèrent le fleuve et pénétrèrent dans ce qui s'appelait officiellement la province de Gia Dinh, empruntant enfin la rue Chi Lang jusqu'à la villa des *Psy Ops* de la CIA que personne n'habitait très longtemps, sauf Jimmy Storm dans sa chambre encombrée au climatiseur ahanant qui donnait sur le salon, ses tables en rotin, son canapé rembourré de kapok, ses étagères presque vides, son bar en bambou – sans tabourets – et un tableau encadré figurant des chevaux dans une écurie, sur l'un des murs jaune pâle.

La Chevrolet noire restait à la villa. Hao aida les Américains à décharger – le sac de voyage de M. Skip, son panier en osier et les trois cantines –, puis il dit au revoir et rentra chez lui à pied sur le trottoir défoncé qui longeait un canal d'eaux usées, en s'éclairant avec une lampe torche.

Il habitaient derrière et au-dessus de l'ancienne boutique familiale, lui, son épouse Kim et parfois des parents. Cette boutique avait appartenu à la famille de Hao ; les parents étaient toujours ceux de Kim. La nuit était tombée depuis une heure quand Hao entra par la ruelle, mais il entendit de l'autre côté les sandales de sa femme frotter contre le béton de la cour tandis qu'elle déambulait parmi les grands pots où elle faisait pousser des arbres fruitiers. Hao alluma le néon au plafond du salon pour l'y attirer.

Il désirait parler. On lui avait demandé d'aller accueillir un membre de la famille du colonel à son arrivée, et il lui semblait consolider ainsi une alliance et franchir un fleuve dans sa propre existence, qui était aussi celle de son épouse. Dans les circonstances présentes, elle avait le droit de donner son avis.

Il s'installa dans son fauteuil devant son ventilateur électrique en plastique rouge. Bientôt Kim entra, l'âge mûr, les pieds plats, une charpente fine entourée d'une légère graisse, les bras grêles et les jambes arquées, le ventre proéminent. Son visage évoquait désormais celui des grenouilles en pierre qu'on voyait dans les jardins, et puis aussi celui du Bouddha – avec des bajoues et des yeux globuleux. Elle s'assit en reprenant son souffle et dit : « Je me sens bien aujourd'hui.

— C'est un miracle, répondit Hao, car il savait qu'elle affectionnait ce genre d'expression.

— J'ai pris le remède des anciens contre l'asthme.

— Aïe, fit-il, c'est de la folie.

— Mais ça a marché. Je me sens bien.

— Laisse-moi arranger un check-up pour toi avec un médecin américain. Je suis sûr que M. Colonel sera d'accord.

— Laisse-moi tranquille, dit-elle comme toujours. C'est moi seule qui irai dans ma tombe. »

Elle prenait grand soin de la maison et était pour lui une excellente amie. Il l'aimait beaucoup et lui souhaitait longue vie. Mais la santé de Kim n'était pas bonne.

Ils restèrent assis ensemble pendant que le ventilateur rouge bourdonnait et que sous cet appareil le plateau de la table vibrait. Kim ferma les yeux et respira par le nez, en suivant le conseil d'un énième praticien.

Ç'avait été une très longue maladie, sans doute aggravée par la perte de son neveu quelques années plus tôt – quatre ans? Elle revenait souvent sur le suicide de Thu. Hao la surprenait à regarder soudain dans le vide, d'un air mélancolique, tandis qu'une chose, peut-être simplement le son de sa propre voix, entraînait Kim contre son gré dans la discussion : « À ton avis, ç'aurait pu être un accident, crois-tu qu'il faisait seulement des expériences, qu'il s'interrogeait, regardait et reniflait l'essence, je ne sais pas? » Et Hao répondait : « Je ne sais pas non plus ; mais Thu avait dû avoir du mal pour entrer en possession de l'essence. » « Je n'aime pas le Bouddha, disait-elle alors. Il existe de nombreux dieux, ajoutait-elle ; avec Bouddha les choses sont trop simples, regarde autour de toi, est-ce que les choses ont l'air simple? Non, non. »

Afin de lui parler, il devait entrer dans son monde, si bien qu'il lui demanda : « Que t'ont raconté tes derniers rêves?

— Que ma respiration restera aisée et que ma cousine se mariera bientôt.

— Ta cousine? Quelle cousine?

— Lang! Dois-je t'emmener dans sa chambre et te montrer Lang endormie sur sa paillasse?

— J'avais oublié laquelle était chez nous.

— Il y en a deux! Lang et Nhu.

— Le moment est venu de parler de notre situation.

— Parle.

— Tu sais que M. Colonel a un projet près de Cu Chi, sur la montagne de la Chance Heureuse.

— L'aider est dangereux. Peux-tu t'abriter du vent?

— Je l'aide déjà. J'ai parlé à plusieurs chefs, j'ai marqué sur ses cartes l'emplacement des ouvertures de tunnels.

— Si tu prends parti, que va-t-il nous arriver?

— J'ai pris parti. Je crois que nous devons réfléchir à ce qui se passera quand le pays sera réunifié. Je crois que nous devrons nous en aller.

— Nous en aller?

— Quitter le pays. Émigrer. Aller dans un autre pays.

— Mais c'est impossible!

— Pourquoi donc? Il ne reste personne dans la maison.

— Il ne reste personne parce que tu n'as pas de travail à leur donner. Pourquoi as-tu vendu les deux autres boutiques alors que celle-ci était déjà fermée? De toute façon, il y a Minh.

— Minh vit sa vie en toute indépendance et il prendra ses propres dispositions.

— Tu veux dire que tôt ou tard il se fera tuer?

— Femme, s'il te plaît, le moment est venu de réfléchir avec soin à ces questions. »

Souvent lorsqu'ils parlaient de choses qui la troublaient, elle se levait et se mettait à marcher sans s'en rendre compte. Elle prenait les coussins, les lançait entre ses mains, les tapotait pour en chasser la poussière, ou bien elle s'emparait d'une époussette lui arrivant à la taille pour balayer les moutons sur les planches du sol. La mère de Hao avait un balai semblable. Sa grand-mère aussi. Il y en avait un dans toutes les maisons dont il se souvenait.

« J'ai fait la connaissance du neveu de M. Colonel. Il s'appelle Skip. Invitons-le à dîner.

— Il n'est pas bon d'avoir des Américains dans la maison.

— Si nous ne prenons pas parti, aucun des deux adversaires ne nous fera confiance. Nous serons les gens du milieu. Ce genre de personne finit par être enfermée quelque part dans un camp, et peu importe qui gagne.

— Tu as donc rejoint les Américains. Si les Américains gagnent, nous pourrons rester.

— Non. Les Américains ne gagneront pas. Ils ne se battent pas pour leur terre natale. Ils veulent simplement être bons. Afin d'être bons, ils doivent se battre un peu et puis s'en aller.

— Hao! Alors pourquoi les aides-tu?

— Ils ne peuvent pas gagner, mais ils peuvent agir en amis de leurs amis. Je crois qu'ils sont honorables et qu'ils agiront ainsi.

— Mais tu as des amis dans le Viêt-minh.

— Ils s'appellent le Viêt-cong maintenant.

— Trung. Trung Than est ton ami.

— Je ne veux pas parler du Viêt-cong, dit Hao. Les communistes croient seulement à l'avenir. En son nom ils détruiront tout, ils rempliront l'avenir de néant. Je désire parler des Américains.

— Parle. Je ne peux pas t'en empêcher.

— Si j'aide ces Américains, nous ne serons pas forcés d'être des réfugiés, ils nous aideront à nous en aller. Peut-être dans un endroit comme Singapour. Je crois que c'est faisable. Singapour est un endroit très international. Nous ne nous y sentirons pas exclus.

— Tu leur as déjà parlé de Singapour ?

— Je leur en parlerai en temps voulu. Et puis il y a d'autres endroits. Manille, peut-être Jakarta, peut-être Kuala Lumpur. Tant que nous ne serons pas obligés d'être des réfugiés dans un camp...

— Je vais prier pour que les Américains détruisent le Viêt-minh.

— Je n'ai pas le moindre espoir, Kim. Un vieux proverbe dit : L'enclume survit au marteau.

— Et nous sommes quoi ? Ni l'un ni l'autre. Nous sommes écrasés entre les deux.

— Et un autre proverbe : Le coq se bat mieux sur son tas d'excréments.

— Ah ! J'ai un autre dicton à te proposer : Un coq est un poulet, mais les hommes sont autant de poules.

— Je n'ai jamais entendu ce dicton. »

Elle éclata d'un rire ravi en se dirigeant vers la cuisine.

« Je sais, lança Hao, tu n'es jamais aussi contente que lorsque tu réussis à ridiculiser ton mari. »

Mais le rire de Kim lui réchauffa le cœur, car elle riait si rarement depuis le décès de Thu. Elle avait adoré Thu comme un don du ciel. Les deux frères étaient les enfants de sa défunte sœur. Ils étaient tout ce qu'elle avait. Maintenant il lui restait seulement Minh.

Dans la cuisine Nguyen Kim alluma la cuisinière sous la bouilloire à thé, s'arrêta devant l'étagère et déboucha, l'un après l'autre, ses petits flacons de parfum, puis huma chaque odeur. La thérapie de l'haleine l'occupait beaucoup. Ces temps-ci le romarin surtout l'intriguait. Elle voulait le mélanger à l'extrait de patchouli, non pas comme médication, mais simplement pour le plaisir olfactif, et elle ne voyait pas comment s'y prendre ; mêlés l'un à l'autre, ils semblaient produire un troisième parfum, pas vraiment agréable.

Son remède contre l'asthme lui avait été révélé au cours d'un rêve. Elle ne l'avait pas dit à Hao. Elle utilisait un sirop acheté chez un herboriste chinois du quartier de Cholon. Il refusait de révéler de quoi il s'agissait, mais elle avait entendu dire qu'on utilisait la viande et la peau du gecko. Hao désapprouvait ce genre de pratique.

Kim considérait son mari comme un joueur et un rêveur. Il les avait tous surpris en vendant deux de leurs magasins de tissus et en louant le troisième à un homme qui fit très vite faillite. Maintenant les parents de Kim campaient parmi ses étagères vides. Au lieu de placer son argent dans une autre affaire, Hao l'utilisait pour faire face à leurs besoins quotidiens et il investissait tout son temps, et jusqu'à son âme, dans ces Américains. Pensait-il pouvoir le cacher ? Pensait-il vraiment qu'elle devait en être informée ?

Elle appréciait les deux filles qui vivaient chez eux, Lang et Nhu, elles l'aidaient bien, ces cousines de sa ville qu'on ne pouvait pas appeler des domestiques. Elle était incapable de leur dire qu'en certaines circonstances elle eût aimé qu'elles se comportent comme des domestiques. Mais c'était inutile si elles ne le comprenaient pas, si leur mère bonne à rien, la tante de Kim, ne le leur avait pas déjà dit...

Elle chassa de son esprit ces pensées égoïstes.

Elle croyait que, lorsque le sang exsudait une maladie, il chassait aussi certaines impuretés spirituelles, et que les convalescents faisaient l'expérience d'un fugace état de pureté.

En pareil état, croyait-elle, la pensée claire était accessible. Même l'inspiration, peut-être.

Hao ne parlait pas d'argent avec elle, sauf pour déclarer qu'à condition de ne pas faire de gros achats, ils pouvaient continuer comme ils l'avaient toujours fait. C'était très bien ainsi. Joueur, rêveur, oui ; mais c'était un homme de confiance et elle le respectait. Le père de Hao, à force de transporter des denrées locales sur la rivière de Saigon pour commercer avec les Français, avait réalisé des bénéfices substantiels. Hao – affligé d'un mariage stérile, le fils d'une lignée moribonde – avait œuvré à cette lente destruction. Kim ne lui demanderait pas de rester à tout prix ici. S'il voulait fuir, ils fuiraient. À quoi bon pleurer à cause du lendemain ? Peut-être que bien avant de devoir arracher leurs racines, ils seraient morts.

Elle porta la bouilloire et deux tasses jusqu'à l'endroit où il se tenait assis, les mains posées sur les accoudoirs du fauteuil, les yeux clos, méditant dans le souffle de son ventilateur électrique.

Elle s'installa et servit le thé. « J'ai besoin que tu me fasses une promesse, dit-elle.

— Je t'écoute.

— Je veux que tu me promettes que, quoi qu'il arrive, tu prendras soin de Minh.

— C'est promis.

— Trop vite !

— Non. Comprends-moi, femme : quand je t'ai dit que Minh vivait sa vie, je voulais dire qu'il fait déjà son chemin. Il ne pilote plus des avions à réaction, tu sais. Il pilote des hélicoptères de transport américains – seulement pour le transport, et seulement pour le colonel. Il est déjà en sécurité. Et M. Colonel et moi veillerons à sa sécurité. Écoute-moi encore, femme : c'est promis.

— Et puis une autre.

— Combien d'autres encore ?

— Une seule chose : si nous partons, reviendrons-nous un jour ?

— Si c'est possible.

— Promets-le-moi.

— Je veux bien te faire cette promesse : si c'est possible, nous reviendrons au pays.

— Même si ce sont mes cendres qui y reviennent », dit-elle.

Entendre Kim exprimer ouvertement ses soucis le surprit. Elle n'avait jamais parlé de la sorte, elle prenait grand soin de cacher ses espoirs les plus chers à l'examen des puissances occultes, à la vague assemblée de ses dieux innombrables.

Cette conversation ravit Hao. Son épouse ne se contentait pas d'envisager de loin leur émigration, elle la marchandait, elle se compromettait comme s'il s'agissait là d'une chose inévitable. Ils montèrent à l'étage et malgré la chaleur qui s'attardait toujours un peu plus longtemps sous le toit de la maison, il la serra contre lui et la tint ainsi serrée jusqu'à ce qu'elle s'endormît. La guerre, encore et toujours la guerre, comme une succession de typhons menaçant leurs vies et maintenant, de l'autre côté du chaos, un pic lointain et sûr, un havre de paix vers où aller. Et puis la respiration de Kim était paisible, ainsi qu'elle l'avait affirmé, sans le moindre sifflement, du moins pour cette nuit.

Il rejoignit son propre lit, posa ses vêtements et ses sandales par terre à l'extérieur de la moustiquaire – ses sandales en plastique, où à l'intérieur du coup de pied on lisait les mots *Made in Japan*. Les hautes murailles entre les cultures s'effondraient. Se dissolvaient comme de la boue. Kim et lui pourraient aller n'importe où. La Malaisie. Singapour. Hong-Kong. Même le Japon était envisageable.

Il rit en pensant qu'il pourrait tout de suite sortir dans la rue et dire à quelqu'un : « Le Japon est envisageable. »

Kim le réveilla au milieu de la nuit. Il regarda le radium des aiguilles du réveil. Une heure moins le quart. « Qu'y a-t-il ?

— Des chiens aboyaient dans la ruelle, dit-elle.

— Dors. Je vais écouter un moment. »

Jusqu'à ce qu'elle se rendorme, il resta allongé et silencieux, regardant le minuscule rougeoiement de l'encens insecticide qui brûlait sur la commode, de l'autre côté de la pièce.

Il était plus de trois heures du matin. Dans la ruelle il entendit Trung – bien sûr que c'était Trung, sinon qui d'autre ? – imitant le roucoulement du gecko.

Jusque-là Trung n'était jamais arrivé si tard. Mais un homme prudent varie ses approches.

Hao tendit le bras, releva la moustiquaire, fit pivoter ses jambes vers le sol. Il emporta son pantalon, sa chemise et ses sandales japonaises jusqu'en haut de l'escalier, où il s'habilla et resta ensuite immobile dans l'obscurité, sans rien entendre, goûtant la saveur de sa propre haleine. Plus il descendit le plus doucement possible. Les deux cousines dormaient juste en dessous de ses pieds, dans la boutique dont l'escalier suivait l'inclinaison du plafond. Il était impossible de descendre les marches en silence, chaque pas avait quelque chose à dire. En bas, il attendit d'être certain de n'avoir pas réveillé les deux jeunes filles.

Il gagna la cuisine, puis la fenêtre au-dessus de la cuisinière à gaz et tourna la crémone. Dès qu'il eut ouvert le battant, il entendit une légère toux de l'autre côté.

« Trung ?

— Bonjour.

— Bonjour.

— Désolé de te déranger.

— Je ne peux rien t'offrir de chaud. Veux-tu un verre d'eau ?

— Merci de ta gentillesse, mais je n'ai pas soif.

— Je vais sortir. »

Il ouvrit la porte de la cuisine et pénétra dans la cour minuscule, où Trung était debout près du mur dans les ténèbres.

« Mes cigarettes sont en haut, dit Hoa.

— Je crois qu'il vaut mieux ne pas fumer. On risquerait de nous voir. »

Les deux hommes s'accroupirent côte à côte contre le mur, sous la fenêtre de la cuisine.

Hao dit : « C'est risqué pour toi de venir dans cette ville.

— C'est risqué d'aller n'importe où maintenant. Il y a seulement deux ans je pouvais circuler dans une vaste région. Mais maintenant, partout au Sud, nous sommes des fugitifs.

— Et puis venir à la maison, c'est un risque pour nous deux.

— Davantage pour moi, tout de même.

— Je te protège, Trung Than. Je t'en donne ma parole.

— Je te crois. Mais mieux vaut prévoir le pire.

— Trung, je comprends très bien que tu doives te sentir protégé à chacune de nos étapes.

— Ne va pas trop vite en besogne. Je ne suis pas encore d'accord pour que nous franchissions des étapes ensemble.

— Chacune de nos rencontres nous a emmenés un peu plus loin, tu ne crois pas ?

— Un peu plus loin vers un accord, peut-être. Mais nous n'avons pas franchi la moindre étape.

— Es-tu prêt à changer cela ?

— Non. »

Une ruse pour gagner du temps, réfléchit Hao, et non pas un refus catégorique.

« Avant que nous poursuivions, dit Trung, je dois m'assurer que je me fais bien comprendre.

— Dis-moi, s'il te plaît. Je t'écoute.

— On mettait trois jours pour rejoindre le Nord sur un bateau russe. C'était en 54. Ils disaient que le pays serait réunifié d'ici moins de deux ans.

— Continue, dit Hao.

— Six ans après, j'ai mis onze semaines à y retourner par la piste Hô, et en chemin j'ai failli mourir cent fois. »

Hao dit : « J'écoute.

— En 64, j'ai compris qu'il me faudrait attendre dix ans avant de rentrer chez moi. Pourtant, à cette époque, j'étais déjà de retour dans le Sud depuis quatre ans.

— Dans tous ces chiffres j'entends l'accumulation des ressentiments. Tu es insatisfait, dit Hao.

— Je vis une contradiction incessante. Elle ne va pas disparaître.

— Je vois.

— J'ai été lâche. Je dois résoudre ce dilemme tout seul.

— Je suis là pour t'aider de mon mieux.

— Je sais, fit Trung. Mais quel avantage veux-tu tirer de cette situation ?

— Je veux aider un vieil ami.

— Nous avons besoin de parler sincèrement. Tu prétends vouloir que je me sente en sécurité, mais tu mens. Dis-moi la vérité : quel avantage veux-tu tirer de cette situation ?

— La survie de ma famille.

— Bon.

— Et toi, demanda Hao, que désires-tu ?

— La survie de la vérité. »

Allons bon ! De la philosophie ? Hao dit : « Comment la vérité pourrait-elle être menacée ? Elle est la vérité.

— Je veux que la vérité survive en *moi*. »

Hao pensa : Je suis un homme d'affaires, parlons pertes et profits. Mais il dit seulement : « J'essaie de comprendre.

— Je ne crois pas que les mots puissent me permettre d'expliquer mieux ce que je fais. Je veux juste que tu comprennes que rien ne m'y oblige. Je n'ai pas d'ennuis. Je n'ai pas besoin d'argent. Je désire seulement m'approcher plus près de la vérité. »

Hao ne le crut pas. Il trahissait ses camarades, mais pour quelle raison ? Certainement pas la philosophie.

Accroupi tout près de Hao, Trung laissa son crâne reposer contre le mur et soupira. On eût dit qu'il allait faire ses adieux. « Après tout, dit-il à la place, fumons une cigarette ensemble. »

Hao remonta à pas de loup, trouva ses cigarettes et son briquet américain Zippo. En haut de l'escalier il en alluma deux et les descendit en se demandant si le Moine attendrait toujours. Il était là. Très bien. Cette nuit, ils franchiraient des étapes cruciales.

Hao dit : « Il veut te rencontrer.

— Il veut trop.

— Il désire te protéger.

— Tant qu'il ne peut pas m'identifier, je n'ai pas besoin de sa protection.

— Il veut te protéger de ses propres amis. De son côté à lui, pas du tien.

— C'est à moi de faire attention des deux côtés. »

Ils fumèrent, chacun dissimulant l'incandescence au creux de sa paume, Hao pensant : Je ne peux même pas allumer une cigarette pour mon ami, il risque de ne pas survivre à une lumière éclairant son visage. Voilà des années que je n'ai pas vu ses yeux.

« Trung, pour aller à l'endroit où tu vas tu as besoin d'un protecteur, et ce protecteur a besoin de te faire confiance.

— Le moment n'est pas encore venu. » Son ami gratta la braise minuscule de sa cigarette et fourra le mégot dans sa poche de chemise.

Hao dit : « Il y a trois ans, peu avant que tu me recontactes, mon neveu s'est immolé derrière le temple de l'Étoile Nouvelle.

— J'en ai entendu parler.

— Est-ce aussi ce que tu es en train de faire ? Te détruire ? »

Quel homme pensif et lent le Moine était devenu ! Il avait toujours manifesté une sincérité butée, mais ceci était plus profond. Ses silences étaient des quêtes. Ils impressionnaient. « On a colporté un mensonge. Je l'ai colporté. Je veux devenir le porte-parole de la vérité. Et si je ne survis pas à cette tentative, qu'il en soit ainsi.

— Nous devons exprimer un motif plus intelligible.

— Non. La vérité. De toute façon, ils croiront que je mens.

— Il faut du temps pour gagner la confiance. Ils auront besoin de quelque chose. Peux-tu me donner quelque chose ?

— Cette fois je te dirai une chose qu'ils savent sans doute déjà. La prochaine fois, un peu plus.

— Ah. Nous allons traverser, mais nous n'allons pas sauter.

— Ceux qui reviennent du Nord affirment qu'une grande avancée est en route. Pas tout de suite. Sans doute aux environs du Têt prochain.

— Je n'ai rien entendu à ce sujet.

— Ton colonel, si. Il a sûrement entendu des rumeurs. Mais je te dis qu'il ne s'agit pas de rumeurs. Tout le monde le sent. C'est en route.

— Il veut que tu lui fasses un compte rendu. Quelques jours d'interrogatoire. C'est la norme.

— Ne me prends pas pour un imbécile.

— Pardonne-moi.

— C'est moi qui contrôle le processus. Je dois rester aux commandes.

— Tu as raison.

— J'ai besoin de temps avant de lui fournir une chose précise, une chose qu'il puisse vérifier.

— Très bien.

— J'ai besoin de temps. Je ne suis pas prêt à traverser. »

Les coqs du voisinage chantèrent pour la troisième fois. Trung avait juste assez de lumière pour trouver son chemin hors du quartier de Hao – arbres fruitiers, cours en terre, maisons en bois, néons allumés dans les cuisines des lève-tôt, un égout à ciel ouvert qui serpentait parmi les jardinets. Il envia à son ami cette paix simple.

Lorsqu'il atteignit la rue, il fit halte pour allumer son mégot de cigarette et regarder deux petits mitrons à vélo qui filaient en silence avec le pain du matin.

Il se rappela avoir marché bras dessus, bras dessous avec Hao à une heure aussi matinale mais dans un autre univers : deux garçons titubants et excités, trop ivres d'alcool de riz volé pour se soucier des punitions de leur maître. Il se rappela avec précision la taille et la couleur de la lune de cette nuit-là, l'amitié sans frein de ce jeune monde, et leurs voix qui chantaient une vieille mélodie : « Hier je t'ai suivi le long de la route... Aujourd'hui je choisis une fleur pour ta tombe... »

Le 2 janvier à l'heure du déjeuner, pour son premier jour complet dans son pays d'élection, Skip Sands attendait son oncle au *club nautique** en bordure de la rivière de Saigon. Jonques, sampans et cabanes se serraient le long de la rive opposée, vers l'aval, mais pas grand-chose ne bougeait sur l'eau brune. Il étudia le menu, tout appétit envolé, joua avec ses couverts, écouta une cacophonie sonore de chants d'oiseaux, certains furieux, d'autres d'une musicalité presque sentimentale. La sueur lui dégoulinait dans le dos. Son regard tomba sur un client assis à une table voisine, un Asiatique doté d'une chevelure noire incroyablement abondante qui lui descendait du crâne pour lui recouvrir la nuque. En face de cet homme était assise une femme qui tenait un singe sur ses cuisses. Elle exhibait un visage renfrogné, ce singe ne lui procurait aucun plaisir, le menu la rendait malheureuse.

Une brusque explosion très violente – mortier ? roquette ? jet franchissant le mur du son ? – provoqua une grande agitation. Le singe bondit au bout de sa laisse sous la table et se mit à danser d'un pied sur l'autre. Plusieurs clients se levèrent. Puis les tablées se calmèrent et les serveurs se regroupèrent à la balustrade pour regarder la rivière en direction du centre-ville. Un rire fusa, les discussions reprirent, les couverts se remirent à cliqueter contre la porcelaine, les clients mangèrent de nouveau.

Le colonel Sands apparut sur la terrasse et dit : « Mets-toi à ton aise, mon garçon. »

Le colonel, comprit Sands, venait d'arriver de la montagne de la Chance Heureuse en hélicoptère. De la boue rouge mouchetait ses bottes de combat en toile et ses revers de pantalon, mais il portait des vêtements civils et il semblait inquiétant de banalité, comme s'il se souciait seulement des paysages indigènes et du golf. Sa main tenait déjà un verre de whisky.

Sands s'assit en face de lui.

« Tout va bien ? Tu es planqué à la villa ?

— Oui.

— Quand es-tu arrivé ?

— Hier soir.

— Vu quelqu'un de l'ambassade ?

— Pas encore.

— Alors, que peut-on se mettre sous la dent aujourd'hui ?

— Colonel, j'aimerais avant toute chose vous poser une question sur San Marcos.

— Avant de manger ?

— J'ai besoin d'éclaircir un point.

— D'accord.

— Transmettiez-vous vos ordres au commandant ?

— Au commandant ?

— Aguinaldo ? Le commandant ? – la dernière fois que nous nous sommes vus.

— Exact. La résidence Del Monte. San Carlos.

— San Marcos.

— Exact.

— Aguinaldo ? Le Philippin ?

— Oui. Le Philippin. Non. Je ne dirigeais aucun Philippin.

— Et l'Allemand ? Était-il sous votre coupe ?

— C'est la section politique de Manille qui dirige tout le monde. Je ne suis pas la section politique. Je suis juste un chien malade qu'ils ne se décident pas à abattre.

— Très bien. Je ne veux pas vous déranger davantage.

— Si, si. Tu as commencé, alors continue. Où est le problème ?

— Je suis peut-être à côté de la plaque.

— Confie-toi à moi. Nous travaillons ensemble. Vas-y.

— Très bien. Parlez-moi de Carignan.

— Qui ?

— Carignan, *sir*. Le prêtre à Mindanao. »

Maintenant, il le sentit, son oncle comprenait combien c'était important pour lui. « Ah oui, fit le colonel. Le père Carignan. Le collaborateur. Quelqu'un a mis un terme à ses souffrances.

— Qui ?

— Si je me souviens bien, cette opération a été décidée par le commandement de l'armée philippine. C'est ce que nous avons compris, d'après le rapport.

— C'est moi qui ai rédigé ce rapport. J'ai rejoint à dos d'âne la sous-station proche de Carmen et j'ai envoyé un rapport codé à Manille, en demandant qu'on vous le transmette, conformément aux ordres. Et j'ai seulement mentionné l'armée locale – en fait, je l'ai à peine mentionnée.

— Il me semble que c'était une opération de l'armée philippine. Il me semble aussi qu'elle était dirigée par notre ami Eddie Aguinaldo. Nous avions toute raison de croire que ce Carignan était mêlé au transfert d'armes destinées aux groupes de guérilleros musulmans de Mindanao.

— Le prêtre a été tué par une fléchette. On appelle ça un sumpit.

— C'est une arme autochtone.

— Je n'ai jamais vu cette arme, sinon entre les mains de l'Allemand à la résidence Del Monte.

— Je vois.

— Vous ne dirigiez pas l'Allemand ?

— J'ai déjà dit que non.

— Alors ça me suffit.

— Je me fiche que ça te suffise ou pas.

— Je vous emmerde, *sir*.

— Je vois. » Pendant que le colonel réfléchissait à une réponse en promenant un doigt tremblant sur le rebord de son verre à whisky, Skip se décomposa. Il s'était armé de courage pour cet assaut, mais guère attendu à trouver aussi vite la faille. « Bon, reprit le colonel, je me répète : où est le problème ?

— Je suis simplement inquiet », réussit à articuler Sands.

Durant quelques instants le colonel ne dit rien. Skip n'avait plus envie de se battre. Comment n'avait-il pas deviné qu'il pouvait blesser ce géant ? Il était si ignorant de ces hommes plus âgés... Pourquoi donc n'ai-je pas de père ?

Le colonel dit : « Écoute. Ce genre de chose arrive rarement, mais ça arrive. Un certain nom se trouve cité par plus d'une source, quelqu'un se fait une idée, quelqu'un pond un rapport, quelqu'un désire s'offrir un peu d'aventure – tu vois ce que je veux dire, pas vrai ? – et très vite c'est réglé. Le fait que tu aies assisté à ce genre de foirade sera pour toi une expérience inestimable, Skip.

— J'ai quand même été davantage qu'un simple témoin.

— Pour moi, l'essentiel est que tu comprennes la puissance de la bête que nous chevauchons. Fais gaffe à tes coups d'éperons. » Sa face de bouledogue évoquait une tristesse étrange. Il but une gorgée de whisky. « Mes fichiers sont en sécurité ?

— *Yes sir.*

— Monterey t'a plu ?

— Incroyablement beau.

— Commande-moi un hot-dog en vietnamien. »

Un serveur versait de l'eau dans les verres. Sands lui parla. « Il dit que c'est un buffet garni. Si vous voulez bien vous donner la peine.

— Formidable. Mais j'avais compris le mot "buffet". Et puis tu as fait la connaissance de Hao Nguyen.

— Hao ? Oh, oui.

— Il est allé te chercher à Tan Son Nhut. Tu lui as parlé en vietnamien ?

— *Yes sir*, je l'ai fait.

— Tu as faim ?

— Je vais peut-être commander un plat du menu.

— Skip.

— *Yes sir.*

— On va continuer longtemps à s'éviter ? Je te le dis, je ne veux pas de ça. Nous ne pouvons pas nous offrir ce luxe.

— Très bien. Je suis touché.

— Bon. » Le colonel se transporta jusqu'au buffet.

Quand il fut de retour auprès de son neveu, il tenait un bol de crabe dans une sauce blanche ; il s'assit, joua de la fourchette et avala plusieurs morceaux, qu'il mastiqua à peine. Il but une grande rasade de whisky. « Et Rick Voss – Voss ? Il était à la maison hier soir ?

— Rick Voss? Non.

— Tu le rencontreras bientôt. Trop tôt.

— Je l'ai croisé à Clark avant mon départ. Il me cherchait.

— Vraiment?

— Surtout pour m'interroger à votre sujet.

— Quel genre de questions t'a-t-il posées?

— Il désirait parler d'un article que vous avez soumis à la revue.

— J'en ai rien à foutre de ces jeunes loups dont les crocs rayent le plancher. Mon présent invité excepté.

— Je l'espère. »

Il crut entendre son oncle soupirer. « Je te le dis, Skip, le monde a changé, il m'attire maintenant vers l'obscurité. La semaine dernière j'ai reçu une lettre de ta cousine Anne » – Anne, la fille du colonel – « elle a repris l'hymne des étudiants gauchistes, tu te rends compte? Elle m'écrit : "Je crois que tu devrais réfléchir aux motifs du gouvernement au Vietnam." Elle sort avec un beatnik, un mulâtre. Sa mère avait une trouille bleue de me l'apprendre. Finalement, c'est ton oncle Ray qui a craché le morceau. Les "motifs du gouvernement"? Seigneur Dieu. Quel meilleur motif le gouvernement pourrait-il avoir que de défier le communisme à chaque tournant? »

Skip se remémora Anne Sands accroupie sur le trottoir en tenue légère à carreaux, faisant rebondir une minuscule balle rouge et ramassant des sous sur l'asphalte; il pouvait convoquer sans effort l'image d'Anne sautant à la corde, les nattes volant au vent, tout absorbée par ses comptines et les mouvements énergiques de ses pieds. Entendre ainsi un fragment de sa lettre le mit en colère, mais cette perte de patriotisme était secondaire – son vrai crime était d'avoir trahi les clichés de l'enfance... Un mulâtre beatnik?

« Maintenant, dit le colonel, haut les cœurs et faisons connaissance. »

Il montra l'individu qui approchait, un jeune homme maigre en pantalon de treillis militaire, mais qui arborait une chemise en madras colorée, ouverte sur son sous-vêtement couleur olive.

« Sergent Storm, dit Skip.

— Tu le connais?

— Il est venu me chercher à l'aéroport hier soir.

— Oui, oui, oui, fit le colonel. Jimmy, assieds-toi. Voulez-vous boire quelque chose, tous les deux? »

Skip refusa et Jimmy dit : « Bière américaine. » Skip voyait Jimmy pour la première fois au grand jour. Un visage bronzé, de petits yeux brillants et sincères, de la même couleur que ceux de Skip – décrite sur ses papiers d'identité comme « noisette ». Il avait des tatouages spectaculaires et deux dents visibles. Sérigraphié au pochoir sur son sous-vêtement : STORM B. S.

Le colonel fit signe à un serveur, commanda une bière et un whisky, puis dit : « Bon, enfin un geste respectueux : Jimmy boutonne sa chemise pour nous. Je crois que cette chemise est non réglementaire.

— Je suis un cinglé à la mode.

— Et tu t'exhibes en public avec des jambes de pantalon qui ne tombent pas correctement sur la chaussure.

— Je ne suis pas en uniforme.

— C'est bien ça le problème. »

Storm dit : « Tu as déjà mangé, Skipper ?

— Pas encore, avoua Skip.

— Skip dit que tu étais là pour l'accueillir hier soir. Je t'en remercie.

— Normal.

— Skip dit aussi qu'il a rencontré Voss. En fait, Voss l'a alpagué à Clark avant même qu'il n'arrive ici.

— Ne me gâchez pas ma bière, fit Jimmy.

— Voss l'a interrogé à propos d'un article auquel je travaille. » À Skip le colonel dit : « J'ai retiré ce texte. Il manquait de thème organisateur, c'est le moins qu'on puisse dire. Je me débattais dans le marigot de mes idées avec une grosse rame et je tournais en rond. En faisant d'énormes éclaboussures. De quoi t'a-t-il parlé ? – Voss.

— Je me suis débarrassé de lui avant qu'on ait eu le temps de se dire grand-chose.

— T'a-t-il parlé de mon article ?

— Non. Je peux y jeter un coup d'œil ?

— Pourquoi ne m'aiderais-tu pas à le rédiger ?

— Je ne sais pas. Si je vois le brouillon...

— Si moi je peux remettre la main dessus. C'était un vrai bordel. Je l'ai retrouvé au bout d'un an dans un tiroir et je n'arrivais plus à suivre mes propres idées.

— Bah, fit Jimmy, voilà ce qui arrive quand on passe un an dans un tiroir.

— Écoute, je n'ai jamais soumis ce brouillon à la revue. Voss a décidé de le faire de son propre chef.

— C'est de l'ingérence, non ?

— Et comment que c'est de l'ingérence, putain ! C'est un acte de sabotage. Qu'a-t-il dit d'autre ? À Clark, je veux dire.

— Eh bien, voyons voir, fit Skip. Il a évoqué votre intérêt pour un match de football.

— Notre-Dame contre Michigan State. Match incroyable. Très instructif. J'essaie de localiser un film de ce match et d'en tirer une conférence. J'aimerais bien le montrer aux troupes. Le moral dans la région est terrifiant. La terre elle-même diffuse une odeur qui rend fou. Skip, ce n'est pas un endroit différent. C'est un monde différent avec un Dieu différent.

— Ça tourne vraiment à l'obsession philosophique », dit Jimmy.

Skip intervint : « Les guerres se gagnent à coups d'obsessions philosophiques.

— *Touché**, fit Jimmy.

— *Touché**? s'étonna Sands.

— Comment va le français ? s'informa le colonel.

— Je le bosse toujours, lui assura Sands.

— Skip et moi avons évoqué quelques souvenirs, dit le colonel. Je ne l'ai pas encore briefé. »

Jimmy demanda : « Je peux me servir à bouffer d'abord ?

— Vas-y. Je fais un tour aux toilettes. »

Les deux hommes s'excusèrent, puis Jimmy revint bientôt avec une assiette dans une main et un énorme petit pain dans l'autre. Pendant que Storm essayait de manger, Skip l'interrogea dans le style « feu roulant » de l'Agence : laisse ton homme prendre une cigarette, mais pose-lui des questions si rapides qu'il ne peut pas la fumer.

« Tu as grandi où, Jimmy ?

— Comté de Carlyle, dans le Kentucky. J'y retournerai jamais.

— Tu t'appelles B. S. Storm ?

— Exact. Billem Stafford Storm.

— Billem ?

— B-I-L-L-E-M. C'était le surnom de mon grand-père. Le père de ma mère, William John Stafford. Ça ne résout pas vraiment l'énigme, vieux, ça y rajoute simplement un élément délirant qui ne colle pas avec le reste. On commence dans la confusion pour finir dans le mystère.

— Et on ne t'appelle pas Bill.

— Non.

— Ou Stormy.

— Jimmy me va très bien. Jimmy c'est classe. »

Skip continua : « Tu es dans les services secrets ?

— *Psy Ops*. Comme toi. Nous voulons transformer ces tunnels en zone de torture mentale.

— Les tunnels ?

— Les tunnels des Viêt-congs dans tout Cu Chi. Je gamberge : une substance psychoactive inodore. Scopolamine. LSD, mec. Collons-en dans tout leur réseau. Ces salopards jailliront de leurs trous avec le cerveau turbinant bien au-delà de la ligne jaune.

— Waouh.

— *Psy Ops* chapeaute tous les trucs inhabituels, mec. Nous voulons des idées gonflées à bloc, prêtes à exploser. Nous sommes à la lisière même de la réalité. À l'endroit précis où elle se transforme en rêve.

— Rick Voss n'est pas *Psy Ops*, n'est-ce pas ?

— Non.

— Mais vous êtes très souvent en contact avec lui ?

— "Reste près de tes amis. Reste plus près encore de tes ennemis."

— Qui a dit ça ?

— Le colonel.

— D'accord, mais il cite bien quelqu'un.

— Il se cite lui-même.

— C'est souvent le cas.

— Voss est un con dangereux.

— Alors tant mieux s'il est de notre côté.

— De quel côté ? Dans une situation liquide, les côtés se mélangent.

— Il cite Attila le Hun ou Jules César.

— Qui ? Voss ? – Oh.

— Le colonel.

— Oui. Alors ces fichiers, mec. C'est tout le tintouin ? Tout l'Arbre de fumée ?

— Oh, y a un peu de tout. »

Skip le laissa déjeuner. Storm avait choisi le crabe et de petites frites fragiles, qu'il mangeait avec les doigts. Il brisa aussitôt le silence en disant : « Crois-tu que les gars qui ont largué la bombe sur Hiroshima, ça leur est arrivé ensuite d'avoir des remords ?

— Non, ils n'en ont jamais eu, répondit Skip avec confiance.

— Le chef arrive. »

Alors que le colonel s'asseyait, Skip dit : « Jimmy m'apprend qu'il s'intéresse aux tunnels. »

Le colonel tenait une boîte de Budweiser et un verre vide. Il versa avec soin l'une dans l'autre, puis aspira la mousse entre ses lèvres et but une longue gorgée avant de répondre : « Absolument. Présentons un peu le maigrichon. Le sergent Storm est l'officier de liaison *Psy Ops* avec CDCIA et je suis l'officier de liaison CDCIA avec *Psy Ops*. Ensemble, le sergent et moi nous occupons d'un petit programme restreint baptisé *Labyrinthe*. Cartographie des tunnels. Je suis sûr que tu as entendu parler des tunnels viêt-congs.

— Évidemment.

— Aujourd'hui ce sont des tunnels viêt-congs. Quand nous les aurons cartographiés, leur statut changera.

— La cartographie. Ça ressemble davantage à du renseignement. Ou de la reconnaissance.

— Bon, oui, fit le colonel. J'ai qualifié *Labyrinthe* de restreint, mais nos paramètres de mission sont très élastiques. Je dirais que nous opérons sans commanditaire ni paramètres définis.

— Mais – *Psy Ops* ?

— Le fait est que nous avons bel et bien une section de reconnaissance. Et une zone d'atterrissage permanente, que nous n'avons pas le droit d'appeler une base.

— Qui l'appelle ainsi ?

— Moi. Et il y a un joli paquet d'infanterie qui veille au grain. »

Le sang de Skip ne fit qu'un tour. « Je suis bien sûr à votre service. » Ses mains le picotaient et soudain il ne transpira plus.

« William, je crois que nous avons en ce moment un truc en cours où tu vas jouer un rôle non négligeable. Un rôle crucial. Mais tu n'entres pas tout de suite en scène. Je crains que ce que je vais te demander de faire dans l'immédiat n'inclue beaucoup d'attente.

— D'attente où ça ?

— Nous avons une petite villa dans la cambrousse. »

La joie de Skip mourut aussitôt. « Une villa...

— Il s'agit d'une chose que je ne demanderais à personne d'autre que toi. »

Skip se contraignit à dire : « J'irai là où vous me direz d'aller.

— Je crois que ce type nous plaît, fit Jimmy.

— En moins d'un mois nous t'aurons installé. En attendant, si un membre de notre équipe te réclame ici au 5ᵉ Corps, tu seras à sa disposition.

— Excellent. »

Jimmy dit : « Nous désirons transformer ces tunnels en une annexe de l'enfer.

— Jimmy a fréquenté l'École des mines.

— Sans blague.

— Tout ça fait partie d'un plan magistral, lui assura Jimmy.

— Tu as passé ton diplôme ?

— Putain, non. Est-ce que je ressemble à un diplômé de quoi que ce soit ? »

Après le café, durant lequel Skip déjeuna – un rouleau de printemps aussi blême et ramolli que son moral –, Storm les emmena dans la Chevrolet noire jusqu'à l'hôtel Continental, où le colonel occupait une chambre du rez-de-chaussée, par-derrière, à l'écart de l'entrée bruyante. De toute évidence, il l'occupait en permanence – des cartons de livres et de disques, une machine à écrire, un phonographe, un bureau pour travailler, un autre bureau qui servait de bar. Le colonel mit un disque sur le phono. « C'est *Peter Paul and Mary* en concert. Écoutez-moi ça. » Il se pencha au-dessus du tourne-disques, loucha et avec ses doigts épais posa le bras sur le début de l'interprétation de *Three Ravens* par le trio, la ballade mélancolique d'un chevalier déchu et de son amoureuse condamnée. Ils restèrent assis en silence, Skip et Jimmy occupant chacun un bureau, pendant que la chanson continuait et que le colonel changeait de pantalon et de chemise. Son humeur, celle où Skip l'avait mis, était passée. Il s'assit sur son lit, puis glissa les pieds dans des mocassins tout en disant : « Cette mission de Mindanao. C'était un bon rapport. Tu sais ce que j'y ai préféré ? »

Puis il se tut.

« Non, fit Skip, je ne sais pas. » Ça l'agaçait, cette habitude qu'avait le colonel d'attendre la réponse d'une question purement rhétorique.

« Ce qui m'a plu dans ton rapport, c'est que tu ne parlais pas de moi.

— Je crois que j'avais de bonnes raisons pour laisser quelques lacunes.

— Et moi je crois que tu as l'instinct de la discrétion, dit le colonel.

— Je supposais que vous seriez le premier à lire mon rapport.

— Le premier et le dernier, mon garçon. Telle était en tout cas mon intention.

— Je supposais que vous me feriez signe si vous aviez besoin de détails supplémentaires.

— Ce type n'est pas un baratineur », dit Jimmy en posant le bras sur le dossier de la chaise de Skip. « Il sait esquiver. »

Le colonel regarda Jimmy dans le blanc des yeux et dit : « Cet homme fait partie de la famille dans tous les sens du terme.

— Message reçu, lui assura Jimmy.

— Très bien, donc. » Le colonel se leva et dit : « Devinez qui a voyagé avec moi à partir de Cao Phuc ? Notre brave lieutenant.

— Louie le Givré, dit Jimmy.

— Allons, allons, un peu de respect.

— C'est le nom qu'il devrait arborer sur la poitrine. Les troufions le surnomment "Lieut Givré".

— Il est sans doute dans l'hôtel.

— Lieut Givré va livrer sa giclée.

— Bon, Skip, nous avons affaire à l'infanterie américaine. Je suggère que nous prenions nos alliés là où nous les trouvons.

— Il parle du lieutenant, précisa Storm, pas de moi.

— Je n'ai rien contre l'armée. Moi-même je suis un ancien de l'armée de l'air. Mais l'infanterie n'est plus ce qu'elle était.

— Au moins, il a pas fait cramer son ordre de mobilisation avant de se foutre au vert, dit Storm.

— C'est vrai, il est avec nous. Lieut Givré, c'est comme ça qu'on l'appelle ?

— Il est une opération psychologique à lui tout seul.

— Maintenant, jeune William, dit le colonel en fouillant dans le tiroir de son bureau, j'ai ton document. » Il lança à son neveu un passeport brun.

Skip l'ouvrit et vit son propre visage qui le regardait au-dessus du nom William French Benét. « Canadien !

— Ton loyer est payé par le Conseil œcuménique canadien.

— Jamais entendu parler d'eux.

— Normal, ça n'existe pas. Tu es ici grâce à une bourse de ce conseil. Pour traduire la Bible ou un truc comme ça.

— Benét ! »

Le colonel dit : « En route, Benét, allons boire un café. »

Dans la vaste entrée où régnait une activité survoltée ils s'assirent dans des fauteuils en rotin sous l'un des innombrables ventilateurs ronronnants. Autour d'eux, mendiants et gamins des rues rampaient aux pieds des exilés et des anciens combattants – enfin, une capitale d'un pays en guerre, une entrée d'hôtel chic bourrée de sagas, toute fourmillante d'espions et d'arnaques, d'individus à la dérive qui avaient coupé les ponts avec leur ancien moi. Tractations en une demi-douzaine de langues, rendez-vous louches, faux sourires, regards pesant le pour et le contre. Cinglés, vagabonds, héros. Mensonges, cicatrices, masques, projets cupides. C'était ce qu'il désirait – et pas quelque villa à la campagne.

Tristement, il demanda au colonel : « Est-ce que je vous verrai dans la cambrousse ?

— Bien sûr. Nous veillerons à ton installation. As-tu besoin de quoi que ce soit de particulier ?

— Juste les trucs habituels. Des crayons, du papier, ce genre de choses. L'ordinaire.

— Coupe-papier. Colle au caoutchouc.

— Très bien. Formidable.

— Je vais aussi te trouver une machine à écrire. Je veux que tu aies une machine à écrire. Et beaucoup de rubans.

— J'écrirai vos mémoires pour vous. »

Le colonel dit : « La chaleur te rend irritable.

— Ai-je le droit d'être déçu pendant une demi-heure ?

— Allez, ce serait pire si tu restais à Saigon et que tu bossais pour notre équipe. On a cinquante centres d'interrogatoires dans le Sud. Ça fait toute une flopée d'énormes montagnes de rapports à éplucher. Tout reste dans le pays. Ils te flanqueraient dans un placard pour trouver des références croisées jusqu'à ce que tu chies des bristols de douze centimètres sur dix-neuf. Tu seras bien mieux loin de la capitale à faire connaissance avec les autochtones – avec le pays où nous sommes en guerre. Tu vas être comme un coq en pâte, ne t'inquiète pas. Et tu finiras par faire un boulot important pour nous.

— Je vous crois, *sir*.

— Des questions ?

— À propos des fichiers.

— Vas-y.

— Quelle est la signification de l'expression "Arbre de fumée" ?

— *Tree of Smoke* ? Tu es donc déjà arrivé à la lettre T dans le fichier ?

— Non. J'ai simplement entendu cette expression aujourd'hui.

— Bon Dieu, fit Storm. C'est moi qui en ai parlé, mais je croyais que nous partagions tous nos germes et nos maladies, voyez?

— Il est de la famille, lui rappela le colonel.

— Alors, ça veut dire quoi? insista Jimmy. Arbre de fumée.

— Oh, Seigneur, je ne sais pas par où commencer. C'est d'une poésie gênante. C'est grandiose. »

Skip dit : « Ça ne vous ressemble pas.

— D'être poétique et grandiose?

— D'être gêné.

— Voici une question, fit Jimmy. Qui a dit : "Reste près de tes amis. Reste plus près encore de tes ennemis"?

— Est-ce un interrogatoire? demanda le colonel. Alors buvons des cocktails. »

Les cocktails furent servis dans une succession d'établissements de plus en plus bruyants et humides surtout situés rue Thi Sach, des obscurités de bar où durant les quelques chansons proposées par le juke-box des époques entières défilaient sous les yeux comme autant de foulards. Dans chacun de ces lieux Skip buvait une bière et tentait de rester sur le qui-vive, de tout retenir, même s'il n'y avait rien à retenir en dehors de la musique pop et de menues entraîneuses qui dansaient sans joie. Il se sentait hébété, il ne savait pas pourquoi il ne rentrait pas chez lui. À un certain moment, il n'avait pas remarqué quand, le lieutenant les avait rejoints, celui qu'ils surnommaient le Givré. Il avait certainement la tête de l'emploi – le visage crispé, les yeux volontairement écarquillés, comme s'il transmettait au monde entier ce message : Regardez-moi, vous avez fait de moi un enfant terrifié – et il ne donnait aucune envie de lui adresser la parole. Au même moment, le colonel disait : « Je vais vous dire ce qui m'a paru révélateur chez Voss. La première fois que j'ai rencontré Voss c'était à Manille et nous sommes allés boire des San Miguel. Il en a commandé une et il n'y a jamais touché. Elle est restée à ses pieds comme un trophée. »

Skip dit : « Il a bu la moitié d'une bière en ma présence », puis il s'assura de ne pas commettre d'impair en buvant une gorgée de la sienne.

Le Lieut Givré semblait hypnotisé par les genoux d'une *go-go girl* qui sautait en l'air, à moins de deux mètres de lui, aux rythmes caribéens de Desmond Dekker tandis que le sergent Storm lui hurlait à l'oreille : « On s'en contrefout de gagner ou de perdre ce truc. On vit à l'ère post-trash, mec. Ce sera une ère très brève. Tout en bas, au niveau inférieur des circuits ectoplasmiques où les leaders de l'humanité sont tous reliés inconsciemment les uns aux autres et avec les masses, mec, il existe cette décision mondiale et unanime de saloper la planète avant d'en trouver une autre. Si nous laissons cette porte se fermer, une autre s'ouvrira. » Le lieutenant restait de marbre.

Le colonel aussi paraissait sourd aux délires de Jimmy. Il but une longue gorgée de son millionième whisky et annonça : « La terre est leur mythe. Si nous pénétrons la terre, nous pénétrons leur âme nationale. Ça c'est de la vraie infiltration. Ce sont peut-être des tunnels, mais nous sommes sans conteste au royaume des *Psy Ops*. »

Skip n'arrivait pas à décider s'ils parlaient sérieusement, ou s'ils se moquaient tout bonnement du lieutenant.

« Hé, fit Jimmy, je vais m'intéresser aux sons. Il y a des gens qui sont allergiques aux sons. Tout un substrat génétique ne pourrait-il pas être allergique à un type spécifique de vibrations ?

— Excusez-moi, dit Skip, "substrat" ? »

Le colonel intervint : « Moi-même je suis allergique au bruit d'armes de certains calibres. Aux pales d'hélicoptère à un certain régime. »

Soudain le lieutenant prit la parole : « Savez-vous ce qui surtout me rend amer ? Le ci-devant niveau de connerie jusque-là inatteignable que nous sommes tous forcés désormais de cautionner, et je veux dire sans arrêt, putain.

— Excusez-moi, dit Skip, "ci-devant" ?

— Quelque chose te fait péter les plombs, dit Jimmy au lieutenant. C'est peut-être ta perception de la manière dont les huiles te considèrent – mais en ce moment même ils ne te considèrent pas du tout, c'est donc la perception d'une non-perception, mec, c'est-à-dire une perception de rien, c'est-à-dire rien du tout, mec. »

Le colonel se plaignit de problèmes avec son épouse. « Nos bagarres, elle les qualifie de "querelles domestiques". C'est obscène – vraiment obscène, non ? – de réfléchir à une chose qui t'atteint au tréfonds, qui te déchire le cœur, et d'appeler ça une "querelle domestique". Qu'en penses-tu, Will ? »

Jamais il n'avait vu le colonel aussi ivre.

À un certain moment dans le cours zigzagant des événements, une femme lui serra le bras très haut au-dessus du coude et dit : « Fort ! Fort ! Allons baiser, okay ? »

Que faire? Combien prenait-elle? Mais il imagina la minceur triste de cette fille, son authentique terreur, ou sa terreur amère, selon le masque qu'elle choisirait de prendre pour la dissimuler... Une autre dansait lentement à côté du juke-box, les mains pendantes, le menton posé sur la poitrine, sans même essayer de vendre ses charmes.

« Non merci », dit-il.

La face du colonel se dressa sous ses yeux comme une lune malade. « Skip.

— Oui.

— T'ai-je promis un coup à boire?

— Oui.

— As-tu à boire?

— Oui.

— Alors santé, mon gars.

— Santé. »

L'éclair d'un flash illumina un coin du bar. Le colonel sembla reconnaître le photographe et alla le rejoindre. Ils étaient dans une salle assez élégante, climatisée. Le lieutenant prenait des notes au stylo-bille sur un dessous-de-verre humide pendant que Jimmy lui parlait à l'oreille avec enthousiasme. Le colonel revint, un appareil photo entre les mains. « Il nous donnera des tirages quand il récupérera son film développé. Redresse-toi, Skip. Allons, tiens-toi droit. Ma jeune dame, écartez-vous de mon cadre, s'il vous plaît. C'est pour la famille. » Le flash, la lune à la dérive dans le ciel. « Je vais envoyer ça à la famille. Ta tante Grace réclamait une photo. Tout le monde est très fier de toi. Nous aimions tous beaucoup ton père », dit-il.

Skip répondit par une question : « À quoi ressemblait mon père? » et soudain ils eurent l'une des conversations les plus importantes de toute sa vie.

« Ton père avait le sens de l'honneur, et du courage, et s'il avait vécu assez longtemps il aurait ajouté la sagesse à ces qualités. S'il avait vécu, je crois qu'il serait retourné dans le Midwest, car c'est l'endroit que ta mère aime. Je crois que, s'il avait vécu, il serait devenu homme d'affaires, et un bon, un phare pour sa communauté. Je crois vraiment qu'il serait resté à l'écart du gouvernement. »

Oui, oui, aurait aimé dire Skip, mais est-ce qu'il m'aimait, est-ce qu'il m'aimait?

Alors que le juke-box jouait un truc avec trompettes de Herb Alpert, le colonel feignit de ne rien entendre et entonna une chanson d'une voix de baryton abîmée par le whisky et les cigares :

Elle l'enterra dans sa prime jeunesse,
Au fond tout au fond, hé au fond tout au fond
Et ce soir-là elle était comme morte,
D'affliction.

Dieu dépêcha tous les messieurs,
Beaux faucons, jolis chiens et un homme si valeureux
Au fond tout au fond, tout au fond du fond.

Skip émergea de ce qui était peut-être le onzième bar de la soirée et acheva son premier jour au Vietnam en s'éloignant à pied de Thi Sach et sans vraiment savoir où il habitait, parmi la foule grouillante et dans l'odeur nauséabonde des diesels, il dépassa l'haleine des bars et leurs grottes pulsatiles – quelles chansons ? Il l'ignorait. Là, un récent succès national – *When a Man Loves a Woman* –, puis la musique se tordit sur elle-même quand il laissa derrière lui le seuil anonyme et ç'aurait pu être n'importe quoi. Il marchanda avec un conducteur de cyclo qui lui fit traverser le fleuve et le déposa rue Chi Lang. Là, parmi les ruelles plus paisibles, il huma les émanations des fleurs et de la pourriture, le charbon de bois rougeoyant, les aliments frits, et il entendit le rugissement lointain des jets et le bourdonnement d'hélicoptères lourdement armés, et jusqu'aux bombes de cinq cents kilos qui explosaient à trente kilomètres de la ville, moins un son qu'une perception intestinale – c'était présent, il le sentait, ces ondes lui martelaient l'âme. Comment était-ce sous ces bombes – ou au-dessus d'elles, quand on les larguait ? À l'ouest, des balles traçantes striaient le ciel. Voilà ce qu'il avait désiré. Il était venu pour ça. Pour être jeté dans la forge, un ordre radicalement nouveau – un « ministère différent » en quelque sorte – où les théories se voyaient réduites en cendres, où les problèmes de morale devenaient des évidences concrètes.

À Tan Son Nhut l'après-midi de la veille il avait assisté à une incroyable activité aérienne, toute une noria de chasseurs et de bombardiers atterrissant et décollant, et puis des avions-cargos gros comme des montagnes vomissant des armements lourds gros comme des maisons. Comment pouvaient-ils ne pas gagner cette guerre ?

Il trouva la porte de la villa. Elle n'était pas fermée.

À l'intérieur, derrière le bar, se tenait Rick Voss, qui dit : « Bienvenue à notre petit spectacle déjanté.

— Et bonsoir.

— Tu nous as trouvés.

— Toi aussi, tu loges ici ?

— Toujours, chaque fois que je réside dans la *Twilight Zone*. Martini ? J'ai ce qu'il faut.

— Je viens de passer la moitié de la nuit à ne pas me saouler.

— Bienvenue dans la seconde moitié.

— Je suis prêt à aller me coucher.

— La tournée des grands-ducs avec le colonel ?

— Juste un petit échantillon.

— Il t'a harponné ? Il t'a mis au turbin ?

— Pas encore.

— J'ai quelque chose pour toi. Juste un petit boulot.

— Merci mon Dieu, fit Skip.

— Histoire de te garder près de moi », dit Voss avant de lui préparer un martini étonnamment froid.

Assaillis par l'humidité brûlante, leur main libre levée en visière pour se protéger les yeux des vibrations aveuglantes, ils traînèrent leur gros sac au bas de la passerelle et jusqu'au tarmac, le caporal James Houston et deux autres bleus d'Echo Recon, puis ils rejoignirent une zone d'accueil dans un grand hangar ouvert où ils s'assirent sur leur sac et burent un Coca jusqu'à l'arrivée de deux officiers qui semblaient savoir qui ils étaient.

Aucun des deux officiers ne salua les trois soldats. Ils poursuivirent leur conversation tout en guidant les nouveaux arrivants vers un camion bâché M35 assez gros pour transporter une section, l'un disant à l'autre : « Le gars que j'ai très précisément demandé, c'était Carson, mais qui m'a-t-on refilé à la place ? Toi. Et maintenant, je te le dis carrément, oui, va te faire foutre, et reste à l'écart du Long Time, c'est mon bar.

— Tu veux dire que t'es la seule personne en enfer à avoir accès au Long Time. T'es leur seul client sur toute la planète.

— Sans rancune.

— Si, putain, une sacrée rancune de merde.

— Bon, alors, avec de la rancune. Mais reste à l'écart de mon bar, putain. C'est vos ordres de mission ? » poursuivit-il en s'adressant maintenant aux trois bleus.

James avait rassemblé les documents pour les trois et il les tenait dans une paume moite et serrée.

« Vous comprenez que votre paie va être suspendue, hein ?

— Pourquoi ? Nos papiers sont pas en règle ?

— Pour rien. C'est un vrai foutoir. »

L'autre officier dit : « Toute cette paperasse fait le tour du monde, on te la fourre au fond de la gorge, on te l'enfonce dans le cul. »

Les deux types du comité d'accueil montèrent devant dans la cabine et les nouveaux derrière, dans une caverne recouverte de toile, le plus loin possible de l'extrémité ouverte. Ils avancèrent en cahotant alors que derrière eux la vue du terrain d'aviation, le fouillis des caisses, les baraques préfabriquées, les véhicules, les avions, puis la ville, les bâtiments aux couleurs vives, les rues pleines de gens qui ignoraient combien ils semblaient étranges, firent place à une végétation foisonnante. James s'était entraîné pour les environnements de type jungle en Caroline du Sud et en Louisiane, mais seulement durant l'automne et l'hiver. Ses pieds fumaient dans ses bottes. Il retira son casque. La journée était nuageuse, mais la lumière éblouissante empêchait les trois hommes de regarder par l'arrière ouvert du camion. Il se mit à dodeliner de la tête, en proie à une stupeur brune, et il dormit jusqu'à ce que le camion bondisse et que des explosions rugissent autour de sa tête. Fisher et Evans s'étaient déjà aplatis par terre au milieu de leurs sacs. James tomba sur eux. Le camion s'était arrêté. Les portières claquèrent. Les deux officiers longèrent le véhicule jusqu'à l'arrière, montèrent sur le pare-chocs et observèrent les corps entremêlés. « Je t'avais bien dit que c'étaient des pédés », fit l'un. L'autre coinça sa cigarette entre le pouce et l'index, puis approcha l'extrémité incandescente de ce qui se révéla être la mèche d'une guirlande de pétards, qu'il lança alors à côté des hommes endormis. Une nouvelle explosion assourdissante. Les deux ravisseurs disparurent. Le camion se remit en marche. Les trois soldats furent horrifiés par la crapulerie de cette blague. De peur, James faillit fondre en larmes, et Evans dit : « Si nous avions des armes, on pourrait tirer une balle dans la nuque de ce type et l'abandonner là, est-ce qu'il ne le sait pas ? »

Fisher cria : « Seigneur Dieu ! » et flanqua un grand coup de pied dans la paroi de la cabine. Le camion s'arrêta encore.

« Regarde un peu ce que tu viens de faire ! s'écria Houston. Maintenant, ces salauds vont nous tuer ! »

Un seul officier, Flatt, s'encadra dans l'ouverture de la bâche. « GI ! hurla-t-il. GI de merde ! Attention ! » L'une après l'autre, il lança à l'intérieur trois boîtes de bière Budweiser. « C'était un gag stupide, reconnut-il.

— Merde alors, et comment ! éructa Fisher.

— Bon, bref, c'est des vraies Bud américaines avec anneau à tirer. Régalez-vous et sans rancune. »

Fisher poursuivit, en tant que porte-parole : « *Si*, avec rancune ! Seigneur Dieu ! Qui êtes-vous ? Un putain d'espion viêt-cong ? » Il ouvrit sa boîte de bière, la mousse jaillit partout et il s'exclama : « Merde !

— Nous allons faire un petit détour récréationnel, annonça l'officier. Z'avez déjà goûté à de la chatte fastoche ? »

Les trois soldats se réinstallèrent sur les bancs. Personne ne répondit.

« Je répète : z'avez déjà goûté à de la chatte fastoche ? »

Ils continuèrent à méditer la question.

« Je crois que maintenant vous allez m'écouter », dit Flatt avant de sauter du pare-chocs.

Puis ils reprirent leur voyage.

« Seigneur Dieu ! s'écria Fisher.

— Arrête de dire "Seigneur Dieu", fit Evans.

— Qu'est-ce tu veux que je dise ?

— J'en sais rien. Je suis pas à ta place. »

James coinça la boîte de bière entre ses pieds pour l'ouvrir. Il enfonça la languette dans la boîte, puis approcha la Bud de son visage et but à longs traits la bière chaude jusqu'à ce que la languette touche sa langue, et continua néanmoins à aspirer dans l'ouverture.

Un orage arriva, la pluie tomba comme une cataracte pendant cinq minutes, puis les nuages s'éloignèrent. L'air devint brumeux, difficile à respirer. James fit glisser ses fesses le long du banc jusqu'à l'arrière du camion et osa jeter un coup d'œil à la guerre du Vietnam – la pluie dégouttant de feuilles gigantesques, des véhicules difformes, des gens de petite taille –, le camion rétrogradait, le moteur hurlait, les gros pneus barattaient la boue, les piétons sans chaussures s'écartaient de la route, des visages marron à peine entrevus, ornière après ornière après ornière, la bière bondissait dans son estomac. Il s'essuya le visage avec un pan de chemise, se protégea le front avec la main, regarda le soleil couchant descendre sous la barre des nuages, assombrir et intensifier les couleurs du monde. Ils venaient de rejoindre une grand-route. Le long de cette artère toute la végétation semblait morte. Le béton de la chaussée avait acquis une teinte rougeâtre à cause de toute la boue dont il était imprégné. Toutes sortes de véhicules empruntaient cette route, des bicyclettes, des scooters et des engins plus massifs apparemment créés à partir de ces mêmes deux-roues, des chars à bœufs, des charrettes, et puis des piétons à demi nus, surmontés d'un chapeau conique, pliés en deux sous de gros fardeaux. Le camion progressait vers l'est sur la route avec force coups de klaxon, zigzags, changements de vitesse, freinages et accélérations. Pendant un moment ils roulèrent si lentement que derrière eux une charrette réussit à avancer à la même vitesse dérisoire, et James regarda longtemps la face stupide, profondément sympathique, d'un buffle d'eau.

La nuit tomba d'un coup. Pendant plusieurs minutes la circulation fut très réduite, puis ils ralentirent, ils étaient près d'une espèce de ville, ou déjà à l'intérieur. Le camion s'arrêta devant une structure presque entièrement en bambou, avec sur le devant une pancarte faiblement éclairée par une ampoule rouge, où on lisait COCA-COLA et LONG BRANCH SALOON. Flottant dans son nuage rougeâtre, l'endroit semblait brûlant, humide, mystérieux, isolé. La musique pulsait à l'intérieur. Houston se pencha pour regarder devant et aperçut une grande activité, des bâtiments plongés dans l'ombre et les minuscules lumières mouvantes des vélos. Néanmoins, entre ici et là-bas s'étendait une longue bande d'obscurité.

Leurs hôtes, ou leurs ravisseurs, approchèrent. « Descendez de mon camion, ordonna Flatt.

— Vraiment ? fit Houston.

— Lâche-les un peu, Flatt. Allez viens.

— D'accord, concéda Flatt. Désolé de vous avoir fait chier. Tous les trois, vous êtes la meilleure chose qui me soit arrivée de la semaine. Vu le retard de votre avion, nous devons réellement, dans l'intérêt, vous savez, de la sagesse primordiale, passer la nuit ici à Bien Hoa. Alors vous trois et Jolly, amusez-vous bien et pendant ce temps-là moi faut que j'aille au Long Time rencontrer deux maîtres espions ennemis.

— On y va avec vous, d'ac ? hasarda Evans.

— Non. Vous pouvez pas y aller.

— On peut pas ?

— Non, c'est strictement interdit. »

James dit : « Ah bon, alors pourquoi vous y allez, vous ?

— Je suis en mission officielle, dit Flatt. Vous autres, vous avez qu'à trouver un autre endroit là dans la rue. Allez donc au Floor Show.

— Dans la rue ? dit Fisher. C'est pas une rue. Il fait noir comme dans un tunnel.

— Le caporal Jollet vous accompagnera en ville.

— Très bien – merde. Okay. Merde. Je m'en occupe, dit Jollet. Tout le monde en voiture, on démarre.

— Oh, certainement pas. Le camion reste ici.

— Y a pas loin d'une borne pour aller quelque part !

— Les gars, dit Flatt, vous continuez à pied. Avancez en file indienne et serrez les fesses en espérant de pas tomber dans une embuscade pour votre première nuit à terre. Vous avez du fric ?

— Merde, lâcha Jollet. Ils ont pas un rond.

— Tu dis sans arrêt "merde" comme si c'était mon nom, protesta Flatt. Arrête de dire "merde" comme si je m'appelais comme ça. Vous avez combien, les gars ? Parce que dans ce monde moderne à la con où qu'on vit, expliqua-t-il, il est pas question de baiser sans allonger la thune. Vous avez assez pour une bière ?

— C'est combien, une bière ?

— J'ai deux dollars, reconnut James.

— Des billets verts ou du fric étranger ?

— Dollars américains.

— Caporal Jollet, emmenez les bleus au Floor Show. »

Flatt et Jollet se bousculèrent et se cognèrent l'un contre l'autre en émettant l'aura de la dépendance mutuelle et du ressentiment, comme des frères, pour ranger leurs M16 dans le compartiment à outils du camion. Jollet demanda ensuite aux soldats : « Où sont vos armes ?

— Jésus Marie ! s'écria Fisher. Je vous L'AVAIS DIT !

— On n'a pas d'armes, fit James.

— C'est bizarre, dit Flatt.

— Est-ce qu'on va en avoir ?

— Oui, je crois que nous pouvons vous fournir toutes les armes que vous voulez, leur assura Jollet. C'est la guerre. »

Flatt entra dans le Long Branch Saloon, les abandonnant avec Jollet, qui dit : « Je ne vais pas le dire, mais je meurs d'envie de le dire : "merde". »

Il se retourna puis se dirigea vers la ville. Ils pouvaient seulement le suivre.

« On est où ?

— Bien Hoa. On dépasse pas la limite. C'est rien que de l'*air force* là-dedans. »

Il faisait nuit noire. C'était le Vietnam. « Putain », fit James en essayant de parler aussi doucement que l'obscurité.

« Tu veux dire quoi ?

— Je veux dire qu'il fait plus noir qu'en enfer.

— Ils auraient dû nous montrer une photo de la nuit vietnamienne avant qu'on s'engage chez les recruteurs, dit Evans.

— Je me suis pas engagé, dit Fisher. Ils sont venus me chercher. Et j'ai eu droit à une formation sur les hélicos.

— Alors tu fous quoi ici ? demanda Evans.

— Et toi, tu fous quoi ici ?

— Je me suis porté volontaire, dit Evans. Deux raisons : la curiosité plus la connerie. Et toi, le Cow-boy ? »

Après avoir mentionné que sa maman travaillait dans un ranch, James Houston était devenu un cow-boy. « La connerie, point final. »

Fisher dit : « Vous croyez qu'y a des mines dans le secteur ? Des mines sur cette route ? Des pièges ou une saloperie de ce genre ?

— La ferme, vous tous », fit Jollet et aussitôt ils la bouclèrent.

James humait l'odeur du feu de bois, de la cuisine grasse. Ils marchèrent vers les petites lumières vagues, guère éloignées désormais, leurs bottes crissant et leur cantine cliquetant. Jamais, il en était sûr, il n'éprouverait une sensation aussi intense : il était terrifié, fier, perdu, caché, vivant.

Fisher brisa le silence : « Pouvez-vous nous dire, s'il vous plaît, où nous allons ? »

Jollet fit halte pour allumer une cigarette et la lueur de son briquet éclaira brièvement les environs. « Dans cette boîte appelée le Floor Show. Ce spectacle était autrefois très étrange, à cause de l'absence de toute musique. » Il agita son briquet et la flamme s'éteignit. « Vous voyez ? Pas de snipers.

— C'est quoi un *floor show* ?

— Ils ont sacrément relevé leur standing. Il paraît qu'il y a un juke-box.

— Il joue quoi?

— Des chansons, mec. Des morceaux, tu piges?

— Où qu'ils ont dégoté un putain de juke-box?

— À ton avis? Un club de sous-offs quelque part. Quelqu'un l'a fait sortir par la porte de derrière.

— Et vous savez pas ce qu'il joue?

— Comment veux-tu que je le sache, soldat? Putain, j'en ai pas la moindre idée.

— Mais, quand même... rien qu'une suggestion. »

Jollet s'arrêta, leva le visage vers le ciel. « DOUX SEIGNEUR. J'AI PAS ENCORE *VU* CE PUTAIN D'ENGIN!

— Bon, d'accord.

— JE SUIS EN TRAIN D'Y *ALLER* EN CE MOMENT MÊME!

— Okay. Okay.

— JE SUIS EN ROUTE VERS CETTE BOÎTE AVEC *VOUS*! »

Sur la façade une pancarte brisée annonçait FLOOR SHOW. On aurait dit une grange, sauf qu'à l'intérieur au lieu de chèvres et de poulets il y avait des gens, surtout des femmes de petite taille. Derrière le bar en contreplaqué une enseigne au néon vert disait LITTLE KING'S ALE. Il y avait des lampes à bulles d'huile. « Asseyez-vous ici », leur ordonna Jollet. Ils s'installèrent à une table. « Toi, mon gars. Ton nom?

— Houston. »

Jollet dit : « Paie-moi une bière, Houston.

— Je t'en paie juste une. Après c'est fini.

— Holà, morveux. Tu me cours sur le radada.

— Ça veut dire quoi?

— Ça veut dire que j'ai besoin de deux dollars. »

L'une des femmes approcha. « Vous vouloir *floor show*? » Elle parut deviner que c'était à Jollet qu'il fallait s'adresser, peut-être parce qu'il était toujours debout. Une courte robe bleue moulante. La femme lui sourit. Il lui manquait une incisive.

« Pas de *floor show*. Bière maintenant, *floor show* plus tard.

— Je serai votre serveuse, dit-elle.

— File-moi deux dollars, ordonna-t-il. Quatre bières. »

James dit : « Je veux une Lucky Lager.

— Pas Lucky. Puss Boo Ribbon.

— Pabst? Rien que de la Pabst?

— Puss Boo Ribbon ou 33. »

Jollet dit : « Sers-nous des 33.

— Je veux une Pabst, fit James.

— Tu veux la moins chère, rectifia Jollet. Apporte-nous les bouteilles. Pas de verres crasseux. »

Elle prit l'argent de Houston et s'éloigna.

L'air terrifié, Fisher dit : « Alors, c'est parfait comme ça!

— Les gars, dit Jollet, faut que je m'arrache.

— Quoi?

— J'ai des courses à faire. Vous, les enfants, restez sages.

— Quoi? Combien de temps on reste ici?

— Jusqu'à mon retour.

— Et il est prévu pour quand, ce retour?

— Caporal Jollet, dit Fisher, s'il vous plaît. Nous venons d'arriver des États-Unis. Nous ne savons pas où nous sommes.

— Moi je sais où vous êtes. Alors restez ici jusqu'à mon retour. »

La femme revint en tenant quatre bouteilles par le goulot, deux dans chaque main. Jollet fit un crochet pour l'intercepter, s'empara d'une bouteille, dit : « Merci beaucoup », puis disparut.

Et ils restèrent assis là pendant que la femme essuyait la buée sur leurs bouteilles avec un chiffon. Elle était toute petite et elle portait beaucoup de maquillage trop blanc pour son teint foncé.

« Cette bière a le même goût que le médicament contre l'acné, déclara Fisher.

— C'est quoi déjà le nom de cette ville? » demanda Evans.

James porta à ses lèvres le goulot de la bouteille, but et essaya de réfléchir. Il descendit la moitié de sa bière, mais il ne lui venait aucune pensée. Cette bière avait le même goût que n'importe quelle autre bière. « De toute façon, dit-il, on n'a pas besoin de ces Yankees.

— *Moi*, j'en ai besoin. Je suis *paumé*, dit Fisher. Et puis je suis un Yankee moi aussi », fit-il remarquer.

La femme dit : « Vous vouloir *floor show*?

— La bière maintenant, dit Evans. *Floor show* plus tard. D'accord? »

Elle se pencha et dit directement à James : « Tu veux bip?

— Elle a dit quoi?

— Excusez-moi, fit James, vous vouliez dire, vous savez, *une pipe*, c'est ça?

— Quelles conneries.

— C'est ce qu'elle a dit.

— Oh, doux Jésus, dit Fisher.

— C'est combien ?

— Une fois maintenant, deux dollars.

— Vous vous rendez compte ?

— Quelqu'un peut me prêter deux dollars ? demanda James.

— C'est toi qui as le pognon.

— J'en ai plus, fit James.

— C'est quoi ton nom ? s'enquit Evans.

— Mon nom Laoua, dit-elle.

— C'est Laura, exact ?

— Je te faire bonne bip.

— Bière maintenant, bip ensuite », trancha Evans. Il était pâle et avait un air ahuri.

James finit vite sa bière 33, le seul élément de son environnement qu'il semblait apte à maîtriser. Dans un coin, plusieurs tables réunies accueillaient une bande de jeunes en uniforme blanc, des marins d'un pays étranger, qui tous portaient ou tenaient un béret d'une couleur indéterminée dans la pénombre, la plupart d'entre eux assortis d'une putain assise sur leurs cuisses. Tout près, le fameux juke-box palpitait d'une rougeur de forge. Au centre de la salle trois couples dansaient lentement, bougeant à peine, aux rythmes de *You've Lost That Lovin' Feelin'*. Un grand GI échangeait avec sa partenaire un terrifiant baiser sans fin ; incliné sur elle, il l'enveloppait de ses bras et lui dévorait le visage. Les couples continuèrent de danser avec la même lenteur quand la musique s'arrêta, quand la machine bourdonna et réfléchit. Alors résonnèrent les premières mesures de *Barbara Ann* des Beach Boys et les marins étrangers entonnèrent cette chanson de leurs voix pâteuses. James eut envie de se joindre à eux, mais il était trop timide. Quel que soit le tempo, les danseurs s'étreignaient comme des zombies en transe. « Je crois que ces types qui ressemblent à des marins sont français, dit Evans. Ouais, c'est des Français. »

Les trois soldats de l'infanterie américaine regardèrent les danseurs tandis que le juke-box jouait *Makin' Whoopee* avec une voix de femme, puis une autre interpréta *The Girl from Ipanema*.

Quand Laura revint et redemanda s'ils voulaient un *floor show*, Fisher dit : « *Voulez-vous coucher avec moi* * ? » Elle répondit : « *Mais* *oui, monsieur, bou-cou* * *fuck you* » et les trois hommes éclatèrent d'un rire gêné, puis elle les planta là d'un air méprisant.

« Paie-moi une bière, Houston.

— Je t'en ai déjà payé une. À toi maintenant. »

Evans dit à James : « Espèce de suce-gode.

— Quoi ? C'est quoi, un suce-gode ?

— Ça me paraît évident. »

James pensa que non. « C'est quoi, un gode ? demanda-t-il à Fisher.

— T'as de l'argent ?

— Où sont mes deux dollars ?

— Demande-leur.

— Je récupère pas de monnaie ?

— Demande-leur.

— Je demande rien à personne.

— La ferme, dit Evans. Laisse-moi compter. Tu sais quoi ? Dans cette pièce y a plus de gonzesses que de mecs. Y a quinze gonzesses.

— T'en baiserais une ?

— Qu'est-ce que tu veux dire ? Bien sûr que oui. Je les baiserais toutes.

— Elles sont plutôt moches, dit Fisher.

— Plutôt, oui, fit James, mais pas vraiment. » Il en observa une de l'autre côté de la salle – un nez retroussé, des lèvres sensuelles. Le regard neutre, distant, de la fille le provoquait.

« Je paie, ensuite c'est à toi, dit Evans à Fisher.

— Ça marche.

— Okay.

— Alors va les chercher.

— Vas-y toi-même.

— Si tu paies, tu vas les chercher.

— D'accord, enfoiré, dit Evans. Tout le monde a plus de vingt et un ans ? Je peux vérifier vos papiers ?

— Tu vas les chercher ces bières, oui ou merde ? dit James.

— Oui. » Evans traversa la pénombre enfumée comme s'il sortait de sa tranchée pour monter à l'assaut, comme si c'était enfin la guerre.

À son retour il paraissait très content de lui. « Encore une bière et je suis prêt à danser. Mais franchement. Houston. Hé. T'as quel âge ?

— J'en sais rien.

— T'en sais rien ? T'en sais rien ? J'ai dix-neuf ans. Voilà, je te l'ai dit, alors maintenant tu me dis.

— Dix-huit.

— Dix-huit ?

— Moi aussi », dit Fisher.

Le juke-box se mit à jouer *Walk on By* de Dionne Warwick.

Une grosse putain qui semblait danser toute seule dans le voisinage se retourna lentement et, ce faisant, révéla la présence d'un petit homme presque accroché au corps plantureux, la tête posée contre un sein. Les talons de cinq centimètres de ses bottes de cow-boy faisaient saillir ses fesses comme celles d'une femme. Fisher se mit à rire en regardant le couple et fut bientôt incapable de s'arrêter.

L'homme se sépara de sa partenaire et vint à leur table. Il souriait, mais quand Fisher se leva, le nabot dit : « Tu veux te faire casser la gueule ?

— Non.

— Alors, putain, te dresse pas de toute ta taille pile devant moi, enfoiré. Tu mesures combien ?

— Pas mal grand.

— Bien assez grand pour que je te mette KO », dit l'homme, surtout à l'intention des autres. Il portait un jean et une chemise en madras. Il était tout petit, large, avec une grosse tête. « Combien de centimètres ?

— J'en sais rien.

— Combien de pieds et de pouces, Yankee ?

— Six pieds cinq pouces.

— Putain de bordel à queue. Ça fait une tapée de centimètres.

— Tu pourrais pas me mettre KO, dit Fisher.

— C'est un chic type, intervint James.

— Je dis simplement ce que je pense, dit Fisher, sur cette idée de me mettre KO.

— M'est avis que t'as les muscles pleins de bière à l'heure qu'il est, mon gars.

— J'affirme juste une évidence.

— Ah ouais, il a des gros muscles pleins de bibine sur tout le corps !

— Mais qui êtes-vous ?

— Je suis Walsh, de la marine marchande australienne. Je pèse cinquante-cinq kilos, je mesure cent vingt-six centimètres, et je suis prêt à me battre contre vous quatre en même temps, ou bien l'un après l'autre. Commençons par le plus costaud. C'est qui, le plus costaud ? Qui c'est le plus costaud ? Allez. C'est toi ?

— Je ne crois pas, répondit James.

— T'as pas envie de m'affronter, que tu sois le plus musclé ou pas », dit l'Australien. Puis, à Fisher : « Et toi, le gros ? Tu crois que tu peux me lancer direct sur le toit, le gros ?

— T'es rien qu'une petite merde prétentieuse, mais je te lancerai sur le toit », dit Fisher en riant.

Walsh le nabot fut outré. « Tu comptes me lancer sur le toit ? Sors d'ici. Sors et lance-moi sur le toit, allez viens dehors. » Il pivota sur les talons et se dirigea vers la porte.

Fisher le suivit, passablement déconcerté. « Et merde, lâcha-t-il, je vais me faire dérouiller par un lutteur nain. »

Houston et Evans sortirent aussi. Dehors, dans la rue boueuse où il n'y avait aucune lumière sinon celle qui venait de l'entrée de la boîte de nuit, Walsh se prépara au combat en roulant des épaules, pliant les mains, bombant le torse, se courbant en avant, touchant la terre battue avec les doigts. « Rapplique. » Fisher se pencha, les bras tendus devant lui comme pour soulever un enfant. Son adversaire feinta à gauche et à droite, inclina la tête, abaissa l'épaule gauche pour simuler un coup de poing, puis sa main droite jaillit, apparemment pour jeter une poignée de terre vers les yeux de Fisher. Lequel se redressa en clignant des yeux et en fronçant les sourcils, bouche bée. L'Australien lui décocha alors un grand coup de pied à l'entrejambe, puis il courut derrière lui et son talon s'envola deux fois, très vite, d'abord vers l'arrière du genou de Fisher, puis en direction de sa colonne vertébrale, et il fit tomber à plat ventre le gros gars qui se tenait l'entrejambe à deux mains.

L'Australien se pencha au-dessus de lui et cria : « Réveille-toi, bougre de flemmard ! »

À ce moment-là les marins français et leurs putains sortirent pour voir, mais trop tard.

Walsh aida Fisher à se relever. James et Evans lui filèrent un coup de main. « Allez, debout, debout. Assez de simagrées, le moment est venu de descendre une bonne bière ensemble, les gars. »

À l'intérieur, il rejoignit les jeunes à leur table et attira sa pute bien grasse sur ses cuisses. « Faut pas se battre contre le nabot. Vous battez jamais contre le nabot. Nous sommes ici parmi vous autres les géants parce que nous avons survécu, et nous avons survécu parce que nous sommes plus costauds que Dieu. Bon, très bien ! Bière pour tout le monde ! Seigneur ! hurla-t-il soudain. Ça sent le puceau ! Qui est puceau ici ? » Il passa en revue leurs visages figés. « Alors comme ça vous avez jamais planté votre poireau ? Parfait. La bière est pour moi, les gars. Je vous ai dupés, honteusement roulés dans la farine, et je suis un salopard de la pire espèce. Mais bon Dieu, je pèse que cinquante-cinq kilos. Et je suis monté comme un colibri. Pas vrai, chérie, tout petit tout petit !

— J'aime tout petit tout petit, dit la fille. J'aime pas grote bite. »

Les filles les entourèrent. L'une d'elles s'assit sur les cuisses de Fisher. Une autre resta debout près de la chaise de James, pour lui taquiner l'oreille. Elle se pencha et chuchota : « Allons baiser. » Celle qui était installée sur les cuisses de Fisher lui dit : « J'aime grote bite. » Ses tongs accrochées à ses doigts de pied se balançaient au-dessus du sol. Elle avait un visage étrange. D'énormes pommettes inclinées. Elle ressemblait à un elfe. Il lui dit : « Descends de là. J'ai mal aux couilles. Je t'aime pas.

— Je mesure cinquante-neuf pouces trois quarts. À cette altitude la survie est mon principal souci. Il faut que je me montre agressif. » Walsh poussa le derrière de sa putain et dit : « Je veux des bières pour tous ces braves garçons de l'armée américaine. Dites, mes braves gars, avez-vous vu l'enseigne devant ce rade ? L'an dernier cet endroit s'appelait Lou's et il y avait un grand panneau Coca-Cola qui annonçait Lou's, et puis le petit panneau de devant disait "Floor Show à toute heure". Mais un soir, un Australien saoul de la marine marchande a brisé ce panneau du tranchant de la main comme au karaté. Moi. Ouais ! C'est moi qui ai donné à ce rade son nom célèbre. C'est où ta ville natale, le gros ?

— Pittsburgh. Et j'aimerais bien être là-bas.

— T'es un brave garçon, Pittsburgh. Tiens, je te tends la main par amitié. Ne jamais se battre contre le petit homme. Il a appris comment te mettre au tapis. J'ai fait le tour du monde sur divers navires et j'ai appris à rapporter la victoire dans mon camp. Je mesure cent vingt-six centimètres de haut et j'en aurai jamais un de plus. Et puis le *floor show* c'est pour moi. »

James tenta de danser avec la femme qui vint se serrer contre lui, douce et brûlante, avec ses cheveux raides et son odeur de talc pour bébé. Lorsqu'il lui demanda son nom, elle répondit : « Je fais mon nom pour toi » – des lèvres mûres, insolentes. Le rythme était rapide, mais ils dansaient au ralenti dans la lueur rubis du juke-box. Walsh paya les bières. Ils chantèrent des chansons avec les marins français, l'un d'eux dansa sur la table en caleçon pendant que les autres secouaient leur bière et l'éclaboussaient de mousse. Walsh fit une succession de bras de fer avec tous les marins de cette tablée et gagna chaque fois. Il paya le *floor show*, mais ils durent donner deux dollars supplémentaires à un type en costard mille-raies genre gangster, « pour le juke-box », dit-il. Ils rejoignirent une piaule à l'arrière de l'établissement, ils s'assirent par terre, puis une femme entra, referma la porte, fit passer sa robe par-dessus sa tête sans ôter la cigarette de ses lèvres, et se tint devant eux, nue, en chaussures rouges à hauts talons et tirant sur sa clope. Chaque partie de son corps était d'une perfection absolue. « Co... co... COMMENT tu t'appelles ? » s'écria Evans et elle répondit : « Je m'appelle Vierge. » Dans le bar le juke-box rejoua *You've Lost That Lovin' Feelin'* et la Vierge nue se mit à bouger. « Ce soir j'ai envie de baiser, de baiser, de baiser », gémit-elle. James ne sentait plus ses mains, ses pieds, ses lèvres ni sa langue. Dressée à moins d'un mètre du garçon assis, elle dansa pendant une bonne minute au rythme de la musique, puis elle s'assit sur le lit, écarta largement les cuisses, glissa le filtre de sa cigarette entre les lèvres de son vagin et tira ainsi quelques bouffées en faisant sortir la fumée de son sexe tandis que dans la pièce voisine le juke-box jouait *Satisfaction* des Rolling Stones. Maintenant James avait l'impression qu'on venait de lui couper la tête et de la jeter dans une bassine d'eau bouillante. Vierge se renversa en arrière, le lit soutenant seulement sa tête et ses épaules, ses hauts talons plantés par terre, son buste tournoyant au rythme de *Barbara Ann* et tous chantèrent en chœur... Dieu Tout-Puissant, pria une voix en lui, si c'est ça la guerre, pourvu que la paix ne revienne jamais.

Les trois Kootchy Kooties débarquèrent pour une de leurs conférences. Par cette matinée ensoleillée, ils restèrent sur leur quant-à-soi et monopolisèrent l'ombre à côté de Bunker One, et aucun membre d'Echo Recon ne songea à les déranger. Le Black surtout faisait peur. Il avait fait un tour de service avec une patrouille de reconnaissance à longue portée qui bossait de nuit ; tous étaient complètement défoncés aux amphètes, massacrant tous les hommes, femmes ou enfants qu'ils rencontraient. Sa chevelure se résumait à une explosion de boucles sauvages, il se peinturlurait la face comme un Indien et il avait arraché les manches de son uniforme. En comparaison, le vrai Indien de leur groupe, tout petit, sec comme un coup de trique, les jambes arquées, originaire de quelque part dans le sud-ouest, semblait tout à fait sain d'esprit. Le troisième type était italien, ou d'une extraction encore plus lointaine, grec peut-être, arménien. Il ne parlait jamais, même pas à son supérieur opérationnel, le colonel.

À ce moment-là, le colonel déblatérait tout son saoul. Et ce n'était pas un vrai colonel, plutôt une espèce de bibendum du Sud bombardé colonel honoraire, d'ailleurs les hommes le surnommaient « colonel Sanders » derrière son dos et parlaient de ces rares rassemblements matinaux dans le camp situé sur le versant ouest de la montagne de la Chance Heureuse comme de « l'heure du pouvoir ».

Mais le colonel était tout sauf un crétin. Il manifestait une intuition redoutable pour déchiffrer vos pensées. « Vous savez tous que je suis un civil. Je délibère avec votre lieutenant ; je ne lui transmets pas d'ordres. » Il se dressait dans la lumière implacable de cette matinée tropicale, les mains sur les hanches. « Il y a trois mois, le 19 novembre dernier, l'équipe de football de mon université, Notre-Dame, a joué ce qui aurait dû être le match le plus sanglant de toute son histoire contre Michigan State. Deux équipes magnifiques. Toutes deux invaincues. Toutes deux brûlant d'en découdre. » Le colonel portait des bottes en toile comme les leurs, un Levi's neuf et raide, un gilet de pêcheur aux multiples poches. Un T-shirt blanc. Des lunettes d'aviateur. De sa poche arrière dépassait la visière bleue d'une casquette de base-ball. « Une semaine avant ce match, les étudiants de Michigan State ont loué un avion et effectué un lâcher de tracts au-dessus du campus de Notre-Dame. Ces tracts étaient adressés aux "villageois pacifiques de Notre-Dame". Ils demandaient : "Pourquoi vous battre contre nous ? À quoi bon vous obstiner à croire, malgré l'évidence, que vous pourrez gagner, librement et ouvertement, contre nous ? Vos chefs vous ont menti. Ils vous ont convaincus à tort que vous pouvez gagner. Ils vous ont donné de faux espoirs." »

Pourquoi jacassait-il ainsi ? Le colonel était une blague, mais aussi un mystère sinistre. Il avait parfois les accents d'un bonimenteur, mais parfois aussi ceux d'un Kennedy. Il aimait se faire balader en jeep sur la montagne par le Lieut Givré, en mâchonnant ses cigares et en sirotant une pinte de whisky, un M16 coincé entre les genoux, dans l'espoir de trucider un tigre, un léopard ou un cochon sauvage.

« Bon, ce match dont je vous parle, entre Notre-Dame et Michigan State, est déjà qualifié de match du siècle. Il compte beaucoup pour moi, certes en tant qu'ancien demi-arrière des Fighting Irish, mais surtout comme ennemi du Viêt-cong ici et maintenant. Voilà un certain temps que j'essaie de mettre la main sur les films de ce match. J'aimerais que tous les soldats de ce théâtre d'opérations étudient ce qui s'est passé. J'espère pouvoir trouver un film du trajet en train de nos Fighting Irish jusqu'au Spartan Stadium d'East Lansing, dans le Michigan. Tous ces gens debout dans les champs de maïs ou à côté des laiteries, brandissant des pancartes où on lisait : "Je vous salue, Marie, pleine de grâce, mettez Notre-Dame à la dernière place." J'aimerais montrer à chacun d'entre vous ce que les Irlandais ont vu en entrant dans un stade bourré à craquer de soixante-seize mille spectateurs qui chantaient, se balançaient, oscillaient et beuglaient. J'aimerais que nous puissions tous nous asseoir ensemble pour assister au coup d'envoi.

» Les Irlandais ont joué sous un nuage de déveine. Notre principal receveur de passes – Nick Eddy – a glissé sur la glace en descendant du train et s'est démis l'épaule avant même le début du match. Revers suivant, après la première période notre meilleur centre a quitté le terrain sur une civière. Et puis notre trois-quarts Terry Hanratty s'est retrouvé sous une mêlée ouverte et lui aussi a quitté le terrain avec une épaule démise. Près de la fin de la deuxième période, Michigan State nous menait dix à rien. Mais ce jeune trois-quarts arrière, un remplaçant diabétique nommé Coley O'Brien, a réussi à balancer une passe de trente-cinq mètres à un receveur remplaçant nommé Bob Gladieux – même pas un nom irlandais –, après quoi les Irlandais ont contenu Michigan State jusqu'au tout début de la quatrième période, quand notre botteur a réussi un drop.

» Et on en était là, égalité, dix à dix. Encore une minute et trente secondes à jouer. La balle aux Irlandais sur notre propre ligne des trente yards. Voilà la situation. Voilà le score. Voilà les hommes.

» Mais Parseghian, l'entraîneur en chef, a choisi de jouer la montre et d'accepter le match nul. Choisi de quitter le terrain sans la victoire.

» Pourquoi donc ? Je vous le demande.

» C'était parce que ce score nul ne diminuait pas leurs chances de remporter un championnat national. Ce match nul leur permettait de conserver la première place au classement national. Et deux semaines plus tard, de fait, ils ont gagné le championnat. Ils ont ratiboisé USC cinquante et un à zéro.

» Maintenant, croyez-vous que je vais vous dire que c'était sage ? Eh bien, peut-être que oui. Peut-être que c'était sage. Mais il a eu tort.

» Parce que ce jour-là à East Lansing, face à leur ennemi juré, ils ont quitté le terrain sans la victoire. »

La sueur ruisselait de ses cheveux argentés coupés en brosse, elle lui descendait le long du visage, mais il ne l'essuyait pas. Il retira les mains de ses hanches et fit claquer son poing droit dans sa paume gauche, un poing aux phalanges aussi grosses que celles d'un champion de boxe catégorie poids lourd.

« Je le jure devant Dieu, reprit le colonel, je vais trouver le film de ce match. Nous allons nous asseoir tous ensemble et le regarder ici même, dans ce camp.

» Maintenant, écoutez-moi bien. Je ne veux pas que vous vous trompiez sur les raisons de ce petit laïus. Si je vous dis tout ça, c'est parce que c'est exactement ce que nous-mêmes devons toujours, invariablement, affronter. Invariablement nous devons affronter un terrain et un ennemi. Renoncer à cette étendue de terrain au profit de quelque fumeuse théorie concernant l'avenir, ce n'est pas notre manière d'agir ici. Votre mission consiste à assurer la sécurité de cette colline pour notre zone d'atterrissage là-haut, à noter les entrées de tunnel et à les marquer sur la carte. Vous ne devez pas pénétrer à l'intérieur de ces tunnels. Nous avons des gars pour ça. »

En effet, il y avait des gars pour ça : ces cinglés de Kootchy Kooties. Ces types se faufilaient à plat ventre dans des trous obscurs de la terre, un pistolet dans une main, leurs couilles dans l'autre, une lampe torche entre les dents, un peu partout dans la région de Cu Chi. « Kootchy Kooties » était un nom inventé de toutes pièces, un nom fabuleux. Comme les soldats d'Echo Recon, ils n'avaient aucun surnom flamboyant, mais à cause de leur proximité avec Cao Phuc ils ne pouvaient éviter l'appellation idiote et de mauvais augure de *Cowfuckers* (Baiseurs de vaches). Ils refusaient même de l'écrire sur quoi que ce soit, parce que c'était un gros mot.

« Nous allons gagner cette guerre. » Parlait-il toujours ? « Et les efforts de cette section contribueront de manière cruciale à notre victoire. Considérons-nous comme des agents d'infiltration. Cette terre sous nos pieds, c'est là que le Viêt-cong situe son cœur national. Cette terre est leur mythe. Si nous pénétrons dans cette terre, nous pénétrons leur cœur, leur mythe, leur âme. Voilà de la vraie infiltration. Telle est notre mission : pénétrer le mythe de la terre.

» Des questions ? »

Suivit un long silence, durant lequel ils écoutèrent les oiseaux locaux et le *whack-whack-whack* d'un hélicoptère vers le sommet de la montagne.

Le colonel retira ses lunettes de soleil et réussit à regarder simultanément dans le blanc des yeux tous les hommes de la section. « Voici ce que nous disions des matches nuls quand je jouais avec les Irlandais : nous disions qu'un score nul, c'est comme d'embrasser sa sœur. Je ne suis pas venu en Asie du Sud-Est en 1939 pour embrasser ma sœur. Je suis venu en Asie du Sud-Est pour effectuer des missions aériennes avec les Tigres Volants contre les Japonais, et je suis resté en Asie du Sud-Est pour combattre les communistes, et je vais maintenant vous dire quelque chose, soldats, avec toute la solennité qui accompagne la plus grave des promesses : quand je mourrai, je mourrai en Asie du Sud-Est, et je mourrai les armes à la main. »

Il regarda le Lieut Givré, et le Lieut Givré dit : « Rompez ! »

Tous rejoignirent leurs tâches respectives. Le Givré, le sergent et les Kootchy Kooties se réunirent près de Bunker One avec le colonel. La plupart des membres de la section n'aimaient pas ce civil, mais c'étaient des jeunes après tout, ils respectaient son expérience et ils avaient le vague sentiment superstitieux que leur chef leur portait chance, car certains – comme Flatt et Jollet, à cette heure MIA [1] mais sans doute simplement en permission illicite – avaient déjà effectué un tour de service avant de rempiler pour un second sans avoir jamais essuyé le feu de l'ennemi.

Vers onze heures du matin – soit avec quinze heures de retard – ils entendirent le M35 arriver : Flatt et Jollet amenaient trois remplaçants, un petit, un moyen, un grand.

Le sergent-chef Harmon, dit Sarge, un homme couvert de coups de soleil, aux manches de chemise remontées jusqu'aux biceps, ses guêtres méticuleusement ajustées, ses cheveux blonds presque blancs coiffés avec soin, était là pour les accueillir. Apparemment, il ne transpirait jamais. « Je vous considère tous comme revenant d'une

---

1. MIA : *Missing In Action*, c'est-à-dire porté disparu au combat. (*N.d.T.*)

permission non autorisée avec un véhicule appartenant au gouvernement.

— Non non non non non non non non, dit Flatt, non, Sarge, c'est pas ça du tout. Ces types peuvent tout expliquer.

— C'est vous deux qui allez vous expliquer, dit le sergent Harmon.

— Comme vous voudrez, Sarge.

— Vous, les bleus, installez-vous au Bunker Quatre », dit Harmon aux remplaçants avant d'emmener Flatt et Jollet au Bunker Un.

Dès qu'ils eurent disparu, le soldat Getty, qui comme d'habitude était très en rogne pour une raison inconnue, abattit son casque contre le sol détrempé devant les douches et s'assit dessus, les pieds écartés et les genoux joints telle une petite fille, en tenant son pistolet sur ses cuisses.

Quelqu'un cria : « SARGE... ! »

Getty brandit son arme au-dessus de sa tête pour que tout le monde la voie bien et promit d'occire le premier enculé qui s'approcherait à moins de trois mètres.

Le sergent Harmon ressortit et découvrit les trois remplaçants qui observaient avec une grande attention le soldat Getty.

« Écartez-vous de cet homme », ordonna le sergent.

Le plus grand des trois était très bouleversé, au bord des larmes. « Nous ne connaissons même pas ce type. On vient juste d'arriver. »

Getty hurla : « Je veux simplement que tout le monde me comprenne bien ! »

Le sergent se tourna vers Flatt et Jollet, maintenant accroupis près de la porte du Bunker Un. « Arrêtez un peu de l'enquiquiner.

— Aaah...

— Il allait bien jusqu'à ce que vous arriviez tous les deux. Cessez de le harceler.

— Écoutez, Sarge.

— Vous m'avez déjà obligé à le répéter. J'en ai assez.

— Bien, Sarge.

— Inutile de me répondre. Je vais vous avoir à l'œil. »

Le sergent était l'un de ces types exemplaires, qui brillaient naturellement, grand, fort, détendu, très blond et même doté de sourcils blonds ainsi que d'yeux bleus déconcertants, bleus à cinq mètres. Un condamné à perpète aguerri, couturé de cicatrices, un survivant de Pork Chop Hill, l'une des batailles les plus héroïques de la guerre de Corée, ensuite un film avec Gregory Peck dans le rôle principal.

« Z'avez perdu vos armes ? » s'enquit-il.

Les trois nouveaux restèrent silencieux.

« Z'êtes tous des pacifistes ?

— Sergent, y a eu une erreur de transport. On est allés à Edwards au lieu de San Diego, et on s'est retrouvés quelque part au Japon au lieu d'atterrir à Guam.

— Ils nous ont mis dans un avion-cargo, sergent.

— Personne nous a donné d'arme. Personne nous a rien dit.

— Je rigole. Nous avons des armes pour vous. Ce que j'ai pas en revanche, c'est la patience d'attendre mon camion. Pourquoi avez-vous mis quinze heures supplémentaires pour effectuer ce trajet de soixante-huit kilomètres sur des bonnes routes ?

— On a été baladés d'un aéroport à l'autre.

— Et l'avion était en retard, très en retard.

— Nous avons passé des heures et des heures au Japon.

— Je crois que ma montre s'est arrêtée. Ouais – voyez ? Elle est arrêtée, sergent.

— On sait même pas dans quelle ville on est.

— Ni dans quelle province.

— Ni même ce qu'est une province. »

La section attendait de voir comment ces trois bleus réagiraient à l'interrogatoire. Apparemment, ils n'arrivaient même pas à se rappeler les explications bidons que Jollet et Flatt leur avaient pourtant maintes fois répétées. Mais ils poursuivirent de la sorte, en s'embrouillant toujours davantage.

« Écoutez-moi.

— Oui, sergent.

— Nous sommes ici à Cao Phuc, section Echo Recon de la compagnie Delta. Nous sommes à l'angle sud-ouest du district de Cu Chi, au Sud Vietnam – district, pas province. Vous avez entendu parler du Triangle de Fer ? Nous ne sommes pas dans le Triangle de Fer, nous sommes au sud-ouest de ce triangle, en zone amie. Nous assurons la sécurité de cette région pour la zone d'atterrissage située au sommet de cette montagne, que nous ne sommes pas autorisés à appeler une base pour des raisons de protocole militaire. Echo, c'est ici, le restant de la compagnie est tout là-haut. On vous a seriné le fameux sermon "Ne soyez jamais une épingle sur aucune carte" ? Eh bien, ici c'est une épingle sur la carte. Nous n'appelons pas ça une base, mais c'est bel et bien une base permanente et nous avons deux types de patrouilles de reconnaissance permanentes : autour de la montagne puis par-dessus, ou bien par-dessus la montagne puis autour.

» Ici, on est imbattables question touches. Nous avons quatorze types et trois pommes de touche, mais pas de W-C chimiques. Alors chacun creuse son propre *kaibo* dans la cambrousse et se débrouille pour y mettre un couvercle. Je veux pas de puanteur dans mes narines. On n'a pas de mess, y a que des rations par ici. Le mess il est là-haut sur la montagne, deux repas chauds quotidiens, on fait des rotations à chaque service, ça fait un plat chaud par jour, vous vous arrangez avec les copains pour les rotations, et si jamais j'entends des jérémiades à cause de soldats qu'ont pas leur quota de plats chauds et que je doive mettre au point des horaires compliqués, ça va me chauffer les oreilles et me donner envie de vous pourrir la vie. Si vous êtes cool avec moi, je serai cool avec vous, c'est comme ça que ça marche ici. Vous vous démerdez entre vous et je serai une simple présence furtive. Des questions ? Non. Tant mieux. Bien.

» Il y a dans tout ce théâtre d'opérations des unités qui sont en rébellion ouverte contre leurs officiers. C'est pas le cas de celle-ci. Je suis ici pour faire exécuter les ordres du lieutenant Perry et veiller à ce que vous fassiez de même. Vous m'avez bien compris ?

— Oui, sergent.

— Je m'y prends doucement et gentiment, mais je ne rigole pas.

— Oui, sergent.

— Bon, soldat Evans, soldat Houston, soldat Fisher, vous venez d'avoir droit au discours d'accueil. Avez-vous des questions ? Non ? À tout moment je suis prêt à écouter vos questions.

— C'est quoi, les touches ?

— Les touches ? Les touches. Regarde mes lèvres : dou-ouches. Y a-t-il d'autres questions ?

— C'est quoi, un *kaibo* ?

— C'est le trou de ton chiotte, soldat. Je crois que c'est philippin.

— Sergent, on a besoin de pioncer.

— Très bien. Tirez-vous. Je veux que vos corps restent à l'heure américaine pour que vous puissiez bosser de nuit. Vous allez monter la garde un moment. Transportez votre barda dans le Bunker Quatre. Si vous avez envie d'installer un hamac dans les arbres, ça me va. Y a jamais le moindre Charlie dans les parages. Voyez le caporal Ames pour les hamacs et les armes. »

Ils ne trouvèrent aucun caporal Ames. Dans leurs nouveaux quartiers, un bunker en sacs de sable au toit goudronné qui puait les chaussettes sales et l'insecticide, ils découvrirent quatre lits de camp, dont un en désordre. Evans épousseta la boue séchée sur un lit, s'assit et dit : « Plus que trois cent soixante-quatre jours de cette merde. »

Alors qu'ils s'installaient, leur ami Flatt apparut à l'entrée. « Bienvenue dans la troisième guerre mondiale. Hé, désolé pour la petite blague idiote que je vous ai jouée avec les pétards. Pointez-vous au Purple Bar et je vous offre un coup.

— Le Purple Bar.

— S'il est violet, j'y vais pas.

— Vous avez la trouille des cannibales violets ? demanda Flatt.

— J'ai pas la trouille. Je suis crevé, dit le soldat Houston.

— Okay. Mais je vous dois une tournée. » Flatt leur fit un doigt puis s'en alla.

Fisher la grande bringue, le centre de l'équipe de basket de son lycée, avait le crâne qui frottait contre le plastique du plafond. « C'est pas si moche », lâcha-t-il.

Ils étaient étendus sur leurs lits de camp, immobiles. Au bout d'un moment, Houston et Evans discutèrent pour savoir où trouver un Coca-Cola. Un sentiment d'embarras et de timidité les terrassait et les empêchait de bouger. Mais ils ne dormaient pas, et quand ils entendirent la voix de Flatt au-dehors ils se levèrent comme un seul homme pour le suivre au Purple Bar.

La voie d'accès, déblayée par les bulldozers et bousillée par les jeeps, était creusée de telles ornières qu'ils ne pouvaient pas y marcher. Ils restaient sur le bas-côté. Une jeep descendant de la zone d'atterrissage les dépassa et klaxonna. « Ne levez pas le bras, n'agitez pas la main, dit Flatt. Ils s'arrêtent jamais. » Il donna un coup de pied au pare-chocs tandis que le véhicule les enveloppait de gaz d'échappement.

Un jour, on avait chargé dans des camions la plupart des villageois de Cao Phuc, considérés comme peu fiables, pour les expédier Dieu sait où. Les rizières abandonnées étaient dans un état lamentable et les herbicides avaient transformé les pistes et les chemins en de larges travées désolées. Le village se réduisait maintenant à un camp de fortune pour populations amies déplacées, dominé par le temple de l'Étoile Nouvelle dans le hameau situé au sud, et par le Purple Bar au nord.

« Vous attendez dehors, ordonna Flatt lorsqu'ils eurent atteint le bar.

— Pourquoi, putain?

— Je rigole! »

Le sergent était occupé au sommet de la colline et la moitié de la section était là. Les soldats étaient assis autour de deux tables qu'ils avaient rapprochées. Les jours de paie il y avait de nombreuses femmes, mais une seule ce jour-là, aux doigts de pied vernis de rouge dans des chaussures noires à hauts talons, assise à une autre table avec un journal, en pantalon et chemise. « Quatre bières, chérie », lança Flatt, et elle répondit : « Pas ton esclave », puis le *papasan* qui était toujours là leur servit les bières qu'il prenait dans un freezer rempli de plaques de glace d'un jaune brun. Avant d'ouvrir sa bière, Flatt versa dessus un peu d'eau iodée de sa gourde, et les autres l'imitèrent, en enduisant de boue la paille sous leurs pieds. Près de l'entrée, des chiens étiques les observaient.

Les remplaçants essayèrent d'interroger Flatt sur l'objectif, la mission, de leur unité, et Flatt essaya de leur expliquer qu'il s'agissait pour l'essentiel d'assurer une espèce de périmètre de sécurité pour la zone d'atterrissage. Alors un autre soldat dit :

« On travaille pour la CIA.

— Je croyais que c'était une unité de reconnaissance.

— C'est pas une unité de reconnaissance. On sait pas ce qu'on est.

— Si je travaille pour la CIA, alors où est mon béret vert? C'est eux les connards qui bossent pour la CIA. Les bérets verts. »

Et en un clin d'œil – sans doute parce qu'ils n'avaient pas dessaoulé depuis la nuit précédente – les bleus se retrouvèrent bourrés au Purple Bar.

« Un truc chez toi, Houston, c'est vrai que t'es une sorte de cowboy, mais y a un truc chez toi : t'as la classe. T'as du style.

— Merci, vieux.

— Non, je rigole pas. Je suis sérieux. Je suis pété, d'accord, mais... tu vois ce que je veux dire.

— Oui. Oui. Oui. Tu veux dire que t'es pédé et que tu veux me sucer.

— La ferme. Qui a pété?

— Tu parles d'une question! Tout ce pays schlingue.

— Celui qui le sent l'a fait.

— Celui qui l'a détecté l'a éjecté.

— Celui qui l'a repéré va bientôt chier. »

Les gars qui habitaient en haut de la colline autour de l'aire circulaire des hélicos étaient en permanence couverts de poussière ; ils préféraient se raser le crâne plutôt que d'avoir les cheveux crasseux. Flatt présenta les remplaçants à deux types de la zone d'atterrissage en disant : « Demandez-leur comment ils s'appellent.

— Tu veux dire, aux deux ?

— Ouais, trouduc, aux deux, aux deux. »

Le Cow-boy dit : « Hé, attends un peu : je suis pas ton trou du cul. »

Il y eut un silence. Puis tous éclatèrent de rire, le Cow-boy aussi. Il dit : « Okay. Qui êtes-vous ?

— Maredesang.

— Conneries.

— Non. Maredesang.

— C'est vrai. C'est son vrai nom.

— Mare de sang ? Putain, ça c'est cool comme blase. Le nom le plus cool du monde.

— Pas aussi cool que le nom de l'autre.

— Il s'appelle comment ?

— Dieudefeu.

— Dieu *de feu* ?

— Ouaip. Joseph Wilson Dieudefeu.

— Waouh.

— Et son nom à lui c'est Maredesang, dit Dieudefeu.

— Waouh.

— On est donc copains comme cochons, dit Maredesang, toujours fourrés ensemble. Logique, non ? »

Le soldat Getty entra et s'assit tout seul à une table.

« Gettys-bird, où est ton gros calibre .45 ?

— Le sergent me l'a fauché, dit Getty.

— Où donc as-tu dégoté un .45, soldat Getty ?

— Je l'ai échangé contre autre chose.

— Échangé, mon cul. Tu l'as volé. »

Le soldat Getty entra dans un de ces états seconds où il faisait la sourde oreille et parlait tout seul. « Je sais pas pourquoi je me rappelle aussi fort la maison.

— Fais pas attention à Gettys-bird. Il est cinglé. Lui *dinky dau.* »

Tout le monde, Getty compris, arrêta de parler quand les trois Kootchy Kooties firent leur entrée. Ils tirèrent trois chaises vers la table et s'assirent, l'un d'eux émettant un rot sonore.

Mieux valait ne pas ouvrir la bouche avant eux, mais Flatt se sentit obligé de demander : « Hé, le Sarge est redescendu de la colline ?

— Sarge toujours là-haut, dit le sauvage noir. Z'êtes en sécurité. »

Flatt n'arrivait pas à la boucler. « T'es indien, dit-il au rat de tunnel indien, et cet enculé de Houston ici présent est un cow-boy.

— T'es un cow-boy ?

— Pas chez moi. Juste ici. »

Tout seul dans sa bulle, le soldat Getty délirait toujours – « Je suis sur un coup foireux. Je suis sur un coup foireux. Un... coup... foireux » –, exprimant ainsi sa pensée encore et encore, et rien de plus.

Les deux autres se contentaient de boire leur bière, mais le Kootchy noir fusillait du regard le soldat Getty. « Fait chier avec son baratin. Fait éclater des fissures en moi. »

Flatt dit : « Bah, il veut du mal à personne.

— Je sais bien qu'il veut pas de mal. Et je lui en ferai pas. Est-ce que j'ai l'air d'un type qui ferait du mal à quelqu'un ?

— Non.

— Non ? Je meurs pourtant d'envie de faire du mal à quelqu'un. »

Une deuxième jeep s'arrêta devant le bar. L'un des nouveaux dit : « Merde – le lieutenant Perry.

— Le Sarge est pas avec lui, alors rien à foutre. »

Ils abreuvèrent le lieutenant d'insultes tandis qu'il entrait avec un sourire faussement malin et disait : « Je vous suggère d'arrêter de déconner avec moi », puis il lança alentour des doses de talc sous emballage plastique, un talc qui, dès qu'on en faisait usage, se transformait au bout de quatre minutes en une espèce de pâte répugnante, mais tout le monde l'utilisait.

Il commanda un Coca et s'assit tout seul, comme le soldat Getty. De temps à autre, il sortait une flasque chromée et versait du rhum dans le goulot de sa bouteille de Coca. À un moment il se tourna vers tous les soldats présents et, essayant de jouer au type qui a roulé sa bosse, il montra du doigt le cow-boy et dit : « Toi. Sais-tu qu'est la réalité ?

— Quoi ?

— Mauvaise réponse. »

Il était ainsi, voilà tout, surtout quand il picolait, c'est-à-dire la plupart du temps ; sinon, il était tout simplement jeune et idiot, comme la plupart d'entre eux.

Plus tard, il dit sans regarder personne : « Je vais baiser la Faucheuse. Mais j'embrasserai pas ma sœur. » Personne ne lui répondit.

Le Cow-boy dit : « Il est dingo, non ?

— Il est quoi ?

— Il est dingo.

— Il est quoi ?

— J'ai dit qu'il est dingo, il est complètement givré.

— C'est ça ! Tu l'as dit ! C'est le Lieut Givré ! »

Quand le Lieut Givré se leva pour partir, il lança un coup d'œil aux remplaçants, surtout à Fisher, la grande gigue à l'incisive cassée à cause du basket, et dit : « Le film ne se terminera pas avant que tout le monde soit mort. » Puis il sortit, d'une démarche heurtée, mal coordonnée.

Ils restèrent assis tous ensemble, en mettant les nouveaux au parfum à doses homéopathiques.

« Est-ce qu'on bosse pour la CIA ?

— Tu bosses pour les *Psy Ops*.

— Est-ce que les *Psy Ops* bossent pour la CIA ? »

L'un des nouveaux, Evans, était ivre mort et il répétait sans arrêt : « Regardons la réalité en face. Regardons la réalité en face. Regardons la réalité en face.

— Est-ce que vous comprenez ce qui se passe ? Le reste de la 3ᵉ se fait bouffer vivant. Le reste de tout le 25ᵉ d'infanterie.

— En fait, quand ils se font bouffer vivants, ils sont morts.

— La ferme. Mais c'est vrai. Ils sont morts, comme je détesterais l'être. »

Le Purple Bar était constitué de perches en bambou et de chaume. Une couche d'une espèce bizarre de paille recouvrait le sol. En dessous, la terre battue. Il n'y avait pas de murs, seulement des rideaux de perles peints qui exhibaient divers paysages tropicaux aux couleurs délavées – des palmiers et des chaînes de montagnes. Sur trois côtés, un profond fossé protégeait le Purple Bar des inondations quand des pluies diluviennes s'abattaient sur le village. En fait, c'était simplement une vaste hutte meublée de tables et de chaises pliantes, toutes fournies par le gouvernement américain. Dehors, un bruyant générateur MASH alimentait le Purple Bar en électricité. Le long du mur ouest, trois ventilateurs de table oscillaient de gauche à droite et de droite à gauche comme s'ils suivaient une conversation.

« Ouais. Ouais. Ouais. Regardons la réalité en face.

— À la santé des Connards Veinards.

— C'est qui les Connards Veinards ?

— C'est nous tous les Connards Veinards, car on se cogne environ cinq patrouilles par mois dans une zone totalement amicale.

— À peu près une par semaine, ouais, et le reste du temps faut faire chier personne.

— C'est notre devoir sacré. File-moi une tige.

— Une quoi ?

— Une tige ? Un cigarillo ? Les machins qu'on fume ? Pour que je puisse fumer !

— Okay. T'appelles ça une tige ?

— Le seul problème c'est que, quand on n'est pas au taf, on dépense sa paie – et ça c'est un affreux inconvénient.

— Parce que – je veux dire – regardons la réalité *en face.* »

Une table installée à côté du freezer servait de bar. Un tourne-disques était posé dessus, une pile de 33 tours et un gadget de bar, une lampe à bulles d'huile, sorte de tube ambré dans lequel on pouvait observer les mouvements éclairés, insondables, presque cycliques mais jamais identiques, de la cire liquide dans l'huile chaude. La fille aux ongles de pied rouges contrôlait entièrement le tourne-disques. Aucune requête n'aboutissait. Quand vous lui demandiez son nom, elle répondait : « Quel nom toi aimer ? Je faire mon nom pour toi. »

Taons et moustiques pullulaient. Le *papasan* les poursuivait avec une tapette et une bombe de Raid.

Les rats de tunnel se saoulèrent et offrirent quelques tournées avec une bonhomie qui ne les rendit pas moins effrayants. Un seul était noir, mais tous parlaient comme des négros. Ils racontaient des drôles de trucs. Comme des philosophes. Tous les p'tits enfants du Seigneur ont leur tunnel. Tout le monde a un tunnel bien à soi pour se motiver dans la vie. Ils burent et burent encore, ils burent jusqu'à avoir le regard complètement vide et absent, mais sinon ils ne semblaient pas ivres, sauf que l'un d'eux quand il eut envie de pisser se contenta d'ouvrir sa braguette et de se soulager sans même se lever, sous la table, en fait droit sur ses bottes... On ne voyait pas souvent des Noirs et des Blancs traîner ensemble... Les gens respectaient les catégories admises...

Minh comprenait la déception de Skip, mais la vie arrivait comme un orage, et le colonel, l'oncle de Skip, faisait figure de personnage principal dans le paysage. Il était sensé de s'abriter derrière lui. Si le colonel souhaitait que son neveu débarrasse le plancher, c'était parfait. Grâce au colonel, Minh lui-même ne pilotait plus des jets et avait toute raison d'espérer survivre à cette guerre. Maintenant il pilotait seulement des hélicoptères, et seulement pour le colonel. Il s'habillait souvent en civil et bénéficiait de nombreuses journées de permission à Saigon. Il avait là-bas une petite amie, Miss Cam, une catholique, et le dimanche matin il allait à la messe avec Miss Cam et il passait le dimanche après-midi chez elle en compagnie de la vaste famille de sa fiancée.

Les vols exigeaient de la concentration, ils étaient mentalement épuisants. Il fut ravi d'effectuer ce trajet comme passager dans la Chevrolet noire. Rien à faire, sinon regarder le paysage dévasté à gauche et à droite de la Route 22 et penser à Miss Cam.

Oncle Hao avait prévenu Minh : M. Skip parlait vietnamien. Tout en accompagnant l'Américain vers ses nouveaux quartiers aux environs de la Montagne Oubliée, son oncle et lui ne parlèrent pas beaucoup. Minh était assis devant, Skip derrière avec une des cantines. Oncle Hao conduisait la voiture, les deux mains posées sur le volant, la tête penchée en avant, profondément concentré, la bouche ouverte comme un enfant. La pluie tambourinait sur le toit noir de la Chevy, un orage venu de nulle part, un peu trop tôt dans la saison. Oncle Hao essaya de parler anglais, mais M. Skip ne répondit pas grand-chose. « Peut-être nous devrions ne pas parler.

— Ah, mon ami, dit Skip, la pluie me rend triste. »

Minh s'essaya à son tour à l'anglais : « C'est bon d'apprendre à être heureux sous la pluie. Alors vous serez beaucoup heureux, parce qu'il y a beaucoup de pluie. » En anglais, ça ne paraissait pas très profond.

L'oncle freina et Minh s'arc-bouta contre le tableau de bord – un buffle d'eau traversait devant eux. Une camionnette venant en sens inverse percuta l'animal et parut rebondir contre son cuir épais avant de s'arrêter en travers de la chaussée défoncée.

Le buffle baissa la tête comme s'il tentait de se rappeler quelque chose, il resta quelques secondes immobile, puis il s'éloigna parmi les herbes hautes en agitant les cornes de droite et de gauche, sa croupe se balançant comme deux poings poussant l'un après l'autre dans un sac en papier. Hao manœuvra ensuite pour contourner la camionnette qui avait calé, tandis que l'animal disparaissait derrière les rideaux de pluie.

Dès qu'ils eurent quitté la Route 22, toutes les voies de communication devinrent atroces, quasiment impraticables ; mais tant que l'oncle continuerait de faire rouler la voiture, ils ne s'embourberaient pas. « Quand on arrivera à la grande pente, dit Hao, je descendrai vite, car il nous faudra remonter de l'autre côté.

— La grande pente ? C'est quoi ?

— Une colline à descendre, une autre à remonter. Il y a de la boue en bas.

— Je comprends. » Ils parlaient vietnamien.

Oncle Hao laissa la Chevrolet noire accélérer durant la longue descente, ils traversèrent la mare de boue située au fond entre deux gerbes d'éclaboussures et remontèrent de l'autre côté, gravissant une pente raide jusqu'à ce que le sommet fût en vue et que devant eux s'ouvrît le ciel. Alors les pneus perdirent toute adhérence et hurlèrent tels des fantômes tourmentés pendant que la Chevrolet glissait lentement en arrière. Ils s'immobilisèrent tout en bas dans trente centimètres de gadoue. Hao coupa le moteur, puis M. Skip dit : « D'accord. On est coincés. »

Minh ôta ses sandales, roula ses jambes de pantalon au-dessus du genou, mit son poncho en plastique transparent, puis pataugea jusqu'à la maison du paysan le plus proche, qui le suivit vers la voiture en tirant son buffle d'eau par l'anneau qui lui transperçait les naseaux, noua une corde autour de l'essieu avant, puis les hissa hors du marigot.

Skip regarda par la lunette arrière l'endroit où ils venaient de s'embourber, puis dit en anglais : « Sorti d'un trou, j'attends le suivant. »

L'endroit où allait Skip n'était pas si atroce. Il aurait droit à une cuisinière à gaz, une version minimale de plomberie intérieure, sans doute deux ou trois domestiques. Un bain chaud quand il en désirerait un. La villa, d'après ce qu'avait compris Minh, appartenait à un Français, un médecin, spécialisé dans les maladies de l'oreille, aujourd'hui décédé. D'après ce qu'il savait, ce Français avait été fasciné par un des tunnels de la région, il l'avait exploré avant de trébucher sur un fil.

Le fracas de la pluie s'atténua en un léger tapotement sur le toit. Minh ouvrit les yeux. Il s'était endormi. L'oncle avait de nouveau arrêté la voiture. La route semblait finir là, plonger dans une rivière qui était sortie de son lit, et Minh se demanda s'ils devaient maintenant attendre quelque squelettique passeur au crâne encapuchonné pour transporter l'Américain de l'autre côté de l'eau vers la résidence de son exil. Mais Hao fit avancer la voiture avec prudence. Ce n'était pas du tout une rivière, mais un large ruisselet échappé d'un cours d'eau invisible.

La pluie cessa pour de bon quand ils entrèrent au pas dans le village de la Montagne Oubliée. Le soleil de l'après-midi brilla sur ce monde détrempé et déjà les gens sortaient comme si aucun orage n'avait jamais éclaté, portant leurs paquets le long de la route, ôtant les palmes tombées devant chez eux. Près des ruelles en terre battue, dans les endroits ombragés et plus secs, des enfants sautaient à la corde en se servant de chaînes de plastique pâle.

Ils s'arrêtèrent dans l'allée de la villa et Minh eut à peine une minute pour l'examiner avant de se retrouver impliqué dans une modeste aventure – des cris stridents jaillirent derrière la maison, puis un vieux qui semblait être un domestique ou un *papasan* arriva en courant et en brandissant un râteau au-dessus de sa tête tout en hurlant qu'il y avait un serpent. Minh bondit à sa suite, l'oncle et Skip sur ses talons, et ils découvrirent un monstrueux constrictor qui zigzaguait dans le jardin de derrière, un python moucheté plus long que n'importe lequel des trois hommes, plus long que les trois hommes mis bout à bout. « Laisse-moi, laisse-moi », dit Minh. Le vieillard ajusta un dernier coup de râteau inutile, puis transmit son arme à Minh. Et maintenant ? Il ne voulait pas abîmer la précieuse peau. Le serpent se dirigeait vers la berge, derrière la maison. Minh le poursuivit et lui assena un grand coup de râteau en espérant atteindre la tête du reptile, au lieu de quoi il lui en enfonça les dents un peu plus bas à travers la colonne vertébrale, et d'une secousse, avec une énergie effrayante, le serpent arracha le manche des mains de l'homme, puis ondula sauvagement, toujours estoqué, en traînant le râteau parmi les fourrés. Minh et le domestique lui donnèrent la chasse en écartant de leurs mains les buissons détrempés, les deux hommes suant sang et eau, et le domestique cria : « Voici le monstre ! » Il sortit de derrière un poinsettia mouillé en tenant la queue. « Il est presque mort ! » Mais le serpent se débattait toujours et il s'échappa. Minh réussit alors à s'emparer du râteau, il posa le pied sur le corps du serpent, parvint à extraire de sa proie la partie métallique de l'outil, puis à l'abattre plusieurs fois sur son crâne, étonnamment fragile, aisément transpercé.

Le visage du vieillard s'illumina positivement d'un large sourire. « Venez, venez, nous allons l'apporter à ma famille ! »

Le prêtre catholique de la région était venu les accueillir. Il s'adressa à Skip en anglais : « Il n'est pas nécessaire de tuer ces serpents. Beaucoup de gens en font un animal de compagnie. Mais celui-ci est assez grand pour qu'on en récupère la peau. Dommage qu'il ne soit pas plus coloré. Certains sont rouges et d'autres orange. » Un jeune homme bien habillé, sans doute venu de la ville, arborait le col du prêtre. « Vous devez me rendre visite », dit-il. Skip répondit qu'il n'y manquerait pas.

Alors Minh et le vieillard paradèrent avec leur prise dans la grand-rue du village, Minh tenant la tête, son ami la queue, quatre bons mètres de serpent les reliant, leur bras libre tendu loin du corps pour équilibrer le poids du monstre mort. De jeunes enfants couraient autour d'eux en criant et en chantant.

M. Skip était resté à la villa avec le prêtre, sinon Minh lui aurait alors assuré : « Voici un merveilleux présage pour votre arrivée. »

William « Skip » Sands, de la Central Intelligence Agency des États-Unis, arriva à la villa de Cao Quyen, ce qui signifiait « Montagne Oubliée », avec son sac de voyage et les trois cantines de son oncle, au moment précis où une violente averse faisait place à un beau temps ensoleillé, une embellie dont il se sentit exclu.

Voss avait prétendu avoir quelque chose pour lui, il avait déclaré qu'il garderait Sands tout près. Mais rien n'avait abouti, il avait tenu Sands sous le coude, plutôt loin, dans une cabane en préfabriqué et climatisée du terrain MAC-V de Tan Son Nhut, une partie d'un projet vite abandonné, voué à la collation d'une surabondance de détails, nommé système de fichiers CORDS/Phoenix, qui équivalait à rassembler toutes les notes jamais griffonnées par quiconque avait vu ou entendu quoi que ce fût n'importe où au Sud Vietnam. Les individus impliqués dans ce programme, quelque dix-huit hommes et deux femmes, tous recrutés en interne, passèrent le plus clair de leur énergie à tenter de définir les dimensions du matériel livré sur le site – des cartons de pages qui auraient pu tracer un chemin large de vingt et un centimètres et entourant 4,3 fois l'équateur terrestre, ou recouvrir entièrement l'État du Connecticut, ou encore peser davantage que les pachydermes de dix-sept spectacles Barnum & Bailey, etc. Vertige et désespoir. Une intuition de ce que ressentent les victimes de catastrophes maritimes quand les cataractes s'engouffrent dans la cale avec un bruit de tonnerre. Un jour, l'ordre arriva de mettre tous ces cartons sur des diables et de les transporter sous le soleil tropical le long d'un chemin fléché jusqu'à un entrepôt du même complexe. Fin du projet. Rideau.

Ensuite, l'attente à Cao Quyen – « Montagne Oubliée », « Montagne de l'Oubli » ou « Oublie cette Montagne », mais que Skip surnommait « Damulog II », une fois encore juste au-delà de la dernière portion de route à peu près raisonnable, et après la fin des lignes électriques.

Hao, Minh et lui-même eurent droit à un plat de poisson au riz, servi par les Phan, le couple âgé qui s'occupait de la villa et qu'il appellerait désormais M. Tho et Mme Diu, puis ses compagnons l'abandonnèrent en promettant que Hao reviendrait chaque semaine ou tous les dix jours avec le courrier, des livres et des provisions pour le garde-manger.

Dans le nouveau logement de Skip il y avait l'eau courante grâce à un réservoir installé sur le toit, de la plomberie, une salle d'eau au rez-de-chaussée avec toilettes et lavabo, et une autre salle d'eau à l'étage avec toilettes, baignoire et bidet, ainsi qu'un papier peint couvert de sirènes, bruni par une étrange moisissure. Quand il ouvrit les volets dans cette salle de bains, une demi-douzaine de papillons jaillirent de la cuvette des toilettes et se posèrent sur la tête de Skip.

Pas d'électricité. Il disposait de lampes à butane aux abat-jour en cuivre, et il y avait dans toutes les pièces un mobilier en rotin dont le vernis s'écaillait. Quand il pleuvait, et il allait pleuvoir tous les jours pendant des mois, il fallait fermer les persiennes en bois. De petites fuites venant de l'étage aboutissaient à plusieurs bols laqués disposés un peu partout dans le salon. Mais la maison était bien située pour la brise et l'on s'y sentait bien. Tout y paraissait raisonnable. On se servait de sel et de poivre dans de minuscules coupelles avec une petite cuillère, comme pour le sucre, plutôt que d'utiliser les accessoires ordinaires à secouer ; et à l'étage, son lit occupait un angle de la maison, entouré de paravents, tout près de la modeste suite réservée au maître des lieux, ouverte aux moindres mouvements de l'air nocturne suffocant.

Dans les dernières lueurs du jour il fit le tour de la villa, une bâtisse de deux étages, construite pour l'essentiel dans un matériau brut et humide comme le béton ou l'adobe. De petites guêpes noires entraient ou sortaient des trous des murs extérieurs, des impacts de balles – du temps des Français, la région avait été le théâtre de quelques batailles. Un caniveau en béton courait autour des fondations de la maison et emportait les eaux de pluie vers une grosse rivière au cours paresseux dans un goulet situé derrière le terrain. Il y jeta un coup d'œil : des enfants aventureux y naviguaient sur de frêles esquifs constitués d'absolument tous les objets susceptibles de flotter – petites branches, noix de coco, feuilles de palmier – et ils lui adressèrent de grands cris.

Le propriétaire de la villa, un médecin français, était mort sans laisser, d'après ce que comprit Skip, la moindre trace de son corps, hormis une fine pellicule sur les murs d'un tunnel, mais ses chaussures s'alignaient toujours près de la porte d'entrée, trois paires, des sandales, des chaussons et des bottes en caoutchouc vert vif. Ses chaussures de marche avaient disparu avec lui. Ce médecin, un certain docteur Bouquet, était arrivé d'Europe au début des années trente, avec une épouse qui était retournée, d'après le *papasan* M. Tho, presque aussitôt à Marseille, et dont il ne restait aucune trace dans la maison, à moins qu'elle n'ait choisi le papier peint dans la salle de bains du haut, les innombrables sirènes ternies. Mais le médecin absent imposait partout sa présence ; depuis le jour de son décès on n'avait touché à rien, et tout attendait. Dans son bureau au plafond élevé qui donnait sur le salon, le plateau de sa lourde table en acajou était caché sous des livres et des carnets surmontés d'une maquette en porcelaine de l'oreille humaine – interne et externe – dotée de pièces détachables, un encrier, un cendrier, et ainsi de suite, un râtelier supportant trois pipes à tabac en écume de mer, rangées légèrement en biais, de fines bandes de journaux ou de mauvais papier-toilette beige glissées entre les pages de plusieurs livres empilés à proximité, l'une de ces pages abritant sans doute le dernier mot qu'il avait lu avant de poser ses lunettes, de sortir se promener et de se volatiliser. Hormis le fouillis de ses recherches, le bureau était propre et bien rangé, le mobilier recouvert des pages du *Post* de Saigon et du *Monde*, et les volets fermés. Skip ouvrit avec précaution quelques livres, attentif à ne pas les changer de place, comme si le propriétaire des lieux risquait à tout moment de revenir pour vérifier leur rangement. Le médecin s'était montré cruel envers ces pages – taches de thé, traces d'encre laissées par des doigts, longs passages sauvagement soulignés. Chaque volume exhibait au dos de la première page de couverture l'inscription manuscrite « Bouquet », toujours de la même écriture, au-dessus de la date de son achat. Il ne réussit pas à en trouver un seul dépourvu de ces mentions. Par ailleurs, le médecin conservait les numéros de la revue *Anthropologie* qui s'étendaient sur dix-sept années, soixante-huit livraisons en tout de ce périodique au format d'un livre, recouvertes d'un papier épais, uniformément beige, ainsi que plusieurs publications spécialisées, chacune reliée par année avec le même papier brun clair. Un volume humide, à la reliure en tissu grenat, constituait le seul livre en anglais : *Nicholas Nickleby*. Skip avait lu ce roman à la fac, mais il n'en gardait pas le moindre souvenir, sinon que quelque part Dickens qualifiait l'espoir humain de chose « aussi universelle que la mort ».

Une semaine plus tard Hao revint comme promis et apporta de nombreuses boîtes en carton aplaties pour les affaires du docteur Bouquet, ainsi que le courrier de Skip. Il se réjouit de ces cartons – il ne les avait pas demandés, Hao avait simplement deviné. Il y avait une lettre délirante et désespérée de Kathy Jones. Apparemment, elle assurait maintenant la liaison entre l'ICRE et plusieurs orphelinats ; son existence présente, les choses qu'elle voyait, avaient métamorphosé son fatalisme calviniste – ou plutôt, pensait Skip, son calvinisme fatal – en cauchemar :

> Peut-être ne devrais-je pas lire certains livres. Mais autant que je te dise que je me suis mise à y croire il y a un moment déjà, avant même d'avoir la confirmation du décès de Timothy. Depuis la fondation du monde, certains individus sont condamnés à passer l'éternité en enfer, et je dis qu'ils n'ont même pas l'occasion de goûter à une existence normale, et que l'enfer commence le jour de leur naissance, nous l'avons constaté, tu l'as au moins constaté à Damulog, je le sais, et si tu es arrivé au Vietnam, tu le vois de tes propres yeux sans doute en Technicolor et j'ai pitié de toi, mais je ris.
> Peut-être certains sont-ils au paradis, d'autres en enfer, d'autres encore dans la zone des limbes, mais peut-être que ces mondes sont séparés géographiquement – au fait, t'ai-je dit que j'ai trouvé la référence aux « différents ministères », que tu m'as

demandée quand nous faisions l'amour nuit après nuit dans l'entonnoir de notre petite passion psychédélique à Damulog ? Première épître aux Corinthiens, était-ce le chapitre 12 ?

Oui – je viens de vérifier, 12, 5-6.

Mais je n'ai pas reconnu la citation, car elle vient de la Bible du Roi Jean et j'ai l'habitude de mon édition standard révisée, qui dit : « Et il y a toute une variété de services, mais le même Seigneur ; et il y a toute une variété de rouages, mais c'est le même Dieu qui les inspire tous à chacun. » Ainsi, « ministères » est mieux traduit par « services » – mais ça ne renvoie pas à quelque gouvernement angélique, tu comprends ?

J'aimerais que tu sois ici pour que nous puissions parler, ce que nous n'avons pas souvent fait, n'est-ce pas ? Dès que nous nous retrouvions, nous finissions très vite « collés l'un à l'autre ». Je te connais à peine. Mais je t'écris.

Je me demande même si tu me lis.

Eh bien non. Non.

Entre deux averses, la brise qui venait de la rivière chassait les insectes volants et garantissait la fraîcheur du bureau. Il passait ses soirées dans la robe de chambre en soie du médecin, fouillant parmi les quelque huit cents titres français de la bibliothèque du docteur Bouquet et, du moins au début, osant rarement s'aventurer à l'extérieur.

Il s'occupa en redonnant une troisième dimension aux cartons aplatis. Hao lui avait aussi apporté un rouleau de papier adhésif, transformé par l'humidité en une roue compacte et gluante de colle, parfaitement inutilisable. Depuis Marco Polo, pensa Skip, ce climat anéantit la civilisation occidentale.

Il envoya M. Tho au magasin du village pour qu'il y achète de la ficelle et annonça à Mme Diu qu'il allait prendre le thé chez le prêtre du village.

La maisonnette du père Patrice se trouvait à une centaine de mètres de la rue principale, le long d'un passage ponctué de planches abîmées qui permettaient de franchir les grandes mares.

Le père Patrice était souvent en déplacement dans le district et Sands n'avait guère passé de temps avec lui. Il ne lui avait pas révélé qu'il était catholique. Peut-être ne le ferait-il jamais. Peut-être, pensa-t-il, suis-je las de ma foi. Non qu'elle ait été mise à l'épreuve et brisée, comme celle de Kathy. Seulement parce qu'elle manque d'exercice. Et cette petite église en plein air, un toit de tôles perché sur des poteaux en bois recouvrant une dalle de béton, est-ce vraiment là que se joue le drame du salut ? Sands trouva le prêtre, un homme minuscule dans son jardin minuscule. Le père Patrice avait une face ronde, simiesque. Davantage de narine que de nez. D'énormes yeux reptiliens. Au-delà de tout exotisme, on aurait dit un extraterrestre. Il servit à son hôte du thé brûlant dans un verre à eau. Ils s'assirent dans le jardin sur des bancs de bois humides alors que la pluie récente dégouttait des grands poinsettias. Sands essaya son vietnamien.

« Votre prononciation est bonne », dit le jeune homme avant de se mettre à parler de manière incompréhensible durant trente secondes – Skip, qui avait déjà testé son vietnamien auprès des deux domestiques de la villa, savait que c'était sans espoir.

« Je suis absolument désolé. Je ne comprends rien. Pourriez-vous parler plus lentement, s'il vous plaît ?

— Je vais parler plus lentement. Excusez-moi. »

Un ange passa.

« Pouvez-vous répéter ce que vous venez de dire ?

— Oui, bien sûr. J'ai dit que j'espérais que votre travail allait bien avancer ici.

— Je crois qu'il avance bien, merci.

— Vous êtes avec le Conseil œcuménique canadien ?

— Oui.

— C'est un projet de traduction de la Bible.

— Nous avons de nombreux projets. C'en est un.

— Êtes-vous l'un des traducteurs, monsieur Benét ?

— J'essaie de faire des progrès en vietnamien. Il est possible que je participe ensuite à la traduction.

— Parlons anglais, dit le prêtre en anglais.

— Comme vous voudrez. »

Le père Patrice dit : « Entendrai-je votre confession ?

— Non.

— Dieu merci ! Vous n'êtes pas catholique ?

— Adventiste du septième jour.

— Je ne connais pas les adeptes du septième jour.

— Il s'agit d'une foi protestante.

— Bien sûr. Dieu ne veut pas savoir qui est protestant ou catholique. Dieu lui-même n'est pas catholique.

— Je n'y avais pas pensé.

— Quel est cet univers pour Dieu? Est-il un drame? Est-il un rêve? Peut-être un cauchemar? » Le prêtre souriait mais semblait en colère.

« C'est une grande question. Je crois qu'on peut même parler de mystère.

— Je lis un livre tout à fait merveilleux. »

Skip attendit qu'il finît, mais le prêtre ne dit rien d'autre à propos de ce livre.

« J'ai rencontré M. le colonel Sands, là, dans votre villa. Est-il votre ami? Votre collègue?

— C'est mon oncle. Et aussi mon ami.

— Le colonel me fascine. Je ne le comprends pas. Mais je ne crois pas que nous devrions parler de lui, non?

— Je ne suis pas sûr de bien comprendre.

— Je crois que nous devrions nous limiter. »

Sands décida que ce prêtre était un homme subtil incapable d'achever ses pensées en anglais.

« Pouvez-vous m'aider à collecter des contes folkloriques dans la région? demanda-t-il au prêtre.

— Des contes folkloriques? Des contes de fées, peut-être?

— Oui. Il s'agit d'un hobby, d'un sujet qui me tient à cœur. Aucun rapport avec mon travail.

— Aucun rapport avec votre travail sur la Bible?

— Eh bien, évidemment, ça m'aide en tant que traducteur. Ça m'aide à comprendre le langage du mythe.

— Ah. Dites-vous que la Bible est un mythe?

— Pas du tout. Je dis que son langage est celui du mythe.

— Bien sûr. Mais oui, je peux vous aider. Vous aimez aussi les chansons, peut-être?

— Les chansons? Évidemment.

— Je vais vous chanter une chanson vietnamienne », annonça le prêtre.

Il regarda Skip droit dans les yeux. Son visage parut se détendre. Son expression devint sincère. Durant presque une minute il chanta magnifiquement, d'une voix claire et forte, sans la moindre gêne, parfaitement à son aise. La mélodie était haut perchée et frappée d'une certaine mélancolie.

« Avez-vous compris les paroles? »

Skip resta sans voix.

« Non ? Pendant trois ans il est soldat dans un avant-poste, loin de son village. Il est très seul et toute la journée il s'échine à couper du bambou. Son corps lui fait mal. Il mange seulement des pousses de bambou et quelques fruits, ses amis se réduisent aux tiges de bambou. Et puis il voit un poisson dans une citerne, qui nage tout seul, lui aussi sans amis. Je crois que nous sommes ainsi – M. Benét et le père Patrice. Vous ne trouvez pas ? Je suis loin de ma maison dans mon village et vous êtes loin du Canada. »

Il n'en dit pas plus.

« Est-ce la fin de la chanson ?

— Oui, la fin. Il voit le poisson nager tout seul.

— Je crois qu'il y a un peu d'irlandais en vous, monsieur.

— Pourquoi ?

— Les Irlandais aiment chanter.

— Il y a parfois des concours de chants et je finis très bien placé. C'est aussi mon hobby, comme vous avez le vôtre. Ici, dans ce district, tous les hommes doivent chanter. Nous devons chanter pour les démons.

— Vraiment ?

— C'est la vérité, monsieur Benét, les démons vivent ici.

— Je vois.

— Si vous commettez une action irrespectueuse, par exemple si vous vous soulagez dans la forêt, il vous arrivera malheur à cause d'eux. Un arbre vous tombera peut-être dessus, une grosse branche se brisera et vous assommera, ou alors vous risquez de choir dans une crevasse et de vous casser un membre. C'est là une manière traumatisante d'apprendre l'existence de ces esprits de la forêt. »

Skip dit : « Oui, je serais traumatisé si ça m'arrivait.

— Dans ce district certains médecins chinois pratiquent leur science ici même. Ils tiennent compte de ces esprits. Un jour je vous emmènerai à la boutique. Aimeriez-vous y aller ? On y trouve de nombreuses choses fascinantes. Le pharmacien conserve quasiment toutes les parties d'un tigre dans des bocaux et des boîtes minuscules. S'il broie les os et en fait manger la poudre à un chien, ce chien deviendra féroce. Saviez-vous que jusqu'au cérumen des oreilles d'un tigre peut vous guérir de quelque chose ? Et les poils durs de la queue d'un éléphant soulagent les douleurs de la femme au moment de l'accouchement. On broie aussi les dents et les os de l'éléphant pour en enduire certains types de lésions et les guérir. On broie les cornes du chevreuil et on mélange cette poudre à une boisson alcoolisée pour préparer un cocktail diabolique. Il rend l'homme trop puissant dans la sexualité. D'autres animaux aussi. De nombreux serpents, beaucoup d'espèces animales. Peut-être des insectes. Je ne sais pas. Les médecins chinois connaissent toutes ces choses.

— Je serais sans doute très heureux de voir une telle collection.

— Tout n'est pas simple superstition chez ces gens. Certaines choses sont déjà vérifiées. Les tribus construisent des sanctuaires et des autels en forêt. Une minuscule maison pour les esprits, en bambou, parfois avec des noix de coco. Les esprits sont là, ils vivent là, les preuves m'obligent à y croire. Comme dans le cas d'un jeune homme qui a uriné avec mépris devant un autel de la forêt et qui a ensuite souffert d'une grave dépression.

— Incroyable.

— Je m'appelle Thong Nhat, dit le père Patrice. J'espère devenir votre ami.

— Je l'espère aussi, dit Skip. Appelez-moi donc Skip. »

Ainsi vécut-il – le thé avec le prêtre, les promenades quand il ne pleuvait pas, un programme de gymnastique. Il se mit à fureter parmi les revues françaises du médecin défunt, à traduire les passages soulignés par ce dernier. Il s'occupa des fichiers du colonel. Parfois il entendait au loin des hélicoptères, des chasseurs, des bombardiers, et il se sentait alors prisonnier de la bulle irisée de son insignifiance.

Lors de sa visite suivante, Hao lui remit une lettre du commandant Eddie Aguinaldo, expédiée par l'ambassade de Manille jusqu'à l'adresse de Skip à San Francisco, indiquée par l'ambassade de Saigon.

J'ai décidé d'épouser certaine jeune femme très belle. Eh oui! Je savais que tu serais étonné. Je te vois comme si tu étais devant moi, bouche bée, la mâchoire tombante. Elle s'appelle Imogene. C'est la fille du sénateur Villanueva. J'ai l'intention de devenir une espèce de politicien local, pas trop corrompu, mais certainement riche, et tu peux compter sur moi pour t'aider à gagner de l'argent le jour où tu reviendras dans notre beau pays.

J'ai reçu la visite passablement curieuse d'un « M. Untel », de ta section politique de Manille. J'hésite à préciser son identité. Il a manifesté un intérêt considérable pour notre ami et parent, c'est-à-dire pour mon ami et ton parent. J'espère que tu comprends de qui je parle. L'excitation de M. Untel était sans rapport avec le comportement habituel des gens de ton milieu. Je dois dire qu'après son départ je me suis senti un peu secoué. J'ai aussitôt rejoint le buffet pour me servir une boisson forte et ensuite je me suis assis pour t'écrire cette lettre. Je sens une certaine urgence. Il ne faut bien sûr pas s'attendre à ce que je sache tout, mais je te transmets mon sentiment des choses : il faut immédiatement avertir notre ami et parent. L'avertir de l'intérêt véhément qu'il suscite, de l'inimitié évidente manifestée par un homme supposé être le collègue de notre ami et parent. Je crois que tu devrais le mettre en garde tout de suite : il doit surveiller ses arrières, même lorsqu'il se sent parfaitement en sécurité.

Skip, Mindanao a été un affreux gâchis. Une erreur intolérable, infiniment regrettée. Je ne peux rien ajouter de plus.

Très sincèrement,
à toi,

— « Eddie », d'une calligraphie échevelée.

James rêva de tirs nourris : il tirait des balles inutiles avec une arme impuissante. Les rêves vous envoient des messages, il le savait. Il détestait ces messages-là, qui l'avertissaient que dans la bataille il n'aurait aucun pouvoir. Mais en dehors de ses cauchemars il ne voyait aucune bataille nulle part.

Les hélicos qui allaient et venaient autour de la zone d'atterrissage Delta transportaient uniquement du matériel, aucun escadron de combat. De temps à autre, un hélico touché, incapable d'aller plus loin, se posait sur la cible de la zone d'atterrissage, mais Echo entendait seulement parler de ces incidents.

Les patrouilles ne déplaisaient pas à James. Chaque patrouille prenait deux jours. Le groupe partait vers l'ouest en remontant la route zigzagante qui aboutissait à la zone d'atterrissage, puis bifurquait vers le sud – sur un vieux chemin qui passait entre des fermes, traversait une bande de jungle puis débouchait sur un terrain accidenté ravagé par les herbicides – avant de retrouver Echo Camp ; ou alors on suivait un arc de cercle vers le nord, puis on montait vers l'ouest jusqu'à la zone d'atterrissage, avant de redescendre la colline et de retrouver Echo. En chemin on campait une nuit. Il ne se passait jamais rien.

À l'ouest de Cao Phuc c'était toujours le Vietnam, non touché par les herbicides, une alternance de jungle et de rizières où l'ennemi pouvait aisément se cacher et préparer des embuscades. L'ouest de Cao Phuc aurait dû flanquer la trouille, mais ce n'était pas le cas. Les paysans dispersés à flanc de colline, occupés par leurs travaux sur leurs terrasses, agitaient toujours la main. Le bruit courait que leurs familles n'avaient jamais eu le moindre problème avec les Français, le Viêt-cong ni les GI.

Il ne se passait rien non plus au nord, mais cette région était inhabitée, rocheuse, coupée de ravins, et souvent une feuille retournée réfléchissait la lumière et ressemblait à un éclair blanc au-dessus d'une crête – comme si quelqu'un s'y cachait – et le terrifiait. La moindre bûche tombée à terre évoquait, au premier coup d'œil, un sniper embusqué dans les fourrés.

« C'est quoi là-bas ?

— Une crotte d'éléphant.

— Tu crois qu'ils mettent des pièges dedans ?

— Oh oui. Oh oui. Oh oui. Ils piègent toutes les conneries imaginables. »

Black Man dit : « C'est une merde de buffle. Y a pas d'éléphant dans le secteur.

— Y a plein d'éléphants.

— Pas sur cette montagne. C'est une merde de buffle.

— C'est gros.

— Les buffles sont gros, crétin.

— C'est quoi, ce qui pousse dessus ? Des champignons ?

— Les champignons poussent sur toutes les conneries imaginables. Ils poussent à toute vitesse, dit Black Man, si vite qu'on peut les voir grandir à l'œil nu. Du point de vue hormonal, c'est un vrai trip.

— Bon, en tout cas, y avait pas de déclencheur dans cette bouse.

— C'est le tas de merde qu'on a maté.

— On a vu qu'il était réglo, ce paquet de merde.

— Il en reste juste soixante-seize millions d'autres à inspecter.

— Ouais, fit Black Man, y a plein de bouses merdiques qui te sautent à la gueule dans le coin, merde de rat, merde de chauve-souris... Mais tu les envoies chier, tu les dévies avec la puissance de ton Esprit Maximum. »

Pour l'instant, Black Man était le seul frère de race de la section Echo. Black Man a fait ci. Black Man a fait ça. Black Man avait un nom, mais ce nom restait secret. « Je veux pas qu'on m'appelle autrement que Black Man, répétait-il souvent. Je veux pas endosser le nom d'esclave donné à mes ancêtres par l'homme blanc. » Il avait collé un morceau de ruban adhésif sur la partie de son treillis où figurait son vrai nom et il refusait d'en dire davantage.

Black Man leur annonça : « J'suis un homme noir avec une bite noire. Mais elle est pas si grosse que ça. Y a plein de mecs qui se vantent de leur Grosse Vingt-Cinq. Mais s'ils en avaient une de vingt-cinq centimètres comme moi j'en ai une de *quinze*, ce pauvre enculé de monde exploserait en deux. Voilà toute la puissance que j'ai dans ma Petite Quinze. »

Fisher et Evans étaient les seuls amis de James, des amis pour la vie. Il se disait aussi que le Sarge, peut-être, l'aimait bien. Quant aux autres membres de la section Echo, ils parlaient une autre langue, et le plus souvent James se sentait effrayé, furieux et rejeté.

Il avait le mal du pays. Maintenant il comprenait ce que son frère Bill avait dû ressentir en composant un numéro à Honolulu pour faire sonner le téléphone dans la cuisine de sa mère. Il se reprochait sa désinvolture bougonne quand il avait eu son frère au bout du fil. Il s'abandonnait à des fantasmes où il parlait et riait avec son frère, parlait avec ses amis, damait le pion à ces connards d'Echo, il rêvait qu'il n'était pas ici, qu'il était n'importe où sauf ici, qu'il était quelque part ailleurs, qu'il n'avait jamais entendu parler de cet endroit.

On pouvait partir en permission et rejoindre en auto-stop la grande base du 25ᵉ d'infanterie, ou même aller jusqu'à Saigon dans un des camions de la zone d'atterrissage. Des camions s'y rendaient tous les jours.

Le Sarge, le sergent Harmon, n'était pas aussi différent des autres qu'il l'avait d'abord semblé. Il jurait, il buvait de la bière, mais seulement une ou deux à chaque fois, et son seul autre vice était la chique, ou la prise ; certains gars le surnommaient « le Chiqueur », et ils l'imitaient, par admiration pour le sergent. Plus âgé, il évoquait un héros de film de guerre – des cheveux d'un blond très clair, des yeux bleu ciel, un visage bronzé et un sourire qui remontait d'un seul côté de la figure comme celui d'Elvis Presley. De ce côté-là, l'une de ses canines était cassée, mais sinon il avait les dents très blanches et ça lui allait bien : James se disait presque qu'il aurait bien aimé avoir lui aussi une dent cassée, comme le sergent. Fisher avait une dent cassée, mais son chicot à lui vous donnait envie de lui trouver l'adresse d'un dentiste. Et puis le sergent portait un treillis qui lui allait pile poil. En le voyant, on avait toujours l'impression que les tropiques bénéficiaient d'un climat tempéré.

Flatt avait annoncé que leur paie ne les trouverait jamais ici dans l'ombre de la montagne de la Chance Heureuse, mais il s'était trompé, et jusqu'au mois de mai James envoya une part non négligeable de son chèque mensuel à sa mère à Phoenix. Une fois, elle lui fit parvenir un petit mot dans une grande enveloppe, ses vœux de bonne continuation griffonnés sur une page de papier à lettres rose qu'elle avait sans doute volé quelque part. Elle le remerciait et ajoutait : « Ici nous nous débrouillons, le Seigneur me permet de joindre les deux bouts. »

Le deuxième vendredi de juin fut un peu différent. L'anniversaire de James avait eu lieu la veille. Fisher, Evans et lui quittèrent Echo Camp grâce à un passe en bonne et due forme, puis ils rejoignirent le village. Evans avait décidé qu'ils devaient tous baiser. « Allez, *venez*, dit-il. On est *en guerre*. On est *des hommes*.

— J'vois pas la guerre.

— Elle est partout, ou du moins quelque part autour d'ici, et je veux pas mourir avant d'avoir baisé. »

Ils allèrent au Purple Bar et, sur des sacs bourrés de paille dans une rangée de huttes situées derrière le bar, Evans et Fisher perdirent leur virginité, tandis que James trompait Stephanie Dale avec une fille qui au moins n'avait pas une denture terrifiante, ni même peut-être de dents, car à aucun moment elle n'eut à sourire ni à parler, si bien qu'aucune malhonnêteté ne fut requise pour mettre les choses en branle, ni d'ailleurs la moindre sincérité, et elle gémit comme une sauvage et elle l'entraîna dans un tourbillon vertigineux à travers un nuage de joyeuse lubricité.

Les trois soldats se retrouvèrent ensuite au bar. Ils avaient encore seize heures de permission à tuer, mais ils venaient de faire tout ce qu'il y avait à faire au monde.

Evans leva son verre. « À la vôtre !

— Allez...

— Quoi.

— Dis pas "À la vôtre". Ça fait tellement plouc, mec.

— Ça fait pas plouc, putain ! Je suis comme ça. C'est moi.

— T'es qui ? T'es "À la vôtre" ?

— Laisse-moi te dire une chose, mec, laisse-moi te dire un truc, enfoiré. » Evans essuya la bière sur son menton et dit : « D'accord, okay, j'étais puceau. Je le reconnais. C'était la première fois que je tirais mon coup. »

Ils le dévisagèrent jusqu'à ce qu'il se sente contraint de demander : « Et vous ? »

— Ouais, moi aussi, dit Fisher.

— Alors, cow-boy? Et toi?

— Non. Je l'étais pas.

— Tu confirmes ce gros mensonge?

— Absolument.

— Très bien. T'as toujours eu une longueur d'avance sur nous.

— Mais y a un mensonge dont j'ai ras le bol. Aujourd'hui c'est pas dix-neuf ans que j'ai, c'est seulement dix-huit.

— Quoi?

— Quoi?

— Tu viens d'avoir dix-huit ans?

— Ouaip.

— Tu veux dire... t'en avais *dix-sept*?

— Exact.

— Mon Dieu! Mais t'es un *gosse*!

— Non, j'en suis plus un. »

Evans tendit le bras au-dessus de la table mal calée pour lui serrer la main. « T'as encore plus d'avance que je l'ai jamais pensé. »

En l'honneur de son anniversaire James paya plusieurs tournées. Il était heureux, il était ivre, et il riait. Maintenant qu'il vivait dans ce lieu où l'humidité était atroce et la bière bon marché et illimitée, il comprenait vraiment le sens et la raison d'être de la bière.

Ils burent jusqu'à la tombée de la nuit. Fisher, qui était catholique, se retrouva bientôt sous le nuage noir de la pénitence. « J'vais choper la chtouille, c'est sûr.

— La chtouille peut pas traverser une capote.

— Ouais, dit Fisher d'un air coupable, à condition de réussir à ouvrir l'emballage.

— Quoi?

— J'en ai pas mis! Impossible d'ouvrir ce petit paquet! J'avais les doigts qui sucraient trop les fraises, bordel!

— La prochaine fois, sers-toi de tes dents, espèce de pauvre idiot. »

Ils rentrèrent à pied dans l'obscurité. Fisher refusait de se laisser consoler. « Dieu va m'envoyer la chtouille.

— Est-ce que tu vas te confesser pour ça?

— Je dois le faire. »

Evans dit : « "Catholique", ça sonne comme scato ou colique. »

Fisher parut blessé. « C'est vraiment une chose répugnante à dire.

— T'as une religion, toi? demanda Evans à James.

— Maintenant oui, c'est sûr. Maintenant j'adore la Sainte Baise. »

Aucun des trois n'avait sa lampe torche. Ils n'y voyaient goutte. La boue séchée était dure comme du béton et ils trébuchaient dans les ornières. Evans cria : « On l'a fait !

— Je sais ! On l'a fait ! C'est comme... » Fisher resta sans voix.

« Je sais ! reprit Evans. C'est *fait* ! Pu-TAIN ! J'ai balancé ma purée si fort que j'ai failli m'exploser le gland. »

Fisher supplia : « Allez, les gars, pour de vrai – vous avez utilisé une capote ?

— Ben ouais, j'ai mis une capote.

— Tu ferais mieux d'en mettre une la prochaine fois, dit James à Fisher.

— Quelle prochaine fois ? Je le referai jamais.

— Conneries.

— J'espère seulement que Dieu va pas me refiler la chtouille. Ça fait un mal de chien quand on pisse, et puis la piqûre fait très mal aussi.

— Cette piqûre c'est comme un coup de couteau dans le cul, y paraît.

— C'est la piqûre la pire après celle contre la rage.

— Au moins une pute te refilera pas la rage.

— T'es sûr ?

— Non. Je sais pas.

— Faudrait qu'elle te morde ! »

En arrivant au camp, ils essayèrent de garder un profil bas, mais quand ils trouvèrent le Bunker Quatre, Evans chuchota à voix haute : « J'arrive pas à y croire ! Si je dois mourir, au moins je mourrai pas puceau. »

Fisher était assis, abattu, sur son lit de camp. Il semblait avoir le mal de mer. « Je me sens souillé. J'aurais jamais dû le faire. Ma première fois, et j'ai payé pour ça. »

Evans se laissa tomber sur le dos en se caressant l'entrejambe. « Mec, j'ai envie de m'embrasser la bite, tellement je suis amoureux d'elle parce que j'ai réussi à NIQUER CETTE PUTAIN ! »

Quelqu'un dans un autre bunker cria : « Eh bien, va te faire NIQUER et FERME-LA, PUTAIN ! »

Fisher tomba à genoux dans l'obscurité. « S'il vous plaît, Seigneur, s'il vous plaît, Sainte Vierge et Jésus et tous les saints, me laissez pas choper la chtouille.

— Je sais pas comment décrire ça, dit Evans, mais quand j'ai fini, j'étais allongé sur elle et elle a serré les jambes et elle s'est mise à... à les frotter ensemble. C'était... vachement jouissif. »

James dit : « J'avais la trouille de pas pouvoir me laisser aller, comme si j'avais tout le temps le ventre noué, juste ici. » Il se toucha le buste sous le sternum. « Mais pour une fois dans ce putain de trou merdique j'ai l'impression que j'ai plus besoin d'avoir la trouille. Parce que je suis rond comme une queue de pelle et que j'ai enfin dix-huit ans.

— Oh, mec, gémit Fisher. Elle m'a volé mon jus. Elle m'a pompé mes forces. Ces putes bossent pour Charlie. Toutes ces putes bossent pour Charlie. »

En juin, pendant la saison des pluies, un certain Colin Rappaport donna rendez-vous à Kathy Jones sur la route, non loin de Sa Dec dans le delta du Mékong, et de l'infirmerie où elle travaillait. Il avait une Land Rover à sa disposition. Il effectuait une tournée pour World Children's Services, une organisation humanitaire qui l'avait embauché. Il aida Kathy à ranger son sac à dos et sa bicyclette noire cliquetante à l'arrière du véhicule, puis ils se dirigèrent vers l'orphelinat situé à huit kilomètres sur la route construite par les Américains.

Elle l'avait vu plusieurs fois à Manille, autrefois. Colin était alors un homme maigre et il était devenu corpulent après avoir passé aux États-Unis toute l'année précédente ou plus encore. En conduisant, il retira son chapeau de paille pour s'essuyer le crâne avec un mouchoir trempé. Il avait toujours été chauve. Il était difficile d'être plus chauve que Colin Rappaport.

« Comment se passe ton séjour ?

— Seigneur, Kathy, je croyais que la pauvreté était déjà assez moche.

— N'est-ce pas ?

— Je veux dire, je ne m'étais jamais interrogé sur les conséquences d'une guerre.

— Au bout d'un moment ça devient drôle. Je ne blague pas. On a la tête tellement à l'envers qu'on se met à hurler de rire. »

Lorsqu'ils arrivèrent à l'orphelinat de l'empereur Bao Dai, des employés en haillons coupaient une poignée de légumes pourris avant de les jeter dans un chaudron d'eau de pluie en ébullition.

« Voici Van », dit-elle à Rappaport tandis qu'un jeune homme se hâtait vers eux en s'essuyant les mains sur son T-shirt. « Miss Kathy, très bon d'avoir une visite, venez, je vous emmène », dit Van en serrant la main de Rappaport, avant de les entraîner dans l'escalier obscur de cette ancienne usine jusqu'au deuxième étage où dans six enclos délimités par du grillage à poule sur le vaste plateau d'un seul tenant vivaient deux cents enfants, triés par classes d'âge. L'endroit grouillait de mouches et empestait l'urine et les excréments. Van fit se lever et s'aligner en rangs les enfants de huit ans en short et chemise de coton élimés et crasseux pour qu'ils chantent une chanson de bienvenue, durant laquelle Rappaport resta immobile avec un sourire figé, puis Kathy le guida au bas de l'escalier et hors de la bâtisse pour rejoindre la zone réservée à la malaria, une cabane au toit de tôles où une douzaine de malades gisaient dans l'obscurité et le silence. Kathy se déplaça parmi eux en ouvrant ici une paupière, là une bouche. « Personne n'est mort », annonça-t-elle à Colin.

Alors qu'ils sortaient de la cabane, deux employés hissaient le chaudron entre eux pour le transporter vers le bâtiment principal, l'un d'eux tenant une louche.

« Oh, Dieu, fit Colin. C'est leur repas. »

Elle l'emmena sous un arbre et ils s'assirent à même la terre.

« Je croyais que c'étaient des ordures, dit-il. De l'eau de vaisselle.

— Ici au purgatoire nous chantons avec ferveur des chants sur l'enfer.

— Je crois te comprendre. »

Van arriva avec deux verres de thé.

« Vas-y, ils font bouillir l'eau », dit Kathy.

Colin posa le verre entre ses pieds. Il sortit un cigare de sa poche de poitrine gauche, puis un briquet de la droite. « C'est un vrai chaos, n'est-ce pas ?

— Toute la planète. Cette époque est maudite. – Excuse-moi, est-ce que je m'exprime comme une folle ? »

De toute évidence il pensait que oui. « Je ne me doutais pas combien tu es surmenée. »

Il n'ajouta rien en terminant son thé. Il fuma plus de la moitié de son cigare, en retira la braise avec soin en la frottant contre une racine de l'arbre, puis remit le bout de cigare restant dans sa poche de poitrine.

Bientôt il plut à verse et ils s'installèrent dans la Land Rover tandis que l'orage éclaboussait l'asphalte de l'allée et métamorphosait sa surface en un immense lit de tiges de verre piquantes. « Je vais voir si nous pouvons faire parvenir des vivres ici, dit-il. J'aimerais détourner un avion entier pour toi. Je crois que je peux le faire. Je vais voir.

— Tant mieux. Merci.

— Puis-je faire autre chose ?

— Est-ce que je pourrais avoir le reste de ton cigare, là, dans ta poche ?

— Tu plaisantes ?

— Non.

— Tu fumes le cigare ?

— De temps en temps.

— Autant te laisser faire ce que tu as envie de faire, dit-il. Doux Jésus, il faut absolument que nous te venions en aide.

— J'ai Lan et Lee, dit-elle.

— Qui ?

— Tu rencontreras Lan. Lee et elle tiennent la boutique en mon absence.

— Ah, d'accord. Elles ont reçu une formation ?

— Elles m'aident beaucoup. Aucune formation au sens strict. Mais très compétentes.

— Kathy, c'est pour ça que j'ai quitté l'ICRE. Ils te parachutent quelque part dans la jungle avec une carte et une boussole.

— Nous bénéficions de nombreuses aides. Les GI nous donnent des trucs. Nous faisons ce que nous pouvons.

— Les GI vous aident ?

— La semaine dernière j'ai eu un demi-litre de Xylocaïne. J'ai passé la journée d'hier et la matinée à arracher des dents. Ils adorent la Xylocaïne. Sinon, ils vont chez le rebouteux du coin qui les arrache avec une grosse pince en posant le pied à plat sur leur buste. Et quand il n'est pas disponible, ils se l'enlèvent eux-mêmes avec un clou. Un clou de charpentier. Ça leur prend toute la journée. Ils sont très stoïques.

— Pas comme les Philippins, hein ?

— Les Philippins ont beaucoup de fierté, mais ils ne sont pas stoïques.

— Ils n'ont jamais honte de leurs souffrances.

— Crois-le ou non, je préfère être ici. Dans ce pays il ne reste rien d'autre que la vérité.

— Bon, eh bien », fit Colin, et au ton de sa voix elle comprit qu'elle perdait sans doute encore les pédales.

Ce soir-là, de retour à l'infirmerie, elle dit à ses aides de rentrer chez eux et elle fit bouillir un peu de riz sur le réchaud à gaz.

Depuis deux jours un enfant malade occupait le hamac de Kathy. Du talon de la main elle écrasa un peu de riz dans un bol et essaya de nourrir son petit patient en lui présentant un peu de bouillie au bout d'un doigt, tout en soutenant de son autre main la tête semblable à une coquille d'œuf vide. Il ne mangea rien. Elle essaya de l'eau de riz avec du Coca-Cola dans un biberon pour bébé, mais l'enfant, un garçon âgé de cinq ou six ans, avait perdu le réflexe de la tétée. Demain matin ou le surlendemain, cet enfant serait sans doute mort. Et s'il vivait? – une des cages à Bao Dai.

Assise dans un grand fauteuil en rotin, elle fuma le bout de cigare de Colin Rappaport. Le village était obscur. Les enfants gémissaient, les chiens aboyaient, les voix menues des femmes appelaient. Quelques phares de bicyclette se déplaçaient çà et là, loin sur la route. Elle tira sur le cigare jusqu'à ce que la tête lui tourne et qu'elle se sente sur le point de vomir, puis elle le jeta par terre et rentra son fauteuil à l'intérieur, près de la spirale antimoustique, à côté du hamac et de l'enfant à la respiration stertoreuse, puis elle s'endormit. Dans ses rêves les gens s'exprimaient très clairement en vietnamien et elle comprenait tout ce qu'ils disaient.

Le lendemain matin l'enfant releva tout seul la tête et but de l'eau et du Coca dans une tasse. La survie était un souffle qui touchait certains et pas d'autres. Ni l'espoir ni le désespoir n'y étaient pour quoi que ce soit. Elle ramassa le cigare par terre à l'endroit où elle l'avait jeté, le nettoya avec ses doigts, puis le fuma pour fêter l'événement.

M. Bouquet, le frère de feu le docteur Bouquet, qui gérait l'héritage du médecin, arriva à la villa avec une camionnette et un chauffeur pour récupérer les effets du défunt.

Sands s'était arrangé pour être absent et visiter les villages avec le père Patrice, mais quand il revint en fin de journée le frère était toujours dans la maison, un Français assez âgé, solide, la mâchoire carrée, vêtu comme pour une journée de pêche, en short vert olive et gilet assorti pourvu de nombreuses poches, en train de s'éventer le visage avec un chapeau de toile pourvu d'une mentonnière. Sands et lui prirent le thé. Son anglais était plus que passable. Il parla d'abord, non pas de son frère, mais des femmes. « À mesure que je vieillis, les femmes plus âgées m'attirent davantage. Une chair qui me paraissait jadis laide, eh bien maintenant je la trouve parfois charmante. Le fin réseau des veines violacées, vous voyez, si fragile. C'est un splendide mystère. Un type de grâce inédit – la grâce des femmes paisibles, c'est encore plus érotique. Aujourd'hui, j'adore les femmes dans la peinture de la Renaissance. Si pleines, si douces de l'intérieur. Avez-vous une concubine autochtone ? »

Sands ne sut que répondre.

« Non ? Je ne connais pas ce pays. Mais je croyais qu'il était normal ici d'avoir une concubine. Je préfère les veuves. Les femmes adultes, comme je viens de vous le dire. Elles sont expérimentées en amour, elles savent comment se comporter au lit.

— Votre frère a éveillé ma curiosité, fut tout ce que Skip réussit à dire.

— Claude était mon jumeau. Mais nous ne nous ressemblions pas. Lorsque j'ai appris son décès, je n'ai pas fondu en larmes. J'ai soudain pensé : Oh, non non non, je ne le connaissais pas, même pas un peu. Nous avons grandi ensemble, mais nous ne parlions jamais de rien, nous vivions simplement sous le même toit. En ce qui me concerne, il ressemblait à un visiteur. Mais qui ne venait jamais pour me rendre visite – qui venait voir mes parents, ma sœur, quelque chose de ce genre. Maintenant, ce matin, en découvrant tout ça, cette maison où il vivait, j'en ai davantage appris sur lui que durant toutes les années de notre jeunesse partagée. En examinant ses affaires, je me suis demandé si je retrouverais certaine gravure tirée d'un tableau, que nous avions dans notre chambre à cette époque. Oui, je sais, il est absurde de supposer qu'il ait pu la garder après tout ce temps. *Le Clown au repos*, quelque chose comme ça. Un clown aux yeux fermés – mort ? inconscient ? Pourquoi les yeux fermés ? Elle est restée au mur au-dessus de son lit pendant de nombreuses années. Enfant, cette gravure m'effrayait. Et que ce clown n'effrayât pas Claude – voilà qui à mes yeux était encore plus effrayant. Il est resté là durant tant d'années, au même endroit, sans être effrayé. En revanche, moi je suis effrayé. » M. Bouquet soupira. « Nous avons chargé les cartons, comme vous voyez. Merci de vous être donné tout ce mal pour nous. Je vais laisser le mobilier et toutes les babioles. Un membre de la famille reviendra un jour habiter ici – dès que les communistes seront liquidés. Dès que vous les aurez vaincus. Pour l'instant, je vais continuer de louer la maison à votre Conseil œcuménique et... » Il dévisagea soudain Skip comme s'il le voyait pour la première fois : « Vous n'êtes pas de la CIA ou d'une organisation de ce genre, au moins ?

— Non.

— Très bien. » Il rit. « Je ne me fais aucun souci !

— C'est inutile. »

Skip avait mis de côté quelques objets fragiles pour que le frère prenne ses responsabilités et les emballe lui-même. M. Bouquet choisit de laisser dans la maison les os de porcelaine qui figuraient l'oreille humaine. « Ils sont venus de si loin jusqu'ici. Il serait ridicule de les remporter, il serait triste de les enlever d'ici. Nous devons sauver les livres et les papiers pour la bibliothèque familiale. C'est la passion de notre sœur. Les papiers, les papiers. À ses yeux c'est notre seul héritage, même si je lui dis souvent : "À quoi bon avoir le moindre héritage à transmettre ?" Les choses sont sans cesse détruites, les bonnes comme les mauvaises. Il y a tant de guerres et tellement de tempêtes sur cette terre. Les destructions succèdent aux destructions. Qu'est-il arrivé à Claude ? Pouf, explosé, volatilisé. C'est pareil pour nous tous – des cendres, de la poussière, pouf, voilà notre héritage. Non. Je ne prendrai pas ceci. C'est beaucoup trop fragile. » Avec ses doigts épais, le frère détacha et examina chaque partie – l'oreille externe, le pavillon et le lobe, puis le conduit, le tympan, le labyrinthe osseux avec son vestibule et ses fenêtres, son canal semi-circulaire et le nerf auditif, le limaçon, le long tube de la trompe d'Eustache aboutissant à l'intérieur du crâne. Jusqu'aux minuscules os internes avaient été fabriqués et étiquetés – le marteau, l'enclume et l'étrier – ainsi que les cellules mastoïdiennes à l'aspect spongieux. « Ah ! Une antiquité si minutieuse, si parfaite – elle remonte sans doute à l'époque de ses études de médecine. Claude a passé ses derniers examens en 1920 ou 1921. » Il demanda à brûle-pourpoint : « Connaissez-vous le tunnel où Claude a explosé ? L'avez-vous vu ?

— Non, je suis désolé, je ne l'ai pas vu.

— *Parlez-vous français ? Un peu* ?* »

Ils passèrent au français, mais très vite la conversation s'enlisa. Apparemment, cet homme corpulent et solide s'exprimait avec la plus grande franchise dans une langue qui ne lui était pas assez familière pour qu'il pût s'y camoufler.

Sands encouragea M. Bouquet à rester jusqu'au lendemain matin, mais le Français semblait craindre de passer la nuit là, même si les routes étaient dangereuses. Tout était chargé dans la camionnette. Il partit à la tombée de la nuit.

Des semaines plus tôt, M. Bouquet avait envoyé une lettre à l'adresse postale du faux Conseil œcuménique, pour avertir du jour de son arrivée. Entre-temps, Sands s'était attaché à certains textes du défunt – quelques obscures revues trimestrielles et autres livres poussiéreux – qu'il avait placés dans ses cantines, les cachant ainsi aux parents et héritiers du médecin. Le frère repartit sans eux.

Et des semaines plus tard, Sands travaillait toujours à la traduction des paragraphes que le docteur Bouquet avait soulignés – des fragments de philosophie écrits par des intellectuels français dont Sands n'avait jamais entendu parler, des passages abstraits qui l'exaltaient sans raison évidente, l'un, par exemple, extrait d'un ouvrage intitulé *Voyage au pays des Tarahumaras*, par un certain Antonin Artaud :

> *Que la Nature, par un caprice étrange, montre tout à coup un corps d'homme qu'on torture sur un rocher, on peut penser d'abord que ce n'est qu'un caprice et que ce caprice ne signifie rien. Mais quand, pendant des jours et des jours de cheval, le même charme intelligent se répète, et* que la Nature obstinément manifeste la même idée ; *quand les mêmes formes pathétiques reviennent ; quand des têtes de dieux connus apparaissent sur les rochers, et qu'un thème de mort se dégage dont c'est l'homme qui fait obstinément les frais – et à la forme écartelée de l'homme répondent celles,* devenues moins obscures, *plus dégagées d'une pétrifiante matière, des dieux qui l'ont depuis toujours torturé ; quand tout un pays sur la terre développe une philosophie parallèle à celle des hommes ; quand on sait que les premiers hommes utilisèrent un langage de signes, et qu'on retrouve formidablement agrandie cette langue sur les rochers ; certes, on ne peut plus penser que ce soit là un caprice, et que ce caprice ne signifie rien* *.

Armé d'un crayon, de papier vierge et d'une pile de dictionnaires, il se mit en ordre de bataille pour élucider cette horreur vague.

Néanmoins, les intentions de ce mystérieux Antonin Artaud restaient floues, tout comme l'emplacement de ce pays des Tarahumaras, qui existait peut-être quelque part au Nouveau Monde, ou seulement dans la tête de M. Artaud ; mais les raisons qu'avait eues le médecin de choisir ce passage tombaient sous le sens : le pâle voyageur, la terre étrangère, indéchiffrable.

Le médecin lui-même constituait le chiffre. Apparemment, il avait cessé d'exercer la médecine longtemps avant sa mort, tout en refusant de rentrer dans son pays natal. Sands crut comprendre.

Et puis, en sus de plusieurs publications, Sands avait aussi gardé l'un des carnets contenant les notes personnelles du médecin. Il l'avait volé. Ces notes, rédigées d'une écriture anguleuse et solidement charpentée, Sands les traduisait et les recopiait dans un calepin à lui, avec les passages préférés du docteur Bouquet.

Cher professeur Georges Bataille,
En mars 1954 j'ai lu, sous forme de manuscrit, votre essai intitulé *La Peinture préhistorique : Lascaux ou la Naissance de l'art*. Dans les bureaux de la bibliothèque des Beaux-Arts de la Sorbonne, où travaille l'épouse de mon frère. Rentré d'Indochine où je réside depuis presque trente ans, je rendais visite à ma ville natale.

Skip reconnut le titre – *Lascaux ou la Naissance de l'art* –, un beau et fort volume illustré de planches en couleurs montrant les peintures sur les parois d'un ensemble de grottes dans la région de Lascaux, en France ; il se maudit d'avoir laissé filer cet ouvrage, mais il lui avait semblé trop précieux pour le voler.

J'ai récemment acquis ce livre, avec les photos. Il est bien sûr magnifique.

Puis-je attirer votre attention sur un ouvrage de Jean Gebster, un professeur autrichien de civilisations comparées : *La Grotte et le Labyrinthe* ? Je cite :

« Retourner à la grotte, même en pensée, c'est régresser à partir de la vie vers un état prénatal. »

« La grotte est un aspect maternel, matriarcal, du monde. »

« L'église des Saintes-Maries-de-la-Mer en Camargue, dans le sud de la France, où les gitans adorent Sarah, la Madone noire. »

(Monsieur Bataille : En Espagne, trois mille gitans habitent des grottes, près de Grenade.)

(Monsieur Bataille : L'esprit est-il un labyrinthe dans lequel la conscience se fraie un chemin, ou bien l'esprit est-il le vide infini où certaines pensées finies naissent puis disparaissent ?)

(Monsieur Bataille ! – Nous croyons que dans les grottes les choses sont noires, mais ne sont-elles pas très pâles, presque translucides, diaphanes... ?)

« Thésée, en entrant dans le labyrinthe, retourne dans la matrice afin de gagner une éventuelle seconde naissance – une garantie contre la seconde mort, irrémédiable et horrible. »

(Monsieur Bataille : En 1914 le comte Bégouën découvrit la grotte des Trois-Frères dans les Pyrénées – un tunnel, où l'on peut seulement se faufiler comme dans un canal utérin, aboutit à une très vaste chambre couverte d'images paléolithiques vieilles de douze mille ans, représentant des scènes de chasse et des animaux fantastiques. Cette grande pièce servait à initier les adolescents pour les faire passer à l'âge adulte, lors d'un rituel de mort et de renaissance.)

« Si la grotte représente la sécurité, la paix et l'absence de danger, alors le labyrinthe est l'expression de la recherche, du mouvement, du danger. »

(Chercher une sortie, monsieur Bataille, chercher une issue ? Ou bien chercher un secret au centre des choses ?)

(Après plus de soixante années d'existence, je me vois.)

(Le chaos, l'anarchie et la peur. Voilà ce qui me pousse. Voilà ce que je désire : être libre.)

Oui !

L'essentiel de la lettre inachevée adressée par Bouquet à l'écrivain Georges Bataille – une prose passionnée, complexe, fleurie –, Skip travaillait toujours dessus.

Après un mois passé dans son terrier, il laissa le père Patrice l'entraîner dehors pour examiner le tunnel où le docteur Bouquet avait disparu. Ils traversèrent le village à pied, en sortirent par le nord, puis suivirent un sentier vers l'ouest, sur à peine cinq cents mètres. À la base d'une colline érodée par les pluies, se trouvait une légère dépression dans la terre, cela et rien de plus. L'explosion fatale avait fait s'écrouler l'entrée du tunnel et les pluies avaient ensuite déblayé le tas de terre. Comme pour tant de choses dans ce pays, Skip n'aurait pas accès aux profondeurs du tunnel.

« Nous ne sommes pas dans une zone sensible, annonça le prêtre. Ce tunnel était inutilisé.

— Alors qui a posé le fil métallique du piège ?

— Bouquet a emporté sa propre dynamite, j'en suis sûr. Un ou deux bâtons pour dépasser un éventuel éboulement, le reste pour se faire sauter. »

Durant le chemin du retour, Skip dit au prêtre : « Je suis content de ne pas avoir dû y entrer.

— Dans le tunnel ? Pourquoi désiriez-vous y entrer ?

— Non non. Pas la moindre envie.

— Je vous demande pardon ?

— Je suis un lâche, père Patrice.

— Tant mieux. Vous vivrez plus longtemps. »

Le prêtre était venu dîner très souvent à la villa. Si ses devoirs envers la paroisse ne l'avaient pas retenu au loin, il serait venu tous les soirs. La cuisine était merveilleuse. Mme Diu, découvrit-on, savait préparer les omelettes, les sauces, tous les plats les plus raffinés de la cuisine française, et bien qu'elle n'eût pas souvent à sa disposition des ingrédients exotiques, elle servait malgré tout des plats simples et succulents – poisson frais, ou bien porc au riz et aux légumes sauvages –, suivis des fruits cultivés localement en guise de dessert. Elle préparait des petits pains délicieux et des miches dorées : ici, sentait Skip, il aurait pu se satisfaire de pain et d'eau.

Durant ces dix semaines de pluie, le colonel n'était pas venu une seule fois. En dehors du prêtre, deux ou trois fois par mois, et de Nguyen Hao, à peu près aussi souvent, Skip restait sans ami et retournait à sa solitude naturelle – il connaissait bien ce penchant, lui l'enfant unique d'une mère active, d'une veuve de guerre –, à cette solitude des après-midi pluvieux passés à l'école. Dans la plus petite des trois chambres de l'étage, il poursuivit sa vocation d'arbitre des récits fragmentaires contenus dans le fichier « 2242 » de son oncle. Une entreprise languissante. Chaque séance de travail le laissait perplexe. Les bristols du colonel étaient classés alphabétiquement selon les noms des individus soit interrogés soit mentionnés au cours d'interrogatoires ayant eu lieu entre 1952 et 1963 dans tout ce qui était maintenant le Sud Vietnam. Il avait terminé la phase découpage et collage et commencé à rédiger de nouveaux en-têtes pour chacun des mille neuf cents bristols dupliqués, qu'il classait selon les noms des lieux cités, afin qu'un jour – guère proche ! – il fût possible d'examiner toutes ces informations en fonction d'un district, d'un village ou d'une ville. Pourquoi dès le début ne s'en était-on pas tenu à ces catégories ? Et à quoi bon s'en soucier ?

Comme pour le projet CORDS/Phoenix, des agents avaient battu la campagne, posé des questions, pris des notes, avant de rejoindre un autre poste. Il mourait d'envie de tomber par hasard sur un indice et de le suivre jusqu'à une découverte sidérante – le Premier ministre Ky espionnait pour le compte du Viêt-cong, ou bien une tombe impériale abritait un trésor de guerre français dont le montant s'élevait à plusieurs millions –, mais non, il n'y avait rien ici, tout était inutile ; il le devinait dès que ses doigts se posaient sur les bristols. Non seulement les données étaient aussi triviales et hétéroclites que celles de CORDS/Phoenix, mais leur date de péremption semblait dépassée depuis belle lurette. Ces bristols de huit centimètres sur douze étaient seulement des artéfacts. Et de cet unique point de vue, ils exerçaient une certaine fascination.

Début août et à la demande de Skip, Hao lui apporta un dictionnaire français-anglais plus volumineux, ainsi qu'une liasse de photocopies transmises par le colonel : un article passablement célèbre publié dans la *Revue du Renseignement* et intitulé « Observations sur l'agent double », par John P. Dimmer, Jr. ; et puis un brouillon partiel du propre article du colonel, cet essai qui avait fait quelques vagues, sept pages dactylographiées et annotées à la main – des idées plus exaltantes que les textes français, plus sinistres que les avertissements cryptiques d'Eddie Aguinaldo. D'un côté parfaitement raisonnables, de l'autre d'une traîtrise inquiétante.

Le colonel avait agrafé un message de trois lignes à la première page de l'« Agent double » de Dimmer :

> Skipper, refamiliarise-toi avec J. P. Dimmer, et jette un coup d'œil aux pages de mon brouillon. J'en ai d'autres, mais c'est un vrai fatras. Te les transmettrai l'une après l'autre. Sinon tu deviendrais dingue à force d'essayer d'y voir clair.

Sands se rappelait très bien l'après-midi où il avait entendu parler pour la dernière fois des « Observations sur l'agent double ». Il se le rappelait non pas à cause de cet intitulé, mais à cause d'autres remarques que s'étaient permises le colonel.

Accompagné du sergent Storm, il était venu sauver temporairement son neveu du projet CORDS/Phoenix. De temps à autre le colonel l'emmenait déjeuner quelque part, ce jour-là sur la terrasse de l'hôtel New Palace. En haut de l'escalier une pancarte annonçait AUJOURD'HUI FESTIVAL DES HAMBURGERS. Skip fit remarquer qu'une fois de plus le ciel était couvert, et Jimmy Storm dit : « Y a pas de ciel sous les tropiques. » Jimmy, en tenue civile, semblait fébrile et Skip le soupçonna de prendre de la benzédrine.

Le colonel se balançait sur sa chaise, la main droite posée sur la rambarde, la moitié orientale de Saigon s'étendant derrière lui, et devant lui un long buffet, le festival, sans doute, des hamburgers. Sa main gauche serrait un cocktail. « L'Agence est en état de choc. L'affaire Kennedy et la foirade de la baie des Cochons nous ont foutus dans la panade. Nous ne savons plus sur quel pied danser, comment accomplir notre mission. À Cuba nous accumulons les gaffes, nous en tant qu'Agence, nous en tant que nation. Nous sommes la Russie de l'hémisphère Ouest. »

Sands demanda : « Et à votre avis, comment ça se passe ici pour nous ? En ce moment ?

— Tout dépend des Vietnamiens, Skip. Nous répétons depuis si longtemps "Tout dépend des Vietnamiens" que ça ressemble à une connerie, mais c'est la vérité. Le vrai problème, c'est : comment les aidons-nous ? Toi, moi, nous, assis à cette table. Je veux dire, nous trois. Je crois que nous devons mettre sur pied une nouvelle approche. Nous devons nous montrer plus agressifs dans le traitement des données.

— Agressifs ?

— Tous les trois.

— Nous ?

— Le problème de la collecte de renseignements est le suivant : quand arrête-t-on de prendre l'initiative ? Allons-nous sur le terrain pour débusquer agressivement les infos, les accumuler agressivement, et ensuite laisser passivement d'autres zigotos les filtrer ? Non. Le filtrage a lieu sans arrêt, à tous les niveaux. »

Jimmy : « Une sélection.

— Et je n'aime pas cette putain de sélection, Skipper. Ce qui se trouve éliminé, entre autres choses, ce sont toutes ces infos spécifiques qui vont nous pourrir la vie en inquiétant nos supérieurs. Ce qui est conservé, c'est un mensonge qui atterrit sur le bureau des chefs, un mensonge agréable, un mensonge monstrueux. »

Jimmy : « Un monstre agréable.

— Le mensonge remonte, et ce qui redescend c'est une mauvaise politique, une politique foireuse. Des idées stupides sont générées à tous les degrés de la hiérarchie, et ici, sur le terrain, nos bras et nos jambes se mettent à gesticuler de manière très peu coordonnée. Alors, quand on nous le demande, nous pondons un rapport qui déclare avec moult précautions et circonvolutions que nous avons foutu un bordel pas possible. Tu sais comment ça marche, Skip : Mindanao. Nous oscillons entre la tiédeur inefficace et l'ardeur imbécile. »

Jimmy : « Ardeur : voilà un mot splendide. »

Le colonel reprit : « Pourquoi devrions-nous attendre les niaiseries du centre de la ruche ? Pourquoi ne pas générer nos propres scénarios ? »

À cet instant de la conversation Jimmy Storm remarqua une cliente assise à une autre table, une jeune femme asiatique plutôt grande, séduisante, d'une élégance rare, le corps moulé dans un somptueux fourreau de soie, et dit : « Dieu que j'aimerais baiser le fourré caché dans ce fourreau. »

Le colonel éclata d'un rire bref : « HAH ! »

Son bouffon prit avec les doigts un morceau de viande en sauce et le mastiqua énergiquement. « À moins que Skip ne s'en charge. »

... Le brouillon d'article commençait par une note manuscrite – les majuscules étant du colonel – photocopiée :

NOUS N'AVONS PAS ENCORE D'INTRO
Je veux réactualiser la distinction entre l'analyse et le renseignement – pensée claire, langue pure, discours cohérent, etc., clarté des faits – car je constate qu'un manque de clarté a abouti à la perversion complète de la fonction du renseignement dans notre Agence. Ses raisons et ses objectifs. Son sens. Ses méthodes.
Disons que c'est mon objectif principal : la distinction entre l'analyse et le renseignement.
Orwell : « La politique et la langue anglaise »
Quant à l'intro...
SURTOUT POUR AFFIRMER ICI QUE NOUS PARLONS DES DEUX FONCTIONS DES SERVICES CLANDESTINS : LE RENSEIGNEMENT ET L'ANALYSE. ET DE L'EFFONDREMENT DES BARRIÈRES ENTRE LES DEUX, ETC.

À la page suivante commençait le texte dactylographié. Skip s'attendait à un méli-mélo gênant. Mais dès la troisième phrase il comprit que le colonel avait eu de l'aide :

Contamination réciproque des deux fonctions
Nos figures de discours en rapport avec le processus de la communication nous fournissent notre modèle pour cette discussion. Nous parlons de « lignes » de communication et de

« chaînons » de commandement, nous rappelant ainsi que les données circulent de manière linéaire et liée à travers les rangs de ceux qui les interprètent. Dans le cas des fonctions de nos services de renseignements, nous considérons que ce mouvement trouve son origine sur le terrain et se termine par l'archivage, les projets ou les opérations. Les données brutes collectées par l'agent sur le terrain remontent de plus en plus lentement les chaînons de la hiérarchie et se trouvent finalement bloquées par des considérations liées à leur impact – sur d'autres opérations, sur les objectifs des supérieurs, et même sur le plan de carrière de l'individu qui les transmet – jusqu'à ce que des données apparentées remontent des structures parallèles pour les corroborer, ou – très malheureusement, peut-être dangereusement – jusqu'à ce que le commandement éprouve le besoin de consulter ces données pour justifier sa politique, et que les dépositaires de ces données ressentent ce besoin.

Cette hésitation et ce doute indiquent que la fonction du renseignement a été polluée par la fonction de l'analyse. Les données se voient interprétées, peut-être inconsciemment, et leur effet sur le commandement est anticipé. Nous parlons alors d'« influence du commandement » sur la fonction du renseignement, et le fait que nous possédions une expression pour nommer ce phénomène accrédite son existence ; mais jusqu'ici, nous n'avons pas réussi à étudier les modes opératoires, la mécanique, de l'influence du commandement.

Cet article suggère, à grands traits, que l'« influence du commandement » opère à travers la contamination réciproque des deux fonctions des services clandestins : le renseignement et l'analyse.

Contamination réciproque des deux catégories

Quand les données hésitent le long de la chaîne, attendant 1) l'augmentation des pressions pouvant les faire monter, et 2) la vérification d'informations reliées, alors la différence cruciale entre renseignement humain et renseignement documentaire est menacée et finit par se diluer. Plus simplement exprimé, le besoin d'examiner la véracité des sources cède aux pressions du processus. Le résultat est une contamination réciproque : des données issues de sources humaines, évidemment peu fiables, servent désormais d'arguments pour des interprétations douteuses de sources documentaires, et on en vient à croire que ces interprétations éclairent à leur tour des données issues de sources humaines.

La contamination réciproque de ces deux catégories, le renseignement humain et le renseignement documentaire, est un sous-produit de l'effondrement plus général des frontières entre les fonctions du renseignement et de l'analyse.

Contamination réciproque des deux parcours

Le processus interprétatif, nous le savons, est toujours sujet à l'appropriation par et à l'affiliation à une politique. La contamination réciproque rend les données floues, malléables, et finalement inutiles, sinon comme ingrédients des chimies internes, bureaucratiques et politiques.

Un examen détaillé des processus par lesquels les besoins du commandement se communiquent vers le bas le long des chaînons doit attendre une autre occasion. Dans l'état actuel des choses il suffira de reconnaître qu'une intuition des besoins du commandement circule vers le bas à travers tous les chaînons dans le même type de parcours par lequel les données sont communiquées vers le haut. Le résultat est une contamination réciproque des deux parcours.

Il faut souligner que ce processus est d'une nature entièrement différente de celui de la collecte des données dans notre Agence sous son incarnation précédente, l'Office of Strategic Services (OSS). Dans l'OSS la fonction du renseignement était presque indépendante de la politique, car la politique est le jeu de la paix, alors que l'OSS servait une structure de commandement qui poursuivait les objectifs de la guerre. De cette époque, nous avons laissé survivre le vieux modèle du terrain-vers-l'archive, terrain-vers-le-projet, terrain-vers-le-projet-vers-l'opération. Mais ce modèle nous dessert désormais.

Le modèle d'une chaîne parcourue par deux ondes de données sous pression qui se contaminent réciproquement est plus apte à décrire aujourd'hui le fonctionnement réel de notre Agence. La pression qui s'exerce vers le bas provient des besoins du commandement, alors que la pression qui s'exerce vers le haut provient du besoin de satisfaire le commandement.

À ce point de la discussion, admettons une fois encore l'absence d'efficacité de ce processus, car nous avons maintenant désigné la catégorie de service où le renseignement devient utile, à savoir la poursuite des objectifs de la guerre.

Fertilisation réciproque des deux buts

Cet article laissera ouverte la question de savoir comment nous appliquerons les leçons de ce modèle amélioré à notre présente situation de guerre, c'est-à-dire au Sud Vietnam. Malgré tout, certaines considérations méritent qu'on s'y attarde :

Des groupes se font la guerre soit dans le but d'atteindre des objectifs politiques, comme dans le cas d'une révolution, soit dans le but d'assurer leur survie, comme dans le cas d'une contre-révolution. (Une longue parenthèse : nous laissons de côté les cas où les deux buts sont brouillés, par exemple quand des États-nations désirent bâtir un empire, ou investir un marché, ou encore se défendre contre ces deux types d'agression. Nous laissons volontairement de côté les développements et les subtilités qui résulteraient d'une convocation commune de Clausewitz et de Machiavel à la table de notre discussion. Nous le réaffirmons : notre objectif consiste à élaborer un modèle amélioré pour considérer le rôle du renseignement dans notre présente situation de guerre, si bien que nous simplifions.)

Là, une flèche dans la marge dirigeait le lecteur vers une note manuscrite en bas de page :

V – Jusqu'ici tout va bien. La fin consiste simplement à dire que nous invitons tous les intéressés à réfléchir à ces enjeux. Le point essentiel, c'est que le but du Viêt-cong et du Nord Vietnam est la révolution politique fertilisée par la survie nationale. Il faut aussi s'interroger sur les buts des États-Unis : que faisons-nous ? Et quel est le rôle du renseignement dans tout ça ? Et puis, comment retrouver un sens crédible de nos objectifs en temps de guerre ? Comment remotiver l'Agence dans son rôle originel de service de renseignements ?

La nécessité de l'activité isolée
D'un autre côté, les États-Unis, même dans cette situation de guerre, n'ont pas des objectifs guerriers très clairs. Notre stratégie est en fait celle d'un jeu de pions, avec cette priorité jamais complètement exprimée que les rangées arrière, les pièces maîtresses, les grandes puissances mondiales, ne doivent jamais jouer directement. Pour les membres de la communauté du renseignement, cette constatation suggère la nécessité d'établir l'isolement afin de créer une zone d'activité où les objectifs réels et originaux du renseignement sont retrouvés et remis en jeu. Nous utilisons le terme de « zone », mais disons plutôt qu'une certaine longueur de la chaîne de communication doit être isolée pour échapper aux pressions venant d'au-dessus et d'en dessous – les pressions de la « prudence des subordonnés » par en dessous, celles de l'« influence du commandement » par au-dessus. Un tel isolement ne résultera évidemment pas d'un ordre du commandement lui-même ; il doit donc s'instaurer à la suite de l'initiative de cette Agence ou de certains de ses membres.

Dans les marges :

V, s'il te plaît débrouille-toi pour que ça paraisse moins pompeux, plus vague – « Que celui qui a des oreilles pour entendre, entende. » – FXS. Mais V – le temps est une donnée cruciale. DICHOTOMIE MOBILITÉ-PERTE, mon pote.

Qui l'avait aidé? Qui était « V » ? – Voss, sans doute. Sur la dernière page, une autre note, de la main du colonel :

> *Arbre de fumée – (pilier de fumée, pilier de feu) la « lumière guide » d'un but sincère pour la fonction du renseignement – refaire de la collecte des informations la principale fonction des opérations de renseignement, plutôt que de fournir des justifications à la politique. Car si nous ne le faisons pas, la prochaine étape permettra aux bureaucrates blasés, cyniques, carriéristes, assoiffés de pouvoir, d'utiliser le renseignement pour influencer la politique. L'étape ultime consiste à créer des fictions et à les servir à nos politiciens afin de contrôler la direction du gouvernement. ET PUIS – « Arbre de fumée » – remarque la similarité avec le nuage en forme de champignon. HAH !*

Puis de nouveau la machine à écrire, donc Voss :

> *On pourrait imaginer une étape située au-delà de la dernière décrite. Considérons la possibilité d'une coterie ou d'un groupe isolé choisissant de créer des fictions indépendantes de l'intuition qu'a le pouvoir pour ses propres besoins. La possibilité que ce groupe puisse servir ces fictions à l'ennemi afin d'influencer ses choix.*

HAH ! Il entendit son oncle rire. Comme, sur la terrasse du Continental, il avait ri face aux grossières insinuations de Jimmy. Pendant que Jimmy se suçait les doigts, le colonel dit à Skip : « Tu te rappelles le papier de J. P. Dimmer sur l'agent double ?
— Je l'ai lu mille fois.
— Suppose que tu aies un double.
— Avons-nous un agent double ?
— Suppose-le.
— D'accord.
— Et suppose que tu veuilles lui fourguer un produit bidon. »
Skip dit : « Un produit bidon ? Je ne me souviens d'aucune discussion de ce genre dans le Dimmer.
— Sergent, trouvez-lui une copie, je vous prie.
— Que je lui trouve une copie de quoi ?
— C'est un article intitulé "Observations sur l'agent double". Dans ma pile de *Revue du Renseignement*, exemplaire de l'hiver 62.
— Quelle mémoire.

— Supposons que Hanoi croie qu'un élément insubordonné du commandement américain ait décidé de faire exploser une bombe atomique dans le port de Haiphong.

— Vous plaisantez ?

— Est-ce que ça ne perturberait pas un chouia les beaux raisonnements de Hô ? S'il croyait qu'une bande de cinglés et de salopards avait décidé d'en finir sans demander la permission à personne ?

— Il s'agit d'une simple hypothèse, j'espère.

— Skip. As-tu une bombe A dans ta poche ?

— Non.

— Tu sais où en trouver une ?

— Non.

— Non. C'est *Psy Ops*. Nous parlons de déboussoler le jugement de l'ennemi.

— Notre processus de réflexion n'admet aucune limite, annonça le sergent Storm. C'est presque du yoga ou un travail spirituel. »

Il se rappela une autre déclaration du sergent Storm : « Nous sommes à la lisière même de la réalité. À l'endroit précis où elle se transforme en rêve. »

Après sa première visite au Purple Bar, James désira simplement y retourner dès que possible, y boire de la bière et baiser, et puis y retourner encore, car dans l'immédiat il n'imaginait aucun but plus élevé.

Il n'oublia pas sa mère. Il lui envoya la moitié de ses premières paies. Mais ensuite, plus rien. Il dépensait tout pour se marrer.

Avril ne ressembla guère au printemps, il fit simplement une chaleur torride. Tout l'été se résuma à un torrent de pluie. Octobre et novembre furent plus frais et plus secs. James ne réussit pas à manger la dinde de Thanksgiving servie à la base de la zone d'atterrissage. D'autres mess avaient de la vraie dinde, mais ce truc sortait d'une boîte, tout blanc et gorgé d'eau. « Noël, dit Fisher, va briser le cœur de tout le monde. »

D'abord James envoya à Stevie de nombreux messages brefs et torturés, il lui envoya des babioles qu'il trouvait à Saigon, il chérit les lettres qu'elle lui écrivait, il essaya d'imaginer son visage et sa voix quand il lisait ses mots. Et puis un jour il parut incapable de se souvenir de Stevie. Ce n'était pas le cas des autres soldats. À mesure que les jours filaient, ces types semblaient de plus en plus obsédés par leur copine restée au pays, et quand la quille approchait, ils comptaient les jours et devenaient lyriques en parlant de viande blanche, de viande blanche, de viande blanche. Mais James désirait simplement davantage de ce qu'il avait au Purple Bar, quelle que fût la couleur de cette viande.

Les messages de Stevie arrivaient sans relâche, d'habitude de brefs billets qu'elle griffonnait en cours de dactylo, exactement le genre de petit mot qu'elle pouvait transmettre discrètement à n'importe quelle autre camarade d'école, comme si James était assis à deux tables d'elle, en train de somnoler, et non d'ouvrir son pantalon dans un bunker, de diriger le faisceau d'une lampe torche sur son entrejambe nu et d'examiner une horrible plaque violacée et suppurante de teigne – d'une couleur volatile, presque verte, dans la lumière tremblante. « T'attrapes pas ça à cause des putes, affirmaient les autres soldats, qu'il interrogea encore et encore, t'attrapes pas ça chez les putes, c'est juste une saleté, une affreuse saloperie de la jungle moite, et la merde que te refilent les toubibs finit par t'en débarrasser. C'est pas la peine de te raser les couilles. Alors t'en fais pas. Et te rase pas les couilles. » Les lettres de Stevie, les petits cercles qui surmontaient ses « i », le terrifiaient autant que cette teigne suppurante. Il y répondait rarement.

« J'ai seulement réussi à t'amener à mi-chemin de l'amour », lui écrivit-il un jour en pompant un des poèmes qu'Evans envoyait à sa propre copine.

« Je t'attendrai toujours, lui écrivit-elle en retour, je serai loyale jusqu'au bout. »

Il eut envie de lui répondre : Ne sois pas loyale, car moi je ne le suis pas. À la place, il ne lui répondit tout bonnement pas.

À Noël, quand il reçut une carte de sa mère, la seule idée d'ouvrir l'enveloppe le rendit malade – et si elle sanglotait à cause de l'argent ? Mais elle avait seulement écrit « Ta maman qui t'aime » au bas d'une carte Hallmark, après un verset sur le Sauveur, la crèche, les Rois mages et le merveilleux premier Noël au ciel rempli d'étoiles.

Lieut Givré emmena une escouade en patrouille, et le premier effet de sa déveine fut de les faire tomber sur un trou-araignée contenant deux Viêt-congs morts. Le Givré le trouva tout seul quand, quittant la piste pour contourner un arbre tombé à terre, il enfonça soudain le pied à travers le chaume et écrasa la tête d'un cadavre. Plusieurs membres d'Echo écartèrent le tronc d'arbre et ouvrirent le couvercle brisé, en bambou recouvert d'herbe, pour mettre au jour les morts, entassés l'un sur l'autre, tout imbibés d'eau et puants, leurs orbites grouillant de fourmis. En s'effondrant, l'arbre les avait piégés à l'intérieur, l'eau était montée dans la fosse durant la nuit, en s'élevant si vite qu'apparemment ils avaient à peine eu le temps de creuser avant d'être noyés. Lieut Givré voulut interroger tous les habitants de la région. Le premier paysan qu'ils abordèrent, alors qu'il revenait des champs avec un boisseau de petit bois posé sur l'épaule, jeta aussitôt son fagot et s'enfuit à toutes jambes, deux soldats d'Echo sur ses talons. Les autres s'accroupirent et attendirent. « Cette montagne nous chie dessus », déclara Lieut Givré. La plupart des gars n'étaient pas là depuis assez longtemps pour apprécier les changements atmosphériques. Parce que Flatt et Jollet étaient partis et que les recrues étaient sans cesse transférées, les plus anciens de la section étaient le spécialiste de quatrième classe Houston, surnommé le Cow-boy, et Black Man, le sergent sans nom. Il y avait maintenant un autre Noir, Everett, un caporal, qui répondait à son nom mais parlait seulement à Black Man, et ce très doucement pour que personne d'autre ne puisse l'entendre. « Au fait, à propos de chier », dit Lieut Givré avant de s'éloigner derrière un buisson ; et il revenait en ajustant sa ceinture quand les deux poursuivants se pointèrent, sans l'indigène.

« Bredouilles ?
— Il a disparu.
— Sous terre, *sir*.
— Nous pensons qu'il a disparu sous terre.
— Il y a un tunnel, *sir*.
— Merde. Ne dites rien au colonel, fit le Givré.
— C'est juste là-bas. »

Toute l'escouade se regroupa autour de ce qui ressemblait bel et bien à une entrée de soixante centimètres sur soixante donnant sur le monde inférieur. Lieut Givré s'agenouilla, dirigea la lumière de sa lampe torche à l'intérieur, puis se releva très vite. « Ouais, ils font souvent ça. Il piquent une tête et descendent à un ou deux mètres. Reculez », leur dit-il avant de dégoupiller une grenade, de la faire rouler dans le trou et de piquer un cent mètres. L'explosion parut modeste, étouffée. Des fragments de terre jaillirent vers le ciel et retombèrent en pluie. « Putain, j'en sais rien », dit-il. Il laissa deux hommes en faction près du trou, puis les autres et lui-même rejoignirent les cadavres.

Là, sur le versant ouest de la montagne, ils empruntèrent ce qui était quasiment une route. Sur cinq kilomètres, un bulldozer D6 avait réussi à élargir le sentier à partir d'Echo Base. Plus loin, la falaise et le ravin interdisaient le passage à tout véhicule. Lieut Givré appela par radio le sergent Harmon, qui arriva en jeep. « Je veux pas de ces connards morts ici, dit-il à Harmon. Emportez-les. Si Charlie est dans ma montagne, je veux qu'il se demande si on a pris ces types vivants. Vous voyez, lança-t-il aux autres, c'est ça *Psy Ops* : foutre le bordel dans le cerveau de Charlie. »

Le sergent et lui, installés dans la jeep, mangèrent des rations C jusqu'à ce que les autres trouvent un moyen de dégommer l'indigène dans son tunnel – s'il y était toujours – avec de l'essence.

Trois hommes enlevèrent de l'arrière du véhicule un baril de deux cents litres, à moitié plein, le firent rouler sur la piste jusqu'à l'entrée du tunnel, le baril zigzaguant çà et là, les hommes jurant et taillant la végétation. Tous les autres vinrent observer. Deux hommes firent basculer le baril au-dessus du trou et le troisième tapa sur le couvercle avec la crosse de son M16 pour le libérer.

Lieut Givré s'approcha d'un pas vif dès qu'il eut compris ce qui se passait. Il laissa sa mâchoire tomber un peu, puis renversa la tête en arrière, en émettant ainsi de muets reproches.

« Nous avons entamé un processus d'élimination, expliqua le type.

— Wayne, votre arme n'est pas un marteau de forge.

— Désolé, *sir*. Mais je veux dire, faut bien qu'on se débarrasse de ce sale bridé. »

Ils dévissèrent le couvercle, vidèrent le contenu nauséabond dans le trou, puis le caporal Wayne, un jeune crétin potelé originaire de l'Iowa, chevaucha l'obscurité, gratta une allumette, la lâcha. La violence de l'explosion le propulsa dans les airs, au-dessus de leurs têtes, à travers la cime des arbres, tandis qu'il hurlait comme un tir d'artillerie.

« À qui le tour ? » fit le sergent Harmon.

Les deux complices du caporal Wayne se ruèrent à sa recherche. Il revint en boitant entre eux.

« T'as oublié de dire : "Feu dans le trou!" » »

Il ne semblait pas grièvement blessé. « Maintenant je suis célèbre » fut tout ce qu'il proféra.

« Le colonel va pas aimer que t'aies bousillé son tunnel », dit Black Man à Lieut Givré.

Celui-ci enlaça les épaules de Black Man pendant que le sergent se campait devant lui.

« Quelqu'un devrait vérifier le statut de ce trou.

— Pourquoi t'y descendrais pas, Black Man?

— Moi?

— Ouais. Faufile-toi là-dedans, jettes-y un œil.

— Pour voir si c'est celui dont on ressort pas.

— Y reste plus de tunnel, lieutenant. »

Lieut Givré attira Black Man tout contre son épaule et dit : « Tous les p'tits enfants du bon Dieu ils font des tunnels. »

Le Cow-boy intervint : « Moi je veux bien y descendre. »

L'escouade le regarda – toutes les têtes se tournèrent. Puis tous regardèrent ailleurs. En haut, en bas, au loin.

« On a un volontaire », confirma le sergent.

Lieut Givré dit au Cow-boy : « Nous allons faire plaisir au colonel. »

Ces temps-ci Echo ne voyait pas souvent le colonel. Les nouveaux l'avaient seulement aperçu de loin. Le Cow-boy demanda à Harmon : « C'est un vrai colonel?

— Eh bien, ce n'est pas un produit de mon imagination.

— Ça veut dire quoi, ça?

— Je crois que ça veut dire qu'il est réel, soldat. Je crois que s'il te marchait sur les doigts, tu crierais.

— J'en sais vraiment rien, rétorqua le Cow-boy. Je me suis plus souvent assis sur les genoux du père Noël que je n'ai vu ce colonel. Alors pour moi il est pas aussi réel que le père Noël, d'accord?

— Tiens. » Harmon lui tendit sa lampe torche. « Prends-en une en rab. »

Le Cow-boy alluma la lampe et entra tête la première dans le tunnel, ainsi que certains d'entre eux avaient vu faire les Kootchy Kooties.

Quand tout son corps eut pénétré dans le trou, quand il ne resta plus rien de lui à l'extérieur, les autres attendirent en cercle autour de l'orifice. Le fait de descendre dans cet univers mystérieux engendrait forcément le respect, sinon pour la prudence de l'audacieux, du moins pour son degré de folie.

Selon certaines rumeurs, ces tunnels s'étendaient sur des kilomètres sous terre. Il y avait des monstres là-dessous, des reptiles aveugles et des insectes qui n'avaient jamais vu la lumière, il y avait des hôpitaux et des bordels, et puis des choses horribles, des monceaux de restes humains dus aux atrocités du Viêt-cong, des bébés morts, des prêtres assassinés.

« Tirez-moi les pieds », cria-t-il dans l'ouverture du tunnel.

Ils s'emparèrent de ses chevilles et le sortirent à l'air libre. Il n'avait pas réussi à se retourner. « Ça s'est effondré à vingt mètres de l'ouverture, dit-il au Givré.

— Personne là-dedans ?

— Pas depuis que j'en suis ressorti », répondit le Cow-boy.

Elle se réveilla vers cinq heures dans sa chambre à l'arrière de la maison. Les fenêtres étaient fermées, mais elle entendit les coyotes japper et geindre au loin vers l'est, en direction des Superstitions. Pas de boulot aujourd'hui. Elle resta au lit et pria. Puisse Burris commencer la nouvelle année avec une meilleure attitude à l'école, et puisse-t-il trouver le Seigneur au fond de son cœur. Puisse Bill accomplit son devoir dans la joie, et puisse-t-il trouver le Seigneur au fond de son cœur. Puisse James survivre aux dangers de la guerre, et puisse-t-il trouver le Seigneur au fond de son cœur. Les coyotes gémissaient comme des chiens blessés. Ils se lamentaient bien sûr dans l'attente du retour du Christ. Puissent-ils ne pas être entendus. Puisse le Christ attendre que la dernière âme sur terre soit sauvée. La dernière âme sauvée serait peut-être l'un de ses garçons. Tous les signes portaient à le croire.

Elle posa les pieds par terre et enfila une chemise de flanelle sur sa chemise de nuit. Il faisait encore nuit noire. Elle se rallongea et un peu plus tard s'aperçut qu'elle s'était rendormie. Pas d'autres rêves. Le réveil tictaquait. Le radium du cadran annonçait presque six heures. Elle se leva, trouva ses chaussons.

À la cuisine elle mit un peu de lait Carnation dans une soucoupe pour la chatte. Puissent les coyotes ne pas la couvrir. Ou les chats. On n'avait pas besoin de chatons dans les parages... Toujours la nuit noire. Burris avait passé la moitié de la nuit à regarder des films d'horreur à la télévision. Elle ne pouvait rien faire pour le tenir à l'écart de la tentation.

Elle alluma une Salem aux flammes de la cuisinière. Elle fit bouillir de l'eau pour se préparer du café soluble et elle s'assit à la table de la cuisine, une table de bridge pliante, elle posa la cigarette dans le cendrier, d'une main ferma son col de chemise et de l'autre porta la tasse à ses lèvres. Des traînées verdâtres à l'est. La vitre était sale. La prière était tout ce qu'elle avait. La prière, le Nescafé et les Salem. C'était l'unique moment de la journée où elle ne se sentait pas cinglée.

Elle renversa un peu de café quand le téléphone mural sonna. Puisse Dieu venir en aide à tous. Elle rejoignit le mur et décrocha le récepteur en cherchant ses mots pour implorer la pitié de quiconque allait lui parler. Avant d'envisager toutes les possibilités terrifiantes, elle réussit seulement à dire : « Allô.

— Salut, maman. C'est James.

— Quoi ?

— Maman, c'est James. J'appelle pour te souhaiter un joyeux Noël. Même si je suis un peu en retard.

— James ?

— Oui, James. Joyeux Noël, maman.

— James ? James ? Où es-tu ?

— Je suis au Vietnam, comme avant. Comme toujours.

— Est-ce que tu vas bien, James ?

— Je vais bien. En pleine forme. Comment s'est passé Noël pour vous tous ?

— Est-ce que tu vas bien ? Tu es blessé ?

— Non, non. Je vais bien.

— J'ai peur quand tu m'appelles.

— Je veux pas te faire peur. Je voulais juste te faire un petit coucou.

— Mais tu vas bien ?

— Très bien, maman. Aie pas peur ni rien. Hé, je viens de t'envoyer un autre mandat.

— Je t'en remercie beaucoup.

— Pardon d'avoir autant traîné.

— Je sais que c'est dur. Je compte pas dessus, mais c'est vrai que ça nous aide à joindre les deux bouts.

— Je vais essayer d'être plus régulier. Je vais vraiment essayer. Comment c'était, Noël ?

— Ça s'est bien passé, James. Très bien passé. Faut que je m'asseye. Je vais chercher une chaise. Tu m'as fait peur.

— Y a pas de raison d'avoir peur, maman. Je suis très bien ici.

— Je suis heureuse de l'apprendre. As-tu appelé Stephanie?

— Stevie?

— Stevie. Lui as-tu déjà téléphoné?

— Je compte le faire. Ce soir, c'est la prochaine sur ma liste.

— Quelle heure est-il là-bas?

— À peu près huit heures du soir. Nous autres dans l'armée on dit vingt zéro zéro.

— Il est six heures huit du matin ici à Phoenix.

— Aïe.

— Allez, va-t'en, dit-elle. Pas toi – j'ai ici cette vieille chatte.

— Tu l'as toujours?

— Non. Une autre.

— Qu'est-il arrivé à la première?

— Elle est partie.

— Les coyotes l'ont eue.

— J'imagine.

— Bon, maintenant tu en as une autre.

— James..., dit-elle, puis sa voix se brisa.

— Allons, maman.

— James.

— Maman. Faut pas te faire de souci.

— Si. Je m'inquiète.

— C'est pas du tout comme ce que tu penses. On est vraiment en sécurité ici. J'ai pas encore vu le moindre combat. C'est juste des patrouilles. Tous les gens sont très gentils.

— Ils sont gentils?

— Oui. Vraiment. Tout le monde est gentil.

— Et les communistes?

— J'en ai jamais vu un seul. Ils viennent pas dans notre secteur. Ils ont la trouille.

— Si c'est un mensonge, je t'en remercie.

— C'est pas un mensonge.

— J'espère que tu seras bientôt de retour à la maison. Combien de temps te reste-t-il à faire?

— Maman, j'appelle pour te dire que j'ai signé un autre tour de service.

— Encore un?

— Oui, m'dame.

— Encore un an ?

— Oui, m'dame. »

Comme elle ne savait pas quoi ajouter, elle dit : « Veux-tu parler à ton petit frère ?

— Burris ? Okay, mais en vitesse alors.

— Il a des problèmes à l'école. Les maîtres m'ont dit qu'il arrive pas à se concentrer. Une minute il est là, et tout de suite après il a la tête ailleurs.

— Et il dit quoi, Burris ?

— Il dit qu'il aime pas l'école. Je lui ai répondu qu'il devait y aller. Personne n'aime ça, autrement ce serait pas gratuit.

— Va le chercher.

— Il dort. Attends une minute.

— Laisse tomber alors. Dis-lui simplement que je lui ai dit qu'il devait se remuer le cul.

— Merci, James. Je vais lui rapporter les conseils de son grand frère.

— Bon, je t'appelle sur une unité radio, faut que je te laisse.

— Une unité radio ?

— Oui, m'dame. Là-haut au camp de base.

— Tu es à la radio ? Et moi au téléphone !

— Bonne année, maman.

— Pour toi aussi.

— Je te souhaite une bonne année, maman.

— J'espère que la tienne sera bonne aussi.

— T'en fais pas. Bon, eh ben, au revoir alors.

— Au revoir, James, dit-elle. Je prie pour toi jour et nuit. N'écoute pas ce qu'on dit. Tu participes à l'œuvre du Seigneur, tu gardes Sa foi vivante dans un monde qui s'obscurcit. Nous vivons une époque digne de l'Ancien Testament.

— Je sais. Je t'entends, maman.

— Les communistes sont des athées. Ils nient le Seigneur.

— C'est ce qu'on raconte.

— Regarde l'Ancien Testament. Regarde combien ont été massacrés au nom du Seigneur. Lis le Premier Livre de Samuel, lis les Juges. S'il le faut, sois le bras armé du Seigneur. »

Elle l'entendit soupirer.

« Je veux juste te serrer contre moi et te remonter le moral. Lis la Bible tous les jours. Il y a des sceptiques et des manifestants et Dieu sait quoi encore. Des traîtres, voilà ce que c'est. Si tu entends parler de ces gens, bouche-toi les oreilles. Dieu merci, on n'en croise pas à Phoenix. Si jamais je voyais une manifestation, je monterais au volant d'un pick-up et je foncerais dans le tas comme un gros rocher dégringolant d'une montagne.

— On me signale que je dois raccrocher, maman, alors je te dis au revoir. »

Tout du long il y avait eu un bruit de lessiveuse sur la ligne. Ce chuintement s'arrêta quand James raccrocha. « Bon », dit-elle à personne.

Elle se leva et remit le récepteur sur le socle.

Une matinée exceptionnellement lumineuse. Nguyen Hao fit la grasse matinée, regarda par la fenêtre de la chambre la lumière jouer parmi les lambeaux de brume, pensa à ce que signifiait livrer bataille – non, pas se battre contre, mais affronter sans trembler – les dragons des Cinq Obstacles : la lubricité, l'aversion, le doute, la paresse, l'agitation.

La paresse le garda un moment au lit. L'agitation le poussa à descendre jusqu'à la cour minuscule située derrière la cuisine, où à chaque instant le soleil créait davantage de brume. Dans sa chaleur tout émettait des fantômes. Ils sortaient des briques, s'élevaient avec une profonde répugnance, disparaissaient.

Hao étendit son mouchoir blanc sur le banc de pierre, s'assit avec grand soin, essaya d'apaiser son esprit.

À neuf heures et demie, Trung tapota à la porte de derrière. Hao se leva, trouva la clef et ouvrit le cadenas. Le Moine possédait désormais des faux papiers. Il sillonnait Saigon en toute impunité. Il semblait en bonne santé, voire heureux. Ils s'assirent sur le banc de marbre comme ils l'avaient fait de nombreuses fois, sans jamais, selon Hao, accomplir le moindre progrès. Devant eux se trouvait toujours le point de non-retour.

« Comment vas-tu ?

— Kim est malade. Pire qu'avant.

— Je suis désolé.

— Je pensais à l'instant aux Cinq Obstacles.

— Moi aussi j'y pense parfois. Tu te souviens d'un poème ? – "Je suis prisonnier du monde comme la fumée qui obscurcit tout."

— Les dragons m'ont vaincu, dit Hao. Ils m'ont entraîné si loin dans le monde que je ne peux plus retourner vers le silence. »

Le Moine paraissait réfléchir à tout cela. Hao était trop las pour le sonder. Au bout d'un moment le Moine dit : « Moi aussi j'essaie d'y retourner. Je désire retrouver le silence. Mais je n'arrive pas à revenir en arrière.

— Vas-tu arrêter d'essayer ?

— Je crois qu'il faut que je termine la vie que j'ai vécue. J'ai l'esprit très confus.

— Je vais être sincère. Tu m'as aussi plongé dans la confusion.

— Me critiques-tu de mettre aussi longtemps ?

— J'ai maintes fois parlé de toi au colonel. Il soupçonne que tu interprètes peut-être mal l'argent que nous te donnons. Mais tu reviens régulièrement. Je lui ai dit qu'il faut t'aider parce que tu reviens tout le temps. »

Trung dit : « Je me rappelle quand les cadres sont arrivés dans mon village en 1945 et qu'ils nous ont lu le discours de Hô. Une jeune femme s'est levée et a lu comme si elle chantait. Le monde résonnait des paroles de Hô. Par la voix magnifique de cette jeune fille il parlait de liberté et d'égalité. Il citait la Déclaration d'indépendance américaine. Il a gagné mon cœur. J'ai tout donné. J'ai laissé mon foyer derrière moi. J'ai versé le sang. Enduré la prison. Peux-tu me critiquer de mettre si longtemps à trahir tout cela ? »

Hao fut choqué. « Ton langage est fort.

— La vérité est forte. Disons que la soif de liberté du peuple nous a poussés à boire de l'eau croupie. »

Qu'il mentît ou pas, voilà une phrase que le colonel comprendrait. « Je citerai tes paroles avec exactitude.

— Les négociations sont terminées. Je suis venu demander, et donner.

— Que demandes-tu ?

— Je veux tirer un trait sur cette vie. Je veux aller aux États-Unis. »

Hao n'en crut pas ses oreilles. « Aux États-Unis ?

— Est-ce faisable ?

— Bien sûr. Ils peuvent tout faire.

— Alors qu'ils m'envoient là-bas.

— Qu'offres-tu ?

— Tout ce qu'ils voudront.

— Mais maintenant. Dans l'immédiat. Quoi?

— Je peux te dire que les rumeurs sont vraies. Il va y avoir un grand soulèvement au Nouvel An. Partout dans le Sud. C'est une offensive majeure.

— Peux-tu fournir des informations précises? Des lieux, des dates, etc.?

— Je ne peux pas te donner beaucoup, car c'est surtout le Nord Vietnam. Mais à Saigon, c'est nous. Notre cellule a été contactée. Nous travaillerons avec une équipe de sapeurs. Ils installent des charges explosives en ville. Il nous faudra sans doute les guider jusqu'à deux ou trois endroits. Dès que je connaîtrai ces emplacements, je te les transmettrai ici même. »

Hao en eut le souffle coupé. « Le colonel va apprécier ce genre d'information.

— Je suis presque certain qu'ils posent ces charges en vue du grand soulèvement. Je crois que ça se passera exactement le jour du Têt. »

Quatre années à finasser sur le seuil, et maintenant en moins de vingt minutes Trung se jetait à l'eau. Hao ne parvenait pas à garder les mains posées sur ses cuisses. Il offrit une autre cigarette à Trung, en prit une lui-même, tendit le briquet pour eux deux. « Je respecte ton courage. Tu mérites que je te dise la vérité. Je t'annonce donc ceci : le colonel s'intéresse à la possibilité que tu deviennes agent double. Que tu retournes dans le Nord.

— Je pourrais sans doute y aller. Il existe un programme pour emmener les hommes des tribus dans le Nord afin de les éduquer et de les endoctriner. L'idée, c'est de les ramener ensuite chez eux pour qu'ils participent à l'organisation. J'ai déjà été impliqué dans ce programme.

— Tu retournerais vraiment dans le Nord? Pourquoi?

— Je désespère de m'expliquer.

— Et les États-Unis?

— Après. »

Après être retourné dans le Nord en tant qu'agent double? Hao doutait de l'existence d'un quelconque après. « Jusqu'ici nous sommes amis, dit-il à Trung.

— Quand la paix viendra, nous serons toujours amis. »

Assis côte à côte sur le marbre lisse du banc, les deux hommes fumaient.

« Bon, c'est d'accord? fit Trung. Nous avons traversé. »

Dans les notes du docteur Bouquet :

De nouveau la nuit, les insectes sont bruyants, les papillons se tuent contre la lampe. Il y a deux heures, j'étais assis sur la véranda pour regarder le crépuscule, débordant d'envie pour chaque créature vivante – oiseau, scarabée, fleur, reptile, arbre, vigne sauvage – qui ne porte pas le fardeau de la connaissance du bien et du mal.

Sands était lui aussi assis sur la véranda dans la touffeur de l'après-midi, le carnet du médecin posé sur les genoux, tandis que derrière lui moisissait la maison remplie de codes, de fichiers, de mots, de références et de références croisées, et il examinait une ligne illisible parmi les notes griffonnées par le médecin, le carnet fermé en toute hâte sur l'encre humide, la ligne biffée. Il avait beau tourner la page en tous sens :

~~Lkjflkjlsd kjsfld Lkjflkjl sdkjsfl Lkjflkjl~~
Et la chose étrange est que ceux qui voyagent dans cette région, comme saisis d'une paralysie somnifère, occultent leurs sens afin de rester ignorants de tout.
Que la Nature, par un caprice étrange, montre tout à coup un corps d'homme qu'on torture sur un rocher, on peut penser d'abord que ce n'est qu'un caprice et que ce caprice ne signifie rien. Mais quand, pendant des jours et des jours de cheval, le même charme intelligent se répète, et *que la Nature obstinément manifeste la même idée*; quand les mêmes formes pathétiques reviennent; quand des têtes de dieux connus apparaissent sur les rochers, et qu'un thème de mort se dégage dont c'est l'homme qui fait obstinément les frais – et à la forme écartelée de l'homme répondent celles, *devenues moins obscures*, plus dégagées d'une pétrifiante matière, des dieux qui l'ont depuis toujours torturé; – quand tout un pays sur la terre développe une philosophie parallèle à celle des hommes; quand on sait que les premiers hommes utilisèrent un langage de signes, et qu'on retrouve formidablement agrandie cette langue sur les rochers; certes, on ne peut plus penser que ce soit là un caprice, et que ce caprice ne signifie rien.

1968

Trois semaines avant la date fixée pour sa démobilisation, le matelot Bill Houston se battit avec un Noir dans le mess des soldats à Yokosuka, aux cuisines où on l'avait consigné ainsi que trois autres marins pour repeindre les murs. Le style d'attaque invariable de Houston consistait à se ruer plié en deux, à caler son épaule gauche contre le ventre de l'adversaire tout en passant le bras gauche derrière son genou, puis à les renverser tous les deux si bien que Houston atterrissait au-dessus en enfonçant de tout son poids l'épaule dans le plexus solaire de l'autre. Il pratiquait aussi d'autres enchaînements, car il considérait le combat à mains nues comme une chose importante, mais d'habitude cette ouverture fonctionnait bien avec les opposants coriaces, ceux qui ne reculaient pas d'un pouce et qui levaient les poings. Ce Noir avec qui il avait décidé de se battre décocha un coup au front de Houston qui filait vers les jambes de l'autre, et Houston vit des étoiles et des arc-en-ciel voler alors que tous deux tombaient sur un pot de peinture de vingt-cinq litres, dont le contenu se répandit un peu partout. C'était la première fois qu'il se bagarrait avec un Noir. Ce type avait le ventre dur comme un casque et il se dégageait déjà à force de contorsions tandis qu'ils glissaient sur le carrelage dans une flaque de plus en plus grande de laque verte réglementaire. Houston tenta de se relever alors que l'autre bondissait sur ses pieds avec une légèreté de marionnette et lâchait un coup de pied latéral dont le crâne de Houston fut seulement épargné parce que le Noir glissa alors et retomba dans le liquide visqueux, en tendant le bras gauche pour amortir sa chute. Mais sa main glissa elle aussi et il commit l'erreur de rouler sur le dos pour se relever, car à ce moment-là Houston avait recouvré ses esprits et il sauta à pieds joints et de toutes ses forces sur le ventre de son adversaire. Cet enchaînement, appelé la « ruade sauvage », entraînait d'ordinaire la mort, mais Houston ne savait pas quoi faire d'autre, et puis, si cette fameuse « ruade » mit fin à l'altercation et accorda la victoire à Houston, elle eut pour seul résultat de couper un instant le souffle au type. Six hommes de la patrouille du front de mer arrêtèrent alors les combattants, deux bipèdes verts désormais indistincts du point de vue racial. Pendant que les soldats de la patrouille les essuyaient, disposaient des bâches sur les sièges des jeeps et les emmenaient menottés, Houston décida que, si jamais ils se retrouvaient à l'ombre ensemble, il éviterait autant que possible une revanche. Officiellement il avait certes vaincu ce type, mais c'était Houston qui avait un œuf énorme entre les deux yeux, quelque part sous toute cette peinture.

« C'était quoi la raison de votre bagarre ? demanda un soldat.

— Il m'a traité de sale connard, dit Houston.

— Tu m'as traité de négro, fit le type.

— C'était pendant le combat, rétorqua Houston. Alors ça compte pas. »

Tout excités à cause de la bagarre, fiers et heureux, ils ressentaient de l'amitié l'un pour l'autre.

« M'appelle plus jamais comme ça », dit le Noir.

Et Houston répondit : « De toute façon je comptais pas le faire. »

Ainsi, le matelot Houston fut rendu à la vie civile plus tôt que prévu et il passa ses dix derniers jours dans la marine non pas comme marin mais en tant que prisonnier dans la taule de la base navale de Yokosuka.

À sa sortie de prison il reçut un bon pour un vol commercial à destination de Phoenix. Ce voyage en avion fit son malheur. Il avait l'impression que ses tympans claquaient comme deux marteaux contre son crâne, il souffrait de vertiges, l'air lui semblait mort. Le premier et dernier voyage en avion de toute sa vie, il en fit le serment. À l'aéroport de Los Angeles, il roula en boule la seconde étape de son voyage jusqu'à Phoenix, il lança cette boule dans un cendrier, rejoignit les toilettes des hommes pour endosser son uniforme et, jouant au marin, rentra chez lui en auto-stop, son sac de voyage jeté sur l'épaule, dans l'air limpide du désert de Mojave en janvier. Il arriva dans la banlieue de Phoenix plus tôt qu'il ne l'avait imaginé. C'était désormais une grande ville, les pneus gémissaient sur l'Inter-state 10, des avions bruyants survolaient les voitures, et leurs feux de signalisation vibraient dans le crépuscule bleuté du désert. Quelle heure était-il? Il n'avait pas de montre. Et puis, quel jour était-on? Houston arriva au carrefour de la Dix-septième Rue et de Thomas sous un lampadaire cassé. Il avait trente-sept dollars en poche. Il était âgé de vingt-deux ans. Il n'avait pas bu une bière depuis presque un mois. En l'absence d'un autre projet, il téléphona à sa mère.

Une semaine plus tard, assis dans la cuisine de sa mère devant un café instantané, Bill répondit au téléphone : son petit frère James.

« C'est qui? demanda James.

— C'est qui qui dit c'est qui? fit Bill.

— Nom de... Ça alors.

— Comment va la chatte à Saigon?

— Je parie que maman est pas dans le coin.

— Partie bosser, il me semble.

— Il est pas six heures du mat' là où t'es?

— Ici? Non. Presque huit heures.

— C'est pas six heures du mat'?

— Y a deux heures il était six heures du mat'.

— Mais qu'est-ce que tu fous là à huit heures du matin?

— Je suis assis en calbute et je bois un Nescafé.

— T'en as fini avec la marine?

— Ils en ont fini avec moi, et moi avec eux.

— Tu vis chez maman?

— Une simple visite. T'es où?

— En ce moment? Da Nang.

— C'est où?

— Quelque part tout au fond d'un seau de merde.

— Je t'ai pas revu depuis Yokohama y a un an.

— Ouais, ça fait à peu près ça.

— C'est drôle, non?

— Ouais, c'est marrant.

— "Je t'ai pas revu depuis Yokohama." »

James dit : « Eh bien... » et il y eut un silence.

Bill demanda : « T'as de la chatte?

— Oh, ouais.

— C'est comment?

— À peu près comme t'imagines. »

Bill dit : « Tu sais que ta copine est passée?

— Qui?

— Stephanie. Ta petite copine avec qui tu sortais. Elle nous a rendu visite.

— Et alors?

— Elle tanne la vieille à cause de toi.

— Comment ça?

— Elle dit que tu réponds plus à ses lettres. Elle veut savoir comment tu vas.

— Tu vis là-bas, ou quoi?

— J'ai juste pensé qu'il fallait que tu saches. Maintenant, tu sais.

— Bon, maintenant je sais. Ça veut pas dire que ça m'intéresse.

— T'es un drôle de zigue. Ouais, elle est toute bouleversée à l'idée que tu vas faire un autre tour de service.

— Tu vis pour de bon chez maman?

— C'est juste une visite de quelques jours, le temps de me trouver du boulot.

— Bonne chance.

— Merci.

— Où est maman? Au boulot?

— Oui. Il est quelle heure là-bas?

— Rien à foutre, dit James. Je suis en perm. Trois jours.

— Il doit être dix-sept ou dix-huit zéro zéro.

— Rien à battre. Je m'en fous pendant trois jours.

— Et c'est déjà demain, pas vrai?

— C'est jamais demain, pas dans ce putain de film. C'est jamais autre chose qu'aujourd'hui.

— T'as déjà participé à des combats?

— Je suis descendu dans des tunnels.

— Et t'as vu quoi? »

Son frère ne répondit pas.

« Et des combats? T'as participé à des batailles?

— Pas que je sache.

— C'est vrai?

— Ça castagne tout là-bas, quelque part, mais jamais dans le coin où je suis. Je veux dire, j'ai vu des mecs morts, des blessés, des types déchiquetés, là-bas à la zone d'atterrissage.

— Tu déconnes?

— Non, je te jure. Alors, ouais, y a de la bamboula dans tout le coin, mais ça vient jamais jusqu'ici.

— Sans doute que t'as du bol.

— Ça doit être ça.

— Quoi d'autre ? Vas-y.

— Quoi d'autre ? Je sais pas.

— Allez, frérot. Parle-moi un peu de toute cette chatte. »

La voix de son jeune frère arrivait, grêle et réverbérée, de dix ou douze mille kilomètres. Une voix anonyme. Parlant de la seule chose intéressante. « Y en a partout, Bill. Elles tombent presque des arbres. Y en a une que je garde dans une hutte du village. J'ai jamais rien vu de comparable, je veux dire, jamais. Quand je suis sur elle, son cul touche jamais le lit. Elle pèse sans doute pas plus de quarante et un kilos, et elle me garde en l'air, entre le pieu et le plafond. Sans doute qu'elle bouffe du combustible atomique au petit déj. Écoute-moi : je crois que si je me battais avec elle, elle me dérouillerait.

— Bordel. Bordel, petit James. Je sais vraiment pas comment je vais faire pour baiser maintenant que je suis rentré à la maison. Je sais plus m'adresser à une femme blanche normale !

— Tu ferais mieux de rempiler dans la marine.

— Je crois pas qu'ils me reprendront.

— Non ? Pourquoi ça ?

— Ils se sont un peu lassés de moi, on dirait.

— Eh ben..., fit James.

— Mouais... »

Le silence qui suivit fut occupé par une faible friture d'électricité statique, derrière laquelle on discernait presque d'autres voix.

« Quel âge a Burris ?

— Il va bien. C'est un drôle de petit zigoto, exactement comme toi.

— Maman se porte comment ?

— Ça va.

— Elle fait équipe avec Jésus ?

— Tu parles, Charles. T'as reçu ma carte postale qu'elle t'a envoyée ?

— Ouais, la carte postale ? Ouais.

— J'étais en taule quand je l'ai envoyée.

— Oh-oh...

— Ouais...

— Écoute, dis pas à la petite Stevie que j'ai appelé.

— Stephanie ?

— Ouais. Lui dis pas que tu m'as parlé.

— Elle prétend que tu réponds pas quand elle t'écrit.

— Tous les autres gars pensent qu'à leur nana au pays, ils pensent à rien d'autre.

— Et toi, tu penses à quoi?

— La chatte fastoche.

— La chatte de bordel. La chatte tirelire.

— Y a rien de gratuit sur notre bonne vieille planète, frérot Bill. »

Des types morts, des types déchiquetés. James mentait peut-être. Au cours d'un appel longue distance, il se sentait peut-être sous pression, poussé à relater des expériences mémorables. Bill Houston avait entendu dire qu'il n'y avait pas beaucoup de combats par là-bas. Rien à voir avec Iwo Jima, en tout cas, ou avec la bataille des Ardennes. Bill Houston jugea inutile de se moquer de lui. James n'était plus son petit frère ado. Il aurait été absurde de se moquer de lui et de le remettre à sa place.

« Faut que j'y aille, frérot Bill. Dis à maman que je l'aime.

— Je lui transmettrai. Et pour ta petite Stevie?

— Je t'ai déjà dit, fit James. Lui cause pas de moi.

— D'accord.

— D'accord.

— Profil bas, James.

— T'inquiète pas pour ça, je garde la tête baissée », dit James. *Clic.*

Janvier arriva et s'acheva presque avant que Bill Houston ne trouvât du travail dans une zone rurale proche de Tempe, à côté de Phoenix. Il prit une chambre dans South Central Street qu'il pouvait payer à la journée, à la semaine ou au mois, circulant en car entre son logement et son lieu de travail. À dix heures du soir, du mardi au samedi inclus, il arrivait de nuit au portail de la Tri-City Redimix, une usine de sable et de gravier, pour son boulot nocturne d'agent de nettoyage. Vers dix heures et demie les derniers ouvriers du deuxième quart étaient partis, il lançait sur une chaise son casque de chantier au port obligatoire et régnait seul sur quinze arpents de désert – des montagnes de pierres écrasées triées par taille, pour que chaque montagne fût étonnamment composée d'objets de même calibre, depuis les pierres grosses comme le poing jusqu'au sable. Une trémie lâchait un fil de fine poussière qui s'accumulait en un cône au bout d'un tunnel long d'environ sept mètres; pour chaque pelletée il se faufilait sur toute la longueur de ce tunnel vers une lointaine ampoule électrique allumée dans un hémisphère grillagé, en retenant son souffle tout du long, un nuage de poussière explosant au ralenti lorsqu'il enfonçait le tranchant de sa pelle dans le tas, avant de reculer pas à pas en portant sa pelletée, qu'il jetait ensuite dans les courants d'air frais qui encerclaient la terre. Avec une puissante lance d'incendie il lavait les tranchées en béton placées sous les tapis roulants des broyeurs, et grattait chacune à l'aide d'une pelle plate. Les nuits, vides et froides, grouillaient d'étoiles. Pour se réchauffer, il entretenait des braseros de sable imbibé de diesel dans des barils de deux cent cinquante litres. Il suivait un circuit parmi le dédale des tapis roulants sous d'énormes broyeurs, et n'en voyait jamais la fin. La nuit suivante, les mêmes tapis roulants, les mêmes gestes, et parfois les mêmes graviers et les mêmes pierres, c'était normal, et le même hamburger froid englouti à la table poussiéreuse de la caravane du directeur à deux heures du matin ; se laver d'abord les mains et le visage dans le W-C exigu, puis son cou épais aussi brun que celui d'un ours, aspirer l'eau par les narines et en chasser la poussière agglutinée en morves verdâtres. Peu après son repas, les coqs isolés dans les petites fermes du voisinage se mettaient à crier comme des êtres humains, puis juste avant six heures le soleil arrivait pour embraser l'aluminium des toits, et puis à six heures trente alors que Houston glissait sa carte dans la pointeuse, les chauffeurs débarquaient, ils alignaient leurs camions nez à cul et l'un après l'autre se plaçaient sous la plus grosse trémie et attendaient là, secoués par leur moteur, tandis que le béton frais descendait en cascade dans chaque benne, avant de repartir pour le déverser dans les fondations d'une ville. Houston faisait presque deux kilomètres à pied pour rejoindre l'arrêt du car, où il attendait, couvert de poussière et rendu sentimental par la vision de jeunes lycéens accompagnés de leurs copines ravies et vulgaires qui se rendaient à l'école, en route vers leurs propres tourments quotidiens, partageant entre eux une cigarette. Houston se rappela avoir fait la même chose, et plus tard dans les toilettes des garçons... rien de plus agréable que ces bouffées rapides et brûlantes... volées au monde... Au fond de son cœur – et comme au lycée – il crut plaquer ce boulot dès le premier jour, mais il n'avait nulle part où aller.

Lieut Givré arrêta sa jeep et fit signe à l'un des nouveaux. Le bleu se rua vers la jeep, revint avec deux doubles magasins ordinaires et cliquetants, qu'il jeta aux pieds de James avant de retourner ventre à terre vers la jeep en disant : « Il m'appelle.

— C'est pour quoi faire, toutes ces munitions?

— Putain, j'en sais rien! Il m'appelle! » Le bleu retourna donc vers la jeep de Lieut Givré, écouta, revint en traînant deux jerrycans.

« Crame-les, crame-les, crame-les!

— Quoi?

— Crame les huttes! Il dit qu'il faut les brûler.

— Pourquoi?

— J'en sais rien. Y a une grosse merde en cours.

— Qu'est-ce que tu veux dire?

— Il dit qu'il y a une attaque!

— *Où?*

— J'en sais rien! »

James saisit une poignée et, tandis que la panique s'emparait de sa nuque, de son dos et de son cul, tous deux transportèrent les jerrycans vers la hutte la plus proche, qu'ils aspergèrent d'essence. Quelque part derrière la colline, on entendit des explosions sourdes et répétées.

Le nouveau sortit un Zippo, dont l'étincelle enflamma les vapeurs d'essence; l'explosion les força à reculer, mais elle ne fut pas aussi bruyante que celles qui venaient de la colline. Il dit : « C'est tout un *binz*, mec, un putain de *binz* désespéré. »

James décrivit un cercle autour d'une hutte, puis autour d'une autre, en faisant gicler l'essence jusqu'à ce que le jerrycan fût vide. Il le lança parmi les flammes, lesquelles le trouvèrent, allumèrent les vapeurs à l'intérieur, puis le container métallique se mit à vrombir, à tournoyer et à bondir. « T'as vu ça? » s'écria James, mais il ne s'entendit même pas parler à cause du chaume du toit qui crépita violemment en s'enflammant.

Il cria encore : « On fait ça pour quoi?

— Putain, j'en sais rien!

— C'est quoi ton nom déjà?

— Putain, j'en sais rien! »

James dit : « Ça c'est vraiment con », mais ne réussit pas à se faire comprendre. À la place, il entendit des rafales d'armes automatiques. Un bruyant hélico passa lentement au-dessus d'eux et lâcha deux roquettes en direction de l'autre versant du goulet, qui leur était invisible et où, James en était certain, il n'y avait jamais eu ni habitants ni constructions. Une fumée noire et une lueur orange jaillirent de la terre. Avait-il déjà vu des gens là-bas ? Peut-être qu'ils étaient enterrés. Pauvres crétins, maintenant ils étaient en flammes.

Le soldat hurla : « Psyché-délik ! »

Les huttes s'effondrèrent très vite. James regarda à l'intérieur de l'une tandis qu'elle brûlait. Elle était vide. Pas le moindre détritus ni même un vieux paquet de cigarettes. Quand le toit commença de s'effondrer, il s'écarta.

« C'est la merde, mec, expliqua-t-il au bleu, parce qu'on les connaissait. Je veux dire, j'ai déjà croisé ces gens. Nous passons souvent ici.

— Il me reste de l'essence.

— Occupons-nous de ces huttes là-bas. »

Pliés en deux, ils coururent jusqu'à un petit groupe de huttes dans une légère dépression.

Il n'y avait personne.

« Où sont nos hommes, bordel ?

— Putain, j'en sais rien, dit le bleu.

— Va prévenir le sergent.

— Pas question que je franchisse cette colline – y a des mecs qui tirent là-bas !

— C'est de là que ça vient ?

— Ouais. Ils vont me tirer dessus comme si j'étais un Charlie.

— Je croyais que ça venait de l'autre côté, vers l'est.

— Merde. Ça défouraille de partout. »

Le sergent Harmon arriva plié en deux et franchit en courant le bord de la légère dépression. Il se redressa dès qu'il fut près d'eux.

« Tous les deux, je veux que vous restiez planqués ici.

— Il se passe quoi ? On dirait qu'on a été pris dans une grosse bagarre.

— Vous avez tiré avec vos armes ? s'enquit le sergent.

— Non.

— Alors vous n'avez été pris dans aucune bagarre.

— C'était qui ?

— Merde alors, c'était peut-être les nôtres ! »

Le sergent dit : « Toute cette montagne est attaquée. »

D'énormes explosions en haut de la colline.

« C'est quoi ça ?

— Des mortiers ? »

À l'est, une explosion encore plus grosse.

« Et ça, c'est *quoi* ? »

Soudain, derrière eux, trop près, d'autres détonations. « Merde alors, où sont-ils ?

— Tout autour de nous. C'est des mortiers, dit le sergent. Écoutez. Je veux que vous restiez planqués ici. Vous m'entendez ?

— Oui, dit le bleu.

— On est dans la mouise ici. En s'y prenant bien, on peut s'en tirer, couper vers l'ouest et déguerpir en les évitant vers le haut de la colline. Je veux que les deux extrémités tiennent bon pendant que nous leur tombons tranquillement dessus à partir du centre. S'ils nous débordent sur le flanc ouest, on est cuits. Ou sur le flanc est. Vous êtes couverts à l'ouest. Et vous êtes la couverture pour l'est, vous m'entendez ? Si Charlie contourne cette colline, ne vous barrez pas. Vous m'entendez ?

— Oui, *oui*. »

Le sergent jeta une boîte de magasins de vingt balles. « Gardez votre bouton sur semi-auto. Vous m'entendez ?

— Oui. *Roger*. Compris.

— Va y avoir d'autres obus. Restez ici. Ne bougez pas, sinon vous allez prendre nos propres roquettes dans le cul.

— *Roger. Roger*.

— Si on s'y prend bien, on les attaquera par-derrière et vous pourrez remonter la colline sans encombre. À ma fusée éclairante. Quand vous verrez ma fusée à l'ouest, remontez la colline vers la zone d'atterrissage. Seulement quand vous verrez ma fusée. »

Il posa la main sur l'épaule de James et le secoua jusqu'à ce que James dise : « *Roger*. Quand on voit votre fusée éclairante. »

Le sergent repartit vers l'ouest, descendit dans le goulet.

Sur le côté sud d'une hutte, dans son ombre, ils agrandirent un fossé à pluie avec leurs pelles, en se recroquevillant à chaque explosion de mortier ou de pièce d'artillerie. Aussi énorme que le plus gros coup de tonnerre que James ait jamais entendu.

« Je creuse beaucoup plus vite que je ne le faisais à l'entraînement », remarqua le bleu. Ils s'aplatirent dans le trou, puis il ajouta : « Putain, j'en sais rien... Donne-moi un M&M. »

Dans sa ceinture en tissu, à la place d'un de ses chargeurs, James transportait un sachet de M&M. « File-m'en une poignée, rectifia le bleu.

— D'ac si t'arrêtes de dire tout le temps "Putain, j'en sais rien".

— C'est un tic. Et puis je le dis pas si souvent.

— Dis "Pour ce que j'en sais", ou dis "Seigneur Dieu" ou dis "Baise-moi le cul". Change de disque.

— Compris, mon caporal.

— C'est quoi ton nom?

— Nash.

— Putain!» s'écria James. Des rafales déchiquetèrent les huttes, envoyant des morceaux de chaume un peu partout.

Il avait suivi la formation de base, la formation aux armes, la formation de jungle, la formation de nuit, la formation de survie, la formation pour l'évasion et la fuite; mais il comprenait maintenant que personne ne pouvait le former efficacement en vue de cette circonstance, et qu'il était mort.

Il baissa la voix. « C'est pas des M16, dit-il. C'est des AK, sûr. » Zip, zip, zip, les balles au-dessus de leurs têtes comme des insectes empoisonnés, zip, zip. La poussière et les morceaux de chaume tourbillonnaient dans l'air. Les feuilles tombaient des palmiers à quelques mètres d'eux seulement.

« Ils tuent tout! cria Nash.

— Ils savent pas qu'on est ici, dit James. Alors ferme-la, okay? »
Aucun des deux hommes ne riposta.

Des rafales d'armes automatiques éclatèrent à l'ouest. Une voix hurla : « COUVREZ-MOI, COUVREZ-MOI, COUVREZ-MOI, COUVREZ-MOI! » James se releva et vit Black Man descendre dans la dépression à l'ouest en criant bientôt « TIREZ, TIREZ, TIREZ! » et James se mit à lâcher ses balles vers l'est. Black Man portait sur l'épaule une mitrailleuse M60 et traînait derrière lui une boîte de munitions pesant cinquante kilos. Il plongea dans leur tranchée, atterrit sur eux et leur explosa les tympans en hurlant : « Personne dépassera jamais cet enculé! » Il se mit à genoux en tirant et la terre gicla sur le terrain plus élevé situé devant lui. Il nivelait le bord de la dépression comme un bulldozer. « Messieurs, j'ai assez de munitions pour anéantir toute la race humaine. »

Plus jamais je traiterai quiconque de négro, se promit James.

Il tripota son sélecteur et vida tout un chargeur en auto. Les mortiers reprirent en haut de la colline.

« T'as vu cette merde?

— Rien à foutre! RIEN À FOUTRE!

— Sarge dit que toute la colline est attaquée !

— Ces mecs déconnent, dit Black Man. D'habitude ils attaquent pas de jour.

— Putain, lâcha James.

— Qu'est-ce qui te prend ?

— Je sais pas. Tu me fais rire.

— C'est *toi* qui me fais rire.

— Pourquoi tu rigoles ? »

Impossible de s'arrêter. Tout ce truc les rendait si heureux qu'ils ne pouvaient pas s'empêcher de rire. James dit : « Putain, j'en sais rien ! », rechargea, puis tous les trois morts de rire tirèrent jusqu'à ce que James vide deux autres chargeurs et que Black Man crie : « STOP, STOP, STOP, ARRÊTE DE TIRER BORDEL ! »

Les environs étaient calmes, même s'ils entendaient encore des pièces d'artillerie et des mortiers quelque part sur la colline.

« File-moi un M&M, dit Black Man.

— Bon Dieu, oui. » James lui tendit tout le paquet. Black Man le renversa au-dessus de sa bouche et mâcha très vite.

Des jacassements sortaient d'une végétation qui, seulement quelques minutes plus tôt, avait tressauté et été lacérée par les impacts de balles.

« C'est quoi ? Un écureuil viêt-cong ?

— Un singe.

— Un gibbon », hasarda James.

Black Man sourit, dénuda des dents maculées de chocolat et dit : « Voilà la fusée éclairante. On y va.

— On va où ?

— On monte.

— On monte ? Mais où ça ?

— On y va dès que mon canon aura refroidi. Je peux pas le toucher.

— Mais qu'est-ce qui se passe ici ?

— Vas-y, touche-le. Fais-toi frire le doigt.

— Je touche rien, merde.

— Remettez un chargeur dans vos armes, tous les deux, dit Black Man. Faut qu'on remonte sur cette colline.

— C'étaient des *mortiers*, mec.

— Faut y aller. On se bouge le cul. »

Black Man se dirigea vers l'amont en tenant sa gigantesque mitrailleuse en équilibre sur son épaule, comme une pioche de mineur, posée sur une serviette vert olive et agrippée par son bipode. Houston suivait Black Man, et Nash suivait Houston.

Au-dessus d'eux, des rizières s'étageaient en terrasses à flanc de colline. Ils avançaient le long des digues en montant dès qu'ils le pouvaient.

De nulle part arriva le raffut d'un tir nourri, les balles firent tressauter les petites pousses et sifflèrent dans l'eau.

Ils se mirent à courir sans parler sur les digues, ils se jetèrent à plat ventre sur la première terre sèche qu'ils trouvèrent, puis ils rampèrent vers un goulet, se laissèrent tomber dedans et détalèrent à quatre pattes le plus loin possible de celui ou de ceux qui essayaient de les tuer.

« Vous pigez pas, dit Nash. Je suis vraiment pas prêt pour ce merdier. Ça fait seulement trois jours que j'ai débarqué ici.

— Moi je viens de rempiler, dit James. Je sais pas lequel de nous deux est plus con que l'autre. »

Ils passèrent devant des huttes en flammes et des hameaux déserts sans jamais voir personne. Cette absence radicale d'habitants les rendait paradoxalement très présents. Mais il y avait de l'activité devant eux. Ils entendirent des tirs. À un moment ils entendirent une voix crier dans une langue étrangère. Ils arrivèrent dans un hameau déserté seulement quelques minutes plus tôt par ses habitants. On avait même laissé un animal au piquet dans un jardin, un bouc au cou tendu comme pour accueillir la hache, mais il chiait simplement. Au beau milieu de la guerre.

Les trois soldats reprirent leur ascension vers le sommet.

À la tombée de la nuit ils avaient parcouru sept kilomètres dans une montagne infestée de gens qui voulaient les assassiner. James eut l'impression d'avoir effectué cette ascension en un rien de temps. Le ciel était rose et violacé tandis qu'ils gravissaient les cinq cents derniers mètres jusqu'à la zone d'atterrissage. En atteignant le périmètre de la base, ils virent une silhouette allongée portant un uniforme américain, à moitié déchiré sur un côté, et presque plus de tête du tout. James ne fut pas certain qu'il s'agît d'un corps, car personne n'y faisait attention. Près de la cible, une équipe médicale attendait le retour d'un hélico qui, expliquèrent les infirmiers militaires, avait fait demi-tour et était reparti à cause de la présence signalée de missiles. « Peut-être que c'étaient seulement des fusées éclairantes, dit un

caporal à Black Man. Une fusée est entrée par la porte de la car-
lingue, il a fallu la virer à coups de pompe. » Mais personne ne parlait du cadavre. James resta avec Black Man et Nash. Assis sur un
mur de sacs de sable, ils baissèrent les yeux vers le versant de montagne où ils venaient de passer cinq heures à tracer des zigzags délirants. À l'est, la vallée était plongée dans une ombre fraîche.

« C'était quoi, tout ce bazar?

— Aucune idée.

— Ils nous ont attaqués. Nous sommes leur ennemi.

— Je suis l'ennemi de personne.

— Je veux pas être l'ami, ni l'ennemi, ni rien du tout.

— Où est le sergent?

— Où est Echo? »

Un capitaine que James ne se rappelait pas avoir vu auparavant
marcha jusqu'à eux, rouge de la tête aux pieds à cause de la poussière
des rotors, mâchonnant un mégot de cigare et clignant des yeux pour
en chasser la sueur. « Ceci est un camp de base établi. » Un insecte
volant percuta son front – « Je veux que toute cette région soit
sécurisée » –, piqua en vrille, se rétablit, disparut.

« Capitaine, nous cherchons le sergent Harmon.

— Où est la section Echo? »

Le capitaine montra du doigt Black Man et sa grosse mitrailleuse.
« Trouvez une place adéquate pour cette 60. » Puis il partit. Les trois
hommes ne bougèrent pas.

Un infirmier aux allures de hippie, une longue moustache et un
bandana bleu noué autour de la tête, leur apporta trois plats chauds
empilés les uns sur les autres, et ils le remercièrent sincèrement,
même si Nash lui dit : « T'as une sacrée belle moustache en forme de
chenille géomètre. »

Envers tous ces hommes qu'il côtoyait, James ressentait une affection d'une intensité sans précédent. Le soldat dit qu'ils avaient eu un
KIA [1] dans une attaque de mortier. James s'écria aussitôt : « J'ai vu ce
type! J'ai vu un cadavre. Mais j'ai cru que c'était autre chose.

— Autre chose? Qu'est-ce que ça pourrait être d'autre?

— Ouais, exact, confirma Black Man, on l'a vu.

— Je comprends toujours pas », dit James. Il n'arrivait pas à
savoir s'il venait, oui ou non, de participer à une bataille. « Est-ce
que toute cette fichue montagne a été attaquée, ou pas? »

---

1. KIA : *Killed In Action*, c'est-à-dire mort au combat. (*N.d.T.*)

Il ordonna à sa mémoire de produire une sorte d'histoire de l'après-midi. Tous ses souvenirs étaient très vivaces et confus. Il savait une seule chose avec certitude : il n'avait jamais pris des décisions aussi rapides tout en étant certain de ce qu'il faisait. Toutes les hésitations à la con s'étaient envolées.

C'était apparemment terminé. Sans la moindre explication. Aucune activité de guérilla n'avait jamais troublé cette montagne. Soudain les gens du Nord s'étaient dématérialisés, et puis ces VC, et maintenant ces VC aussi étaient partis en fumée. James s'accroupit sur les talons pour manger ses saucisses aux haricots. Son treillis était encore trempé de sueur. Nash, remarqua-t-il, était lui aussi en nage. James dit : « Ça va ?

— Impec, mec, répondit Nash. Pourquoi ? Tu me crois pas ? »

Interloqué, James put seulement dire : « Si. Je te crois. Bien sûr. Ouais. »

Nash ajouta : « C'est mes *couilles* qui transpirent, voilà tout. C'est pas de la pisse. »

Au crépuscule l'infirmier les emmena le long d'un sentier zigzaguant jusqu'à un vallon où des jeunes, torse nu, se baignaient dans un bassin peu profond. Un type accroupi sur la berge essorait ses chaussettes au-dessus de la rivière boueuse. Surexcités, ils riaient et criaient de plaisir. Enlever ses bottes, enlever sa chemise – une baignade bien méritée signifiait forcément que c'était fini, qu'ils étaient enfin en sécurité. Dans la lumière mourante James se sentit heureux, requinqué, et tous les visages jeunes et brouillés qu'il regardait lui renvoyaient un message d'amour fraternel.

« Vous autres les gars de Recon, vous voyagez léger. »

Le soldat qui parlait était sans doute un nouveau ; il ne comprenait pas qu'Echo était une blague. De fait, ils voyageaient léger. James, par exemple, ne transportait plus de gros sac à dos, simplement un petit sac de boy-scout qui contenait un poncho et une pelle de tranchée, sept chargeurs de vingt balles chacun, quelques talismans sentimentaux – capotes, jetons de poker et confiseries –, plusieurs doses d'antimoustique et des bandanas bien imprégnés de ce produit. Il était arrivé à cette conclusion que manquer de quelque chose était d'ordinaire moins pénible que de le transporter.

Quelqu'un dit : « Bon, la guerre est finie. Je vais faire un tour au village pour baiser. Les putes baisent gratis le jour du Têt.

— C'est quoi le Têt ?

— C'est le Nouvel An des bridés, trouduc. C'est aujourd'hui le Têt.

— Non, demain. C'est le 13 janvier, mec.

— Quand?

— Au-jour-d'hui. Merde. »

L'un des troufions de la zone d'atterrissage déboula dans la clairière et dit : « Putain! Putain! » James comprit que lui-même ressemblait sans doute à ce type – couvert de sueur, crasseux, les yeux écarquillés. « Merde! Merde! » cria le garçon. Il courut jusqu'à la lisière de la clairière, fit face aux lointains violacés, aux ombres des autres montagnes. « MERDE. »

L'un de ses amis demanda : « Merde quoi? »

Le garçon revint et s'assit en secouant la tête. Il prit les mains de son copain entre les siennes comme pour échanger de chaleureuses salutations selon une coutume étrangère. « Merde. J'ai buté un type.

— Oui. Merde. »

Le garçon reprit : « C'est exactement comme si j'avais tué un chevreuil.

— Ça t'est déjà arrivé de tuer un chevreuil?

— Je crois que je confonds avec un film que j'ai vu. Mais c'était simplement – *bing*. Et maintenant c'est fini.

— On dirait que c'est pas tout à fait terminé, Tommy.

— Hé. La moitié de son crâne s'est envolée. Ça te suffit pas?

— Laisse tomber. T'es en train de perdre les pédales.

— Bon, okay, concéda Tommy. Faut que je pense à autre chose.

— Hé, lâche-moi les mains, espèce de pédale toi-même. »

James aussi avait tué quelqu'un. Il avait vu un canon briller, il avait lancé une grenade dans un petit jardin, et après l'explosion deux VC avaient traîné un corps vers la jungle et ce corps n'avait pas semblé très vivant. James s'était senti tellement stupéfait qu'il n'avait pas tiré sur les deux sauveteurs. Qui étaient peut-être ou n'étaient pas des VC.

Il s'était trouvé en possession de cinq chargeurs de vingt balles et le lieutenant en avait apporté vingt-huit autres. Il avait tiré plus de trois cents balles, lancé deux grenades, parcouru dix kilomètres à pied et peut-être tué un Viêt-cong.

Les autres regardèrent Tommy prendre une cigarette et un Zippo dans sa poche de poitrine. Il l'alluma, souffla la fumée avec un certain aplomb, puis demanda à son ami :

« Et toi, t'en as tué ?

— Je crois que oui.

— Lequel ?

— Je sais foutrement pas *lequel*. Merde alors, comment veux-tu que je le sache ? »

James avait effectué un tour entier de service sans blesser un seul individu, et voilà qu'il venait à peine de rempiler et que déjà des gens étaient morts – et ce type, Tommy, fanfaronnait à cause de ça.

L'infirmier rejoignit les arbres avec deux autres types et bientôt l'odeur d'un joint d'herbe dériva jusqu'à eux, mais c'était au poil, ils avaient bien le droit de se défoncer, après tout c'était la guerre.

Le soleil, qui tombait toujours plus bas vers l'ouest, émergea de derrière une montagne et illumina la vallée. Au-delà des rizières, la jungle bouillonnait de couleurs pastel. De très loin en contrebas montèrent les couinements d'un cochon qu'on égorgeait en vue du Têt. Un garçon chanta des paroles inédites sur un vieil air des Beatles :

Ferme les yeux, écarte les cuisses,
Que je te balance ma purée délice...

Un autre garçon dit : « Merde, les gars, vous vous êtes battus ? Nous on a patrouillé la montagne jusqu'à mi-pente avant de remonter, et on a vu que dalle, rien de rien, on a pas tiré une seule balle. On entendait des roquettes, des jets, des hélicos, des bombes – mais putain, on a vu rien de rien. On entendait les mortiers, mec. Sans voir que dalle. »

Un jeunot débarqua parmi eux en disant : « Hanson arrive sur zone en apportant du carburant à tout le monde », puis il distribua six canettes de Budweiser aux types les plus rapides qui se ruèrent sur lui comme des chiens sauvages.

« C'est qui, Hanson ? demanda James.

— Moi ! C'est moi Hanson ! »

Il s'imagina la tête de Hanson en train d'exploser. Dans sa formation de base on lui avait parlé d'individus tombant raides morts à cause d'une balle perdue ou d'un sniper ennemi : penser un truc, prononcer un mot, tomber raide mort. Tu te penches pour renouer ton lacet et ta tête explose. Il ne voulait pas tomber raide mort et il ne voulait pas non plus se retrouver à côté de quelqu'un qui tomberait raide mort.

Black Man s'adressa à tous : « En temps de guerre, faut faire gaffe à son karma. Faut pas violer les femmes ni tuer les animaux, sinon ton karma va te foutre dans une sacrée merde. Le karma, c'est comme une roue. Tu fais tourner une roue en dessous de toi, et elle fait tourner une roue au-dessus. Et moi je suis à côté de vous. Votre karma touche le mien. Faut jamais, absolument jamais, déconner avec le karma.

— C'est quoi ça, un laïus de Black Muslim?

— Je suis pas musulman. J'ai seulement roulé ma bosse et j'ai vu. »

Il leur servait un paquet de conneries qu'il n'aurait jamais appliquées à lui-même. Mais ces mises en garde donnèrent la chair de poule à James.

Dès que la nuit tomba et les dissimula à leurs supérieurs, les trois soldats d'Echo trouvèrent des hamacs inoccupés dans les arbres de la partie est du périmètre, le plus loin possible de l'endroit où l'ennemi avait attaqué cet après-midi-là, et ils s'y installèrent aussitôt sans retirer leurs bottes ni leur ceinture en tissu. Jusqu'à ce que les propriétaires viennent les virer, ils étaient chez eux. Il fit bientôt nuit noire. James distinguait des points phosphorescents parmi le feuillage; sinon il aurait pu croire qu'il était devenu aveugle. Les moustiques vrombissaient autour de la gaze. Il mit en place ses bandanas imprégnés d'antimoustique aux endroits où ses bras ou bien ses joues risquaient de toucher la moustiquaire pendant son sommeil. Des choses rampaient dans les fourrés. La nuit était toujours ainsi. Il avait tué quelqu'un ce jour-là. Moins de huit heures plus tôt. Durant sa formation de base, il n'avait pas pensé au fait de tuer, seulement à la perspective d'être tué, aux voitures qu'il ne conduirait pas à toute vitesse, aux femmes qu'il ne séduirait pas, parce qu'il serait mort. Il entendit deux types discuter à bonne distance. Trop remontés pour dormir. Quand la mort rôde, on entre en contact direct avec son âme. Ces deux types l'avaient senti aussi. Il l'entendait dans leurs voix.

Pendant la nuit James abaissa la fermeture Éclair de la moustiquaire et descendit du hamac en croyant qu'il avait envie de pisser, mais il comprit alors que les tirs de mortiers venaient de reprendre quelque part sur la montagne. Il entendit des voix dire « Putain », « Merde », dire « Vite, vite, vite ». Des fusées éclairantes oscillaient dans la nuit à l'est et dans leur faible lueur ambrée il vit plus bas les tranchées nues dues aux herbicides danser avec leurs propres ombres. Il vit l'éclair répété jaillissant des canons, il entendit le *pop-pop-pop* des AK47 et le crépitement des M16. Il entendit des avions à réaction. Il entendit des hélicos. Il entendit des roquettes. Il se figea tout près de son hamac, l'arme serrée entre les mains, effrayé et larmoyant, idiot et seul. Maintenant il voyait à quoi ressemblait une explosion d'obus de mortier – une éclaboussure rouge-orange grosse comme une maison, et une seconde plus tard la détonation si violente qu'elle lui faisait mal aux sinus. Et une autre le frappa, puis une autre, et encore une autre, de plus en plus près. Les armes tiraient tout autour de lui. Une balle ricocha sur son casque et son fusil.

« HÉ! HÉ! HÉ! » Quelque chose saisit sa ceinture et le tira violemment en arrière. C'était Black Man. « Tu fais quoi, là?

— Oh, non. Merde, merde, merde.

— Tu cours droit vers eux! Baisse-toi, baisse-toi!

— Pardon, pardon, pardon.

— Oh, merde! Le signal. »

James dit : « Quoi?

— On y va, on y va, on y va. »

Black Man s'élança, James essaya de l'agripper par le dos de la chemise, mais il était déjà parti, à reculons. Tout le périmètre reculait. Nash était près de lui, un fantôme dans la lueur des fusées éclairantes. « Arrêtez de tirer! C'est nous! C'est nous! » Est-ce que je tirais? demanda James, mais il n'entendit rien. Tout relevait de la télépathie. Il se déplaçait sans toucher le sol. Vers où? Vers ici, juste ici. Toujours avec Nash et Black Man. Nash dit : « Mais *qui* sont ces gens?

— Ils ont installé un observateur sur cet autre sommet, dit Black Man. Ils ajustent peu à peu leurs mortiers sur nous. »

Des voix : « Où est mon ORT! RADIO, RADIO, RADIO!

— Ici, ici, ici!

— Dis-leur que ça chauffe pour nous. Personne ne descend!

— Répétez, répétez!

— Restez à l'écart de la cible! Ça chauffe! Ça chauffe! »

James était allongé sur le ventre, les doigts crispés dans la poussière. La terre bondissait sous lui. Il ne pouvait pas rester dessus. Il réussissait à peine à respirer.

« Mais que veulent donc ces enfoirés! »

Est-ce que je bouge? demanda James. L'obscurité était si épaisse qu'on aurait pu la boire, striée par la rémanence visuelle des balles traçantes et des éclairs de tirs. Soudain tout fut calme. Pas même le bourdonnement d'un insecte. Dans un silence aussi irréel, James comprit, en entendant le bruit minuscule de son chargeur contre lequel tapotait doucement la bretelle de son arme, que celui-ci était vide, alors que deux minutes plus tôt le vacarme avait été si tonitruant que James n'entendait même pas ses propres cris. Dans ce silence inédit il ne voulut pas remplacer son chargeur de peur que toutes les oreilles ennemies ne se focalisent sur ce bruit et que lui-même ne soit déchiqueté, déchiqueté, déchiqueté.

Deux kilomètres à l'est à travers les ténèbres se dressait une autre montagne dont il ignorait le nom, il n'y avait jamais réfléchi, mais il y avait maintenant des tirs nourris là-bas, un bruit saccadé, insignifiant. Et davantage de tirs sur un versant en contrebas, toujours pas dans son univers, mais plus proches, secs et distincts. Tant que lui-même ne devait pas tirer, il entendait bien.

De l'ouest arrivèrent les jets. « Ces enculés sont désormais des enculés morts », dit quelqu'un.

Les roquettes embrasèrent tout le versant de la montagne à leurs pieds et le sommet des frondaisons au-dessus de leurs têtes.

« Ne tirez pas, ne tirez pas ! » hurla quelqu'un qui arriva en courant. « C'est juste Hanson ! » L'individu se jeta de tout son long à côté de James et dit : « Hanson conseille de niquer tous ces connards, putain. »

Pour autant que James pût le savoir, ils étaient six en comptant ce Hanson, allongés à plat ventre dans les fourrés, juste au-dessus d'une falaise.

Dans le silence entre les frappes aériennes un peu plus bas sur la montagne, il se mit à chuchoter doucement, tel un commentateur de tournoi de golf durant un moment crucial sur le green : « Hanson garde un profil bas. Hanson sent la sueur dégouliner dans son dos. Le pouce de Hanson est sur la sécurité, son index sur la détente. Si l'ennemi se pointe il va vraiment en prendre plein la gueule. Hanson va leur exploser la tronche. Le doigt de Hanson caresse la détente comme un clito. Hanson aime son arme comme une chatte. Hanson veut rentrer au pays. Hanson veut sentir la bonne odeur des draps propres. La literie propre en Alabama. Pas cette horrible puanteur du Vietnam. »

Personne ne dérangea Hanson. Chacun comprenait que les VC étaient des tueurs, qu'eux-mêmes étaient juste des gamins, et qu'ils étaient morts. Ils étaient même contents d'entendre la voix de Hanson évoquer cet instant précis, comme si on pouvait le comprendre et même peut-être y survivre.

« Où sont mes soldats d'Echo ? » Le sergent Harmon arriva derrière eux, en marchant bien droit dans la gloire soudaine d'un autre embrasement de roquettes à leurs pieds, et ils surent qu'ils étaient sauvés. « Combien d'entre nous ici ? »

La voix de Black Man résonna : « Cinq Echo et un dingo. »

Le Sarge dit : « Nous avons de l'activité juste dans cette pente à environ deux cents mètres. Nous allons réduire cette distance à cinquante mètres et les prendre par surprise. Avancez derrière moi. Quand y a de la lumière vous vous aplatissez et vous regardez, et quand il fait noir vous rejoignez l'endroit que vous avez regardé. » Il se pencha et toucha l'épaule de James. « Tu respires trop profondément. Respire plus vite et par le nez, ça ira très bien. Simplement, dans ce genre de situation te mets pas en hyperventilation, tu risques d'avoir des crampes aux mains et aux doigts.

— Okay », fit le James même s'il ne savait pas très bien de quoi ils parlaient.

« On y va ! » dit le Sarge en se redressant.

Dans toute la vallée les fusées éclairantes restaient suspendues à leurs panaches de fumée tremblotants, détachées d'eux, descendant vers le sol, et à mesure qu'il avançait James apercevait ses pieds dans une pénombre enfumée. Tant qu'il allait de l'avant, rien ne pouvait le tuer. Chaque instant survenait comme la case d'une bande dessinée, et il s'insérait parfaitement à l'intérieur de chaque case. Les frappes aériennes illuminaient la nuit, les fusées oscillaient dans le ciel, les ombres noires frémissaient tout autour de lui. « Black Man ! cria James. Black Man ! » Il entendit la grosse mitrailleuse devant lui et, avançant sur les coudes et les genoux, il s'en rapprocha. Les balles sifflaient et trouaient les feuilles autour de lui. Quelqu'un était blessé, hurlait, braillait sans relâche. Juste devant, un type agenouillé, son casque arraché, scalpé par une énorme plaie à la tête – non, c'était le toubib hippie avec son foulard noué autour du crâne, deux seringues de morphine coincées entre les lèvres comme des cigarettes, tandis qu'il se tenait agenouillé près du type qui criait, et qui était le sergent. « Sarge, Sarge, Sarge ! » fit James. « Bien, bien, parle-lui, le laisse pas partir », dit le toubib en ôtant le capuchon d'une seringue avant de la planter dans le cou du sergent. Mais le sergent continua de vagir comme un nouveau-né, d'emplir et de vider ses poumons encore et encore. « Tu veux bien t'allonger ? » dit le toubib. James s'accroupit, puis repartit ainsi vers la position de Black Man en tirant vers le bas et les éclairs d'armes automatiques. Il savait qu'il tuait des gens. Bouger, c'était ça le truc. Tant qu'il bougeait et qu'il tuait, il se sentait merveilleusement bien.

Depuis trois heures de l'après-midi Kathy surveillait une naissance difficile. À cinq heures, seul le haut de la tête était apparu. Et sur cette couronne, un visage, sans yeux ni oreilles. La mère, très frêle, était en travail depuis tout ce temps pour mettre au monde son enfant difforme, mais sans résultat pour l'instant. La famille n'avait pas les moyens de payer une sage-femme. Un médecin britannique devait arriver du centre biomédical, où il étudiait les singes. Kathy l'aiderait, peut-être pour pratiquer une césarienne. Elle avait de la morphine et de la Xylocaïne. Elle espérait que le médecin aurait mieux.

Les médecins français affirmaient que les défoliants étaient à l'origine de ces naissances monstrueuses. Quant aux autochtones, ils expliquaient autrement ces malheurs, ils suppliaient les dieux offensés par les actes mauvais d'arrêter de punir des bébés innocents. Quels actes mauvais ? Les pensées du cœur. Une femme enceinte aussi jeune que celle-ci a sans doute succombé à d'horribles images intérieures. Des rêves, des désirs ou des pensées malsaines. Allongée sur son grabat dans la hutte basse, la jeune femme semblait affranchie de toute pensée, les jambes écartées, les mains livides parcourues de crampes. L'effort, le souffle, le corps – était-ce dans l'Épître aux Colossiens ? – un passage sur le corps unifié et alimenté par des articulations et des bandes. Celui-ci semblait n'être rien de plus. La guerre avait frappé un grand nombre d'enfants dont Kathy s'occupait, une jambe ou les deux amputées, un bras ou les deux – des visages brûlés, des yeux aveugles. Et tant d'orphelins. Et maintenant ce miracle tragique, cette grosse tête, ce visage difforme coincé dans le col, arrivant déjà ravagé par le conflit.

Vers dix heures il devint évident que le médecin ne viendrait pas. Bientôt le cœur du bébé s'arrêta. Elle renvoya la famille, découpa le mort-né *in utero*, réussit à extraire les morceaux sanguinolents, les nettoya de son mieux, et peu après minuit fit revenir la famille. Elle

s'allongea parmi eux, à côté de la fille. Dans la nuit, des pétards éclatèrent pour fêter le Têt, et les mains des célébrants agitèrent des
cierges magiques. Elle s'endormit.

Et puis des explosions nettement plus fortes. Un orage, pensat-elle. Dieu et ses vastes pensées blanches. Mais c'étaient des
combats, certains à l'est et d'autres au sud, et ça ne ressemblait à rien
de ce qu'elle avait déjà entendu depuis son arrivée ici, des explosions
comme celles de pétards dans une poubelle, mais aussi assourdissantes que le tonnerre, capables de vous secouer jusqu'aux os. Elle
compta les secondes entre l'éclair et la détonation, puis calcula que
certaines se produisaient à environ un kilomètre de là. Toute la maisonnée était réveillée, mais personne n'alluma la moindre lampe.
Loin au-dessus des rizières un hélicoptère dirigeait le faisceau blanc
d'un projecteur parmi l'essaim montant des balles traçantes orange,
et ses canons brillants déversaient une pluie terrible. Ces combats se
poursuivirent durant des heures, les esprits déchirés malmenés par la
tempête. Ils s'arrêtèrent. Des rafales sporadiques suivirent. À l'aube
tout était redevenu calme. Les cigales reprirent leurs stridulations,
une lumière douce et molle saturait l'air. Un gibbon appela au-dessus
de la cime des arbres. On aurait pu croire qu'il n'y avait pas une
seule arme au monde. Un petit coq arriva, se campa sur le seuil, leva
le bec, ferma les yeux et cria. On aurait pu croire que c'était la paix
sur terre.

Ensuite, elle fut appelée dans un village voisin touché par des
bombes incendiaires, larguées par l'aviation sud-vietnamienne ou par
des avions américains – rien n'était sûr – mais en tout cas par erreur.
Kathy avait vu des brûlures, mais jamais un lieu entièrement dévasté
par les flammes. Elle arriva en fin d'après-midi. Une flaque noire, de
la taille d'un court de tennis, englobait d'un côté la moitié du village.
Des cendres là où s'étaient dressées quelques huttes, une rizière à
l'eau entièrement évaporée, aux pousses volatilisées. L'odeur de la
paille brûlée, chaque respiration trahissant une puanteur de soufre.
Ce n'avait sans doute pas été du napalm, comprit-elle, plutôt une
bombe au phosphore. Au bruit des appareils volant très bas, les villageois avaient couru se réfugier dans la jungle. Plusieurs avaient été
tués. Une jeune fille vivait encore, très choquée, nue et gravement
brûlée sur tout le corps. On ne pouvait rien faire. Kathy ne la toucha
pas. Les villageois restaient assis autour d'elle dans le crépuscule. La
lueur vert pâle de ses brûlures était aussi intense que le jour décli-

nant. Elle semblait magique et, à cause de l'épuisement de Kathy et de cette atmosphère d'après-coup et de silence, la scène paraissait rêvée. La jeune fille évoquait une idole saupoudrée de clair de lune. Après que tous les signes de vie eurent cessé, sa chair continua de luire dans l'obscurité.

Elle resta au village jusqu'au matin, puis elle partit en bicyclette vers le centre biomédical. La nuit précédente, certains avaient dit que ses bâtiments avaient été touchés. Détruits, selon d'autres informations. Le garçon porteur de cette nouvelle, qui ne pouvait pas avoir plus de dix ans et qui pourtant voyageait de nuit en portant une machette sur l'épaule comme une hache de bûcheron, la guida aux premières heures de l'aube vers un raccourci à travers les rizières et les champs, et tout le long du chemin Kathy appuya très fort sur les pédales afin de rejoindre au plus vite le couple aux singes. Ce raccourci l'amena sur un étroit chemin bordé de maisons et sur des digues à travers une large plaine de rizières irriguées. Au loin, un hélicoptère américain, illuminé et rose dans la lumière de l'aube, chassait le long du fleuve. Çà et là des paysans travaillaient dans les rizières malgré l'heure matinale, malgré les combats de la nuit, pliés en deux au niveau des hanches et les mains parmi les pousses, les jambes droites et le dos droit, tandis qu'autour d'eux vaquaient canards et poulets, un énorme buffle d'eau, des vaches brunes à l'air affamé, des poneys étiques, tous se comportant comme si la guerre était impossible.

Peu avant midi, elle gravit une légère pente et, de l'autre côté, découvrit la désolation. Elle s'arrêta en haut de la colline brûlée, des rubans de fumée montant toujours de la terre, puis elle baissa les yeux vers le centre biomédical. L'aile abritant les singes avait été rasée, mais pas les quartiers d'habitation. Elle continua à pied sur le sol noirci en tenant le guidon de sa bicyclette, jusqu'au bâtiment. Des éclats d'obus avaient perforé les murs, mais épargné les vitres. Un garçon était accroupi près de l'entrée, tenant d'une main un fusil dressé à la verticale, et il crachait entre ses pieds. Il leva les yeux, découvrit Kathy et eut un sourire rayonnant quand elle arriva.

Dans la pièce de devant elle trouva Mme Bingham, une femme mince, presque âgée, dans un ensemble kaki taché de sang, les cheveux coupés à la garçonne, une cigarette entre les lèvres tandis qu'à genoux elle mettait une couche à l'une des nombreuses créatures simiesques et impondérables comme autant d'elfes, allongée au milieu d'une couverture de l'armée déployée sur une table basse. Il y avait autour d'elle des chiffons et des bandages sanglants. Elle s'interrompit, ôta la cigarette de sa bouche et adressa à Kathy une espèce de sourire ou de grimace, elle-même très simiesque, alors que les larmes lui envahissaient les yeux. « Que puis-je dire ? Entrez. » Elle agita sa cigarette d'un air impuissant. « Bienvenue à la vie. »

En constatant les destructions, Kathy avait craint pour les médicaments. Mais elle avisa deux réfrigérateurs dans la cuisine.

Kathy s'assit et dit : « C'est terrible.

— Voici les seuls survivants, d'après ce que nous savons. Ils sont sept. Nous avions les quatre sous-espèces de langurs. Maintenant il nous en reste deux. » Elle eut un rire inexplicable, dont l'éclat se termina sur une toux grasse de fumeuse.

Kathy dit : « C'est horrible.

— Nous vivons dans un endroit horrible.

— C'est un monde déchu.

— Difficile de vous contredire. Ce serait absurde. »

Il semblait y avoir une dizaine de singes qui récupéraient sur la couverture. Tous portaient des couches.

Mme Bingham dit : « Désolée de ne pas avoir pu venir hier soir. Comment ça s'est passé ? Mieux vaut peut-être ne pas répondre.

— La mère va bien.

— Le bébé est mort.

— Exact.

— Désolée. Nous étions débordés. Il y a eu une petite épidémie de grippe ici. Mais c'est désormais sans importance, n'est-ce pas ? »

Kathy posa son sac à dos sur la table et l'ouvrit. Elle transportait partout un sachet en plastique rempli de cigarettes de GI en vrac pour les distribuer en guise de cadeau, et elle les donna toutes à Mme Bingham. « On dirait que certaines sont cassées, non ? » fit-elle.

Mme Bingham installa le minuscule singe sur son genou, puis elle-même et l'animal au grand front considérèrent le sachet sans comprendre. « Nous avions onze berceaux, dit-elle, ils ont tous brûlé. »

Ce ne sont que des singes, se retenait-elle non sans mal de crier, des singes, des singes.

Dans la cuisine une domestique – jeune, en hauts talons et minijupe – cessa de laver des langes minuscules pour regarder Kathy. « Que puis-je prendre ? demanda-t-elle.

— Hors de ma vue », fit Mme Bingham, et la fille retourna dans la cuisine.

« Le docteur est là ?

— Nous l'attendons. Certains se sont peut-être échappés. Il recherche des survivants.

— Peut-il les retrouver ? Peut-il les attraper ?

— S'ils sont blessés. Celui-ci est un casque d'or. » Elle posa le langur blessé sur la couverture. Allongé sur le dos, il levait ses yeux noirs au plafond et semblait réfléchir furieusement. « Les autres sont sans doute morts. Nous aurions pu tous y passer. Les salauds. Ils sont cinglés. Non, psychotiques. Bah, fit-elle, nous avons tous été rendus fous, n'est-ce pas, que nous le sachions ou pas. »

Bientôt le médecin entra et tendit les bras vers les animaux en état de choc.

« Contemplez l'œuvre du Viêt-cong.

— Rien ? »

Il secoua la tête.

Kathy demanda : « Étaient-ce des mortiers ?

— Des roquettes, dit le docteur Bingham. Des avions. Et pas seulement des roquettes.

— Du napalm ?

— Sans doute.

— C'était forcément du napalm. » Son épouse fondit en larmes. « J'ai toujours ces cris dans la tête – au moment même où je vous parle. Vous n'avez aucune idée. Aucune idée.

— Vous ne pouvez pas savoir, expliqua le médecin à Kathy. Je suis navré, mais c'est absolument inimaginable.

— Mimi, dit son épouse à la domestique, servez un Coca-Cola à mademoiselle l'infirmière, je vous prie. »

La domestique lui donna un Coca dans un verre avec de la glace et ils restèrent assis au salon sous des plafonniers alimentés par un générateur, tandis que le docteur Bingham parlait des singes. Les quatre sous-espèces de langurs étaient désormais considérées comme formant deux espèces indépendantes, l'une étant divisée en trois sous-espèces. Parmi ces derniers, le *Trachypithecus poliocephalus* casque d'or était devenu, selon les paroles du médecin, « épouvantablement rare », avec une population estimée à cinq cents individus de par le monde. Et maintenant autant de moins. Ils permirent à Kathy de glisser la tétine d'un petit biberon dans la gueule d'un des langurs tandis qu'il tétait son lait en poudre. Cet animal était séduisant, mais de la morve bleue faisait des bulles à ses narines et elle se demanda si elle-même n'allait pas attraper une maladie mortelle.

Le couple se comportait avec une grande affabilité, mais lorsque le médecin, un barbu massif approchant l'âge mûr, un personnage très impressionnant, un vrai bwana de la jungle, s'était toujours dit Kathy, remarqua le sac à dos ouvert de leur visiteuse, posé sur la table basse, il dit très froidement, très bizarrement, avec une haine non dissimulée : « Qu'est-ce donc ?

— C'est un appareil pour prendre la tension.

— C'est un magnétophone.

— C'est un tensiomètre.

— Vous enregistrez tout ceci, dit-il.

— Chéri, ça ne ressemble vraiment pas à un magnétophone. »

Le médecin avait les lèvres livides et retroussées. Il respirait très fort par le nez.

Kathy dit : « Maintenant il est éteint.

— Veillez à ce qu'il ne se remette pas en marche.

— Il croit que c'est un magnétophone », dit Mme Bingham.

Kathy tendit la main vers le verre de Coca posé par terre à côté de sa chaise. Il était recouvert de fourmis rousses qui se ruaient depuis la cour éblouissante de lumière en une armée large d'une quinzaine de centimètres et longue de Dieu sait combien.

« Avez-vous écouté la radio ? demanda Mme Bingham. Le Nord attaque partout. Ils ont même touché l'ambassade américaine.

— Vraiment.

— Ils ont été repoussés, dirait-on. C'est ce qu'affirment les nouvelles. Mais c'est une radio américaine. Ils veulent faire croire qu'ils ont gagné, n'est-ce pas ? Chéri, dit-elle à son mari qui s'occupait d'un des petits animaux, elle est morte. Morte.

— J'arrangeais la disposition des bras.

— Laisse-la tranquille. »

La domestique attaqua les fourmis rousses à coups rapides d'un balai à manche court, pour les chasser par la porte d'entrée. Le garçon qui se tenait toujours là se déplaça de un mètre vers la gauche. La fille semblait chinoise, plus grande que la moyenne, vraiment grande, une minijupe noire très courte et de longues jambes.

Kathy demanda : « Allez-vous rester ?

— Rester ?

— Pouvez-vous réparer, pensez-vous pouvoir reconstruire le bâti-ment?

— Que pouvons-nous faire d'autre? Qui sinon s'occuperait d'eux? Il n'y en a plus que sept, mais enfin, tout de même. Sept sur cent soixante.

— Cent cinquante-huit, rectifia le médecin.

— Vous aviez des réserves d'antibiotiques, n'est-ce pas? Je me demande si c'est toujours vrai. » Elle savait qu'ils gardaient des anti-biotiques – dans le second réfrigérateur.

« Qu'ils aillent se faire foutre, qui croyez-vous qu'ils sont, qu'essaient-ils de faire? Vous êtes canadienne, n'est-ce pas? Vous n'êtes pas américaine. »

Kathy rétorqua d'une voix très calme : « Je me demande ce que vous allez faire de vos antibiotiques maintenant. La situation est très différente désormais.

— Oh, pour l'amour du ciel! s'écria Mme Bingham.

— Je commence à comprendre la raison de votre visite.

— Je sais. Je m'en excuse. Je sais, dit Kathy. Mais les choses sont ainsi. Ça m'aiderait énormément.

— Avez-vous un endroit où les garder au frais?

— Je pensais au bâtiment de Bao Dai. Nous avons deux réfrigéra-teurs. Ça aiderait énormément. C'est la vérité. Deux cents enfants, à peu près.

— Nous en avions cent cinquante-huit, lui rappela Mme Bing-ham.

— Oui », dit Kathy en se retenant de la gifler. Elle leur rede-manda : « Qu'allez-vous faire?

— Nous allons sans doute rester.

— Oui. Nous allons rester, dit Mme Bingham en regardant la domestique qui rinçait des haillons dans l'évier.

— Votre générateur marche bien.

— Oui, oui. Nous avons toujours de l'électricité. »

Le médecin dit : « Pour qui travaillez-vous en réalité? Que cher-chez-vous au juste? »

Sa femme bondit sur ses pieds. « Vous voulez des médicaments? Vous voulez des médicaments? » Elle courut jusqu'à la fille occupée dans la cuisine et lui releva la jupe par-derrière. En dessous, la fille était nue, elle ne portait pas de slip. « Voilà, fit Mme Bingham. Allons-nous rester? Comment pourrions-nous partir! »

— Donne-lui les médicaments. »

Elle ouvrit en grand la porte d'un des réfrigérateurs et piaula : « Il faudra d'abord me passer sur le corps !

— Donne-les-lui. Elle en a besoin, dit le médecin.

— Vous avez été idiote de venir, lança Mme Bingham.

— Servez-vous », dit le mari.

La fille continua son rinçage dans l'évier comme s'il ne s'était rien passé.

Au-dessus d'Echo Camp au lever du soleil, la montagne, tel un volcan, vomissait une fumée noire. Les rizières de l'ouest, qui avaient survécu à deux guerres, étaient à présent dévastées, détruites par l'artillerie du Nord Vietnam ou par les mortiers viêt-congs, puis par les roquettes et les bombes incendiaires américaines. Echo Camp était intact. Les obus de mortier avaient creusé des cratères une centaine de mètres plus loin, mais sans jamais s'approcher davantage. Le village de Cao Phuc aussi était intact. Apparemment bon nombre de villageois avaient été avertis – les Viêt-congs les avaient prévenus – ils les avaient contactés, caressés dans le sens du poil, retournés. L'après-midi précédant l'attaque, l'endroit avait été étrangement calme. Le Purple Bar avait fermé sans explication. Mardi avant l'aube l'attaque avait eu lieu ; mardi en milieu de matinée la population était rentrée discrètement chez elle, mais certains villageois revenaient encore, sans porter le moindre sac ni aucun barda, comme s'ils étaient seulement partis pour quelques minutes.

À l'aube le colonel arriva en hélicoptère, puis descendit en jeep de la montagne afin d'inspecter le secteur avec Lieut Givré et deux hommes des *Psy Ops* – le sergent Storm et un civil que le sergent appelait Skipper.

« Oh-oh, fit Lieut Givré, ces F-16 ont vraiment bousillé notre montagne. »

Le colonel dit : « C'est juste le début. À partir de maintenant l'enfer va s'abattre du ciel. Quelle honte, putain. » Le colonel était fou de rage. Pendant les combats ces villageois avaient disparu, mais pas les paysans installés de l'autre côté de la montagne – sinon dans les flammes. Il gifla le crâne de plusieurs indigènes assis en ligne dans la poussière, les jambes tendues devant eux, les chevilles ligotées et les poignets menottés derrière le dos. Les Kootchy Kooties avaient capturé un homme, un Viêt-cong, disaient-ils, qui avait foncé sur eux avec une AK47 et réduit en miettes le sac que l'Indien portait sur le dos. L'Indien s'empara alors des poignets ligotés de leur prisonnier aux yeux bandés et le traîna à reculons jusque dans les fourrés où les Kooties avaient planté leurs tentes. Le petit homme grimaça si violemment qu'il parut se démettre la mâchoire quand l'articulation de chacun de ses bras s'arracha de l'épaule, mais il n'émit pas la moindre plainte lorsque les Kooties le hissèrent par les poignets à une branche inclinée d'un banian, ses doigts de pied à quinze centimètres au-dessus du sol.

Les soldats d'Echo étaient très affectés par l'état critique du Sarge, qu'on avait transporté à l'Hôpital 12 avec des blessures au cou, à la colonne vertébrale et au ventre ; et il attendait là-bas, paralysé, dans un état trop grave pour être rapatrié aux États-Unis. Presque tout Echo se retrouva au Purple Bar, silencieux, buvant peu, fou de douleur, écœuré par la violence du destin. Le Noir qui venait de débarquer figurait parmi eux et il racontait des mensonges ahurissants sur les gens qu'il prétendait connaître personnellement au pays. Il pouvait parler parce qu'il n'avait pas le cœur brisé. Il n'avait jamais vraiment connu le sergent. Il venait de la cambrousse de la Louisiane, il semblait à la fois intimidé par ces hommes et très excité en évoquant sa région. « J'ai déjà été chevauché par une sorcière. Je sais qu'une sorcière m'a chevauché toute une nuit parce que je me suis réveillé épuisé et crasseux, les commissures des lèvres tout ensanglantées à l'endroit où j'avais porté le mors. Faut accrocher un fer à cheval au-dessus de son lit pour tenir les sorcières à distance. Avant qu'elle puisse entrer chez vous, faut d'abord qu'elle parcoure toutes les routes, jusqu'à la dernière, où ce fer à cheval s'est baladé. Mon oncle a été chercher une pierre et une nuit il a cassé le bras à une sorcière et le lendemain, je le jure devant Jésus, c'était un dimanche, une vieille voisine qui chantait des cantiques à l'église s'est mise à baver et à se rouler par terre et le prêcheur a dit "Ôtez-lui son châle" et on lui a ôté son châle et voilà qu'elle avait le bras cassé et l'os qui lui transperçait la peau à l'endroit où mon oncle avait cassé le bras de la sorcière et le prêcheur a dit "Traînez-la jusqu'à la fosse" et ils l'ont traînée à la fosse et le prêcheur a dit "Brûlez la sorcière", et ils l'ont brûlée là dans la fosse. Je jure que c'est vrai. Personne là-bas chez moi dira jamais le contraire. Mon oncle me l'a raconté et tout le monde le sait. » C'était un jeune crétin de Noir, très noir, couleur charbon de bois. Personne ne l'interrompait et il aurait pu continuer à bavasser éternellement, mais Nash entra et, sans prendre garde au baratin du Noir, il dit : « Hé, venez voir ça, les Kooties sont en train de s'occuper de ce Viêt-cong et il est salement amoché, c'est pas des conneries, les mecs, faut vraiment que vous voyiez ça. »

Au-dehors, Black Man regardait tout en mangeant une mangue non épluchée, qu'il tenait à pleines mains. Il y avait toujours des mangues – des bananes aussi, et puis des papayes. Il dit : « Ces Lurps [1] complètement défoncés à la benny et aux barbis. Des barjots survoltés. »

L'un des Lurps, en fait le cinglé le plus incontrôlable des Kootchy Kooties du colonel, le Noir à la tenue ahurissante, se dressait dans une mare de sang devant le prisonnier suspendu et lui crachait au visage.

Lieut Givré regardait aussi, debout à côté du sergent Storm, des *Psy Ops.*

Le colonel observait dans l'ombre, assis sur une vieille caisse de ravitaillement criblée de trous, où étaient enfermés des poulets. Ni Skipper ni lui ne semblaient vouloir manifester leur présence. Le lieutenant les rejoignit et dit : « Eh bien maintenant c'est comme ça, le problème avec ce genre de pratique... » Il ne termina pas sa phrase. Il fronça les sourcils. Se mordilla les lèvres.

Le Kooty noir paraissait leur adresser un laïus tout en fourrageant dans le ventre du type avec la lame d'un couteau multifonctions de l'armée suisse. « Ils nous bottent le cul et on va aller au fond du problème. Ils attaquent partout dans le Sud. Même l'ambassade américaine. »

Le sergent Storm, des *Psy Ops,* protesta : « Non, mec, fais pas ça », mais pas très fort.

Le Cow-boy dit : « Fais-lui sa fête à cet enculé. Vide-le bien. Ouais, enculé. C'est comme ça que Sarge hurlait. Fais-le hurler. » La rage lui empourprait le visage et il pleurait.

« Y a une chose que je veux que ce fils de pute voie bien. » Alors le Kooty s'en prit aux yeux du prisonnier avec la cuillère de son couteau de l'armée suisse.

« Vas-y, vas-y, l'encouragea le Cow-boy.

— Je veux que cet enculé voie vraiment... vraiment... bien quelque chose, dit le Kooty. Oh, ouais. On dirait une fillette », fit-il en

---

1. Lurps : surnom des membres d'une LRRP, Long Range Recon Patrol, c'est-à-dire patrouille de reconnaissance à longue portée. (*N.d.T.*)

réponse aux cris de l'homme. Il lâcha son couteau dans la masse sanguinolente à ses pieds, puis saisit les deux globes oculaires attachés à
leur nerf optique mauve et fit pivoter les hémisphères rouges couverts de veinules pour que les pupilles voient les orbites vides et la
matière spongieuse du crâne. « Regarde-toi bien, espèce de sale
merde.

— Seigneur Dieu », fit le petit sergent maigrichon.

Le colonel sauta de sa caisse de ravitaillement et rejoignit le lieu du
supplice en ouvrant le bouton-pression de son holster, puis il fit
signe au Cow-boy et au Kooty de s'écarter et il tira une balle dans la
tempe du prisonnier suspendu.

Le sergent Storm dit : « Bien joué, putain. »

Le Cow-boy approcha son visage à quelques centimètres de celui
du colonel. « Z'avez pas entendu Sarge crier et brailler jusqu'à ce
qu'il ait plus de voix, lui dit-il. Encore un ou deux trucs comme ça et
cette merde aura plus rien de drôle. »

Le cadavre se détendit instantanément et un torrent de matières
cervicales envahit la moitié de sa face.

Le jeune capitaine Minh, en sa qualité de pilote de l'aviation vietnamienne, avait largué des bombes sur un nombre incalculable de
cibles et, du cockpit de son chasseur-bombardier F-5E, sans doute
avait-il lui-même mis un terme à des centaines de vies, mais ces vies
s'étaient achevées dans l'obscurité, sous des tapis de feu et de fumée,
et Minh n'avait jamais vu personne se faire tuer.

C'était une matinée ensoleillée. Il était près de midi et il faisait
déjà une chaleur suffocante.

Le colonel rengaina son arme et dit : « Je suis prêt à faire beaucoup
de choses au nom du combat contre le communisme. Vraiment
beaucoup de choses. Mais bon Dieu, il y a une limite à tout. »

Minh entendit le neveu du colonel rire. Skip Sands tenait à peine
debout, tellement il riait. Il s'appuya d'une main contre une tente et
faillit la flanquer par terre. Personne ne fit attention à lui.

Le Lurp noir regarda le colonel dans le blanc des yeux et nettoya
ostensiblement le sang de son couteau suisse avec sa langue avant de
partir d'un pas furieux vers le hameau ouest et le Purple Bar.

Minh fit comme si toute cette horreur n'avait pas eu lieu, comme
si soufflait le vent nauséabond de l'illusion, bientôt chassé par la réa-

lité de la paix et de l'ordre. Le village de Cao Phuc par exemple, qu'était-il arrivé là-bas? – l'Echo Camp était à présent une petite base avec des baraques en préfabriqué, des latrines, deux gros générateurs MASH; le temple dominait toujours le hameau est, mais il se dressait désormais sur une épaisse dalle de béton derrière une entrée carrelée; le hameau ouest était envahi par des constructions précaires pour réfugiés, qui ressemblaient à des caisses et à des poulaillers – tous ces changements étaient survenus au cours des deux dernières années qu'il venait de passer à piloter l'hélico du colonel de-ci, de-là. Le Purple Bar restait une simple hutte surdimensionnée, le repaire de prostituées au visage triste, des orphelines dont les familles avaient péri. Aucune fille du cru n'y entrait.

« Nom de Dieu, lâcha Jimmy Storm, voilà un négro complètement marteau.

— Et qui l'a rendu marteau? Nous, dit le colonel. L'histoire nous pardonnera peut-être ce qui se passe ici. Mais ce type ne nous le pardonnera jamais. Il a pas intérêt. »

Minh ne connaissait pas le Lurp noir qui venait d'énucléer le prisonnier. Quand cet homme n'était pas dans les parages, tout le monde parlait de lui. Il dormait par terre sur son poncho, et seulement dans la journée. La nuit, il se déplaçait sans arrêt, personne ne savait où. Ses cheveux poussaient en paquets hirsutes longs d'une bonne trentaine de centimètres. Il avait coupé les manches et le bas des jambes de son uniforme, plus rien n'empêchait la vermine de se repaître de sa chair sinon les motifs spectaculaires peints en rouge, blanc et bleu qui lui couvraient la face et les membres.

Un peu après seize heures, Minh et les trois Américains rejoignirent le sommet de la montagne puis Saigon dans l'hélicoptère du colonel, un Huey modifié, équipé de deux sièges supplémentaires et dépourvu de mitrailleuse, prêté au colonel par l'aviation vietnamienne, même si c'était le colonel qui s'était arrangé pour que l'aviation vietnamienne entrât en sa possession. Sur les ordres du colonel, Minh les emmena à plusieurs milliers de pieds d'altitude et maintint une vitesse de presque cent miles américains à l'heure. Le sergent Storm, assis sur son casque avec un M16 en travers des genoux, les cheveux plaqués en arrière par un vent assourdissant, prenait parfois son arme pour tirer une rafale vers le monde d'en bas. Le neveu du colonel, assis à côté du sergent, regardait par la porte ouverte la jungle et les rizières, la lueur vacillante d'incendies, des zones stériles détruites par l'homme d'où la fumée montait comme de la vapeur à travers les fissures du couvercle d'un chaudron. Deux avions de chasse passant tout près en contrebas rendirent un instant inaudible l'incroyable vacarme des moteurs de l'hélico. Ces appareils arrivèrent tout près d'eux. Des F-104. Minh réussit presque à distinguer l'emblème sur le casque d'un des pilotes.

Skip Sands souriait souvent, Skip Sands blaguait tout le temps, mais Minh n'avait jamais entendu Skip Sands rire. Pourquoi donc avait-il autant ri devant ce malheureux qu'on torturait ? Personne certainement n'aurait pu trouver ça drôle. Mais quelque chose lui avait semblé hilarant.

Le colonel, ses écouteurs sur les oreilles, était assis à côté de Minh et observait l'horizon, ayant apparemment oublié les terreurs de la matinée. Skip, quant à lui, donnait l'impression qu'elles resteraient éternellement gravées dans sa mémoire. Le colonel n'avait émis aucun commentaire sur le comportement de son neveu. Peut-être ce rire inextinguible défiait-il tout commentaire. Peut-être Skip remerciait-il son Dieu de ne pas avoir d'écouteurs et d'être ainsi dispensé de toute conversation à cause du boucan infernal de l'hélicoptère. Mais qui peut scruter les pensées d'autrui ? Avec les Américains, Minh avait souvent l'impression que leurs actes n'étaient sous-tendus par aucune pensée, seulement par des passions. Mais il avait remarqué le visage de Skip quand son oncle l'avait aidé à monter à bord et il était absolument convaincu que cet Américain pensait seulement à l'homme assassiné.

Durant un bref moment Minh laissa le colonel prendre les commandes. Ce n'était guère prudent, mais le colonel n'en faisait qu'à sa tête et rien ne pouvait le blesser. Le colonel avait vu les pires horreurs de la guerre. Un jour il avait fait une triste confession à Minh : afin de sauver du massacre ses camarades prisonniers, le colonel, alors jeune capitaine de l'armée de l'air comme Minh lui-même, avait tué l'un d'entre eux dans la cale obscure d'un bateau japonais chargé de prisonniers de guerre, il l'avait étranglé de ses propres mains. Le colonel partageait souvent de telles histoires, peut-être parce qu'il croyait que Minh ne le comprenait pas. Mais l'anglais de Minh s'améliorait sans cesse. Il s'exprimait avec confiance sur tous les sujets touchant à son métier et il suivait parfois sans problème des conversations entières parmi les Américains, même si les subtilités lui échappaient encore et s'il ne pouvait espérer y participer avec aisance.

Et puis Minh devait être le seul à savoir que le colonel avait une épouse dans le sud du delta du Mékong et qu'il lui rendait de fréquentes visites à bord de ce même hélicoptère.

L'aéroport de Tan Son Nhut à Saigon avait subi le feu des roquettes à trois reprises depuis le soulèvement initial d'avant l'aube, mais aucune attaque n'était en cours et ils reçurent l'autorisation d'atterrir. Ils laissèrent Minh avec l'hélicoptère, puis traversèrent le tarmac dans un vent gras et sous un ciel gris. Hao attendait à la sortie du terminal avec la Chevrolet, juste au-delà des barrières en béton.

Skip se dit qu'il devrait manifester un minimum d'intérêt pour leur destination, mais il n'en éprouvait pas le moindre. Storm exigea en revanche de la connaître, et le colonel dit : « Hao le sait sûrement. » Skip et Storm montèrent à l'arrière, le colonel devant avec Hao, qui fumait une longue cigarette, dont il tapotait le filtre avec le pouce, saupoudrant de cendres ses jambes de pantalon, tout en scrutant le pare-brise d'un regard myope et en conduisant au jugé. La ville résonnait du tir d'armes légères, du vrombissement des hélicoptères et, assez curieusement, des explosions de nombreux pétards. Ils dépassèrent plusieurs cadavres qu'on eût dit abandonnés au bord de la route, mais constatèrent peu de dégâts matériels, ils virent les citadins se comporter comme d'habitude, vaquer à leurs occupations, circuler sur leurs petites motocyclettes. Le colonel demanda : « Avons-nous une idée assez précise de l'endroit où nous allons ? » mais Hao sembla ne pas comprendre la question, et le colonel reprit : « Hao, je ne crois pas que nous sachions où nous allons.

— Il me dire l'endroit. Je vais le trouver. » Quelques minutes plus tard, il ajouta, en anticipant la question suivante du colonel : « Cholon est trop grand. Trop de rues.

— Là... là... ces jeeps. »

Hao arrêta la Chevrolet près de trois jeeps de l'ARVN garées n'importe comment autour des cadavres de deux Vietnamiens.

« Arrête-toi. Coupe le moteur », dit le colonel et, tandis que Hao tournait la clef de contact, il ajouta : « Hao, nous allons voir des Viêt-congs morts ici. Je veux que tu les examines pour t'assurer qu'aucun n'est notre ami. »

Hao acquiesça.

« Tu sais de qui je parle ? »

Hao dit : « Notre ami.

— Je ne crois pas qu'il soit ici. Il ne devrait pas y être. Mais je veux que tu t'en assures. Très bien – allons-y. »

Tous descendirent de voiture.

Les deux cadavres étaient allongés côte à côte au milieu de la rue, les bras levés au-dessus de la tête. Chacun était criblé de balles. Environ neuf soldats d'une escouade de l'ARVN étaient assis ou appuyés contre les jeeps. Tout près, un petit officier de l'ARVN fumait une cigarette, debout et presque au garde-à-vous, une main posée sur la crosse de son arme.

« Commandant Keng ?

— *C'est moi* *.

— Colonel Francis Sands. – Skip, peux-tu traduire pour moi ? – Voici M. Skip, mon neveu et collègue. – Skip, remercie-le de s'être déplacé. Remercie-le d'avoir monté la garde auprès de ces corps. Dis-lui que ses informations viennent de moi. »

Le commandant ferma les yeux et sourit. « C'est inutile, colonel. Je vous comprends parfaitement.

— Ouh, fit Skip. Vous avez un accent impeccable.

— Keng est un nom chinois. En fait, je ne suis pas chinois.

— Combien de langues parlez-vous ?

— Français, anglais, chinois. Et ma langue maternelle, bien sûr. Que puis-je faire pour vous, colonel ?

— Tout s'est-il passé comme nous vous l'avions dit ? demanda le colonel.

— Comme sur des roulettes, répondit le commandant. Nous leur avons tendu une embuscade.

— Avaient-ils des explosifs ? »

Le commandant Keng jeta au loin sa cigarette et leur fit signe de rejoindre une jeep : sur le siège arrière étaient posés quatre sacs de charges explosives. « La Chine communiste, expliqua-t-il.

— À quelle heure sont-ils arrivés ici ? s'enquit le colonel.

— À trois heures du matin précises. »

Le colonel dit : « Tout comme nous vous l'avions indiqué ?

— Tout était exact, répondit Keng, à la virgule près. Zéro trois zéro zéro. » De la main il désigna les cadavres. « Deux Viêt-congs. Comme promis.

— Quel était leur objectif ?

— Détruire la passerelle piétonne là-bas, dit Keng.

— Avaient-ils assez d'explosifs pour ça ?

— Je vous donne mon avis : plus qu'assez.

— Pas de papiers d'identité, je suppose.

— Aucune carte d'identité. » Keng secoua la tête.

« Commandant, nous ne vous retenons pas davantage. Je désirais simplement m'assurer de l'exactitude de nos informations. Nous allons jeter un bref coup d'œil à cette passerelle avant de partir. »

Storm et Skip suivirent le colonel jusqu'à la passerelle de toute évidence choisie comme cible par les deux guérilleros, puis y montèrent. Des scooters bruyants filaient à leurs pieds. « Je ne suis pas sûr de comprendre l'intérêt de la chose, dit le colonel. Je suppose que ça aurait bloqué la rue en dessous. Mais je ne suis pas sûr de bien comprendre. » Il se dirigea vers la voiture.

Storm, qui marchait à côté de Skip, dit : « Je vois bien, à ta manière de bouger, que tu te plais ici. Tu marches avec souplesse, tu laisses pas ton corps s'échauffer sans raison. Tu utilises l'air autour de toi. » En émettant ces remarques, il semblait étrangement timide, et plus du tout la petite frappe survoltée. « Tu vois ce que je veux dire ?

— À peu près.

— Tu te fonds dans l'air ambiant comme un indigène », lui assura Storm.

Après que le colonel Sands eut échangé une poignée de main avec le commandant Keng et l'eut invité à dîner et à boire des verres – une invitation poliment refusée –, il s'installa sur la banquette avant de la Chevy, conserva une posture alerte et dit à Hao : « Sur la Route 1. Allons boire un verre. »

Hao exécuta un demi-tour sur les chapeaux de roues et ils laissèrent les cadavres derrière eux.

« Nom de Dieu, fit le colonel, on est en cheville avec un double. »

Ils étaient quelque part sur la Route 1 dans un bar-restaurant au fond d'un cul-de-sac non goudronné, le Jolly Blue, un bouge, pensa Skip, à putes et à gangsters. Mais à Saigon c'était le bar de la section Echo et de nombreux soldats basés à la zone d'atterrissage de Cao Phuc, dont aucun n'était présent ce jour-là, car dans tout le pays aucun soldat n'avait droit à la moindre permission ce jour-là, ni dans l'armée du Nord ni dans celle du Sud, ni parmi les Viêt-congs ni dans les forces américaines. Skip, Storm et le colonel s'installèrent sur des chaises longues sous une banne dans la fraîcheur du crépuscule, ils gardèrent la radio de la Chevy réglée sur VNAF pour rester informés des événements. Skip n'avait pas fermé l'œil depuis son départ de Cao Quyen presque quarante-huit heures plus tôt. Il pensait que le colonel et Storm étaient aussi épuisés que lui, mais aucun des trois hommes ne voulait dormir avant de savoir ce qui s'était passé, ce qui risquait d'arriver maintenant, où l'on en était après ce soulèvement général et sans précédent qui, en l'état actuel des choses, semblait avoir tourné au désastre pour l'ennemi.

Entre les bulletins d'information diffusés toutes les heures par la station, le colonel rejoignit la piaule d'un mac pour passer des coups de fil à l'ambassade américaine et il obtint tout un florilège de rapports confus et contradictoires.

« Attaques coordonnées dans toute la province de Quang Tri. C'est remonté au moins jusque-là vers le nord.

— Et au sud ?

— Ils ont touché Con Mau.

— Dans la péninsule ? Bon Dieu.

— Ils sont partout. Et ils se sont fait massacrer. »

Des forces armées combinées du Nord Vietnam et du Viêt-cong avaient attaqué presque toutes les villes et les installations militaires de bonne taille dans le Sud. « Audacieux et dément », dit d'abord le colonel. Puis, à mesure que les rapports arrivaient, il dit : « Audacieux et dément et idiot. » Si cette offensive globale était stupéfiante de synchronisme et de soudaineté, de sauvagerie et de grandeur, les attaques individuelles semblaient avoir été mises sur pied sans organisation claire ni soutien adéquat.

Le colonel servait le whisky d'une pinte de Bushmills – dont une caisse entière, rangée dans le coffre de sa Chevy, l'accompagnait partout. « Nous bombardons déjà Cu Chi sans interruption. Tous les mètres carrés où il n'y aura aucun GI vont être transformés en cratères. Je vous ai dit que l'enfer allait s'abattre du ciel. Je considère cela comme étant prématuré. Nous avions des projets pour ces tunnels.

— Tenez-vous-en aux faits concrets, dit Jimmy Storm. J'en ai rien à foutre des tunnels.

— Nous cherchons une autre approche pour lutter contre cet ennemi. N'importe quoi sauf ce que nous avons déjà mis en œuvre, insista le colonel.

— J'ai débarqué ici avec le désir brûlant de leur niquer la tronche. Maintenant je consacre mes journées à essayer d'empêcher ma propre tronche d'exploser. »

Skip venait de passer la moitié d'une année en exil, à regretter cette fièvre, à la désirer ardemment, mais il n'en avait apparemment pas manqué une seule minute, il avait saisi au vol la conversation entre le colonel aux yeux rouges et son frémissant sergent chien de chasse. Ces deux-là semblaient avancer sur des chemins parallèles en étant certains de se retrouver quelque part à l'infini. Skip souffrait de brûlures d'estomac. Il buvait du 7Up. Pour lui, le fait le plus marquant de la journée était que le prisonnier ensanglanté et énucléé, si promptement achevé par son oncle, avait été un être humain dans une famille d'autres êtres humains qui l'avaient connu par son nom et entouré d'amour, et lui, Skip, un espion au service de la plus grande nation de tous les temps, était troublé que cela le troublât.

« Qu'est-ce que je vous disais, fit le colonel, sur la centralisation ? Les Viêt-congs et les Nord-Vietnamiens sont contrôlés à partir d'une source unique.

— Très fort.

— Sans doute invincible. Nous ne pouvons pas gagner comme ça. Ce matin, notre jeune troufion l'a très correctement exprimé : cette merde n'a plus rien de drôle. Cette merde est un vrai foutoir. Cette merde doit cesser. »

Skip n'avait jamais entendu le colonel faire une déclaration de ce genre, ni même approchante. C'était n'importe quoi. C'était entièrement faux, car ça laissait la porte ouverte à beaucoup trop de choses qui étaient vraies.

« Si nous ne pouvons pas être centralisés, si nous devons patauger comme des fourmis dans la mélasse, alors en tant que fourmis pataugeant dans la mélasse nous ne pouvons pas attendre les ordres de la hiérarchie. »

Storm demanda : « C'est quoi l'idée, dis, papa ?

— L'idée, c'est qu'on a dégoté un double et qu'on va le travailler tout doucement. Mais va falloir gamberger et prévoir un max, et rien de tout ça ne commence aujourd'hui. Réjouissons-nous simplement de pas devoir rester assis sur notre cul pendant que l'oncle Hô applique une sublime stratégie après l'autre jusqu'à ce que ça gaze pour lui. Cette fois-ci ça a foiré. Cette fois-ci ils se sont jetés à corps perdu dans la bataille et ils ont gaspillé leurs forces sans résultat notable. »

Jimmy Storm éclata d'un rire à la fois détendu et épuisé pendant que Skip et le colonel l'observaient. Enfin, il retrouva le contrôle de lui-même. « Dieu, comment faites-vous pour pas pioncer pendant quarante-huit heures et tout à trac vous lancer dans une tirade aussi éloquente ? GARDEZ CES CATINS LOIN DE MOI ! cria-t-il à la *mamasan* qui servait les tables. D'accord – toi, concéda-t-il, viens un peu ici », et d'un geste sec du poignet il alluma son briquet pour une fille menue aux grosses cuisses moulées dans une minijupe noire, en ajoutant : « Celle-ci est une pute menteuse et psychotique. Une brave gonzesse. Tout à fait mon genre. »

Le colonel profita de cette flamme pour allumer sa cigarette. Il fumait des Players qu'il achetait en paquet plat – la marque, si Skip avait bonne mémoire, de James Bond.

« Allons bon, c'est quoi ça – pas de cigare ?

— Certains jours ils ont un goût de chiottes. Tu ne fumes toujours pas ?

— Non.

— Ne commence pas. » Il tira une bouffée. « C'est la guerre, Skip.

— Je comprends. »

Skip se leva pour déambuler dans l'établissement. Il jeta un coup d'œil à l'intérieur vague du Jolly Blue. Debout sur le seuil, il sentit qu'il faisait au moins cinq degrés de plus à l'intérieur. La salle était vide, hormis trois filles et la *mamasan* derrière le bar en contreplaqué, qui lui lança : « Oui, *sir*, vous vouloir bière ?

— J'ai faim.

— Vous vouloir soupe ?

— Une soupe et une baguette, merci.

— Je apporter vous. Vous asseoir.

— Laisse-moi présenter moi à toi », dit une des filles, mais il tourna les talons sans répondre.

Il contourna le bar pour rejoindre la rigole en béton qui donnait sur une sombre plaine d'herbe éléphant, derrière les piaules réservées aux passes. Il pissa, se lava le visage au robinet de la citerne, remit dans son pantalon les pans de sa chemise trempée de sueur, se dit : C'est la guerre, Skip. Vaincs ta peur.

Puis il rejoignit ses camarades.

À leur table le colonel disait à Storm : « Les œufs étaient rares. Nous mettions en commun les trucs de ce genre, les œufs et les quadrupèdes qu'on pouvait attraper avec des pièges, et les toubibs, les infirmiers, ceux qu'on avait, les toubibs décidaient qui mangeait quoi dans nos réserves. On chopait des chiens, des singes, des rats, des oiseaux. On élevait même quelques poulets. » Il dit à Skip : « Je lui raconte ce qu'Anders Pitchfork a fait pour moi au camp de prisonniers. J'étais malade et Anders m'a donné un œuf dur à manger. Anders avait droit à un œuf tous les jours parce qu'il était dans un sale état et qu'il avait besoin de protéines. Il m'en a donné un parce que j'étais malade et que je restais allongé. Moi j'ai pas dit "Non merci, j'en ferai rien" – j'ai avalé cet œuf tout rond avant qu'il change d'avis. Si Anders Pitchfork se pointait ici et qu'il me demandait de me trancher la main pour lui, j'hésiterais pas une seconde. Ma main coupée serait tout de suite là, sur cette table. Voilà ce que te donne la guerre. Une famille plus réelle que les liens du sang. Ensuite tu retournes à la paix des nations et tu trouves quoi ? – deux bureaux plus loin, des ennemis qui te poignardent dans le dos. Des types comme Johnny Brewster. Brewster est un salaud fini et il va m'en vouloir à mort jusqu'à la fin des temps. Tu le connais, Skip ?

— Pas personnellement. Que lui avez-vous fait pour qu'il vous en veuille à mort ?

— La vraie question c'est : qu'est-ce que Brewster m'a fait ? L'an dernier il m'a collé derrière un burlingue pendant presque six mois et il m'a posé tout un tas de questions. Ils ont essayé de faire passer ça pour une espèce d'examen médical. Mais je savais très bien de quoi il retournait.

— Et c'était quoi, la raison ? Pas le micmac des Philippines ?

— Seigneur, non. C'était Cao Phuc. Mon hélicoptère, ma section. Alors je l'ai flanqué sur son cul, et vous savez quoi ? Les questions ont cessé. L'interlude a pris fin et je suis revenu ici.

— Vous l'avez flanqué sur son cul, dites-vous ?

— En juin dernier, confirma le colonel. Je l'ai mis KO.

— Quoi ?

— T'as bien entendu. Je lui ai proposé de jouer au handball. On s'est mis en tenue dans les vestiaires, on a rejoint le terrain, je me suis approché et je lui ai flanqué un coup de poing au menton. Interroge n'importe quel boxeur : y a pas pire que d'encaisser un coup de poing au menton. La première chose qu'on t'apprend c'est de rentrer le menton. Je l'ai mis KO, oui m'sieur, et je le regrette pas parce que c'est une vraie raclure de sournois visqueux et – aurais-tu un dictionnaire sous la main ? Faut que je consulte un dico pour te donner une description adéquate de cette ordure de Brewster.

— J'ai jamais entendu parler de ça.

— Je crois pas qu'il en ait parlé à quelqu'un. Trop invraisemblable. Impossible pour lui de pas perdre la face, il pouvait pas aller se plaindre à son supérieur qu'il venait de se faire botter le cul...

— As-tu déjà fait un bras de fer avec cette vieille crapule ? demanda Storm.

— Non, répondit Skip.

— J'ai pas blessé ce fils de pute. Johnny Brewster est un mec costaud et agile. Il a été parachuté dans le nord de la France pour l'OSS. Mais il a passé trop de temps dans la résistance, là-bas il a viré au rouge. Ils en ont fait un sympathisant de la gauche. Et puis c'est un élitiste. Il veut se débarrasser de nous autres, les vieilles crapules. La guerre a fait tomber quelques gros crapauds comme nous dans le bocal à poissons rouges, et ils aimeraient bien qu'on se barre de leur flotte. »

Il adressa un signe à Hao, qui restait assis dans la Chevy garée à trois mètres de la table, la portière ouverte et la radio allumée. « Hao, Hao. Viens. » À la manière dont son oncle penchait la tête et agitait les doigts pour faire venir le chauffeur vietnamien, Skip comprit que le colonel était ivre. « Tu as besoin de quelque chose ? C'est quand, la dernière fois que tu as mangé ? Assieds-toi, mon vieux, assieds-toi.

— Je peux trouver quelque chose au bar.

— Assieds-toi, on va te commander un plat, assieds-toi. »

Hao s'assit et le colonel adressa un signe à la *mamasan* en disant : « En fait, je ne sais pas jouer au handball. L'acoustique bruyante, la balle qui claque par terre, les semelles en caoutchouc qui couinent sur le parquet – j'y joue jamais. Ça fait plus mal aux oreilles que le stand de tir. C'est assourdissant comme des tirs d'artillerie. » La *mamasan* approcha et il lui dit : « Trouve-lui quelque chose à manger. Qu'est-ce qu'on peut te servir, Hao ? De quoi as-tu envie ?

— Je vais lui parler. » Hao se leva, puis rejoignit la salle du bar avec la *mamasan*.

« John Brewster, reprit le colonel, porte des chaussettes décorées d'horloges et il croit que Washington est légèrement plus vaste que l'univers. Que vont-ils me faire ? Me virer ? Me coller au trou ? Me tuer ? Will, jeune Will, tu connais une partie de mon histoire. Que peuvent-ils me faire maintenant ? J'ai été prisonnier des Japonais. Que reste-t-il de l'expérience humaine avec quoi ils pourraient espérer me faire peur ? »

La *mamasan* revint avec une assiette contenant des baguettes de pain et quatre bols de soupe posés sur un plateau. Le colonel rompit une baguette en deux et dit : « Je vous parle sincèrement : vaut mieux qu'à cette table y ait pas un seul homme craignant la mort.

— Bravo, bravo ! lança Skip.

— De toute manière la mort est partout, fit Storm.

— Oh, j'avais oublié, dit le colonel en mâchant une bouchée de pain. M. Jimmy se prend pour un samouraï.

— Je m'exerce simplement aux enchaînements, *papasan*. La mort est notre condition fondamentale.

— Qu'en connais-tu vraiment ?

— Non. Non. L'univers doit bien venir de quelque part, exact ? Faux. Il vient forcément de nulle part. Du Grand Néant.

— M. Jimmy suit l'enseignement du Bouddha.

— Je m'intéresse à un genre de bouddhisme entièrement différent.

— M. le sergent Jimmy étudie la variante tibétaine.

— J'étudie les événements qui se produisent après la mort. Le royaume du Bardo. Quoi faire à chaque étape du voyage après la mort. C'est bourré de chausse-trappes qui ramènent pile ici, mec. Pile sur la planète Terre. Mais pas question que je revienne. C'est un trou merdique.

— C'est un trou merdique agrémenté de feux d'artifice, rectifia le colonel.

— Revenez ici si vous voulez. Mais ne comptez pas retrouver votre grade. »

Cela, son oncle le tolérait, il applaudissait même les simagrées de ce crétin.

« Vous avez pratiqué un peu de méditation là-bas à Cao Phuc – au temple, n'est-ce pas, colonel ? »

Le colonel cligna les yeux en considérant Storm comme s'il essayait de trouver une réponse adéquate, puis, après un temps considérable, il dit : « Je ne joue pas au handball. Mais c'est un jeu très ancien. Un sport. Un passe-temps. » Il s'adossa confortablement. « Un vénérable passe-temps irlandais. Ça vient d'Irlande. C'est l'Irlande qui l'a inventé. » Son menton toucha sa poitrine, il se mit à dormir profondément.

Ainsi commença l'année du Singe.

Kathy voyagea jusqu'à Saigon pour chercher une aide quelconque, et elle commença par Colin Rappaport à World Children's Services. Des Viêt-congs et jusqu'à des bandes incontrôlables de soldats de l'armée du Nord Vietnam maraudaient dans la région de Sa Dec, les Américains et l'ARVN y traquaient sans pitié ni discrimination, aucun ravitaillement n'atteignait l'orphelinat Bao Dai, la situation serait bientôt intenable.

Les hélicoptères américains mitraillaient tout ce qui bougeait sur les rivières et les fleuves. Pour atteindre la route de Saigon, elle pédala sur des chemins difficiles qui longeaient des canaux, difficiles non parce qu'ils étaient boueux mais parce qu'ils n'offraient aucune résistance et ralentissaient les pneus – comme ce pays était souple, luxuriant et indolent, comme il était trompeur –, avant de s'aventurer sur les digues, en terrain découvert. Le vent se mit à souffler sur les rizières et la lumière du soleil à se mouvoir parmi les pousses vertes comme un frisson d'excitation sous la peau.

Elle attendit dans un café au sol en terre battue. Toit de tôles, murs en paille. Assise à une table, elle but du thé brûlant dans une boîte de conserve en attendant qu'on la transportât de l'autre côté d'un fleuve large d'une trentaine de mètres. À ses pieds un petit garçon jouait avec une sauterelle vert vif longue comme la moitié de son bras. Elle confia sa bicyclette à la famille qui tenait le café et qui lui assura qu'aucun hélicoptère ne s'était manifesté dans la région depuis le début de la matinée. Une femme qui manœuvrait un sampan et portait de très chic gants mauve pâle ainsi qu'une voilette rose lui fit rejoindre la rive opposée. Là, des maisons et des jardinets... Une jeune fille à la robe splendide dans un minuscule enclos de tombes, à demi prostrée au-dessus d'une pierre dans la lumière mouchetée d'ombre... Kathy se fit prendre en stop par un paysan dans une camionnette à trois roues qui transportait vers Saigon d'anciens sacs de riz remplis de plumes de canard. À quelques kilomètres au sud-est de la ville, leurs chemins se séparèrent et il la déposa.

Elle portait une jupe qui lui arrivait à mi-mollets, des sandales, pas de bas. Assise dans une maison de thé en chaume en bordure de la Route 7, elle sentait la sueur dégouliner depuis le creux de ses genoux le long de ses jambes. Elle ouvrit son sac à dos et en sortit sa bible, mais il faisait déjà trop sombre pour pouvoir lire. Elle garda le volume sur ses cuisses et d'un doigt en agaça le marque-page. Quelque part dans les Psaumes il était dit : « Contre Toi, contre Toi seul j'ai péché. » Durant quelques minutes dans cette nuit du Têt, alors que les explosions se rapprochaient de plus en plus, elle avait senti toute fierté écrasée, tout savoir anéanti, tout désir détruit, elle avait seulement existé dans un assujettissement nu, abject. Son péché avait paru infime, son salut ou sa damnation tout aussi infimes.

La nuit tomba. Un homme sortit des chaises rouges devant la maison de thé.

Elle prit un cyclo pour aller en ville. Elle descendit dans une espèce d'hôtel rue Dong Du, en face de la mosquée Jamia aux volets verts. Elle resta une demi-heure allongée sur une paillasse, mais ne réussit pas à dormir.

Elle sortit marcher. Il était presque onze heures. Alors qu'elle se faufilait dans la circulation, un cycliste portant sur l'épaule une planche de bois longue de trois mètres parut sur le point de tourner et peut-être de l'assommer avec une extrémité de sa planche. Elle bondit en arrière et faillit se faire écraser par une jeep américaine – on les appelait des « Mutts » –, les pneus crissèrent, une roue monta sur le trottoir. « Désolé, m'dame », lança le jeune soldat aux yeux fous qui conduisait. – Et voilà : presque morte. Elle s'en fichait.

Elle emprunta une ruelle éclairée d'ampoules rouges. Dans une vitrine, un soldat giflait sa femme tandis qu'un enfant agenouillé sur le matelas hurlait, son visage semblable à un poing...

Par la porte ouverte d'un bar, elle aperçut deux soldats à l'ivresse triste qui dansaient dans la lueur du juke-box, chacun de son côté, le menton baissé, les doigts jaillissant, en roulant des épaules et dodelinant de la tête, ahanant comme des chevaux de trait vers quelque destin solitaire. Elle s'arrêta pour les regarder. Dans les chansons que diffusaient les juke-box ou les radios réglées sur VNAF, elle entendait souvent Dieu l'appeler – « Aime-moi de tout ton cœur », « Ce type est amoureux de toi », « Tout ce qu'il te faut c'est de l'amour » –, mais ce soir la voix chantait seulement pour les soldats et son message n'atteignait pas la rue.

Elle dépassa une recrue à la tête baissée, qui d'une main guidait son jet contre le mur. Il leva des yeux illuminés par l'acide et dit : « Ça fait mille ans que je pisse. » À côté de lui, son copain plié en deux vomissait. « Faites pas gaffe à moi, m'dame, dit-il, je suis shooté à la vie. »

Elle trouvait les Vietnamiens reposants. Elle ne partageait aucun passé avec eux. Les soldats américains ressemblaient beaucoup trop aux Canadiens – ils lui arrachaient le cœur en un ressac de joie et de désespoir, de culpabilité, de colère et d'affection. Elle regarda longtemps les larges dos de ces deux-là tandis qu'ils s'éloignaient en vacillant.

Ils lançaient des grenades à main dans l'entrée des huttes, ils arrachaient les bras et les jambes de frustes paysans, ils sauvaient de la famine des chiots qu'ils glissaient ensuite dans leur chemise pour les rapporter clandestinement dans le Mississippi, ils incendiaient des villages entiers et violaient les jeunes filles, ils volaient des jeeps chargées de médicaments pour sauver la vie d'orphelins.

Le lendemain matin dans les bureaux de World Children's Services, Colin Rappaport lui dit : « Kathy. S'il te plaît. Laisse-moi te trouver un lit dans un hôpital.

— Je ne suis pas venue jusqu'ici pour avoir ce genre de conversation.

— Tu te rends compte de l'état dans lequel tu es? Tu es épuisée.

— Mais si je ne me sens pas fatiguée, ça ne compte pas.

— Pourtant tu t'en rends compte.

— Oui, mais je ne me sens pas fatiguée. »

Début février, James Houston, en treillis de jungle crasseux, trouva une place dans la cabine d'un camion d'eau qui redescendait de la montagne de la Chance Heureuse vers la Route 13, puis de là dans une jeep jusqu'à Saigon. Il aurait pu s'arrêter – il avait compté le faire – à la grande base pour rendre visite au sergent Harmon à l'Hôpital d'évacuation numéro 12. Mais les gars de la jeep voulaient rouler d'une seule traite et il resta tout simplement avec eux.

Le Sarge, très bientôt, dès qu'on l'aurait suffisamment remis sur pied afin de pouvoir le transporter sans risquer de le tuer, partirait pour le Japon. Si James désirait lui rendre visite, c'était maintenant ou jamais. Tel était l'avis de Black Man. Et toujours selon le même Black Man, le Sarge était grièvement blessé, il ne redeviendrait jamais comme avant. Un gros truc, venant peut-être de leur propre camp, l'avait touché de plein fouet au ventre, au-dessus du pelvis, et Black Man avait assuré que James n'aimerait guère ce qu'il découvrirait.

À un vendeur de la rue Thi Sach, James acheta une tablette de chewing-gum et une fausse cigarette Marlboro. Il en était au troisième jour de son second tour de service. Il était sobre, en permission illicite et presque fauché.

Fisher et Evans, les deux amis de James, étaient partis la veille pour rentrer au pays. Le grand Fisher édenté avait serré la main de James et dit : « Tu te rappelles notre premier soir ici ?

— Le *Floor Show.*

— Tu te rappelles le *Floor Show* ?

— Bien sûr.

— Tu te rappelles la première fois qu'on a baisé au Purple Bar ?

— Bien sûr.

— Quand la fin du monde arrivera, quand Jésus descendra du ciel dans un nuage de gloire et toute cette merde, ce sera la deuxième chose la plus incroyable qui me sera jamais arrivée. Parce que alors je me rappellerai ce soir-là au Purple Bar. »

Chacun serra l'autre dans ses bras et James se concentra à fond pour refouler ses larmes. Ils se jurèrent de se revoir. James pensa que ce ne serait sans doute pas le cas.

Au Cosy Bar de la rue Thi Sach, James extorqua une autre cigarette à un rampant qui se révéla être un Cherokee, le descendant de grands chefs indiens, qui refusa à James une seconde cigarette et parut sur le point de le frapper jusqu'à ce que James, en s'asseyant enfin sur le tabouret à côté du Cherokee, rajuste le pistolet sous sa chemise, après quoi le rampant dit : « C'est quoi ça ?

— C'est pour les tunnels.

— Les tunnels ?

— Un .38 automatique. J'ai la rallonge au camp.

— Tu veux dire, le silencieux ?

— Ouaip. Seigneur tout-puissant – mais qu'est-ce qui pue autant l'essence ici ?

— Je passe toutes mes journées à remplir des réservoirs de jets.

— C'est toi ?

— Je sens plus rien.

— Pouah. J'en ai la tête qui tourne. Paie-moi une bière, tu veux bien ?

— Pas quesse. Tu sais, y a un bijoutier dans Thi Sach. Ce matin je lui ai vendu un .45.

— Il achète des armes ?

— Je lui ai vendu un .45.

— Tu crois qu'un .38 ça l'intéresserait ?

— Et comment.

— Je crois savoir où il peut en trouver un. »

Cet après-midi-là, ivre, en permission illicite et les poches bourrées de piastres vietnamiennes dans la rue odorante — une odeur après l'autre et le sifflement de l'huile bouillante —, James fit halte dans une boutique et s'acheta une imitation de jean Levi's, un T-shirt rouge et un blouson jaune vif décoré d'une femme nue et des mots « Saigon 1968 ». Il faisait beaucoup trop chaud pour endosser ce genre de blouson, mais James le portait malgré tout car ce vêtement flamboyant avait le don de le mettre d'excellente humeur. Il acheta ensuite deux paquets d'authentiques Marlboro américaines et s'offrit une coupe de cheveux chez un barbier de rue — il ne s'était jamais fait couper les cheveux ailleurs qu'à la grande base, mais il était suffisamment pété pour essayer quelque chose de différent —, après quoi il acheta une paire de mocassins bleu-noir ultraminces. Il se changea dans la rue tandis que les passants s'appliquaient à ne pas le regarder, puis il transporta son treillis militaire dans un sac en papier aux poignées en ficelle.

Il se dit qu'il ferait mieux de dessaouler avant d'aller voir le Sarge, mais avant de dessaouler autant picoler encore. Vers onze heures du soir il marchanda avec un conducteur de cyclo pour se faire conduire dans un hôtel bon marché du quartier chinois de Cholon, mais quelque part en chemin ils changèrent d'avis et dans les heures périlleuses de la nuit parcoururent presque cent kilomètres jusqu'aux rives de la mer de Chine et un bordel dont James avait entendu parler, le Frenchie's, un claque légendaire. À deux heures du matin ils arrivèrent parmi des cabanes proches d'un village de pêcheurs. Il réveilla un *papasan* qui sommeillait sur le bar du café, qui comprenait un peu l'anglais et pouvait deviner le reste, et qui, lorsque James lui demanda : « C'est toi Frenchie ? », répondit : « Frenchie arriver », mais Frenchie n'arriva pas. Aucune lumière à l'extérieur. Il n'entendit aucun générateur. Ne vit de filles nulle part. Aucun GI. Ni personne. Le vieux *papasan* mélancolique le guida avec une lampe torche jusqu'à un bungalow guère plus grand qu'une case, dans une rangée de plusieurs bungalows parfaitement identiques. Les poils pubiens d'un autre client parsemaient la literie. Il retira le drap. Le fin matelas était taché, mais ces taches semblaient moins récentes que les poils pubiens. Pour passer la nuit dans cette chambre, qui incluait un ventilateur à piles posé près du lit, il paya un dollar. Il ne prit pas la peine de laisser retomber les pans de la moustiquaire. Il ne vit aucun moustique.

Dans la lueur de la lampe à pétrole il trouva son couteau de poche et faillit découper les jambes de son treillis ; mais il se ravisa et, à la place, il raccourcit son faux Levi's. Quand il s'endormit, son ivresse s'était transformée en gueule de bois.

Il se réveilla vers midi et rejoignit le café au sol moucheté de sable, où une femme lui servit une omelette, du thé brûlant et une petite baguette. Puis il lui commanda la même chose, mais avec de la bière à la place du thé.

Il n'était pas le seul client. Un GI unijambiste en jean coupé et veste de treillis à manches courtes, un type aux cheveux blond filasse, à la peau couverte de coups de soleil et aux lunettes d'aviateur, était assis à deux tables de James, à boire de la bière sans rien manger en tenant presque tout le temps un pistolet 9 mm, le pouce posé sur le bouton d'éjection du chargeur, laissant tomber ce dernier dans sa paume puis le réenclenchant d'un geste sec, l'éjectant puis le réenclenchant.

« On meurt tous, dit-il. Moi je veux mourir défoncé. »

Ce manège déplut fortement à James, qui se leva et partit.

Il se dirigea vers le petit muret du front de mer et le rivage grondant. La plage était étroite, le sable marron. Il s'assit sur le muret et fuma une cigarette en regardant un coq noyé rouler parmi les vagues. Ce n'était pas le Frenchie's dont tout le monde parlait. Tout le monde disait que Frenchie vendait seulement de la bière 33 – un détail qui paraissait coller – et de la Spanish Fly. Ainsi que des filles – des paysannes, mais des filles. Et tout le monde disait que presque toutes les nuits devant le claque il y avait des duels au pistolet dans le meilleur style de l'Ouest sauvage. On disait aussi que les conducteurs de cyclo ne s'en approchaient jamais après la tombée de la nuit, de peur que leurs petits véhicules ne soient réquisitionnés pour des courses sur la plage qui se terminaient très souvent dans la mer.

Le fracas d'un seul coup de feu interrompit ses pensées, il courut jusqu'au café pour contempler le désastre, mais il ne s'était rien passé. Le garçon blond filasse était assis tout seul à sa table.

« HÉ, TOUT LE MONDE ! s'écria le garçon bien qu'il n'y eût personne dans les environs. Ce mec croit avoir inventé la lune ! »

James s'arrêta sur le seuil et n'alla pas plus loin. Il aurait bien bu une bière, mais la femme s'était carapatée.

« Tu veux jouer à "Browning Toupie" ? »

James dit : « Non.

— Tu ferais bien de mettre ton froc en plastoc antimerde, *señor*. »

James rejoignit la chaise placée en face du type et s'assit en gardant les mains près du corps.

Le garçon cessa de tripoter son flingue et gratta l'extrémité plissée de son moignon, puis il recommença à éjecter le chargeur dans sa paume avant de l'enclencher. « T'assieds pas à ma table si tu veux pas jouer à mon petit jeu. »

Il avait effacé le nom figurant sur sa veste de treillis, apparemment avec l'extrémité incandescente d'une cigarette. À la place de sa plaque d'identité, un ouvre-boîte à l'extrémité rouillée pendait à son cou au bout d'une ficelle.

Il posa le pistolet devant lui sur la table à côté d'un paquet de Parliament et d'un briquet Zippo.

« T'aimes ces trucs-là ? Les Parliament ?

— Pas trop, fit James.

— Y en aura plus pour moi. »

D'une pichenette il fit sortir une cigarette du paquet, la coinça entre ses lèvres, puis l'alluma, en se servant seulement de sa main droite, gardant la gauche posée sur l'arme.

James lui dit : « Je veux pas voir ça.

— Très bien. On est pas au cirque.

— Comment je fais pour me barrer de ton asile de fous ?

— T'avances un pied devant l'autre sur la route.

— Je compte pas marcher jusqu'à Saigon. »

Le garçon se gratta le crâne avec le canon de son arme. « Non, mec, non. Le premier fils de pute qui te repère, il te dégommera le cul avec son scooter. Ou bien son cousin s'en chargera. » Il gardait le pistolet pointé sur son crâne.

« Baisse un peu ce feu, d'accord ?

— On meurt tous, mec.

— T'aurais pas un nom par hasard ?

— Cadwallader.

— Et si tu le posais rien qu'une minute ? Alors je pourrais boire une bière avec toi.

— Je t'ai dit mon vrai nom. Quelle gaffe !

— Pourquoi est-ce une gaffe ?

— Quand les gens connaissent ton nom, tu morfles.

— Je vois bien que tu t'es fait amocher, dit James. C'est la merde. »

Le garçon blond filasse ferma les yeux et resta assis sans bouger le moins du monde, en respirant par les narines. « Oh, mec, lâcha-t-il au bout d'un long moment, vous êtes tous des zombis. »

Dehors, le cliquètement d'un moteur deux-temps approcha, puis s'arrêta. Cadwallader abaissa le pistolet sur la table. « Les Français sont arrivés. »

Entra alors un type maigrichon portant un bermuda à motif écossais, des tongs et une chemise à manches longues. Un Blanc, aux yeux bleus et au crâne chauve. Il tira une chaise comme pour s'asseoir, mais hésita en remarquant l'arme.

« C'est pour toi », dit-il en posant un paquet en carton près de la main de Cadwallader.

Le garçon blond filasse lâcha sa cigarette et la laissa se consumer par terre. Il ouvrit un côté du paquet et fit tomber une douzaine de gros comprimés sur la table. Il en glissa quatre dans le goulot de sa bière 33 et le mélange se mit à mousser. Il porta un toast à James. « Au changement ! »

James dit : « Frenchie.

— *C'est moi* *.

— Vous parlez anglais ? »

Il haussa les épaules d'un air blasé.

« Ce fils de pute est bien décidé à se faire du mal. »

Cette fois, un haussement de tout le corps – les mains, les épaules, l'homme tout entier dressé sur la pointe des pieds –, accompagné d'une légère grimace.

« Pourquoi on se trouverait pas deux filles ? » suggéra James.

Cadwallader regardait les comprimés bouillonner et se dissoudre dans la bière. « On ne peut pas repeindre la réalité pour qu'elle ait l'air d'avoir un sens.

— Et la chatte, ça a plus de sens pour toi ? »

Frenchie fit pivoter sa chaise, s'assit à l'envers, ses jambes maigres dépassant de part et d'autre et les avant-bras posés sur le dossier.

Cadwallader laissa sa main flotter au-dessus de sa jambe comme pour faire apparaître par magie la partie manquante. « C'est la seule chose au monde que je connaisse et qui soit pas des conneries.

— J'ai aucun plaisir à te l'annoncer, hasarda James, mais ta merde c'est que dalle. Y a des types qu'ont beaucoup plus morflé que toi.

— Voilà l'explication, Frenchie. On meurt tous, pas vrai? Je t'emmerde. » Cadwallader agita sa potion et la but en plusieurs gorgées. Il s'adossa à sa chaise et entreprit de se curer les ongles avec l'extrémité pointue de son ouvre-boîte. « Alors essaie un peu de prendre ce flingue. »

Le vieillard ne broncha pas. « Tu dis que j'ai besoin d'une arme? Tu ignores donc que je suis français. Nous avons perdu cette guerre.

— Y a qu'une seule fin heureuse, mec. Si je fais pas exploser ce monde, je suis un lâche et un merdeux.

— À plus tard. » James se leva lentement avec une expression qu'il espérait inoffensive.

« J'ai fait de mal à personne. Alors viens pas me parler de karma.

— Je t'en parlais pas.

— Alors le fais pas.

— Je sais même pas ce que c'est, le karma.

— Tant mieux pour toi.

— Je vais ailleurs. Je vais nager. Comme ça, si tu finis par faire quelque chose, y aura personne ici pour s'occuper de toi.

— Frenchie est là.

— Frenchie s'en fout », dit James qui parcourut les quelques mètres qui le séparaient du muret du front de mer, où il s'assit.

Deux minutes plus tard seulement, le gars blond filasse partit à sa recherche. Chaque index coincé dans le goulot d'une 33, il réussissait à porter les deux bouteilles brinquebalantes tout en avançant avec ses béquilles. Il s'arrêta. Perché sur ses bouts de bois comme un épouvantail, il envoya des gouttelettes de bière avec son pouce directement vers le visage de James. « En tant que soldat décoré d'un Purple Heart, je peux te faire chier autant que je veux, et pour chier ça va chier.

— Putain, oui.

— Tu peux pas attaquer un pauvre infirme.

— Putain, non.

— Tiens-moi ces deux 33. » Il laissa tomber une béquille, puis s'appuya sur l'autre pour s'asseoir dans le sable avant de la lâcher.

James lui rendit une bière et en garda une.

« Paix et amour, mes amis américains.

— D'accord. Paix et amour.

— J'ai tout foiré.

— C'est rien.

— Vraiment désolé, tout de même.

— Ta jambe te fait mal?

— Je peux te traiter de sale con parce que tu me poses une question à la con, et tu peux pas me faire chier parce que je suis infirme. Tu veux des cachets?

— Pas maintenant, merci bien.

— Y a trente milligrammes de codéine à l'intérieur de chacun de ces trucs.

— J'ai essayé l'herbe plusieurs fois... Merde, j'ai été plus pété que ça.

— Mon pied invisible me fait mal.

— On est dans quel coin?

— On est à Phan Thiet. Ou Mui Ne.

— Première fois que je vois des bateaux de ce genre.

— C'est des dinghies. Les vrais bateaux sont partis pêcher.

— On dirait des bols pour la soupe.

— T'es quoi? En perm sans papiers, porté disparu ou déserteur?

— En perm illicite, je crois.

— Je suis déserteur.

— Je suis juste en perm illicite. Enfin, je crois.

— Trente jours et c'est de la désertion.

— J'en suis pas encore à trente.

— Ma jambe a déserté. J'ai donc suivi son exemple. Me suis cassé de China Beach.

— Ça te plaisait pas?

— Cette thérapie physiologique pour béni-oui-oui? Putain, non. J'adore picoler, chialer et prendre des cachetons.

— J'ai pas besoin que tu m'expliques.

— Ouais. Excuse-moi, GI. J'ai cédé à la sentimentalité.

— Alors comme ça, c'est Phan Thiet, tu crois?

— Ouais. Ou Mui Ne.

— Et c'est vraiment le bordel célèbre dans le monde entier? J'ai entendu dire qu'on s'envoyait en l'air ici.

— C'est comme ça depuis deux semaines. Je m'envoie plus en l'air depuis le grand chambardement. L'ennemi a triomphé sur Frenchie.

— Où est passé tout le monde?

— La plupart des gars ont rejoint leur unité, ou ils se sont barrés ailleurs, j'en sais que dalle. Toi, tu fonctionnes à rebrousse-poil des autres.

— J'en ai l'impression.

— Tu te tires au plus fort de l'action, mec, c'est de la désertion.

— Pourquoi essaies-tu de me convaincre que j'ai déserté?

— Je philosophe, mon frère, je ne cherche pas à convaincre. Hé, si on me tirait dessus, moi aussi je me casserais. – Attends! Je l'ai déjà fait!

— Je n'ai pas déserté pour cette raison.

— Alors pourquoi?

— Fallait que je voie un type.

— C'est qui?

— Un type qui doit être à l'Hôpital numéro 12 là-bas.

— Tu t'es donc tiré pour aller le voir? Ou tu t'es tiré pour éviter d'aller le voir?

— Ouais, très drôle. C'est quoi ton nom déjà?

— Cadwallader.

— Me cherche pas, Cadwallader. J'ai deux fois plus de jambes que toi pour te botter le cul.

— Comment je dois t'appeler?

— James.

— Pas Jim?

— Jamais Jim. »

Ils finirent leurs bières et lancèrent les bouteilles dans les vagues.

James s'aventura parmi les cocotiers de la plage, Cadwallader le suivant à grandes enjambées tripodes, puis James remit à l'endroit l'un des quelques bateaux ronds – des paniers géants, d'un peu plus de deux mètres de diamètre, un entrelacs de chaume et de lattes en bois, enduits d'une matière évoquant la laque –, puis le traîna vers la mer en lui imprimant de grandes secousses héroïques. Des enfants nus se rassemblèrent alentour pour assister au combat. S'il y avait des adultes dans les huttes derrière les palmiers, ils ne se montrèrent pas.

À plusieurs mètres encore de l'eau, il s'interrompit pour reprendre son souffle. « Où est ton puissant flingue? »

Cadwallader remonta le devant de sa chemise. Le pistolet dépassait au-dessus de la ceinture.

« Si tu comptes aller faire un tour en mer avec moi, il risque d'être trempé. J'ai toutes les chances de nous faire couler.

— Soulève ce rafiot là-bas. »

James hissa le bord d'un autre bateau retourné, puis Cadwallader enveloppa l'arme, ses cigarettes et son briquet dans sa chemise qu'il lança dessous. James fit de même avec ses Marlboro, puis, en un dernier effort harassant, mit l'embarcation à l'eau.

Debout parmi les modestes vagues qui lui arrivaient à la poitrine, Cadwallader posa ses béquilles dans le bateau et monta à bord. Il y avait une seule rame au fond de l'embarcation. « Rock'n roll ! » s'écria Cadwallader quand James faillit les faire chavirer. « Si on se fait prendre par le mauvais courant, nous ne reverrons plus jamais la terre. Ça t'ennuie ? »

James essayait de pagayer d'un côté puis de l'autre. Il ne savait pas où ni comment s'installer, ni s'il devait même s'asseoir quelque part dans l'hémisphère oscillant. « Je m'y prends vachement mal. Comment fait-on avancer ce machin ?

— File-moi cette pagaie. Depuis toujours j'ai le pied marin. »

Les enfants, debout sur le rivage, regardaient le bateau s'éloigner. Des chèvres bêlaient dans la palmeraie. Bientôt, James n'entendit plus rien sinon les vagues derrière eux. Au-delà du rivage les palmiers, au-delà des palmiers les huttes de chaume et de paille... Elles s'embrasent comme des allumettes, pensa-t-il.

« Nous sommes perdus en mer ! s'écria Cadwallader. Tout ce *symbolisme* me donne le *vertige*.

— Tu me rappelles mon petit frère.

— Pourquoi ? Qu'est-ce qu'il a ?

— J'arrive pas à mettre le doigt dessus. Mais tu lui ressembles. »

Ils dérivèrent en rond, puis le courant les emporta loin du Vietnam.

« Alors, James, tu vas rester un moment ?

— Peut-être. J'en sais rien.

— Je pourrais parler à Frenchie pour une ristourne.

— J'ai du pognon. J'ai pas besoin de ristourne.

— Voilà une attitude vraiment bizarre.

— Je dis seulement que j'ai pas besoin de faveurs particulières.

— T'en es où dans ton tour de service ?

— Je viens d'entamer le numéro deux.

— T'es vraiment un mélange d'attitudes bizarres. Je vois pas du tout pourquoi quelqu'un voudrait rempiler dans ce bain de boue.

— Y a pas de raison à ça, reconnut James. T'es près de la quille ?

— Pas vraiment.

— T'as fait combien ?

— Huit mois. Six mois et huit jours quand ils m'ont dégommé. La moitié de mon temps plus huit jours. C'est foireux.

— Aussi foireux que de morfler quand on débarque.

— Ouais. C'est toujours foireux de morfler. C'est inclus dans le contrat. »

Cadwallader se dressa telle une cigogne sur son unique jambe, bascula sur le côté et tomba à l'eau. James se retrouva tout seul sur l'océan jusqu'à ce que Cadwallader remonte à la surface en soufflant et en crachant.

« Hé mec.

— Hé quoi.

— Remonte dans le bateau.

— Pour quoi faire?

— Au moins reste là.

— C'est ce que je fais. C'est toi qui bouges.

— J'arrive pas à me servir de cette pagaie. Viens, je suis en train de m'éloigner de toi.

— Ah ouais?

— Cadwallader. Cadwallader.

— *Adios*, fils de pute.

— On est à deux bons kilomètres du rivage. »

Cadwallader faisait la planche à une trentaine de mètres.

« Cadwallader! »

James pagayait de toutes ses forces, mais il ne savait pas s'y prendre. Maintenant il apercevait seulement le garçon dans les intermittences d'une faible houle. Cadwallader faisait la planche, les yeux tournés vers le ciel, en battant d'un seul pied. « Tu vas dans la bonne direction! » lui cria James, mais le garçon ne l'entendait pas et s'en fichait. James crut que l'un d'eux progressait vers l'autre, et cette conviction l'inspira. La pagaie paraissait plus efficace s'il la faisait aller et venir derrière la coque de noix comme la nageoire arrière d'un poisson. Mais cet exercice l'épuisait. Cadwallader arriva tout près, James voulut lui saisir la main, mais l'autre se déroba. James s'empara des cheveux du nageur. Cadwallader lâcha un cri et saisit le rebord du bateau. James n'avait pas la force de le hisser à bord. Il n'avait plus de souffle, même pour l'injurier. Sa poitrine se soulevait convulsivement, le goût cuivré de la fatigue lui emplissait la bouche.

Cadwallader s'écarta d'un coup de pied, se retourna et se mit à nager le crawl vers le rivage. James le suivait à la pagaie. Le courant semblait à présent contribuer à leurs efforts.

La tasse de thé flottante racla le fond, les modestes déferlantes la malmenèrent. James en descendit, puis remonta un peu le bateau sur la rive.

Cadwallader était allongé sur le dos à une centaine de mètres. James le rejoignit en trébuchant sur la plage, traînant une béquille dans chaque main et laissant derrière lui deux lignes parallèles dans le sable. Pendant ce temps-là, les vagues avaient récupéré le bateau. Il montait et descendait dans l'écume, comme s'il repartait vers la haute mer.

« T'es foutu, mec. T'es complètement foireux.

— Je vais pas dire le contraire.

— J'en ai marre.

— File-moi mes cannes. »

James lança les deux béquilles le plus loin possible. « Va te chercher tes putain de cannes. »

D'un pas traînant il regagna l'endroit où ils avaient planqué leurs affaires et il examina le pistolet de Cadwallader, un Browning Hi-Power.

« Hé, lança-t-il. C'est une arme d'officier. T'es officier ? »

Cadwallader rampait péniblement dans le sable comme un acteur de cinéma perdu au fond du Sahara.

« T'es officier ?

— Je suis un civil ! Je suis déserteur, putain ! »

Il se traîna aux pieds de James. Lequel éjecta le chargeur du Browning et fit jouer la glissière pour dégager la dernière balle, avant de dire : « Maintenant tu peux t'amuser tant que tu veux avec ce joujou.

— Va te faire foutre. J'ai plein de munitions.

— Tant mieux pour toi. Dans ce cas je réquisitionne l'arme.

— Rends-moi mon boum-boum.

— Jamais de la vie, sinon tu vas te flinguer avec.

— Tu me voles mon arme.

— Ça m'en a tout l'air.

— Va te faire enculer. C'est mon billet pour le paradis. »

Chacun alluma une cigarette avec le Zippo de Cadwallader, puis James dit : « Faut que j'y aille. »

Il pivota sur les talons et s'éloigna.

« Halte ! C'est un ordre. Je suis lieutenant, mec.

— Pas dans ma guerre », lança James par-dessus son épaule.

Alors qu'il franchissait le trou dans le muret du front de mer, il entendit le lieutenant Cadwallader crier : « Flingue-moi un bridé, mec ! »

James fut pris en stop dans une Mutt par deux hommes du 25ᵉ, depuis le centre de Saigon jusqu'à la grande base. Ils le déposèrent pile devant l'entrée de l'Hôpital d'évacuation numéro 12 dans la brume de poussière soulevée par les rotors, puis il y pénétra sans parler à personne et se trouva aussitôt perdu parmi les salles, leur silence nauséeux et leur puanteur médicale. Ce matin-là il avait bu beaucoup de bière, il se sentait irritable et vidé. On lui indiqua d'abord la salle C-3, puis non, la C-4, puis l'infirmière de la C-4 lui conseilla la salle 5 ou 6, enfin une infirmière de la 6 lui donna un beignet en déclarant s'occuper des diagnostics réservés ou désespérés avant de le conduire près d'un rideau qui délimitait un espace clos dans une sorte d'alcôve et de lui demander : « Jim ? Est-ce qu'on t'appelle Jim ? » Elle ne s'approcha pas du rideau.

« On m'appelle plus souvent James. »

Elle déplaça un peu la cloison mobile. « Sergent Harmon ? fit l'infirmière. James est ici. James, de votre unité. »

Le sergent était méconnaissable. James resta debout à côté du lit et dit « Hé, Sarge », puis il essaya de trouver autre chose, mais n'y parvint pas. James avait envie de dire : Les gars vont boire sans vous au bar, ou encore : Ça défouraillait de partout à la base y a quelques jours, et de dire : Moi aussi je défouraillais. Il se sentait en rogne contre quelqu'un et c'était peut-être contre le sergent, qui ressemblait comme deux gouttes d'eau à un macchabée, qui devait en tout cas être incapable d'être ulcéré en apprenant qu'un de ses hommes venait de manifester une conduite indisciplinée. Il ressemblait au monstre de Frankenstein étalé en morceaux et lardé de fil électrique en vue de la décharge finale censée lui accorder la vie difforme et torturée de la créature animée. Le sergent arborait même des boulons en métal brillant qui lui sortaient de la tête comme ceux du monstre de Frankenstein – mais dans quel but ? Un drap lui recouvrait le corps jusqu'à l'endroit où aurait dû se trouver son nombril, s'il avait eu un abdomen à la place de cette masse informe qui paraissait réunir les déchets d'un abattoir. À côté du lit une machine émettait un sifflement et un bruit sourd réguliers. Sur l'écran d'un moniteur des chiffres rouges annonçaient son pouls : 73, 67, 70.

« À quoi sert ce tube qui lui sort de la bouche?

— James, le sergent Harmon ne respire pas encore tout à fait seul. »

L'infirmière approcha une chaise pour lui, il s'assit au chevet de l'officier et lui prit la main. Une bulle traversait le goutte-à-goutte qui aboutissait au poignet du sergent. « Sarge. »

Les yeux très bleus du sergent, qui flottaient librement dans leurs orbites, dérivèrent jusqu'à James et s'immobilisèrent. Le sergent fit claquer sa langue contre le palais.

« Vous me voyez? »

Le sergent fit encore claquer sa langue, *tsk tsk*, comme pour réprimander un gamin, *tsk tsk*. Il avait les lèvres blanches et craquelées, desquamées.

James s'approcha pour regarder les yeux du sergent. Les cils, collés par les larmes, saillaient par paquets effilés, comme sur un dessin d'enfant. Des yeux bleus magnifiques. James ne les avait jamais remarqués. S'ils avaient appartenu à une femme, on ne se serait jamais lassé de les admirer.

« C'est quoi ce bruit qu'il fait? » demanda-t-il, mais l'infirmière était partie. « Qu'est-ce que vous essayez de dire, Sarge? » Il essuya ses propres larmes, renifla puis cracha dans la poubelle marron remplie de compresses et de serviettes en papier toutes visqueuses. « Je suis juste passé, fit James, pour dire bonjour. Voir si vous avez besoin de quelque chose. Quelle merde... »

Toutes les deux ou trois secondes, le claquement de langue. Était-ce un message en morse? « Sarge, j'ai oublié mon code morse », dit-il.

Deux infirmières entrèrent, demandèrent à James de s'écarter, puis elles ôtèrent le tube glissé entre les lèvres du sergent pour en enfoncer un autre profondément dans sa gorge. Ce tube émit un raclement et un bruit de succion, les nombres augmentèrent très vite sur l'écran du moniteur – 121, 130, 145, 162, 184, 203. Au bout d'une minute elles remplacèrent le tube, le sergent put de nouveau respirer et les nombres entamèrent une lente décrue.

« Bon Dieu, fit James.

— Nous lui nettoyons les poumons, expliqua l'une des infirmières.

— Vous avez même pas dit bonjour, protesta James.

— Salut, sergent », dit l'infirmière, puis elles partirent, James se rassit et reprit la main du sergent.

Les yeux du Sarge flottaient, brûlaient et suppliaient. Tout passait par ses yeux. James pleura comme un chien aboie. La réalité et la vérité jaillirent hors de lui, la pureté des larmes, l'évidence des pleurs et plus rien à foutre – infiniment plus crédible que n'importe lequel de vos jeux. Les larmes coulaient aussi des yeux du sergent, sur ses tempes et dans ses oreilles, mais il n'émettait aucun son en dehors de ses claquements de langue.

« Voici James, docteur », annonça l'infirmière. Elle était revenue avec un sémillant médecin. « James fait partie de l'unité du sergent Harmon.

— Comment ça va aujourd'hui, sergent ?

— Qu'est-ce qui s'est passé ? fit James.

— Que voulez-vous dire ?

— Qu'est-ce qui s'est passé ? Qu'est-ce qui s'est passé ? Comment il a été blessé ? »

Le médecin dit : « Que vous est-il arrivé, sergent ? »

Le sergent remua ses lèvres craquelées et fit claquer sa langue.

« Il fait ce bruit, dit James. Vous l'entendez ?

— Que vous est-il arrivé, sergent ? Vous vous en souvenez ? Nous en avons parlé hier ? »

Le sergent régla les mouvements de ses lèvres sur les expirations de son respirateur et dit « Je... je... » ou bien il remua les lèvres et donna l'impression de prononcer ces mots.

« Vous vous rappelez ce que nous avons dit ? Nous disions que vous aviez sans doute été touché par une fusée éclairante. Touché au dos.

— Je croyais qu'il avait été blessé à l'abdomen, au ventre, je croyais...

— La fusée est entrée sous le plexus solaire avant de remonter le long de la colonne vertébrale, d'après ce que nous savons. Elle lui a ouvert tout le dos.

— Il a été touché par une fusée ?

— Exact.

— Vous voulez dire une fusée... une fusée de signalisation ?

— Exact. Beaucoup de dégâts. Muscles, poumons, colonne. Toute la moelle épinière jusqu'à la deuxième vertèbre. Gros dégâts, hein, sergent ? »

Remuer les lèvres, essayer de produire des sons avec la salive du fond de la gorge, essayer de dire quelque chose. James crut comprendre ce seul message : « Je suis foutu. »

Il y avait une rangée de dix postes téléphoniques, mais trois autres combinés réservés à l'usage des seuls officiers au Club des officiers, et il se dirigea vers ces derniers. Après avoir composé le numéro de l'opératrice, il garda la main droite posée sur la crosse de son nouveau pistolet et regarda droit dans les yeux quiconque faisait mine d'approcher. Il avait les trois téléphones pour lui tout seul.

Il fournit à l'opératrice le numéro de Stevie, une série de chiffres inoubliables, qu'il avait composés des centaines de fois des milliers d'années plus tôt, au lycée.

La mère de Stevie décrocha – « Allô » – d'une voix endormie, peut-être effrayée.

Il raccrocha.

Un capitaine lui apporta une Budweiser. Après tout, ces types n'étaient pas si craignos. Sa main droite quitta le pistolet, il alluma une cigarette et appela chez lui.

« Quelle heure est-il là-bas ? fit sa mère.

— J'en sais rien. L'après-midi.

— James, qu'as-tu décidé ? Comptes-tu rester où tu es ? Quelle décision as-tu prise ?

— Je vais prolonger un peu mon séjour ici.

— Pourquoi veux-tu rester ? Tu ne comprends donc pas que tu as fait ton devoir envers ton pays ? Autant que quiconque l'a jamais fait.

— Ouais... Il me semble que c'est pas encore fini.

— Pour rien au monde tu ne dois rempiler après ce coup-ci.

— Je me suis barré. Peut-être qu'ils voudront plus de moi.

— Bah, ça ne m'étonnerait pas. Tu es sans doute en état de choc.

— Suppose qu'on me démobilise – peut-être que je pourrais rentrer à Phoenix.

— Mais oui, bien sûr que oui, mon chéri. Où donc pourrais-tu aller ailleurs ?

— Je sais pas. Peut-être une île.

— Comment ça, une île ? Nous ne vivons pas sur une île.

— Comment va tout le monde ? Comment va Burris ?

— Burris se drogue !

— Bon Dieu.

— Ne blasphème pas !

— Seigneur. Seigneur. Quel genre de drogue ?

— Tout ce qui lui tombe sous la main.

— Il a quel âge ?

— Il a même pas douze ans!

— Quel petit salopard. Euh... des nouvelles de Bill junior?

— Bill junior est parti pendant presque un mois.

— Parti où?

— Parti. Parti. Parti pour de bon. »

James prit le temps de tirer sa dernière bouffée et d'écraser son mégot. « Tu veux dire en prison?

— L'un se drogue, l'autre est en prison!

— Pourquoi?

— Je sais pas. Un truc et puis un autre. Il l'ont mis en prison une semaine après le Nouvel An et il est pas ressorti avant le 10 février. Ils l'ont gardé trois semaines. Il a dû plaider coupable et se faire condamner à deux ans avec sursis, ou bien ils le gardaient à l'ombre autant qu'ils pouvaient. Ces gens en ont marre de ses conneries.

— Il est en Arizona?

— Ouaip. Prison avec sursis. À la moindre incartade ils le collent à Florence avec ton papa. Tel père, tel fils.

— Formidable...

— Fais pas ton malin. Voilà des générations que le Saint-Esprit se bagarre avec l'âme des hommes dans cette famille. Mais crois-tu qu'Il ait réussi à Se faire entendre?

— Ouais – tu sais quoi? Peut-être que le Saint-Esprit est pas aussi saint qu'on croit.

— Que... que veux-tu dire par là?

— T'as été en Oklahoma, pas vrai, et en Arizona? Voilà, c'est tout.

— Qu'est-ce que tu veux dire au juste?

— J'en sais rien. Juste qu'il faut rouler sa bosse encore un peu avant d'être prêt à parler du Saint-Esprit.

— James, vas-tu à l'église?

— Non.

— James, pries-tu?

— Prier qui? »

Sa mère se mit à pleurer.

« Femme, laissez-moi vous parler du Saint-Esprit. Il est cinglé.

— James », dit-elle.

Il ne ressentait vraiment rien, ni chagrin ni satisfaction, mais il lui dit : « Maman, okay, désolé. Je suis désolé.

— Vas-tu prier? Vas-tu prier avec moi maintenant, fils?

— Vas-y.

— Cher Seigneur, cher Sauveur, cher Père qui êtes aux cieux »,
commença-t-elle et il éloigna le combiné de son oreille en pensant
que, si jamais le Saint-Esprit débarquait au Vietnam, il se ferait sans
doute arracher les couilles par un éclat d'obus.

Devant lui, au bar, il vit des hommes qui buvaient du whisky dans
des verres remplis de glace. Un officier en treillis baissait les yeux vers
ses doigts qui déchiquetaient sa serviette en papier.

Alors James pensa soudain au sergent Harmon.

Oh, mon Dieu. Il avait besoin de boire un verre d'eau.

« Fils, dit sa mère, tu es toujours là ? »

Les lèvres desséchées, craquelées – assoiffées, parcheminées. Les
signaux émis par la langue.

« Merci pour la prière, maman », dit-il avant de raccrocher.

Il renversa sa boîte de bière au-dessus de sa bouche, la vida, en
suça jusqu'à la dernière goutte. C'était la meilleure bière qu'il eût
jamais bue. La meilleure et la pire.

James rêva qu'il ne retrouvait pas sa voiture. Le parking se transforma en un village aux ruelles étroites et sinueuses. Il ne voulait pas
demander de l'aide, car il portait son M16 et les gens risquaient de
l'arrêter. Le temps manquait. Voilà tout ce qu'il se rappela à son
réveil sur la natte dans ses vêtements civils trempés de sueur, même si
ce rêve avait généré un bon million de scènes annexes, des avenues
grouillant d'événements troubles et de complications non précisées.
Il rêvait beaucoup toutes les nuits. C'était comme un travail. Dormir
le fatiguait.

Il se leva pour mettre en route la climatisation, mais il n'y en avait
pas. Sous ses pieds, au rez-de-chaussée, un juke-box pulsait. Une
moustiquaire était accrochée à des clous sur la fenêtre ouverte. Il
avait cru qu'il faisait jour, mais dehors brillaient seulement les
ampoules jaunes d'une enseigne. Il trouva ses mocassins bleu-noir,
puis descendit l'escalier accroché au flanc de la bâtisse, pour aller
boire une bière. C'était un cul-de-sac en terre battue, et James dut
faire attention à la boue. Le bar Jolly Blue. Il s'assit au milieu de plusieurs types, aussi du 25ᵉ, certains d'Echo Recon, mais des sales
types. Des Lurps. Ils lui donnèrent des amphètes et il se réveilla aussitôt. Il n'y avait aucune femme parmi eux. Leurs yeux brillaient
comme ceux d'animaux. Ces types prenaient de l'acide, des trucs qui

leur électrifiaient les nerfs, leur retournaient le cerveau comme un gant. « Viens avec nous. On dérive. Au fil de la nuit. On prend du speed. On baise. On tue. On détruit. » Il avait envie de faire arriver des choses, mais s'en trouvait incapable. Il comprit qu'il deviendrait alors l'un d'eux. Il demanda : « Vous connaissez Black Man ?

— Ouais, firent-ils, on connaît Black Man, il est sans arrêt en virée avec nous.

— Il me montrera comment basculer, dit James.

— Alors fais-le, fais-le, est-ce que t'as pas tout essayé sauf ça ?

— Ouais, d'accord, dit-il, c'est l'heure d'aller voir les monstres.

— T'as encore du temps à faire ici ?

— J'effectue mon second tour.

— T'as eu droit à une perm au pays ?

— Je veux pas de perm au pays.

— Tu veux pas rentrer chez toi ?

— Cette guerre c'est chez moi.

— Bien. Si tu rentres chez toi, tu finis par jouer tellement au solitaire que tes cartes sont toutes usées. Un paquet après l'autre. Assis près de ta fenêtre tu fais plus que ça.

— Quatre-vingt-dix-neuf pour cent des merdes qui me traversent la tête tous les jours sont illégales, dit un type. Mais pas ici. Ici les merdes de mon ciboulot c'est la loi et rien que la loi.

— Ils ont des théories sur la guerre, mec. Des théories. Nous, on en veut pas. On veut pas entendre parler de ça ici. On a une mission. C'est pas la guerre. C'est la *mission*.

— Bouger et tuer, exact ?

— T'as pigé. Ce petit fils de pute a pigé.

— Un vrai crack.

— Continue comme ça.

— Tu sais ce que c'est un double vétéran ? Tu baises une nana et puis tu la butes.

— Ici, y a rien que des doubles vétérans.

— Ah bon ?

— Un toast à toutes ces connasses mortes. »

Après leur départ il but sa bière et regarda une *go-go girl* aux jambes couvertes de bleus. Deux ou trois moustiques se cognaient bêtement contre le mur à côté de sa tête. Autrement, personne ne le dérangeait. La musique pulsait, country, psychédélique, les Rolling Stones. Sur le bar et derrière – la danse lente et sinueuse d'une lampe à bulles d'huile, une cascade scintillante dans une publicité pour la bière Hamm's, un cadran d'horloge kaléidoscopique annonçant les minutes, les petits autels éclairés de la religion locale.

« J'arrive pas à décider si c'est trop réel, ou bien pas assez », dit James à quelqu'un... ou quelqu'un à James...

Alors entra le colonel, le civil, le quasi-officier commandant de la compagnie D, l'approximatif beau-père d'Echo Recon.

Il occupait tout l'encadrement de la porte, la chemise ouverte, le souffle convulsif. En serrant contre lui deux petites putes dont les sourires exhibaient des bridges en or. Il ne semblait absolument pas dans son assiette. « Aide-moi, soldat.

— Installez-le ici. »

Ils l'aidèrent à s'asseoir dans le fauteuil défoncé de l'unique box – il n'y avait que des tables partout ailleurs. D'un geste de la main, il réclama un verre. Pour autant qu'on pût en décider dans la pénombre, ses traits passaient du violacé à l'extrême pâleur. L'une des deux filles se glissa contre lui, écarta les pans de la chemise et entreprit d'essuyer le vaste torse blême, couvert de sueur et de poils argentés.

« J'ai un problème médical : les coronaires.

— Vous voulez que j'appelle des secours ?

— Assieds-toi, assieds-toi. J'ai un problème médical, mais je suis surtout en surchauffe et empoisonné par cette saleté d'alcool de riz. Je demande un Bushmills et ils me servent un Coca plein d'alcool de riz. Cette concoction est imbuvable. Mais elle tue immanquablement les verrues.

— *Yes, sir.*

— Je suis dans l'aviation depuis des lustres, mais je respecte l'infanterie.

— Je vous connais, *sir*. Je fais partie d'Echo Recon.

— C'est très honorable d'être un fantassin.

— Je vous crois sur parole, *sir*.

— Si jamais t'as une verrue, tu la décapites avec un bon rasoir et tu la fais tremper dix minutes dans l'alcool de riz.

— Bien, *sir*, je le ferai.

— Et comment. Echo Recon. Bien sûr. T'es mon spécialiste des tunnels depuis que j'ai perdu les Kootchy Kooties.

— Eh ben je suis descendu dans deux ou trois tunnels, voilà tout. Trois tunnels.

— Ça compte. Trois est un nombre formidable.

— C'est pas grand-chose.

— Nom de Dieu, tu es le plus gros tunnelier que j'aie jamais vu.

— Je suis pas vraiment gros.

— Pour les tunnels, si.

— *Sir*, connaissez-vous le sergent Harmon ?

— Il a été blessé, d'après ce que je sais.

— Oui, *sir*, paralysé jusqu'au cou.

— Paralysé ? Seigneur Dieu.

— Jusqu'au cou. Complètement bousillé en dessous.

— Sacrée mauvaise nouvelle, putain.

— Je vais m'engager dans les Lurps. Je vais vraiment amocher ces salauds.

— Aucune honte à détester, fils, pas à la guerre.

— Je suis pas votre fils.

— Pardonne mon langage.

— J'ai trop bu ce soir.

— Je compatis à ta douleur. Le sergent est un type génial.

— Où sont passés les Kooties, *sir* ?

— J'ai plus le droit de faire appel à leurs services. Deux ou trois ont fait une rotation. Toute la zone d'atterrissage va disparaître. Plus de Kooties. Plus d'hélicos.

— C'est ce que j'ai pensé. Ça fait un moment qu'on vous a pas vu.

— Tout s'effondre. Au pays et ici. Au pays, je crois que mon épouse et ma petite fille s'envoient en l'air avec le même mulâtre activiste beatnik peacenik.

— Je préfère être ici dans ce bordel.

— Désolé. Je suis saoul, malade et gênant... Je disais... Oui, la haine. Mais ouiiiii. C'est l'amour du pays qui nous pousse à aller de l'avant, mais tôt ou tard l'esprit de vengeance prend le dessus. »

James se dit que le colonel connaissait bien son sujet. Voilà le civil au gros cul qui parle des verrues, mais voilà aussi une légende vivante – une vie de sang, de guerre et de chatte.

« T'as fréquenté l'école des tunneliers ?

— Non.

— Tu veux qu'on t'y envoie ?

— Je veux une formation de Lurp.

— Combien de temps que t'es ici ?

— J'ai entamé mon deuxième tour de service il y a un mois. Je suis dans le numéro deux.

— Si tu fais cette formation, ils voudront t'en imposer un troisième.

— Ça me va. Et pouvez-vous arranger ma perm illicite?

— Perm illicite?

— Trois semaines que je manque à l'appel, oui.

— Tu retournes dans ta section dès demain matin.

— *Yes, sir.*

— Fais un brin de toilette et rentre là-bas.

— Demain matin. Compris, *sir.*

— Nous allons arranger ça et te décrocher une formation de LRRP. »

Les pluies d'été n'étaient pas tombées. Mais ce jour-là il plut.

Skip parcourut seul plusieurs kilomètres à pied à partir d'un village qu'il avait visité avec le père Patrice. Il n'était pas tout à fait dix heures du matin, selon sa montre de l'armée de l'air, un cadeau que lui avait fait le colonel dans son enfance... Martin Luther King avait été assassiné. Robert Kennedy avait été assassiné. La Corée du Nord retenait toujours en otage un navire américain et son équipage. Les marines assiégés à Khe Sanh, l'infanterie américaine massacrant tous les habitants du village de My Lai, des imbéciles hirsutes et autosatisfaits défilant dans les rues de Chicago. Chez ces chevelus, l'échec sanglant de l'offensive du Têt en janvier avait résonné comme une victoire spirituelle. Et puis en mai, un second soulèvement dans les campagnes, plus faible, mais presque aussi glorieux. Skip dévorait *Time* et *Newsweek* où il trouvait tout décrit et commenté, mais ces événements lui semblaient improbables, fictifs. En l'espace de six ou sept mois, la patrie dont il était exilé avait sombré dans l'océan de son histoire future. La ville de Clements, au Kansas, restait telle qu'elle avait toujours été, de cela il pouvait être certain; à Clements, au Kansas, un seul genre d'été arrivait, avec ses sauterelles et ses corneilles bruyantes, et les parfums variés du pain en train de cuire, des paillettes de savon, de la luzerne coupée, sans oublier la présence saisissante de l'enfance. Disparu, bêtement disparu – non pas l'été, mais lui-même. Parti, rudoyé, transfiguré. Brisé et converti, si tels étaient bien les mots adéquats. Il aimait un souvenir et se battait pour lui. Le monde qui héritait de ce souvenir avait le droit – Skip ne pouvait s'empêcher de le croire – de poursuivre son chemin sans être redevable aux idéaux assassinés. En attendant, une invasion d'insectes graciles miroitait dans l'air ambiant. Plus près du sol, la population grandissait – canards et poulets, enfants, chiens, chats, minuscules cochons dodus. Il avait sillonné la région sur le siège arrière du scooter du prêtre à la recherche de contes et de maximes parmi les paroissiens dispersés. Il avait noté une seule histoire, racontée par une vieille femme, une catholique, une amie du prêtre. Le père Patrice avait poursuivi vers l'ouest tandis que Skip rentrait chez lui à pied.

Après une demi-heure de marche la pluie le surprit et il s'abrita sous l'auvent d'une échoppe minuscule dont le *papasan* au visage tanné fumait une cigarette avec une langueur exquise et n'avait rien à dire. Quand Skip lui sourit, le visage du vieil homme se fendit d'un sourire exalté qui mit au jour une denture parfaitement saine. L'orage se réduisait à une inoffensive averse rugissante, néanmoins interrompue par d'étonnantes bourrasques qui malmenèrent la végétation et ridèrent les grandes flaques d'eau éparses sur la chaussée. Skip acheta un soda Number One, ou plutôt une variante parfumée non identifiée de ce soda, et le but rapidement. Il s'adressa au vieillard en anglais : « Savez-vous ce que je pense ? Je pense que peut-être je pense trop. » La pluie s'arrêta. De l'autre côté de la rue, devant une petite maison, une jeune femme jouait à cache-cache avec un enfant qui marchait à peine et qui vacillait sur la pointe des pieds, tandis qu'une sœur légèrement plus âgée dansait toute seule en improvisant d'amples gestes symétriques des bras, tous trois souriant comme si le monde n'allait pas plus loin que leur bonheur.

Ce matin-là il avait été très ému par le conte qu'il avait entendu, et qui commençait ainsi : « Il était une fois la guerre ; un soldat quitta sa femme et son fils qui venait à peine de naître, pour aller défendre son pays. La jeune épouse s'occupa de leur maison, de leur jardin, de leur enfant. Tous les soirs au coucher du soleil elle rejoignait le fleuve derrière leur maison et cherchait des yeux le bateau qui un jour ramènerait son mari bien-aimé...

» Une nuit un orage éclata au-dessus de leur petite maison, malmena le toit et ébranla les murs. Le vent souffla la lampe et le petit garçon terrifié fondit en larmes. La mère le serra contre lui et ralluma la lanterne. Ce faisant, son ombre bondit le long du mur à côté de la porte et la mère réconforta son fils en montrant cette ombre et en disant : "Nous n'avons rien à craindre cette nuit – tu vois ? Papa est debout près de la porte." Aussitôt l'enfant fut réconforté par l'ombre. Ensuite, tous les soirs, quand elle rentrait à la maison après être restée au bord du fleuve en souhaitant voir son mari émerger des derniers rayons du soleil et revenir vers elle, le petit garçon appelait son papa et elle allumait la lampe et tous les soirs il s'inclinait vers l'ombre sur le mur et disait "Bonne nuit, papa !" avant de s'endormir en paix.

» Quand le soldat revint auprès de sa petite famille, le cœur de son épouse faillit exploser de joie et elle pleura. "Nous devons remercier nos ancêtres, lui dit-elle. S'il te plaît, prépare l'autel et occupe-toi de ton fils, pendant que je vais acheter de quoi préparer un repas de remerciement."

» Seul avec son fils, l'homme dit : "Approche-toi de moi, je suis ton père." Mais l'enfant répondit : "Papa n'est pas ici en ce moment. Tous les soirs je dis bonne nuit à papa. Tu n'es pas mon papa." À ces mots, l'amour du soldat périt dans son cœur.

» Lorsque son épouse revint du marché, elle sentit un nuage de **mort dans leur maison.** Son mari refusa de lui dire ne fût-ce qu'un mot. Il replia la natte de prière et en interdit l'usage à sa femme. Il resta agenouillé en silence devant le repas qu'elle avait préparé, et quand les plats eurent refroidi et qu'ils furent immangeables, il quitta la maison.

» La femme attendit plusieurs jours le retour de son mari, debout au bord du fleuve comme elle l'avait fait quand il était soldat. Un jour, le désespoir la submergea, elle conduisit son enfant chez une voisine, elle l'embrassa et le serra contre elle une dernière fois, puis elle courut jusqu'au fleuve et s'y noya.

» La nouvelle de sa mort atteignit son mari dans un village situé en aval. Ce choc brisa la glace de son cœur. Il rentra chez lui pour s'occuper de son fils. Un soir, alors qu'assis près du grabat de son fils il allumait la lanterne, son ombre bondit sur le mur près de la porte. Son fils ravi se mit à frapper dans ses menottes, il s'inclina devant l'ombre et dit : "Bonne nuit, papa !" Il comprit aussitôt ce qu'il avait fait. Cette nuit-là, tandis que son enfant dormait, il construisit un autel au bord du fleuve et resta agenouillé devant pendant des heures, pour faire comprendre à ses ancêtres combien il regrettait son échec. Juste avant l'aube il amena au bord du fleuve son fils endormi et ensemble ils suivirent sa fidèle épouse dans les eaux de la mort. »

La vieille femme avait narré ce conte sans la moindre expression ni aucune marque d'intérêt notable. Skip en fut bouleversé. L'enfant et la mère seuls au monde. L'homme et la femme qui ne parviennent pas à se comprendre, l'ombre qui est un père. Le fleuve qui engloutit leurs trois vies.

Il entra dans une vallée au milieu de laquelle coulait une large rivière, et cette fois il fut bel et bien surpris par l'averse. Abrité sous un parapluie noir, il continua de marcher en dépit du déluge. La rivière écumait sous la pluie battante. Ensuite, elle coula vite, brune et musclée, semée de tourbillons blêmes. Il retrouva le terrain plat, tapissé de rizières, qui constituait presque tout le paysage de Cao Quyen.

Il longea les habitations, non pas des huttes paysannes mais de petites maisons avec des jardins au fond desquels des pierres tombales rectilignes et leurs demi-capuchons surmontaient les tombes familiales tels de grands berceaux pétrifiés. Çà et là le long de la route, des gens avaient mis le feu à de petits tas d'ordures vicinales humides qui émettaient une fumée évoquant de manière troublante les senteurs automnales de son enfance.

La vieille femme avait ajouté un épilogue à son histoire : après ces morts tragiques, le ciel se déversa sur les montagnes. Le fleuve qui avait noyé cette famille enfla, ses eaux devinrent coléreuses, jusqu'aux plus grosses pierres de son lit se déchaussèrent, et le vacarme de sa fureur ne s'apaisa jamais. Même durant les mois de sécheresse, quand ses eaux s'écoulent calmement, le fleuve rugit malgré tout. Un peu de son sable tenu au creux de la paume émet un bruit sonore. Mettez ce sable dans une casserole, puis emplissez-la d'eau ; une minute plus tard, elle bout.

Quand il arriva à la villa, la Chevy noire stationnait devant et son oncle était allongé sur le divan du salon tandis que par terre à côté de lui était couché un chien qui avait récemment fait de nombreuses visites à Skip. La main du colonel quitta la tête du chien pour saluer l'arrivée du marcheur et il dit : « Je suis en train d'être digéré par ton canapé. » Skip l'aida à se rasseoir. « Par tous ces coussins. » Il semblait rubicond, et néanmoins, par-dessous, très pâle. « Tes coussins de soie. »

Nguyen Hao occupait un fauteuil en rotin à côté de la table basse au plateau noir laqué. Assis tout près mais réussissant à paraître beaucoup plus lointain, il ne disait rien, se contentant d'acquiescer d'un signe de tête et de sourire.

« Quelle heure est-il? demanda le colonel.

— Presque une heure. Vous avez faim? Au fait, bienvenue chez moi. »

On lui avait signifié d'attendre le colonel après la saison des pluies, point final. C'était même le colonel qui le lui avait annoncé.

« J'ai demandé du café », fit le colonel.

Le chien s'attaqua à ses parties génitales avec un volcanisme extatique et des grognements musicaux.

« Tu t'es trouvé un clebs.

— C'est celui de M. Tho. Je crois que nous pourrions le manger. »

La chasse d'eau gargouilla dans la salle de bains du bas. Jimmy Storm arriva en treillis propre. Rentrant d'une main un pan de chemise, il regarda l'animal qui se masturbait. « Je crois que ton clebs est amoureux.

— Mon clebs? Je croyais que c'était le tien. »

Storm éclata de rire, s'assit sur le canapé et dit : « Voilà un gros flemmard qui manque pas de couilles. » Il gratta la tête du chien, puis renifla ses doigts.

« Pourquoi n'avez-vous pas pris l'hélico? » La présence de Jimmy Storm le poussait à s'exprimer avec brusquerie.

« L'hélico ne m'appartient plus.

— Oh. À qui est-il maintenant?

— Il appartient toujours à nos alliés, mais ils en font un meilleur usage. Et nous démantelons la zone d'atterrissage – c'est désormais officiel.

— Je croyais que tout ça s'était passé il y a des mois.

— Les dieux bougent lentement, mais ils bougent sans cesse. Plus de Cao Phuc, à partir du 1er septembre.

— J'en suis désolé.

— Les hasards de la guerre, dit le colonel. De toute façon, aujourd'hui je n'aurais pas pris l'hélico. C'est une visite officieuse. Une histoire de famille.

— Tho peut vous servir une bière. À moins que vous ne préfériez autre chose.

— Il prépare du café. Gardons la tête claire pour parler. J'aimerais évoquer un point en particulier.

— Bon, d'accord. Je ne suis pas venu ici pour les beignets gratuits. » C'était une phrase que prononçait parfois sa mère, une phrase qui lui semblait idiote.

« As-tu relu avec attention l'article de Dimmer ?

— Sur les agents doubles. *Yes, sir.* »

Storm lâcha : « Bon Dieu.

— Quoi.

— J'ai lu ce truc.

— Quoi.

— Quoi, rien. Ça rime à rien.

— Sergent.

— Mon colonel, si vous voulez assassiner la Vierge Marie avec le Mannlicher d'Oswald, je planquerai pour vous.

— Vous prétendez que nous outrepassons les limites admissibles.

— Ouais. S'adapter et improviser.

— Skip ? Tu dis quoi ?

— Je conduirai la voiture qui nous permettra de filer.

— Nous n'allons pas dégommer la Sainte Vierge.

— Dois-je attendre qu'on m'explique ? Ou bien dois-je poser des questions ?

— Nous sommes réunis ici pour évoquer une hypothèse.

— Pas un assassinat.

— Non. Seigneur, non.

— Dans le cadre d'une opération de désinformation ?

— Tu te rappelles donc notre précédente discussion sur le même sujet. Notre hypothèse de travail.

— Vous avez parlé d'un double. D'un double hypothétique. »

M. Tho entra avec un plateau chargé de tasses et de deux pots, puis il servit du café aux Américains et du thé à Hao. Au moment de sortir, il décocha un petit coup de pied au chien pour le faire déguerpir.

Le colonel fit tourner sa cuillère dans sa tasse de café. « C'est quoi ce truc ?

— Du faux lait. C'est du faux lait en poudre.

— Du lait en poudre ?

— Non – du faux lait.

— Seigneur, ça ne se dissout pas. C'est fait avec quoi ? De l'argile ?

— Hao l'a apporté. Je suppose que Mme Diu le lui a réclamé.

— Bon Dieu. Ça a le même goût que l'aisselle d'un athlète après l'effort.

— On dirait qu'il traîne ici depuis des années, fit Storm. Ce truc s'est glissé en douce à l'intérieur de la civilisation.

— Des ingénieurs pourraient construire un énorme barrage avec ce machin. Ils pourraient retenir une impressionnante masse d'eau. Bon. Revenons à notre *ruse de guerre* *. L'opération.

— Le double. Le double hypothétique.

— Son statut a changé.

— Que pouvez-vous m'en dire ?

— C'est un entrant. Il faisait des manœuvres d'approche depuis un bon moment. Mais quand le Têt est arrivé, il a plongé tête la première. Si nous l'utilisons, nous l'utiliserons à longue portée et à court terme. Pour que cette opération reste dans le cadre de la famille. As-tu besoin d'autres informations ?

— Une opération familiale. La famille c'est...

— Rien que nous trois ici présents, et Minh le neveu de Hao, mon pilote d'hélico. Lucky. Tu l'as déjà rencontré. Lucky et nous trois. »

Storm dit : « Et Pitchfork.

— Et Pitchfork, si nous avons besoin de lui. Pitchfork est déjà ici.

— Je croyais que les Britanniques ne participaient pas à ce conflit.

— Ils ont deux ou trois équipes de SAS dans le coin en uniforme de la Nouvelle-Zélande. Et puis quelques spécialistes intégrés aux bérets verts. Anders est donc ici. Il a été SAS pendant des années.

— Bon, "courte portée mais long terme" – qu'est-ce que ça veut dire ?

— J'ai dit longue portée mais court terme. Nous allons renvoyer notre double dans le Nord pour une opération à un seul coup consistant à leur livrer de fausses informations. Voilà l'opération pour laquelle je t'ai fait venir ici, Skip. L'opération Arbre de fumée. »

Le colonel attendit que Skip digérât cette nouvelle.

Skip ne ressentait aucune excitation. Seulement la léthargie et la tristesse d'un homme en train de mourir de froid. « Sommes-nous très loin des lignes de conduite habituelles ?

— Les lignes de conduite habituelles ne s'appliquent pas aux hypothèses de travail. Nous faisons un brainstorming.

— Alors ça ne vous dérangera pas si je joue un peu le rôle de Dimmer ?

— Vas-y. Nous avons besoin d'un avocat du diable.

— Je crois que, dans le cas présent, le diable c'est vous. »

Storm dit : « Skipper a toujours été du côté des anges.

— Il pose les questions qui fâchent. Faut bien que quelqu'un le fasse. Vas-y. Que voudrait savoir Dimmer ?

— Je peux vous dire exactement les questions qu'il poserait. En tout cas les questions importantes – celles qui sont grosses comme une maison.

— Par exemple.

— Pouvez-vous contrôler sa com des deux côtés ?

— Non. Nous n'essaierons même pas. C'est une opération unique, dans un seul sens. Il peut la bousiller, mais rien de plus. Nous ne lui donnons rien d'autre.

— Et s'il la bousille ? Si c'est un imposteur ? »

Le colonel haussa les épaules. « Aucun risque supplémentaire. Question suivante.

— Vous a-t-il tout dit ? Ou du moins suffisamment pour commencer à le tester avec un détecteur de mensonges ? Quelles sont vos informations ?

— Nébuleuses au point où nous en sommes. Nous abordons à peine la phase initiale d'évaluation. Où tu joueras le rôle de RI, responsable d'interrogatoire.

— Moi ?

— Tu n'es pas venu ici pour bayer aux corneilles. Tu es le RI. »

Malgré lui, Skip prit une profonde inspiration, puis exhala. « Bon.

— Bon. Question suivante.

— Je crois que vous avez déjà répondu : Où en est le processus ? A-t-il été soumis au détecteur de mensonges ? Mais nous ferons ça plus tard.

— Je ne veux pas de détecteur. Je n'ai aucune confiance dans ces trucs-là.

— Dimmer dit qu'il faut tester sans cesse le postulant. "Utilisez souvent et tôt le détecteur."

— Pas de détecteur. Il y a une seule manière de jauger un homme, et c'est avec le sang. Ce type nous a donné le sang de ses camarades. C'est mieux que tout ce que pourra nous apprendre une machine.

— Pourquoi pas faire les deux ?

— Seul le sang est fiable. Notre homme doit sentir que nous avons confiance en lui. Au fait, as-tu confiance en moi ? Te fies-tu à mon jugement ?

— *Yes, sir.* Pas de détecteur de mensonges.

— Merci, Skip. Ça me fait du bien. » D'un doigt le colonel s'essuya la lèvre supérieure. Par une sorte de flétrissement intérieur, par une soudaine disparition du soleil dans son expression, il parvint à laisser entendre que la confiance accordée à son jugement lui importait. « Quoi d'autre ?

— La question qui tue.

— Vas-y.

— Avez-vous informé la hiérarchie de cette opération ? »

Le colonel haussa les épaules.

« Laissez-moi aller chercher l'article. » Skip se leva.

« Et le diable bondit sur ses pieds », commenta Storm.

Bien que ce texte fût classé « secret défense », il le laissait traîner sur son bureau. « Il y a une liste de choses à faire et à ne pas faire, dit-il en revenant. Numéro dix.

— Ne reste pas debout, s'il te plaît. »

Skip se rassit. « Numéro dix : "N'organisez pas une opération de désinformation et ne transmettez pas des leurres sans l'approbation préalable du quartier général."

— C'est de ça que je parle, dit Storm. Et puis merde.

— Vingt : "Fournissez des rapports fréquents, rapides et détaillés..." Voyons voir. Très bien, le diable s'exprime haut et fort : "L'agent et le service qui envisagent une opération avec un agent double doivent estimer lucidement l'avantage net pour la nation, sans jamais oublier qu'un agent double est, en pratique, un canal de communication rêvé avec l'ennemi." Ce dont nous discutons ici revient à une liaison non autorisée.

— Je préfère "autodéterminée".

— Une liaison autodéterminée avec l'ennemi. »

Le colonel dit : « Hao, peux-tu me trouver du lait quelque part sur cette terre, s'il te plaît ? »

Hao quitta le salon.

Le colonel se redressa, posa les mains sur ses genoux. « Personne dans cette pièce n'a jamais rencontré ce type hypothétique. Il n'y a jusqu'ici aucune liaison digne de ce nom.

— Colonel, puisque nous sommes entre nous pour une minute.

— Vas-y. Parle.

— Je comprends bien qu'il s'agit d'une opération familiale et tout ça. Mais devons-nous vraiment en discuter devant Hao ?

— Hao ? Actuellement, Hao en sait plus que nous. C'est lui qui nous a amené notre homme. C'est lui, le premier contact.

— Que savons-nous vraiment sur lui ?

— Vraiment ? Mais que savons-nous vraiment sur quiconque dans ce palais des miroirs ?

— Rien en réalité.

— Excellent. Il existe une règle empirique : faire confiance aux locaux. Je te l'ai déjà dit, non ?

— Plein de fois.

— On ne peut pas faire confiance à tout le monde dans ce pays, mais nous devons faire confiance à quelqu'un. Et c'est l'instinct qui décide. Et puis je vais te dire une bonne chose », fit-il, tandis que Hao revenait avec un petit pichet. « Je viens de réclamer du lait et le voilà qui arrive. Et c'est toujours la même chose avec M. Hao. » Hao s'assit et le colonel poursuivit : « Monsieur Hao, nous montons une opération nationale autodéterminée de désinformation. Êtes-vous avec nous ?

— 'solument, répondit Hao.

— Ça te suffit ? demanda le colonel à Skip.

— Ça me va.

— D'autres questions ?

— J'en ai fini, dit Skip.

— Très bien. » Le colonel sortit de sa poche de poitrine une demi-douzaine de bristols de huit centimètres sur douze semblables à ceux que Skip n'avait que trop souvent manipulés, puis il se lança dans une présentation. « C'est nouveau, ça vient de sortir : une opération nationale de désinformation. Mais ça peut pas prétendre au titre d'op s'il n'y a pas de plan qui va avec. Passons à la phase des hypothèses. Comment livrons-nous de manière crédible notre produit frelaté à l'ennemi ? Plus précisément entre les mains d'oncle Hô ? Par un agent infiltré qui se laisse capturer et torturer ? Par un double qui "vole" des documents bidons ? Une tâche presque impossible, mais une combinaison des deux serait quasiment idéale. Venant de sources indépendantes, la crédibilité des infos serait accrue.

— Tout ça est écrit noir sur blanc sur ces petits cartons ? s'étonna Storm.

— Jimmy, fit le colonel, tu me gonfles.

— Tout cela est hypothétique, dit Skip qui tenait à ce que ce point fût bien clair.

— Oui, oui, rien n'est fixé. Nous ne savons pas encore ce que nous allons faire. D'où le débriefing imminent. Et c'est toi qui vas débriefer notre homme. Il s'appelle Trung. Tu parles un peu vietnamien. Il parle un peu anglais. Vous parlez tous deux un peu français. C'est vrai, Hao – il parle un peu anglais ? »

Hao s'exprima pour la première fois depuis le début de la conversation. « Non, colonel, excusez-moi. Il ne parle pas anglais. Pas un mot.

— Bon, très bien. C'est pour ça que Skip a passé un an à Carmel.

— Nous nous débrouillerons, promit Skip.

— Je n'en doute pas une seconde. Monsieur Tho ! » appela le colonel.

Tho apparut, un torchon à la main. Il avait sans doute plus de soixante ans, mais le physique d'un quadragénaire – quoique philosophiquement mûri, imperturbable –, et il eut un sourire radieux car le colonel lui avait souri le premier.

« Monsieur Tho, ouvrez le Bushmills. »

Tous burent un Bushmills à l'eau. Même Hao en accepta un verre, qu'il tint à deux mains sans le porter à ses lèvres. Le whisky chassa la pâleur du colonel et, quand il en eut bu la moitié, il parut guéri de tous les symptômes de sa maladie. Car il était manifestement malade.

Sans la moindre amertume que lui-même aurait pu déceler, Skip dit : « Vous demandez-vous ce que j'ai fait pendant tout ce temps ?

— La même chose que nous tous : attendre l'émergence d'une stratégie viable. Alors, à quoi t'occupes-tu pour passer le temps ?

— À rien. Je ne sers à rien ici. Je suis un planqué. »

Storm dit : « C'est du vocabulaire de bidasse.

— Tout à fait adéquat.

— Jusqu'à la phase que nous abordons maintenant, dit le colonel, le candidat doit fixer le rythme. Et regardez : l'argument le plus convaincant en ce qui le concerne, c'est tout ce retard et ses hésitations. Je suis certain qu'il estime à sa juste valeur la décision qu'il a prise. Il se montre honnête avec nous sans douter de nous. »

Hao prit la parole : « Oui. Il est honnête. Je le connais.

— Mais maintenant il s'est mouillé, dit Skip.

— Il a sauté le pas. C'est exact. Nous en sommes là, dit le colonel. Maintenant il est à nous et je veux qu'il vienne ici avec toi. Je ne veux pas qu'il soit à Cao Phuc ou à Saigon. Je veux qu'il réside à un endroit où il n'a pas encore travaillé.

« — C'est pour quand ?

— Il ne peut pas disparaître dans la nature. Il fait partie d'une cellule. Cette cellule fait partie d'un réseau. Il ne peut pas prendre des vacances. Il a fourni des raisons crédibles pour se relocaliser dans cette région, il nous assure du moins que c'est le cas, mais tout ça prend du temps. Il dit que ça prend du temps et je le crois.

— En attendant, je reste un planqué. Je lis Dickens, comme vous le savez.

— Et Ian Fleming. Désolé, je n'ai pas trouvé Tolstoï.

— N'importe quel gros bouquin fait l'affaire, ou alors truffé d'aimables agents secrets.

— As-tu lu Shell Scott ?

— Bien sûr. Vous voulez dire la série. Richard S. Prather.

— Et Mickey Spillane ?

— Tout. Une bonne douzaine de fois.

— Henry Miller ?

— Vous pouvez me trouver Henry Miller ?

— Il est maintenant en vente légalement. Il est passé au tribunal. Je vais te dégoter Henry Miller.

— Trouvez-moi *Tropique du Capricorne*. J'ai lu *Tropique du Cancer*.

— J'ai pas aimé le *Cancer*. Casse-couilles. Le *Capricorne* est vraiment chouette.

— Waouh. Je ne savais pas que vous vous teniez au courant.

— Ces bouquins ont été écrits dans les années trente, fiston. Monsieur Tho ! appela-t-il. Est-ce que je sens l'odeur de la nourriture ? » Il vida son verre. « Sortons faire un tour pendant que le déjeuner mijote. Prenons la voiture.

— Et si on marchait ? proposa Skip. Il y a un tunnel pas loin d'ici.

— Sans blague ? Ici ?

— Nous bénéficions des produits dernier cri, mon oncle.

— Allons explorer ce truc, acquiesça le colonel. Et n'oublie pas la bouteille. »

Cette sortie fut un échec. Ils zigzaguèrent sur la route principale en contournant les flaques d'eau. « Qu'on ne me parle surtout pas des événements récents, martela le colonel. C'est tout ce que je demande. Doux Jésus, encore un Kennedy au tapis. Quelqu'un ne pourrait pas occire l'oncle Hô ? Ces mecs ne rigolent pas. » Il s'arrêta comme s'il désirait ajouter quelque chose, mais plus probablement pour reprendre son souffle. « Tu les étrilles en janvier, et ils sont de retour en pleine forme au mois de mai suivant, prêts à encaisser de nouvelles horreurs infligées par nous. C'est le tunnel ?

— Ce qu'il en reste. »

Le colonel attendit dix secondes en silence avant de parcourir les vingt derniers mètres et de se camper devant le tunnel, désormais une protubérance érodée au flanc d'une petite falaise.

« Eh bien, non, Skip, non. Je n'y crois pas. As-tu déjà vu les tunnels à Cu Chi ? Tu ne les as pas vus, n'est-ce pas ? » – il prononçait ce toponyme à l'indigène, ce qui en faisait *Goutchi*.

« Non, *sir*, je ne les ai pas vus.

— Ceci n'est pas un tunnel, Skip. Ça ressemble davantage à une espèce de trou d'homme. On dirait qu'un type a excavé une caverne ou un truc comme ça – pourtant, la géologie ne paraît pas compatible avec l'existence de cavernes – est-ce qu'il faut pas du calcaire pour ça ?

— Une caverne ?

— Peut-être qu'il y a ici une crevasse souterraine. Une crevasse enfouie dans le roc.

— Okay. Oui. Il était absolument fasciné par les cavernes. Obsédé. J'ai regardé ses notes.

— Sans doute. Mais c'est pas du tout un tunnel de type viêt-cong. Les tunnels viêt-congs sont pas du tout comme ça. Les entrées descendent à pic. Ça rend plus ardues les tentatives d'invasion. » Skip n'arrivait pas à décider si le colonel était déçu seulement par l'inexistence du tunnel, ou bien aussi, d'une certaine manière, par son neveu.

Ils laissèrent ce mystère derrière eux, puis rentrèrent s'occuper du déjeuner, Skip remâchant son irritation – ce tunnel n'en était pas un. Et même pas, sans doute, une caverne. Il se sentit abandonné par le défunt. Bouquet venait de le lâcher.

Au portillon de la villa, le colonel saisit le coude de Hao. Accroché au bras du petit Vietnamien, il se pencha pour ramasser une branche d'arbre jetée à terre par le récent orage, comme si tout à trac il s'intéressait aux débris naturels, puis il s'appuya dessus comme sur un bâton pour faire les derniers pas jusqu'à l'entrée.

Mme Diu tenait le déjeuner au chaud. Ils rejoignirent directement la salle à manger et la grande table laquée de noir, où Tho officia, remarqua Skip, avec un air légèrement accusateur : en six mois, hormis le prêtre, c'étaient ses premiers invités à un repas. Ce jour-là, des produits locaux, soupe aux nouilles et au bœuf avec feuilles de menthe et pousses de soja. Mais du pain tranché américain sortant directement du four, et puis du beurre. Et du Bushmills pendant tout le repas. Pas de baguettes, même pour Hao. Et pas de Bushmills pour Hao. Le dessert était une sorte de pudding à base de goyave.

« Aux Irlandais, suggéra le colonel, après avoir ouvert une deuxième pinte, à moins que ce ne soit, comme Skip le craignait, la troisième.

— Le nom Sands n'est pas irlandais, fit remarquer Storm.

— Nous n'en parlons pas, reconnut Skip.

— Ah bon ? dit le colonel.

— Eh bien... Il me semblait que non.

— À l'embarquement nous étions des Shaughnessey. Tout à coup, sur le bateau, on est devenu des Sands.

— C'est ce que tante Grace m'a raconté. Toute ma vie, ma mère a considéré ça comme un grand mystère et un grand scandale.

— Non, c'est simplement une source d'amusement et de honte mineure. Quelles sont les nouvelles de ta maman ?

— Tout va bien, je crois. Je reçois des lettres d'elle. Je lui envoie des cartes postales.

— En tout cas, les amis, je ne portais pas un toast à une nation tout entière. Seulement à ma vieille équipe – les Fighting Irish de Notre-Dame. À mon avis, la plupart d'entre eux sont polonais. C'était le cas quand je faisais partie de cette fine équipe – regardez Skip. Regardez son visage. Il croit que le vieux va remettre ça.

— Allez-y, mon oncle. Je suis assez ivre, si vous l'êtes.

— Oui oui oui, j'ai fait le plein de gaz brûlant. Tu pourrais gonfler une montgolfière avec mes souvenirs. Vas-y, change de sujet.

— Votre article pour la revue. Je n'ai pas compris votre article.

— Moi non plus.

— Donc, je ne change pas vraiment de sujet – si le sujet c'est les discours enflammés et fumeux.

— Je suis imperméable aux critiques.

— Beaucoup de termes baroques là-dedans. "Activité étanche ou isolée."

— Activité étanche : avoir des initiatives, c'est-à-dire prendre le taureau par les cornes quand la hiérarchie reste assise sur son cul.

— Et plein d'autres.

— Quels autres? Je suis ton glossaire.

— Je me rappelle pas.

— Le jargon est important. Pense au public potentiel. Ces types adorent le charabia. As-tu lu *La Politique et la Langue anglaise*?

— Mmm – George Orwell. Oui.

— Vraiment?

— Oui. Et aussi *1984*.

— Eh bien 1984 se pointe dare-dare. Y aura pas besoin d'attendre dix-sept ans pour y arriver.

— Bah, fit Skip.

— Plutôt seize, annonça Storm.

— Seize quoi?

— Seize ans jusqu'à 1984.

— Attendez une minute. Dix-huit. Dix-huit. »

Storm éclata de rire, agita une tranche de pain à côté de ses cheveux coupés en brosse.

« Messieurs, dit le colonel, l'ennemi ne fait pas ça.

— Il fait pas quoi?

— Additionner et soustraire, sergent.

— Que fait donc l'ennemi, mon colonel?

— Il récupère nos obus non éclatés et il nous explose les couilles avec. Il vit dans des trous sous terre. Il ne mange pas de pudding. Il dévore ses enfants au nom de la victoire. Voilà ce qu'il bouffe au déjeuner. Alors mettons-nous au boulot. Maintenant nous en avons un de notre côté. Il pourrait démolir la moitié de notre infanterie à lui tout seul. Il a franchi tous les portails – vous connaissez les trois "portails" du Viêt-cong? Le sang, la prison et un séjour dans le Nord, il a fait les trois. Hao vous le dira mieux que moi – ce type se bat depuis l'époque des Français. Il a été prisonnier à Con Dau. Il est parti dans le Nord, il a été réendoctriné après la Partition. Puis il est redescendu par la piste Hô Chi Minh et depuis il a fait les pires coups. Il y a deux ou trois ans, à Cao Phuc, il a essayé de m'assassiner.

— Sans blague?

— Un an environ après la disparition de Kennedy, donc fin 64 je dirais. Il y a deux ans et demi de ça. Il l'a reconnu devant Hao. »

Il se tourna vers Hao, qui était resté invisible malgré sa présence à la table, et Hao le confirma : « Il me l'a dit, c'est exact.

— Il a lancé une grenade dans le temple où j'étais en visite. C'est un vrai baroudeur. Une saleté de grenade chinoise foireuse. »

Skip sentit sa mâchoire tomber tandis qu'il considérait son oncle – ivre, périmé – immortel.

« La question qui se pose c'est : avec un tel engagement, qu'est-ce qui le pousse à rejoindre l'autre bord ? Qu'en dit-il, monsieur Hao ?

— Je ne sais pas, répondit Hao.

— C'est le truc qui me tracasse. J'aime pas ça du tout.

— Je ne sais pas, répéta Hao.

— Écoutez, écoutez, dit soudain Skip avec un enthousiasme bouillonnant, nous devons créer le leurre, la fiction. Je pourrais peut-être vous aider.

— C'est pour ça que tu as fait dix mille kilomètres en avion jusqu'ici. Imagine quelque chose. Imagine que l'an dernier, pendant le bombardement de l'ambassade, des papiers aient été emportés par le vent. Une transcription, disons – les minutes d'une rencontre entre quelques vieux pirates qui croient pouvoir récupérer une arme nucléaire. Ces types répugnants désirent la parachuter sur Hanoi et mettre un terme à toutes ces conneries. À ce qu'ils considèrent comme des conneries. À ce qui est bel et bien un gros paquet de conneries.

— Attendez, dit Skip. Pas une rencontre concernant le, le... comment vous appelez ça... le complot, pas le complot lui-même. Une rencontre entre gens qui essaient d'*arrêter* le complot. Autrement dit, ce ne sont pas les comploteurs. Ce sont ceux qui essaient de se renseigner sur les comploteurs.

— Je te reçois cinq sur cinq.

— Moi non, fit Jimmy Storm.

— Ces documents ne sont pas les minutes des gens qui conspirent, expliqua Skip, dont les oreilles bourdonnaient à cause du Bushmills, de la vraie conspiration, mais des gens qui enquêtent sur le, le... sur les progrès de la conspiration, lança-t-il avec une assurance inédite. Il y a donc cette retranscription codée...

— Pas codée. Juste quelques pages déchirées qui ont survécu au bombardement. Quelques extraits... » Les pensées du colonel se poursuivirent sans mots.

Skip regretta d'aborder ce sujet à ce moment du déjeuner. Le colonel avait eu raison d'interdire toute consommation d'alcool jusqu'à ce qu'ils en aient discuté. Maintenant ils en reparlaient, et lui-même ne savait pas très bien ce qu'il disait. Alors le colonel porta pour la énième fois le verre de whisky à ses lèvres et tout fut fini. « Donnez-moi des géants! s'écria-t-il. Je veux dire, pour l'amour de – Johnny Brewster? Il a passé toute la guerre à Washington, à jouer au hand-ball et à gamberger pour foutre en l'air l'opération de Cao Phuc. Et maintenant elle est foutue – le 1ᵉʳ septembre c'est plié, terminé. Ce putain d'OSS. Il a fait une guerre : il sait ou sans doute qu'un jour il a su – certaines nuits John Brewster doit se dresser en sursaut dans son lit et se dire : Attends une minute, attends une minute, est-ce qu'il y avait pas autre chose en jeu? Mais avant qu'il se rappelle que c'est la survie de la liberté, le salut de l'humanité et la lumière du monde – l'ignoble médiocrité de ses rêves attire sa nuque vers l'oreiller et le voilà qui se rendort. Le lendemain matin, retour à Langley. La guerre fait rage à Langley, entre des types comme lui et des types comme moi, avec comme enjeu rien de moins que l'Agence. J'ai flanqué ce fils de pute sur son cul merdeux. Maudits soient ces enfoirés. Qu'est-ce que les types comme lui croient que les États-Unis d'Amérique essaient de faire au Vietnam? Bon, attends un peu – et ces enfoirés de Langley, ces enfoirés du Pentagone. Ces enculés! Ils savent rien. Ils savent rien du tout. »

Sa tête s'inclina.

« Colonel », fit Jimmy Storm.

Le colonel releva la tête.

« Colonel.

— Oui.

— Vous me foutez par terre, dit Storm.

— Est-ce un compliment?

— Un foutu compliment.

— Installez-moi dans la voiture », demanda le colonel.

Hao se leva. Mais ne prit aucune initiative supplémentaire.

« Hé, les gars, hé – pourquoi pas passer la nuit ici?

— Non, Skip, non. Vaut mieux rentrer.

— Emmenez-moi avec vous. Laissez-moi traîner un peu à Saigon. Juste pour le week-end.

— Nous ne pouvons pas te laisser venir en ville, Skip.

— Allez. J'y étais pour le Têt.

— J'ai eu pitié de toi. Mais c'est fini. Tu es un soldat.

— Alors restez. S'il vous plaît. On pourrait jouer au poker.

— T'as des cartes? s'enquit Storm.

— Oui. Oui. Restez.

— Non. Nous devons rentrer.

— Je suis un planqué. »

Storm dit : « Il se prend pour le bel enfant perdu.

— Waouh, lâcha Skip, c'est le siècle de l'Amérique. »

Storm dit : « Le rock'n roll est immortel. »

Fin saoul, Skip Sands, de la CIA, se dirigea au radar vers l'escalier. Il se sentit apte à en gravir les marches et à trouver sa chambre, mais trop ivre pour s'allonger, il s'assit donc dans un fauteuil, les pieds posés sur un lit houleux qui tanguait et roulait.

Après une heure de sommeil il se réveilla, puis sortit sur la véranda pour boire un café fort et brûlant, moins requinquant que son délicieux vertige face au panorama de ses erreurs, toutes ces impasses où il s'était aventuré sur les traces de son oncle, l'homme d'action archétypal. Neandertal, selon le terme jadis employé par Rick Voss. M. Tho sortit avec une spirale antimoustiques allumée dans une assiette, qu'il posa sur l'accoudoir du fauteuil en face de Skip, et voilà la simplicité incarnée, la braise de l'encens à l'odeur âcre, la perle orangée forant son tunnel le long de sa trajectoire spiralée jusqu'à l'extinction et le non-être. Il se sentit entouré, assailli, habité par des images serpentines similaires – les tunnels, le projet Labyrinthe, les catacombes ourlées de l'oreille humaine... Mais sur toutes ces formes planait l'image centrale et absolument autre : l'Arbre de fumée. Oui, son oncle désirait se déployer tel un spectre ténébreux pour s'emparer de la totalité des services de renseignements, hanter son esprit, subvertir ses marées inexorables. Ou bien le vaincre sur le terrain de handball.

À cause de ses vertus nutritives, il avait demandé du vrai lait dans son café. Ce lait avait à peu près le même goût que l'ersatz crayeux. Le nouveau chien arriva entre les genoux de Skip, plongea le museau dans la tasse et se mit à laper avec un claquement rauque.

Oncle F. X., pilier de feu, arbre de fumée, désirait faire croître un grand arbre à sa propre image, un nuage champignon – sinon un vrai au-dessus des ruines de Hanoi, du moins sa possibilité terrifiante dans l'esprit de l'oncle Hô, le roi ennemi. Et qui pouvait dire que ce vieux guerrier délirant ne se colletait pas avec des vérités nues ? Que les renseignements, les données, les analyses aillent au diable ; ainsi que la raison, les catégories, les synthèses, le bon sens. Tout relevait de l'idéologie, de l'imagerie, des tours de passe-passe. Des feux pour éclairer l'esprit et réchauffer les actes humains. Ainsi qu'intimider les consciences. Des feux d'artifice tout ça – non pas simplement l'étoffe de l'histoire, mais celle de la réalité elle-même, les pensées de Dieu – évidentes et muettes : des motifs incandescents, qui grandissaient sans fin.

À n'importe quel moment avant cette nuit-là, Skip le comprit, il aurait pu tout simplement demander à son oncle de rentrer au pays. Mais maintenant qu'il était à ce point partie prenante de l'opération et lui aussi mouillé jusqu'au cou, il ne pouvait se défiler et laisser le ciel tomber sur l'enclume qu'était la tête de son oncle. Il n'aurait pas supporté de voir cette tête inclinée vers le sol.

Il appela Tho sur la véranda.

« C'est quoi l'histoire pour ce chien ?

— *Le médecin**, répondit Tho.

— C'est le chien d'un médecin ? »

Tho acquiesça, en misant sur la compréhension partagée, puis s'en alla.

Bientôt Mme Diu fit son apparition. « M. Tho dit que le chien a l'esprit du docteur Bouquet. Quand le docteur meurt, après un an le chien arrive.

— Le docteur Bouquet s'est réincarné sous la forme de ce chien ?

— Oui. Docteur Bouquet.

— Madame Diu.

— Oui, monsieur Skip.

— Pourquoi Tho refuse-t-il de me parler en anglais ?

— Il ne parle pas.

— Il ne parle pas anglais ? Ou il ne parle pas du tout ?

— Oui, parfois, dit-elle. Je ne sais pas.

— Bon, fit-il. J'espère que les choses sont plus claires pour vous. »

Le chien était maintenant dans le jardin où il levait la patte contre le tronc d'un des trois papayers. Non loin de là, M. Tho s'appuyait contre le manche d'un râteau pour approcher une allumette d'un tas de détritus ménagers. Skip admira les papayers, leur forme effilée, leur cime touffue, les fruits agglutinés en haut du tronc... Le vieux *papasan* recula d'un pas et regarda pour s'assurer que les flammes prenaient, tandis que son employeur ressuscité, incurvé tel un beignet, mordillait un parasite niché à la base de sa queue.

« Excusez-moi, monsieur Skip. » Mme Diu était toujours à hauteur de son épaule. « Vous désirez souper ? »

— Laissez-moi réfléchir. J'arrive dans une minute. »

Une seule chose à la fois. Peut-être ferait-il quérir le père Patrice, pour l'inviter à dîner. Comme une sorte de pénitence, en présence du prêtre il se forcerait à ingurgiter un repas écœurant. Mais il avait sombré dans le sommeil et pris cette décision en rêve. Il se réveilla à neuf heures du soir, selon sa montre de l'armée de l'air. La nuit comme une gaze veloutée, les braises du feu, Bouquet canin ronflant à ses pieds. Il avait faim, mais la vie était ridicule. Il alla se coucher.

Lieut Puceau était un jeune athlète au corps compact et au visage sincère, qui rentrait les pans de sa chemise de treillis dans un pantalon dont il remontait la taille trop haut. Il ne fumait pas et il buvait très frugalement, avec méfiance. Il parlait beaucoup des microbes. Les maladies tropicales l'obnubilaient. Apparemment, il avait lu un livre sur des trucs horribles et foudroyants contre lesquels il n'existait aucun vaccin. Quant à l'ennemi, il croyait à peine à son existence. L'ennemi ne l'effrayait absolument pas.

Lieut Puceau dit au sergent Burke : « Je compte tirer le meilleur de ce cirque à la con. J'en ai rien à branler si c'est illégal, injustifié ou blasphématoire. Aujourd'hui on est les héros, demain on est des nazis. On sait jamais. Personne sait que dalle sur cette foutue planète. » C'était une attitude nouvelle, à défaut d'être tout à fait séduisante. Tout le monde allait plutôt en sens inverse. « Je sortais avec Darlene Taylor jusqu'à ce que ce hippie nommé Michael Cook l'invite à une fête, lui donne de la drogue, la baise et la métamorphose en hippie ; et si Michael le hippie démoniaque est contre la guerre, alors moi je suis pour à deux cents pour cent. J'ai pas besoin d'en savoir plus. » Lieut Puceau ne semblait absolument pas puceau. Il ne savait absolument pas dans quel pays il se trouvait, mais il était chez lui dans l'univers tout entier.

Il était vif, précis, zélé. Il mit deux jours à éliminer son décalage horaire et le matin du troisième il se réveilla d'un bond, jeta alentour un regard limpide et demanda qu'on lui amène tout matériel et tout membre du personnel militaire susceptible d'accroître sa compréhension des tunnels viêt-congs de la région. Cela se résuma à quelques soldats et à deux ou trois croquis chiffonnés réalisés par le caporal Cow-boy pour l'ancien, le précédent, l'évaporé Lieut Givré.

Lieut Givré, disait-on, avait rejoint Tan Son Nhut, trouvé une place dans un vol MAC à destination de Honolulu avant de disparaître dans le gigantesque paradis de la nation américaine.

Lieut Puceau passa toute une matinée dans sa cabane en préfabriqué en compagnie des croquis réalisés par le caporal Cow-boy, étalés sur la table pliante qui lui servait de bureau. Il réclama à son sergent un minimum d'imagination. « Y aurait pas un radar ou un sonar qu'on pourrait utiliser pour explorer ces merdes avec efficacité? Enfin quoi, on veut juste savoir où se trouvent ces foutus tunnels. On n'est pas obligés de ramper à l'intérieur pour le découvrir, pas vrai? Est-ce qu'on est de la vermine, des serpents ou des merdes de ce genre? Ou alors sommes-nous des humains rationnels, fièrement campés sur nos deux jambes, dotés d'un cerveau capable de résoudre ce problème?

— Je ne crois pas que nous soyons obligés de faire ça, *sir*.

— Quoi?

— Je ne crois pas que nous soyons obligés de dresser des cartes de ces trous.

— J'ai reçu l'ordre express d'accomplir cette tâche. C'est la raison même de notre présence ici. Sinon, vous savez ce que nous faisons? Nous descendons sur la Route 1 pour respirer un truc qui va nous occire en un rien de temps. C'est soit l'un soit l'autre. Des nuages de Dieu sait quoi qui vont vous niquer les poumons et sans aucun doute possible vous stériliser les couilles.

— L'ordre express, *sir*, je veux dire, *sir*, parlez-vous d'un ordre écrit?

— Moi je veux dire qu'ils sont très clairement écrits dans mon esprit, tels que je les interprète. Voulez-vous que je harcèle quelqu'un pour que tout ça soit couché noir sur blanc? Parce que, bordel à queue, ROTC ne m'a pas appris à survivre un seul jour dans ce merdier, mais on m'a appris à ne pas aller tirer sur la veste de mes supérieurs et à ne pas attirer leur attention.

— Je vous encourage à persévérer dans cette attitude, *sir*, dit Burke. Mais il y a des pelotons qui se sont surnommés les rats de tunnels et qui y descendront volontiers pour vous. Je peux vérifier s'ils sont dans les parages.

— Nous sommes sous la coupe des *Psy Ops* de la CIA jusqu'au 1er septembre, ensuite il y a une chance pour que nous rentrions tous à la maison. Je dis bien une chance.

— *Sir*. De l'avis général le colonel F. X. a pété les plombs.

— Laissez donc ça tranquille. Vous ne connaissez pas toute l'histoire. »

Lieut Puceau arpenta le camp, la tête nue sous les nuages menaçants de midi. Il avait l'air profondément effrayé, mais pas par la guerre ni par les responsabilités inhérentes à sa fonction. Par une chose encore plus énorme. Son inquiétude était d'ordre cosmique.

Echo trouva très irritante la manière dont Lieut Puceau traitait les ordures : ce n'était plus comme du temps de son prédécesseur. Lieut Givré laissait simplement les déchets s'accumuler un peu partout jusqu'à ce que le sergent, d'abord Harmon puis Ames et enfin le sergent Burke, harcèle la troupe pour nettoyer le périmètre ; mais Puceau tenait à ce qu'il n'y eût rien qui traînât, jamais, pas une seule minute, il voulait qu'en permanence tout fût nickel chrome. À maints égards, Lieut Puceau était plus tordu que Lieut Givré. Lieut Givré n'avait pas été complètement irrationnel sur le chapitre des ordures. Juste très à cran pour tout le reste.

Black Man faisait claquer ses doigts, grimaçait, plissait les yeux, puis les écarquillait soudain – obsédé par ce qu'il tentait de communiquer alors même que James approchait de la cabane en préfabriqué de Lieut Puceau –, en disant à James : « Alors t'arrives tout contre M. Charlie, tu lui rentres dedans, chacun *traverse* l'autre et puis vous échangez vos rôles et c'est plus toi qui reviens ici avec nous, mec, pour retrouver tes potes. C'est lui. Et c'est pas lui qui retourne là-bas pour retrouver les autres Charlie, s'accroupir et s'enfourner ce riz gluant dans la gueule, mec, c'est plus lui. C'est toi. Oh, à chaque seconde ils nous font des coups à la mords-moi-le-nœud.

— Black Man.

— Ouais, chéri.

— C'est moi.

— Oh. Oh. Merde, oui. Oui, c'est *toi* qui vas entrer là pour voir le nouveau ?

— On dirait bien. »

Maintenant Black Man se mâchonnait sans cesse les lèvres. « C'est un puceau, mais il fait comme s'il le savait pas. »

James dit : « Comment tu vas ?

— Ça gaze. Ça gaze. Un ou deux démons ont renoncé à me dévorer. »

James n'avait pas revu Black Man depuis longtemps. Depuis le
Têt.

« Je croyais que t'étais parti.

— Tu parles, Charles. Ces flots de sang sortaient en fait d'une
toute petite veine de rien du tout. Merde alors. T'as donc pas appris
que j'ai bien failli clamser ?

— T'as été touché ?

— Non. Je me suis fait saigner au Tu Do Bar. Un nègre m'a suivi
aux gogues.

— Tu t'es bagarré au couteau ?

— Ce fils de pute a cassé une bouteille et il m'a balancé le tesson
dans l'épaule pendant que je pissais.

— T'as eu droit à un Purple Heart pour cette merde ?

— Failli clamser pour mon putain de pays, et maintenant je suis
de retour ici à te renifler. Et tu pues.

— Première nouvelle. »

Les yeux de Black Man tremblaient dans leurs orbites.

James dit : « J'ai vu le Sarge. Tu te rappelles le sergent Harmon ?
Le sergent-chef Harmon ?

— Ouais, Harmon. Le Sarge. Ouais. Tu l'as vu ? Juste maintenant ?

— Non. Juste après.

— Juste après le pataquès ?

— Ouais », fit James.

Ils s'arrêtèrent dans le parallélogramme de l'ombre projetée par la
cabane en préfabriqué. James s'assit et s'adossa à la paroi, mais Black
Man ne pouvait pas s'asseoir.

« Hé, mec. Dis-moi ton nom.

— Tu rêves !

— S'il te plaît, dis-moi au moins ton prénom.

— Charles. Charles Blackman.

— Blackman ?

— C'est bien ça. C'est ça, putain. Un blase comme ça.

— Puu-tain. Un sacré nom.

— Tu entres voir le nouveau Lieut ?

— Je crois bien.

— Il manque pas de peps, vieux.

— Ouais, c'est une vraie petite tornade ambulante.

— Ouais, une tornade.

— Charles Blackman.

— Tu vois ?

— J'imagine qu'y a des Blancs qui s'appellent Whiteman.

— Ouais, ouais. Mais j'entends pas de rires, tu piges ? »

James dit : « Je te charrie, mais en fait tu m'attristes. »

La porte claqua. Le petit sergent des *Psy Ops* s'éloigna d'un bon pas de la cabane en préfabriqué et s'accroupit face à James comme un Indien lors d'un pow-wow, avant de dire : « Encore une journée parfaite. Que nous le sachions ou pas.

— Pas d'accord. »

Le sergent lut le nom de James sur la poche de poitrine et dit : « Alors – Houston, J. Il veut dire quoi, ce J ? Jus de couille molle ? C'est bon, je blague. Excuse. Je suis redevenu un crétin ce matin, et merde. Et je parie que t'as jamais mis les pieds à Houston.

— Non, je viens de Phoenix.

— Fait chaud là-bas. Alors le J, c'est pour quoi ?

— James.

— On t'appelle Jimmy ?

— Parfois, mais je dis aux gens de pas le faire.

— Moi on m'appelle Jimmy. Et m'appelle surtout pas James. J'aime bien Jimmy. Ne m'appelle jamais James. Restons cool. Fait une sacrée chaleur à Phoenix. Le mercure grimpe au-dessus de trente-cinq là-bas. Trente-sept, trente-huit, trente-neuf.

— C'est toi le mec des *Psy Ops* ?

— Ouais.

— Bon Dieu.

— Quoi ? »

James se contenta de secouer la tête.

Jimmy s'allongea de tout son long et baissa sa casquette sur son visage. « Fait chaud ici aussi. Vii – ète – nam. Ça veut dire "toujours en nage" dans leur putain de langue. »

Une fois encore, la porte claqua. Un type sortit, puis se dirigea vers les latrines en passant près d'eux sans les saluer. Storm bondit sur ses pieds. « C'est le tour de Phoenix Houston. »

Il suivit James à l'intérieur, se campa à côté du sergent Burke et ne dit mot pendant que Lieut Puceau dirigeait les débats :

« Caporal Cow-boy ?

— *Yes, sir.*

— Avez-vous cru que je ne vous convoquerais pas ?

— À vrai dire, *sir*...

— J'ai gardé le pire pour la fin. »

James chercha des yeux une chaise, mais Lieut Puceau occupait le seul siège présent dans la pièce.

« Il nous reste soixante-six jours pour régler cette affaire.

— *Yes, sir.*

— Avant de devoir démanteler ce camp et réintégrer le 25e d'infanterie.

— *Yes, sir.*

— Nous avions quatre-vingt-dix jours devant nous, mais nous en avons flingué vingt-quatre sur quatre-vingt-dix. À ce propos, dit le lieutenant, vous étiez en permission illicite pendant vingt et un jours en février dernier. Je connais votre historique. Où étiez-vous – en train de manifester à la convention démocrate ?

— La quoi ?

— La convention nationale du parti démocrate ? »

Le sergent Burke intervint : « *Sir*, la convention démocrate a eu lieu la semaine dernière.

— Où avez-vous filé, caporal ?

— J'étais en mission spéciale.

— Non. Vous étiez saoul, prêt à déserter, et le colonel a réglé toute cette affaire avec mon prédécesseur. Dites *yes, sir.*

— *Yes, sir.* »

Le lieutenant regarda le sergent des *Psy Ops* comme s'il en attendait un commentaire. Aucun n'arriva. Le lieutenant dit : « Nous voulons de la concentration, ce qui signifie que nous voulons de l'engagement, ce qui signifie que nous voulons des objectifs. Sinon on nous enlève d'ici, on nous expédie à trente bornes dans cette direction, vers l'endroit le plus horrible de la terre entière. Avez-vous vu ces étendues désolées le long de la Route 1 ?

— *Yes, sir.*

— Notre mission consiste à cartographier les tunnels des environs. Vous êtes bien celui qui a sauté dedans ?

— Moi ? fit James.

— Vous y êtes descendu.

— Euh, d'une certaine manière, vous savez, *sir*, bafouilla James.

— Alors ? Votre rapport ?

— Je ne sais pas. Quoi par exemple ?

— Qu'avez-vous vu ?

— Juste des tunnels.

— Quoi d'autre? Développez.

— Les murs sont très lisses.

— Quoi d'autre?

— C'est tout petit là-dedans. On peut pas se tenir debout.

— Il faut ramper?

— Pas exactement ramper. On reste plié en deux, voilà tout.

— Vous devez être cinglé, dit Lieut Puceau.

— C'est pas moi qui dirai le contraire, *sir*, acquiesça James.

— J'aimerais bien vous renvoyer dans ces tunnels. Pour avoir des cartes détaillées de ces saletés. Pas ces infâmes gribouillis. Z'êtes comme un poisson dans l'eau à l'intérieur de ces conduits, pas vrai?

— C'est pas tout à fait ça.

— Eh bien, non, putain, non, y a plus rien qu'est plus tout à fait comme c'est. Mais ça vous plaît quand même de descendre dans ces trucs.

— Vous pouvez me désigner comme volontaire si ça vous fait bander, dit James.

— Écoutez, soldat, je désire créer un environnement de deux kilomètres sur deux où je connais absolument tout ce qui y vit et y respire.

— Vous savez, y a pas plus de six tunnels dans le coin. Je suis descendu dans tous et ils mènent nulle part. Les vrais tunnels sont au nord d'ici. Au nord-ouest.

— Ne me dites pas une chose pareille. Vous me retirez ma raison de vivre.

— Je veux qu'on me rembourse mon kit.

— Votre kit, c'est ça?

— J'ai claqué deux cent quatre-vingt-cinq dollars pour le flingue, le silencieux et la lampe frontale. Apparemment, on aurait dû me procurer tout ce matos, mais si j'avais attendu que l'armée s'en charge, j'attendrais toujours à l'heure qu'il est.

— Vous êtes sérieux? Deux cent quatre-vingt-cinq dollars?

— *Yes, sir.*

— C'est quoi l'arme que vous avez à la hanche?

— Un Hi-Power.

— Alors où est votre .380 pour les tunnels?

— C'est un peu compliqué.

— Ah bon? Parce que vous croyez qu'y a des choses pas compliquées dans ce putain de show à la con?

— Jamais de la vie.

— Deux cent quatre-vingt-cinq?

— Dans ces eaux-là.

— Si je pouvais demander de l'argent cash, je commencerais par m'en mettre plein les fouilles. Mais peut-être que je peux réclamer un kit de tunnel. Ça me paraît relativement raisonnable.

— Alors demandez-en un. Je pourrais le revendre et récupérer mon fric.

— Comptez-vous faire de moi votre complice pour une opération au marché noir?

— Je pensais juste à voix haute, c'est tout.

— Je ne peux pas me permettre de laisser les gens penser. C'est hors de question.

— *Yes, sir.*

— En attendant, vous passez les soixante-six prochains jours à courir tous les matins et à faire le boute-en-train pour la section Echo. Pas de congé pas de permission pas de bière au Purple Bar dites *yes sir.*

— *Yes sir.*

— Rom-pez et longue vie au rock'n roll. »

James pivota pour s'en aller.

« Bien. Attendez.

— *Yes, sir.*

— Quand je vous aurai broyé pendant soixante-six jours, vous ferez quoi ensuite?

— Je vais à Nha Trang pour les Lurps.

— Bordel de merde. L'école fantôme? C'est une formation sur le tas, mec.

— Je sais.

— Vous savez contre qui ils font leurs manœuvres d'entraînement?

— Ouais.

— Contre la 17ᵉ division du Nord Vietnam. Ils t'envoient en patrouille et voient qui bouffe qui. »

Le petit sergent des *Psy Ops* eut un rire allègre. « À la moindre connerie dans ta formation, tu passes l'arme à gauche et les champignons te poussent dans le cul.

— La ferme, sergent – s'il vous plaît. Caporal, c'est votre deuxième tour de service?

— Oui.

— Ils vont vous obliger à en faire un troisième.

— Ça me va au poil.

— Rompez, dit le lieutenant. Bonne chance. Rompez. »

Les querelles des oiseaux le réveillèrent en fin d'après-midi. Il s'offrit un bain, se lava avec une éponge et, pour ses effets rafraîchissants, se frotta le torse avec de l'alcool devant le lavabo de la salle de bains du haut. Puis il mit son maillot de bain des surplus de l'armée et ses tongs, et descendit. « Monsieur Skip, c'est du thé ? » demanda M. Tho en anglais. « *S'il vous plaît* * », répondit-il en français. Il s'installa au bureau devant la grande carte décolorée de l'oreille humaine, puis il se mit au travail sur les passages de texte avant même que son thé ne fût servi ou que son esprit ne se fût affranchi des rêves tout récents, car il avait souvent constaté que c'était là un état favorable pour saisir le sens d'une expression étrangère, pour capter son éclat. Il n'alluma pas les lampes et travailla dans une sorte de pénombre. Durant ses pauses il examinait la maquette de l'oreille humaine en porcelaine, laissait courir son doigt le long du délicat labyrinthe membraneux – l'utricule et le saccule, le canal endolymphatique et le nerf vestibulaire, le ganglion de Scarpa et le ganglion spinal de Corti – et

Si incroyable que cela paraisse, les Indiens Tarahumaras vivent comme s'ils étaient déjà morts *...

« Incredible as it may seem, avait traduit Sands, the Tarahumara Indians live as if they were already dead... »

Il me fallait certes de la volonté pour croire que quelque chose allait se passer. Et tout cela, pour quoi ? Pour une danse, pour un rite d'Indiens perdus qui ne savent même plus qui ils sont, ni d'où ils viennent et qui, lorsqu'on les interroge, nous répondent par des contes dont ils ont égaré la liaison et le secret *.

« It required a definite act of will for me to believe that something was going to happen. And all this, for what ? For a dance, for a rite of lost Indians who don't even know who they are or where they come from and who, when questioned, answer us with stories of which the thread and the secret have drifted from their grasp. »

Chaque après-midi ce jeu de traduction suivait une longue sieste tandis qu'au-dehors les oiseaux poursuivaient leurs vocalises, parfois insistantes, parfois perplexes, interrogatrices, extatiques et majestueuses, troublées – plus intelligibles, du moins leurs intentions, que le chant mystérieux d'Antonin Artaud :

Il me sembla partout lire une histoire d'enfantement dans la guerre, une histoire de genèse et de chaos, avec tous ces corps de dieux qui étaient taillés comme des hommes, et ces statues humaines tronçonnées *.

« It seemed to read everywhere a story of childbirth in war, a story of genesis and chaos, with all these bodies of gods which were carved out like men; and these truncated statues of humans. »

Cet Artaud semblait coriace. Peut-être était-il sincère, peut-être cherchait-il réellement quelque chose. Mais E. M. Cioran. *Le* Cioran. C'était décadent. C'était... improductif, et délicieux.

Cet état de stérilité où nous n'avançons ni ne reculons, ce piétinement exceptionnel est bien celui où nous conduit le doute et qui, à maints égards, s'apparente à la « sécheresse » des mystiques*.

« This state of sterility in which we neither advance nor retreat, this peculiar marching-in-place, is precisely where doubt leads us, a state which resembles in many respects the "dry places" of the mystics. »

... nous retombons dans cet état de pure indétermination où, la moindre certitude nous apparaissant comme un égarement, toute prise de position, tout ce que l'esprit avance ou proclame, prend l'allure d'une divagation. N'importe quelle affirmation nous semble alors aventureuse ou dégradante; de même, n'importe quelle négation *.

« ... we relapse into that state of pure indetermination where – since any certainty whatever seems to us a lost turning – each resolution, all that the spirit advances or announces, takes on the aura of a divagation. Then any affirmation, no matter what, seems foolhardy or degrading; the same for any negation. »

Il chercherait une traduction anglaise, si elle existait. Lire puis sentir le sens s'effriter sous le travail de son esprit – il avait faim de ce plaisir. Il songea à écrire une lettre à un ami disant : Je crois que je suis peut-être méchant, en fait je suis sans doute diabolique et si le diable existe je suis probablement son allié... Au cœur même de ma capacité à saisir la vérité, je veux être paralysé, je désire m'évanouir... Je veux que mon esprit défaille devant la vérité. Je désire que la vérité me baigne, mais seulement comme un flot sensuel et rien d'autre. Je veux qu'elle me mouille – pour être réel, pour être une chose...
Cette lettre, il ne l'écrivit jamais. Il ne savait pas qui était cet ami. Il n'avait aucun ami au monde, sinon E. M. Cioran.

Le détracteur de la sagesse, s'il était de plus croyant, ne cesserait de répéter : « Seigneur, aidez-moi à déchoir, à me vautrer dans toutes les erreurs et tous les crimes, inspirez-moi des paroles qui vous brûlent et me dévorent, qui nous réduisent en cendres *. »

« The detractor of wisdom, if he were a believer as well, would never strop repeating, "Lord, help me to fall, to wallow in every error and every crime, inspire me with words that scorch You and devour me, which reduce us *both* to ashes." »

Nullement étonnant que Bouquet ait écrit dans son carnet :

Dans la gloire de la guerre, dans l'extase du combat, dans la vérité de la guerre nous constatons que la force prime le droit. Et que notre respect des principes se fonde sur l'éloquence et la superstition.

Il en avait bel et bien terminé des fichiers du colonel. Une attitude s'était peu à peu dessinée. Un travail absurde, un déchet inutile, mais pour le bureaucrate rien n'est un déchet tant qu'il n'a pas affronté son âme en la régurgitant.
Pourquoi n'allait-il pas à la rencontre des villageois de la région, pourquoi ne collectait-il pas les contes du folklore local ? Pourquoi

envoyait-il Tho dire au père Patrice qu'il était fiévreux alors que le prêtre mourait d'envie de manger un repas chaud ?

Sans rime ni raison, remettre toujours tout en question, douter même en rêve *!

« Without rhyme or reason to keep putting everything in question, to doubt even in dreams! »

En lisant Cioran il fut revisité par la révélation qu'il avait eue à l'âge de dix ans, quand le fils d'un cheminot lui avait montré la petite photo d'une femme pratiquant une fellation sur un gros pénis noir, seul le torse de l'homme était visible, le regard chaviré de la femme flirtant avec le photographe – sa propre curiosité envers de tels actes n'était pas une ignoble trahison, elle était connue, répertoriée, admise, d'autres la nourriraient.

Le doute s'abat sur nous comme une calamité ; loin de le choisir, nous y tombons. Et nous avons beau essayer de nous en arracher ou de l'escamoter, lui ne nous perd pas de vue, car il n'est même pas vrai qu'il s'abatte sur nous, il était en *nous et nous y étions prédestinés *.*

« Doubt collapses onto us like a disaster ; far from choosing it, we fall into it. And try as we will to pull out of it, to trick it away, it never loses sight of us, for it is not even true that it collapses onto us – doubt was *in* us, and we were predestined to it. »

Il avait rejoint la guerre pour voir des abstractions devenir réalité. Au lieu de quoi, il avait observé l'inverse. Tout, maintenant, était abstrait.

Seul dans cette maison, seul dans cette guerre, comme les émules de E. M. Cioran... Pas étonnant que Bouquet fût sorti sur la véranda...

De nouveau la nuit, les insectes sont bruyants, les papillons se tuent contre la lampe. Il y a deux heures, j'étais assis sur la véranda pour regarder le crépuscule, débordant d'envie pour chaque créature vivante – oiseau, scarabée, fleur, reptile, arbre, vigne sauvage – qui ne porte pas le fardeau de la connaissance du bien et du mal.

L'abîme regorge
de réalité, l'abîme fait l'expérience de soi,
l'abîme
vit

Entre deux boulots Bill Houston traînait chez sa mère, il habitait avec elle et Burris, son petit frère âgé de douze ans, ce qui le mettait au même niveau, lui semblait-il, que cet étrange préadolescent, un gamin à problèmes comme les deux aînés, un cancre et un vagabond, sniffeur de colle, fumeur de joints, amateur de sirops contre la toux. Une épreuve pour la foi, disait sa vieille mère, une bonne raison de prier. En août, en réponse à ses propres prières, Houston décrocha un boulot dans la banlieue ouest, qui consistait à charger des sacs de graines de lin dans des semi-remorques, et il prit bientôt une piaule dans le quartier situé autour de la Deuxième Rue et appelé le Diable, une ambiance de taudis où il crut pouvoir oublier sa mère et affronter sa confusion à l'abri des regards indiscrets. Sans son renvoi définitif de l'armée, il serait bien retourné sur un bateau. Il envisagea un moment de postuler dans la marine marchande, mais il se dit que là non plus on ne voudrait pas de lui. Houston pensait à James, son frère cadet, qui faisait la guerre, multipliait les expériences nouvelles, le devançait en quelque sorte. Le monde tout entier l'avait abandonné dans son sillage, alors qu'à Roy Ruggins Seed, comme si souvent dans son existence de travailleur, il gagnait sa vie en répétant sans cesse les mêmes gestes mécaniques. Debout avant l'aube, il parcourait un grand nombre de kilomètres pour entrer dans ces remorques longues de dix-huit mètres et en sortir, dans un sens puis dans l'autre, gravir la longue rampe d'accès et aller tout au fond en tirant deux sacs de quarante kilos avec des crochets à foin. Çà et là des petits points lumineux filtraient par les fentes des remorques. Empiler les sacs de chaque couche à angle droit avec ceux de la couche directement inférieure. Huit couches chaque fois. Les graines de lin avaient une odeur particulière, écœurante. Les manœuvres travaillaient selon les horaires d'été pratiqués au fin fond du désert : de cinq à neuf heures du matin, puis de cinq à neuf heures du soir, en faisant une pause de huit heures durant les heures les plus chaudes de la journée. Entre ces deux périodes, ils tâchaient de ne pas se saouler. Ou du moins de ne pas trop se saouler.

Après avoir perdu ce boulot il renonça à sa piaule en ville et essaya l'Armée du Salut, qui exigeait une sobriété rigoureuse et qu'on ne pouvait pas duper longtemps. Chassé à cause de son haleine qui empestait l'alcool, il s'en serait très bien tiré en dormant toute la journée sur la place du centre-ville et en passant ses nuits à errer dans les rues, mais il faut bien manger, et à la mission de la Vie Nouvelle il avait seulement droit à un sandwich au beurre de cacahuètes à midi, puis à des saucisses aux haricots pour dîner, ces deux repas servis avec un gobelet de lait chocolaté en poudre. Tandis qu'il faisait la queue deux fois par jour avec d'autres paumés aussi affamés que lui, la vie se moquait de sa faim et il regrettait de ne pas avoir un toit et une cuisine bien à lui, de ne pas être de nouveau dans la marine, ou à l'Armée du Salut – voire en prison. Il avait passé trois semaines dans la geôle de Phoenix en attendant son procès pour violences aggravées, et la vie derrière les barreaux lui avait semblé irréprochable. On vous y servait trois repas quotidiens et les gens étaient corrects – sans doute des criminels, mais sobres et bien nourris les criminels se comportent à peu près correctement. N'importe où sauf dans la maison de sa mère. Le zèle religieux de cette bigote en quête du paradis faisait de ce lieu un enfer.

Dans un bar de Central Street il rencontra une adorable femme pima toute potelée qui se présenta comme une métisse. Elle l'emmena dans le désert jusqu'à la réserve située loin à l'est de la ville, ils s'assirent sur le capot de la vieille Plymouth de l'Indienne dans le crépuscule fraîchissant tandis que le ciel se délavait en une nuance imperceptible de bleu. Ils s'entendaient bien, Houston et cette femme au grand cœur et aux incisives brunes dans sa face heureuse d'Eskimo. Petite et dodue. Elle était, pour tout dire, sphérique. Elle l'emmena chez elle dans sa cabane à l'est de Pima Road, juste à l'intérieur de la réserve, puis quelques jours plus tard il l'épousa lors d'une cérémonie conduite par un vieil imbécile tout ratatiné qui prétendait être un *medicine man*. Houston et sa nouvelle épouse passèrent deux semaines au septième ciel, jusqu'à l'arrivée et l'emménagement du frère sombrement, vicieusement silencieux de la jeune mariée. Un après-midi qu'elle faisait la sieste, Houston prit six dollars et six cigarettes dans la boîte à gants de la Plymouth – six, son nombre porte-bonheur, et heureusement pour elle que ce nombre n'ait pas eu deux chiffres –, puis il rentra en bus au quartier du Diable. Avait-il besoin d'un avocat ? Il en doutait. Cette femme lui avait ravagé le cœur, mais deux semaines ce n'était pas le bout du monde. Il n'avait pas l'intention de compliquer cette aventure par un divorce.

Après octobre, après la saison des pluies, de nombreuses matinées à Cao Quyen débutèrent sous le soleil avant l'inévitable après-midi couvert – il pensait souvent à une remarque émise par Jimmy Storm : « Y a pas de ciel sous les tropiques » – et avec ce don s'incarnaient certains aspects de la beauté dans les pièces de la villa qui donnaient à l'est, des plaques de lumière presque solides dans les fentes des persiennes à l'étage, la cuisine piquetée de reflets éblouissants parmi les ustensiles, les volets crasseux du bureau sauvagement éclairés en contre-jour, et puis les grandes bouches d'aération rectangulaires toute proches du plafond du salon, leurs plans austères semblables aux exercices d'un peintre travaillant des effets de perspective... Enfin, la lumière perpétuelle, uniforme et terne de l'après-midi, cette lumière qui tombait d'un ciel entièrement couvert lui donnait le cafard. Le matin il le voyait bien : toutes les options étaient ouvertes. Mais l'après-midi toute progression devenait impossible, le sol se dérobait, le doute l'avait dissous.

Mme Diu annonça : « Une dame pour vous voir, monsieur Skip. »

Il se leva du bureau, entra au salon et tomba sur une inconnue, des taches de rousseur, des cheveux bruns, un corps mince, un corsage blanc doté de poches, un pantalon kaki viril, et il dit : « Kathy » avant même de comprendre qu'il la connaissait.

À Damulog elle n'avait pas eu cette expression excitée et effrayée – hystérique ou terrifiée –, cet air traqué qu'ont tant de missionnaires dans la jungle. Maintenant elle l'arborait. Une main serrait le bord du chapeau conique des paysans – le *nong la*. Il le lui prit pour le poser sur la table basse du salon et elle suivit son couvre-chef, resta plantée là, vaguement essoufflée, debout près de son chapeau.

« On m'a parlé d'un Canadien.

— Je peux faire préparer du thé. Veux-tu du thé ?

— C'est bien toi ? C'est toi le Canadien ?

— Décidez-vous, madame. Du thé ou pas de thé ?

— Plutôt un peu de cette mixture incendiaire que vous lâchez sur les villages ?

— Je suis, je suis... je suis épuisé.

— J'aurais dû m'en douter. Je m'en doutais. AID ! Del Monte ! Canadien ! Quoi encore ? L'orchestre symphonique de Toronto ?

— Adventiste du septième jour.

— Vous tous, oh, mon Dieu. Vous êtes tellement risibles que ça ne fait plus rire personne.

— Je traduis la Bible, si tu veux savoir.

— Ça n'a rien de drôle.

— Tu crois que je n'ai pas compris ? Il y a longtemps que j'ai perdu mon sens de l'humour. Bon, veux-tu prendre un thé avec moi, Kathy ? Il s'agit bien d'une visite de courtoisie, n'est-ce pas ?

— Je rends visite à un Canadien.

— Mais avec courtoisie, pas vrai ?

— Oui. Je parie que tu as du miel.

— Non. Du lait condensé, le truc sucré.

— Pas de miel ?

— Rien de tel.

— Non ? Peut-être que tu as fait un pied de nez à McNamara. C'est bien lui ?

— Le secrétaire à la Défense ?

— Oui. Pour te punir il t'a condamné à l'exil, hein ?

— Je me plais beaucoup ici.

— Vous autres les espions, vous êtes toujours si effrontés et guillerets.

— Assieds-toi. » Après toutes les déconvenues qu'il venait de subir et la réalité sinistre de son travail, il trouva délicieux de se faire traiter d'« espion ».

Elle s'assit au bord d'un fauteuil et lança des regards effarés autour d'elle.

« Bon, alors, dit-il, du thé.

— Comment ça va au Canada ?

— Arrête un peu. S'il te plaît.

— Je ne sais pas quoi dire. Je ne sais pas quoi dire. Je suis simplement, je suis vraiment – je suis furieuse. » Lorsqu'elle se leva, l'indécision lui bouleversait les traits. « Je m'en vais. » Comme si ces mots venaient de lui souffler l'idée, elle franchit d'un pas rapide le seuil de la pièce et sortit, abattit ses paumes sur le guidon de la bicyclette qu'elle avait garée dehors, donna un coup de pied à la béquille, une bicyclette noire.

« Kathy, allez, attends un peu », lança Skip, mais sans la rejoindre. Elle avait déclaré qu'elle était furieuse. Il se dit que c'était là l'état le plus fréquent de Kathy Jones.

Assis sur le canapé, il se pencha en avant, les coudes sur les genoux, les yeux tournés vers les revues posées sur la table basse – *Time* et *Newsweek*, avec en couverture deux athlètes olympiques américains levant un poing ganté de noir pour faire le salut du Black Power. À Mexico, croyait-il sans en être certain, car il avait renoncé à lire ces revues.

Elle revint en disant : « Je n'ai jamais eu de tes nouvelles. »

Il attendit qu'elle se fût emparée du grand fauteuil face à lui pour l'éloigner un peu afin de manifester son mécontentement, après quoi elle s'assit dans le rotin qui grinça. « Alors ? insista-t-elle.

— Eh bien, je t'ai envoyé quelques cartes postales.

— Je t'ai écrit des tonnes de lettres. J'en ai même posté certaines. Sais-tu pourquoi j'ai coupé toute communication avec toi ?

— Je compte sur toi pour me l'apprendre.

— Parce que quand le père Carignan est mort – tu savais qu'il était mort ? Bien sûr que tu savais qu'il était mort –, parce que nous avons appris que le prêtre qui vivait près de Carmen s'était noyé, et c'est toi qui as annoncé cette nouvelle au diocèse, nous avons été ensemble trois semaines, nous avons été amants, et tu n'en as jamais parlé !

— N'ai-je pas reçu une lettre de toi il y a un an ? Longtemps après l'histoire du prêtre, le pataquès philippin, la noyade.

— J'ai mis du temps, mais j'ai enfin compris : ça ne vaut pas la peine de parler aux menteurs.

— Peut-être pas, dit-il. Mais j'ai bien aimé tes lettres. »

Cette dernière remarque parut la faire réfléchir. « Tu ne m'as jamais vraiment répondu. Les cartes postales comptent pour du beurre.

— Peut-être que je ne voulais pas mentir. » Vrai, mais pas la raison première de son silence. Il avait trouvé les lettres de Kathy délirantes. « Ou plutôt, non – les lettres c'est difficile. Voilà qui est plus proche de la vérité.

— Un faux Canadien parlant de la vérité. Au fait, quel nom portes-tu maintenant ?

— Skip.

— Skip comment ?

— Benét. Mais surtout Skip. Toujours Skip.

— Donc le prétendu Benét veut parler de la vérité !

— Nous ne pouvons pas toujours dire la vérité sur nous-mêmes. C'est toi qui me l'as dit un jour.

— Je ne me rappelle pas avoir jamais dit ça, mais c'est tout à fait vrai dans le cas d'un type comme toi, c'est tout à fait vrai dans ton cas.

— Alors... tu vas rester un peu. »

Au bord des larmes, elle le fusilla du regard. Sa fureur s'échappa d'elle en un soupir excédé et il comprit soudain qu'elle était heureuse de le revoir.

Quant à l'espion, il était aux anges, ses mains tremblaient de joie. Il trouva Mme Diu et demanda du thé, des fruits, du pain, puis retourna auprès de son invitée et dit : « Juste deux minutes », après quoi il repartit traîner dans la cuisine, terrifié à l'idée d'affronter Kathy sans rien à boire ni à manger, tandis que Mme Diu s'activait. Il apporta lui-même le plateau.

Elle aussi paraissait timide tout à coup. « Ce chien, dit-elle, erre partout dans la maison.

— C'est le docteur Bouquet. L'ancien propriétaire de l'endroit.

— Ça se voit.

— Il s'est réincarné.

— Vraiment. Il a choisi le mauvais pays où renaître sous la forme d'un chien.

— Mais la bonne maison à mon avis.

— Il finira entre une paire de baguettes.

— Je crois qu'il est maintenant trop vieux pour ça. »

Skip se mit à gratter le poil du chien et comprit trop tard qu'il allait se salir les doigts. « Hé, fit-il, je ne vais pas te demander de rester. Je ne suis pas en mesure de recevoir. Absolument pas. Pas en ce moment. Je croule sous le travail.

— Quoi ?

— Ah, c'est de la *folie*.

— Oui. Aucun doute. Dire que...

— Je croyais avoir la situation en main, mais en réalité je suis complètement paniqué.

— Veux-tu que je reste, ou veux-tu que je m'en aille ?

— Je veux que tu restes. »

Il fit un geste maladroit et laissa tomber un morceau de pain, que Docteur Bouquet ramassa aussitôt avant de s'éloigner au petit trot. Skip le regarda partir d'un air dépité, en homme dépourvu de réflexes assez vifs. « Je l'ai baptisé Docteur Bouquet, mais je crois qu'il faut l'appeler *Monsieur* *. Les diplômes médicaux ne se transmettent pas d'une vie à la suivante, non ? Que fais-tu ici à Cao Quyen ?

— Ce que je fais ici ?

— Oui. Plus ou moins.

— Je ne bosse plus pour l'ICRE mais pour WCS.

— WCS ?

— World Children's Services est un réseau de près de soixante agences dans le monde entier, qui fournissent des services sociaux aux enfants et à leurs familles depuis 1934.

— Je n'en doute pas.

— L'aide à l'adoption est au cœur du travail de WCS. Dans plusieurs districts, y compris celui-ci, nous faisons ce que nous pouvons pour coordonner les efforts dont bénéficient les enfants sans famille.

— J'en suis certain.

— Arrête. Je rendais donc visite à la famille missionnaire de Bac Se, et ils m'ont parlé de toi. Les Thomas.

— Je ne les ai jamais rencontrés. Jamais entendu parler d'eux.

— Eux ont entendu parler de toi par l'intermédiaire d'un prêtre.

— Thong Nhat – le père Patrice.

— Je n'en sais rien. Je sais seulement que j'ai fait un détour pour saluer un compatriote canadien, et à la place je tombe sur toi. L'Américain bien tranquille.

— Ouf, dit-il, merci de ne pas m'appeler l'Affreux.

— De toute façon tu ne l'entendrais pas. Tu es sourd. Nous savons tous que vous êtes tous sourds, mais vous autres les Américains ne vous en doutez même pas.

— Pendant une seconde j'ai eu l'impression que nous nous entendions à peu près.

— Désolée. »

À court de conversation, elle le considéra d'un air pitoyable.

« *Qué pasa ?*

— "*Qué pasa ?*" Tu parles comme un GI.

— Je sais. *Qué pasa ?*

— Je suis vannée.

— Je n'en doute pas.

— Je veux dire – c'est moi l'affreuse. Et ça m'a lessivée, tu comprends ?

— Écoute, dit-il. Je suis très content que tu sois là. J'en suis très heureux, Kathy.

— C'est vrai?

— Dois-je me rendre ridicule pour te le prouver?

— Ça ne me dérangerait pas », fit-elle.

Par chance, le chien revint réclamer du rab. Skip lui ébouriffa le poil et lui donna des morceaux de mangue. « Tu es ici pour les orphelins, j'imagine. Pour WCS. »

Elle opina du chef, une tranche de mangue plantée au bout d'une fourchette et brandie comme un drapeau, la bouche pleine de pain. Elle avala le pain, la mangue, presque la fourchette.

« Maintenant c'est à moi de m'excuser. Je n'ai pas réfléchi – désires-tu un vrai repas? »

Elle secoua la tête, mâchant toujours. « Non merci. Oui – je veux dire, oui, l'adoption. Nous sommes une organisation paravent pour les agences d'adoption.

— Si chaque famille d'Amérique du Nord adopte un enfant vietnamien, nous gagnons la guerre.

— Un truc comme ça. Je serais ravie d'emmener tous les enfants hors du pays avant de l'abandonner aux tueurs.

— Êtes-vous aussi durs que l'ICRE?

— Oh oui – compte tenu de notre taille nous sommes implacables. Mais comme j'ai un jour entendu le maire Luis le déclarer : "Nous allons trouver l'argent, nous allons nous agenouiller devant beaucoup de gens."

— Excellent. Tu l'imites parfaitement.

— Tu es resté en contact?

— Non.

— Moi non plus.

— Revenons à l'autre chose, proposa-t-il. Quand tu as dit que ça ne te dérangerait pas que je me ridiculise.

— Laisse-moi d'abord manger. »

Quelques minutes plus tard il lui montra les chambres à l'étage. D'après ce qu'il put voir en montant les marches derrière elle, Kathy avait gardé un peu de poids dans les hanches et les cuisses, mais elle avait trouvé le mot juste : la vie l'avait lessivée. Lui-même avait évolué en sens inverse. Il n'avait pas de balance, mais son maillot de bain le serrait un peu plus et il le portait plus bas, sous la bouée de sauvetage qui lui ceignait les hanches. Pas de balance, mais il avait découvert un stéthoscope et un tensiomètre. Une douzaine de rouleaux de bandages, aucun ruban adhésif. En temps de guerre les fournitures étaient ainsi – erratiques. Telles étaient les pensées qui le torturaient alors qu'il tentait de trouver un moyen de maîtriser une lubricité et un bonheur colossaux, le bout de ses doigts qui le picotaient, un cœur qui battait la chamade, un vertige inédit. Il était à peu près certain qu'elle se laisserait faire, mais elle était cinglée – à tout le moins horriblement compliquée –, affligée d'une blessure secrète et d'un cynisme trompeur, s'enflammant pour un rien. Furieuse le plus clair du temps. Toutes ces qualités excitaient Skip. Et puis c'était la dernière femme avec qui il avait couché, l'une des cinq au cours de ses trente années d'existence. L'homme aux réflexes sûrs ne comptabilise pas ses conquêtes. L'homme aux réflexes peu sûrs devrait cesser de le faire. Et sur les cinq, elle était la seule avec qui il avait couché plus d'une fois. Il la guida vers sa modeste suite, se retourna vers elle, et – rien. Aucun réflexe.

« J'ai dit que ça ne me dérangerait pas », répéta-t-elle et ils entamèrent un baiser maladroit. « As-tu du vin ?

— Oui. Dieu merci, oui. Et une demi-pinte de Bushmills.

— On dirait une fête », dit-elle avant de poser doucement deux doigts sur l'avant-bras de l'Américain.

Saisissant ces doigts entre les siens, il l'entraîna vers le lit double, où il mit en pratique ce qu'il avait appris en lisant les passages scabreux de Henry Miller, en observant les petites photographies obscènes, en écoutant les confidences viriles dans les dortoirs. Comme à l'époque de Damulog, ils ne parlèrent pas. Tout ce qu'ils firent fut un secret, surtout pour l'autre. Ainsi qu'elle l'avait dit, ça ne la dérangeait pas et dans la toute dernière phase elle leva les yeux vers un point du plafond et cria. Alors, l'espace d'un instant, il pensa : Je suis James Bond, avant de retomber dans la grisaille du doute – Artaud et Cioran, le chien, la pluie, le sens de tout ça, l'attente du contact avec un soi-disant agent double, l'objectif en vue duquel on l'avait fait venir ici presque deux ans plus tôt. C'était une folie. Cette opération secrète et la guerre proprement dite – folie sur folie. Et cette femme à côté de lui à qui il venait tout juste de faire l'amour, elle transpirait comme un joueur de handball.

Il y eut alors une brève compétition, lui sembla-t-il, pour savoir qui allait parler en premier.

« Il faut faire du feu pour avoir de l'eau chaude, dit-il, mais si tu désires prendre une douche...

— Oh, ça va ! Une douche froide me convient très bien.

— Je vais pisser, annonça-t-il. Ensuite, tu prendras ta douche, d'accord ? »

Pendant qu'elle se douchait, il s'essuya le ventre avec le drap de lit, puis remit son maillot de bain. Il envisagea d'ouvrir un livre, mais le temps était menaçant et il bénéficiait de la seule lueur terne et verdâtre des nuages d'orage. Tous les livres, pensa-t-il alors, sont en bas. Il n'y a rien à faire, pensa-t-il encore. Aucune tâche à accomplir. Il s'assit à la petite table basse, regarda ses genoux, puis ses pieds nus.

Elle revint, le corps enveloppé dans une serviette, les cheveux coiffés en arrière, les joues toutes roses derrière leur bronzage. Elle avait de tristes genoux cagneux. Retenant la serviette contre sa poitrine, elle s'étira, allongeant seulement le bras gauche tout en gardant la serviette pressée contre son corps. Il y avait un fauteuil en face de lui, mais elle s'assit sur le lit. « On dirait que c'est le premier vêtement dans lequel je t'ai vu. Tu portais une espèce de maillot de bain bizarre, exactement comme ça, avec des poches.

— C'est le même maillot, en effet. Il est d'une solidité à toute épreuve.

— Et ton bermuda aux couleurs vives ?

— Il est fichu, je crois.

— Il y avait aussi un orage.

— La première fois que tu m'as vu je portais un pantalon. Ce restaurant à Malaybalay, tu te rappelles ?

— Je refuse de me rappeler. »

Elle était arrivée à point nommé. C'était son atmosphère. C'était la lumière qui lui convenait, parfaite pour sa peau pâle et triste sous le cou bronzé et au-dessus des coudes éraflés, parfaite pour la pose de la vierge martyrisée, pour son attente qui n'attendait rien – sa jambe droite assez massive et paysanne qui pendait du lit et le pied plongé dans l'ombre proche des planches patinées du sol, l'autre jambe perpendiculaire et la plante du pied contre l'autre genou, dessinant le chiffre 4 avec ses jambes tandis qu'elle reposait sur le lit, une main ouverte sur les seins, l'autre sous la nuque – une lueur d'étang, une lueur d'église. Eût-elle deviné qu'il la dévorait des yeux, jamais elle ne se serait permis pareil abandon. Elle tourna son regard vers lui et le dévisagea sans le moindre changement d'expression, comme s'il comptait pour rien. Elle n'était pas, en elle-même, belle. Ses attitudes étaient belles.

La chambre s'obscurcit, des bourrasques amenèrent du village des voix indistinctes, le fracas de choses entrechoquées, mais juste avant la pluie le vent se calma et ce qui chut du ciel aurait pu tomber n'importe quel jour d'été en Nouvelle-Angleterre.

« Arrête de me regarder comme une bête curieuse.

— Tu es une vraie bénédiction. Grâce à toi, tout s'en va.

— C'est quoi, tout ?

— L'ennui. L'ennui. Et puis les gamberges. La fièvre et la solitude.

— Oh, dans le Manitoba nous savons tout sur la fièvre et la solitude. Au printemps, les gars sautent dans leur pick-up et ils font deux cents bornes pour boire un coup de whisky.

— À propos. Tu veux un peu de Bushmills ?

— On avait oublié ! Pour l'amour du ciel – que fixes-tu ainsi des yeux ?

— J'ai pas le droit ?

— Pas quand c'est moi. Je suis une vieille pie. Ce soleil te grille comme un marshmallow. J'ai la peau toute tannée.

— Tu arbores simplement les stigmates de tes aventures.

— Conneries.

— Non.

— Tu trouves cet endroit très palpitant ?

— Bien sûr que oui.

— Il n'est pas drôle. C'est peut-être une aventure pour toi, mais une aventure n'est pas drôle avant d'être terminée. Et ce n'est même pas certain. »

Cela lui fit l'effet d'une vérité. Il servit deux rasades de Bushmills tiède et apporta les verres près du lit. Pelotonnée contre le mur, elle tenait son petit verre à deux mains et sirotait.

« Est-ce que les adventistes du septième jour boivent ?

— Parfois oui, parfois non. Ici, dans ce bordel, je dirais que nous buvons dès que nous en avons l'occasion.

— Où étais-tu ? Dans le delta ?

— Un village nommé Sa Dec. Mais j'ai dû partir. Tout a changé là-bas depuis le Têt. Tout est déchiqueté par les grosses balles américaines. Tout le monde doit être prudent. À n'importe quel moment une catastrophe peut te tomber dessus. Pour beaucoup de gens c'est déjà fait. La situation est terrible, terrible. Tu t'y fais, tu vas de l'avant malgré tout, et puis un jour tu te réveilles et tu ne la supportes plus. Et puis au bout d'un moment tu t'y fais de nouveau.

— Tu es donc ici à la recherche d'orphelins ?

— Pas besoin de chercher très loin.

— Exact. Exact.

— Nous faisons simplement la liaison avec les missionnaires. Nous voulons mettre quelque chose sur pied, quelque chose de mieux si possible. De plus gros. Les infrastructures existantes sont atterrantes, toutes sans exception. » À cet instant précis les choses atterrantes n'intéressaient pas Skip. Tandis qu'elle parlait, il observait le visage de Kathy et se demandait ce que Rembrandt aurait pu faire dans cette lumière terne, véridique.

« Et ton appareil photo ? demanda Kathy.

— Mon appareil ?

— Je me souviens que tu avais un appareil photo. Tu te balades toujours avec ?

— J'y ai renoncé. Fini la photo. Elle transforme le monde en musée.

— Elle devrait le transformer en quoi, à ton avis ?

— En cirque zinzin. »

Il gardait des photographies dans le tiroir de sa commode, à côté du pistolet Beretta dont il ne se servait jamais. « Regarde ça. » Il tendit une douzaine de tirages à Kathy.

« Emeterio D. Luis !

— Pas une seule de toi.

— Un minibus ! Ces véhicules me manquent.

— Presque cinquante passagers.

— Pas étonnant qu'un pneu ait crevé. »

Des coups frappés à la porte. Mme Diu désirait entrer. « Nous allons descendre dîner, lança Skip.

— J'ai l'encens. Vous vouloir ?

— Très bien. »

Elle entra en tenant à la main trois bâtons à la fumée odorante et dit : « Oui, bonsoir », puis elle en glissa les tiges dans leur support sur une étagère élevée, à l'autre bout de la chambre. « Okay. Dîner plus tard. Je vous dire », fit-elle avant de sortir et de refermer doucement la porte derrière elle.

La pluie avait cessé. À travers la moustiquaire de la fenêtre, durant les deux minutes de crépuscule qui précédèrent la brusque tombée de la nuit, il regarda Tho gravir le tronc d'un des papayers situés derrière la villa. Parce qu'ils surplombaient et dépassaient la berge de la rivière, le vieil homme ne pouvait pas faire tomber les papayes à terre en secouant l'arbre, mais il devait monter en posant la plante nue de ses pieds plats contre l'écorce, un couteau de cuisine serré entre les dents, agrippant le tronc à pleines mains, avant de couper la tige du fruit, de le glisser sous un bras, de redescendre jusqu'à un mètre du sol et de sauter alors légèrement à terre.

« Je peux me resservir ?

— Absolument, camarade.

— Une toute petite goutte. »

Soudain Skip se sentit légèrement irrité que Kathy eût commencé par lui extorquer des excuses – même s'il avait blagué, minimisé sa pénitence – et qu'elle ait maintenant tout oublié. Puis il se dit que ces mois de solitude lui avaient appris à lire en lui-même, à se sonder comme un chercheur ; qu'il avait réellement fait connaissance avec une seule et unique personne sur cette terre.

Il plut encore, et puis ce fut la nuit. Kathy ne pouvait retourner maintenant auprès des missionnaires de Bac Se. Ils dormirent côte à côte, sans drap, elle dans un des T-shirts rêches et lavés à la main de Skip, lui en short. Le lendemain matin, après le petit déjeuner, elle partit pour Bac Se sur sa bicyclette noire et Skip ne la revit jamais.

1969

Quand les trois Américains apparurent sur le seuil de son domicile pour l'emmener à l'école de langues des forces armées, Hao ne comprit pas tout de suite la nature de cette rencontre. Le seul des trois qui prit la parole, un Noir, le fit très poliment et il se présenta sous le nom de Kenneth Johnson, de l'ambassade américaine. Ils rejoignirent le centre-ville dans une Ford équipée de l'air conditionné, aux vitres fermées et aux plaques diplomatiques, Hao installé à l'arrière en compagnie d'un des deux hommes plus jeunes.

Une fois arrivés à destination, les deux jeunes descendirent, puis chacun ouvrit l'une des portières des passagers. Hao et Kenneth Johnson continuèrent seuls au-delà des barrières en béton vers le bâtiment flambant neuf. Le précédent avait été détruit l'année précédente au cours de l'offensive du Têt. Deux ou trois mille membres de l'armée vietnamienne y étudiaient l'anglais. À l'intérieur, l'air sentait la peinture récente et le bois fraîchement scié.

Pour ce qu'il en savait, ce bâtiment n'abritait aucun prisonnier.

Johnson le guida au bas d'un escalier jusqu'à l'entresol où un marine en uniforme se joignit à eux. Les nombreux étudiants occupaient les étages supérieurs, leurs pas faisaient vibrer le plafond au-dessus de leurs têtes, mais dans ce couloir de l'entresol, Johnson, Hao et le marine marchaient seuls. Au bout du couloir ils arrivèrent devant une porte près de laquelle était fixée dans le mur une espèce de petite calculette, quatre ou cinq boutons que Johnson pressa d'un doigt expert, après quoi la porte bourdonna et claqua.

Johnson dit : « Merci, sergent Ogden », puis Hao et lui entrèrent dans un couloir aux portes closes. Là, tout était calme et il y avait l'air conditionné. Johnson lui fit franchir la seule porte ouverte, qui donnait sur un petit salon, meublé comme n'importe quel salon d'un canapé et de fauteuils rembourrés, ainsi que d'une grosse glacière électrique rouge, portant les mots « Coca-Cola ». Cette pièce n'avait pas de fenêtre. L'entresol était sans doute profondément enterré.

« Vous voulez un Coca ? »

Johnson souleva le lourd couvercle de la glacière, en sortit une bouteille ruisselante, puis il la décapsula sur un ouvre-bouteille fixé au flanc de la glacière et la tendit à son hôte. Elle était très froide.

Il se sentit contraint d'en boire une gorgée. Il retroussa les lèvres, dirigea le liquide vers la partie droite de sa bouche et avala. Il avait une dent cariée, une molaire gauche. Le colonel avait évoqué un dentiste.

« Asseyez-vous », dit Johnson et Hao s'installa au bord du coussin du canapé, les jambes repliées sous le corps tel un coureur de fond.

Johnson resta debout. Il était petit pour un Américain, avec des grosses taches de transpiration aux aisselles de sa chemise blanche. Hao n'avait jamais parlé avec un Noir.

Ils étaient venus le chercher environ une heure après le départ de Kim pour le marché. Ce détail signifiait qu'ils n'avaient pas voulu qu'elle les vît. Ils avaient pris soin de garder cette visite secrète. Pour que personne ne sût où il partait.

Johnson s'assit confortablement dans un fauteuil face au Vietnamien et lui offrit une cigarette. Hao l'accepta même si lui-même possédait un paquet de Marlboro, puis il l'alluma avec son propre briquet, tira une profonde bouffée et expulsa la fumée par les narines. Sans filtre. Avec délicatesse il cracha un brin de tabac. Que les ancêtres de cet homme aient appartenu à une race d'esclaves l'embarrassait.

M. Johnson rangea son paquet de cigarettes dans sa poche de chemise sans lui-même en prendre une, et il se leva. « Monsieur Nguyen, voulez-vous m'excuser une minute ? » Alors que Hao essayait de trouver un sens à cette question, le Noir sortit sans fermer la porte et le laissa seul avec ses pensées, qui n'avaient rien de gai. Il laissa tomber son mégot de cigarette dans le goulot de la bouteille, où il chuinta, flotta, s'assombrit, coula puis s'immobilisa à mi-chemin du fond.

Par la porte ouverte Hao vit son épouse Kim, accompagnée d'un autre Américain, passer dans le couloir. Une fissure s'ouvrit dans son âme. Kim regardait ses pieds comme si elle marchait sur un sentier inégal. Apparemment, elle ne le remarqua pas.

Le Noir revint. « Monsieur Nguyen ? Relocalisons notre entretien, voulez-vous ? » Johnson ne s'était pas assis. Hao comprit que l'Américain n'en avait pas l'intention, que lui-même devait se lever. Il se laissa guider dans le couloir jusqu'à une autre pièce sans fenêtre et toute proche de la première, où était installé un homme jeune, mince, aux traits anguleux, aux lunettes de lecture presque posées au bout du nez, une cheville en équilibre sur un genou, les yeux baissés vers le contenu d'une chemise en papier brun ouverte sur la table à sa gauche. Il sourit à Hao et dit : « Monsieur Nguyen, entrez donc, j'aimerais vous montrer quelque chose », et Hao plaça tous ses espoirs dans cette voix presque accorte. Sur la table se trouvaient des appareils et des fils évoquant un système radio complexe.

« Je m'appelle Terry Crodelle. Tout le monde m'appelle Crodelle et j'espère que vous le ferez aussi. Ça va si je vous appelle monsieur Hao ?

— Ça va. Oui.

— Asseyez-vous, asseyez-vous, je vous en prie. »

Il s'assit sur le bois dur de la chaise située à côté de celle de Crodelle. Une troisième chaise demeurait inoccupée, mais M. Johnson resta debout. Ils incarnaient deux types américains très différents, tous deux identiquement vêtus d'un pantalon sombre, de chaussures bien cirées, d'une chemise blanche à manches courtes : Johnson debout, superflu, légèrement mal à l'aise, la peau marron et le visage noir, Crodelle détendu et maître de la situation, une peau pâle couverte de taches de rousseur, des cheveux couleur paille.

M. Johnson demanda : « Avez-vous besoin de Sammy ? » Crodelle ne répondit pas.

« Monsieur Hao, dit Crodelle, ne vous inquiétez pas, ce sera très bref.

— Tant mieux.

— Vous serez de retour chez vous dans moins d'une heure.

— Aujourd'hui nous plantons un arbre pour le Têt.

— Comprenez-vous mon anglais ? »

Hao dit : « Parfois je ne comprends pas beaucoup de choses. » Il tenait toujours sa bouteille de Coca à moitié pleine, où stagnait le mégot de cigarette. Doucement, Crodelle lui prit la bouteille des mains et la posa sur la table.

« Voulez-vous boire autre chose ?

— Non merci. Mais c'est très bon. »

Crodelle rangea ses lunettes dans sa poche de chemise et se pencha en avant pour capter le regard de Hao sans hostilité ni fourberie, mais avec gravité. « Je ne veux pas d'interprète ici. Pouvons-nous parler sans interprète ?

— Oui. Mon anglais n'est pas bon parler, mais je comprends mieux.

— Il me semble bien assez bon », dit Crodelle.

Et Johnson renchérit : « Bien assez bon », avant de quitter la pièce en refermant la porte derrière lui.

« Connaissez-vous cette machine ?

— Peut-être radio.

— C'est une machine qui permet de savoir qui ment et qui dit la vérité. Du moins c'est ce qu'on prétend. »

Cette machine transmettait-elle dès maintenant ces informations sur lui ?

« Comment peut-elle marcher ?

— Ça n'entre pas dans mes compétences. Nous ne l'utiliserons pas aujourd'hui. »

Hao dit : « Je cherche la vraie paix. Je ne peux pas attendre que vous faire la paix. Je ne peux pas attendre vous autres. »

Crodelle sourit.

« La guerre n'est pas la paix. »

Crodelle se leva, rejoignit la porte et l'ouvrit. « Ken ? » lança-t-il, avant d'ajouter : « Excusez-moi, monsieur Hao. »

Ce fut Johnson qui apparut.

« Nous avons besoin d'un traducteur. »

Johnson laissa la porte entrebâillée. Crodelle disposa la troisième chaise en disant : « Juste quelqu'un qui nous aidera à bien nous faire comprendre. »

Il s'assit et posa de nouveau sa cheville sur son genou.

Hao se demanda s'ils le laisseraient fumer.

« Quand avez-vous vu le colonel pour la dernière fois ? »

Hao tapota les Marlboro dans sa chemise. Crodelle sortit un briquet et tendit la flamme pendant que Hao dirigeait vers elle le bout de sa cigarette et en tirait une bouffée, en se disant que la vie dans cette cité de tromperies et de retournements nécessitait des pas agiles et un projet à long terme, une combinaison qu'il était loin d'avoir. Il se trouvait incapable, par exemple, de négocier avec le frère de son épouse, qui lui devait de l'argent, qui occupait la maison du père de

Hao depuis le décès du vieillard, quand elle devint la propriété de Hao, mais qui refusait de reconnaître sa dette. Les parents et les affaires : il ne parvenait pas à concilier les deux. Et depuis le décès de son père, il avait mis sur la paille les entreprises familiales. Il ne parvenait pas à maîtriser le simple commerce au jour le jour ; et encore moins ce que ces gens pouvaient bien lui vouloir maintenant. Il inhala la fumée délicieuse et dit : « Pas depuis longtemps.

— Un mois ? Deux mois ?

— Je crois peut-être deux mois. »

Johnson était de retour. « Voici Sammy », dit-il, et un très jeune Vietnamien en pantalon et chemise comme les Américains s'assit sur la troisième chaise en bois tandis que Johnson ressortait et que Crodelle parlait très vite sans quitter Hao des yeux.

« Monsieur Hao, traduisit le jeune homme, nous vous avons invité ici plutôt que d'organiser une rencontre apparemment fortuite dans un lieu public. Je vais vous en expliquer la raison.

— Dites-moi, fit Hao en vietnamien.

— Parce que nous voulons vous faire comprendre que cette enquête a derrière elle tout le poids du gouvernement des États-Unis. »

En anglais Hao dit : « Je suis l'ami des États-Unis.

— Avez-vous beaucoup d'amis ? »

Hao demanda à l'interprète : « Qu'entend-il par là ?

— Je n'en suis pas certain. Voulez-vous que je lui demande de s'expliquer ?

— Pourquoi m'a-t-on amené ici ? Pourquoi me demande-t-on si j'ai beaucoup d'amis ?

— Tout ça ne me regarde pas.

— Sammy, intervint Crodelle, contente-toi de lui poser les questions. Je te parle, tu lui parles. Il te parle, tu me parles. Il est exclu que vous bavardiez ensemble dans mon dos.

— Mieux vaut lui parler, et pas à moi », suggéra le jeune homme à Hao.

Hao tenait sa cigarette presque à la verticale pour ne pas faire tomber la cendre longue de cinq bons centimètres et il plaça ses lèvres en dessous pour tirer une bouffée. Crodelle dit : « J'ai oublié les cendriers. Moi-même je ne fume pas. »

Sammy dit : « Je peux aller en chercher un ?

— Un cendrier ? Vas-y, si ça t'embête pas. »

Maintenant il était de nouveau seul avec le pâle Crodelle. Beaucoup d'amis ? Assez peu. Peut-être les mauvais. Il s'était accroché au colonel comme à un arbre puissant, en espérant qu'il l'emporterait loin de la tempête. Mais les arbres ne vont nulle part.

Sammy frappa puis entra avec un cendrier et une cigarette allumée, il posa le cendrier sur la table devant Hao, y fit tomber sa propre cendre. « Ça va bien ?

— Fume, dit Crodelle. Fume comme Dresde, coco », et Hao approcha doucement sa Marlboro du cendrier et y fit tomber la cendre pendulaire.

« Cigarette américaine, dit-il. Je l'aime mieux que vietnamienne. » Il l'écrasa et se redressa.

« Qui est l'ami qui te rend visite ? Le Viêt-cong. »

Une question vraiment simple. Mais le chemin qui aboutissait à la réponse commençait à bonne distance de là et traversait tout un fourré d'histoires absurdes. Il parla de sa formation au temple de l'Étoile Nouvelle. De la doctrine qui lui avait souvent fait l'effet d'un paravent derrière lequel les vieillards se réfugiaient lâchement, mais ensuite, à l'âge mûr – maintenant –, cette doctrine commençait à révéler son importance. Il parla des Cinq Obstacles – de vrais handicaps concrets – et des Quatre Nobles Vérités – elles étaient authentiquement vraies. Quand il fut à court d'arguments, Sammy le traducteur tira une bouffée de sa cigarette et dit : « Bouddhiste.

— Chacun son truc, dit Crodelle. Je ne suis pas ici au nom d'une unité particulière, en dehors du 5ᵉ Corps. Donc, votre ami s'appelle Trung. Exact ?

— Trung. Un très vieil ami. Nous sommes allés à l'école ensemble au temple de l'Étoile Nouvelle.

— Sous quel nom voyage-t-il désormais ?

— Je ne sais pas.

— Quel est le nom complet de Trung ?

— Je ne sais pas.

— Vous êtes allé à l'école avec lui et vous ne connaissez pas son nom de famille ? »

Hao dit en anglais : « Attendez une minute, s'il vous plaît.

— Monsieur Hao, son nom est Trung Than.

— Je crois bien.

— Quand s'est-il présenté chez vous pour la dernière fois ?

— S'il vous plaît, attendez une minute. »

... Et Kim, dans le couloir, la tête baissée. Avaient-ils fait en sorte qu'il la voie? Peut-être. Sans aucun doute. Dans quel but? Il ne voulait pas trop y réfléchir pour l'instant. Il espérait comprendre sa situation. Il espérait se souvenir de ses objectifs. Il dit, en anglais : «Je veux aller d'ici vers un bon endroit. Vers Singapour.

— Singapour?

— Oui. Peut-être Singapour.

— Vous seul?

— Ma femme aussi, s'il vous plaît.

— Votre épouse et vous désirez émigrer à Singapour.

— 'solument.

— Est-ce votre premier choix?

— Je désire aller aux États-Unis.

— Alors pourquoi avez-vous parlé de Singapour?

— Le colonel dit que je peux aller à Singapour.

— Le colonel Sands?

— Il est mon ami.

— Il ne sait pas de quoi il parle. La Malaisie est encore mieux. Enfin, si c'est nous qui vous aidons. »

Hao ne voulait pas de leur aide. Mais il fallait apparemment choisir entre se faire aider et se faire frapper.

« Nous mettons la charrue avant les bœufs. Comprenez-vous cette expression?

— Parfois je ne comprendre pas.

— Nous aborderons plus tard certains sujets, par exemple l'endroit où nous vous enverrons. Pour l'instant nous avons besoin de devenir amis. Rien de plus.

— C'est mauvaise chose.

— Qu'est-ce qui est une mauvaise chose?

— Maintenant.

— Maintenant est une mauvaise chose? Ici et maintenant?

— Oui. S'il vous plaît. Je suis l'ami du colonel.

— Vous avez les mauvais amis.

— Non. C'est un homme bien.

— Certainement. Un homme bien. Ouais – on peut se demander combien d'opérations ont reçu pour nom de code "Labyrinthe". » Le jeune homme ne traduisit pas cette phrase. « Voulez-vous un autre Coca?

— Non, merci. Désolé. Ma dent a mal.

— Hao, ce n'est pas une mauvaise chose. En fait, si je ne peux pas vous faire boire un autre Coca, je crois que nous en avons fini pour aujourd'hui. Je voulais simplement me présenter. Je l'ai fait et je n'ai pas grand-chose d'autre à ajouter. Sauf que j'espère que nous allons devenir amis. Je vous contacterai de temps en temps, je vous amènerai ici. Nous pourrons parler. Nous connaître mieux, boire un Coca. C'est okay pour vous?

— Oui. Un Coca, dit Hao en anglais.

— Sammy doit-il traduire ce que je viens de dire?

— Non. Ça va. Je comprends.

— Je crois que nous avons perdu la voiture. Laissez-moi vous donner de quoi payer un taxi. Vous plantez un arbre pour le Têt?

— Oui. Tous les ans. Chaque année.

— Kumquat? Avec le fruit orange?

— Kumquat.

— Ils sont beaux.

— Oui. Ce genre-là.

— Comme ceux que vous avez en ce moment dans votre jardin.

— Oui.

— Vous en plantez un chaque année? Combien en avez-vous?

— Dix.

— Onze avec celui-ci.

— Oui. Onze. » Onze années depuis la mort de mon père.

Crodelle parut observer le détecteur de mensonges, constitué de plusieurs éléments étalés sur la table. « Seigneur, c'est fou tous ces fils... » À aucun moment il n'avait demandé de tenir cette visite cachée au colonel. Tous les cas de figure devaient servir leurs fins. Ou bien ils se disaient qu'il n'en parlerait jamais, car sinon il serait assailli de questions et contraint de mentir. Mais Trung – devait-il en parler à Trung?

Crodelle dit : « À quoi diable sert tout ça?... Ce truc se fixe manifestement au doigt... »

Il attendrait la prochaine visite de Trung et à ce moment-là il déciderait ce qu'il faudrait lui dire.

Crodelle dit : « Un de ces jours, vous, moi et un technicien nous installerons ici pour trouver comment tout ça marche. »

Hao dit : « C'est pareil.

— Pareil? »

Il voulait dire que c'était la même chose, que c'était sans importance, que tout le monde mentait.

Kim attendit devant la maison à côté de l'arbre aux racines emballées dans du papier journal, jusqu'à ce que son mari arrive en cyclo. Elle le regarda descendre de la petite cabine et marcher vers elle en souriant comme s'il ne s'était rien passé.

« Ces gens m'ont interrogée sur Trung, dit-elle. Ton ami.

— Ils m'ont interrogé aussi.

— Tu m'as vue là-bas ?

— Je t'ai vue dans l'entresol.

— Que voulaient-ils ?

— Tout est lié à Trung. Je crois qu'il a des ennuis.

— Ils ont dit qu'il venait ici nous rendre visite.

— Non, Trung ne vient pas ici. L'as-tu déjà vu ici ?

— Non. Ils m'ont demandé s'il vient ici, et j'ai répondu que non.

— Ils me l'ont demandé aussi, et j'ai dit non, il ne vient jamais dans ma maison.

— Bon. Si cette nuit le fantôme de ma grand-mère te poursuit en hurlant, je peux te dire ce qu'elle te dira : "Ne gaspille pas ta bonté."

— C'est donc fini, conclut-il. Pas d'ennuis.

— Celui-ci n'est pas tout à fait de la même taille que la plupart des autres, dit-elle en parlant de l'arbre. Je suis passée au marché en rentrant.

— Kim, dit son mari, écoute-moi : tu me connais.

— Je ne trouve pas la pelle, fit-elle. T'attends-tu à ce que je creuse avec les mains ?

— Tu me connais, répéta-t-il.

— Ne fais pas d'ennuis.

— Je désire la paix.

— Alors écoute ma grand-mère. Elle nous a toujours dit : "Ne gaspillez pas votre bonté dans la forêt. Plantez-la où elle va pousser et vous nourrir."

— Excellent conseil.

— Ces Américains sont-ils fâchés contre toi ?

— Non. Tout va bien.

— T'ont-ils donné de l'argent pour un cyclo ?

— Plus qu'assez.

— À moi aussi. Où est la pelle ?

— Je ne sais pas. »

Ils rejoignirent la clôture basse en métal et là, en se servant de l'angle d'une petite planche, de ses mains et de ses doigts, Hao creusa un trou, où ils plantèrent l'arbre. En provenance de la rue voisine ils entendirent des chants, des pétards, des cris d'enfants. De l'intérieur du pied, Kim repoussa la terre dans le trou en prenant bien garde d'en mettre le moins possible sur sa sandale. Son époux assista à cette opération comme s'il désirait se faire tout petit et se jeter dans le trou.

Demain elle devait consulter une voyante qui lui prédirait l'avenir. Elle avait envisagé ce rendez-vous avec joie. Maintenant il ressemblait à une punition.

« Ah, fit-il, je me rappelle.

— Quoi ?

— La pelle est dans le...

— Où ?

— Non, non, dit-il. Elle n'est pas là. »

Le double était là.

Il arriva à la villa dans la Chevrolet noire, accompagné de plusieurs personnes, Hao, Jimmy Storm, le colonel, et même Minh, le jeune neveu de Hao, l'ancien pilote d'hélicoptère du colonel qui avait réintégré l'armée de l'air du Vietnam, mais qui ce jour-là n'était pas en uniforme. Skip trouva superflue la présence de tous ces gens.

Ils s'installèrent au salon – Trung, le double, sur le canapé entre le colonel en chemise hawaïenne aux couleurs criardes et Jimmy Storm en uniforme –, puis Sands demanda du café et examina cet individu qu'il attendait de rencontrer depuis deux ans. Trung mesurait environ un mètre soixante-dix et il avait les jambes arquées. Il aurait pu avoir n'importe quel âge entre trente et cinquante ans, mais Skip savait qu'il était l'ancien camarade de classe de Hao, si bien qu'il devait être âgé d'un peu plus de quarante ans. Ses cheveux, qu'il ne pommadait pas, se dressaient vers le plafond au milieu de son crâne. Il avait une peau foncée, sur laquelle des égratignures superficielles devaient laisser des cicatrices. D'épais sourcils se rejoignaient en se clairsemant au-dessus du nez. Il avait de grandes oreilles et un menton fuyant. Un visage laid, mais amical. Il portait un jean de fabrication asiatique à la couleur bizarre, un T-shirt vert un peu trop petit pour lui – ces deux vêtements presque neufs – et des baskets noires, également de fabrication asiatique et neuves, mais pas de chaussettes.

Il gardait les mains posées sur les genoux et les deux pieds par terre. Entre ses jambes il y avait un sac à dos vert forêt, sans doute neuf; informe, probablement vide. Trung laissa aimablement Skip le dévisager. Le blanc de ses yeux était légèrement jaune. Son air détendu s'expliquait peut-être par la maladie.

À cet instant précis, le plus authentique et le plus gratifiant de tout le voyage de Skip en tant que combattant de la guerre froide, son oncle semblait ailleurs, il ne s'asseyait pas, il allait d'une fenêtre à l'autre en regardant dehors, et il ne fit même pas les présentations.

« Skip, viens. J'ai des nouvelles pour toi. Sors de la maison avec moi. »

Ils restèrent devant l'entrée dans le matin brumeux. Skip pensa qu'il aurait dû monter se changer, mettre autre chose que son maillot de bain et un T-shirt. Le colonel dit : « Skip, j'ai une mauvaise nouvelle.

— On dirait plutôt une excellente nouvelle.

— Oui, c'est lui, c'est notre homme.

— Ça c'est une bonne nouvelle, non ?

— Non. Enfin oui, dit le colonel. Bon. Skip. Ta mère est décédée. Beatrice. Bea. »

Cette phrase le frappa comme un coup de poing en pleine poitrine. Pourtant, son sens lui échappa entièrement.

« Putain ! *Quoi ?* fit Skip.

— Je sais que ce n'est vraiment pas le moment idéal. Et le câble est vieux de trois jours.

— Non. Je n'y crois pas.

— Skip, assieds-toi. Asseyons-nous. » Ils s'installèrent sur une marche. Du granite frais, usé. La main droite de son oncle plongea vers sa poche de chemise. Il posa la gauche sur l'épaule droite de Skip. Alors Skip tint entre ses mains une feuille de papier jaune pâle. Par la suite, chaque fois qu'il devait se remémorer cet instant, il ne réussirait pas à supprimer ces détails, il lui faudrait les inclure chaque fois dans son souvenir.

Le colonel dit : « Je vais chercher un verre », et le laissa seul avec le télégramme. Skip le lut plusieurs fois. Le pasteur de sa mère y expliquait qu'elle venait de décéder suite à des complications dues à une hystérectomie totale de routine. Quel que fût le sens de ces mots. Le pasteur présentait ses condoléances et proposait surtout ses prières.

Le colonel revint avec un verre.

« "Totale de routine", fit Skip. Vous y comprenez quelque chose ?

— Tiens. S'il te plaît. Prends ça. Tu as besoin d'un bon remontant.

— Mon Dieu, d'accord. »

Son oncle se tenait au-dessus de lui en lui tendant un verre que Skip ne saisissait toujours pas. Les mains levées devant lui, il brandissait le télégramme comme une grande cendre fragile. « Je vais manquer l'enterrement.

— C'est moche.

— J'espère qu'il y aura quelqu'un.

— C'était une femme formidable. Je suis sûr que beaucoup de gens assisteront à la cérémonie. »

Le colonel vida la moitié du verre qu'il avait apporté pour son neveu. « Le câble est arrivé il y a trois jours. J'étais à Cao Phuc. Ils m'ont averti par radio de l'arrivée d'un câble, et je voulais entrer en contact avec quelqu'un pour m'informer de son contenu, mais je n'en ai pas fait ma priorité des priorités – il y a tellement de câbles qui circulent, et en général pour des broutilles comme tu le sais... Et puis, très honnêtement, Skip, j'avais la tête ailleurs.

— Bon, non, vous n'avez pas besoin de... vous savez.

— Tout est fini. Plus d'Echo. Sans doute grâce à Johnny Brewster. Mais peut-être pas. D'après mes infos, ils nous demandent juste de décamper pour larguer un tapis de bombes sur toute la région.

— Seigneur.

— Je suis désolé pour le retard. À mon retour, Trung a dit qu'il était prêt à bouger. Dans toute l'excitation qui a accompagné la perte de Cao Phuc, je l'ai presque entièrement oublié.

— L'enterrement a lieu après-demain.

— Vas-y, si tu penses devoir y aller.

— Je ne peux manifestement pas.

— Au pays les gens comprendront. Ils savent que tu es parti faire la guerre.

— Je peux avoir mon verre ?

— Oh, merde. »

Skip vida le verre.

« Skip, je vais te laisser quelques minutes retrouver tes esprits. Ensuite, nous aurons besoin de toi à l'intérieur pour que tu entames ton boulot.

— Je sais. Bon Dieu. Ces deux choses le même jour.

— Je suis désolé, mais c'est comme ça.

— D'accord. Je vous rejoins. »

Skip regarda la route au-delà du portail. Sans penser une seconde à sa mère. Il se dit qu'il penserait à elle plus tard. Sa mère n'étant jamais morte auparavant, il ne pouvait prédire l'ordre de ses réactions émotionnelles. Aucun de ses proches, d'ailleurs, n'était mort. Son père avait disparu avant même qu'il pût s'en souvenir. Son oncle Francis avait perdu un jeune fils, noyé lors d'une régate au large de Cape Cod, pour ne rien dire de tous les camarades tombés au combat. Skip avait lui-même vu son oncle tuer d'une balle dans la tempe un homme suspendu à une branche. Qu'en conclure ? Les gens meurent. Il regretta d'être seul pour affronter ces instants. Il les jugeait superflus. Il fut content lorsque son oncle revint et s'assit auprès de lui.

« Eh bien, mon oncle. Je suis votre neveu orphelin.

— Beatrice a été une merveilleuse épouse pour mon frère. Je n'y avais jamais pensé, Skip, mais il a dû mourir en plein bonheur. Ç'a été bref, mais elle l'a rendu très heureux.

— Ils ont tué ma mère. Les bouchers.

— Non, non, non. Ils connaissent leur affaire. Tu as vu les prodiges dont ils sont capables. Tu leur amènes un soldat de l'infanterie en une demi-douzaine de morceaux – un an plus tard il est prêt pour le défilé. »

Skip plia le câble en deux, puis encore en deux, mais ensuite il ne réussit pas à choisir quelle poche il allait souiller avec. Il le lança soudain vers la route.

« Tu sais quoi ? Ton papa savait ce qui comptait. Il s'est marié de bonne heure. Il n'était pas comme nous autres. Bon Dieu, dans notre famille aucun de nous ne ressemble aux autres. Je mesure un mètre soixante-quinze avec chaussures. Ton oncle Ray mesure un mètre quatre-vingt-dix sans.

— C'est votre aîné ?

— Ray ? Il a deux ans de moins que moi. Deux ans et trois mois.

— Oh.

— Ce que je veux dire, c'est que tu as une famille. Tu n'es pas orphelin. C'est ça l'important.

— Merci.

— Je suis sérieux. Mais tu le sais déjà. Tu l'as toujours su. Maintenant, écoute, c'est vraiment moche et tout ça tombe on ne peut plus mal...

— Ça va aller. Rentrons. »

M. Skip avait dit que le prêtre local saurait peut-être où acheter certain type d'écorce en poudre avec laquelle Kim souhaitait faire infuser un thé médicinal. Ces temps-ci sa santé semblait bonne. Mais elle se passionnait toujours pour les herbes et les médications. Hao et son neveu quittèrent les Américains et partirent à la recherche de la maison du prêtre, en suivant le sentier qui longeait la rivière sur deux cents mètres et passait derrière une succession de jardinets, chacun abritant un ou deux monuments funéraires au-dessus des tombes familiales, puis ils entrèrent en terrain catholique par le jardin de derrière.

Dans les maisons situées en amont comme en aval de la rivière, des femmes âgées faisaient cuire le riz de la journée sur des braises ou du petit bois, mais aucune fumée ne montait au-dessus de la maison du prêtre. Minh dut siffler deux fois. Le petit homme sortit pieds nus de l'arrière de la maison, en ajustant sa ceinture et en boutonnant une chemise de style américain dont les longs pans lui descendaient presque aux genoux.

Hao se sentit irrité de le trouver chez lui. Il avait seulement désiré parler des affaires de la famille avec son neveu.

« Oui, je vous connais », dit le prêtre quand Hao commença les présentations, puis Hao expliqua que son épouse avait besoin d'herbes. Et que lui-même désirait quelque chose pour une dent douloureuse.

« Je peux vous dire par où aller, mais je ne peux pas vous accompagner.

— Ce sera parfait.

— Aujourd'hui je ne sors pas, dit le prêtre. Je reste chez moi. J'ai fait un rêve important. »

Minh demanda : « Est-ce que ce rêve vous a conseillé de rester chez vous ?

— Non. Je souhaite simplement rester au calme, me rappeler et comprendre. »

Hao regretta de devoir parler à un homme comme lui. Mais il y avait sa femme – les fantômes, les rêves, les potions, toutes sortes d'absurdités. Il était donc là. « Connaissez-vous un herboriste ou pas ?

— Suivez la route au nord de la ville. Au troisième hameau, demandez la famille chinoise. Ils ne sont pas vraiment chinois, précisa-t-il.

— Merci. »

Il retournèrent à la villa par la route. Hao décida que sa quête de faux remèdes s'arrêterait là. Pas de poudres enchantées pour Kim. Il trouverait bien un mensonge. « C'est sans importance, annonça-t-il à son neveu. Je voulais simplement te parler. Voilà des semaines que nous ne t'avons pas vu. Au moins trois mois.

— Je suis désolé, mon oncle, dit Minh. Je suis l'esclave du général. Je ne peux pas m'absenter.

— Et lors de ta dernière visite tu n'es même pas resté prendre le thé. Tu n'étais pas venu en ville pour nous, mais pour ta fiancée.

— C'est difficile, mon oncle.

— J'ai demandé au colonel de t'amener aujourd'hui chez moi, sinon tu ne serais sans doute pas venu.

— Et le colonel m'a amené ici.

— Est-ce un tel désagrément?

— C'est un voyage. Je ne suis pas indispensable ici, mais j'ai plaisir à vous voir, et c'est agréable de voir le colonel.

— Il y a un problème avec le frère de mon épouse. Huy.

— Je suis au courant. L'oncle Huy.

— C'est insupportable. As-tu des armes dans ton hélicoptère?

— C'est l'hélicoptère du général Phan.

— Quel type d'arme?

— Une mitrailleuse.

— Je veux que tu attaques la maison.

— La maison d'oncle Huy?

— Il n'a rien à y faire. C'est ma maison. Il me doit onze années de loyer.

— Tu veux que je *strafe* la maison? fit Minh en employant le terme anglais.

— Non, répondit Hao en anglais, pas mitrailler. Pas mitrailler. Détruire.

— Avec beaucoup d'amour et de respect, mon oncle, ce n'est pas une bonne idée.

— Tu constates ma colère.

— Je la constate.

— Alors rentre chez toi à Lap Vung. Parle à ton oncle Huy, dis-lui combien je suis en colère. Y retourneras-tu pour le Têt?

— Non, je ne peux pas. J'irai pour l'anniversaire de ma tante.

— Sa femme?

— En mars.

— Quelle date exactement ?

— Le 18 mars.

— Parle-lui, s'il te plaît.

— C'est un homme obstiné. Je ne veux pas gâcher l'anniversaire de tante Giang.

— Gâche-le. Je m'en fiche. Tu constates ma colère. »

Ils étaient arrivés au portillon en fer de la grande villa où son vieil ami Trung, entouré d'Américains, compromettait si légèrement son avenir. Bah. Trung avait toujours été d'une sincérité absolue. Hao ne l'avait jamais cru.

À l'intérieur le colonel parlait, assis sur le canapé à côté de Trung, une tasse de thé dans une main, l'autre posée sur l'épaule de Trung. Hao avait peu vu le colonel dernièrement, en tout cas il en avait maintenant une peur bleue. De l'autre côté de Trung était assis Jimmy Storm, les bras croisés sur le buste, une cheville posée sur un genou, comme si quelqu'un l'avait ligoté là puis abandonné. Trung, en revanche, semblait parfaitement à l'aise.

Hao et Minh prirent des chaises à la lisière du salon et du bureau ; ainsi n'étaient-ils pas tout à fait inclus dans la réunion, mais sans en être non plus exclus. Le colonel cessa de parler à Skip et, changeant de sujet, dit : « Ce sont deux familles qui s'entraident. En fin de compte, c'est la famille qui importe. Avez-vous une famille, monsieur Trung ? »

Trung parut dérouté, et Hao traduisit.

Trung dit à Hao : « J'ai une sœur à Ben Tre. Ma mère est morte il y a longtemps. Tu t'en souviens. »

Hao parlait en vietnamien. « La belle-sœur du colonel vient de décéder il y a quelques jours. La mère de son neveu ici présent.

— Cet homme qui est avec nous en ce moment ? »

Hao acquiesça d'un hochement de tête.

« On dirait qu'il a de la famille », fit le colonel.

Hao lui dit que Trung avait une seule sœur qu'il n'avait pas vue depuis plusieurs années.

Le colonel caressa l'épaule de Trung. « Ce type vaut de l'or. Il est à bord depuis 46. Plus de vingt ans. »

M. Jimmy n'avait pas prononcé un seul mot. Hao n'aimait guère le regard fixe de l'Américain.

Trung demanda : « La mère de ce jeune homme vient de mourir ?

— Son oncle lui a appris la nouvelle ce matin.

— Dis-lui s'il te plaît que je suis désolé. »

Mais le colonel s'adressait à Skip : « Ce que je veux que tu comprennes surtout, c'est que tu ne pressures pas cet homme. En un sens tu ne collectes même pas d'infos. En tout cas tu ne l'interroges pas. Surtout pas. Tu te comportes simplement comme une éponge.

— Je comprends, *sir*.

— Adopte la posture de celui qui apprend, écoute son récit sans rien presser, et tout ira bien pour nous tous.

— D'accord.

— Et je ne veux pas non plus que tu échafaudes la moindre fiction. S'il te pose des questions, je veux que tu sois complètement sincère avec lui – tant que tu es certain qu'il n'essaie pas de te tirer les vers du nez.

— Très bien.

— Mais s'il t'interroge sur ton passé, ta famille, ta vie – tout, tu lui dis tout.

— Message reçu.

— Que dit-il ? demanda Trung à Hao.

— Il donne des instructions. Il dit à son neveu d'être sincère avec toi.

— Veux-tu déclarer pour moi que je suis reconnaissant ? »

Hao voulut leur crier : Je vous mens à tous !

« Vous deux, vous allez devoir apprendre à vous connaître, dit le colonel à Skip.

— Nous allons nous entendre », répondit son neveu.

Minh fit le trajet de retour vers Saigon sur la banquette arrière avec Jimmy Storm. Minh ne savait pas pourquoi on lui avait demandé de participer à cette sortie. Parce qu'ils formaient deux familles qui s'entraidaient, il comprenait cela, mais tout de même, il ne jouait aucun rôle. Rien qu'un mois plus tôt, il n'aurait guère apprécié ce temps soustrait à sa permission, mais le père de Miss Cam, sa petite amie, était devenu très froid envers Minh, la maison lui était désormais interdite et sa fiancée refusait de le retrouver en secret. Apparemment le père avait désiré lier cet éventuel mariage à la richesse de l'oncle Hao. Sans doute avait-il appris que cette richesse n'existait pas.

Les problèmes de son oncle lui avaient mis la tête à l'envers. Les soucis dus à cette maison sur le Mékong, un loyer qu'il savait définitivement compromis, la suggestion faite à Minh d'assassiner toute la bande, voilà qui dépassait l'entendement. En attendant, Minh n'avait pas une fois parlé du colonel, ni mentionné le changement qui s'était produit en lui. Le colonel était pâle, il avait du mal à respirer, toute la matinée il avait bu du Bushmills du bout des lèvres au lieu de l'engloutir comme à son habitude, et puis il tenait le verre entre ses doigts au lieu de le serrer fermement au creux de son poing. Et Jimmy Storm était resté étrangement silencieux, sans remarquer, ou faisant semblant de ne pas remarquer la solitude nouvelle du colonel.

Quant à Minh, il avait peu vu le colonel depuis que son hélico C&C était retourné au sein de l'armée de l'air du Vietnam, et Minh avec lui, qui le pilotait toujours. En dehors de la mitrailleuse de calibre .30, que son oncle désirait tant le voir utiliser contre sa propre famille, l'appareil ne contenait aucune arme offensive ; les combats lui étaient donc épargnés et il demeurait chauffeur de taxi aérien, cette fois pour le général Phan. Ce général venait de lui accorder une permission sans précédent d'une semaine. Il en était reconnaissant, mais il considérait cette largesse comme le signe d'un esprit nouveau. L'attitude des militaires avait changé. Il n'aimait pas ça du tout. Le feu sacré avait disparu.

« Hao, dit le colonel, arrête la voiture. »

Ils avaient atteint la Route 1. Hao se gara sur le bas-côté, puis le colonel descendit, probablement pour se soulager, pensa Minh.

Mais il resta debout à côté du véhicule, en concentrant toute son attention, apparemment, sur un nuage solitaire dans le ciel devant eux, semblable à une petite lune chevelue sans doute située à plusieurs dizaines de kilomètres de la route, peut-être perché au-dessus de la mer de Chine, qui leur demeurait invisible. Le colonel fit quelques pas vers l'avant de la voiture, les phalanges d'une main posées sur le capot, la main droite contre la hanche, puis il attendit dans ce paysage marron et terreux, autrefois une jungle touffue et des rizières, aujourd'hui des gravats empoisonnés, rien que des aspérités et des squelettes, puis il fusilla du regard ce nuage comme s'il essayait d'influer sur son évolution, de faire plier cette chose de la nature afin de dévier sa trajectoire légèrement au sud de leur propre destination.

Il remonta dans la voiture. « Okay. Allons-y. »

Personne ne parla. Même le sergent restait silencieux. Minh avait jadis eu l'impression de comprendre les rythmes de ces deux camarades. Il sentait maintenant un espace vide là où Storm aurait dû lancer une remarque acerbe ou l'une de ses fameuses blagues.

Skip s'aperçut qu'il s'était beaucoup trop préparé. Que lui avait-on laissé, au cours de ces deux dernières années, sinon le temps d'apprendre par cœur les labyrinthes du doute et « Observations sur l'agent double » par J. P. Dimmer ?

L'expérience suggère, écrivait Dimmer pour avertir son lecteur, que certains individus enclins à jouer le rôle de l'agent double – peut-être une majorité de volontaires, en fait – partagent un certain nombre de traits... Les psychiatres décrivent ces individus comme des sociopathes.

- Ils sont extraordinairement calmes et fiables dans le stress, mais ne tolèrent ni la routine ni l'ennui.
- Ils ne créent jamais des rapports émotionnels durables et adultes avec d'autres gens, car leur attitude envers les autres se caractérise par l'exploitation.
- Ils ont une intelligence au-dessus de la moyenne. Ils verbalisent parfaitement – parfois en deux langues ou plus.
- Ils sont sceptiques voire cyniques dans leur évaluation des motifs et des capacités d'autrui, mais ils entretiennent une idée très exagérée de leurs propres compétences.
- Leur fiabilité en tant qu'agent sera pour l'essentiel assurée dans la mesure où les ordres de leur officier superviseur coïncideront avec ce qu'ils considèrent comme étant leurs intérêts propres.
- Ils sont ambitieux, mais seulement à court terme : ils veulent beaucoup et ils le veulent tout de suite. Ils n'ont pas la patience de travailler en vue d'une récompense lointaine.
- Ils sont naturellement clandestins, ils aiment le secret et la tromperie en soi.

Le double, qui n'avait jamais rencontré J. P. Dimmer, dit à Sands : « Votre thé est délicieux. Je l'aime fort. »
Skip prit deux dictionnaires dans son bureau et les posa sur la table basse. Il pensa que cet homme attendait des ordres qu'il ne

pouvait pas lui donner, tandis que lui, Skip, le superviseur, désirait quoi au juste? Arrêter d'attendre. Servir. Se rendre indispensable en utilisant cet homme contre son peuple. Connaître cet homme, et sur ce point son oncle avait raison, l'esprit d'un traître ne se résumait pas à trente réponses oui-ou-non et à trois graphiques sur un détecteur de mensonges standard. Mieux valait se fier aux tergiversations, aux retours en arrière et aux fausses pistes, aux dictionnaires bilingues et aux objectifs flous. Et malgré toutes ces difficultés et ses propres ponts en flammes derrière lui, ce Trung savourait son thé, se permettait d'être absolument enchanté par les sablés de Mme Diu, appréciait de se voir présenté à M. Bouquet et conseillait de rôtir le chien à la broche plutôt que d'en faire bouillir les morceaux. Pas de regard fuyant, pas de phalanges blêmes et crispées, rien de tel. Où était Judas? Skip commença à se demander s'il ne s'agissait pas d'un quelconque voisin de Hao, arrivé ici à la suite d'un ridicule quiproquo. Le double parlait seulement un peu d'anglais et le vietnamien de Skip était tout bonnement inutilisable. Les deux hommes s'exprimaient en français avec ce qui n'était pas tout à fait de l'aisance. Dans ces trois langues ils pourraient progresser en zigzag vers des projets communs.

« Aux États-Unis nous ne mangeons pas de chien. Les chiens sont nos amis.

— Mais vous n'êtes pas aux États-Unis en ce moment. C'est le Vietnam. Vous êtes loin de chez vous et c'est une triste journée. Monsieur Skip, je suis très triste pour vous. Je regrette de ne pas être venu un autre jour.

— Vous avez compris que ma mère est décédée?

— Mon ami Hao me l'a expliqué. Je suis très triste pour vous.

— Merci.

— Quel était l'âge de votre mère?

— Cinquante-deux ans.

— Je suis revenu du Nord en 1964. Après avoir passé dix années là-bas. La marche pour rentrer chez moi a été très pénible. Sans cesse je pensais à ma mère, et mon amour pour elle est redevenu très vivant et très fort. Je me suis rappelé de nombreuses choses la concernant que je croyais avoir oubliées. Je pensais avec beaucoup de tristesse qu'elle serait plus âgée quand je la retrouverais. Je désirais que ma mère soit de nouveau jeune. Mais quand je suis arrivé à Ben Tre, elle était morte depuis six mois. Elle a presque vécu jusqu'à soixante ans. Elle s'appelait Dao, qui est une sorte de fleur. Alors j'ai coupé la fleur dao pour son monument.

— Avez-vous une femme? Des enfants?

— Non. Personne.

— Et votre père?

— Il est mort quand j'étais tout petit. Tué par les Français.

— Le mien aussi. Tué par les Japonais.

— Une épouse pour vous? Des enfants?

— Pas encore.

— C'est donc très dur. Je vois. Très dur quand le second s'en va. Comment est morte votre mère?

— Je ne sais pas très bien. Une opération chirurgicale qui a mal tourné. Et la vôtre?

— Une maladie. Ma sœur a dit qu'elle a duré presque quatre mois. Notre mère est morte alors que j'étais moi-même très malade et j'ai dû m'arrêter en chemin entre le Nord et ici. Une fièvre s'est emparée de moi. Pas comme la malaria. Autre chose. J'ai passé deux semaines allongé dans un hamac. D'autres camarades malades sont arrivés, ils ont étendu leur hamac au même endroit et nous sommes tous restés là sans personne pour nous aider. Au bout de quelques jours certains hamacs contenaient des cadavres. J'ai survécu à la maladie et attendu de sentir à nouveau les bras de ma mère autour de moi. J'ai été très triste en découvrant qu'elle était morte, mais à cette époque j'avais de la force et ma passion pour la cause était bien plus grande que ma tristesse. On m'a envoyé à Cao Phuc où l'une de mes premières missions a été d'assassiner votre oncle. Mais je ne l'ai pas tué. Ma grenade n'a pas explosé. En êtes-vous heureux?

— Très heureux.

— Si elle avait explosé, mon ami Hao serait mort lui aussi. Mais la cause était plus importante que Hao. J'avais déjà perdu de nombreux camarades. Enterrer un ami vous donne un ennemi. Enterrer un ami vous implique plus profondément dans la cause. Et puis le jour arrive où vous tuez un ami. Au risque de vous écœurer, de vous dégoûter de la cause. Mais ça peut avoir l'effet inverse – vous empêcher d'entendre votre propre voix quand elle veut poser des questions.

— Et vous avez commencé à poser des questions. Est-ce ce qui vous amène vers nous?

— Depuis le début je me posais des questions. Mais je n'avais pas d'oreilles pour les entendre.

— Qu'est-ce qui a changé alors, Trung?

— Je ne sais pas. Peut-être le décès de ma mère. Pour un homme sans enfant, c'est un grand changement. Alors le moment de votre propre mort est arrivé. Elle peut survenir n'importe quand, même avant que votre corps ne soit tué.

— Que voulez-vous dire au juste ? Je crois que je ne comprends pas.

— Peut-être vous ne voulez pas comprendre. »

Pendant le dîner, quand son piètre vietnamien maintenait la conversation à l'étiage, Skip examinait son environnement d'un œil neuf – en se demandant ce que son visiteur voyait –, du vieil et bel acajou ainsi qu'un mobilier en rotin, une porte d'entrée imposante alors que d'habitude dans cette région toute la façade de la maison demeurait ouverte aux courants d'air, protégée la nuit par un grillage métallique ; des murs en plâtre décorés de tableaux sur bois laqué, des pastorales à la touche empâtée ; des scènes appliquées et silencieuses, des frondaisons de cocotiers en dents de scie dans un monde privé de la moindre âme faillible. Mme Diu servit une soupe au bœuf et aux nouilles, des légumes verts, du riz vapeur. Le matin même, elle avait installé dans toute la maison des arrangements floraux modestes mais saisissants. Alors Skip s'aperçut qu'elle le faisait tous les jours. Il l'avait à peine remarqué jusqu'à cet instant. M. Tho et elle vivaient tout près de la villa, un peu en amont de la rivière, dans une hutte entourée de palmiers et de frangipaniers aux fleurs blanches... À un moment du repas, le double se cacha la bouche derrière la main et bâilla.

« Vous êtes fatigué ?

— Pas encore. Où vais-je dormir ?

— J'ai une chambre toute prête à l'étage.

— N'importe où.

— Ce n'est pas très luxueux. »

Trung demanda alors un pistolet ou déclara en posséder un.

« Excusez-moi ? »

Trung répéta, cette fois en français : « Avez-vous un pistolet pour moi ?

— Non. Rien de tel. »

Cette requête le ramena à la vraie situation. Il avait cessé de penser à cet homme comme à un individu précis. C'était un hôte, quelqu'un qui méritait l'hospitalité, rien de plus.

« Seulement pour ma protection.

— Vous n'aurez pas besoin de protection. Vous êtes en sécurité ici.

— Très bien. Je vous crois. »

Pour le dessert Mme Diu servit un délicat flan aux œufs. Trung et Skip ouvrirent les dictionnaires. « Désolé pour mon vietnamien. J'ai étudié cette langue, mais j'ai beaucoup de mal à vous comprendre.

— Les gens me disent que j'ai pris l'accent du Nord. Je n'ai pas adopté grand-chose d'autre là-bas. Dans le Nord nous autres les gens du Sud restions toujours ensemble. Nous avons un mode de vie particulier ici. C'est très différent là-haut. »

Skip dit : « C'est tout aussi vrai dans notre pays.

— À quoi ressemblent les gens du Sud dans votre pays ?

— Ils sont réputés pour leur courtoisie et la lenteur de leur élocution. Dans leur famille et avec leurs amis ils se livrent sans retenue. Alors que dans le Nord on nous considère comme plus guindés, plus prudents, nous sommes plus avares de nos émotions. Telle est notre réputation. Mais il y a des exceptions. Le lieu de naissance ne dit pas tout d'un individu. Et puis vous savez, nous avons aussi eu une guerre civile. Le Nord contre le Sud.

— Oui, nous connaissons votre histoire. Nous étudions votre histoire, vos romans, vos poèmes.

— Vraiment ?

— Bien sûr. Même avant que vos soldats ne viennent au Vietnam, l'Amérique était importante dans le monde. La plus grande nation capitaliste du monde. J'aime beaucoup Edgar Allan Poe. »

Ils évoquèrent ensuite l'erreur de la guerre, mais sans préciser qui avait commis cette erreur. « Au Vietnam, dit Trung, nous avons la pensée de Confucius pour les périodes stables – pour la sagesse, le comportement en société, etc. Et nous avons la pensée de Bouddha pour les périodes de tragédie et de guerre – pour accepter les faits et garantir l'intégrité de l'esprit.

— Oui. Je l'ai déjà entendu dire.

— La guerre ne s'arrêtera jamais.

— Il faudra bien qu'elle s'arrête un jour.

— Je ne peux pas attendre d'en voir la fin. Je désire aller aux États-Unis.

— Nous l'avons compris. Et ça pourra se faire. » Il imagina cet homme debout à un carrefour de San Francisco, attendant le signal lumineux WALK. Certains camarades d'école primaire de Skip avaient eu des parents issus de l'immigration, scandinaves pour la plupart. Il leur avait rendu visite dans leur maison étouffante, avait senti ses poumons agressés par des odeurs inconnues, regardé d'invraisemblables bric-à-brac et des photographies nébuleuses de militaires au calot réglementaire surmonté de plumes, et entendu les parents faire des efforts de grammaire et lâcher avec parcimonie des mots brefs, prononcés d'une langue épaisse et sincère, tout leur comportement étant vécu comme une insulte par leurs fils, qui supportaient les pères en silence et biaisaient pour échapper aux propositions des mères : « Oui, m'man – okay, m'man – faut que j'y aille, m'man ». Naturellement, à son âge précoce Skip n'avait pas remarqué ces adultes, des héros téméraires, des traverseurs d'océans, des exilés. Leurs petites questions ulcéraient leurs enfants. D'un autre côté, cet enfant pour lequel ils avaient risqué leur vie remontait ses manches de chemise au-dessus de ses biceps, se coiffait les cheveux en arrière avec du gel Wildroot, mentait sur les filles, s'entraînait à la chirurgie en opérant des pétards, des balles de golf, des chats morts, propulsait de gros paquets de morve sur les lampadaires, riait comme un Américain, jurait sans accent. Mais son meilleur ami en classe de cinquième, le Lituanien Ricky Sash – sans doute une déformation de Szasz, maintenant qu'il y repensait –, disait « s'il vous plaît » et « merci » aussi souvent que « va te faire foutre », et il nouait ses lacets avec un gros double nœud. Rien d'autre ne trahissait ses origines. Ce ne serait pas aussi facile pour un Asiatique. « Il est certain, dit Skip, que nous nous sommes interrogés sur vos raisons.

— Désirez-vous une raison pratique ?

— Pouvez-vous m'en donner une ?

— Non.

— Vous comprenez, pour nous, c'est un point important.

— Vous avez besoin d'une réponse simple. Vous avez besoin de m'entendre déclarer que j'ai volé dans la caisse du parti communiste ou que je suis amoureux d'une femme qui m'est interdite et que nous voulons fuir ensemble.

— Quelque chose de ce genre.

— Ça n'a rien à voir avec ça.

— Pouvez-vous m'en dire un peu plus ?

— À chaque démarche que je fais en trahissant mes camarades et ma cause, je sens de la souffrance dans mon âme, mais c'est la souffrance de la vie qui revient. »

Les accents poignants d'un cœur déchiré, ou bien une ignoble crapulerie jouée avec brio ?

« Trung, vous dites vouloir aller aux États-Unis. Mais vous dites aussi que vous irez dans le Nord.

— D'abord le Nord. Ensuite les États-Unis. Je connais un moyen pour le Nord.

— Le colonel a mentionné votre travail avec des primitifs.

— Des jeunes à Ba Den. C'est vrai. Il y a un programme pour enrôler les tribus, ou au moins les endoctriner. Je ne sais pas ce qu'est devenu ce programme. Il y a tant d'efforts gâchés. Et de morts inutiles.

— Le colonel s'intéresse à ces gens.

— C'est vrai, il veut que j'accompagne de nouveau un groupe dans le Nord.

— Pourquoi retourneriez-vous dans le Nord ?

— La question c'est pourquoi je n'en suis pas parti il y a une douzaine d'années, quand je suis allé dans le Nord et que j'ai détesté ça. En 1954 certains sont restés au Sud, car ils savaient que le parti n'attendait rien en deux ans, pas d'élections, pas de réunification. Mais la plupart d'entre nous n'avons pas été aussi malins. Nous sommes montés dans ces bateaux à destination du Nord, les yeux aveuglés par l'espoir, incapables de rien voir. Ils nous ont emmenés au Nord pour nous faire oublier nos foyers, nos familles, notre vraie terre. Mais ma mémoire s'est trouvée aiguisée par leurs efforts. Je me rappelais la terre rouge de Ben Tre, et pas la terre jaune du Nord. Je me rappelais les journées tièdes du Sud, et non les nuits glacées du Nord. Je me rappelais le bonheur de mon village et non les rivalités et les vols au kolkhoze. La vie de famille, la vie du village, c'est la vie partagée – rien à voir avec le kolkhoze. On ne peut pas jeter les gens ensemble, leur interdire de partir et leur dire qu'ils forment une commune unifiée par une doctrine. Je pensais que Marx nous rendrait nos familles et nos villages. C'est parce que je pensais seulement à l'objectif dont parlait Marx : je ne connais pas le mot en anglais ni en français, mais il dit qu'à la fin de l'avenir l'État est comme une vigne qui meurt et se décompose. Voilà ce que j'attendais. Connaissez-vous Marx ? Connaissez-vous cette expression ?

— Je la connais en anglais. » Ensemble ils feuilletèrent les dictionnaires et Sands trouva un équivalent pour l'expression « dépérissement de l'État ».

« Oui. Le dépérissement de l'État. Et quand il dépérit, il laisse ma famille et mon village. Voilà ce que j'ai vu à la fin de l'avenir : les Français sont partis, les Américains sont partis, les communistes sont partis, mon village revient, ma famille revient. Mais ils mentaient.

— Quand avez-vous compris qu'ils mentaient?

— Peu après mon arrivée dans le Nord. Mais peu m'importait alors qu'ils mentent. Les Américains étaient là. Nous devons d'abord nous occuper des Américains, ensuite nous pourrons nous occuper de la vérité. Je me trompais. La vérité est plus importante. La vérité d'abord. Toujours la vérité. Tout le reste vient après la vérité.

— Je suis d'accord. Mais de quelle vérité parlez-vous?

— Le Bouddha décrit les quatre vérités : Dukkha, Samudaya, Nirodha, Magga. La vie est souffrance. La souffrance vient de l'attachement. On peut renoncer à l'attachement. Le chemin des Huit Préceptes aboutit à ce renoncement.

— Vous y croyez?

— Pas entièrement. Je peux seulement vous raconter mon expérience. Je sais d'expérience que la vie est souffrance et que la souffrance vient de l'attachement à des choses qui ne durent pas.

— Oui, ce sont des faits. Ce que nous, en Amérique, appelons les "faits de la vie".

— Alors quelle est la vérité pour vous en Amérique?

— Quelque chose qui est au-delà des faits. Je suppose que nous appelons la vérité la parole de Dieu.

— Et quelle est la parole adressée par Dieu à l'Amérique?

— Laissez-moi réfléchir. » Il posa de nouveau la main sur le dictionnaire français-anglais. Mais il était fatigué. Dix minutes de conversation les avaient entraînés à consulter une centaine de mots du dictionnaire, et avaient presque pris deux heures. Il connaissait seulement cette parole à travers Beatrice Sands, sa mère luthérienne : cette vie, avait-elle voulu lui dire en des moments qui la transportaient, des moments qui le gênaient car il la considérait comme une femme indigne d'eux, une femme piégée par les cordes à linge dans un jardin d'herbes hautes proche de la voie de chemin de fer, cette vie n'est que l'enfance de notre immortalité. Mère, tu sais maintenant si c'est vrai ou non. Et je prie Dieu pour que tu ne te sois pas trompée. Quant à l'Amérique – les droits inaliénables, le gouvernement d'un commun accord, les parchemins, les montagnes, les élections, les cimetières, les défilés... « Eh bien, tout cela est sujet à débat, dit-il en anglais. On peut en discuter dans n'importe quelle langue. En revanche, les faits dont vous parlez sont indiscutables. Mais il existe quelque chose au-delà. » Il essaya le français : « Il y a une vérité, mais qu'on ne saurait dire. Elle est ici.

— Oui, il n'y a rien d'autre. Ce lieu, cet instant.

— Et maintenant je suis très fatigué, monsieur Than.

— Moi aussi, monsieur Skip. En avons-nous assez fait aujourd'hui ?

— Nous en avons assez fait. »

Il installa Trung à l'étage, juste en face de sa propre chambre, dans la pièce remplie des fichiers du colonel, parmi lesquels, espéra-t-il, le double dormirait bien. Skip dormit, mais pas bien. Il se réveilla dans l'obscurité et regarda les cadrans iridescents de sa montre : deux heures un quart. Il venait de rêver de sa mère, Beatrice. Les détails s'évaporaient à mesure qu'il tentait de les retrouver, seule sa tristesse perdurait, ainsi qu'une certaine excitation. Il avait tout été pour elle. C'était désormais terminé. Il ne serait plus jamais le fils unique d'une veuve – un jour, lors du long voyage en train jusqu'à Boston, il avait regardé par la fenêtre du wagon qui avançait lentement dans un paysage urbain – Chicago ? Buffalo ? – et vu deux garçons dans la rue devant une petite épicerie, des gamins de huit ou neuf ans, mal habillés, couverts de suie, en train de fumer une cigarette, et il avait supposé que c'étaient des orphelins. Voilà désormais ce qu'il était.

Alors le remords l'écrasa physiquement, le sang lui martela le crâne, il se sentit presque étouffer – il n'avait ni téléphoné ni écrit, il l'avait laissée agoniser toute seule sur un lit à roulettes en proie à une confusion terrifiée, aux excuses et à la politesse innée du Middle West. Il écarta la moustiquaire, posa les pieds par terre, se redressa, releva le visage et aspira l'air à petites goulées. Peut-être lui fallait-il un verre.

À l'étage de la grande maison, Trung s'allongea dans un débarras rempli de boîtes, sur un lit constitué de planches posées entre deux cantines et recouvertes d'un tatami japonais en paille. Le représentant de la CIA lui avait donné une lampe à butane et il possédait un roman réaliste socialiste en vietnamien qu'il n'avait aucune envie de finir ainsi qu'un exemplaire des *Misérables* en français. Il l'avait lu tant de fois qu'il ne s'y intéressait plus. Il resta allongé dans l'obscurité en percevant la maison autour de lui et en se demandant s'il avait jamais dormi dans une habitation aussi vaste, en dehors du temple de l'Étoile Nouvelle de son enfance.

Il entendit l'autre porte s'ouvrir dans le couloir. Puis le bruit feutré de pieds nus : M. Skip passa devant le débarras et s'engagea dans l'escalier vers le rez-de-chaussée.

Qu'y a-t-il donc? se demanda Trung. La tristesse, l'insomnie. Des bruits dans la cuisine. Mieux vaut le laisser seul. Sa mère vient de mourir.

Mère, je te pleure toujours.

Il resta encore dix minutes allongé dans l'obscurité, puis il se leva et imita l'Américain. En bas il le trouva dans le bureau, en short et T-shirt, assis à côté d'une lampe à butane qui sifflait, plongé dans la lecture d'un livre, un verre contenant de la glace posé près de la lampe. « Avez-vous dormi ?

— Pas encore.

— Je bois du whisky irlandais. Puis-je vous en servir un ?

— D'accord. Je vais essayer. »

M. Skip fit mine de se lever, puis dit : « Nous avons des verres dans la cuisine », et il se réinstalla sur sa chaise.

Quand Trung eut trouvé un verre et fut revenu, l'Américain feuilletait l'un de ses recueils d'expressions. Il baissa la main vers le sol à côté de sa chaise et posa la bouteille d'alcool sur la table. Trung tendit son verre et l'autre y versa un peu de whisky.

« Dois-je le boire vite ou lentement ?

— Comment buvez-vous l'alcool de riz ?

— Plutôt lentement », dit Trung avant de boire. Musqué et médicinal. « C'est très bon.

— Je vous en prie, asseyez-vous. »

Trung prit la chaise du bureau et s'assit en biais.

M. Skip dit : « J'ai cherché votre nom. » Il referma son recueil d'expressions.

« *Than* signifie "la couleur du ciel", il y a une fleur qui a aussi cette couleur et qui porte le même nom.

— Je ne la connais pas. Vous voulez dire le bleu du ciel ?

— Bleu, comme le ciel.

— Et *Trung* signifie "loyauté", n'est-ce pas ?

— Loyauté envers le pays. Il est comique aujourd'hui que je porte ce nom. »

Les murs du bureau étaient couverts d'étagères, et ces étagères remplies de livres. Des moustiquaires étanches masquaient les deux fenêtres, ainsi que les bouches d'aération de la pièce principale et les panneaux de fer forgé situés de part et d'autre de la porte d'entrée en bois. Malgré tout, de petits insectes se précipitaient sur la lampe à butane et mouraient.

« Vous avez beaucoup de livres.

— Ils ne m'appartiennent pas.

— Qui vit ici ?

— Juste moi et un fantôme.

— Le fantôme de qui ?

— Celui de l'ancien propriétaire. L'homme qui a fait construire cette maison.

— Je vois. J'ai cru que vous parliez peut-être de moi. »

M. Skip vida son verre et versa encore un peu de whisky sur le restant des glaçons. Il ne dit rien.

« Peut-être ne suis-je pas le bienvenu ici.

— Au contraire. J'apprécie la compagnie. »

L'Américain finit son verre. « Je pensais que vous seriez Judas, dit-il, mais vous ressemblez davantage au Christ.

— J'espère que c'est bien.

— C'est ainsi. Vous en voulez encore ?

— Je vais finir le mien lentement. »

L'Américain poursuivit en anglais : « Vous êtes venu ici. Vous êtes ici, n'est-ce pas ? Comment est-ce, d'avoir deux âmes dans un seul corps ? C'est la vérité, n'est-ce pas ? C'est ce que nous sommes vraiment. Nous autres sommes simplement la moitié de ce que nous devrions être. Vous êtes là, vous êtes là, mais vous avez tué quelque chose pour arriver ici. Vous avez tué... quoi ? » Trung n'arrivait pas à suivre.

Et la résignation à la vérité, l'ultime résignation, le désespoir qui se transforme en libération, où était le mot juste pour cela dans tous ces livres ?

En silence l'Américain se servit un autre verre et le but lentement. Trung resta, même si de toute évidence l'Américain ne désirait aucune conversation.

Le lendemain matin son ami Hao revint. La femme servit le petit déjeuner. Skip, Hao et lui s'assirent pour manger, mais Trung perçut une tension.

M. Skip les interrogea sur leur amitié passée, sur l'époque du temple de l'Étoile Nouvelle. Ils lui parlèrent de la fois où ils avaient volé de l'alcool durant la fête du Têt, ils lui parlèrent de chants et de rires ; tous trois se comportaient comme des étudiants lors d'un exercice de langue étrangère baptisé « Petit déjeuner avec un Américain ».

« Trung, la bibliothèque est à vous aujourd'hui. Je dois aller faire une course à Saigon. Je serai de retour demain vers midi.

— Je vais rester tout seul ?

— Si vous n'y voyez pas d'inconvénient. »

Trung les accompagna jusqu'à la voiture noire. Il retint Hao durant une minute.

« De quoi s'agit-il ?

— Juste une brève réunion.

— Dis-moi.

— Je ne peux pas. Je ne sais pas.

— Rien de grave ?

— Je ne crois pas. »

L'Américain les avait entendus. Debout de l'autre côté de la voiture, il parla au-dessus du métal brûlant du toit. « Un ami m'a invité à déjeuner. Un collègue. Je pense que je dois aller voir ce qu'il veut.

— Il existe peut-être un endroit plus sûr pour moi en attendant votre retour.

— Non, non, non. Personne ne sait que vous êtes ici.

— Mais on sait que vous êtes ici.

— Ce n'est pas un problème », assura l'Américain. Trung ne le crut pas.

Dietrich Fest, du Département 5 du Bundesnachrichtendienst de l'Allemagne de l'Ouest, prit un vol de nuit à l'aéroport national proche de Washington, puis durant dix-huit heures n'eut rien à faire sinon lire et somnoler, ni rien à quoi penser en dehors des problèmes médicaux de son père. Voilà sept, huit mois que le vieillard n'avait pas quitté l'hôpital. La vésicule biliaire, le foie, le cœur, une succession de légères attaques, une hémorragie intestinale provoquant une perte de sang massive et suivie de nombreuses transfusions, un tube alimentaire dans l'estomac, et pour finir une pneumonie. Le vieillard refusait de mourir. Mais il mourrait malgré tout. Peut-être était-il déjà mort. Peut-être un peu plus tôt, alors que je roupillais, le menton posé sur la poitrine. Maintenant, à cet instant précis, alors que je lis ce mauvais roman policier. « Claude », lui avait dit le vieillard quand il lui avait rendu visite en octobre – des tubes et des fils sortaient de lui un peu partout, les yeux bleus brillaient dans le vide. « Regardez, c'est Claude », avait-il déclaré à la chambre qui sentait l'urine et qui, en dehors d'eux deux, était vide, puis Fest avait répondu : « Non, c'est Dirk », et les yeux de son père s'étaient clos.

À trois heures de l'après-midi heure locale, Fest atterrit à Hong-Kong. Il fournit une adresse inexacte à son chauffeur de taxi et fut contraint, à quelques rues de son hôtel, de descendre du taxi et de poursuivre à pied. Même ce minuscule véhicule était trop gros pour ces rues minuscules. Son sac à la main, Fest gravit une ruelle pentue hachurée d'escaliers et tout du long bordée de boutiques sans porte qui vendaient seulement de la camelote sans qualité.

Dans une artère plus large il héla un cyclo-pousse et effectua la fin de son trajet derrière un vieil homme filiforme vêtu d'une espèce de couche qui pédala avec ardeur jusqu'à l'hôtel de Fest, lequel se trouvait juste là, trois rues plus loin, ce que le vieux aurait aisément pu lui dire. Deux minutes après être monté à bord de cet étrange moyen de transport, Fest arriva à destination. Une notice imprimée et collée juste derrière le guidon de la bicyclette indiquait les tarifs officiels, et pour un trajet aussi bref Fest devait quatre ou cinq dollars de Hong-Kong ; mais le vieux abattait sans arrêt le poing dans la paume de l'autre main en criant : « *Tunty dollah ! Tunty dollah !* » Fest ne lui en voulut pas. À son âge, ce vieux méritait tout ce qu'il pouvait obtenir de son labeur. Néanmoins, Fest croyait aux honnêtes tractations. Il refusa donc de payer. En quelques secondes il fut entouré de cyclo-pousse et assiégé par des conducteurs vêtus de couches, des hommes de tailles fort variées, qui caquetaient et écumaient. Il crut apercevoir un couteau. Un garçon d'hôtel furieux arriva et les chassa tous à grands gestes magiques du tranchant de la main. Le vieux restait là. Plutôt mourir. Fest lui tendit un billet de vingt dollars. Puis il monta à sa chambre et dormit tout l'après-midi, se réveilla à deux heures du matin et lut un bref roman – de Georges Simenon, en anglais. Il appela la réception de l'hôtel et demanda un appel international pour Berlin, mais le numéro de sa mère était quelque part dans son sac, et il renonça bientôt. Il l'appelait fréquemment depuis un certain temps, presque tous les jours au cours de ces dernières semaines, car elle affrontait seule le déclin inexorable de son époux.

À huit heures il prit une douche, s'habilla, puis descendit à la réception pour retrouver son contact. Ils commandèrent des cafés, assis l'un en face de l'autre dans de grands fauteuils inconfortables en acajou. Ce contact était un jeune Américain, impressionné par sa mission et un peu trop zélé. D'abord, il annonça seulement à Fest où il irait. Mais il savait bien sûr où il irait, il avait le billet en poche.

« Avez-vous les pièces d'identité ? »

Le jeune homme plongea vers ses pieds pour fouiller dans la mallette en cuir qu'il serrait entre ses chaussures. « Nous avons deux versions pour vous. » Il lui tendit une enveloppe en papier brun. « Durant toute la mission, vous utilisez celui qui a un visa d'entrée antidaté. Détruisez-le avant de partir. Pour votre sortie, utilisez celui qui a un visa d'entrée postdaté.

— Je dispose de combien de temps pour cette mission ?

— Vous voulez dire, d'après les visas ? Le postdaté indique que vous êtes arrivé le... le combien au juste ? Le 11 février, je crois. Vous devrez donc rester dans le pays au moins jusqu'à cette date. Mais ce visa est valable six mois. »

Il n'aimait pas l'idée de ces six mois. Le but d'un visa postdaté de deux semaines était de prouver qu'il était entré dans le pays après la période de la mission. Il en conclut donc qu'ils avaient prévu pour lui un séjour ne dépassant pas deux semaines.

Fest posa l'enveloppe sur ses cuisses, fit jouer les deux pinces qui la fermaient, ouvrit le rabat et le tint ouvert pour jeter un coup d'œil à l'intérieur. Deux passeports allemands – il en sortit un et lut le nom du porteur : Claude Gunter Reinhardt.

« Intéressant. Mon fils s'appelle Claude. » À cause du prénom du vieux. Et de celui de feu mon frère, ce héros.

« On a choisi le premier qui s'est présenté.

— Bien sûr. Une simple coïncidence. »

Sur la photo le visage était bien le sien. Il avait toujours eu l'air d'un enfant gâté, mais la barbe dissimulait cette faiblesse et le faisait un peu ressembler, croyait-il, à Sigmund Freud ou à Ernest Hemingway. Habillé, il semblait peut-être corpulent, mais il se sentait solide. Même aux États-Unis on l'avait contraint à suivre des cours et une formation opérationnelle physiquement épuisante. Eh oui, il avait trente-six ans et deux mois. Ça ne pouvait pas durer éternellement. En fait il avait cru que ce serait fini avec sa prise de poste américaine.

« Vous entrez avec votre propre passeport. Celui qui vous sert à voyager en ce moment.

— Bien sûr. »

Alors que l'homme payait leurs cafés et leurs petits pains, puis se levait pour partir, il manifesta une nonchalance insupportable et mentionna, comme s'il s'en souvenait brusquement, les mots de passe ainsi que le lieu et l'heure choisis pour le briefing de Fest à Saigon.

Maintenant Fest se méfiait des conducteurs à Hong-Kong. Il sauta le déjeuner, partit pour l'aéroport avec deux heures d'avance, y arriva sans encombre, s'assit et regarda les passagers se rassembler en vue de leur voyage de retour chez eux, de riches et joviaux Asiatiques rentrant de leurs vacances à Hong-Kong, Bangkok ou Manille avec des sacs de courses aux couleurs pastel, des sourires, voire des rires. Il ne savait pas à quoi il s'était attendu – une foule parquée d'individus épuisés, des dos voûtés, des visages fermés –, il n'avait pas beaucoup réfléchi à cette guerre, n'avait jamais prévu de la rejoindre, y avait été envoyé, il en était certain, à la suite d'une erreur d'estimation, comme tout le monde. L'hôtesse de l'air lui donna un sac de voyage violet Vietnam Airlines, dont il tint la cavité creuse contre son ventre en baissant les yeux vers les nuages avant de dormir jusqu'en fin d'après-midi, quand la même hôtesse lui toucha l'épaule pour lui annoncer qu'ils entamaient leur descente vers Tan Son Nhut.

Dans un terminal très délabré, bondé de soldats tant américains qu'asiatiques, au sol couvert de caisses et de bagages, il trouva son homme, un Noir qui brandissait une petite pancarte où on lisait MEEKER IMPORTS. « Monsieur Reinhardt ? fit l'homme. Je suis Kenneth Johnson. Personne d'autre ?

— Je ne sais pas.

— Moi non plus. Mais nous accueillons tous les nouveaux arrivants. » Un homme avenant. Il n'y avait personne d'autre.

« Comment était le vol ?

— Tous les vols s'achèvent au sol.

— C'est ce que disent les canards. Mon Dieu, fit-il, qui invente ces mots de passe idiots ?

— Je ne sais pas », dit Fest qui n'ajouta rien, même s'il devina que c'était sans doute le moment de faire une plaisanterie.

Ils sortirent par l'entrée principale et rejoignirent une file de taxis dont les chauffeurs bondirent sur leurs pieds en agitant le bras, et Johnson dit : « Vous êtes prévu sous le nom de Reinhardt à l'hôtel Quan Pho Xa. Reinhardt est bien votre nom ici ?

— Exact.

— Très bien. Bon vent, monsieur Reinhardt.

— Je ne comprends pas.

— Je ne vais pas plus loin. Je vérifie simplement l'arrivée.

— Je vois.

— Vous m'apercevrez demain. En coup de vent.

— Au briefing?

— Oui. En coup de vent.

— Utiliserai-je le même mot de passe?

— Non. Je serai là pour vous présenter. »

Ils se serrèrent la main, Kenneth Johnson le mit dans un taxi, parla brièvement au chauffeur, puis disparut.

« Parlez-vous anglais?

— Oui, *sir*, un peu.

— Savez-vous où se trouve mon hôtel?

— Oui, *sir*. Hôtel Quan Pho Xa.

— Qu'est-ce que ça veut dire? »

Il ne reçut pas de réponse. Le taxi entra dans la ville proprement dite, longea une avenue bordée d'immeubles peints en rose, en bleu ou en jaune, ralentit, s'arrêta, fit une dizaine de mètres, s'arrêta encore. Le chauffeur lui expliqua que c'était le Nouvel An. Tout le monde allait quelque part. « Quel Nouvel An est-ce? demanda Fest. L'année du Chien? L'année de la Chèvre? » Le chauffeur dit qu'il ne savait pas. Une marée pétaradante de mobylettes entourait les plus gros véhicules. L'une d'elles passa, transportant une femme assise en amazone, les jambes croisées, plongée dans la lecture d'une revue. Les moteurs crachaient leurs gaz. Les paumes semblaient sales. Il observa quatre gamins des rues qui jouaient aux cartes sur le trottoir pour des cigarettes.

Pourquoi l'avait-on obligé à passer par Hong-Kong pour récupérer des documents préparés à Saigon?

La circulation s'ébranla. Sur les pierres tombales d'un minuscule cimetière il aperçut des emblèmes en forme de swastika, puis d'autres swastikas gravées sur la porte du petit temple. Ce spectacle le sidéra. Il n'en avait jamais vu en dehors des photographies. Dont deux ou trois où figurait son père. Fest guetta les poteaux indicateurs et les monuments publics en essayant de les mémoriser et de se repérer. Il regarda sa montre. Dans dix-neuf heures on le brieferait sur la méthode et les circonstances. La brusquerie manifestée par Kenneth

Johnson en disait long. Ses collègues voulaient bien de lui, mais à distance. On l'avait peut-être envoyé ici pour liquider un Américain – peut-être même Kenneth Johnson.

Malgré une légère pluie, il faisait toujours aussi chaud quand il descendit du taxi devant l'hôtel. Une femme était assise sur ses talons devant la porte. Il devina que les Américains ne logeaient pas là – cette femme constituait la seule protection de l'établissement.

Quand il entra, les deux filles présentes dans le hall, la réceptionniste et son assistante ou son amie, chantaient des chansons incompréhensibles à l'unisson de leur radio.

« Quel est votre nom ? demanda-t-il à l'employée.

— Thuyet.

— Thuyet, puis-je téléphoner à l'étranger ?

— Non, monsieur. Seulement câble. Seulement télégramme. »

Elle portait une jupe bleue et un corsage blanc éclatant. Elle l'intéressait. Un visage étrange et délicat. Pas de bijou ni de maquillage, mais toutes étaient sans doute des prostituées.

Il prit une douche, se changea, puis descendit dans la rue en se demandant où il allait bien pouvoir trouver un téléphone international pour appeler sa mère. Maintenant il faisait nuit. Loin au-dessus de la ville, les pales des hélicoptères lacéraient l'air et les balles traçantes montaient vers l'obscurité plus dense du ciel. Au-delà de l'horizon les bombes tonnaient. Et plus près, d'innombrables petits klaxons et moteurs de faible cylindrée. Et puis des radios jouant l'irritante musique locale.

Des sacs de sable longeaient les caniveaux. Il marcha sur des trottoirs fissurés, se frayant un chemin entre les trous, les pieds tendus des gens, les motos garées, pourchassé par les mendiants et les maquereaux, par les gamins narquois et insolents qui lui proposaient « cigarette, herbe, boum-boum, U-globe, opium ».

« Du pain, dit-il.

— Pas de pain à cause de *Happy New Year* », lui expliqua un vendeur.

Il renonça à son coup de téléphone et dîna dans un endroit où les hôtesses portaient une minijupe rouge à franges, un petit chapeau rouge de cow-boy et une ceinture fantaisie en plastique avec un étui vide là où aurait dû se trouver un colt. Sa serveuse déclara qu'à cause du Nouvel An il n'y avait pas de pain ce jour-là.

Fest avait vu les pancartes et les bannières disant « *Chuc Mung Nam Moy* » et devina qu'elles lui souhaitaient une « Bonne et heureuse année », mais elles auraient tout aussi bien pu annoncer « La peste est terrible ».

Comme la veille, il se réveilla au milieu de la nuit. Il entendit des coups de feu dehors. Il se débattit un moment avec la moustiquaire puis, plié en deux, il traversa la chambre et hasarda un coup d'œil au-dessus du rebord de la fenêtre. Une femme marchait dans la lueur d'une lanterne en papier. Sa main, qui agitait la lanterne accrochée par un fil de fer, évoquait la serre d'un oiseau de proie. Des enfants la dépassèrent en courant dans la rue et en allumant des pétards. Il entendit de la musique, des chants. Il se recoucha. Son horloge interne était restée à l'heure américaine, il ne dormirait pas cette nuit-là non plus. Il avait deux livres, qu'il avait tous deux lus. Au plafond le ventilateur tournait à sa vitesse maximale, mais sans le rafraîchir. De l'autre côté de la fenêtre, la folie continuait. Il lui parut absurde que des gens assiégés par la guerre s'amusent en mettant le feu à des explosifs.

Il resta au lit et relut Georges Simenon, s'endormit à l'aube et se réveilla vers dix heures du matin.

Peu de temps avant son rendez-vous du déjeuner, il prit un taxi pour se rendre au magasin de cartes et graphiques Sung Phoo, qui était seulement, lui assura le chauffeur, à quelques rues de l'hôtel, mais difficile à trouver. À l'intérieur, un jeune homme très vif l'accueillit en anglais. Lorsque Fest expliqua qu'il désirait la carte de la région la plus ordinaire qui fût, le jeune homme lui fit monter un étroit escalier jusqu'à une pièce remplie de femmes assises devant des tables à dessin sous des tubes circulaires de néon blanc, et très vite il se retrouva dans la matinée saigonaise avec trois rouleaux enveloppés de papier kraft et entourés de ficelles : des cartes en français, coloriées à la main – le Nord Vietnam, le Sud Vietnam, Saigon.

L'air était limpide, lumineux et brûlant ; des ombres noires s'étendaient sur le trottoir sous les arbres. Il marcha jusqu'à la rue suivante et héla un taxi. Le chauffeur lui expliqua qu'à cause du Nouvel An il ne pouvait pas mettre le compteur en route et que son client devrait payer copieusement. Écœuré, Fest descendit du taxi, prit un cyclo pour aller à son rendez-vous et arriva, selon sa montre, avec quatre minutes d'avance au restaurant du Perroquet Vert, où la salle très étroite ressemblait au wagon-restaurant d'un train, avec des tables pour deux – pas plus de deux couverts – collées contre chaque mur, et un couloir au milieu de la salle. Aucun maître d'hôtel ne l'accueillit, seulement un jeune homme derrière une caisse enregistreuse, qui haussa les sourcils.

« Parlez-vous anglais ? demanda-t-il au caissier.

— Oui. Je vous en prie.

— Vos toilettes ont-elles une chasse d'eau ?

— Désolé, je ne comprends pas.

— De la plomberie et de l'eau.

— Je ne vois pas de quoi vous parlez.

— Où sont vos W-C ?

— Oui, *sir*. Au fond. »

Il prit une chaise. Presque tous les clients du restaurant étaient vietnamiens.

À trois tables seulement de la sienne, tout seul, était assis un Américain qu'il reconnut à cause d'une mission précédente dans les Philippines, le neveu, crut-il se souvenir, du colonel haut en couleur qui aimait tant blaguer avec les autochtones. Son contact ? Une chaleur soudaine, un terrain familier sous les pieds, un ami avec qui travailler, ou du moins une connaissance.

L'enfance de l'art exigeait qu'ils ne se saluent pas sans d'abord échanger les mots de passe. Fest se dirigea vers les toilettes des hommes et, ce faisant, passa tout près de la table de l'Américain. Il posa son paquet tubulaire contre le mur humide, se lava les mains et attendit trois minutes, jusqu'à douze heures trente précises. Quand il ressortit des toilettes, l'Américain était parti et un autre Américain assis à une autre table lui adressa un signe de la main – Johnson, qui la veille l'avait récupéré à l'aéroport avant de s'éclipser tellement vite. Un officier vietnamien en uniforme, portant des lunettes de soleil d'aviateur, était assis en face du Noir ; rien devant lui sur la table hormis un paquet de cigarettes.

Johnson se leva quand Fest les eut rejoints. « Monsieur Reinhardt, voici le commandant Keng.

— Enchanté, dit Keng en tendant le bras pour échanger une poignée de main.

— Où puis-je m'asseoir ?

— Prenez ma place, dit Johnson. Je suis en retard. Vous êtes entre de bonnes mains.

— S'agit-il d'une affaire locale ?

— C'est quoi ce tube ?

— Des cartes de la région. Je viens tout juste de les acheter.

— Raccompagnez-moi jusqu'à la porte. »

À l'entrée Johnson lui remit une carte de visite où figurait le nom de Kenneth Johnson, membre de Meeker Imports. « Dans le cas d'un événement imprévu, rejoignez l'entresol de l'école de langues des forces armées. J'ai noté cette adresse derrière la carte. Le sous-sol, okay ? Vous serez accueilli par un marine américain à qui vous présenterez cette carte.

— Merci beaucoup.

— C'est seulement en dernier recours. Seulement et absolument.

— Oui. Je comprends. En dernier recours. »

Une fois de plus le Noir disparut comme un fugitif.

Fest glissa la carte de visite dans son presse-billets et prit un peu de temps pour réfléchir. Encore un contact indigène. Il s'agissait donc du même genre d'affaire qu'aux Philippines. Là-bas, à leur table, le Vietnamien avait retiré ses lunettes de soleil pour examiner le menu. Son uniforme kaki semblait froissé, comme s'il avait dormi avec, mais ses bottes noires étaient bien cirées. Une affaire locale. Fest n'aimait pas ça.

Il s'installa en face de son contact.

« Monsieur Reinhardt, que mangerez-vous ?

— Rien.

— Rien ? Un peu de thé ?

— Du thé, oui. Et du pain, si c'est possible.

— Bien sûr que c'est possible. Je prends un pho-ban, de la soupe aux nouilles avec du bœuf. C'est très peu cher ici. »

Sans les lunettes, les yeux du commandant Keng paraissaient petits, noirs et luisants. Fest regardait les visages autour de lui et chacun affichait sa différence, mais tous ces visages, y compris celui de son contact, étaient identiques au souvenir qu'il avait du visage, disons, de la réceptionniste Thuyet, ou de n'importe quel autre Vietnamien croisé en ville. Ils parlaient une langue invraisemblable. Fest remarqua qu'il était désormais le seul client blanc de l'établissement.

Il ne changea pas d'avis et prit seulement un thé clairet et du pain. Le commandant lui demanda s'il avait visité la ville, il fit glisser dans sa soupe aux nouilles une salade de petits légumes et de pousses livides, puis il dévora le tout avec brusquerie, en se servant de baguettes laquées pour engloutir ses aliments, y compris apparemment le liquide, et il évoqua l'époque de ses études universitaires ici à Saigon.

« Appréciez-vous votre pain, ces morceaux de baguette ?

« — Oui, répondit Fest avec sincérité, il est excellent.

— Beaucoup de choses, qui datent des Français, survivent toujours.

— Je vois. Bien sûr. »

Keng poussa sur le côté son bol vide, prit une cigarette dans son paquet, puis un briquet dans sa veste. « Puis-je vous offrir une cigarette et du feu ?

— Non merci. »

Avec une expression que Fest interpréta comme un léger mépris, ou de la déception, le commandant fit jaillir une flamme. « C'est un Colibri de Londres. Au butane.

— L'endroit est-il indiqué pour parler affaires ?

— Bien sûr. C'est la raison de notre rencontre. J'ai quelque chose pour vous. » Il tendit le bras vers le sol entre ses pieds, son menton touchant presque la table, puis il se redressa en posant une mallette brune sur ses cuisses. « J'ai la marchandise. » C'était un paquet enveloppé de papier brun et entouré de ficelle. « Maintenant vous avez deux paquets. Vous avez bien dit que vous aviez des cartes ici ?

— En effet.

— Je me disais que c'était peut-être un fusil...

— Non. Est-ce le pistolet ?

— Oui. Utilisez le silencieux.

— Est-ce celui que j'ai demandé ?

— C'est un .380 automatique.

— J'avais demandé un .22.

— Nous n'avons rien d'aussi petit.

— Ai-je les photos de surveillance ?

— En l'état actuel des choses il n'y a pas eu de surveillance.

— Que pouvez-vous me dire sur la cible ?

— Pas encore identifiée par moi. On vous tiendra au courant.

— Combien de temps dois-je m'attendre à rester à Saigon ?

— Pour l'instant le planning est incertain.

— On m'a assuré que je recevrais le planning lors de ce rendez-vous. »

Keng prit tout son temps pour finir sa cigarette avant de l'écraser dans un petit cendrier crasseux. Il croisa les mains sur son ventre. « Nous l'avons perdu. »

Fest crut que cet homme s'amusait. Et maintenant ? Relever pareille incompétence semblait futile. « Je suis seulement ici pour rendre service.

— Nous le retrouverons.

— Me comprenez-vous bien ? Je suis entièrement libre de rester ou de partir. C'est ma décision. C'est mon affaire.

— Je peux seulement vous indiquer les faits. Ensuite vous devez prendre votre décision, annonça le commandant comme si Fest ne venait pas de dire précisément la même chose.

— Très bien, indiquez-moi les faits. Qui est la cible ?

— Un Viêt-cong. »

Fest resta silencieux.

« Vous ne me croyez pas.

— Il y a deux ou trois armées dans ce pays pour tuer les Viêt-congs. »

Keng alluma une autre cigarette avec son merveilleux briquet en argent qui marchait au butane. « Deux ou trois armées, oui. Et aujourd'hui un type supplémentaire qui déjeune avec moi. Un renfort. »

Maintenant Fest le croyait. Cet homme était en colère. L'extravagance de cette opération l'ulcérait sans doute, et il avait décidé d'y voir un intermède amusant.

« Je peux vous dire qu'il est simple de le retrouver. Les Américains y travaillent.

— Vous le connaissez donc.

— Je peux être un peu plus précis. La vérité c'est que nous n'arrivons pas à le localiser et que nous essayons d'obtenir des informations récentes sans nous aliéner leur source.

— Vous avez une source, mais vous ne voulez pas la mettre en danger.

— Exact. Nous devons être prudents. Nous ne pouvons pas coller le canon d'un pistolet contre la tempe de quelqu'un. Vous me comprenez ?

— Ce n'est pas de mon ressort, commandant.

— Nous avons besoin de nos sources pour un usage futur.

— Je comprends.

— En attendant, nous avons un point de contact sûr tout près de votre hôtel.

— J'en désire un autre.

— Deux points de contact ?

— Non. Un seul. Les toilettes de ce restaurant. Sous le lavabo.

— Vous comptez le vérifier tous les jours ? C'est assez compliqué de venir ici.

— Non. C'est vous qui le vérifierez dans trois jours. Le message vous indiquera un nouveau point de contact. »

Durant une bonne minute le commandant ne répondit pas. « Je ne vais pas me battre contre vous, dit-il enfin. Mais faites en sorte que le nouveau point de contact ne soit pas trop éloigné d'ici.

— Nous sommes donc d'accord ?

— Nous sommes d'accord, monsieur Reinhardt. »

Ils se séparèrent, puis, avec ses cartes et l'arme dans leurs deux emballages bruns, Fest avança au pas de charge sur le trottoir à la recherche d'un taxi. Il suait sang et eau, mais ne ralentit pas son allure, défiant quiconque de lui barrer la route, les mendiantes se ruant sur lui pour exhiber leurs moignons, leur tête difforme, leurs bébés squelettiques couverts d'ulcères, et puis que veut donc celle-ci – en attaquant mon flanc droit avec des propositions d'opium, U-globe, herbe, mais c'est quoi un U-globe ? Il était trois heures passées quand il rejoignit l'hôtel Quan Pho Xa.

Le lendemain matin il déménagea. Thuyet, la petite réceptionniste, était à son poste en bas. « Vous partez ? » demanda-t-elle en voyant le bagage de Fest, lequel répondit que oui. En attendant un véhicule, il l'interrogea sur le nom de l'hôtel. « Ça veut dire "Autour de la ville", dit-elle.

— Je vois.

— Vous partez pour l'Europe ?

— J'ai beaucoup de voyages à faire.

— Okay. C'est bon pour les affaires.

— C'est le Nouvel An.

— Nous l'appelons le Têt.

— Bonne année. »

Elle éclata de rire, comme surprise par un trait d'esprit. « Bonne année à vous !

— Est-ce l'année du Chien ? de la Chèvre ? du Singe ?

— Pas maintenant. L'année du Singe est finie. Maintenant ce sera l'année du Coq. »

Une heure plus tard il s'installa dans la chambre 214 de l'hôtel Continental. Cet établissement était célèbre, et assez cher, équipé de la climatisation. Il déjeuna au rez-de-chaussée dans un restaurant bondé d'Européens et d'Américains. Il descendit ensuite sur la place qui se trouvait devant, où sept ou huit fêtes semblaient avoir lieu en même temps, chacune ignorant les autres, sous les yeux d'hommes

en armes qui arboraient toute une variété d'uniformes et de casques
– police locale, MP américains, infanterie américaine et vietnamienne.

Fest discuta avec un conducteur de cyclo, qui partit à pied avec lui
vers une rue adjacente, lui présenta une fille dans un café, puis proposa de les accompagner tous deux jusqu'à une chambre dans un
hôtel dont Fest n'avait jamais entendu parler.

« Nous irons dans ma chambre. »

Le conducteur expliqua cela à la fille, qui acquiesça d'un signe de
tête en souriant, plaqua son corps contre le bras de Fest et posa la
tête sur son épaule. Ses cheveux noir de jais sentaient l'extrait de
vanille. Peut-être était-ce très exactement le parfum qu'elle utilisait.
Il n'avait pas envie d'elle, mais quelque chose de ce genre était indispensable. Il avait appris dans ce type d'opérations qu'il arrivait en
prédateur, qu'il devait violer la terre, qu'il devait fondre sur les habitants et qu'il devait commettre un délit mineur pour se concilier les
dieux des ténèbres. Alors ils le laisseraient entrer.

Richard Voss passa la matinée à l'ambassade pour lire et trier les
câbles arrivés durant le week-end et classés « Secret », c'est-à-dire
presque tous. Les problèmes majeurs avaient déjà été réglés, mais
quelqu'un – n'importe qui – des *Internal Ops* devait lire jusqu'au
moindre mot, telle était la consigne. « Envoie tout dans la catégorie
"Secret", lui avait dit un jour son premier patron à Langley, sinon ils
ne le liront pas. » Cette claustration ne le dérangeait pas. Il la préférait aux cocktails en compagnie de diplomates étrangers et de semi-
dignitaires vietnamiens, et si Crodelle faisait durer leur déjeuner avec
Skip Sands jusqu'à une heure tardive de l'après-midi, il pourrait
revenir ici, examiner les nouveaux câbles et trouver un prétexte pour
traîner jusqu'à l'heure de l'apéritif.

À midi il quitta l'ambassade, suivit le trottoir et traversa Tu Do à
travers la masse des vendeurs et des célébrants qui toute la semaine
avaient interdit cette rue aux véhicules à quatre roues. Il trouva un
taxi dans une voie latérale. Il s'était donné une demi-heure pour ce
court trajet ; malgré tout il avait dix minutes de retard quand son taxi
arriva en vue du Perroquet Vert.

Skip Sands se tenait debout sur le trottoir dans le soleil de midi, il
essuyait la transpiration autour de ses yeux et semblait plongé dans

une grande confusion – n'est-ce pas notre cas à tous ces temps-ci ? pensa Voss. Skip avait pris du poids. Là encore, n'est-ce pas notre cas à tous ? Ne sommes-nous pas gros, en nage et confus ?

Voss ouvrit la portière du taxi et lui fit signe de le rejoindre. « Un bail, mon ami ! Viens – j'ai pensé à un meilleur endroit.

— Bon. Fichons le camp. » Sands monta à côté de lui. « J'ai vu un type que je n'aime pas.

— Qui ?

— Un type de Manille. On roule, d'accord ? J'ai besoin d'air.

— De l'autre côté de la rivière, commanda Voss au chauffeur.

— Si on allait au Rex ?

— Impossible de rejoindre le centre-ville, dit Voss. Ils ont installé des barrages partout. Oncle Hô ne nous surprendra pas en train de dormir ! Nous sommes absolument archiprêts pour l'année dernière.

— Que se passe-t-il de l'autre côté de la rivière ?

— Rien, mon frère. C'est comme dans la vraie vie. Le mois dernier quelques nonnes ont ouvert un restau français.

— Des nonnes ? Elles savent cuisiner ?

— Scandaleusement bien. Personne ne fréquente encore ce restau, mais ça va bientôt être la ruée. »

Le chauffeur dit : « Un pont pas bon. Je prendre autre pont.

— Vas-y. Gagne ton fric », répondit Voss.

Sands demanda : « Comment va la famille ?

— Super. Je ne les ai pas vues depuis avril. J'ai raté l'anniversaire de Celeste.

— Quel âge a-t-elle ?

— Bon Dieu... Non, attends – quatre ans. Et toi ? Toujours solo ?

— Oui, j'en ai peur.

— Complètement ? Pas de fiancée aux États-Unis ?

— Pas encore. Célibataire endurci. »

Ils traversèrent la rivière vers la rive est, où des jonques et diverses épaves insubmersibles encombraient les quais.

« Ouh, cette rivière n'a jamais autant pué.

— Bienvenue à Saigon.

— Merci. Je m'en passerais.

— Non, je suis sérieux. Je suis content de te revoir », dit Voss, qui en effet était sincère. « Tu es parti depuis combien de temps ?

— Je vais et je viens.

— Tu as donc été absent durant tout ce temps ?

— Je suis juste ici pour une semaine ou deux. Je collecte des récits. Comment vont les combats ?

— Oh, nous sommes en train de gagner.

— Enfin quelqu'un qui sait.

— Tu collectes des récits ?

— Des récits, ouais – des contes folkloriques. Des contes de fées.

— Eh bien, tu es tombé au bon endroit pour ce genre de truc. » Ni l'un ni l'autre ne rit. « Des contes folkloriques.

— Oui – tu te rappelles Lansdale ?

— J'ai jamais rencontré Lansdale.

— "Il faut connaître les gens" – les chansons et les récits traditionnels. »

Voss s'entendit soupirer. « Les cœurs et les esprits.

— Oui. C'est pour un projet de l'école navale.

— Tout là-bas à... Où ça déjà ?

— Carmel.

— Jamais mis les pieds.

— Un endroit splendide. »

Des paroles creuses échangées, pensa Voss, dans la salle des phases terminales. Il réussit à y échapper, car il dut alors guider le chauffeur.

À quelques rues seulement du pont et non loin du quartier de l'ancienne villa des *Psy Ops* de la CIA où Voss et Skip avaient passé plusieurs semaines ensemble, ils trouvèrent le restaurant Chez Orléans. « J'adore ces vignes vierges », dit Voss devant l'incroyable luxuriance qui étouffait presque la façade. « On arrive à peine à voir par les fenêtres. Discrétion assurée. » Je déblatère comme un crétin.

« Tu habites toujours à l'ancien endroit ?

— L'ancien endroit n'existe plus. Je crois que l'armée l'a récupéré. Je suis au Meyerkord. »

La vigne vierge continuait autour du bâtiment et elle envahissait la tonnelle pour créer une ombre relativement fraîche sur les dalles en pierre du patio. De la musique sortait d'une sono enveloppée dans de la toile à sac, installée dans l'angle le plus frais et le plus élevé de la tonnelle – du flamenco, de la guitare classique. Sous le haut-parleur, près de la petite fontaine, trois officiers aux gros écussons jaunes du 5ᵉ de cavalerie cousus sur leur manche, mangeaient sans parler. Sinon, personne. Ils s'assirent à une table, puis Sands commanda un 7Up et une grenadine. « Je vais prendre un martini, dit Voss.

— Je n'aime pas les olives », précisa Sands. Pendant que Voss se demandait comment répondre à une telle déclaration, Sands poursuivit : « Je n'avais pas l'intention de paraître cynique tout à l'heure.

— C'est moi qui ai eu l'air cynique. Et je crois bien que c'était ce que je voulais.

— Non, non, je comprends très bien. Nous nous posons tous des questions.

— Ouais, même si la gauche croit le contraire, que nous avons tous subi un lavage de cerveau, que nous sommes une bande de crétins, que nous avons besoin de chefs qui nous crient dessus sans arrêt – est-ce qu'ils se prennent pour des intellectuels ? Qui a envie d'être un intello ? Qui s'intéresse à la puissance de son équipement s'il n'est pas capable de le faire fonctionner correctement ? Ils ont quoi, les intellos ?

— Les échecs.

— Un communisme débile. Une vie sexuelle malsaine, frustrante, pervertie. »

Sands n'ajouta rien. Il semblait plus clairvoyant que jamais, et toujours aussi aveugle. Qu'y a-t-il de marrant là-dedans ? se demanda Voss. Crodelle, tu es un sale con.

« Skip. Skipper. Qu'y a-t-il ?

— Ma mère est morte.

— Oh, merde.

— J'ai appris la nouvelle hier.

— Je suis désolé.

— J'essaie de me rendre compte.

— Oui, c'est dur.

— Je sais. Que peux-tu dire ? Mangeons. »

Le menu du déjeuner était léger, salades, crêpes et sandwiches. Voss recommanda la *salade niçoise**, préparée, assura-t-il, avec du vrai thon frais et que Skip ne choisit pas à cause des olives. Sands commanda la *salade d'épinards aux crevettes**, puis ils tuèrent le temps en lisant le menu du dîner avec admiration : *filet de porc rôti, carré d'agneau aux pistaches, thon aux pignons de pin**, décidément ces nonnes ne manquaient de rien – elles garantissaient aussi la discrétion – si c'étaient bien des nonnes qui dirigeaient ce restaurant. Il n'en avait jamais vu la moindre ici. « C'est mieux que le Yacht Club, dit-il à Sands, et moins cher, mon pote. » Il avait faim et accueillit sa salade avec soulagement. Mais Sands, après avoir mangé quelques bouchées de ses épinards aux crevettes, parut s'absenter, se mit à chipoter avec sa fourchette, dessinant des spirales dans sa sauce à l'orange et aux câpres ; Voss fut submergé de pitié pour lui et dit : « On a du mal à croire que là-bas, chez nous, des gens puissent encore mourir. Ici on finit par se dire que nous avons sous la main tous les décès du monde. Tous les morts de la planète. »

Skip leva les yeux d'un air surpris et répondit : « C'est vrai. Je viens de ressentir exactement ça.

— On en est tous là. Tu te rappelles le Têt de l'an passé ?

— Ouais.

— Tu étais ici ?

— J'étais dans le coin.

— Cao Phuc ?

— Par intermittences.

— Tu as reçu du courrier assez régulièrement à l'ambassade.

— Oh. Tu gardes une trace de ces choses-là ?

— Quelqu'un garde une trace des moindres détails. Mais qui garde la trace de celui qui garde la trace ? Bon, Cao Phuc. Ouais. Vous avez fait du bon boulot sur Labyrinthe.

— Oui, merci – tu le penses vraiment ? »

Un taxi s'arrêta devant le restaurant et malgré l'écran de la vigne vierge Voss reconnut l'homme qui en descendit.

« Eh bien, Skip, avoua-t-il avec une brusque irritation, non. Pas vraiment. Franchement, qu'est-ce que je connais à Labyrinthe ? Je me contente de – tu vois – de compliments vagues et généraux.

— Okay. Je t'adresse donc mes remerciements vagues et généraux. Écoute, Rick, dit Sands, on pourrait peut-être arrêter de tourner autour du pot.

— Bien sûr. Bien sûr. »

À cet instant précis Crodelle fit son apparition et se dirigea droit vers leur table comme s'il avait consulté une carte et appris par cœur son itinéraire. Grand, anguleux – pas assez grand pour le basket universitaire, mais incapable de se soustraire à ce sport au lycée. Physiquement, il évoquait l'intellectuel rêveur et négligé. Une fausse impression. Il possédait le feu sacré qui caractérise certains rouquins. Voss avait toujours cru que les rouquins perdaient leurs taches de rousseur à la sortie de l'enfance, mais Crodelle en avait gardé quelques-unes sur les joues. Voss avait conscience de réfléchir trop souvent à ces détails, qui s'étaient incrustés dans ses pensées comme des substances irritantes – la taille et le type physique de Crodelle, son intellect, ses taches de rousseur –, car il avait peur de Crodelle.

« Je veux de la soupe ! »

Sands lui répondit : « Je ne suis pas sûr qu'ils aient de la soupe.

— Bizarre. Pas de soupe ?

— Pas au déjeuner.

— Terry Crodelle. »

Les deux hommes se serrèrent la main. Voss dit : « Skip Sands. »

Crodelle s'assit et confirma : « Mais oui », puis il lança à travers le patio : « Martini ? Et une salade » – il pointa un index osseux vers l'assiette de Voss – « *comme ça* *.

— Et du thé, ajouta Sands.

— Et du thé, s'il vous plaît. »

Sands dit : « Est-ce que nous vous attendions, Terry ?

— Je suis coincé de ce côté-ci de la rivière. Sur l'autre rive ce ne sont que banderoles, drapeaux, pétards. Alors – vous êtes de retour à Cao Phuc ? Ou bien vous n'en êtes jamais parti. »

Sands exerçait un contrôle excellent sur son apparence physique, mais il ne put dissimuler sa surprise. « Je suppose que vous travaillez avec nous.

— Nous qui ?

— Nous. L'équipe. Nous tous.

— Je bosse pour le Regional Security Center.

— Stationné ici ?

— En visite. Je visite votre charmante planète.

— Première fois que vous venez dans ce pays ? »

Crodelle cligna des yeux, puis les écarquilla. « Je sillonne cette région depuis 59. Je suis d'avant Kennedy.

— Waouh. Vous ne faites vraiment pas votre âge.

— Je suis allé faire un tour à Cao Phuc une fois ou deux. Comment ça va là-bas ces temps-ci ?

— Beaucoup plus calme. Très calme.

— Ont-ils démantelé ces installations aériennes ?

— Je ne connais pas le statut officiel de cette zone.

— Mais que voit-on ?

— Il est difficile de décrire le stade où ils en sont. » Sands leva les yeux et regarda autour de lui comme s'il cherchait leur serveur. « Je ne sais pas s'ils sont en train de démanteler ou si c'est plus ou moins abandonné. Mais je dirais que le temple bouddhiste focalise de nouveau toutes les attentions.

— Les Viêt-congs s'infiltrent-ils ?

— Je n'en sais rien.

— On vous a mis au boulot sur quoi, là-bas ?

— Je collecte des récits. Des contes folkloriques.

— Sans déconner ! Rick, ici présent, croyait que vous aviez quitté le pays.

— Je vais et je viens.

— Alors comme ça la base est démantelée ?

— Nous ne parlions pas d'une base. Mais d'une zone d'atterrissage. » Sands paraissait inexplicablement content.

« Est-ce que vous fréquentiez le Purple Bar ? »

Skip éclata de rire. « Seulement aux heures de cocktail autorisées.

— Vous savez quoi, Skip ? Je suis ravi qu'on se rencontre enfin.

— Hé, vous autres », dit Voss avant de s'excuser.

Il rejoignit les toilettes et trouva l'urinoir rempli de cubes de glace, une extravagance fascinante.

Voss regrettait que Crodelle fût arrivé si tôt pendant le déjeuner. Sands et lui auraient peut-être pu parler librement – mais à qui peut-on parler librement, sinon à un homme sur le départ ? Lui-même travaillait dans le renseignement depuis six ans seulement, mais il aurait aimé quitter à quatre pattes ces eaux troubles, pénétrer dans une caverne et se confesser à un mollusque géant. Absurde, certes. Mais les éléments essentiels y étaient. L'air et la noyade. L'obscurité et l'humidité.

Quel putain de gâchis monstrueux et idiot.

L'un des officiers le rejoignit aux toilettes, un nez de faucon, une coupe en brosse, des galons de commandant sur ses épaules et l'écusson jaune du 5e de cavalerie sur la manche, un homme sans secrets, un homme qui se soulageait devant tout le monde. Pendant que le commandant pissait d'un air méditatif sur le tas de glaçons, Voss se lava les mains et se les essuya avec une des serviettes en tissu qui s'empilaient près du lavabo, avant de la jeter dans une corbeille en osier. Ce restaurant était vraiment chic. Au-dessus du miroir jaunâtre et brumeux qui lui renvoya l'image d'une victime de quelque forme sournoise et foudroyante de l'hépatite, étaient peints en une calligraphie précise, féminine, religieuse, les mots :

Bon appétit *!*

Quand Voss retourna à leur table, ils abordaient déjà le sujet dont Crodelle désirait s'entretenir, du moins pour commencer – à savoir l'article délirant du colonel –, et Crodelle en rajoutait. Il s'arrangeait pour paraître d'une expertise sans égale dans tous les domaines qu'il évoquait au fil de la conversation. Voss n'en avait pas grand-chose à faire, mais il s'offusqua de voir Crodelle harceler Sands à cet instant précis. Ce désir de pister l'« influence de commandement », voulait savoir Crodelle – le colonel avait-il réfléchi à la complexité de tout ce processus ? Les frères Mayo n'avaient-ils pas écrit à propos du docteur Gorgas : « Les hommes qui accèdent à la grandeur ne travaillent pas de manière plus complexe que la moyenne de leurs semblables, mais de manière plus simple » ? Le problème pour essayer de prouver l'« influence de commandement » par des expériences n'était-il pas justement que presque toutes ces expériences, celles que Crodelle connaissait en tout cas, avaient été faites pour déterminer l'impact d'une intervention, d'un traitement, d'un médicament nouveau, plutôt que pour prouver la présence ou l'absence d'un facteur causal ? – comme les tests entrepris par Lind au dix-huitième siècle avec des traitements du scorbut, ou, selon un exemple plus récent, les expériences de Salk sur les vaccins ? D'un autre côté... Sands était peut-être au courant de la Commission de la fièvre jaune au dix-neuvième siècle et de la science alors nouvelle de la bactériologie ? – sans oublier les travaux de Walter Reed et de James Carroll ? Peut-être pouvait-on procéder à des tests, mais quel serait alors le « marqueur » expérimental pour l'« influence de commandement » ? Et le combat contre la malaria, la typhoïde et la fièvre jaune, n'avait-il pas été une guerre au même titre que celle-ci ? – Jesse Lazear n'était-il pas mort en martyr dans une salle d'hôpital de La Havane, détruit par la maladie même qu'il aidait à vaincre ? Les guerres exigeaient des idées nouvelles ; et le colonel en avait peut-être trouvé une : pouvait-on – c'était une simple hypothèse – injecter les éléments qui selon nous provoqueraient l' « influence de commandement » dans des canaux d'information présélectionnés ? La curiosité de Crodelle le submergeait, un désir sincère de communiquer lui crispait les traits, il agitait les mains devant son visage, les doigts largement écartés, la tête tendue en avant, en visant la précision maximale avec une concentration passionnée, comme si chacun de ses concepts était un ballon de basket – mais enfin, qui était le colonel dans tout ça, Walter Reed l'enquêteur scrupuleux, ou Giuseppe Sanarelli le type qui répondait du tac au tac aux mauvaises questions ? Le colonel avait besoin d'un Aristides Agramonte pour entrer dans le saint des saints et autopsier les cadavres. Skip connaissait-il le travail d'Agramonte ? Skip savait-il – comment ai-je fait pour ne pas le remarquer plus tôt ? – qu'avec cette moustache et ce vaste front il ressemblait à Agramonte ?

Cette dernière question semblait tout sauf rhétorique. Crodelle se tut. Et attendit.

Voss se demanda si Sands était un parfait crétin ou le Bouddha incarné. D'où pouvaient bien venir cette posture amusée, cet œil presque narquois ?

Sands dit : « Mon Dieu.

— Ouais. C'est plutôt corsé.

— Pourquoi vous intéressez-vous à tout cela, Terry ?

— La simple curiosité. Le contrôle des maladies constituait l'un de mes dadas en fac – prépa de médecine. Et puis j'ai laissé tomber tout ça pour me balader dans notre univers et je n'ai jamais cru trouver quoi que ce soit de *ce* domaine qui puisse s'appliquer à *notre* domaine, c'est-à-dire au renseignement.

— Il s'agit d'un simple brouillon. Il ne le terminera jamais.

— Votre défi consiste à prouver l'existence de l'"influence de commandement". Votre défi consiste à isoler ces différents canaux qui remontent la chaîne du commandement, et à injecter des informations aléatoires dans ces canaux pour voir dans quelle mesure elles sont déformées. Comment fait-on pour "nettoyer" un canal ? Vous avez besoin de canaux que vous modifiez et de canaux auxquels vous ne touchez pas. Ce n'est pas nouveau. La fièvre jaune là encore, la polio, etc. Mais ce que vous devez vraiment trouver, ce sont deux ou plusieurs organismes de renseignements non connectés – faire participer certains de nos alliés. Ce serait intéressant. Ça pourrait aboutir quelque part. Peut-être à une révolution. Mais avons-nous besoin d'en entamer une avant d'avoir *vraiment* besoin d'en entamer une ?

— Je ne suis pas certain de bien comprendre.

— Il est tout à fait remarquable qu'il ait ouvert un champ nouveau d'investigations. Le colonel. Je veux dire, est-il possible de créer des marqueurs, des marqueurs de renseignements, et de les suivre vers le haut et vers le bas de la chaîne de commandement, ainsi qu'à l'extérieur à travers les lignes de communication, et de tirer des conclusions sur la manière dont nous procédons ? C'est vachement corsé, mec. Votre oncle est un révolutionnaire radical.

— Vous l'avez rencontré ?

— Une fois ou deux. J'ai de la sympathie pour le colonel. C'est une incontestable personnalité. Je veux dire, Cao Phuc – l'affaire en cours. Pour autant que nous puissions le savoir, il a convaincu quelqu'un, le commandant alcoolo d'un des groupes d'hélicoptères d'assaut, de sécuriser une zone d'atterrissage sur cette montagne en 64, et quand le 25ᵉ d'infanterie est arrivé il a en quelque sorte emprunté une section qu'il a gardée là-bas durant vingt-quatre mois, en arguant d'un prétexte après l'autre, et il s'est débrouillé pour que le 25ᵉ s'occupe de cette zone d'atterrissage comme d'une base. Puis il a assuré la promo du village en tant que meilleur endroit du monde pour y installer un camp de relocalisation. À la belle époque de Cao Phuc il avait une demi-douzaine de sections qui crapahutaient sur cette montagne, et son propre hélicoptère privé. Voilà une personnalité vraiment impressionnante, mec. Malheureusement, pendant l'offensive du Têt il a eu des victimes et il a perdu toute une section dont on peut seulement espérer que les hommes ont été fait prisonniers, et puis les gens ont commencé à se demander ce qui putain se passait à Cao Phuc. S'il n'y avait pas eu le dernier Têt, à l'heure qu'il est il aurait sans doute sa propre brigade. Et il n'a strictement aucun lien avec les militaires ! – sauf cette histoire de connexion avec les *Psy Ops*, dont aucun membre n'a jamais rencontré personnellement ce loustic, jamais. Il a manigancé tout ça à son idée, grâce à son autorité innée. Vous imaginez, il a réalisé tout ça au bluff, grâce à ses couilles. Vous vous rendez compte ?

— Vous semblez en savoir plus sur lui que moi.

— Il y a beaucoup de choses admirables chez lui. C'est un guerrier...

— Un authentique héros de la guerre, Terry.

— Bien sûr, disons un héros, il a le cul bordé de médailles, d'accord – mais ce n'est pas une barbouze, ce n'est pas ce genre-là. Il *soupçonne* tout le monde d'être contre lui, mais *il se comporte* comme s'il n'avait pas un seul ennemi sur terre. Vous savez ce qu'un type m'a dit un jour sur le colonel ? "Ses ennemis ne sont que des amis qu'il n'a pas encore vaincus."

— John Brewster, c'est ça ?

— Qui ?

— Vous avez très bien entendu.

— En fait, c'est peut-être John. Je ne me rappelle pas. Écoutez. Allez. Écoutez-moi... Votre oncle a une chose à nous apprendre, et cette chose c'est : Faites confiance aux locaux. Il ne s'est jamais mis à l'écart d'eux. Il travaille avec eux, il se joint à eux. Mais ce faisant, il se sépare de nous, ses compatriotes. »

Skip intervint : « Je crois que vous interprétez mal les faits, et qu'ensuite vous grossissez vos interprétations erronées. Ou du moins vous laissez vos interprétations grossir d'elles-mêmes.

— Avez-vous lu *Un Américain bien tranquille* ? »

Skip répondit : « *Bou-cou** fuck you.* »

Voss dit : « Holà, ça va trop vite. Je croyais qu'on allait ferrailler encore un peu.

— Ouais, ouais. » Crodelle cligna des yeux. Et rien de plus. « Il vivait au Continental quand il a écrit ça.

— Graham Greene. À côté de la chambre du colonel.

— Skip... on dépasse ses mentors. C'est inévitable.

— Écoutez, dit Skip, j'ai pigé.

— Alors expliquez-vous.

— À vous de l'expliquer.

— J'ai déjà tout expliqué. Si le colonel désire appliquer empiriquement ses théories, eh bien qu'il propose une étude aléatoire à partir de deux systèmes – un témoin, et puis un système dans lequel il introduit un agent ou un catalyseur dont il peut mesurer les effets en rapport avec le système témoin référent dépourvu d'agent infiltré. N'oubliez pas les anciennes explications de la polio, cette époque où les chercheurs testaient toutes les idées qui leur traversaient l'esprit – les excréments de chiens, bon Dieu ; quand on injectait leur propre urine aux malades de la polio. Voilà ce que fait le colonel, mon vieux : il injecte de la pisse dans les services de renseignements. Tout de même, poursuivit Crodelle, il est devenu une légende vivante à Washington à cause de ses déjeuners beuveries de trois heures. »

Sands se tourna vers Voss : « Je t'emmerde aussi, Voss. » Il se leva. « À propos d'injecter de la pisse. Faut que j'aille me soulager la vessie.

— Va faire fondre un peu de glace, dit Voss.

— Quoi ?

— Tu verras bien. »

Il partit et Crodelle le suivit des yeux jusqu'à ce que Skip eût disparu dans le restaurant.

« Alors, Terry. Pourquoi avez-vous mis tout ce temps ?

— Rick ? Connaissez-vous votre rôle ? »

Voss ne répondit pas. Il regarda Crodelle siroter son martini.

« Y a-t-il une fenêtre là-bas ?

— Il ne va pas s'évader par la fenêtre.

— Comment le savez-vous ?

— Il s'amuse trop.

— Et vous ? »

Voss envisagea de commander un autre martini, mais sentit que la récente remarque sur les déjeuners beuveries lui déconseillait de le faire.

« S'il pousse, je compte pousser aussi. Juste histoire de maintenir l'équilibre en ma faveur, okay ? Et puis les choses vont s'accélérer.

— Je n'en doute pas.

— C'est très bien comme ça. Mais vous avez un rôle à jouer. Quand l'équilibre est menacé, il faut que vous bondissiez sur le tape-cul – de mon côté, bien entendu.

— Je comprends parfaitement.

— Avant de venir ici, j'ai pris un machin à la boutique.

— Quelle boutique ? »

Crodelle parut reprendre vie, ses traits se convulsèrent de plaisir. « Voulez-vous bien regarder ça ? » Il sortit de sa poche de poitrine un objet qui ressemblait à un gros briquet. Le tenant sur sa paume, il appuya le pouce contre sa face latérale. « Ça s'ouvre comme ça, et *zou.* » Deux minuscules bobineaux à l'intérieur. « La bande magnétique est – vous la voyez ? Ce fil minuscule ? Un diamètre d'un cinq-centième de centimètre, mon vieux. »

Les employés du Regional Security Center de Manille venaient régulièrement en ville et Voss croyait les connaître tous ; Crodelle n'en faisait pas partie. Il avait installé sa boutique au sous-sol de l'école de langues, on avait demandé aux *Internal Ops* de lui fournir tout ce dont il aurait besoin, et ce jour-là il avait besoin d'un magnétophone du vingt et unième siècle.

« Vous autres avez droit à tous les gadgets dernier cri.

— Ces trucs-là sont en circulation depuis une douzaine d'années. »

Sands revint. Il s'assit, puis Crodelle lui tendit le magnétophone, face ouverte. « Regardez.

— Où est la bande ?

— Il faut que la lumière vienne du bon côté. Vous voyez ? »
Voss dit : « Un cinq-centième de centimètre.

— Il est branché ?

— Pourquoi diable il le serait pas ? » fit Crodelle en refermant le couvercle avant de laisser l'appareil entre eux sur la nappe verte en tissu. « Donnons-lui un scoop. Nous sommes ici dans la salle de bal Aragon avec le formidable chef d'orchestre Skipper Sands... Sands. Allemand ? Anglais.

— Non. Irlandais.

— Irlandais ?

— Mon arrière-arrière-grand-père descendait des Shaughnessey. Apparemment il s'est mis à s'appeler Sands sur le bateau qui l'emmena en Amérique.

— Une sorte de retournement de veste.

— Je ne l'ai pas connu. Je ne sais pas.

— Avait-il des ennuis ?

— Non. Je peux vous demander quelque chose ?

— Bien sûr.

— En ai-je ?

— La salle de bal Aragon est vouée à la musique et aux plaisirs. Personne n'a d'ennuis ici.

— Merde. Pourquoi ne pas me soumettre au détecteur de mensonges ?

— Ça n'est pas exclu.

— Je veux dire maintenant, Crodelle.

— Non, Skip. Pas maintenant. Nous allons avoir besoin de vous préparer si nous voulons obtenir un test à peu près probant.

— Quand vous voudrez.

— D'accord. C'est noté.

— Et Crodelle ? *C'est français* * ?

— Je ne sais pas. Oui, français. C'est peut-être une déformation de "Cordelle". – Où est votre oncle Francis, Skip ?

— Je ne sais pas. Ici même, en ville, je suppose.

— Savez-vous qu'il a été rappelé à Langley il y a de ça sept semaines, non, huit – peu importe, au début de novembre dernier ?

— Je ne savais pas.

— Eh non, parce qu'il n'y est jamais allé.

— Il va où bon lui semble.

— Ouais. Et quand l'envie lui prend, il sort un flingue et bute un prisonnier ligoté.

— Allons bon.

— N'a-t-il pas exécuté un prisonnier à Cao Phuc pendant le Big Têt ?

— Je ne suis pas au courant.

— Eh bien, il est de notoriété publique que vous êtes au courant. Nous savons que vous savez.

— Je suis certain que vous confondez avec une histoire datant de la Seconde Guerre mondiale.

— Il a aussi exécuté des prisonniers pendant ce conflit ? Nous allons devoir enquêter. Mais en ce moment vous êtes bien basé à Cao Phuc, n'est-ce pas ? Et pendant le dernier Têt aussi ? Cao Phuc est votre base, plus ou moins ?

— Dans ce pays, oui. Mais je vais et je viens. Je suis le plus souvent absent. J'ai quelques affaires là-bas.

— Bon, vous passez beaucoup de temps là-bas. Vous avez forcément quelques affaires à Cao Phuc. Quand nous disons que vous avez des affaires là-bas, nous incluons certains biens du colonel, d'accord ? Ses cantines, par exemple.

— Des cantines ?

— Vous savez, c'est le nœud du problème. Je crois que tous ces types que nous admirons tant, je crois que chacun d'entre eux, à sa manière, a perdu la foi. Nous combattons le communisme, mais nous-mêmes existons au sein d'une communauté. Nous existons au sein d'une ruche.

— Vous pensez qu'ils ne croient plus à la liberté ?

— Je crois qu'ils ont l'esprit engourdi. »

Un silence.

Crodelle dit : « Qu'en pensez-vous, Skip ?

— Je crois que c'est trop compliqué pour qu'on en discute. »

Crodelle dit : « Que contiennent ces cantines ? »

Skip resta muet.

« Pourquoi ce silence ?

— Suis-je censé répondre avec brusquerie parce que vous posez des questions brusques ?

— Il y en a trois, trois cantines. Vous les aviez à Clark Field le 31 décembre 1966, elles sont arrivées avec vous à la villa de la CIA, tout près d'ici, rue Chi Lang, le jour du Nouvel An. »

Sands n'avait pas touché à sa tasse de thé. Sa concentration était stupéfiante.

« J'aimerais vous demander ce que vous faites à Cao Phuc, dit Crodelle.

— Eh bien, je pense que vous ne devriez même pas envisager de le savoir. »

Crodelle écarquilla les yeux. « Bordel à queue. »

Sands lui rendit son regard.

« Vous êtes sur un coup. Vous magouillez quelque chose. Ou vous manipulez quelqu'un.

— Qui êtes-vous exactement ?

— Très bien. Identifions-nous. Je suis Terrence Crodelle, agent du Regional Security.

— Félicitations.

— À vous de vous présenter. La base de Saigon a deux départements, désignés sous les appellations de *Liaison Operations* et de *Internal Operations*. Pour qui travaillez-vous, Skip ?

— Je suis *Ops*, je travaille surtout avec les militaires des *Psy Ops*. »

Crodelle s'adossa et soupira. « Je suis *Ops* pour *Psy Ops* », ironisa-t-il et Voss pensa : Il me semble que t'es dans les cordes.

Souffrant d'une nausée croissante, Voss s'obligea à mettre son propre museau dans la boue : « Tu te rappelles les cantines ? Ces trois cantines ? Bien sûr que oui. Je ne crois pas que tu aies pu oublier ces cantines. Tu te rappelles le nom figurant sur ces cantines ?

— Non.

— Puis-je demander sous quel nom tu es ici ?

— Je m'appelle William Michael Sands.

— Quel nom figure sur ton passeport ?

— C'est le nom qui figure sur mon passeport. »

Crodelle dit : « Où se trouve la planque du colonel ?

— Aux dernières nouvelles, il a une chambre au Continental.

— Je sais qu'il a des relations dans le delta du Mékong. Une en particulier. Une femme.

— Vous me l'apprenez.

— Près de Binh Dai.

— J'apprends beaucoup de choses aujourd'hui. »

Un véhicule s'arrêta dehors. Skip se leva, rejoignit le bord du patio, parla à travers la vigne vierge : « Retenez ce taxi pour moi, s'il vous plaît. »

Il avait toujours la serviette coincée dans la ceinture. C'était la seule initiative que Voss lui avait vu prendre depuis le début de la journée.

Il revint près de la table, y posa sa serviette et dit : « Le déjeuner est pour vous, les gars », puis il quitta le restaurant.

Convaincu qu'il dépensait trop, que les GI et les hommes d'affaires locaux payaient moins que lui, Fest passa l'après-midi avec la jeune femme dont les cheveux sentaient la vanille, qui lui réclama trente dollars pour quatre heures en sa compagnie dans la chambre climatisée de l'Allemand. Elle se pelotonna sous les couvertures, elle insista pour téléphoner plusieurs fois, même s'il pensait qu'elle n'avait personne à qui parler et qu'elle faisait seulement semblant de converser, elle tira sur les poils de sa barbe et sur les poils frisés de sa poitrine, elle essaya de lui ôter les points noirs du nez – en fait elle jouait constamment avec le nez de Fest –, ravie de ses dimensions européennes, et de manière générale elle se comporta comme la catin idiote qu'elle était. Tout comme Fest était un client idiot. Il fit monter du champagne dans sa chambre, mais la fille refusa d'y toucher – en caquetant et en gloussant de peur – comme elle aurait pu refuser de se plier à un jeu érotique particulièrement pervers. Fest en but la totalité. Elle refusa aussi de manger. Il prit une douche tandis qu'elle téléphonait en douce. Ses grands espoirs relatifs à cet hôtel avaient fait long feu – il avait cru pouvoir appeler Berlin, avoir des nouvelles de son père. Les câbles étaient inutiles. Il n'avait dit à personne où il était. Apparemment, on pouvait appeler Berlin, mais pas de l'hôtel. Le concierge avait promis d'arranger la chose, de l'emmener personnellement quelque part. En attendant, le vieil homme allait mourir. Si ce n'était déjà fait. Peut-être a-t-il rendu l'âme hier, pendant que j'achetais mes cartes. Et en ce moment même il est mort, tandis que je me douche sous cette eau tiède et contaminée, et qu'une putain souille mon lit. Les gens meurent quand on pense à autre chose. C'est comme ça. Claude n'avait pas fait exception à la règle : touché à la gorge par un tireur embusqué de la Résistance française. Leur père avait été un homme solide, un patriote allemand, une relation d'Heinrich Himmler. Son frère aîné avait été officier dans les Waffen-SS. C'étaient des faits indiscutables. On ne pouvait ni les nier, ni les taire, ni les mépriser. Et puis Claude avait donné sa vie aux nazis, voilà encore un autre fait. Mais Claude était davantage qu'un simple fait : il était la légende de la famille, son père avait constamment ce prénom sur les lèvres ; mort, mais durant toute la jeunesse de Fest plus vivant pour leur père que Fest lui-même. Il donna à la fille un peu d'argent vietnamien, sans même se demander combien, puis la renvoya.

Pendant que sur la place les célébrants déchaînaient la musique et les explosions de la guerre, de la défaite et de la victoire réunies, il dîna dans sa chambre et se prépara pour se coucher de bonne heure. Il avait un point de contact, un point de rendez-vous et un point de dernier recours. À cet instant précis, personne ne pouvait le localiser, et surtout pas ses commanditaires locaux. Le champagne lui donna une migraine qui le tint éveillé. Il s'assit au bureau de la chambre 214, puis démonta et examina son équipement. On avait nettoyé et graissé le pistolet, il le constata. L'arme ne s'enrayerait pas. Il la remonta. Les deux chargeurs coulissaient sans heurt dans la crosse et les balles y circulaient presque en silence tandis qu'il faisait aller et venir la glissière. Le silencieux et le canon sur lequel il se fixait avaient été fabriqués en usine. Quelqu'un faisait du bon boulot. Mais ce rendez-vous absurde à Hong-Kong, la rencontre éclair avec Kenneth Johnson, l'impression de passer d'un cousin à un autre cousin, toujours plus loin de la source... Et puis le sentiment qu'on se servait de lui à fond. Non que le fait de travailler pour d'autres services fût sans précédent. Neuf ou dix ans plus tôt, un Algérien à Madrid ; et puis un homme sur un yacht à Côme, en Italie, que Fest avait alors pris pour un membre de la mafia. Et aux Philippines, le prêtre américain. Aucune de ces cibles n'avait été un ennemi de son pays natal. Onze opérations en tout, celle-ci incluse. Showalter l'avait décrite comme une « urgence », et pourtant Showalter les avait accueillis durant deux semaines avant même d'évoquer une quelconque opération, et ensuite plus un mot jusqu'à un mois plus tôt, et même alors aucune discussion des scénarios possibles, et maintenant il avait ce pistolet entre les mains... D'ailleurs, m'auraient-ils même choisi si j'avais emmené la famille à Berlin pour notre voyage estival, si je n'avais évité, comme un lâche, de me rendre une fois encore au chevet de mon père mourant, si je n'avais pas passé mes congés à montrer la Nouvelle-Angleterre au jeune Claude et à Dora à travers les petites fenêtres d'une caravane de location ? À Cape Cod ils s'étaient garés derrière la résidence d'été de Showalter. Les deux familles se connaissaient bien, se considéraient comme amies, mais lui-même n'avait jamais été lié à Charles Showalter pour la moindre opération. C'était un supérieur, voilà tout. Showalter ne manifestait aucune illusion, il semblait imperméable à tous les miroirs aux alouettes, et voilà pourquoi les deux hommes s'appréciaient. Voilà pourquoi Fest avait confiance en lui. « Restez donc une semaine de plus, restez donc un jour de plus » – bien sûr qu'ils resteraient, c'était lui le supérieur. Meg disait la même chose – même après deux semaines d'une pluie diluvienne derrière la fenêtre de sa cuisine, trois invités utilisant son eau chaude et mouillant toutes ses serviettes, Dora se plaignant de Langley, pérorant dans son anglais parfait sur ces idiots d'Américains, le jeune Claude se servant dans son réfrigérateur, parlant de l'école et du sport parce que Meg était belle et parce qu'elle écoutait – Meg aussi : « Restez donc un moment, nous sommes ravis de votre présence, on se sent un peu seuls ici au milieu des dunes de sable et des bois. » Deux semaines en compagnie des sourires de plus en plus forcés de Meg, de sa transpiration invisible. La tension mettait en valeur sa force et sa grâce, elle paraissait souligner l'intelligence de cette femme. Charles emmena Fest sur le rivage atlantique du cap, les deux hommes seuls ensemble, pour lui montrer une maison de plage qu'il envisageait d'acheter. Fest en fit l'éloge, mais il n'aurait jamais vécu là. Les vitres faisaient un bruit de crécelle dans le vent implacable, les vagues minaient la berge à quelques mètres seulement des fondations. Showalter se campa sur son futur balcon devant son futur océan, ses mèches grises malmenées en tous sens comme la chevelure d'un poète. « Il y a du travail à Saigon. J'aimerais bien vous mettre sur ce coup. Il s'agit d'une urgence.

— À Saigon ?

— Ou dans les environs. »

Les Philippines, et puis maintenant ceci. Mais pourquoi diable l'envoyer à l'autre bout du monde pour une seule opération alors que des armées entières investissaient la région ?

« C'est à environ seize mille kilomètres d'ici, dit Fest.

— À peu de chose près.

— Vous voulez me faire travailler pour le programme Phoenix ?

— Ce n'est pas Phoenix, et ce n'est pas ICE-X. Nous ne voulons pas que nos amis soient au courant.

— Il s'agit donc sans doute d'une cible sensible.

— Je crois », dit Showalter sur un ton qui indiquait qu'à son avis ce n'était peut-être pas tant une cible sensible qu'une opération absurde. « On lui a promis notre protection.

— Je vois. Que pouvez-vous me dire d'autre ?

— Rien. Nous en reparlerons à Langley. Quand nous aurons retrouvé le boulot.

— Aurai-je d'abord des nouvelles de mon département ?

— Considérez que je vous apporte en ce moment même de ses nouvelles.

— Inutile de vérifier, donc.

— Tout à fait inutile. Et puis, Dirk...

— Oui, Charles.

— C'est la guerre. Allez-y, servez-vous d'une arme à feu. »

Il possédait maintenant un .380 automatique, une arme de guerre très américaine. Avec elle, il pourrait sans doute réaliser des cartons groupés dans une cible de huit centimètres de diamètre placée à quinze mètres de distance. Au-delà de cette portée, il jugeait cette arme imprévisible. Guère aussi précise que le sumpit, la sarbacane. Mais comment le savoir tant qu'il n'aurait pas visé et tiré ?

Pas d'équipe, aucune discussion des scénarios possibles, aucun entraînement préalable avec l'arme.

Pourquoi ne lui avait-on pas fourni des documents américains ici même à Saigon, des passeports officiels avec d'authentiques visas vietnamiens ? Pourquoi cette halte à Hong-Kong pour des passeports allemands ?

Parce que ces documents étaient des faux. Le BND n'avait rien à voir dans tout ça. Pourtant, Showalter avait plus que suggéré la bénédiction du BND. Sans le sceau invisible du BND il n'était rien de plus qu'un criminel.

Il y avait une limite. Il l'avait franchie. Mais les communistes aussi l'avaient franchie. Des criminels ? En Chine, en Ukraine, ils avaient massacré davantage de gens que le criminel Adolf Hitler aurait même pu rêver d'en liquider. On ne pouvait certes pas le crier sur les toits, mais il ne fallait jamais l'oublier. Parfois, peut-être – afin de se colleter avec un tel ennemi –, on franchissait comme lui la fameuse limite.

Sa propre lâcheté le révoltait ; elle lui faisait mal physiquement, dans le ventre. S'il était allé à Berlin pendant l'été, et non en Nouvelle-Angleterre... S'il n'avait pas évité une dernière confrontation avec son père, qui ne l'aimait pas... Malgré tout, je reste à tes côtés. Mon vieux père, tu as lutté contre les communistes, et je me bats aussi contre eux.

Skip Sands sortit de Saigon par la Route 1 à bord d'une camionnette commerciale et réussit à rejoindre Cao Quyen sur le siège arrière d'une moto qui tractait une minuscule remorque contenant des planches longues de près de trois mètres. Cette dernière étape de son voyage dura presque deux heures.

À mi-chemin il fut très surpris de voir la Chevrolet noire du colonel venir en sens inverse et il agita les deux bras au risque de tomber de son perchoir derrière le jeune motocycliste. Trop tard. La Chevy poursuivit sa route. Sands reconnut Hao, mais il ne parvint pas à voir les autres passagers.

À la villa il découvrit une Ford blanche garée devant la porte. Le colonel attendait sur le canapé du salon, où il sirotait une tasse de café et regardait un livre.

« Où est Trung ?

— Parti, dit le colonel. Nous avons dû l'éloigner d'ici. »

Il ne comprit pas toute l'étendue de sa déception. Déplacer l'agent double pour quelques jours, voilà ce que lui-même aurait pourtant suggéré.

« Où est-il allé ?

— Je ne crois pas pouvoir te le dire.

— Très bien, je suis d'accord, en tant que mesure temporaire...

— Ce n'est pas temporaire. C'est terminé.

— Vous annulez tout ?

— C'est terminé pour toi. Pour ta participation.

— Mais pourquoi ?

— Arrête de faire l'idiot. »

Skip ne sut quoi répondre.

« Assieds-toi, Skip. J'ai plusieurs choses à te dire. »

Apparemment le colonel avait apporté du courrier : quelques enveloppes étaient posées sur la table basse. « C'est mon courrier ?

— Assieds-toi, s'il te plaît. »

Il s'installa dans un fauteuil, face au colonel. « Quel est ce livre ? »

Son oncle lui montra la couverture : *Les Origines du totalitarisme*. « Hannah Arendt.

— La femme qui a assisté au procès d'Eichmann.

— Quand je ne peux pas dormir, je lis. Et je ne dors plus depuis un nombre impressionnant de nuits, mon vieux. Impossible de fermer l'œil. Je tiens ce livre entre les mains et je regarde les mots filer. » Il laissa le volume s'ouvrir de lui-même et lut à voix haute : « "... aux derniers stades du totalitarisme, le mal absolu semble absolu parce qu'on ne peut plus le déduire de motifs humains compréhensibles." »

Il lança le livre sur la table. « Chaque page contient des phrases à te ratatiner les couilles. Ces juifs sont obsédés. À juste titre. Obsédés par leur destin. Mais... ils disent la vérité sur ce qu'ils combattent. Le mal absolu. »

La tasse du colonel, il s'en aperçut, contenait du café noir. Il était sans doute sobre – Skip ne sentait aucune odeur d'alcool –, pourtant il avait l'air ivre mort.

« Ta tante Bridey veut que nous divorcions. »

Skip dit : « Mais elle est catholique.

— De nos jours plus personne n'est catholique. Pas vraiment. Je n'ai pas été à la messe depuis des années.

— Et donc – avez-vous perdu la foi en Dieu ?

— Oui. Pas toi ?

— Bien sûr que si. »

Le colonel inspira l'air à pleins poumons, comme pour pousser un grand soupir, mais il se contenta de dévisager Skip. « Monsieur Trung, je vous admire », dit-il.

Skip regarda par-dessus son épaule. Ils étaient seuls.

« Elle veut divorcer ? Elle a vraiment dit ça ?

— Elle a quitté McLean en même temps que moi. L'an dernier. Il y a deux ans. L'année avant le Têt. Tu te rappelles que nous comptions jadis les années écoulées depuis l'assassinat de JFK ? Maintenant, notre repère temporel c'est le Têt.

— Elle vous l'a annoncé à ce moment-là ?

— Elle me l'a dit, mais je n'y ai pas cru. Maintenant j'y crois. Elle a pris un avocat et entamé les procédures légales. Grand bien lui fasse. Je ne contesterai rien.

— À-t-elle fourni une raison ?

— Dieu sait qu'elle a assez de raisons.

— Mais précisément ? – à moins que ça ne me regarde absolument pas.

— Elle dit que je participe à cette guerre pour fuir les échecs de ma vie. Elle a raison pour ce qui est de la fuite. Je suis ici parce que je ne veux pas rentrer au pays. Pour retrouver quoi ? Un cirque ahurissant bourré de cinglés gauchistes et efféminés ? Et à supposer que je rentre ? Hein ? La retraite en Caroline du Nord avant de clamser et de ne pas voir un petit pont de trente mètres au-dessus d'une rivière baptisé à mon nom. Là, elle a raison. Une guerre contre le mal absolu, c'est une excuse en or pour tourner le dos au reste. Elle demande donc le divorce.

— Et ça vous flanque par terre, dit Skip, ça vous flanque sacrément par terre. »

Alors le colonel s'autorisa un grand soupir. « Beaucoup d'ennuis dans le coin récemment. Mes propres emmerdements, l'affaire en cours avec Trung..., ta mère et tout. Je suis désolé, Skip, je suis désolé.

— Pour ma mère ? Ou pour les emmerdements en général ?

— Pour tout ça. Pour ta mère, bien sûr... Pour tout ce qu'on peut me coller sur le dos. C'est-à-dire presque tout. Aucun de nous ne repartira d'ici très heureux. Nous avons perdu cette guerre. Nous avons perdu courage. »

Parle pour toi, voulut dire Skip, mais il reconnut aussitôt l'effet d'un optimisme machinal. « Voulez-vous boire un verre ? proposa-t-il.

— Non, je n'ai pas envie de boire un verre.

— Très bien.

— Mais prends-en un. »

Il appela Tho. Le colonel dit : « M.Tho a préparé du café et je l'ai renvoyé chez lui. »

Skip alla à la cuisine, se servit un verre et le but d'un trait. Il se resservit puis retrouva son fauteuil en face de son oncle, tous ses gestes émoussés par l'effroi. Il leva son verre pour porter un toast au colonel. La deuxième gorgée lui mit les larmes aux yeux, et son oncle dit : « Voilà qui va te raidir la tignasse ! » d'une voix frêle et faussement allègre qui parut le stupéfier lui-même. Il était assis sur le canapé, la main serrée autour de sa tasse de café, et il plissait les yeux – pour se protéger contre quelle lumière, Skip n'aurait su le dire, car la nuit était presque tombée... « Je refuse d'être réconforté par les anges », annonça-t-il.

Skip avait conscience de ressentir les émotions d'un enfant confronté à un adulte – à sa mère par exemple, durant ses crises de solitude –, de désirer seulement survivre à cette lourdeur et entendre enfin : « C'est tout, tu peux t'en aller », entendre enfin les mots qui mettraient un terme à cette intimité semblable à un viol.

Durant d'interminables secondes, son oncle le dévisagea comme s'ils ne se connaissaient pas. « As-tu entendu le discours inaugural de Nixon ?

— Non, dit Skip. Des fragments.

— Il a dit qu'il fallait tenir les engagements pris, préserver notre honneur – rien sur la victoire. Rien sur l'avenir du Vietnam, rien sur l'avenir des gamins que nous voyons ici. Nixon. Je me fiche de ce qu'il dit, ses yeux disent tout : il a joué toute la partie d'avance dans sa caboche, coup après coup, et nous perdons. Il voit les choses comme ça. Pour qui as-tu voté ? Les démocrates ?

— Pour personne. J'ai oublié de prendre un bulletin de vote.

— J'ai toujours voté démocrate, mais cette fois-ci à contrecœur. Humphrey nous aurait fait déguerpir encore plus vite, à mon avis. Les grands garçons voient l'image en grand. Alors nous perdons. Dans l'image globale c'est sans importance. Du point de vue de l'équilibre géopolitique, le simple fait que nous ayons fait la guerre suffit. Pour les États-Unis tout finira par bien aller. Mais je ne me bats pas pour les États-Unis. Je me bats pour Lucky, pour Hao, pour des gens comme ta cuisinière et ton gardien. Je me bats pour la liberté d'individus bien réels, ici sur cette terre du Vietnam, et je déteste perdre. Ça me brise le cœur, Skip.

— Vous croyez que nous allons vraiment perdre ? C'est ce que vous pensez, en définitive ?

— En définitive ? » Son oncle sembla surpris par ce mot. « En définitive je crois... que nous serons pardonnés. Je crois que nous allons errer dans l'obscurité pendant un bon bout de temps, qu'une partie de ce que nous faisons ici ne sera jamais rectifiée, mais nous serons pardonnés. Et toi ? Que penses-tu, Skip ?

— Mon oncle, nous sommes dans la merde. Dans une merde noire.

— La moitié du personnel de l'Agence est restée à l'écart de cette guerre. Moi-même je t'ai proposé Taipei, Skip. J'aurais pu m'arranger pour ça.

— Je ne parle pas de l'effort américain ici. Je parle de nous, de vous, de moi, de ces autres types. Nous avons des problèmes avec nos propres collègues.

— Vraiment ? Ça ne me dérange pas. Je n'ai jamais ressenti la moindre loyauté envers les organisations, Skip. Juste envers mes frères d'armes. Tu te bats pour ce type qui est à ta droite, et pour ce type à gauche. C'est un cliché, mais la plupart des clichés sont vrais.

— Je ressens la même chose.

— Vraiment ?

— Je veux dire, pour les raisons de se battre. Vraiment.

— Will... que faisais-tu à Saigon ?

— Oui, dit Skip, c'est ce que je vous disais.

— Non, tu n'as rien dit.

— J'ai commencé.

— Alors finis, d'accord ?

— Oui. Rick Voss m'a transmis un mot par le courrier habituel. Il voulait me voir. J'ai pensé que je devais y aller. Alors... » Il regretta d'avoir ajouté, comme un écolier, ce dernier mot qui restait en suspens.

Le colonel fit mine de se lever, mais il resta assis là, perdu dans ses pensées, en se frottant le visage avec les doigts. « L'autre soir j'ai dîné avec Pitchfork. Je ne crois pas que nous ayons échangé deux mots pendant tout le repas. On est juste restés assis sur la terrasse du Yacht Club en laissant la rivière suivre son cours. Sans parler. Pas la peine...

» Un jour au camp, en Birmanie, à Forty Kilo, là-bas en Birmanie, alors que j'étais alité avec une fièvre de cheval et que je pensais que j'allais passer l'arme à gauche, il m'a donné un œuf. Il l'a fait cuire, il l'a épluché, il me l'a donné à manger, petit bout par petit bout. Une des plus belles choses que quiconque ait jamais faite pour moi. Un acte d'une profonde générosité. Pourtant, il ne s'en souvient pas. Il croit que c'était sans doute quelqu'un d'autre. Mais c'était lui. Je me rappelle très bien qui c'était. Anders Pitchfork m'a donné un œuf.

» Survivre ensemble à toutes ces atrocités, et puis partager un repas dans un endroit comme le Yacht Club, partager un peu de confort – tu n'as pas idée. C'est mieux que lorsque ma petite fille, ma petite Annie âgée de quatre ans, me tendait sa petite menotte et... on se promenait ensemble et moi je tenais la main de ma petite fille, Will, je baissais les yeux et je la voyais qui levait les siens vers moi. L'amour entre camarades a cette intensité.

» Et tout ce que je peux te dire, c'est que j'emmerde Rick Voss. J'emmerde Rick Voss à cause de ce qu'il a fait. Je ne peux pas l'aider davantage. Je ne peux pas lui montrer ne serait-ce qu'un millième de ce qu'il a loupé. Il ne le saura jamais. Tout ce que je peux dire c'est : Voss, je t'emmerde. »

Sands attendit d'être certain que son oncle en avait fini.

« Colonel, vous et moi sommes amis. »

Le colonel dit : « Oui, Skip, toi et moi sommes amis.

— Nous sommes ensemble dans la même barque. »

Le colonel leva sa tasse de café et la saisit à deux mains. « Tu as tout balancé à Voss, pas vrai ?

— J'ai quoi ?

— Pas vrai ?

— Nous avons déjeuné.

— Qu'a-t-il voulu savoir ?

— Je crois qu'il était curieux de savoir où j'étais allé, mais je ne lui ai même pas laissé l'occasion de me le demander. Je suis complètement perdu, pour vous dire la vérité.

— Et quand tu es parti, était-il plongé dans une confusion similaire ?

— Oui, j'en suis quasiment certain. Il y avait un autre type, Crodelle.

— Je ne le connais pas. Crodelle ?

— Regional Security Center.

— Qui d'autre ?

— Il n'y avait personne d'autre. Nous avons déjeuné. Mais j'ai vu l'Allemand.

— Quel Allemand ?

— Le type de San Marcos. Et de Mindanao.

— Le soi-disant attaché ? Du BND ?

— Quel que soit son port d'attache, il est actuellement à Saigon.

— Alors il y a anguille sous roche. Une raison de plus pour faire déménager Trung d'ici. L'Allemand était avec Voss ?

— Non. Je l'ai vu plus tôt, avant le déjeuner.

— L'Allemand.

— Oui. Il était seul. Il n'a peut-être aucun lien avec nous.

— S'il n'est pas avec nous, il est contre nous. » Il regarda durement Skip. « Il faut penser la même chose de tout le monde.

— Je ne leur ai rien dit.

— Que faisais-tu avec Voss ?

— Nous avons déjeuné, déjeuné, déjeuné, un point c'est tout.

— Ce type, Crodelle. Que voulait-il ?

— Il veut votre tête. Il veut nous dégommer tous.

— Et ils t'ont laissé partir ?

— *Yes, sir.* »

Le colonel se leva d'un air décidé comme s'il avait besoin de quelque chose, mais il se contenta de rejoindre la fenêtre qui donnait sur le jardin, les genoux serrés l'un contre l'autre, ses mollets filiformes soulignés par le tissu du pantalon, son gros ventre saillant vers l'extérieur, les mains posées contre l'arrière des hanches, sur le haut des fesses, près de la colonne vertébrale. Une attitude de vieux. Le souffle court, pénible. Une grande émotion l'étouffait.

Skip dit : « J'ai cru deviner une certaine sympathie de la part de Voss.

— Non, c'est faux. Ne t'y trompe pas. Avec tout le respect que je dois à la mère de Rick Voss et sans désespérer du destin de son âme, ce type est un sale fils de pute. »

Il revint s'asseoir sur le canapé et remonta l'ourlet de son pantalon. Chassa des miettes invisibles sur le tissu qui lui recouvrait les cuisses. « Skip, écoute-moi. On ne peut pas avancer à deux de front dans les passages très étroits. Dans les passages très étroits on grimpe tout seul. Il faut se contenter de croire qu'il y a quelqu'un derrière toi.

— Je suis juste derrière vous.

— Non. Je crois que tu as déjà entamé le processus consistant à sauver ta peau. Va de l'avant et finis-le. Sauve ton cul.

— Mon oncle...

— Je crois que je vais rentrer aux États-Unis. Il y a des semaines qu'on m'y a rappelé.

— Je sais. Crodelle m'en a parlé.

— Je ferai de mon mieux pour te garder en dehors de tout ça.

— Mon oncle, restez ici.

— J'ai mis la main à la charrue. Impossible de retourner en arrière.

— Je veux dire ici, juste ici, à la villa. Ils ne connaissent pas cet endroit.

— S'ils connaissent une chose, c'est bien cette villa – parce que tu leur en as parlé.

— Pas une fois ils ne m'ont interrogé à ce sujet. Ils parlaient seulement de Cao Phuc. Comme s'ils croyaient que j'étais basé là-bas.

— Que tu dis.

— Ils n'ont jamais entendu parler de Cao Quyen. Celui qui nous a mouchardés n'a rien dit sur la villa.

— Skip, je crois que c'est toi.

— Mon oncle, non, non, non.

— Alors qui ? Pas Storm.

— Je ne crois pas. Je ne sais pas.

— Non. Il ne percevrait même pas la pression. C'est un singe. C'est ce qui me plaît chez lui.

— Hao ?

— Hao est un brave type. Et Trung est son ami. Impossible.

— Et Minh ?

— Lucky ? Lui non plus ne semble pas en mesure d'être pressuré. Et puis je le connais depuis qu'il est tout petit.

— Alors pourquoi m'accusez-vous ? Vous me connaissez depuis ma naissance. Mon père était votre frère.

— Ça ne s'explique pas, Skip. Il y a quelque chose chez toi. Tu n'as aucune loyauté.

— Mon oncle. Mon colonel..., je ne vous ai pas trahi.

— Suis-je un simple imbécile ?

— Mon oncle, dit Skip, je vous aime. Je ne ferais jamais une chose pareille. Je vous aime vraiment, mon oncle.

— C'est peut-être vrai. Oui, pas impossible que ce soit vrai. Mais l'amour et la loyauté sont deux choses différentes. » Il regarda Skip avec, dans les yeux, un besoin terrifiant. « Que vais-je croire en définitive, finalement ? Je crois qu'un jeune homme trouve son destin dans la guerre. Et je suis sacrément heureux que tu l'aies trouvé, Skip. » Il s'installa confortablement et soupira. « Parle à mon cul, ma tête est malade. »

Les obligations de Sands – lequel n'en avait aucune – l'empêchèrent d'assister aux funérailles du colonel, puis au service funèbre organisé deux semaines plus tard à Boston pour la famille proche, puis à la cérémonie militaire qui eut lieu le mois suivant à Bethesda, dans le Maryland. Le colonel avait été poignardé à mort par une prostituée à Da Nang – le colonel s'était fait trancher la gorge par le frère de sa maîtresse vietnamienne dans le delta du Mékong – le colonel avait été torturé à mort ou assassiné par des agents ennemis –, ainsi le récit de son trépas évolua-t-il à travers une série de variantes jusqu'à une ultime mouture qui n'était certes pas sans susciter le respect.

Quand Sands apprit la nouvelle, il était derrière la villa en train de regarder trois gamins harceler un buffle d'eau, de l'autre côté de la rivière, pour le faire sortir de sa somnolence dans un trou d'eau boueuse. L'un lui décochait contre l'arrière-train des coups de son talon nu tandis que les deux autres gosses lui piquaient le dos avec une petite baguette. Le bœuf, ou les signes visibles de l'animal, le museau, les cornes, les hanches osseuses et les excroissances de plusieurs vertèbres, ne bougeait pas. Une femme, leur mère, une personne d'autorité, sortit du bougainvillier en fleur qui poussait au-dessus d'eux, et appâta l'animal avec une poignée d'herbes vertes ; tel un phénomène géologique, sa masse et ses contours émergèrent lentement de la fange. Sands venait d'entendre un bruit de moteur et des claquements de portières. Il s'en aperçut plus tard. En retournant vers la maison, il trouva Hao et Minh qui venaient à sa rencontre. Hao tenait plusieurs lettres. Quelque chose dans la manière dont Minh restait en arrière, la conscience funèbre d'un besoin d'intimité entre son aîné et l'homme de la maison – et Skip demanda : « Qu'y a-t-il ?

— Monsieur Skip, peut-être cela vous dira que le colonel est mort.

— Mort ?

— C'est moche. Nous l'avons appris par M. Sergent. Il m'a donné une lettre pour vous. »

Sans voix, Skip les emmena au salon où tous trois s'assirent autour de la table. L'une des enveloppes ne portait pas de timbre. Il l'ouvrit avec la lame de son couteau de poche des scouts.

> Skip,
> Des gars des trois étages supérieurs m'ont tiré de mon trou pour me poser des questions. On dirait que les nouvelles sont vraiment mauvaises. Ils prétendent que le colonel est mort. Il n'a pas accompli sa mission.
> Quelqu'un l'a trucidé mais ils ne savent pas qui. À ce qu'ils prétendent.
> Je ne sais rien de plus. Dès que nous apprendrons quelque chose, je te passerai le mot et je te jure que je vais pas y aller de main morte, putain. Je compte boire le sang de cet enculé.
> BS Storm

« Je n'y crois pas. Je n'arrive pas à y croire. » Mais il y croyait. « M. Jimmy l'a dit. »

Il chercha ses mots et s'entendit déclarer : « Mme Diu prépare le déjeuner. »

Ni Hao ni Minh ne répondirent.

« Où est Trung ? »

Hao dit : « Il est sur le Mékong. Nous l'avons emmené.

— Est-il au courant de tout ceci ?

— Pas encore. Minh va y aller.

— Je peux vous donner de l'argent pour lui.

— Juste un peu suffira.

— Très bien.

— Mme Diu prépare... Avez-vous mangé ? Je vais la prévenir. Un peu de soupe. Je vais la prévenir. »

Sidéré par le pouvoir d'infimes détails pratiques pour surmonter pareille épreuve, il demanda qu'on apporte de la soupe et du riz sur la table. Ses hôtes mangèrent lentement, et aussi discrètement que possible, pendant que Skip renonçait à son repas pour ouvrir les deux autres enveloppes qui contenaient en fait trois lettres, et un poème :

30 janvier 1969

Cher Skip,

C'est le pasteur Paul qui vous écrit, de la première église luthérienne, ici à Clements. J'espère que je peux vous appeler « Skip » et j'espère que vous ne m'en voudrez pas si je vous écris quelques lignes sur votre merveilleuse maman. En ce moment même je suis assis à mon bureau et, quand elle venait me rendre visite, elle s'installait dans le fauteuil juste là, à côté de moi. Je peux presque dire qu'elle est ici en ce moment même, du moins en esprit. Je reviens de ses funérailles. Découvrir combien de gens elle a touchés, combien de vies elle a enrichies, à sa manière paisible et modeste, voilà qui est vraiment exaltant.

Je ne vous ai pas rencontré, mais votre mère était une femme qui nous était très chère à l'église. Ce n'était pas toujours une fidèle du dimanche, mais elle me rendait visite une ou deux fois par semaine à mon bureau. Elle passait dans l'après-midi pour dire bonjour et bavarder un peu, elle m'interrogeait souvent sur le sermon que je préparais en vue de mon prochain prêche. Quand la conversation s'orientait vers ce que je pensais et ce que j'allais dire, je pouvais presque toujours être certain que le dimanche suivant les phrases que j'adresserais à ma congrégation seraient plus convaincantes. Elle m'aidait tout naturellement de cette manière. Ainsi, même si je ne peux pas dire qu'elle venait tous les dimanches, elle était très souvent présente en esprit avec nous ces jours-là. Et son esprit demeure.

Au cours des trois derniers mois environ, votre mère est devenue d'une nature très éthérée. Elle semblait avoir franchi une étape spirituelle. Elle semblait deviner quelque chose, on aurait dit que son esprit pressentait que le voyage du retour était déjà entamé. J'espère que je ne m'avance pas trop en affirmant cela, ou que je ne « charrie » pas comme disent les jeunes.

Je joins à ces quelques mots une lettre qu'elle comptait vous envoyer. Je l'ai trouvée pliée, prête à être postée. L'enveloppe n'était pas fermée, mais elle portait votre adresse ; j'y colle donc un timbre avant de la mettre à la boîte. (Je ne l'ai pas lue.)

Paul Conniff,
Pasteur,
Première église luthérienne, Clements
(« Pasteur Paul »)

Mon cher fils Skipper,

C'est aujourd'hui dimanche. J'ai lu un poème dans le supplément dominical du *Kansas City Times*, écrit par un poète mort il y a six ans, et dont je n'avais jamais entendu parler. J'aurais bien découpé la page du journal pour te l'envoyer, mais je désire garder la version imprimée ; je recopie donc ce poème et tu devras le lire dans mon écriture.

Je t'ai destiné trois ou quatre lettres que j'ai dû mettre à la poubelle, parce que je les trouvais décourageantes. Je sais que tu fais ce qui selon toi est le mieux pour ton pays. Je l'espère en tout cas. J'espère que tu n'es pas au point mort. Les gens se retrouvent parfois au point mort, incapables de se hisser en dehors du bourbier. Voilà que je recommence. Ça suffit comme ça.

J'ai deux rendez-vous médicaux lundi et jeudi prochains. Les médecins adorent te prescrire des examens. Rien de grave. Mais depuis mon changement de vie j'ai eu des petits problèmes. Tu bénéficies de bons soins médicaux là-bas, n'est-ce pas ? Je suis sûre qu'il n'y a pas mieux.

Bon, voici le poème en question. Il ne rime pas et pour en trouver la tonalité il faut que tu le lises plusieurs fois de suite. Je te préviens, c'est assez triste.

LA COMPLAINTE DE LA VEUVE AU PRINTEMPS
par William Carlos Williams (1883-1963)

> Le chagrin est mon jardin
> où l'herbe nouvelle
> s'embrase comme souvent déjà
> elle s'est embrasée mais pas
> dans le feu glacé
> qui cette année m'étreint.
> Trente-cinq années
> j'ai vécu avec mon mari.
> Aujourd'hui le prunier
> est une masse de fleurs blanches.
> Les branches du cerisier ploient
> sous des masses de fleurs
> qui colorent quelques arbustes

de jaune et parfois de rouge
mais la souffrance de mon cœur
est plus forte qu'elles
car même si elles furent autrefois
ma joie, aujourd'hui je les vois
les oublie et me détourne.
Aujourd'hui mon fils m'a dit
que dans les prés,
à l'orée des bois touffus
et au loin il a vu
des arbres de fleurs blanches.
Je crois que j'aimerais
aller là-bas
et tomber parmi ces fleurs
et couler près d'elles dans le marais.

Je t'ai prévenu ! C'est tellement triste ! Je ne te l'envoie donc pas. Je l'ai lu, assise près de la fenêtre, les mains posées sur les cuisses. J'ai pleuré si fort que les larmes sont tombées sur mes mains, elles sont tombées jusque sur mes mains.

Et j'ai pensé, oui, c'est un poème. Les vers ne sont pas obligés de rimer. Il suffit qu'il te rappelle des choses, qu'il te les arrache.

Ta maman,
qui pense à toi

Cher Skip,

J'imagine que tu as entendu dire que la vie du monde sape la vie de l'esprit. C'est en tout cas ce que tous les gens répètent. Ce qu'ils ne comprennent apparemment pas, c'est que ça marche dans l'autre sens et que la vie de l'esprit gâche la vie du monde. **Elle donne à tous les plaisirs un arrière-goût désagréable.** La seule chose qui semble juste c'est la poursuite de Dieu, encore que cela non plus ne soit pas toujours agréable, ni même naturel.

Ainsi, à un moment donné j'ai envie d'être une femme naturelle, et dix secondes après en avoir été une et m'être comportée de la sorte, j'ai envie de m'enfuir vers Dieu. Un Dieu que je n'aime pas beaucoup. Je te préfère à lui.

Mais il me faut chercher la volonté de Dieu. Ce que Dieu veut pour moi, c'est ce qui se trouve à faire devant mes pas. La romance n'en fait pas partie. Fuir vers une liaison amoureuse. Fuir à Cao Quyen.

Saisis-tu mon message ? Peut-être que oui. Peut-être que non.

Je pourrais en dire plus, mais je me répéterais tout bonnement avec des mots différents.

Kathy

P-S : J'ai tiré à pile ou face et j'adresse ce billet au dénommé William Sands. Peut-être que tu le liras, peut-être pas.

Il examina l'enveloppe. La lettre avait transité par la poste américaine de San Francisco.

Adieu aux femmes de sa vie. Et à bien davantage.

« Vous êtes certain que le colonel est décédé ? Qu'il est mort ? demanda-t-il à Minh.

— Oui. S'il était vivant, je peux le sentir encore. » Minh posa ses baguettes et se toucha délicatement le buste pour montrer l'endroit.

« Je sais ce que vous voulez dire.

— Colonel est mort. Mon cœur peut le sentir.

— Oui. C'est bien ça. Je le sens moi aussi. »

Skip dirigea son regard n'importe où, vers le dallage du sol, les murs, les toiles d'araignée dans les trous d'aération au ras du plafond, à la recherche d'un indice susceptible de le mettre sur la piste des jours à venir.

Tout ce qu'il voyait se trouvait soudain et inexplicablement anéanti par un souvenir précis et absurde, une expérience qu'il avait vécue dix ou onze ans plus tôt, alors qu'il conduisait une voiture qui emmenait des copains de la fac entre Louisville et Bloomington après un week-end de vacances, les mains posées sur le volant, trois heures du matin, les phares ouvrant cinquante mètres de silence ambré dans l'obscurité. Le souffle du chauffage, l'odeur alcoolisée de jeunes gens dans une voiture aux vitres fermées. Ses amis dormaient et il avait conduit tandis que la radio diffusait de la musique et que la nuit étoilée américaine, absolument infinie, entourait le monde.

Dans la matinée du 17 mars, la veille de l'anniversaire de sa tante Giang, le capitaine Nguyen Minh, de l'armée de l'air du Vietnam, était assis devant un bol de nouilles à l'une des nombreuses tables dressées sous l'auvent de la grande gare routière de Cholon, un quartier de Saigon. Il avait faim. Elles étaient délicieuses. Il les dirigeait vers sa bouche à l'aide des baguettes et les aspirait, en s'essuyant le menton avec un mouchoir blanc après chaque bouchée.

Les chaudrons fumants de riz et de crevettes, tous ces cars, toutes ces émanations de moteurs diesel, les klaxons le rendaient fou... Peut-être y était-il d'autant plus sensible qu'il n'aimait pas rentrer chez lui.

Deux soldats américains choisissaient les fantassins vietnamiens qui allaient et venaient dans la gare routière de Cholon. On avait doublé les patrouilles depuis l'offensive communiste de mai dernier, qui s'était produite cinq mois après le grand soulèvement du Têt. Les deux sergents furent rejoints par le commandant de patrouille, puis les trois hommes s'accroupirent sur leurs talons pour discuter. Les compatriotes de Minh s'accroupissaient sur leurs pieds plats, les bras autour des genoux.

Le colonel était maintenant mort depuis plus d'un mois. Minh ne l'avait pas souvent vu au cours de l'année précédente, mais le colonel était resté pour lui un fait majeur. Sans la présence du colonel pour s'interposer entre le regard de Minh et tous ces Américains, ils lui semblaient incroyablement vides, confus, sincères, stupides – des monstres infantiles équipés d'armes chargées. L'idée selon laquelle ils se battaient dans un camp ou dans un autre était ridicule.

Dans le car il choisit un siège côté fenêtre, ouvrit un peu la vitre et boutonna sa chemise au cou. Le véhicule quitta la ville sur la Route 7, une bonne route, construite par les Américains, dépassa des charrettes tirées par des ânes, des cyclos, de minuscules camionnettes à trois roues, dépassa des rizières où un buffle traçait des sillons dans la boue avec une charrue à un seul soc, où des hérons et des aigrettes jaillissaient parmi les pousses de sections voisines déjà plantées, dépassa des femmes qui vendaient de l'essence dans des bombonnes en verre, dépassa des fours en pierre où le petit bois fumait, se transformait en charbon pour le genre de cuisine auquel ses tantes et ses cousines s'attelaient sans doute à cette heure précise afin de préparer le festin d'anniversaire de tante Giang. Son oncle Hao désirait qu'il réglât la question de la propriété et de la location de la lointaine maison, un problème qui traînait depuis des années, mais tout à coup son oncle tenait mordicus à ce qu'on en finît. Et puis il devait parler à ce Trung, l'envoyer à Saigon.

D'ailleurs, pourquoi prendre le car ? – Son oncle avait toujours l'usage de la Chevrolet américaine noire, ils auraient pu faire ce voyage ensemble et en voiture. Parce que son oncle était un lâche dont l'oncle Huy n'aurait fait qu'une bouchée. Hao avait évité son beau-frère lors de son dernier séjour là-bas. Il avait déposé ce Trung, installé dans une chambre au-dessus d'un café, et depuis un bon mois Trung se languissait sans connaître personne, s'il n'avait pas déjà filé ailleurs.

Minh descendit du car au bord de la route, acheta un beignet et une tasse de thé dans une échoppe dont les propriétaires se souvenaient de lui, prirent des nouvelles de sa famille et déclarèrent que depuis quelques jours les taxis d'eau fonctionnaient normalement, mais qu'il n'y en avait pas beaucoup. Le village se trouvait à trois kilomètres en aval du fleuve brun. Minh marcha. Après la ville, les odeurs étaient différentes. L'eau puante. La fumée qui montait des tas d'ordures et de bois mort avait l'odeur d'une légende, et jusqu'aux crottes de poulets, tout le ramenait... où donc? Sinon ici. Mais guère au moment présent. Ici il avait pêché, assis sur le dos d'un buffle pendant qu'à côté de lui son frère Thu tenait la ficelle d'un cerf-volant qui dansait très haut dans le vent... Déjà leurs fils sondaient des profondeurs opposées. L'un au lycée et dans l'armée de l'air, l'autre chez les moines.

Il vit peu d'activité sur l'eau. Une vieille femme à la face ratatinée par les ans maniait une perche sur un esquif qui évoluait au-dessus des hauts-fonds, chaque poussée exercée sur cette perche menaçant de lui voler son dernier souffle.

Minh marcha sous un ciel gris. Le désespoir lui serrait la gorge. Il s'engagea bientôt dans un bosquet de bananiers, arracha trois fruits, dont il lança les épluchures à l'eau ainsi que Thu et lui-même l'avaient fait autrefois dans un monde meilleur.

Il imagina son frère en train de brûler – il y pensait souvent –, le corps de Thu embrasé, une douleur terrible sur la peau, envahissant les narines, pénétrant partout. Alors, comme un singe s'accroche un instant à deux branches, lâche la première et affirme sa prise sur la nouvelle, il ne fut plus un corps, mais le feu.

Lap Vung était davantage qu'un simple village. Un long quai, un marché, plusieurs boutiques, tout comme avant, absolument tout.

Il trouva Trung Than en train de déjeuner à la seule table du café. La fille du propriétaire était assise en face de son client, elle ne mangeait pas mais le regardait fixement, le visage vide de toute expression.

« Bonjour.

— Bonjour.

— Votre chambre vous convient?

— Venez voir. »

Ils sortirent du café, gravirent un escalier latéral. Sur le palier qui dominait l'arrière, Trung dit : « La pièce est petite. Parlons ici.

— Bien.

— Je ne devrais pas rester ici plus longtemps. Il y a de l'activité viêt-cong dans la région. À l'heure qu'il est, les cadres doivent être informés de la présence d'un homme seul qui étudie vaguement l'agriculture.

— Hao désire vous voir.

— Il est ici?

— À Saigon. Il vous y retrouvera demain.

— Voyagerai-je avec vous?

— Non. Demain matin rejoignez la route et prenez le premier car pour Cholon. Hao vous retrouvera à la gare routière.

— Tout plutôt que de rester ici. Cette fille veut m'épouser. Tous les jours elle me sert à déjeuner et me demande ce que j'ai étudié dans la campagne. C'est un mensonge stupide. Trop vague. Je passe toutes mes nuits à lire. Le matin je m'habille, je prends un petit déjeuner et je sors dormir dans les champs jusqu'à midi.

— Avez-vous peur?

— Je pense à la mission. »

Minh le crut.

« Monsieur Than, le colonel est mort. »

Trung dit : « Voulez-vous une cigarette?

— Merci. »

Ils fumèrent pendant une minute tandis que Trung réfléchissait. Il dit enfin : « Il était votre ami. C'est triste pour vous.

— C'est triste pour moi, et cela signifie que votre opération n'ira pas jusqu'à son terme.

— Autre chose. Une autre opération.

— Hao va s'occuper de vous.

— Quel est le projet que vous avez en tête pour moi?

— Mon oncle Hao a arrangé un rendez-vous. Hao m'a donné ses ordres.

— Est-ce que ces ordres viennent de l'autre Américain?

— Skip Sands? Non. »

Trung resta silencieux.

« Quel est le problème? »

Trung lança au loin sa cigarette, retrouva une contenance et ignora la question, mais Minh comprit le problème. Trung avait pris sa décision, franchi le pont et découvert le colonel mort sur l'autre rive.

« Monsieur Than, je crois que mon oncle a plusieurs contacts américains. Je sais que votre amitié est forte. Hao va veiller sur vous. Hao va s'occuper de vous. » Il savait qu'il n'aurait pas dû parler de la sorte, mais la force de cet homme éveillait la pitié.

Minh abandonna le double à son sort et s'engagea sur le sentier qui longeait le vieux canal. Devant lui, un homme tirait un buffle d'eau par son anneau de museau selon un rythme de jungle ponctué d'à-coups, et Minh les suivit, tandis que l'animal avançait par saccades, débordant d'une souffrance partagée. La même fumée épaisse montait des tas d'ordures, Minh longea les mêmes maisons en chaume avant d'arriver à celle de son oncle, avec ses bardeaux d'argile orange ternie de moisissures, le portillon laissé ouvert, le mètre de parpaings surmonté d'une grille métallique peinte en vert, des fleurs de lis acérées dominant les barreaux rouillés – plus rouillés aujourd'hui que naguère –, la grosse chaîne arrivant à la taille et séparant cette maisonnée de celle du voisin, le jardin de devant avec son petit sanctuaire en bois et une douzaine d'arbres ornementaux Bong Mai, censés porter bonheur, ce qu'ils n'avaient pas fait, et la même véranda à colonnes et aux tuiles vernissées dont il trouvait toujours aussi apaisante la nuance gris-violet.

Alors qu'il franchissait le portillon, trois enfants détalèrent en courant comme s'il tenait une arme. Il fit glisser ses pieds hors de ses chaussures, retira ses chaussettes et laissa le tout près de l'entrée avant de traverser la maison.

Deux filles, des cousines qu'il ne reconnut pas, lavaient du linge par-derrière dans un chaudron installé au-dessus d'un feu. Tante Giang s'activait dans l'appentis de la cuisine. Les hurlements des enfants lui firent lever les yeux, puis elle traversa la cour en s'essuyant les mains sur sa chemise et saisit les poignets de Minh dans une étreinte de fer.

« Je t'avais dit que je viendrais.

— Non, tu ne me l'as pas dit!

— Je t'ai envoyé une lettre.

— C'était il y a longtemps! Maintenant je te crois.

— J'ai tenu promesse.

— Je vais réveiller ton oncle. »

Sa tante l'accompagna jusqu'au salon et l'y laissa. Le même autel dans sa boîte bleu ciel au-dessus du même chiffonnier laqué en noir, plus grand que lui d'une bonne soixantaine de centimètres. Des miroirs peints de motifs géométriques décoraient les surfaces intérieures de l'autel. À côté, les mêmes candélabres gigantesques, les bols de fruits, les longs bâtons d'encens dans un brûle-parfum en cuivre, en forme de lion, tout un ensemble de minuscules bougies votives, et un petit arbre Bong Mai poussant dans un vase, peut-être le même Bong Mai que celui de son enfance, Minh ne pouvait en être certain.

Son oncle arriva de la meilleure chambre, celle qui se trouvait dans la maison proprement dite, l'air endormi et inoffensif, maigrelet et tout brun, le même homme qu'hier, ajustant la ceinture de son pantalon long, boutonnant son élégante chemise et ne pipant mot. Tante Giang le suivait, en tapotant d'une main inquiète la tête de son époux. Un petit crâne, un visage rond, des traits qui se ruaient vers le centre de la face. Comme toujours, son expression ne trahissait rien.

Tous trois s'assirent pieds nus sur le carrelage du sol, prirent le thé et mangèrent des friandises qu'ils sortaient d'un grand bol en plastique doré évoquant la couronne d'un roi de conte de fées. Tante Giang l'interrogea sur sa vie amoureuse et sur ses perspectives de mariage, sur l'armée de l'air, sur le grand général Phan, et pas une seule fois sur son propre frère Hao. Oncle Huy n'ouvrit presque pas la bouche. Minh ne vit pas la nécessité de parler de la maison, du loyer impayé. Après tant d'années d'absence, son retour ici avait une seule explication : Hao l'envoyait pour affaires.

Au bout d'une demi-heure oncle Huy dit : « Et la nourriture ?

— Je m'en occupe », répondit son épouse, puis tous trois se levèrent.

L'oncle l'emmena le long des divers sentiers et présenta fièrement son neveu à des gens que Minh connaissait depuis l'enfance. Tout le monde lui demanda pourquoi il n'était pas en uniforme aujourd'hui, pour l'anniversaire de la naissance de sa tante. Dans la maison du plus jeune frère de Huy, les femmes le laissèrent seul tandis que plusieurs générations masculines se rassemblaient afin d'accueillir l'aviateur prodigue. Ce frère, Tuan, bien qu'appelé l'oncle de Minh, n'était pas de son sang. Tuan semblait avoir changé. Aucun élément de sa physionomie ne paraissait à sa place. Peut-être avait-il eu une attaque. Tout le côté droit de son corps était liquéfié, comme fondu – la paupière, l'épaule, la jambe droite dont le genou s'incurvait vers l'arrière. Son œil gauche était écarquillé en permanence. Peut-être Tuan avait-il été blessé. Selon les Américains, les Viêt-congs opéraient dans tout le delta du Mékong depuis l'offensive du Têt, mais Minh n'en était pas certain. Peut-être son oncle Tuan était-il un Viêt-cong. Minh ne fit aucune allusion à son état physique. Personne n'en parla. Les hommes fumaient des cigarettes et buvaient du thé dans des coupelles. Quand l'un d'eux demanda à Minh des nouvelles de sa tante et de son oncle à Saigon, l'oncle Huy interrompit la description polie de leur bonheur que faisait Minh : « Il me loue une maison sans terre. Je suis obligé de louer la terre au vieux Sang. Sang me prend quarante pour cent de mes récoltes. Et Hao croit souffrir. »

Ils retournèrent vers la maison, où Minh fit la sieste dans le lit de son enfance.

Il se réveilla en pleine confusion. Quelque part un descendant des coqs de son jeune âge poussa le cri d'un nouveau-né qu'on étrangle, et l'espace d'une seconde Minh crut que l'aube pointait. Les voix des enfants riaient et appelaient. La famille était arrivée, ce devait être la fin de l'après-midi. La pièce, au toit de tôles et aux murs en planches brutes, était percée d'immenses ouvertures ; il écarta la moustiquaire du lit et s'assit pour regarder, à plusieurs mètres de là, les monuments funéraires qui signalaient les tombes de deux de ses grands-oncles. Dans ce lit il avait dormi avec son petit frère. Les draps sentaient le neuf et le propre, mais ils avaient recouvert la même literie, cette puanteur moisie de sueur rance et de vieilles plumes, et au-dessus de sa tête se trouvait la même tôle galvanisée brûlante sous laquelle Thu et lui avaient vécu après le décès de leur mère, dans une famille qui n'était pas la leur. Le fait d'être des étrangers les avait rapprochés comme seuls des enfants peuvent être proches, sans jamais se douter que le temps peut broyer cette intimité.

À cinq heures de l'après-midi, l'oncle Huy demanda à toute la famille de se réunir dans la pièce de devant.

Ils attendirent qu'il ait allumé des bougies dans le sanctuaire situé devant la maison, en se déplaçant parmi ses avocats et ses kumquats, au-delà des pantalons, des chemises et des T-shirts des voisins qui séchaient sur des cintres en plastique aux couleurs vives accrochés à la chaîne de la clôture. Il réitéra son vœu de soumission, entra dans la pièce de devant sans saluer personne, traversa toute la maison pour se recueillir un instant devant les monuments funéraires, puis rentra et installa deux coussins par terre au bout du salon. Il se retourna vers l'assemblée, croisa les jambes et s'assit en tailleur, le dos très droit. Les autres, les enfants, les tantes, les cousines, les membres de cette famille dont il était le chef, étaient installés contre les murs, les plus petits assis juste en dehors de la pièce, autour des deux colonnes de la véranda auxquelles ils s'adossaient, tels des prisonniers ligotés à un arbre. La famille écouta sans mot dire. Car ce fut à Minh qu'il s'adressa : « Ma sœur et le mari de ma sœur ont toujours été injustes envers cette famille, dit-il. Toi aussi, tu es injuste envers cette famille. Ton père est allé au lycée pendant que je labourais et récoltais. Quand il est mort, on a parlé d'une maladie qu'il aurait attrapée dans les montagnes, mais je crois qu'il s'agissait d'un coup direct porté par l'esprit de notre père, lequel est mort de son labeur plutôt que de renoncer aux rizières où son fils, mon frère, ton père, aurait dû travailler au lieu de fréquenter le lycée. Ma sœur a épousé ton oncle Hao, un homme d'affaires, pour offrir à ses fils la vie citadine ainsi qu'une éducation dans les écoles, et les préparer à la prospérité. Son mari, Hao, n'avait que faire de cette maison. Le père de ce Hao la lui a léguée. Le mari de ma sœur, ce Hao, n'a jamais vécu ici. Enfant, il y est venu en visite ; et puis à la mort de ses grands-parents il n'y est plus venu. Alors cette maison est restée vide. Alors le père de Hao est mort. Hao, le mari de ma sœur, est le dernier de cette famille. Il n'a pas eu de fils pour prospérer après lui. Il n'a plus de famille. Il nous appelle sa famille, mais nous traite comme des chevaux et des buffles. Les gens que tu vois ici réunis dans cette pièce se sont occupés de cette maison pour le mari de ma sœur, ce Hao. Cette maison aurait croulé et se serait écroulée pendant la mousson, la vigne vierge en aurait crevé les murs, il n'y aurait plus un seul mur debout si nous n'avions pas travaillé d'arrache-pied tous les jours. Vois-tu les cals sur mes paumes ? Vois-tu le dos voûté de mon épouse ? As-tu vu ma femme épousseter les murs ce matin, après être allée travailler aux rizières ? L'as-tu vue en train de te préparer un délicieux repas que nous partagerons tous ? Vois-tu la table mise ? Peux-tu sentir l'odeur appétissante de la soupe ? Regarde le poulet, le chien, les fruits ; sens la vapeur du riz – vois-tu son visage en sueur à cause de toute cette bonne vapeur ? Tous les gens que tu vois dans cette pièce travaillent tous les jours comme ça pour que vous autres puissiez vivre en ville. Nous ne payons pas de loyer. Tel est notre arrangement avec Hao, le mari de ma sœur. Le mari de ma sœur nous a dit que nous payions le loyer en entretenant la maison. Nous avons tous travaillé davantage que nous n'aurions dû le faire. Au lieu de trimer comme des chevaux et des buffles, nous aurions mieux fait de payer un loyer et de laisser cette maison tomber en ruine autour de nous. J'envisage de mettre le feu à cette maison. Je veux incendier cette maison et la détruire de fond en comble. Cet homme, Hao, t'envoie me dire que je dois acheter ma propre maison et tu viens sans honneur ni amour pour ta famille afin de me transmettre son message. Nous vivons au milieu de la guerre. Nous ne pouvons compter sur personne en dehors de notre famille. Tu es un homme dépourvu d'amour et sans honneur, le fils d'un voleur qui m'a dérobé toute chance d'éducation, et le laquais d'un voleur qui veut arracher notre foyer à cette famille. Tout le monde ici va mourir quand je mettrai le feu à cette maison qui n'est pas un foyer parce qu'il nous la vole. Ta tante t'a préparé un merveilleux repas. Régale-toi sous ce toit, retourne ensuite en ville et dis à cet homme, que ma sœur a épousé, qu'il n'a aucune famille en dehors de sa femme, car cette maison a été réduite en cendres et nous sommes tous morts, jusqu'au dernier. »

Son oncle décroisa ses chevilles et se remit debout, les mains serrées devant lui.

« Merci, mon oncle », dit Minh.

Oncle Huy frappa dans ses paumes, se dirigea vers la table et prit une assiette en porcelaine sur la pile. Les autres l'imitèrent en silence, emplirent leur assiette ou leur bol en se servant sur les montagnes de fruits ou de riz fumant, dans les soupières ou les plats de viande de chien et de poulet.

Certains enfants étaient trop petits pour avoir compris le discours. Ils mangeaient vite, laissaient leur bol par terre, couraient en riant entre le salon et la cour, venaient se resservir. Des enfants plus âgés se mirent eux aussi à jouer. Les adultes parlaient d'autre chose, d'abord par politesse et par gêne, puis avec un intérêt sincère, enfin avec un certain enthousiasme. Les jeunes femmes chantèrent des chansons. Son oncle suggéra à Minh d'annoncer à Hao que la maison et ses occupants venaient d'être anéantis par une bombe américaine. Minh le remercia une fois encore.

Le lendemain matin, à son réveil, son oncle était déjà parti pour les rizières. Minh prit le café avec sa tante et quelques cousines, qu'il embrassa toutes l'une après l'autre, puis il s'engagea sur le sentier qui longeait le canal vers la route de la capitale, où il lui faudrait expliquer à son oncle Hao que la moindre piastre soutirée à l'oncle Huy ne justifierait sans doute pas les efforts colossaux entrepris dans ce but.

Skip, agenouillé devant une cantine ouverte, en sortit les bacs de bristols – un parfum musqué de papier et de colle, une légère nausée, tous les mois passés avec ces odeurs dans la bouche, tout cela en vain –, trouva les T et passa en revue les fiches qu'il faisait défiler en en poussant de l'index le bord, choisit enfin trois cartons couverts de l'écriture carrée de son oncle :

À S

Un arbre de fumée se dressait au-dessus de l'Arche comme un cèdre. Il apportait un parfum si délicieux au monde que les nations s'écrièrent : « Qui surgit ainsi des étendues sauvages comme une colonne de fumée, parfumée de la myrrhe et de l'encens, dotée de toutes les poudres du parfumeur ? »
Cantique des cantiques, 3, 6

À S

Et j'annoncerai des présages au ciel et sur la terre, du sang, du feu et des colonnes de fumée.
Le soleil s'obscurcira, la lune se voilera de sang, avant que n'arrive le grand et terrible jour du Seigneur.
Joël 3, 3-4

À S

« colonne de nuée » – Exode 33, 9-10 – littéralement « arbre de fumée ».

Six semaines désormais passées à la villa Bouquet depuis le décès du colonel, un état de désarroi et d'absurde après-coup, une saveur nouvelle à son emprisonnement. Hao venait une fois par semaine avec des revues et des lettres de condoléances pour le décès de Beatrice Sands. Aucun signe du Regional Security Center, ou quelle que soit la tutelle de Crodelle, afin d'enquêter sur la participation de Skip à un projet douteux. Sûr qu'après la mort et la disparition du principal acteur de ce projet, une sorte de pardon approchait. Il attendit que Hao lui apportât une convocation. Mais pas le moindre signe d'une quelconque autorité.

En attendant, Sands trouva justifié de prendre des notes en vue d'une espèce de biographie destinée à la *Revue du Renseignement* de l'Agence, un texte plus développé, plus fidèle à l'essence du colonel Francis Xavier Sands que l'unique paragraphe paru dix jours plus tôt dans la rubrique nécrologique « *Milestones* » de *Newsweek*. Il s'assit au bureau de la chambre du haut, récemment occupée par Trung, l'agent double du colonel, ouvrit un carnet et regarda la page blanche aux lignes vides. Que savait-il que *Newsweek* eût ignoré ? Quelques détails disséminés çà et là. Sa tante Grace, qui avait épousé un homme de la famille, affirmait que c'étaient des Shaughnessey originaires du comté de Limerick, et que les raisons pour lesquelles son arrière-grand-père Charles Shaughnessey avait choisi de se rebaptiser Sands, à condition qu'il se fût même prénommé Charles, demeuraient mystérieuses. Charles était arrivé à Boston sur un navire américain, parce que tout le monde faisait pareil, avait jadis expliqué tante Grace, car les avions, informa-t-elle le jeune Skip, n'étaient pas encore inventés ; peut-être le nouvel immigrant avait-il débarqué avec l'équipage pour se présenter en tant que citoyen américain, en empruntant le nom du capitaine... Il travailla sur les quais, se maria dès qu'il le put, engendra deux enfants, une fille puis un garçon, et mourut avant d'atteindre la quarantaine sans avoir rien vu d'autre du pays que le port de Boston. Fergus, son fils, le grand-père paternel de Skip, travailla plus dur que Charles, fit davantage d'enfants – Raymond, Francis et William, et puis deux filles, Molly et Louise – et vécut plus longtemps, jusqu'à la cinquantaine. Les trois garçons fréquentèrent tous l'école primaire de St. Mary, et là, l'histoire familiale, du moins racontée par Grace, devient surtout celle de Francis, le cadet. Francis se fit expulser suite à une faute innommable, et il fut banni pendant deux ans dans une école publique tout aussi innommable, avant de retourner à St. Mary pour le lycée, où il joua en première ligne dans l'équipe de football, se comporta honorablement, travailla dur et réussit à entrer à Notre-Dame. Par sa faute et sa rédemption, Francis devint un personnage intrépide, le garçon à observer et à suivre, celui qui s'était cassé la figure, avant de se remettre sur pied et d'entrer à Notre-Dame.

Les propres réminiscences du colonel ne relevaient pas de l'histoire, mais de l'anecdote pure et simple. Elles ne constituaient pas une biographie. Si Skip se souvenait bien, il était entré à Notre-Dame en 1930 ou 1932. Là encore, des bonnes notes, un première année qui jouait centre pour Notre-Dame durant la dernière année de Knute Rockne en tant qu'entraîneur de l'équipe de football. Sur Rockne il n'avait pas dit grand-chose, et Skip avait appris que le célèbre entraîneur n'avait pas accordé beaucoup d'attention à l'équipe des premières années. À partir du milieu de sa deuxième année, Francis joua dans l'équipe officielle de l'université. Il passa son diplôme parmi les tout premiers de sa promotion, sans avoir rien fait jusque-là pour se distinguer d'un certain nombre de jeunes gens sincères et bien bâtis, hormis par ses résultats, qui le dispensèrent des choix évidents liés à ses origines dans la petite bourgeoisie de Boston – les dockers du port, les fonctionnaires de la police –, mais dont il parut s'affranchir en même temps qu'il ôtait sa toge de jeune diplômé, afin d'entamer ses aventures.

Les événements inconnus qui firent de Francis un fou et un héros, il les vécut selon Skip entre 1935 et 1937, une période obscure du point de vue de sa biographie. Apparemment, il partit vers l'ouest. Skip entendit parler de trains de marchandises et de campements de vagabonds, il entendit parler d'un rodéo, d'un bordel à Denver, d'un séjour en prison, d'un mariage aussi bref que mystérieux – presque tout cela raconté par Beatrice, la mère de Skip, et rien par le colonel lui-même. Plus d'une fois, néanmoins, le colonel avait fait allusion à des expériences avec des avions – des boulots sur des moteurs d'appareils qui répandaient des insecticides ou véhiculaient des politiciens locaux, des boulots sur des aérodromes ou dans des hangars, mais rien qu'il trouvât digne de développer en détail – et à sa collaboration avec des ouvriers chinois à San Francisco durant la même période, quand le Japon faisait la guerre à leurs compatriotes restés au pays. Qu'un individu parmi ces aviateurs ou qu'une circonstance précise impliquant ces Chinois ait joué le rôle de déclencheur pour le restant de son existence, Skip n'en avait pas la moindre idée ; fin 1937, pourtant, le jeune Francis, alors âgé de vingt-six ans, revint à Boston, trouva du travail sur les quais et s'inscrivit à des cours du soir au City College afin de se présenter à l'examen des cadets de l'aviation dans l'armée de l'air américaine. Il entra ainsi dans l'armée, s'entraîna dans le Tennessee sur des biplans Stearman, dans le Mississippi puis en Floride sur des Valiant Vultee à ailes basses, puis, en 1941, avec le grade de capitaine, il pilota des chasseurs Warhawk P-40 et, alors qu'il aurait pu s'endormir sur ses lauriers, il préféra se former sur de plus gros appareils, y compris des bombardiers.

En 1938 il épousa Bridghed McCarthy, une amie d'enfance. En 1940 ils eurent une fille, Anne, et un fils fut bientôt en route – Francis Junior, qui se noya durant l'été 1953 alors qu'il participait à une régate entre le port de Boston et Nantucket. Pas une fois Skip n'entendit son oncle évoquer cette tragédie.

Début 1941 le capitaine Sands démissionna de l'armée après l'accord conclu entre les Chinois, le gouvernement des États-Unis et l'organisme paramilitaire nommé Entreprise centrale de fabrication d'avions, afin de pouvoir voler avec une petite centaine d'autres pilotes américains en qualité de mercenaire pour l'armée de l'air de la république de Chine au sein du Groupe des volontaires américains de Claire Chennault, mieux connu sous le nom de Tigres Volants, avec pour mission de protéger la route de Birmanie qui approvisionnait les troupes chinoises. On promit à chaque volontaire américain qu'il retrouverait ensuite son grade dans l'armée, qu'il toucherait un salaire mensuel de six cents dollars, plus une prime de cinq cents dollars pour chaque appareil japonais abattu. Le capitaine Sands effectua plus de cent missions aux commandes de son P-40 et reçut sa part de primes. Néanmoins, en décembre 1941 – quelques jours après le décès de son frère à Pearl Harbor –, il se proposa pour remplacer un camarade souffrant d'une crise de malaria, il pilota un DC-3 modifié et effectua un parachutage de commandos britanniques, qui incluaient Anders Pitchfork; au retour, le capitaine se fit surprendre par le feu d'une des rares batteries antiaériennes japonaises et il s'écrasa parmi les rizières, mais pas avant, affirma-t-il, que sa seconde aile n'eût été arrachée. Malgré l'aide indigène il fut capturé par les Japonais et condamné aux travaux forcés – en compagnie de Pitchfork, lui aussi fait prisonnier, et de soixante et un mille autres captifs – sur le chantier du chemin de fer entre le Siam et la Birmanie : maladies, passages à tabac, tortures, faim. Un jour, on lui donna un œuf. Inexplicablement embarqué à bord d'un navire devant quitter Bangkok, peut-être en vue d'un transfert à Luzon, mais peut-être aussi au Japon, le capitaine s'évada par-dessus bord au large de Mindanao grâce à une ruse terrible. Un camarade prisonnier était devenu fou pendant leur enfermement dans une cale presque entièrement dépourvue d'air, et leurs geôliers promirent de refermer l'écoutille et de les étouffer tous si les cris du malheureux ne cessaient pas aussitôt. Le capitaine Sands, tiré au hasard parmi eux tous, étrangla le prisonnier devenu fou. Toute évasion était exclue, car alors les hommes laissés en arrière seraient cruellement punis. Mais le capitaine, qui venait de souiller son âme pour aider ses camarades, réclama le droit de faire une tentative en se faisant porter hors de la cale à travers l'écoutille avec le cadavre de sa victime. Si les Japonais le balançaient par-dessus bord en le croyant mort, ainsi qu'il l'espérait, alors son évasion passerait inaperçue. La ruse fonctionna. Bien qu'affaibli par un an de mauvais traitements et de dur labeur, il fit des kilomètres à la nage, survécut durant des semaines dans la jungle et habita pendant deux années toute une succession de villages insulaires donnant sur la mer de Soulou, avant de réussir à embarquer à bord d'un cargo qui l'emmena en Australie. Il rejoignit aussitôt l'armée de l'air américaine, puis retourna en Birmanie pour effectuer des missions aériennes secrètes, souvent avec des unités de commandos britanniques. Il remporta des citations impressionnantes, monta rapidement dans la hiérarchie et quitta la guerre avec le grade de colonel, *le* colonel, celui dont la poigne de fer avait brisé les marteaux ennemis.

Le colonel considérait la violence comme une caractéristique humaine inévitable et les guerriers comme des êtres bénis des dieux. L'armée en temps de paix l'exaspéra sans doute. Peu après la guerre, les promotions s'arrêtèrent. Encore une zone d'ombre. Pour un officier de carrière, l'interruption d'un avancement régulier était un mauvais signe, l'équivalent d'une mise à pied. La raison tangible de ses problèmes avec l'armée – la transgression ou l'infraction, le faux pas – ne trouva jamais le chemin de sa biographie, mais on en devine aisément le motif global. Le colonel savait guider, mais il était incapable de suivre.

Selon ce que Skip comprit, le colonel postula pour entrer dans la CIA dès que Truman la créa en 1947, mais on se passa de ses services pendant plusieurs années, durant lesquelles il se rendit utile dans plusieurs bases de l'armée de l'air du sud des États-Unis, un intérim qui modifia son accent bostonien pour en faire un amalgame unique, et renforça son goût pour la boisson. L'Agence l'accepta alors qu'il venait d'entrer dans la cinquantaine, un tard-venu parmi cette première génération, un *outsider* dépourvu de toute expérience dans l'OSS mais bénéficiant d'une connaissance approfondie de l'Asie du Sud-Est, une partie du monde où la Chine rouge était de plus en plus présente. En route pour les Philippines, le Laos, le Vietnam et parfois, au début, la Malaisie avec Anders Pitchfork et les éclaireurs malais, histoire de s'amuser un peu – toujours dans un rôle quasi militaire, d'habitude hors de portée des yeux de Langley, dont toute l'attention se concentrait alors sur l'Europe de l'Est et l'Union soviétique.

À Luzon il travailla beaucoup avec Edward G. Lansdale pour y combattre la menace communiste, c'est-à-dire les guérilleros hukbalahap. Les camps de prisonniers lui avaient trempé le caractère : croire en soi, apprendre sur le tas, se battre sans jamais envisager de se rendre, l'étoffe des héros. Lansdale lui avait inculqué ses méthodes : faire confiance aux locaux, apprendre leurs chansons et leurs histoires, lutter pour leur cœur et leur esprit. Curieusement, peut-être mystérieusement, le colonel parut n'avoir aucun contact avec le général Lansdale au Vietnam.

Le Vietnam avait été l'apogée de la carrière du colonel, ainsi que sa chute. Abandonné à lui-même, il aurait peut-être remporté cette campagne à lui tout seul, mais la menace asiatique était désormais prise au sérieux, Langley se concentrait sur cette zone stratégique, le Congrès aussi. Il manifesta ouvertement son amertume quand les élections promises furent annulées et la réunification promise reportée *sine die*. Lorsque l'armée américaine renforça sa présence là-bas, le colonel attendait. Les bérets verts n'avaient pas succombé à son charme ni à ses discours – peut-être trop fumeux à leur goût, et puis les sources de son autorité étaient bien vagues. Il se rendit indispensable à certains groupes d'hélicoptères d'assaut, puis, en 1965, au 25ᵉ d'infanterie. Le roi de Cao Phuc. Les *Psy Ops*. Labyrinthe. Et l'Arbre de fumée.

Plus que toute autre chose, le séjour du colonel aux Philippines avec Lansdale détermina sa vision. Gagné par la puissance du mythe, il en devint lui-même un, pour partie dans sa vie mais surtout dans la mort. Selon Nguyen Minh, le jeune pilote surnommé Lucky par le colonel, celui-ci avait une femme à (ou dans les environs de) Binh Dai, un village du delta du Mékong. Après la capture et le décès du colonel aux mains du Viêt-cong, son corps avait été rendu aux villageois soit comme un exemple adressé aux autres habitants, soit en l'honneur de la manière dont il avait supporté ses ultimes tourments – rendu à sa veuve sans les doigts, les yeux ni la langue, et avec tous les os brisés. Les habitants de ce village, qui avait jadis été une paroisse catholique, enterrèrent le cadavre dans la cour de la chapelle – la chapelle proprement dite avait été construite pour l'essentiel en bambou et il n'en restait alors plus rien –, à l'intérieur d'un cercueil d'acajou épais et grossièrement taillé, scellé avec du goudron. Quelques heures plus tard, avant qu'on ne pût couler la dalle de béton destinée à le maintenir en place, les pluies arrivèrent et durèrent des jours, un fait très rare à cette époque de l'année. Sous ce déluge et en l'absence de racines susceptibles d'en assurer la cohérence, la terre rouge fraîchement retournée pour creuser la fosse devint suffisamment liquide pour que, trois semaines après la mise en terre, le cercueil remontât à la surface, et le colonel Sands revint du monde souterrain. Les villageois ouvrirent alors le couvercle et trouvèrent un beau pilote américain aux cheveux noirs, aux doigts et aux orteils intacts, un jeune colonel Francis nu, sans tache ni la moindre trace de torture. Ils l'entourèrent de pierres, percèrent des trous dans son vaisseau pour que l'eau pût y pénétrer, puis le coulèrent de nouveau dans sa tombe. Néanmoins, celle-ci ne réussit pas à le contenir longtemps. Davantage de pluie, le canal voisin quitta son lit, affouilla la cour nue de la chapelle, récupéra le colonel dans son cercueil. Certains témoins le virent descendre le fleuve Hau ; ils virent le cercueil à An Hao, Cao Quan, Ça Goi, en route vers l'estuaire de Dinh An et le sud de la mer de Chine.

Jimmy Storm, dès qu'il eut vent de cette rumeur, rejoignit ce village. Il y trouva une femme qui semblait avoir été l'épouse d'un Américain, puis les villageois le conduisirent jusqu'à la tombe de cet Américain. Tout y était apparemment en ordre. Mais quant à l'identité du mort, à la date de l'enterrement et aux autres détails – Storm était parti seul, aucun d'eux ne parlait anglais, leur français était plus qu'approximatif, le sien pire encore –, il s'en alla sans rien savoir. Et Skip entendit ce compte rendu à travers des voiles recouvrant d'autres voiles, par Hao, par Minh, qui avait guidé Storm jusqu'au village abritant la tombe.

Skip apprit pourtant par tante Grace, dont le témoignage fut confirmé par *Newsweek*, que le colonel avait été enterré dans le Massachusetts – sans les honneurs militaires, en accord avec les souhaits de sa veuve. Skip préféra le mythe. Car le mythe disait la vérité. En ce monde son oncle s'était dressé de toute sa stature, encore grandi par le paysage de son propre imaginaire. Skip regretta le rôle qu'il s'était vu attribuer sur la fin, celui du traître de la rébellion. Sur la fin, le colonel avait cherché des raisons, non seulement pour une opération qui venait de tourner en eau de boudin, mais surtout pour son propre cœur brisé, il avait traqué la trahison au centre même des choses sous la forme de quelque monstruosité classique, et comment imaginer plus monstrueux, plus sombrement romain, que la trahison par un membre de sa propre maison, par son neveu, par son propre sang? Une âme trop vaste pour ce monde. Il avait refusé de considérer sa chute comme un événement typique, refusé toute collaboration avec les émules de Marc Aurèle : « Tu auras peut-être le cœur brisé, avait écrit le vieil empereur, mais les hommes continueront comme avant. » Il s'était lui-même façonné plus grand que nature, il avait suivi avec passion la saga de son propre voyage, traqué son propre mythe dans un dédale de tunnels souterrains, au pays des contes de fées, tout en haut d'un arbre de fumée.

La convocation arriva dans une enveloppe interdépartementale réutilisable adressée à lui, chez les *Psy Ops*, huit semaines après le décès du colonel. Encore un déjeuner. Encore Voss. Sands s'attendit aussi à Crodelle.

Il demanda à Hao de le déposer au rond-point proche de la rivière, puis il marcha, traversa plusieurs rues jusqu'au Continental où il entra, couvert de sueur. À la réception, Rick Voss était assis dans un fauteuil aux sculptures japonisantes alambiquées. Seul.

Voss se leva pour serrer la main de Skip avec une certaine lassitude, comme si pour venir jusque-là lui-même avait traversé à pied des montagnes et des fleuves. « Désolé pour le colonel.

— C'était quelqu'un.

— Dieu, oui. Je suis vraiment navré.

— Moi aussi.

— Nous sommes tous navrés. Ces temps-ci nous formons une bande plutôt navrante. »

Il était seulement onze heures du matin. Sands demanda : « Tu as déjà faim?

— Appelons ça un avant-déjeuner. Je voulais prendre de l'avance ici.

— Prendre de l'avance? Pourquoi cette expression ne me dit-elle rien qui vaille?

— Il faut que je fasse amende honorable.

— Inutile. On s'assied?

— Attends. On a environ cinq minutes.

— On va où?

— Laisse-moi parler, tu veux bien?

— Et comment.

— Merci. Merci. Écoute, dit Voss, voici mon petit discours. Depuis que j'ai appris que le colonel avait quitté ce monde-ci, je me sens sacrément merdeux. Certains gars le prenaient pour un affreux vantard, un type de Neandertal. Mais tout le monde ne partage pas cette opinion sur lui. Des gars le considèrent plutôt comme un grand homme. Au début j'étais pas de leur avis, mais j'ai fini par me laisser convaincre. Je te présente donc mes excuses tardives, malgré leur peu de valeur. J'ai eu tort de faire circuler le brouillon de son article. D'abord ce n'était pas vraiment le sien. J'en ai rédigé quatre-vingt-dix pour cent et je me suis contre-fichu de lui faire porter le chapeau. Je crois même l'avoir mis en circulation pour obtenir les faveurs de gens qui ne l'aimaient pas, et que je considère aujourd'hui comme de parfaits connards. Je suis donc vachement désolé, Skip.

— Excuses acceptées.

— Bon, écoute, reprit Voss, voici le problème. Cet article a mis la machine en branle. Aujourd'hui il est décédé, alors – espérons que ça leur suffira, d'accord? Mais la machine doit se mettre quelque chose sous la dent avant de pouvoir classer l'affaire. Les choses doivent suivre leur cours et l'achever. Personne ne peut y couper. Voilà pourquoi tu es rappelé à Langley.

— Dois-je interpréter cela comme un ordre?

— Exact. Nous te renvoyons à la maison.

— Okay. La station voudra-t-elle d'abord me parler?

— Je soupçonne qu'un petit entretien est prévu.

— Je ne dépends pas vraiment de la station. Je suis des *Psy Ops*.

— Tu es un agent à l'étranger, point final. Tu es dans ce théâtre d'opérations. Ils vont te faire cracher le morceau, et tout le morceau, avant que tu ne le recraches à Langley.

— C'est qui "ils"?

— Terry Crodelle.

— Je sens qu'on va rigoler.

— Il tient au détecteur de mensonges.

— Bien sûr. L'efficacité avant tout », dit Skip.

Skip devina que presque tout le matériel étalé sur cette table grande comme une table de conférences constituait le détecteur de mensonges. Un microphone sur pied lui faisait face, à côté d'un gros magnétophone. Skip observa les révolutions des bobines, l'une rapide, l'autre lente. Près du magnétophone était posé le béret vert de Crodelle. Celui-ci portait le battle-dress des forces spéciales et arborait sur son col les barrettes de capitaine.

« Bon, c'est, je pense que c'est... je ne sais pas ce que c'est.

— C'est quoi?

— J'ai dit que je ne savais pas.

— Vous avez dit que vous aviez une idée.

— Une idée?

— Vous avez dit que vous pensiez savoir ce que c'est.

— Quand ai-je dit une chose pareille? »

Crodelle fit jouer du pouce un levier du magnétophone et retrouva l'endroit où la voix de Skip disait : « Bon, c'est, je pense que c'est... »

« Ici, dit le capitaine.

— Oh, là – je bafouille. »

Le capitaine Crodelle se figea et regarda quelques secondes dans le vide avant de dire : « Bon. C'est excellent. Je vérifie simplement. »

Il tint un bouton enfoncé tout en relâchant un levier et les bobines se remirent à tourner.

« Vous faites vraiment partie des forces spéciales? Ou s'agit-il d'un déguisement?

— C'est un uniforme.

— Cette boutique appartient à qui?

— Nous sommes avec le Regional Security Center, plus ou moins.

— Je croyais que le RSC était basé à Manille.

— C'est une boutique temporaire.

— Et vous êtes un vrai soldat bien vivant.

— Allez...

— Je ne vois pas comment je pourrais aller plus loin. Je suis venu jusqu'à votre sous-sol. Je suis ici. Mais vous, où êtes-vous?

— Parfois on est derrière un bureau, parfois on est sur le terrain – ce truc-là, par contre, Arbre de fumée, ça n'est ni le bureau ni le terrain. Ça se situe quelque part dans les jungles de la romance et de la psychose. » Crodelle arrêta le magnétophone et dit : « Votre bordel à queue est une vraie merde », avant de le remettre en marche.

« C'était juste une hypothèse, un exercice abstrait. Un scénario. De la guerre psychologique.

— Vous jouez sur les mots. Et ça ne va pas vous aider.

— Capitaine, je ne suis pas ici pour m'aider. Je suis ici pour vous aider.

— Quelle est votre couverture ici dans le 5ᵉ Corps ? Quel est votre nom ?

— J'utilise mes propres papiers d'identité.

— Pas de couverture.

— Il n'y a que moi, les gars.

— J'aimerais que vous éclaircissiez pour moi certains termes employés dans cet article intitulé... bon, pas de titre. Mais éclaircissez quelques termes.

— Très volontiers, dans la mesure de mes capacités. Si ça peut vous aider.

— "Isolement" – est-ce que ça veut seulement dire se coller les doigts dans les oreilles dès qu'on vous donne un ordre ?

— C'est une simplification, mais en gros c'est ça.

— Fondamentalement, se couper de la chaîne de commandement.

— Là encore, il s'agit d'une simplification.

— Sans chaîne de commandement, nous retombons dans la féodalité. Bon, il nous arrive de parler de fiefs bureaucratiques, au sens figuré. Mais dans le cas présent, nous croyons que ce fief a bel et bien existé. Nous croyons que votre oncle, le colonel, a dirigé ce fief. »

Skip dit : « Je crois que nous sommes arrivés à une impasse linguistique.

— Je suggère même une activité renégate.

— Je crois que nous contemplons un abîme linguistique.

— La "dichotomie mobilité-perte".

— La quoi ?

— Mobilité, tiret, perte.

— Oh ! pour l'amour du ciel. "Bouge ou crève." Il dit ça tout le temps. Ou plutôt il le disait.

— Sans chaîne de commandement on aboutit à une lutte interne entre seigneurs de la guerre rivaux. Il dirigeait sa petite agence perso.

— Et l'expression "bouge ou crève" prouve quoi ?

— Cet article prouve qu'il considérait cela comme son devoir. Il dirigeait sa petite branche opérationnelle indépendante – les assassinats à Mindanao, par exemple. Et son agent double perso, bien à lui, ici même.

— Où ?

— Ici. Vous savez, ce petit endroit appelé le Sud Vietnam ?

— Quel agent double ?

— Skip, je ne parle pas de vous !

— Vous me faites gerber. Littéralement gerber.

— Nous ne vous accusons pas de trahison.

— Alors de quoi ? S'il y a une accusation, dites-moi ce que c'est. Ne me dites pas ce qu'elle n'est pas.

— Nous voulons simplement un nom. Si c'est le nom que nous avons déjà, alors vous l'aurez confirmé.

— Donnez-moi le nom que vous avez, et je vous fournirai ma confirmation si je le puis.

— Skip. Vous travaillez pour *nous*.

— Oui, bien sûr. Et avec fierté, mais...

— Alors, Skip.

— Vous comprenez sans doute mes réticences.

— Non, Skip, je ne les comprends pas.

— De mon point de vue, la zone que vous sondez, les paramètres que vous explorez – tout ça paraît un peu amorphe. Je me sens tenu d'obtenir de vous l'assurance que nous allons garder tout cela... dans des limites raisonnables.

— L'assurance ? Quoi ? Moi pas comprendre.

— Disons que je ne veux pas compromettre des intérêts liés à ces paramètres. »

Crodelle arrêta de nouveau le magnétophone. « Quels intérêts ?

— S'ils existent.

— Quel paquet de merde.

— C'est exactement ce que je pense.

— Très bien. Bordel. » Crodelle se renfrogna, fixa le sol durant trente bonnes secondes avant de relever la tête. « Je veux bien laisser tomber. Assurez-moi seulement, c'est *vous* qui *me* donnez des assurances, assurez-moi qu'aucune opération non autorisée n'est en cours.

— C'était une hypothèse, un exercice abstrait. Dans le cas contraire, il serait déjà terminé. Je vous en donne l'assurance.

— C'est terminé.

— Aussi terminé que si ça n'avait jamais existé.

— Très bien. Et si on arrêtait de se donner la migraine. » Crodelle reprit l'enregistrement. « Revenons à cet exercice hypothétique de guerre psychologique, portant pour nom de code Arbre de fumée. Lors de notre dernière conversation, vous et moi avons évoqué des fichiers.

— Des fichiers?

— Où sont les fichiers du colonel?

— Les fichiers.

— Le stock des données pour Arbre de fumée.

— Où allez-vous chercher tout ça?

— Quelle question idiote!

— J'ignore tout de ces fichiers.

— Quelle réponse idiote!

— Décrivez mieux l'objet de votre question. Je suis ici pour vous aider.

— Mais quelles conneries!

— Je dirais plutôt que les conneries viennent de vous.

— Sa collection de bristols huit par douze.

— Ah oui. C'étaient des archives. Je ne sais pas où elles sont passées.

— Quand avez-vous vu ce matériel pour la dernière fois?

— Aux Philippines j'ai entamé un catalogue, et puis le colonel a tout récupéré. Vérifiez auprès du RSC là-bas. Peut-être que quelqu'un est au courant. Vérifiez à Clark Field. C'est là que j'ai vu ces archives pour la dernière fois.

— Voss a vu ces cantines ici. À Saigon. À la villa de la CIA, juste après votre arrivée.

— C'est impossible. Ou du moins très douteux. Elles m'ont été retirées à Clark.

— Elles sont arrivées ici.

— Alors elles ont été envoyées ici après m'avoir été retirées.

— Skip. Quel genre de plan de carrière croyez-vous promouvoir en ce moment même?

— Un truc en forme de tire-bouchon. Dirigé vers le bas. Je peux vous parler de ces fichiers? Ils étaient constitués d'archives, très datées, sans le moindre intérêt pour le présent. Si je les avais en ma possession, je n'aurais aucune raison de les cacher, pas la moindre. Si je les avais, je vous les donnerais immédiatement.

— Vous savez ce qui me plaît dans votre style? Dès qu'on vous prend en flagrant délit de mensonge, vous foncez ailleurs.

— Branchez-moi. Je resterai muet comme une carpe.

— Oh, nous allons vous brancher.

— Je resterai muet. Allez-y.

— Plus une AU. »

Skip ne dit rien.

« Une analyse d'urine?

— Oh. Pas de problème.

— Les types du 5ᵉ Corps absorbent beaucoup de narcotiques. Impossible de savoir qui prend quoi.

— Apportez-moi donc un bocal, je pisserai dedans. »

Crodelle interrompit l'enregistrement, se leva et se pencha au-dessus du magnétophone, saisit son cordon d'alimentation et tira dessus pour retirer la prise du mur. La prise brusquement arrachée s'envola vers la face de Crodelle, qui l'évita de peu, puis hésita, cligna des yeux avant de se rasseoir et de dire : « Skip, j'arrive pas à y croire. Je n'ai jamais vu quelqu'un se foutre par lui-même dans une telle merde noire. Et sans raison valable. Pourquoi faites-vous ça?

— Je ne sais pas, mec, il y a quelque chose chez vous qui me fait royalement chier.

— Vous êtes vraiment bon. Je regrette seulement que vous ne bossiez pas pour nous.

— Je ne compte pas toucher à cette merde.

— Excellent. Restez un moment en compagnie de la machine. Je reviens. » Il sortit, laissant Sands seul.

Quelques secondes plus tard, Sands entendit une certaine activité dans le couloir. Accompagné d'un Noir en civil, Nguyen Hao passa devant l'encadrement de la porte ouverte.

Pendant dix minutes Sands resta assis seul à la table de conférences tandis que ses pensées se débattaient dans le vide.

Crodelle revint avec un homme d'âge mûr, un civil apparemment, qu'il présenta comme étant Chambers, le technicien. « Chambers fait ce boulot depuis plus longtemps que vous et moi ne racontons des mensonges.

— C'est vrai?

— Plus de vingt ans, confirma Chambers.

— Je suis au bout du couloir si vous avez besoin de moi », dit Crodelle avant de quitter la pièce, alors que Chambers s'asseyait près de Sands et regardait sous la table.

Quand il se redressa, il dit : « Vous avez déjà été soumis au détecteur de mensonges.

— Oui. Une fois. Qu'y a-t-il sous la table ?

— Je m'assurais juste que c'était débranché.

— Oh.

— C'est un essai.

— Oh.

— Vous êtes donc déjà passé au détecteur de mensonges. Juste
une fois ?

— Oui. Pour mon admission dans l'Agence.

— Bon, maintenant, cette séance. Nous allons sans doute vous
faire suivre les mêmes étapes que lors de votre premier contact avec le
détecteur durant votre admission. Ce que nous voulons créer c'est un
stress minimal provoqué par l'examen. Autrement dit, ah ah,
détends-toi, coco.

— Je suis détendu.

— Bien sûr que vous l'êtes. Bon, allons-y. Deux ou trois questions.

— Okay.

— Avez-vous été formé à des méthodes ayant pour but d'éviter de
dire la vérité quand on vous soumet au détecteur de mensonges ?

— J'en ai entendu parler. Mais je n'ai pas été formé. J'ai simplement... on m'en a parlé.

— Vous n'avez pas été formé, avec une vraie machine.

— Non. Jamais.

— Après la séance, vous subirez un examen physique. Nous exa-
minerons votre langue pour voir si vous l'avez mordue, vos paumes
pour voir s'il y a des traces d'ongles, et ainsi de suite.

— J'ai entendu parler de ces trucs-là, mais je ne me rappelle pas
quand on est censé les faire. Si c'est quand on ment, ou quand on dit
la vérité, ou...

— Avez-vous été formé aux techniques de ralentissement du
souffle, pour rester calme malgré le stress, ce genre de chose ?

— Pas en cette circonstance. Je n'ai pas été formé à ça. Seulement : "Serre les fesses quand les armes parlent, respire en surface
quand ton cœur bat trop vite", rien de plus.

— Bon, première étape : cet essai consiste en vingt questions. J'ai
les questions ici, et vous allez d'abord les lire en silence. Nous faisons
cela pour éliminer toute réaction de surprise sur les graphes.

Comprenez-vous pourquoi nous vous faisons lire ces questions avant le test?

— Oui. Nous éliminons les réactions de surprise. »

Chambers ouvrit sa chemise cartonnée et la tendit à Sands. Les questions étaient dactylographiées sur une seule feuille de papier attachée par un trombone à l'intérieur de la chemise. Sands les parcourut.

« À ce stade, y a-t-il quelque chose qui vous semble obscur dans notre procédure?

— Y aura-t-il d'autres tests? Après celui-ci?

— Oh, très bien, okay. L'examen proprement dit consiste en quatre tests, chacun comportant des questions différentes, même si certaines questions peuvent se répéter dans des tests successifs ou dans les quatre tests prévus. Désolé. J'avais oublié de vous en informer. Autre chose qui vous semblerait obscur à ce stade?

— Je ne crois pas.

— Si vous avez besoin de la moindre explication, n'hésitez pas. Bon. Pour vous familiariser avec la procédure, je vais vous brancher, mais sans mettre la machine en marche. La machine ne fonctionnera pas. Comprenez-vous bien que cette fois-ci la machine ne fonctionnera pas?

— La machine n'est pas activée. Okay.

— Quand la machine sera activée, ce rouleau se mettra à tourner et ces trois aiguilles monteront et descendront pour créer des lignes enregistrées sur le papier millimétré.

— Je comprends.

— Je vais vous demander de retirer votre chemise, s'il vous plaît. »

Sands obtempéra et posa sa chemise sur l'accoudoir de son fauteuil.

« Ainsi que la montre. Mettez-la donc sur la table. Êtes-vous droitier ou gaucher?

— Droitier.

— Voulez-vous poser votre bras droit ici sur la table, je vous prie? Mettez-le bien à plat. » Chambers plaça un brassard de tensiomètre autour du biceps de Sands. « Nous allons enregistrer la pression sanguine, la respiration et la réaction cutanée galvanique. Si vous voulez bien vous pencher en avant. » Sands se pencha et Chambers lui enveloppa le buste avec un tube en caoutchouc beige, dont il attacha les extrémités à l'aide d'un petit fermoir métallique. « Trop serré?

— Non. Je ne sais pas. C'est vous le technicien.

— Ces bagues sont destinées à vos doigts, ici. Elles nous indiquent la température de la peau. » Après avoir fixé les bagues, Chambers toucha doucement les points d'attache, le brassard, le tube, les bagues, en procédant à de menus réglages, puis il se rassit dans son fauteuil. « Confortable ?

— Absolument pas.

— Bon, personne n'est jamais à l'aise. Vous avez lu les questions, exact ?

— Oui.

— Certaines vous paraissent stupides, sans doute, et d'autres hors sujet. D'autres encore sont parfaitement évidentes, et d'autres pas. C'est comme ça que nous obtenons une lecture de vos réactions à diverses catégories de questions. Je peux vous assurer que tout cela a un sens.

— Je comprends.

— Très bien. À ce stade de notre essai, je vais vous lire les questions pour que vous les entendiez avec ma voix et que nous éliminions le stress aléatoire dû à la surprise. Vous ne répondez pas à ces questions. Je me contente de les lire. Vous pouvez m'interrompre à tout moment pour discuter de ces questions. » Chambers prit sa chemise cartonnée et l'ouvrit sur ses cuisses. « Prêt ?

— Allez-y.

— Vous appelez-vous William Sands ?... Êtes-vous né à Miami, en Floride ?... Savez-vous où se trouvent les cantines qui contiennent les fichiers du colonel Francis Xavier Sands ?... Êtes-vous diplômé de l'université de l'Indiana ?

— Excusez-moi.

— Oui.

— J'ai deux diplômes, une licence de l'université de l'Indiana et un mastère de l'université George Washington. Je ne saurais donc pas au juste...

— Okay. Licence de lettres de l'université de l'Indiana, exact ?

— Exact.

— Très bien. La question sera donc la suivante : Avez-vous une licence de lettres de l'université de l'Indiana ?

— Okay.

— Okay. Les questions continuent comme suit : Connaissez-vous Trung Than ?... Êtes-vous le neveu du colonel Francis Xavier

Sands?... Est-ce que je porte une chemise à manches courtes?...
Aimez-vous mentir?

— Attendez.

— Oui.

— Celle qui demande si je suis le neveu – je suppose que je suis le
neveu, que la personne soit vivante ou morte?

— Hum. Vous savez quoi? Il faut que j'aille vérifier. Excusez-
moi. »

Chambers se leva et quitta la pièce en emportant la chemise cartonnée.

Sands attendit et regarda l'encadrement de la porte ouverte, où il
s'attendait maintenant à voir passer n'importe laquelle de ses
connaissances, Minh, Storm, Trung, sa mère, son oncle, son père, un
défilé de fantômes.

À son retour, Chambers déclara : « Nous avons modifié deux
questions. Je vais poursuivre mon petit récital, après quoi vous pourrez tout relire à tête reposée, okay?

— Oui. Okay.

— Savez-vous où se trouve Trung Than?... Êtes-vous né au mois
de décembre?... Êtes-vous basé à Cao Phuc, Sud Vietnam?... Savez-
vous où se trouvent les fichiers compilés par le colonel Francis Xavier
Sands?... Avez-vous déjà rencontré un certain Trung Than?... Avez-
vous un fils nommé John?... La lumière est-elle allumée dans cette
pièce?... Trung Than a-t-il jamais travaillé pour le Viêt-cong?...
Avez-vous déjà vu Trung Than avoir des rapports directs avec le
colonel Francis Xavier Sands?... Savez-vous où se trouvent les fichiers
du colonel à cet instant précis?... Avez-vous un mastère de l'université George Washington?... Savez-vous où se trouvent probablement
les fichiers du colonel?...

» Et voilà. Nous allons vous débrancher. » Alors que Chambers
retirait le brassard, le tube de poitrine puis les bagues, et que Sands
glissait les bras dans ses manches de chemise, Chambers dit : « Je
vous laisse un moment la liste des questions. Relisez-les tranquillement, il faut encore que je m'absente. »

Sands, assis, regarda les questions sans les voir.

« Si vous boutonnez votre chemise, dit une voix, nous pourrons
aller déjeuner. »

Crodelle et Voss se tenaient dans l'encadrement de la porte, avec
l'air de frères aînés qui viennent de payer au benjamin sa passe au
bordel.

« Quoi ?

— C'est l'heure du déjeuner.

— Déjeuner ?

— Il est deux heures un quart, dit Crodelle. Vous avez faim ?

— Vous voulez dire : sortir ?

— Oui. Au Rex ou ailleurs. Allons au Rex.

— Très bien.

— Très bien ?

— Ça me va.

— C'est la pause. Les résultats seront meilleurs si vous lisez les questions avant de les oublier un moment.

— Les oublier. Et comment. »

Il les suivit dans le couloir, passa devant le marine, devant le digicode, la gâche électrique, puis monta l'escalier.

Avant de descendre les marches qui menaient à l'extérieur, Crodelle s'arrêta pour placer son béret vert sur sa tête et l'ajuster avec minutie. Ce béret avait un parement que Sands voyait pour la première fois de sa vie, noir, blanc et gris, bordé de jaune. Ils marchèrent vers les barricades en béton qui séparaient le bâtiment de la rue et Skip dit : « Vous avez les cheveux un peu longs pour être en uniforme, n'est-ce pas ?

— Je ne porte pas souvent l'uniforme.

— C'est quoi votre insigne, là ? demanda Skip en montrant le parement de béret.

— Centre spécial de guerre JFK, répondit Crodelle.

— Ça se trouve où ? » demanda Skip, et alors qu'ils franchissaient les blocs de béton il se mit à courir à grandes foulées comme un sprinter jusqu'à un croisement, il tourna à droite en suivant la trajectoire de moindre résistance. À l'endroit où une femme guidait ses deux enfants à travers la circulation de la rue, il ralentit et se mit à marcher avec eux et ils se faufilèrent ensemble dans le flux délirant des petits véhicules jusqu'au trottoir d'en face, où il se remit à courir selon une trajectoire zigzagante aux nombreux angles droits sur presque un kilomètre et sans jamais se retourner. Rue Louis Pasteur il entra dans le jardin aux arbres massifs et adopta une allure qu'il avait apprise chez les boy-scouts d'Amérique, cinquante pas en marchant, cinquante autres en courant.

Il observa l'activité de la rue au-delà des arbres et ne vit personne sinon les citoyens de Saigon qui, obsédés par leur désir forcené de survie, négociaient au jour le jour chaque virage abrupt de leur existence. Pour arriver jusque-là, il lui avait fallu sauter par-dessus des sacs de sable, entrer dans des rues et en sortir, s'arrêter, faire demi-tour, feinter à droite et à gauche comme un arrière de football américain et envoyer à terre quelques-uns de ces braves gens, mais il ne conservait aucun souvenir de ces épisodes.

En sortant du parc il héla un taxi, s'effondra couvert de sueur sur la banquette et dit au chauffeur de le conduire à la gare routière de Cholon. À cette heure tardive de la journée, il n'y avait sans doute plus aucun départ de car. Jusqu'à la reprise de leur service le lendemain matin, il se réfugierait dans un bar. Ou dans un temple ou une église. Un bordel, une fumerie d'opium. Un fugitif, un traître.

Ses chaussures de cuir empestaient les caniveaux où il avait détalé. Il actionna la poignée de la fenêtre.

Il regretta d'avoir raté l'examen. De toutes les questions qu'on lui avait préparées, il en jugeait une pertinente :

« Aimez-vous mentir ?

— Oui », aurait-il répondu en toute sincérité.

D'habitude Dietrich Fest déjeunait chez un marchand de soupe à l'autre bout de la rue Tu Do, la grande artère qu'on trouvait à deux rues de l'hôtel Continental. Il avait repéré de meilleurs endroits pour dîner, aucun certes qui rappelât l'Allemagne, mais assez bons pour qu'il pût s'inquiéter de son poids. Il connaissait désormais tous les restaurants où il pouvait se rendre à pied. Il n'aimait pas les taxis. Il se sentait plus à l'aise avec les conducteurs de cyclo-pousse.

Il utilisa une seule fois la cachette des toilettes du Perroquet Vert – afin d'indiquer l'emplacement de la cachette suivante. Il choisit un restaurant de l'autre côté de la place du Continental, où il pouvait observer les allées et venues des gens. Seul le commandant Keng utilisa cette cachette.

Il annonça à la direction que sa chambre était trop petite et on l'installa dans une autre chambre située dans l'aile ouest, où l'après-midi il y avait trop de soleil. La première nuit il régla le climatiseur au maximum et le lendemain matin le moteur peinait, les évents étaient bouchés par le givre. Il appela la réception pour se plaindre. Deux ouvriers arrivèrent et déclarèrent que, s'il réglait le bouton en position moyenne, la glace fondrait et la machine fonctionnerait beaucoup mieux. Ils s'en allèrent en échangeant des propos rapides dans une langue qu'il trouva nasillarde, perçante, grinçante, une espèce de vrombissement suraigu.

Il avait prévu de passer deux semaines à Saigon. Il y séjournait depuis presque deux mois.

Tous les trois ou quatre jours il se présentait à la direction avec une bonne raison pour changer de chambre.

Sa cible occupait une chambre dans un quartier sino-vietnamien très mélangé, à la lisière de Cholon.

En face du site du contrat, une seule boutique vendait du tissu et l'on y fabriquait peut-être aussi des vêtements pour femmes. De ce côté-ci de la rue, tout le trottoir présentait une succession de portes fermées ainsi que deux ruelles où des femmes et des enfants bruyants semblaient passer le plus clair de leurs journées : des caisses en guise de tables, des cartons en guise de chaises, de minuscules poêles à charbon de bois, des tubs aux planches mal jointoyées qui fuyaient, des cordes à linge couvertes de vêtements. Fest pouvait observer durant un petit moment, mais il n'y avait pas de café dans la rue, aucun prétexte à sa présence. Il restait immobile près du magasin de tissu comme s'il attendait quelqu'un.

L'entrée de l'hôtel ressemblait à toutes les portes en bois du pâté de maisons. À côté, de plain-pied avec la rue, le propriétaire faisait ses affaires derrière la grande vitrine de son bureau et il s'occupait des chambres situées à l'étage. Le commandant Keng avait décrit cet homme comme étant un « voyeuriste ». Seul, fumant une cigarette avec un air d'introspection languide, le « voyeuriste » était assis entre deux ventilateurs électriques adroitement disposés sur le comptoir afin de ne pas semer le désordre dans ses papiers. Fest pouvait seulement deviner sa profession – courtier, juriste, prêteur –, laquelle était uniquement identifiée par des caractères chinois peints sur la vitrine. Tandis que, de l'autre côté de la rue, Fest observait le bureau, un homme arriva en serrant sous le bras un carton à dessin, il s'installa dans un fauteuil devant le comptoir, les genoux serrés l'un contre l'autre, puis, le carton ouvert sur les cuisses, il transmit les documents l'un après l'autre au « voyeuriste ».

Dix minutes plus tard, Fest se sentit trop visible et il quitta le quartier.

Après leur quatrième rendez-vous Fest décida que la communication avec les Américains était à sens unique. Peut-être avait-elle définitivement cessé. En tout cas le commandant Keng ne connaissait aucun moyen de transmettre les soucis de Fest aux Américains. Soit cela, soit Keng se contrefichait de cette opération.

« Je n'aime pas notre scénario. Il y a trop de points d'interrogation.

— Il y a toujours des problèmes.

— Je suis allé voir le site. C'est compliqué. Je ne peux pas observer longtemps. Il n'y a pas de café dans la rue, pas de chambre à louer où je pourrais établir un avant-poste. Je ne peux pas m'assurer de mon terrain. »

Le commandant se renfrogna. « *Monsieur Reinhardt. Parlez-vous français* * ?

— Non.

— Votre anglais n'est pas très clair pour moi.

— Quand j'entre dans la chambre, je dois être certain qu'il est seul.

— Il est seul. » Le commandant souriait. « Il n'a pas d'arme. Il a été amené sur site par un contact en qui il a toute confiance. Il ne va pas bouger de là avant qu'on le lui dise. Ce contact nous a donné les clefs. Une pour la porte de la rue, une autre pour la chambre.

— Alors donnez-moi ces clefs, je vous prie.

— C'est mieux si je vous les donne dans quatre jours.

— Avez-vous ces clefs ?

— J'aurai ces clefs dans quatre jours.

— Quand dois-je exécuter le contrat ?

— D'ici une semaine.

— Pouvez-vous trouver des gens pour surveiller le site ? Nous devons être certains de notre terrain.

— Que voulez-vous dire ? Il ne peut pas sortir. C'est le seul endroit sûr pour lui. Voilà ce qu'il croit. Vous pouvez avoir confiance. »

Petit clown basané. Tu me dis d'ouvrir une porte pour entrer dans une chambre avec un flingue à la main et d'avoir confiance ?

« Puis-je faire une suggestion ?

— Bien sûr, monsieur Reinhardt.

— Laissez-moi l'emmener dehors, loin de sa chambre.

— L'emmener ? Avez-vous l'intention de le kidnapper ?

— Faites-le venir à un rendez-vous dans un lieu que nous pouvons contrôler. Peut-être que son contact peut arranger ça. Nous préparerons tout d'avance pour ce rendez-vous. Alors nous serons en terrain connu. »

Le commandant ourla les lèvres comme s'il envisageait cette solution sous plusieurs angles. « Ça rend le nettoyage peut-être difficile.

— Le site doit être nettoyé ?

— Pas par vous, monsieur Reinhardt ! Tout est prévu. Tout est prévu, monsieur Reinhardt.

— Vous dites qu'il est trop tard pour changer de plan.

— Il nous faut aller de l'avant avec confiance. »

Sur le trajet du retour vers sa chambre, il fit halte dans une échoppe de la place et, sans marchander le moins du monde, il acheta un gros dictionnaire anglais de quelque deux mille pages. À la réception du Continental, il demanda ses objets personnels enfermés dans le coffre-fort de l'hôtel et l'employé lui apporta son sac de voyage de Vietnam Air Lines. En haut, il sortit du sac son équipement et régla très fort la radio de la chambre. Il était deux heures de l'après-midi ; la station militaire américaine annonça la nouvelle d'un voyage imminent vers la lune. Il posa le dictionnaire au fond de la baignoire, fixa le silencieux au pistolet, puis tira quatre balles dans le gros livre à une distance de un mètre.

La première page intacte portait le numéro 1833. Comme il s'y attendait, utilisée à faible distance cette arme produirait un impact de sortie. Encore une absurdité. Je demande un calibre .22 et tu m'apportes un obusier. Je ne peux pas appeler Berlin alors que les astronautes filent vers la lune.

Les téléphones fonctionnaient, il avait joint ses proches, son père était mort.

Deux ans il avait attendu d'entendre cette nouvelle, mais elle le sidéra littéralement. Le vieillard s'était frayé son chemin souffle après souffle, enchaînant tant de tribulations médicales qu'il avait paru impossible de pouvoir un jour l'arrêter. Nul symptôme spécifique ne l'avait abattu. Il était mort dans sa chambre d'hôpital alors qu'il faisait un somme après le petit déjeuner. Au téléphone sa mère avait semblé lasse mais guère bouleversée.

Il avait ensuite appelé Dora, et fondu en larmes en lui apprenant la mort de son père. « Je rappellerai bientôt. Le téléphone marche. »

Sans doute donna-t-il l'impression que la bonne nouvelle concernant le téléphone lui avait brisé le cœur.

Parce qu'un voyagiste chinois dirigeait cet hôtel réduit à quatre chambres, Trung en conclut que des hommes d'affaires chinois fréquentaient l'établissement.

Dans la journée la rue était bruyante, et assez tranquille après neuf ou dix heures du soir – la rumeur assourdie de la circulation, de lointains avions de combat, des hélicoptères beaucoup plus proches, qui survolaient la ville. C'était la première fois de sa vie qu'il logeait dans une chambre de location en ville. Il avait pris possession d'une clef pour la porte de l'hôtel et d'une autre clef pour sa propre chambre, les deux attachées par un bout de ficelle à un petit morceau de bois où l'on avait gravé le numéro 1.

La porte de la rue donnait sur une étroite cage d'escalier qui aboutissait à un couloir exigu au plafond élevé, aux murs en plâtre, avec deux chambres de chaque côté et une salle de bains au bout – un lavabo, un tub, des toilettes où l'eau se ruait quand il tirait sur une chaîne. Le matin, il entendait des pieds marcher bruyamment dans le couloir, ses voisins faire couler l'eau, jacasser et cracher dans la salle de bains, et le soir il entendait son voisin tousser, avant de marcher en traînant les pieds depuis son lit jusqu'à la fenêtre afin de cracher dans la ruelle.

Il y avait l'électricité. En haut de la cage d'escalier et au plafond de la salle de bains, des tubes fluorescents restaient allumés toute la nuit, mais aucune lumière électrique n'éclairait sa chambre. Il avait une lampe à butane, un mince matelas posé sur un châssis en bambou, une moustiquaire circulaire en forme de dôme accrochée au-dessus de son lit, ainsi qu'une petite table carrée où étaient posés la lampe, une boîte d'allumettes et un gros coquillage faisant office de cendrier.

Il dînait tous les soirs dans un café situé à une rue de là et il achetait de quoi manger durant la journée du lendemain. Hao lui avait donné de l'argent et recommandé de rester le plus souvent possible dans sa chambre jusqu'à ce que les Américains, sans doute d'ici une semaine, aient pris leurs dispositions. Mais il tenait à cette sortie quotidienne. Il refusait de se priver. Il était à Saigon depuis quatre jours.

Il était superflu de lui dire de rester discret. Si jamais quelqu'un le reconnaissait dans la rue, tout tombait à l'eau. Pour les cadres, il rendait visite à sa famille à Ben Tre à l'occasion des fêtes du Têt et pour quelques jours seulement ; mais il avait maintenant perdu tout contact depuis presque deux mois. Aucune explication de cette absence, aucun mensonge ne lui épargnerait la « séance d'auto-critique » – des heures de discussion de groupe jusqu'au moment où, bien plus que quiconque présent dans la pièce, vous-même étiez convaincu d'avoir dépassé les bornes, et vous-même réclamiez d'être puni. Il s'assurerait que les Américains comprennent bien ce problème. Peut-être que les Américains connaissaient d'autres traîtres viêt-congs qui pourraient imaginer une histoire – il ne savait pas laquelle, une maladie ou une blessure – et confirmer les circonstances de son absence.

Je ne vais pas reprendre du riz aujourd'hui. Plutôt des nouilles s'ils ont encore de la sauce *hoisin*. Ils en avaient hier, mais je crois qu'il ne leur en reste plus.

Toutes ces dernières semaines, d'abord dans la chambre au-dessus du café au bord du Mékong, maintenant dans cette autre chambre au-dessus du voyagiste, s'étaient réduites à une forme d'incarcération, mais dans des conditions heureusement très différentes de celles qu'il avait appris à considérer comme étant la prison. Dans la cellule de Con Dau il avait dormi sur un sol de pierre avec une douzaine d'autres hommes, et parfois sur une dalle en béton à laquelle ses chevilles entravées étaient reliées par des chaînes. Les matons patrouillaient sur des passerelles qui se croisaient au-dessus de leurs têtes – ils leur pissaient parfois dessus, quand ils ne vidaient pas des seaux d'ordures vers leur geôle. Cet espace n'était pas tout à fait assez long pour que deux hommes puissent s'y allonger bout à bout, et il était moitié moins large. Les prisonniers s'y étaient sans cesse entraidés, rien sinon la mort n'aurait pu les séparer de la cause. Et puis la fin des Français, la libération, le voyage en bateau vers le nord, et le kolkhoze, la ferme communautaire – les citoyens de l'Avenir collectivisé, d'ordinaire tendus, parfois violents, toujours désespérés, vivant dans l'abêtissement, la colère, la soumission. Les citoyens de l'avenir n'avaient pas eu grand-chose à lui dire. Il était plus âgé, il était arrivé après avoir franchi les Trois Portails – la prison, le sang, le sacrifice de soi –, chacune de ces étapes l'enfonçant plus profondément dans le mensonge qui les piégeait tous. Et puis le dernier portail, celui qui n'avait pas de numéro : l'abandon des amis et des parents, le portail de l'authentique emprisonnement. Dès qu'on a mélangé son sang, ses forces et ses jours, alors on appartient bel et bien à la cause. Mais la trahison est la chose essentielle.

Il avait connu les jours les plus heureux de son existence en descendant des monts Truong Son, rentrant chez lui en marchant d'un bon pas sous un ciel clément après les semaines passées à gravir le versant nord sous la pluie, après l'épidémie qui avait failli le tuer, après les camps de déserteurs tout tremblants de fièvre, après les tertres funéraires constitués de rochers empilés et hérissés de bâtons d'encens, ou bien excavés et affouillés quand des tigres affamés dévoraient les cadavres, et maintenant cette descente aisée vers Ben Tre, l'odeur du Sud dans ses poumons, le soleil forant des puits de lumière à travers le dais de la jungle, et toutes ces fleurs qui portaient le nom de sa mère. Mais j'ai pénétré dans une région où ma mère était morte et où tous les autres faisaient semblant d'être encore vivants. Mes jambes m'ont porté au-delà de la montagne, mais je ne suis jamais rentré chez moi.

La trahison avait nourri son voyage à partir du Nord. La trahison l'y ramènerait.

En maillot de bain vert olive et torse nu, Sands était assis dans le fauteuil en osier sur la petite véranda de derrière où il savourait la brise qui arrivait de la rivière et buvait un mélange de sucre, de lait de coco et d'un ingrédient dont il préférait sans doute ignorer la nature. Toute cette fumée montant des tas d'ordures et la puanteur des eaux lui crispaient le ventre et les insectes le rendaient fou. La stridulation des cigales. Tous ces minuscules insectes ailés qui lui fouettaient le visage.

Il entendit un véhicule arriver dans l'allée et reconnut le vrombissement d'une jeep militaire.

Quatre jours depuis qu'il avait filé à l'anglaise, et jusqu'ici personne ne s'était manifesté. Les dieux trimaient lentement. Ou alors, ils avaient compris qu'il s'était enfui sans avoir ni plan ni argent, qu'il avait sauté par la fenêtre à l'aveuglette, et quoi ensuite – traîné dans les ténèbres en attendant de se faire arrêter.

Quand il entendit la jeep freiner devant la villa, il se leva et gagna le salon.

À ce moment de la journée, à cause de la chaleur, Skip accrochait une gaze de moustiquaire au-dessus de la porte d'entrée, qu'il gardait ouverte. À travers cette gaze, il vit Jimmy Storm, en treillis et T-shirt marron, franchir le portillon et monter les marches.

Sands écarta la moustiquaire, puis la laisser retomber derrière le visiteur.

Storm serrait une liasse de courrier contre sa poitrine. Il ne dit pas bonjour. « Voss ne fait plus partie de l'équipe.

— Pardon ?

— Il n'a pas accompli sa mission.

— Tu veux dire qu'il est quoi, qu'il est...

— Classé et mis en sac. Il a mordu la poussière, putain. »

De sa main libre, Storm balança un uppercut qui atteignit Sands au plexus solaire. Ses poumons se vidèrent, son diaphragme se bloqua, la nausée l'aveugla. Il tomba à genoux, puis sa joue percuta les dalles du sol.

Il retrouva un semblant de conscience, respira de nouveau, tandis que du bout de sa botte en toile Storm lui explorait l'oreille.

« Maintenant je pourrais t'enfoncer le pied à travers le crâne, tu sais ça ?

— Je sais », réussit à articuler Sands.

Il jeta les revues l'une après l'autre sur le visage de Skip, en lisant d'abord chaque titre : « Voilà ton *Newsweek*. Voilà ton *Time*. C'est quoi ça ? – ton putain de *Sports Illustrated*.

— Storm...

— Tu nous as fourrés dans un putain de merdier à la con. Tu nous as fourrés dans un cloaque répugnant.

— Storm, parlons.

— Qu'est-ce qui te fait croire que j'ai envie de te parler ? Qu'est-ce qui te fait croire que j'ai envie de discuter de la partie en cours avec un planqué roulé par terre en position fœtale ? – C'est ça qu'on t'a appris à l'école du combat à mains nues ? »

À dire vrai, on conseillait au novice attaqué par un gang d'incurver le squelette autour des organes vitaux et de « prier pour l'arrivée de la cavalerie ». Mais pas lorsqu'on était mis à terre par un seul attaquant. Un homme solidement ancré au sol pouvait très bien avoir l'avantage sur un assaillant en équilibre sur une seule jambe au moment de décocher un coup de pied, du moins selon le manuel officiel. Sands n'avait pas très envie d'essayer.

« Et ne viens pas me dire que tu as fait ce que tu avais à faire. C'est des conneries. Dis seulement que tu as fait ce que tu as fait, mec. Dis seulement que tu l'as fait.

— J'ai rien dit, marmonna Skip, sur ce que j'ai fait ou pas fait.

— Toi et moi faut qu'on parle à un autre niveau, mec, parce que tu cracheras pas le *morceau*. Tu le *cracheras pas*. C'est *ça* qui se passe. Alors *merde*. » Tout en parlant il donnait des coups de pied dans la tête de Sands.

« T'as fini ? J'aimerais bien que t'aies fini.

— Ouais. J'ai fini. Non, j'ai pas fini. » Il décocha deux coups de botte dans les côtes de Sands.

Il tourna les talons pour partir, alla jusqu'à la porte, puis revint.

« Tu crois vraiment que j'en ai quelque chose à foutre ? On perd cette guerre, et alors ? Est-ce que les petits loupiots d'Amérique iront au lycée de l'oncle Hô pour apprendre par cœur le discours de Gettysburg de cet enfoiré de Lénine ? Est-ce que les Viêt-congs violeront nos femmes dans la rue ? Putain, non. Tout ça c'est des conneries, mec. Qu'on gagne ou qu'on perde, on sera bien au chaud. Mais on est ici. Toi, moi et ces autres couillons. Et on est dans la merde. Et pourquoi pas, putain ? Le motif crucial sous-jacent c'est "Fonçons, bordel". Soit tu piges ça, soit tu le piges pas.

— Ouais. C'était plus ou moins la théorie de mon oncle.

— Le colonel est vivant.

— Ah bon ?

— Il l'est pas ?

— Non.

— Si, enfoiré.

— C'est que des conneries.

— Ouais, ça l'est. Mais tu comprends que dalle. C'est exactement ce qui fait tourner les réacteurs de la centrale. Le doux parfum des conneries.

— Vas-tu me laisser me lever ? »

Storm s'assit sur le canapé, le souffle court.

« Très bien, je vais rester allongé par terre. Je suis crevé.

— Tu déprécies notre action. Pour toi, les *Psy Ops* c'est du pipi de chat. Je te le dis, mec, c'est sur ce point précis qu'on perd ou qu'on gagne. Au royaume des bobards. Et peu importe qu'on leur botte le cul sur le champ de bataille ou l'inverse, putain.

— Le colonel est mort. »

Storm dit : « Ouais. T'es rien qu'un planqué. Tu restes vautré là tout recroquevillé comme un flocon de pop-corn dans ton utérus douillet. Espèce d'incubateur de faux jeton.

Par étapes douloureuses Sands réussit à se remettre debout, à rejoindre un fauteuil et à s'y écrouler.

« Comment tu te sens, Skipper ? Affreusement mal, j'espère.

— Jimmy...

— Ouais.

— Rick Voss est mort ?

— Très très mort.

— As-tu... Tu as tué Rick Voss ?

— Non, connard. Les Viêt-congs ont buté Rick Voss. Quelqu'un a flingué son hélico. À ce qu'on raconte. En tout cas, il s'est crashé.

— Rick Voss est mort ?

— Tous les mecs de l'hélico. *Pouf.*

— Il faisait quoi dans cet hélico ?

— Il prenait l'air, ce crétin, comme toujours.

— Seigneur Dieu. Il avait une femme et des enfants.

— Eh ben c'est plus le cas, Lucas. Très bientôt ce sera un autre type qui s'en occupera. C'est comme ça que ça marche dans ce boxon. »

Voss avait une petite fille, se souvint Skip. Il se pencha en avant, prit sur la table sa boisson au lait de coco et colla le verre glacé contre sa pommette palpitante.

« Alors, mon petit Skippy. T'étais où jeudi dernier ?

— À Saigon.

— Mais encore ?

— En compagnie d'un détecteur de mensonges.

— Ouais. J'en doute pas une seconde. »

Sands se pencha dans son fauteuil. Il gardait son Beretta calibre .25 dans le tiroir d'une commode à l'étage et il ressentit le désir subit, momentané mais presque irrésistible, de monter le chercher, de le braquer sous le nez de Jimmy Storm et de lui faire exploser la tête. Dès que cette vague eut reflué, il se sentit soudain épuisé, comme paralysé. Il se prit le visage entre les mains. « Écoute. Tu t'en vas, ou pas ?

— Ouais, je me tire. Je suis juste passé te dire que le karma a transformé ton petit copain en bouillie.

— Bon Dieu. Pauvre Voss.

— Ouais, pauvre Voss. J'aimerais bien être celui qui va annoncer la nouvelle à sa femme. J'espère qu'il a de beaux petits lardons. J'espère qu'il a bien pensé à eux pendant qu'il tombait. »

Soudain Sands prit des glaçons dans son verre et les lui lança au visage. « Aah merde, fit Jimmy. Désolé. Allez, jettes-en encore. » Son regard suppliant réclamait une punition. « La première fois que je t'ai vu je me suis dit : Ce type a l'air d'un putain d'embryon. Prêt à farfouiller dans les cendriers pour trouver un mégot compromettant. La tronche du mec qui se demande comment il va faire pour te piquer ton portefeuille. Il débarque ici comme un gamin en goguette. Il est venu jouer à cache-cache et à saute-mouton avec les bridés. En fait t'as débarqué ici pour faire jouer ton piston et frimer un max.

— Quand tu auras fini de me traîner dans la boue, tu peux partir.

— Te traîner dans la boue ? Je t'emmerde. En ce moment même le colonel se fait torturer. En ce moment même ils lui brisent jusqu'au dernier os.

— Jimmy. Nom de Dieu. Réveille-toi.

— Tu te rappelles comment il a faussé compagnie aux Japs pendant la Seconde Guerre mondiale, mec ? – il a fait semblant d'être mort.

— C'est bien, tu entretiens le flambeau de la légende.

— Je ne suis pas la putain de voix de la raison. Je m'imprègne de merde, je la traite, je sens les faits. C'est viscéral. Y a pas assez de types qui font comme moi dans le secteur.

— Jimmy, le colonel est mort. Et tout s'est cassé la gueule.

— Qu'est-ce qu'il disait ? Qu'est-ce qu'il nous a dit mille fois ? "Comment fourguons-nous un produit bidon de manière crédible entre les mains de l'ennemi ? Plus précisément entre les mains de l'oncle Hô ?" Scénario numéro un : *via* un agent double qui vole soi-disant les faux documents. Scénario numéro deux : on se sert d'un vrai Américain vivant, un infiltré qui se laisse capturer. Mais son idée préférée était de combiner les deux scénarios. Quand les infos arrivent par deux sources indépendantes, on accroît le niveau de crédibilité.

— Jimmy. Redescends sur terre.

— Non, mec, ça explique vraiment tout. Y a trop d'indices concordants. Il a simulé toute cette merde et il nous en a pas parlé. Il est en mission et on est baisés. On peut pas l'aider. Il se passe un truc à faire froid dans le dos, un truc vraiment glaçant. Et nous on est les pigeons.

— Pourquoi se lancerait-il tout seul dans cette opération de désinformation sans nous mettre au parfum ?

— Pourquoi ? Parce que t'es une balance. Doublée d'un planqué. Et d'un pédé. Je devrais te baiser dans le cul.

— Concentre-toi, tu veux bien ? Qui t'a dit qu'ils m'avaient ramassé ?

— Je sais des choses.

— C'est Hao qui te l'a dit.

— Je t'emmerde.

— Storm, c'est Hao. C'est Hao.

— Quoi, Hao ?

— Le rat. La balance. C'est Hao.

— Je t'emmerde. Bien essayé.

— Jimmy, c'est Hao.

— Surveille un peu ton karma. Regarde ton karma. Observe-le te bouffer au ralenti à partir des doigts de pied, enfoiré.

— Ils m'ont passé au détecteur à l'école de langues. Hao y était.

— Conneries. » Storm prit une seconde pour réfléchir. « Il faisait partie du comité de réception ?

— Non, mais je l'ai vu passer dans le couloir.

— Peut-être qu'il suivait des cours.

— Ils ont monté une boutique à l'entresol. Le Regional Security Center ou autre chose. Hao est passé devant la porte ouverte pendant que j'étais dans la pièce. Ils voulaient que je le voie. »

Storm le dévisagea quelques instants. Le détecteur de mensonges humain. « Qu'est-ce que je t'ai dit ? C'est une guerre rock'n roll. Les fils de pute comprennent que dalle à cette merde. » Il se leva et s'essuya le visage avec un pan de sa chemise, exhibant du même coup les jambes rougeâtres et la jupe verte de la danseuse de hula-hoop tatouée sur son buste. « Merde, merde, merde.

— Laisse Hao tranquille. Il sauve simplement sa peau.

— Ouais. Merde. Ce cirque c'est Disneyland sous acide. T'as déjà pris cette saleté ? De l'acide ?

— Jamais eu ce plaisir.

— Reste à l'écart de ce truc, Skipper. T'es trop jeté. »

Il avait un site. Il pouvait y accéder grâce à deux clefs. Il avait une arme, un planning et un point de dernier recours. Lui manquait ce dont il avait le plus besoin.

Il n'avait pas d'équipe. On lui avait confié trop de tâches. Il devait surveiller le point de contact, car il n'avait aucune confiance en ses propres commanditaires, et il devait faire ce qu'il pouvait pour surveiller le site. Même avec deux autres hommes aussi qualifiés que lui, sa formation superficielle en surveillance ne lui aurait sans doute servi à rien. Il était en réalité une simple « gâchette ». Il faisait fonctionner l'arme.

La cible occupait le site depuis près d'une semaine. Fest se dit que, si la cible ne se faisait pas livrer ses repas à domicile, il lui fallait tôt ou tard sortir pour trouver à se nourrir, sans doute après la nuit tombée. En tout cas, le crépuscule était le seul moment propice à l'observation. Une ombre parmi les ombres. Rien la veille au soir, du moins rien avant dix heures environ, quand Fest avait quitté son poste. Ce soir-là il arriva un peu plus tôt, au coucher du soleil, et il fit le tour du pâté de maisons en attendant l'obscurité qui dissimulerait la présence d'un corps immobile.

Le crépuscule avait peu d'effet sur la vie des ruelles. Les enfants paraissaient hurler plus fort, et les hommes, moroses ou réservés, de retour de l'endroit où ils passaient leur journée, semblaient par leur seule présence rendre les femmes encore plus stridentes. Sa famille, paisible en comparaison, manquait à Fest. Certes, Dora parlait trop et Claude disait souvent des âneries, mais pas sur un ton qui rivalisait avec le vacarme de la circulation citadine. Sa famille manquait vraiment à Fest. Et pourquoi pas? – le décès du vieux l'avait rendu sentimental et philosophe. La nouvelle l'avait d'abord ébranlé, mais il s'était rapidement habitué à une disparition attendue depuis si longtemps. Quelques jours plus tard, le désespoir le submergea de nouveau quand Fest comprit que le vieux était toujours mort. Comme si une partie de lui-même avait cru que son père pouvait mourir et qu'ensuite il était possible de lui rendre visite et d'en parler.

Il avait décidé de ne pas considérer cette opération comme une sorte de monument sentimental à la gloire de l'anticommunisme de son père. Une opération aussi peu professionnellement structurée et ainsi rendue inutilement périlleuse, serait passée pour un mémorial ridicule dédié à un homme qui toute sa vie avait clairement vu où était son devoir et choisi d'agir en conséquence.

Alors qu'il achevait son quatrième tour du pâté de maisons et arrivait dans la rue, il vit un homme sortir de la pension par la porte donnant sur la rue.

C'était forcément lui. D'autres clients qu'il avait vus sortir avaient porté un pantalon noir et une chemise ou bien, dans le cas de deux hommes âgés, la longue tunique et le pantalon flottant des Chinois de bande dessinée, et, plus important encore, aussitôt après avoir quitté l'hôtel ils s'étaient déplacés avec aisance, comportés comme si la rue leur appartenait en la traversant d'un air dégagé. Celui-ci, vêtu d'un jean et d'un T-shirt, resta collé aux murs, dans l'ombre, jusqu'à ce qu'il ait atteint le bout de la rue. Quand il traversa au carrefour, Fest se mit en marche. La cible s'engagea dans la rue perpendiculaire et Fest atteignit le carrefour juste à temps pour voir l'homme tourner à droite au bout. Fest se mit à trottiner et à raser les murs à son tour. Lorsqu'il tourna lui aussi à droite, il ralentit, se remit à marcher. L'homme était devant lui, à vingt mètres seulement. Tous deux progressaient maintenant dans une rue parallèle à celle où la cible logeait. Il bifurqua dans une entrée illuminée. Fest passa devant sans ralentir et le vit assis à une table dans un café, en train de parler au *papasan*. Quand Fest eut atteint le croisement suivant, il fit demi-tour et repassa devant le café. L'homme était toujours assis à l'intérieur, devant un bol, des baguettes et une théière.

Fest regagna d'un pas rapide le croisement, tourna à gauche, recommença à trottiner. Il avait les clefs dans sa poche.

Au bout du pâté de maisons il traversa la rue, se fondit dans l'ombre et observa les fenêtres du premier étage de la pension. De ce côté-ci aucune n'était éclairée. Au-dessus du bâtiment, les balles traçantes orange striaient le ciel lointain. Ce spectacle avait lieu toutes les nuits, en une sorte de parodie d'aurore boréale. Le bruit des hélicoptères et des avions de chasse à réaction allait et venait. Le brouhaha de la ville arrivait des artères plus commerçantes. Deux cyclo-pousse passèrent, quelques piétons, mais à cette heure de la nuit et en dehors de la cacophonie des allées, la rue et ces maisons comptaient parmi les plus paisibles de Saigon.

Il sortit l'arme de l'étui ventral fixé sous sa chemise, prit le silencieux dans sa poche de pantalon, puis vissa l'un sur l'autre. Ce soir-là il n'avait besoin d'aucune arme, mais le lendemain soir il la tiendrait en main à partir de cet endroit précis. Il transpirait sang et eau. Le lendemain soir il apporterait deux mouchoirs et s'essuierait bien les paumes avant de manipuler son équipement.

Devant la porte de la rue il tint une clef dans sa main gauche et le pistolet dans la droite, puis il tenta sa chance avec la clef. Il avait choisi la bonne. Il la glissa dans sa poche arrière gauche et entra. Il laissa la porte non verrouillée. Sous un tube fluorescent moucheté d'insectes une étroite cage d'escalier montait vers l'étage. Il fit jouer un interrupteur sur le mur à sa gauche, créa deux ou trois secondes d'obscurité totale, puis releva l'interrupteur. La lumière revint en tremblotant. Il prit la seconde clef dans sa poche de devant et monta l'escalier sans étouffer le bruit de ses pas, il monta comme n'importe quel client de l'hôtel, puis glissa la clef dans la serrure de la première porte sur la droite. Elle s'ouvrit vers l'intérieur et à droite. Il poussa le battant à fond, recula en faisant un pas de côté, prêt à faire feu. Ainsi qu'il s'y était attendu, il faisait sombre à l'intérieur. Il n'entendit aucun bruit. Face à la porte, une seule fenêtre donnait sur le mur du bâtiment voisin.

Il fit tourner plusieurs fois la porte sur son axe. À environ soixante degrés d'ouverture le gond supérieur grinçait. Le verrou aussi aurait bien eu besoin d'un peu d'huile, mais il n'avait pas pensé à en apporter – ses commanditaires ignoraient-ils encore qu'il était seulement une gâchette ?

Laissant la porte ouverte, il entra. Sans lumière dans le couloir l'obscurité rendrait les choses impossibles, et pourtant afin d'achever l'opération il lui faudrait éteindre la lumière du couloir avant d'entrer dans la chambre. Il explora le mur de part et d'autre de la porte à la recherche d'un interrupteur électrique et ne trouva rien. Il remit l'arme dans son étui et prit dans sa poche de chemise une lampe-stylo afin de promener dans la pièce son petit cercle lumineux – pas d'interrupteur sur le mur, pas de lampe au plafond.

Un lit étroit et une moustiquaire nouée au-dessus, une table où étaient posés une lampe à butane et un grand coquillage. Par terre, à côté, un pantalon plié et un T-shirt, un sac à dos aussi, qu'il fouilla rapidement – deux livres, un short. Il souleva le mince matelas et à travers les planches largement espacées s'assura que le sol sous le lit était nu. Allongé sur le flanc il dirigea le faisceau de sa lampe-stylo sous les planches du sommier et sous le plateau de la petite table – rien n'y était fixé. Il se releva.

Il explora la chambre avec sa lampe-stylo, palpa le plâtre des murs, examina avec soin les planches du sol, à la recherche d'une éventuelle cache.

Le panneau inférieur de l'unique fenêtre était relevé, le mur voisin si proche que Fest aurait pu le toucher. Dieu seul savait ce qui vivait dans cet étroit interstice. Il passa le bras au-dehors et explora la face inférieure du rebord de fenêtre. Rien n'adhérait au mur extérieur, il n'y avait pas la moindre planque.

Il n'y avait absolument aucun autre endroit où dissimuler une arme. Soit l'homme en portait une sur lui, soit il n'en possédait pas, ainsi que Keng, le commandant, l'avait promis. Mais il pouvait très bien en improviser une – si l'homme se réveillait, il pouvait utiliser la table ou le coquillage, qui semblait servir de cendrier.

À maintes reprises on avait assuré à Fest que la cible n'était pas armée. Pourtant, n'importe qui pouvait acheter un couteau. Ou déambuler avec une corde susceptible d'étrangler.

Dans la lueur de la lampe-stylo, Fest procéda à un examen approfondi du matelas : il était décoloré à une extrémité, sans doute l'endroit où la tête reposait.

Le problème, tel que le voyait Fest, c'était qu'un homme prudent, et par-dessus le marché un homme rendu hypersensible par le stress et la fatigue, se réveillerait au moindre bruit, se lèverait de son lit et se préparerait à toute éventualité.

Complètement délirant, ce projet d'entrer par la porte. À condition qu'il réussisse à gravir l'escalier sans bruit, trop de choses dépendaient encore du sommeil de l'homme pendant que Fest faisait tourner la clef dans la serrure de la chambre.

Pourquoi ne pas l'éliminer maintenant ?

D'ici dix ou quinze minutes l'homme franchirait cette porte après avoir terminé son dîner. Alors Fest le tuerait et se rendrait directement à l'école de langues des forces armées pour expliquer qu'il avait été contraint d'improviser. S'adapter et improviser, les maîtres mots du métier.

Mais avant de prendre ce genre de liberté, on s'en tient au plan de l'opération, à son simulacre ou à ses lambeaux. Il avait toujours suivi les directives initiales. Et aucun plan ne l'avait jamais lâché.

Le commandant Keng avait bien insisté : le contrat devait être honoré le lendemain soir, à deux heures du matin très précises. Une heure plus tard, le site serait nettoyé, le cadavre transporté ailleurs. Apparemment, cette partie était définitivement fixée. Il devait prendre ses dispositions à partir de ces données. Fest constata avec dépit que le scénario semblait s'organiser autour de l'opération de nettoyage plutôt qu'à partir de l'assassinat proprement dit.

Mais imaginons que ce soir l'homme mange vite – imaginons qu'il ait déjà fini, supposons qu'il soit en train de monter l'escalier, supposons qu'il soit maintenant devant sa porte – alors je le tuerais. Et si je choisissais d'attendre ici encore un quart d'heure, et si tout se passait ainsi? Quelle différence entre un moment choisi par la prudence et un autre contraint par les circonstances?

De nouveau, il passa au peigne fin les murs et le plancher, conscient de prendre plus de temps que nécessaire, flirtant avec un changement de plan, provoquant le destin, celui de la cible. Mais l'homme aussi prenait son temps, il savourait apparemment son escapade – qui ne l'aurait fait? – et cinq minutes plus tard Fest referma et verrouilla la porte derrière lui, puis descendit l'escalier, le pistolet pressé contre la jambe droite, ainsi qu'il le ferait le lendemain soir, après quoi il sortit dans la rue. Il rangea son arme et referma la porte à clef derrière lui sans regarder ni à gauche ni à droite, il traversa aussitôt la rue, puis attendit dans l'ombre de l'entrée du magasin de tissus.

Il attendait depuis un quart d'heure quand la cible approcha sur le trottoir d'en face et franchit la porte de la pension donnant sur la rue.

Fest retraversa et se posta devant l'étroit interstice entre les bâtiments pour surveiller les fenêtres au-dessus de lui. Moins d'une minute après l'arrivée du petit homme, une faible lueur à la fenêtre la plus proche en engendra une autre, plus brillante, quand l'homme alluma sa lampe à butane.

C'était la bonne fenêtre. Il tenait son homme.

Supposons que demain soir l'homme sorte dîner et meure dès son retour à la pension, plutôt qu'à deux heures du matin? Supposons que le cadavre passe plusieurs heures dans la chambre et non une soixantaine de minutes? La *rigor mortis* poserait peut-être un problème à l'équipe de nettoyage, mais Fest en doutait. Le gain de sécurité dans l'accomplissement du contrat justifiait largement cette modification – la différence entre pénétrer dans une pièce plongée dans l'obscurité où il pouvait se passer n'importe quoi, et attendre dans une pièce plongée dans l'obscurité un homme qui la croyait inoccupée.

Le lendemain à la même heure il reviendrait. Si l'homme sortait, Fest serait là pour l'accueillir à son retour.

Trung Than, assis sur le lit, finissait un Coca-Cola chaud. Sans montre ni horloge il savait seulement qu'il était trois heures passées de l'après-midi, mais pas de beaucoup. Encore deux bonnes heures avant que le crépuscule n'arrive et ne le libère.

Il essaya de s'asseoir très droit sur le lit et de se concentrer uniquement sur son souffle, seulement sur son souffle.

Rester immobile alors que j'ai envie d'agir, laisser mon impatience se faire ainsi broyer, voilà une excitation que je trouve presque illicite à cause de la légère nausée qu'elle implique. Comme de l'alcool volé. Quand Hao a pris la bouteille dans la hutte du vieux. Ce vieux la cachait parmi les cendres de son poêle parce que sa femme était morte et que lui-même ne faisait jamais la cuisine. Cette bouteille était à moitié pleine et nous y avons bu sans même nettoyer la suie ; les mains noires et le visage noirci, nous avons marché sur un nuage en chantant de merveilleuses chansons. Le maître a ri. Il m'appelait toujours le Moine. Le maître croyait que j'allais persévérer.

À cette époque il savait rester assis immobile. Il avait appris à passer une bonne partie de chaque journée en silence dans le monde. Maintenant le monde vivait dans son esprit, il colonisait sa solitude comme un virus, les pensées rampaient, bondissaient, pleuvaient à travers sa méditation, et chacune le transperçait.

Il essaya de méditer agenouillé par terre, mais cette posture ralentissait seulement le passage du temps. Il faisait encore jour, il n'était pas encore cinq heures, loin de là, quand il entendit des pas dans l'escalier, puis des coups frappés à sa porte. Il se releva, fit jouer le verrou, ouvrit et se trouva face au visage aiguisé et félin du sergent américain debout devant lui.

« Double zéro sept ! Tu te souviens de ma pomme ? »

Il avança en parlant, Trung fit un pas de côté mais ne referma pas la porte avant que l'Américain ne lui ait signifié de le faire.

« Comment va, frérot ? Tu rigoles toujours autant ? »

Trung se rappela qu'il s'appelait M. Jimmy.

« Oh ouais, fit M. Jimmy, c'est comme de sauter à pieds joints dans un gros paquet de merde lâchée par des araignées malades et j'adore ça. »

Gêné, Trung sourit.

« Où est Hao ? » L'Américain consulta sa montre. « Cet enculé n'est pas ici, est-ce le message pour aujourd'hui ? » M. Jimmy fit quatre pas jusqu'à la fenêtre, posa les mains sur le rebord, puis passa la tête au-dehors pour regarder dans l'espace exigu la portion de rue visible à droite. Il se retourna vers Trung. « Bon, je déteste injecter des vibrations négatives. Je vais pas le dire tout de suite. Si, je vais le dire quand même : ce petit enfoiré ne viendra pas. Ce qui signifie que nous sommes soit en partie baisés, soit baisés jusqu'à l'os. T'aurais un autre Coca ?

— Non, merci. »

M. Jimmy traversa la chambre en sens inverse pour s'asseoir à côté de la porte contre le mur, une jambe allongée devant lui, l'autre repliée. Apparemment, il avait l'intention de rester. « Tu fumes ?

— J'aime cigarette. »

Il sortit un paquet de sa poche de chemise, alluma une cigarette, puis lança à Trung le paquet et le briquet.

« Marlboro.

— Ouais. J'essaie de réfléchir. Alors bouclons-la. »

Trung se leva, donna un tour de verrou, puis s'assit sur le lit pour fumer en faisant tomber ses cendres dans le goulot de sa bouteille de Coca vide.

« Quand j'aurai tiré la dernière bouffée de ma clope, je me décide. Soit je me casse, soit je campe ici. » Le sergent tira une profonde bouffée. « Putain, c'est dit : je campe ici. »

Ils finirent leurs cigarettes en silence, puis Trung lâcha la sienne dans la bouteille tandis que le sergent posait son mégot sous son talon et l'écrasait contre une planche du sol. Alors Trung s'aperçut qu'il ne lui avait pas proposé le cendrier et que lui-même ne s'en était pas servi.

« Écoute, mec. Hao est-il ton copain ?

— Hao est mon ami.

— Bon ami ?

— Bon ami.

— Vrai ami ? » M. Jimmy croisa les doigts d'une main dans ceux de l'autre et serra très fort. « Vrai au point d'être toujours fidèles l'un à l'autre et d'aller ensemble jusqu'en enfer ? »

Trung sentit qu'il comprenait peut-être cette question. Il plissa les lèvres, tourna les paumes vers le plafond et haussa les épaules, ainsi qu'il avait vu des Français le faire.

Le sergent bondit sur ses pieds, mais pas pour s'en aller. Il s'approcha de Trung, le paquet de cigarettes tendu, la maladie de la terreur dans les yeux. « Agent double ? Putain, tu parles d'une blague ! Dans ce cloaque merdique du Sud Vietnam, tous ce qui bouge est double. »

Trung accepta une autre cigarette, mais leva la main en secouant la tête pour refuser le briquet du sergent. Il posa la cigarette sur la table.

« Tu te dis sans doute que j'ai pété un câble. Là, je serais plutôt d'accord avec toi. Je peux pas dire le contraire. Mais je continue de prêter une oreille attentive à mes propres conneries, camarade, parce que je ne crois plus qu'à elles.

— Monsieur Jimmy. S'il vous plaît parler lentement.

— Est-ce que tu causes angliche ?

— Un peu. Numéro dix.

— On arrive pas à se comprendre. Y a de la friture sur la ligne, tu piges ? Je connais pas les noms de ces entités dans ta langue. C'est toi qui as tous les noms. T'es pile poil au jus pour tout ce qui touche à ton environnement immédiat. Ce que tu piges pas, c'est que tout ça flotte dans une région fondamentalement et absolument coupée de toutes les lois naturelles. Enfin, toutes les *lois* restent en vigueur *à l'intérieur* du Vietnam. Mais du point de vue du restant de la planète Terre, ces lois ne s'appliquent pas *au* Vietnam. Nous sommes entourés par une zone ou par un état d'étrangeté radicale, tu commences par apprendre les noms qui s'appliquent ici et petit à petit tu montes en grade et tu deviens capable de *t'imprégner* de cette zone. Tu t'imprègnes de cette zone qui nous entoure et *personne peut plus te toucher.* »

Trung écoutait avec attention en essayant de sonder l'homme. Il perçut de la panique et de la colère. « Quoi, s'il vous plaît ?

— Qui ne peut pas te toucher ?

— Quoi ?

— Tout ce qui possède des empreintes digitales merdiques que je vois dispersées partout sur ton corps et qui brillent comme une saloperie de *cible* à la con, genre Pogo le Clown. Tous ces putain de trucs maléfiques. Alors arrachez-vous de la zone, agent 99. Ça va chier des bulles. »

Il perçut de la peur et de la bravade.

« Et... le colonel... le processus, okay, écoute bien... tu es un participant. Tu fais partie de l'équipe. C'est une chose. Nous en faisons tous partie. Le colonel, mec. Le colonel.

— Colonel Sands.

— *Bou-cou** *very much* Colonel-san. Il tire les ficelles et nous on tressaute comme des gonzesses unijambistes.

— Okay », dit Trung désespéré.

Le sergent transforma sa main en une bouche qui s'ouvrait et se fermait rapidement. Il l'approcha de son oreille. « Hao me l'a dit. Un homme va tuer Trung. *Un homme. Assassiner**. »

Si Hao l'avait dit, on pouvait y croire. « Ce soir ? »

Le sergent jeta son poignet sous le nez de Trung et montra les aiguilles de sa montre. « Deux heures du matin.

— Deux heures ?

— Zéro deux zéro zéro.

— Deux heures matin.

— À moins que ce double enculé de mes deux nous fasse d'abord éliminer par toute une équipe ou je sais pas quoi. Mais je vais pas me mettre pour autant à courir dans tous les sens comme un écureuil dans sa roue – ou plutôt – putain, si, si, c'est ce que je vais faire, c'est pas le moment de nous raconter des conneries. Mais je vais pas me tirer. Je vais pas me faire la malle. Arrive que pourra. Je vois juste ça comme une dinguerie qui me chie dessus, ça doit être une leçon, mec, une leçon que veut me donner un sadique azimuté, un Dieu-Hitler. Moyennant quoi j'aime pas ça. J'aime pas apprendre, j'aime pas l'école, j'aime pas les leçons. L'idée de la discipline me fait chier de trouille et me plonge dans une rage noire. Mais Hao m'a dit qu'il me retrouverait ici à quatre heures de l'après-midi avec de l'argent, et Hao a menti comme un arracheur de dents. Hao est un fils de pute absent. Hao n'est l'ami de personne. Ce petit bridé est un vrai démon. Si sa femme n'avait pas été là, je lui aurais brisé la nuque et j'aurais baisé son cadavre. Et il le savait. Mais c'était une réunion semi-publique. Putain, j'aurais dû la baiser elle aussi... Ouais. Voici donc une arme. »

Il releva le pan de sa chemise et tira de sa ceinture un pistolet automatique. « Livraison spéciale pour *Señor Mister Trung*. »

Trung recula et leva légèrement les mains.

« Non, mec, non. Putain ! Apprends un peu l'anglais, tu veux ? » Il tint l'arme en biais, il la tourna de-ci, de-là. Un Vz 50, fabriqué en Europe de l'Est.

Il retourna à la fenêtre pour passer la tête dehors. Il coinça le pistolet dans sa ceinture, alluma une autre cigarette et lança l'allumette par la fenêtre. « Bon, putain, oui, okay, fit le sergent, écoute. J'aimerais bien tendre une embuscade à ce connard dans la rue, mais je sais pas à quoi il ressemble, putain. On saura que dalle tant qu'il viendra pas frapper à cette porte. On est en plein brouillard. Situation normale. » Il fuma et regarda autour de la pièce sans s'arrêter sur rien. « Merde, pas d'oreiller. J'aurais bien vu un oreiller. Merde ! T'aurais pas un oreiller ?

— Monsieur Jimmy. S'il vous plaît parler lentement.

— Faut le buter discret. Un oreiller. Le silence. » Il mima l'arme tressautant dans sa main tout en posant un index en travers de ses lèvres et en émettant le mot « Chuuuut ».

Un couteau, alors. Trung serra le poing et allongea violemment le bras vers lui.

« Où est ton poignard, mec ? Montre-moi ton arsenal. »

Trung haussa les épaules.

Le sergent fouilla dans ses poches et en sortit un canif multifonctions. « Y a peut-être une lame de six, sept centimètres là-dessus. » Il l'ouvrit. « En prime on a une cuillère et une fourchette, mec. Après, on pourra le bouffer. »

Trung tendit la main pour prendre le canif.

Trung posa le couteau ouvert sur le matelas à côté de lui. Il tendit la main. « Arme. »

Le sergent sortit le pistolet de sa ceinture et le lui tendit avec un certain soulagement. Trung éjecta le chargeur, puis la balle déjà engagée, avant de disposer ces projectiles sur son matelas : neuf balles de 7.65 millimètres, en comptant celle qui venait de la chambre.

« C'est une arme communiste fiable. Arme pour Viêt-cong. *Boucou** dollars. »

M. Jimmy signifiait-il ainsi qu'il voulait la vendre très cher ? Trung décida qu'il valait mieux ignorer toute déclaration peu claire. Assis sur le lit, il remit les balles dans le chargeur, celui-ci dans la crosse, il fit entrer une balle dans la chambre et appuya sur le cran de sûreté. Quand le chien tomba contre le percuteur, le petit sergent fit un bond et lâcha : « Oh putain ! » – il ne connaissait apparemment pas la sûreté avec cran de repos. Ainsi, ce pistolet ne lui appartenait pas.

Trung éjecta le chargeur, puis posa sur la table l'arme, le chargeur et la balle insérée dans la chambre.

« Excellent. Les secrets de la machine.

— *Quiet,* dit Trung avant d'essayer le français : *Silence**.

— T'as pigé. On devient des vrais bilingues, bordel. »

Il tendit au sergent la bouteille de Coca vide.

« Vraiment pas le genre d'échange qui me botte. Trop inégal. »

Trung posa l'arme sur le matelas, prit le couteau et fit une entaille d'un demi-mètre dans le matelas. Reposant le couteau, il prit des touffes de kapok dans la déchirure et les enfonça avec les doigts dans le goulot de la bouteille de Coca, que le sergent tenait. « Silence*. »

Ils mirent trois quarts d'heure à équiper le pistolet d'un silencieux, fixant la bouteille bourrée de kapok au canon de l'arme avec quatre petites tiges de bambou arrachées au sommier, des lanières de drap et de moustiquaire. Le jeune sergent transpirait beaucoup. Il retira sa chemise à fleurs. L'énorme et incroyable image tatouée d'une femme à la jupe végétale lui recouvrait le torse.

Ils posèrent sur le matelas l'arme équipée de son silencieux. On aurait dit un gros cocon d'où émergeait, vers l'arrière, un petit pistolet à la place d'un papillon.

Trung multiplia les tentatives pour transmettre son idée. « Un silence. Un. Seulement*. Seulement un.

— Je pige. »

Trung détermina comment il comptait utiliser cette arme, en soutenant le silencieux dans une main enveloppée de son propre T-shirt.

Il lui faudrait faire cela de la main gauche. Il se plaça à gauche de la porte, dos au mur, puis répéta ses gestes.

« T'es vraiment un sale petit branleur. Nom de Dieu. » M. Jimmy avait l'air excité et heureux. Trung connaissait ces émotions, il les avait vécues avec intensité avant les opérations, au début. Même à cet instant, il ressentit une étincelle de cette excitation ancienne.

Trung se tenait à gauche de la porte, dos au mur, la main gauche levée, l'index raidi. « Je. Moi. » Il avança, abaissa le doigt vers l'endroit où se trouverait la tête de l'intrus, le replia une seule fois et recula de trois pas. Il répéta ces gestes, en montrant ses pieds et en s'assurant surtout que le sergent comprenait parfaitement où ses déplacements le conduiraient.

« Vous. M. Jimmy. » Trung alla s'installer à droite de la porte, dos au mur, tendit la main gauche et l'ouvrit en faisant du même coup un pas à droite ; puis il se figea : « Arrêtez*. Stop. »

Il mit le sergent contre le mur dans la même position, puis il lui demanda de répéter les gestes consistant à ouvrir la porte en grand, s'écarter de la ligne de feu et se figer sur place.

« Booordel, fit le sergent. Après tout ce cinéma je vais avoir besoin de me torcher comme jamais. »

Trung haussa les épaules.

« J'suis un penseur, mec. Pas un assassin. »

Avant d'entamer la répétition commune, Trung s'assura une dernière fois que l'Américain avait bien compris :

« Je... » Il posa l'extrémité de l'index contre sa tempe. « *La tête**. One.

— Ouais. *La tête**. Une seule balle.

— Vous... » Il ouvrit la porte.

« *C'est si bon**. »

Trung croyait possible que, s'ils entaillaient l'extrémité de la balle, elle ne ressortirait peut-être pas de l'autre côté du crâne et provoquerait beaucoup de dégâts. Le sergent désirait-il qu'il n'y ait aucune trace du meurtre? Cette question était trop compliquée pour être traduite en signes et en grognements. Si la chance leur souriait, ils feraient un peu de ménage en temps voulu.

Puis-je avoir confiance en cet homme?

Tout au fond de lui, Trung doutait du sergent. S'il n'arrivait pas à contrôler ses gestes, il y avait toutes les chances pour que Trung flanque une balle dans l'homme qui était venu ici afin de le sauver. Il s'assura que le sergent avait bien compris qu'il devait faire un pas en ouvrant la porte et ne plus bouger ensuite.

Ils entamèrent les répétitions à deux. Storm ouvre la porte, s'écarte largement et reste absolument immobile. Trung avance, appuie sur la détente, recule de trois pas.

Ils entendirent la porte de la rue s'ouvrir en bas. La bouche de M. Jimmy s'ouvrit aussi. Trung essaya un sourire rassurant et sortit dans le couloir.

Au bas de la cage d'escalier, le voyagiste qui était aussi le propriétaire de la maison tendait la main vers l'interrupteur mural. La lumière se mit à tressauter dans le couloir. « Bonsoir », dit Trung, puis l'homme leva la main en un geste à la fois de salut et d'au revoir, avant de sortir et de refermer la porte derrière lui.

La nuit tombait. Trung posa l'arme massive sur ce qu'il restait du matelas, alluma la lampe à butane et tourna la mollette d'alimentation du gaz pour que la flamme soit chauffée à blanc.

« Monsieur Jimmy. Je partir. »

Cette perspective sembla perturber le sergent au plus haut point.

« Je sortir.

— Tu *sors*?

— Je partir. Oui.

— Bon, y se passe quoi en ville ce soir, mec? Y a un tournoi de mah-jong qu'il faut rater sous aucun prétexte? Parce que c'est pas vraiment le moment idéal pour aller faire un tour en ville.

— Monsieur Jimmy. Je manger. Faim.

— Reste ici. Je vais y aller.

— Rester ici. Je partir.

— Nom de Dieu.

— Je revenir. » Trung montra timidement la montre du sergent. Il déplaça un doigt sur le cadran pour indiquer trente minutes. « Je revenir.

— C'est des conneries.

— Non, Jimmy. » Une grande tempête de frustration se déchaîna en lui. En vietnamien il dit : « J'ai besoin de sortir. J'ai besoin de réfléchir. J'ai besoin de respirer. J'ai besoin de m'en aller. J'ai besoin de bouger. » Il prit l'arme massive, y réinséra le chargeur, tira la glis-sière pour introduire une balle dans la chambre, éjecta le chargeur, y remit la dernière balle, réinséra le chargeur. En tenant l'arme à deux mains, il la présenta à M. Jimmy, qui la posa sur le lit mutilé avant de regarder sa montre.

« Trente minutes?

— Tu attendre. »

L'Américain prit un porte-billets dans sa poche latérale et donna plusieurs coupures à Trung. « Trouve des cigarettes. Marlboro. Des vraies Marlboro.

— Tu attendre.

— Vraies Marlboro. Me rapporte pas des fausses Marlboro.

— Marlboro », lui assura Trung.

Sur le trottoir Trung se déplaça près des façades, mais après avoir traversé la rue il marcha sans plus se cacher. À quoi bon être prudent désormais?

Hao l'avait trahi.

Ou bien Hao l'avait sauvé. Ou encore les deux à la fois. Compte tenu des circonstances il n'en saurait jamais davantage.

Quand il atteignit la rue Anh Dung, il s'arrêta devant un vendeur pour lui acheter un paquet de Marlboro, les bonnes. L'Américain désirait les bonnes, Trung avait au moins compris cela.

Au café il s'installa à sa table habituelle. Ce soir-là ce n'était pas le vieux Chinois. Une femme le remplaçait, presque aussi âgée, peut-être l'épouse du patron. « Des nouilles, s'il vous plaît », dit-il, mais elle secoua la tête. Elle ne parlait pas vietnamien.

Très bien – nulle part il ne voyait des nouilles. Ce serait donc une nouvelle fois du riz. Il rejoignit le comptoir et montra la marmite de riz sur la cuisinière, puis désigna les théières posées sur une étagère. La vieille femme hocha la tête pour manifester une espèce d'acquiescement et il alla se rasseoir.

Il regardait les passants dans la rue. Entouré d'âmes inconnues, il s'éveillait au monde et à son échelle, non pas une chambre dont la fenêtre donnait sur un mur, mais tout un monde où il se sentait perdu. Indépendamment des détails de la situation, de la nature du problème, de l'identité de celui qui l'avait trahi, il était perdu.

Et il repensa à l'extrême prudence qui avait été la sienne, à toutes ces précautions inutiles. Ce n'était pas qu'il regrettait cette erreur. Il regrettait l'hésitation. Le doute est une chose, l'hésitation une autre. J'ai mis trois ans à me décider. J'aurais dû traverser tout de suite. Le doute est la vérité, l'hésitation un mensonge.

Le vieillard entra dans le café. « Vous désirez deux Coca-Cola ? Et le pain ? » – son habituelle ration quotidienne. Il se dit qu'il n'en avait sans doute pas besoin : n'était-il pas sur le point de s'enfuir ? Mais s'enfuir où ? Où pouvait-il aller ? Une fois là-bas, que ferait-il ? Et puis à quoi bon attendre l'assassin pour lui tendre une embuscade ? Pourquoi ne pas disparaître vite et se battre un autre jour ? M. Jimmy recommande de se battre maintenant – il y tient. Et qui est M. Jimmy ? Un allié, apparemment. Et à quoi pouvait-on se fier désormais, sinon aux apparences ?

Mais Hao – ami ou ennemi ? Trung douta de le savoir un jour.

Le sergent le savait peut-être, mais ils n'arrivaient pas à communiquer. Ce qui le poussa à repenser à Skip Sands et à son affreuse prononciation, à ses manuels d'expressions et à ses dictionnaires, un Américain auquel il pouvait parler. Mais pour autant qu'il le sût, c'était Skip Sands qui avait arrangé tout ceci. Le colonel était mort ; peut-être que ses contacts étaient devenus encombrants et qu'on les éliminait. Chercher à communiquer avec Skip Sands n'était pas une bonne idée. Faire confiance à quiconque sur terre n'était pas une bonne idée.

Il se sentit accablé par d'innombrables souffrances – mais tant de gens avaient le même fardeau à porter, voire un fardeau plus lourd encore. Pourtant celui-ci était énorme. C'était le poids d'une solitude énorme.

La vieille femme apporta le bol et une théière, puis elle revint avec une tasse et deux sauces. Il renifla chaque petite bouteille. L'une contenait du *hoisin*. Il en versa sur son riz. Pas de baguettes. Il agita la main pour attirer l'attention de la vieille et frotta deux doigts l'un contre l'autre. Elle lui apporta aussitôt deux baguettes laquées lourdement décorées. Que la chance soit heureuse ou malheureuse, tous les jours la faim est là. Il pencha la tête, leva le bol vers son visage, se mit à manger.

Bien que parfaitement visible dans les dernières lueurs du jour, Fest resta posté devant le magasin de tissus sans chercher à se cacher. Qu'ils se posent donc des questions. Quoi qu'il arrive, c'était sa dernière soirée de guet.

Si la cible ne sort pas avant dix heures, c'est-à-dire après la fermeture des cafés, si je suis certain qu'il ne sortira pas, si je ne peux pas entrer dans la chambre pour y attendre mon homme – alors tout sera fini. Je n'y entrerai plus jamais.

À la place, il se rendrait directement à l'école de langues des forces armées, annoncerait son échec et réclamerait une extraction. Et si l'école était fermée pour la nuit – si ce détail comme tant d'autres avait été négligé –, il se rendrait à l'ambassade américaine et présenterait au marine en faction la carte de visite de Kenneth Johnson. Si on lui interdisait d'y entrer, il prendrait un taxi pour Tan Son Nhut et y attendrait le premier vol à destination de n'importe quelle ville étrangère.

La nuit tomba, la femme qui s'occupait du magasin ferma la porte à clef de l'intérieur, puis éteignit la lumière. Elle passait sans doute ses nuits quelque part dans un recoin sordide de cette maison. Il recula dans l'entrée et devint invisible.

La porte de la pension s'ouvrit un quart d'heure après la tombée de la nuit et la cible traversa la rue en diagonale sans rester dans l'ombre. Fest attendit que l'homme eût tourné au carrefour pour le suivre en trottinant comme il l'avait déjà fait la veille, puis il procéda de même au carrefour suivant, quand l'homme tourna à droite afin de se diriger, peut-être, vers le même café. Au bout du pâté de maisons Fest ne put tourner pour le suivre, car l'homme s'était arrêté afin de parler à un gamin de la rue. Fest continua et traversa sans marquer la moindre pause dans la marée des motos qui klaxonnaient, ainsi qu'il avait appris à le faire. Elles s'y prenaient très bien pour éviter les piétons.

Arrivé sur le trottoir opposé, il se retourna. L'homme achetait des cigarettes ou du chewing-gum. Puis il repartit et entra dans le café.

Fest fit demi-tour et revint sur ses pas jusqu'à la rue de la pension. Dans la première flaque d'ombre qu'il trouva, il s'arrêta et reprit son souffle. Il sortit un mouchoir et s'essuya les mains, puis le remit dans sa poche arrière, avant de répéter les mêmes gestes avec un second mouchoir. Il releva un pan de sa chemise, sortit le pistolet de l'étui ventral, prit le silencieux dans sa poche de devant, le vissa sur l'arme, prit la clef dans sa poche gauche, rejoignit aussitôt la porte du bâtiment et l'ouvrit. Il la referma à clef derrière lui, empocha la première clef, prit l'autre dans sa poche droite, puis gravit l'escalier.

Sa main enveloppée de chaleur moite glisse la clef dans la serrure. Il ouvre la porte et se défait de sa dernière illusion : en une trentaine d'années d'existence il a appris une seule chose capable de l'aider dans cette région où tous les adultes sont morts.

À l'intérieur, la lampe à butane était allumée. Un homme, torse nu, un Blanc, sans aucun doute américain, debout près du lit, brandissait un paquet oblong.

Il n'avait pas obéi aux instructions. Qu'avait-il fait ?

En anglais, Fest dit : « Excusez-moi. »

À cet instant précis tout le bâtiment pivota sur son axe. Le plafond du couloir fila au-dessus de sa tête, les marches de l'escalier se ruèrent derrière lui et percutèrent son dos, la porte de la rue se figea à l'envers, accrochée au-dessus de lui.

Des coups lui martelaient la poitrine. Il avait une question, mais il n'arrivait pas à respirer pour la formuler. La porte de la rue s'ouvrit violemment au-dessus de lui et un individu fut soudain happé par l'énorme obscurité qui s'étendait au-delà. Peu à peu une chose incroyable prit forme dans son esprit.

En s'approchant du coin de sa rue, Trung remarqua un homme en moto arrêté là, un pied sur la chaussée, son moteur tournant au ralenti, tandis qu'il regardait quelque chose par-dessus l'épaule, dans la direction où Trung lui-même allait. Trung franchit le carrefour avec prudence.

Devant la pension plusieurs hommes criaient en même temps en chinois. Il resta sur le trottoir d'en face. Dans la première ruelle qu'il dépassa, quelques habitants vaquaient à de menues occupations d'un air affairé et sérieux. Il ne vit aucun enfant parmi eux. Un peu plus loin, d'autres motos arrêtées, des gens qui se retournaient vers sa propre porte d'entrée, qui était ouverte. Parmi les hommes réunis sur le trottoir, il reconnut le propriétaire de la pension.

Il dépassa d'un pas rapide le modeste attroupement, en jetant un seul coup d'œil de l'autre côté de la rue, et il vit un homme vautré dans la cage d'escalier comme s'il était tombé à la renverse, un bras tordu sous le buste, l'autre allongé derrière lui. Trung avait déjà vu des cadavres. L'homme était mort.

Cet homme portait une chemise blanche, ou peut-être bleue, maintenant trempée de sang.

Pour autant qu'il s'en souvenait, M. Jimmy portait une chemise à fleurs très colorée, et puis quand Trung l'avait laissé dans la chambre, il était torse nu.

Il ne pouvait courir le risque de ralentir le pas pour mieux regarder. Il continua de marcher, sans la moindre destination en vue.

Sands était assis à la table du salon dans une villa au loyer très probablement impayé depuis plusieurs mois, et il finissait un bon déjeuner préparé par des domestiques qu'il ne pouvait pas payer, en se disant que s'il avait toujours un emploi il aurait bien du mal à en percevoir le salaire. Et que c'était là le cadet de ses soucis.

Quand il entendit un véhicule s'arrêter devant la villa, il se leva aussitôt. Une Chevrolet Impala blanche était garée dans l'allée, avec Terry Crodelle au volant.

Crodelle ouvrit d'une quinzaine de centimètres les vitres avant de la voiture, sans doute pour l'aérer, puis descendit. Ce jour-là il portait des vêtements civils, dont un gilet jaune, et il tenait une mallette qu'il transféra d'une main à l'autre pour retirer son gilet, avant de lancer ce vêtement sur le siège du conducteur et de refermer la portière d'un coup de pied. Sands le regarda franchir seul le portillon et songea que Cao Quyen, jadis l'avant-poste le plus isolé de toute la planète, était désormais le carrefour de l'Extrême-Orient. Dans sa manière de monter la marche en marbre jusqu'à la véranda, de serrer fermement la poignée de la mallette, et d'examiner la maison, Crodelle manifestait le mélange de doute et d'espoir propre au vendeur d'assurances.

Lorsque Sands écarta pour son visiteur la gaze de la moustiquaire, toute incertitude quitta le visage de Crodelle. Dès qu'il fut à l'intérieur, il s'arrêta. « La proie est dans sa tanière.

— Vous voulez boire quelque chose ?

— Installez-moi là où il y a un peu d'air.

— Sur la véranda de derrière, mais il me semble qu'à cette heure elle est encore au soleil.

— Alors restons ici, ça ira. »

Au salon, Crodelle posa sa mallette sur la table basse avant de s'asseoir dans un des grands fauteuils en rotin. « Peut-être un grand verre d'eau froide. Je ne veux pas perdre mon sang-froid.

— Quelle bonne nouvelle... »

Sands alla à la cuisine, où il trouva Mme Diu assise sur un tabouret, les pieds posés sur les barreaux, en train d'écosser des haricots blancs au creux de sa jupe et de jeter les gousses dans une bassine de fer. Voilà le genre de travail qui faisait envie à Skip. « Voulez-vous nous préparer du thé et des sandwiches, s'il vous plaît ? » Elle rassembla les haricots sur sa jupe pour les mettre sur le comptoir pendant que Sands prenait un pichet d'eau fraîche au réfrigérateur et remplissait un grand verre. La terreur faisait trembler ses mains. L'eau se répandit sur le carrelage.

Crodelle ne regarda pas derrière lui quand Sands revint dans le salon pour s'asseoir en face de lui.

« Il y a quoi dans la mallette, Terry ? Un magnétophone ?

— Mieux que ça.

— Un détecteur de mensonges ultraminiaturisé ? »

Crodelle lui fit un doigt.

« Vous m'avez trouvé. Excellent boulot.

— Vous avez des amis bien causants.

— Ne m'en parlez pas.

— Jolie villa.

— Elle est hantée.

— Ça se sent tout de suite. Oui. Un peu. Bon Dieu, Skip, qu'est-il arrivé à votre oreille ?

— Je me suis fait tabasser. »

Crodelle s'installa confortablement dans son fauteuil et croisa les jambes. « Vous êtes un personnage intéressant. J'aurais dû vous rendre visite beaucoup plus souvent. Ça m'a l'air très calme par ici.

— J'essaie de ne pas trop bouger pour ne pas transpirer. Il n'y a pas de climatisation.

— Rick Voss s'est planté avec un hélicoptère. Il est mort.

— Je sais. C'est terrible.

— Merci de votre sympathie. »

Tout à fait malgré lui, Sands poussa un soupir vibrant. « Et Hao ? Mort, lui aussi ?

— Nguyen Hao ? Pas vraiment.

— Écoutez-moi, s'il vous plaît. C'est votre homme, vous feriez bien de le surveiller.

— Hao veille formidablement bien à ses propres intérêts. Il s'occupe merveilleusement de lui-même.

— Hao n'est pas en sécurité, Terry, je ne blague pas.

— Hao et son épouse sont en train de quitter le pays.

— Mmm. Non. Vous êtes sérieux ?

— Ce qui est sérieux, c'est que Rick Voss soit mort. Il était en route pour aller vous voir à Cao Phuc. Et maintenant il est mort. »

Sands ne sut absolument pas quoi répondre. Les élancements de son oreille le mettaient à la torture. La bouilloire siffla dans la cuisine. « Je prends donc quelques affaires, et puis nous y allons ?

— Plus ou moins.

— Pourquoi n'êtes-vous pas accompagné par deux ou trois marines de l'ambassade ?

— Ce n'est pas une opération de ramassage. Si vous aviez le téléphone, je vous aurais appelé pour vous proposer de venir à Saigon. Écoutez, Skip, dit Crodelle, j'aimerais que vous renvoyiez les domestiques chez eux.

— Ils habitent à une vingtaine de mètres d'ici.

— Pour que nous puissions parler tranquillement.

— Leur maison est une petite cahute à deux pas de la porte de derrière. »

Crodelle le dévisagea sans répondre.

« Pouvons-nous d'abord prendre un thé en savourant quelques sandwiches ? Elle les prépare en ce moment même. Vous avez faim ?

— Bien sûr.

— Ils sont délicieux. Elle enlève la croûte.

— Exactement comme au Continental.

— Ouais. Mais si vous le désirez, elle peut garder la croûte...

— Non merci. »

Mme Diu servait déjà le plateau de sandwiches. Skip bondit sur ses pieds et alla chercher le thé. Lorsque Mme Diu le rejoignit à la cuisine, il lui dit : « Bon, j'aimerais vous accorder votre après-midi.

— Mon après-midi ?

— Oui. Nous avons besoin de rester seuls dans la maison.

— Vous voulez que je parte ?

— Oui, chez vous. Je suis désolé, mais il faut que vous rentriez chez vous.

— Vous ne voulez pas que je range le déjeuner ?

— Peut-être plus tard.

— Bien, monsieur.

— Je rangerai moi-même.

— Très bien.

— C'était délicieux. »

Elle sortit par la porte de derrière. Sands plaça le sucrier, les cuillères, deux tasses et la théière sur un plateau aux poignées trop petites pour ses doigts, puis il porta le tout au salon où il trouva Crodelle en contemplation devant son assiette de sandwiches sans croûte. Il n'y avait pas touché. « C'est simplement le thé local, dit Skip. Pas de lait aujourd'hui.

— Vous n'avez pas de lait ?

— C'est juste du thé très léger, vous savez. Beaucoup d'eau et peu de goût. Comme ils le font ici. »

Il servit le thé et regarda Crodelle dévorer plusieurs sandwiches en deux bouchées chaque fois. Lorsqu'il s'aperçut qu'il était assis au bord de son fauteuil, tous les muscles contractés, il s'enfonça dedans et fit semblant de se détendre. Il se retint de céder à une impulsion typique du Middle West : pousser son invité à reprendre des sandwiches, ou autre chose – du poulet, du porc, un peu de beurre. « Excellent pain », remarqua le visiteur. Aucun des deux hommes ne parla avant que Crodelle ne se fût essuyé les mains sur une serviette bleue en tissu.

« Si j'ai bonne mémoire, commença Crodelle, les dernières paroles que vous m'avez adressées étaient une question relative à l'adresse de l'école de guerre JFK.

— Fort Bragg. Ouais. Ça m'est revenu.

— J'appartiens au 4ᵉ bataillon. Formateur en SMP.

— Et c'est quoi, SMP ?

— Spécialité militaire professionnelle.

— Bon. Vous formez qui ?

— Des types. Des gars.

— Tiens donc. Et quelle est votre spécialité ?

— Les *Psy Ops*.

— Capitaine Terry, vous êtes toujours un peu bougon avec moi. »

Crodelle sourit, mais à peine. « En définitive, nous n'avons pas réussi à vous motiver pour vous soumettre au détecteur de mensonges.

— Eh non. De toute façon j'aurais menti dès le test initial.

— Pourquoi auriez-vous fait ça ?

— Juste pour foutre le bordel dans les résultats.

— Skip, quand nous vous interrogeons vous n'êtes pas supposé vous comporter comme on vous a appris à le faire quand vous êtes interrogé par l'ennemi. Nous ne sommes pas l'ennemi.

— "Ennemi" n'est plus un terme que j'utiliserais en aucun cas. Jamais.

— Pourquoi pas ?

— Il est tout bonnement stupide, mec. Est-ce que dernièrement vous avez jeté ne serait-ce qu'un coup d'œil autour de vous ? Ce n'est pas une guerre. C'est une maladie. Une épidémie. L'autre jour, avec le détecteur débranché, le test à blanc, c'était la séance préliminaire. Et maintenant c'est la deuxième séance, exact ?

— Non. Faux. Je viens simplement vous chercher. Vous emmener, en quelque sorte. Oui, le moment est venu pour vous de déguerpir d'ici, voilà tout, je suis ici pour vous ramener.

— Alors pourquoi sommes-nous assis à discuter ?

— La curiosité intellectuelle. Elle causera ma perte. Qui était *vraiment* le colonel ? Que faisait-il ? Je veux dire, son petit article équivalait à un suicide professionnel, mais ses affirmations sont difficilement contestables.

— Voss m'a dit en avoir rédigé l'essentiel.

— Les idées venaient du colonel. En tout cas, les idées sulfureuses, traîtresses.

— C'était un grand homme, protesta Skip, et ce n'était absolument pas un traître.

— Nous aimerions tous le croire, Skip.

— C'était une force de la nature, Terry, et maintenant il a disparu. Je suis en pleine confusion, et vous aussi. Soudain, il est absent. C'est déboussolant, comme toute disparition.

— Il faut donc nous réorienter, Skip, nous occuper du chaos laissé derrière lui par le colonel.

— Vous n'avez jamais rien compris le concernant.

— Ah non, ne commencez pas ! Ne venez pas transformer ça en un film sur Walt Whitman ou je ne sais qui – les crétins myopes et pusillanimes lynchant le grand visionnaire. N'allez pas transformer ça en une espèce de crucifixion. Je vous demande qui était *vraiment* ce type et vous entonnez la chanson d'un film à la con.

— Attendez, attendez. J'essaie simplement de vous expliquer une chose qui vous passe largement au-dessus de la tête. Je le connais depuis toujours et je peux vous assurer une chose, Crodelle : le colonel était exactement ce qu'il semblait être. Il était vraiment ce fou volant aux commandes d'un avion qui venait de perdre une aile, en train de fumer son cigare, de rire au nez de la mort et tout le reste. Mais il avait aussi un autre visage. Il voulait être intelligent, il voulait être érudit, il voulait être un affable bureaucrate. Je suis surpris qu'il ne se soit pas mis à fumer la pipe. Il voulait intellectualiser, il voulait observer des systèmes d'information, vraiment – quelque part en lui, bien caché tout au fond, sommeillait un bibliothécaire.

— Et voilà la partie du colonel qui nous a tous baisés, Skip. Nous devons nous occuper de cette partie.

— Nous en occuper ?

— Allez, Skip, allez, travaillez avec moi. Il faut que nous examinions tout au grand jour. Le colonel ne partageait pas. Il ne joignait pas ses efforts au projet global.

— Et alors ? »

Crodelle versa dans sa tasse les feuilles de thé de la théière.

« Écoutez, Terry, suis-je censé comprendre quelque chose en ce moment même ? Parce que ce n'est pas le cas.

— Je veux que vous me parliez des fichiers.

— Ils sont en haut, à l'étage. Emportez-les.

— Vraiment ?

— Ouais, prenez-les. C'est un gros tas de merde.

— Vous comprenez bien qu'il vous est inutile de mentir.

— J'en suis conscient. Les fichiers sont en haut. Ils sont sans valeur. C'est la vérité absolue. »

Crodelle se détendit, comme si peut-être il y croyait. « Ce type était vraiment quelque chose. Vraiment quelque chose.

— Ouais. Ouais. Il était beaucoup de choses.

— Comment décrivait-il ses rapports avec John Brewster?

— Brewster?

— Oui. Je suis curieux de l'apprendre. Comment étaient leurs rapports?

— Tendus. Brewster se faisait des cheveux blancs, il l'a collé derrière un bureau.

— Hah! Des cheveux?

— Pour sa santé.

— Sa santé. Vous voulez dire son cœur, ses excès de boisson, sa tendance à frapper soudainement les gens à la mâchoire.

— Son cœur?

— N'est-ce pas ce qui l'a tué?

— J'ignore tout des circonstances de sa mort. J'ai entendu dire qu'il avait été assassiné.

— Moi aussi j'ai entendu cette absurdité. Le colonel a fait une rupture d'anévrisme sur la terrasse du Rex. Dans la piscine. Ou au restaurant, ou ailleurs. Bref, il n'a pas relevé ses manches pour défendre l'Alamo.

— Oh – oh, *ouah*.

— Quoi?

— Vous êtes le commis de Brewster.

— Vous me vexez.

— Peut-être, mais je le répète : vous êtes le commis de Brewster. Brewster tient à examiner les fichiers avant que quelqu'un d'autre y mette son nez. Exact? »

Crodelle sourit.

« Ne me dévisagez pas comme si j'étais le dernier des crétins, Crodelle.

— C'est plus fort que moi.

— Tout ça n'a rien à voir avec une opération délirante non autorisée. Il s'agit simplement d'un petit paquet de bristols qui risquent de faire du tort à quelqu'un. Une personne qui n'a sans doute rien fait de mal.

— C'est ridicule.

— Oui. Et comment. C'est complètement idiot. Je veux dire, quand on pense à la nature grotesque de ces fichiers. Mais c'est bien ça le fond du problème, pas vrai? Bon Dieu. Venez, allons y jeter un coup d'œil.

— Oui?

— Venez. »

Crodelle le suivit dans l'étroit escalier. À cette heure de la journée, la chaleur restait piégée dans la partie supérieure de la villa comme dans un grenier. Sands indiqua la chambre d'amis, puis ouvrit la porte de sa propre chambre pour essayer de faire un courant d'air. Crodelle regarda à l'intérieur de la chambre d'amis. « Où sont-ils ? »

Sands passa devant lui et souleva le couvercle d'une des cantines. « Soigneusement cachés.

— C'est donc ça ?

— Ils sont classés par ordre alphabétique. Et pourvus de références croisées. Allez-y, cherchez Brewster.

— Vous plaisantez. Si le vieux était professionnel, tout est codé.

— Ils ne sont pas codés. Cherchez n'importe quoi susceptible d'impliquer Brewster. Des noms de lieu, un truc comme ça. »

Crodelle souleva le couvercle d'une autre cantine et en examina le contenu. « Vous avez l'intention de nous remettre tout ceci ?

— Est-ce que j'ai vraiment le choix ?

— Chargeons ces bébés dans le carrosse. En les serrant un peu, nous pourrons tous les rapporter en un seul voyage.

— À l'école de langues, ou ailleurs ?

— Dans les bâtiments du MAC-V. À Tan Son Nhut.

— Il n'y a plus de MAC-V là-bas.

— Il reste des bureaux.

— Et merde, dit Skip.

— Quoi ?

— Je ne compte aller nulle part avec vous. »

Crodelle le dévisagea en haussant les sourcils, et Skip jaugea le rouquin, envisagea de prendre exemple sur Jimmy Storm et de balancer un bon uppercut dans le plexus solaire de ce type, juste en dessous du sternum, mais décida aussitôt de s'en abstenir. Après avoir très récemment perdu un combat, il n'avait pas envie d'en entamer un autre.

« Une minute, dit Skip. Je vais m'habiller. »

Il traversa le couloir pour entrer dans sa chambre. Crodelle l'y suivit et le regarda mettre un pantalon, des chaussettes et des chaussures, une chemise. Quoi d'autre ? Il ne reviendrait jamais ici. Sur la commode, un paquet de photos des Philippines. Il en glissa une demi-douzaine dans sa poche.

Dans le tiroir de la commode il prit sa montre, son passeport et son Beretta de calibre .25. « Merde, fit Crodelle. Jamais de la vie. »

Sands empocha le passeport, mit la montre à son poignet, avança et posa le canon de l'arme contre le front de Crodelle.

« Okay, okay, okay. Est-ce que le cran de sûreté est mis?

— Non. » Sands essayait de réfléchir. « Voilà que les choses se compliquent.

— Mettez juste le cran de sûreté, reculez d'un pas et parlons un peu.

— C'est moi qui dirige la conversation. Vous faites ce que je vous dis de faire. Je ne serai pas obligé de tirer si nous faisons ça bien.

— Je suis avec vous, dit Crodelle.

— Restez là.

— J'y reste. » Crodelle se tenait parfaitement immobile, les mains levées au niveau du buste, les doigts écartés. « Mettez juste le cran de sûreté, c'est tout ce que je demande.

— Pas un mot de plus.

— Très bien.

— Je ne blague pas. Asseyez-vous dans ce fauteuil. »

Crodelle écarta un fauteuil de la table à thé, puis s'assit. Sands ouvrit le tiroir du haut de la commode, d'une main en sortit chaussettes et caleçons, à la recherche de son matériel de premiers soins. Il posa sur la commode plusieurs rouleaux de gaze. « Debout. Ne parlez pas. »

Crodelle se leva. Tenant le pistolet contre la colonne vertébrale de son visiteur, Sands tira le fauteuil vers lui. « Assis. » Crodelle s'assit. « Croisez les bras derrière le dossier. Ouvrez la bouche. Plus grand. » Il fourra une chaussette dans la bouche de Crodelle. Tirant avec les dents sur le fermoir du rouleau de pansements et se débrouillant tant bien que mal d'une main, il entoura de gaze le visage et le cou de Crodelle, puis il lui en ceignit plusieurs fois le buste jusqu'à ce qu'il ait atteint l'extrémité du rouleau et lui eût ligoté les bras derrière le dossier du fauteuil. D'une main, il réussit seulement à faire un nœud rudimentaire. Il avait presque honte du matériel qu'il utilisait. Un cordon électrique de lampe aurait été idéal. Introuvable dans une maison située au-delà des dernières lignes d'alimentation.

À en croire le rythme chaotique de sa respiration, Crodelle semblait vouloir émettre un commentaire sur le processus, que Sands répéta avec deux autres rouleaux de pansements afin de ligoter chacune des jambes de Crodelle à un pied du fauteuil, en fournissant lui-même le commentaire : Que fais-tu au juste? Que vas-tu faire maintenant? Comment fait-on pour ligoter un béret vert à un fauteuil avec de la gaze et sans ruban adhésif? Va falloir faire un nœud. N'as-tu pas besoin de tes deux mains pour faire ce nœud?

« Je pose l'arme sur la commode, le temps que je serre bien mes nœuds, dit-il. Vous pouvez tenter quelque chose et voir ce que ça donne, ou vous pouvez rester assis bien tranquille. » Crodelle ne manifesta pas la moindre velléité de rébellion tandis que Sands utilisait deux rouleaux pour lui attacher les poignets ensemble et lui fixer les bras contre le dossier du fauteuil avec deux bonnes demi-clefs. Sands s'agenouilla devant lui, puis, avec les quatre rouleaux restants, attacha solidement chaque jambe en serrant le plus fort possible sans se préoccuper de la circulation sanguine de son prisonnier.

Il n'adressa pas un mot à Crodelle et quitta la chambre pour aller chercher du ruban adhésif de l'autre côté du couloir. À son retour, Crodelle n'avait apparemment pas fait le moindre mouvement pour se libérer. Sands lui enroula plusieurs mètres de ruban adhésif autour de la bouche, du buste et des jambes, en recouvrant ainsi les nœuds qu'il venait de faire. « Je vais transporter les fichiers en bas. Je vais descendre et monter l'escalier en jetant chaque fois un coup d'œil sur vous. Si j'ai seulement l'impression que vous gigotez pour essayer de vous libérer – je le jure devant Dieu, ça me suffira. Je vous descends. »

La dernière fois qu'il remonta l'escalier, il s'approcha tout près de l'oreille de Crodelle, en respirant bruyamment à cause de ses efforts, et dit : « Je vais brûler les fichiers du colonel. Vous savez pourquoi? » Il marqua une pause, comme si le rouquin pouvait lui répondre à travers trois bons centimètres de gaze étouffante. Crodelle se contenta de garder les yeux fermés et de se concentrer pour respirer par le nez. « Non? Eh bien, réfléchissez-y. » Sa tentative de discours le déçut. Il se sentit gêné en quittant la chambre, puis il rejoignit l'arrière de la maison et le petit bûcher d'ordures de Tho, où il avait dressé un monticule de bristols et de papiers de peut-être trois mètres de circonférence et haut d'une bonne soixantaine de centimètres, un monument dérisoire, pensa-t-il, au travail qui l'avait occupé durant deux années et qui avait tenu le colonel Francis Xavier Sands en haleine durant peut-être autant de décennies. Le vent soufflait fort, quelques bristols s'envolèrent pour atterrir dans la rivière.

Il gratta toutes ses allumettes avant que le bûcher n'ait pris. Il se rendit dans la cuisine pour y chercher un allume-feu plus efficace et entendit Crodelle sautiller à l'étage, se déplacer, peut-être, à la manière d'un singe qui bondit sur son cul. C'était sans importance.

Il ressortit avec une boîte d'allumettes pleine, dépassa le bûcher et cria le nom de Tho, qui arriva bientôt de sa maison, pieds nus, en pantalon et T-shirt. « Monsieur Tho, où est l'essence ?

— Essence ? Oui. J'ai.

— Allez chercher l'essence, s'il vous plaît, et brûlez ces papiers.

— Maintenant ?

— Oui, s'il vous plaît, maintenant. »

Tho rejoignit le côté de la maison et revint avec son jerrycan cabossé qui pouvait contenir jusqu'à dix litres d'essence, puis il arrosa le monticule tandis que Skip, agenouillé, grattait des allumettes à la base. Le feu prit soudain, Skip recula. Il resta à côté de Tho et observa les flammes durant une minute. De l'autre côté de la rivière, un peu en aval, au-dessus des cocotiers et des papayers, un panache de fumée gris-brun s'élevait aussi du tas d'ordures d'un voisin.

Seigneur, songea-t-il, le vieux était vraiment un crétin.

Tho alla chercher son râteau. Skip retourna dans la maison.

Il fut stupéfait de découvrir Crodelle à la cuisine, toujours assis dans son fauteuil, penché en avant, les mains libres, en train de trancher avec un couteau à pain les liens qui entravaient encore sa jambe gauche.

Sands plongea la main dans sa poche pour y prendre son Beretta et le pointa sur Crodelle, qui se levait.

Aussitôt il se rassit. « Vous n'êtes pas obligé de me tuer ! Vous n'êtes pas obligé de me tuer !

— Savez-vous ce que je viens de faire ? Vous sentez cette odeur de fumée ? Je brûle les fichiers.

— Je ne vous parle pas des fichiers ! Bon sang, mec. Vous n'êtes pas obligé de tuer quelqu'un.

— Que se passe-t-il si je m'en abstiens ?

— Je peux vous donner ma parole que tout sera terminé. Il faut que je remue les mains. Il faut que je me frotte les jambes. Je ne les sens plus, vous m'avez coupé la circulation. Bon Dieu. Quel putain d'enculé vous êtes. Allez, tirez-moi dessus. J'ai six mille dollars pour vous. Je vous emmerde.

— Vous avez quoi ? »

Crodelle se pencha en avant et cracha par terre un glaviot sanguinolent. « Une grosse merde est arrivée, Skip. Un agent du BND s'est fait buter l'autre jour à Saigon. Un certain Fest.

— Nom de Dieu, fit Sands. Je connais ce type.

— Dietrich Fest?

— Je ne connais pas son nom, mais je l'ai rencontré aux Philippines. Et je suis absolument certain de l'avoir vu au Perroquet Vert – le jour où je vous ai rencontré pour la première fois.

— Eh bien, dit Crodelle, c'est vraiment une affaire foireuse. Tout a merdé. Nous aurions dû l'interrompre, mais les choses suivent leur cours. Et c'était une cible viêt-cong légitime.

— Oh merde. Trung Than? »

Pas de réponse.

« Trung a tué l'Allemand?

— Votre double non autorisé.

— Où est-il maintenant?

— Qui?

— Trung Than, bordel.

— Il erre sur la terre.

— Vivant.

— À ce qu'on dit.

— Seigneur. Un homme sans pays. Que peut-il bien ressentir?

— Vous allez me le dire. À peu près la même chose que vous.

— Liquider Trung a donc été votre objectif? Votre responsabilité? Qui a dirigé cette opération?

— Personne ne le saura jamais. La seule chose qu'on saura, c'est que c'est vous qui l'avez déclenchée.

— D'où émanait l'autorisation?

— L'autorisation est un concept. Qui ne se concrétise pas toujours.

— Il n'y a donc que des opérations renégates. La vôtre, la mienne, celle de n'importe qui.

— Nous avons tous merdé. Mais c'est vous qui êtes en route pour la prison. La prison et la honte. N'en doutez pas une seconde, Sands. Quand quelqu'un ouvrira une enquête, tout le monde vous pointera du doigt. Alors j'ai une idée à vous soumettre : barrez-vous. »

De derrière la maison arriva le bruit d'un animal qui jappait. Sands se concentra pour ne pas y faire attention et reprendre la main en braquant le pistolet sur Crodelle, mais il se sentait impuissant. « Est-ce que les salauds que vous êtes vont me sortir de là?

— Non. Vous avez un passeport. Je vous donne le cash. Sautez dans un avion.

— Seigneur Dieu! Un avion pour aller où?

— L'argent est dans ma mallette. »

Les glapissements s'étaient mués en un cri perçant, qui se rapprochait. Dans l'encadrement de la porte grillagée, on vit le père Patrice qui traînait le chien Docteur Bouquet en le tirant par l'oreille et qui s'écriait, pour dominer les protestations de l'animal : « Skip! Votre chien! Votre chien, s'il vous plaît! » Il ouvrit la porte et traîna Docteur Bouquet à l'intérieur.

« Donnez-le à Tho.

— Tho dit qu'il faut le mettre dans la maison. » Quand il découvrit la cuisine décorée de guirlandes de gaze blanche et les deux Américains, dont l'un tenait un pistolet, le prêtre prit une profonde inspiration. « Tho dit qu'il faut l'enfermer à l'intérieur de la maison. » Il lâcha alors le chien qui partit ventre à terre et grimpa tant bien que mal l'escalier. Le petit prêtre n'avait pas expulsé l'air de ses poumons. Il tendit le bras derrière lui comme pour pousser et ouvrir la porte grillagée, mais sa main n'entra pas en contact avec le battant, et il resta là, le bras tendu en arrière comme si par cette posture il assurait son équilibre. « Ce n'est pas vraiment un problème, mais là-bas il risque d'attaquer mes poulets. Mieux vaut le garder ici. » Peut-être parce que sa voix semblait avoir interrompu le cours d'une tragédie, il continua : « J'ai rêvé de vous, Skip. Vous ne figuriez pas dans mon rêve, mais c'était un rêve sur le président des États-Unis. D'habitude les Français, les Américains, les communistes – ils n'apparaissent pas dans le monde des rêves. Ils vont là-bas, mais parce qu'ils n'y croient pas, ce sont seulement des fantômes. » Une espèce d'hystérie paraissait se lever en lui à mesure qu'il parlait. « Je vais vous dire ce qui est arrivé à un habitant de mon village natal, un certain Chinh. Il quitta notre village après la mort de son père, quand les créditeurs lui prirent ses terres. Chinh devint pauvre à cette époque, il devint misérable. Il dut partir pour voyager le long de la côte et, si possible, apprendre à pêcher. Ce fut un voyage terrible, car il n'avait pas d'argent. Il passait toutes ses nuits dans les fourrés. Une nuit, Chinh reçut en rêve l'ordre de dormir dans le cimetière catholique d'une certaine ville. C'était du temps des Français. Le commandant de l'avant-poste militaire le découvrit et le chassa. Mais Chinh dit : "Je dors ici parce qu'un rêve m'a dit de le faire." "Tu es un crétin qui croit aux rêves, voilà ce que le commandant français lui répondit, ne sais-tu pas que nous rêvons tous chaque nuit? La nuit dernière un rêve m'a assuré que sept pièces d'or étaient enfouies sous le plus gros banian au bord du fleuve – crois-tu que je sois allé creuser là-bas ? Ne me fais pas rire." Puis il expulsa Chinh hors de la ville. Alors qu'il longeait la berge du fleuve vers l'aval, Chinh trouva le plus gros banian, creusa toute la journée autour du tronc et découvrit sept pièces d'or exactement. Il revint dans mon village et y vécut prospère. C'est une histoire vraie. Je l'ai racontée à un prêtre français. Il m'a dit que c'était un mensonge. Il m'a dit que Chinh avait volé cet argent, avant d'en expliquer la présence par un rêve. J'ai malgré tout fait remarquer à ce prêtre que Chinh vécut longtemps et prospéra. Un voleur qui ment ne peut pas prospérer grâce à l'argent qu'il a volé. Cette histoire est absolument authentique. Il y a quelques années, Chinh est mort. Les malades venaient sur sa tombe pour être guéris, surtout les gens atteints de la malaria.

— Thong Nhat.

— Oui.

— Arrêtez. »

Un silence s'ensuivit, le premier depuis que le prêtre était entré dans cette pièce.

« Skip, dit le prêtre comme s'il abordait maintenant un sujet délicat, explosif, il y a quelque chose qui ne va pas.

— Bon sang de bonsoir, fit Crodelle avant d'éclater de rire.

— Je suis navré de tout ce remue-ménage, Nhat. Voulez-vous me rendre un service ? »

Le prêtre parut peu désireux de répondre.

« Il y a une mallette sur la table basse là-bas. Voulez-vous me l'apporter, s'il vous plaît ?

— Bien sûr. Mais aujourd'hui vous m'inquiétez.

— Où suis-je ? fit Crodelle. Nom de Dieu, où suis-je ?

— Nhat, voulez-vous bien aller chercher cette mallette ? »

Skip regarda le prêtre se déplacer avec précaution dans le salon, se figer à côté de la table basse, joindre les mains devant lui à hauteur du buste, et il se demanda si le prêtre priait.

Crodelle, riant toujours, cracha encore par terre.

« Tout va bien ?

— Un tout petit peu secoué, juste un tout petit peu.

— Dites-moi une chose. Si vous êtes d'accord. Comment avez-vous fait pour descendre l'escalier sans vous rompre le cou ?

— J'ai sautillé en me tortillant jusqu'en haut des marches, puis je me suis laissé tomber sur le côté et j'ai glissé jusqu'en bas. À peu près.

— Et pas la moindre égratignure. Pas de Purple Heart.

— Je pense m'être brièvement démis l'épaule droite.

— Tant mieux.

— Je dois m'assurer que vous avez bien compris ce micmac concernant l'assassinat du type du BND. Vous avez pigé?

— Bien sûr. Je suis le dindon de la farce.

— T'es Lee Harvey Oswald, coco. »

Le père Patrice avait trouvé la force d'agir. Debout près de Skip, il lui tendait la mallette qu'il tenait à deux mains. Skip la posa sur le comptoir et fit jouer le bouton. Le fermoir en cuivre s'ouvrit soudain en claquant.

« À qui est cette mallette?

— Toute à vous. Avec les compliments de la maison. »

La mallette contenait seulement une chemise cartonnée vide et une liasse de billets américains entourés d'un élastique rouge.

Le doute et la peur le submergèrent brusquement.

« Alors comme ça vous... oui, vous fourrez la main dans votre poche et elle en ressort avec un paquet de fric destiné à assurer la fuite d'un clampin?

— Eh oui, c'est comme ça. *Zim boum.* Nous sommes très efficaces.

— Pas souvent, Crodelle. D'habitude, c'est plutôt bourde sur bourde. Un QI frisant la débilité. Pourquoi en entrant ici ne m'avez-vous pas dit : "Voilà la situation", avant de me refiler les billets?

— Eh bien, vous sembliez tellement amoureux de l'idée que vos fichiers dérisoires empêchaient tout le monde de dormir. J'espérais que nous pourrions passer à autre chose. »

Sands tendit la main. « Donnez-moi vos clefs de voiture.

— Jamais de la vie, fiston. Vous n'aurez pas de véhicule. C'est moi qui vous ramène. »

Skip se pencha vers Crodelle, assez près pour lui souffler au visage, et il posa le canon du pistolet contre la rotule de son prisonnier. « Trois... deux... un... »

Crodelle se frappa les poches du pantalon. « Juste ici.

— Donnez-moi ça. »

Crodelle lui tendit une seule clef de contact reliée à une étiquette en carton portant l'adresse du parc automobile de l'ambassade.

De sa main libre, Sands tâtonna dans la mallette, prit une demi-douzaine de billets de vingt dollars, les secoua pour les détacher de la liasse, puis les posa sur le comptoir. « Ceci est pour Tho et Mme Diu », dit-il au prêtre. Puis, à Crodelle : « Je vais franchir cette porte. Si je pense seulement que vous bougez d'ici avant que je sois sur la route, je reviens vous descendre. Avec plaisir. Je suis sérieux, Crodelle. Rien ne me ferait plus plaisir. »

Il sortit par la porte de derrière alors que Crodelle lui lançait : « J'en ai rien à foutre de votre plaisir. »

Quand il mit le contact, le père Patrice quitta la villa par l'avant. Sands tendit la main gauche par la fenêtre, le prêtre la saisit et dit : « Il est trop tard pour voyager. Il y a une zone critique près de la Route 22. Vous êtes au courant.

— Thong Nhat, j'ai été très heureux de vous connaître.

— Comptez-vous revenir ?

— Non.

— Si. Peut-être. Personne n'en sait rien.

— D'accord, personne n'en sait rien.

— Monsieur Skip, jusqu'à votre retour, je vais prier pour vous tous les jours.

— Je vous en remercie. Vous avez été un merveilleux ami. »

Il enclencha la première et se mit à cahoter sur la chaussée défoncée. Dans le rétroviseur il vit Crodelle rejoindre le prêtre et s'arrêter près du portillon de la villa, les bras croisés et les jambes écartées dans la position du repos réglementaire, en émettant une aura de défi nonchalant.

À côté de lui sur le siège il découvrit le gilet jaune de Crodelle. Il le jeta par la fenêtre de la voiture, remonta les vitres et mit la climatisation.

World Children's Services avait édicté des règles, des procédures, des obligations, dont une visite bimensuelle à Saigon aux fins de rapports et de recommandations. À l'hôtel de la rue Dong Du, quand les réjouissances tardives ne la réveillaient pas, les gémissements des prières de l'aube en provenance de la mosquée y parvenaient invariablement. Ce soir-là les klaxons et les éclats de la musique pop la chassèrent hors de son lit.

Par ces nuits moites aussi chaudes que l'haleine humaine, elle ressentait une souffrance somnolente et informe, née, elle en était convaincue, de la complaisance envers soi – un apitoiement lent, torride, tropical. Elle avait alors besoin de se tourner vers l'extérieur et vers autrui, elle avait besoin de ses obligations dans la campagne. Sinon, elle sombrerait. Elle pourrirait dans le monde inférieur. Serait dévorée par cette terre. Refleurirait avec une violence et un désespoir inédits.

Ici en ville, les efforts vides de sens se comprimaient en une entité solide, et elle aspirait à s'abandonner à une douleur monstrueuse, elle désirait se voir déchirée par toutes les tortures.

Elle commença de traverser la rue, recula à cause d'une petite Honda qui tirait une remorque longue de trois mètres, chargée de réjouissants légumes frais. En ville trop de motos circulaient tous phares éteints. Les pulsations de la musique pop jaillissaient d'une entrée, derrière elle. Elle avait envie d'une boisson fraîche, mais à l'intérieur il faisait cinq degrés de plus et la pénombre grouillait d'hommes d'une vingtaine d'années, l'âme en feu. Elle entra malgré tout. Le bar puait la bière, la sueur et le bambou. Elle serra son sac sous un bras, puis zigzagua vers le bar à travers la foule masculine.

Deux ou trois femmes dansaient sur une scène à peine plus vaste que deux cagettes à savon. « Tu prends quoi ? » lui demanda un GI au bar. À cause de la lumière rouge de la scène derrière lui, il n'avait aucun visage visible. « Toi là – la mignonne. » Une voix de jeunot, mais il était chauve.

« Pardon ?

— Tu prends quoi ? C'est moi qui régale.

— Je ne serais pas contre une bière. Une Tiger ?

— Je reviens tout de suite. Bouge pas. » Il s'éloigna en biais derrière les hommes du bar à la recherche de la Tiger. Kathy regarda à gauche et vit une petite putain au coude posé sur le bar en bambou, les hanches inclinées, un panache de fumée argentée s'échappant de ses lèvres. Mais – n'était-ce pas Lan ? C'était impossible. Pourtant, c'était bien elle. « Lan », lança Kathy, mais Lan ne l'entendit pas.

Kathy s'approcha. « Salut, Lan. »

Levant sa cigarette vers son visage, Lan s'installa sur un tabouret de bar soudain vacant. Elle avait aidé Kathy durant ses deux premiers mois au Vietnam, à Sa Dec, et puis des problèmes l'avaient rappelée chez elle, la déportation de son village, et maintenant elle était assise là, le regard vide, la bouche très rouge, les cuisses découvertes jusqu'à la petite culotte.

« Comment vas-tu, Lan ? Tu te souviens de moi ? »

La fille se retourna pour parler doucement au barman.

« Tu veux quoi ? » demanda le barman. Kathy ne sut comment répondre. La fille – était-ce quelqu'un d'autre que Lan ? – pivota, posa les coudes derrière elle sur le bar et regarda les GI qui dansaient dans la lueur écarlate avec des femmes fragiles en les serrant contre leur torse, bougeant à peine.

Le GI de Kathy était de retour. « Chérie, je vais chercher les bières, dit-il. Tu me crois, hein ?

— Je reviens tout de suite. » Serrant son sac à deux mains, elle évita les danseurs et ressortit. La puanteur humide de la rue lui fit l'effet d'une fraîcheur soudaine. Elle parcourut quelques mètres sur le trottoir, entra dans un café, s'assit, descendit deux bières coup sur coup, fit pivoter sa chaise pour l'adosser au mur, puis en commanda une troisième. Dans son sac elle prit son calepin, le posa parmi les taches de graisse et trouva un stylo. Assise dans l'axe de la table, une main en travers de la page, elle écrivit :

> Cher Skip,
> Ho-ho-de-ho-ho. Voilà ce que mon père disait quand il était saoul, ou éméché. En fait, il ne se saoulait pas. Il n'était même pas éméché, seulement

La *mamasan* glissa jusqu'à elle sur ses tongs et demanda : « Vous attendre le bus ?

— Il n'y a pas de bus à cette heure de la nuit.

— Pas de bus ce soir. Vous demander taxi.

— Je ne peux pas rester ? Pourrais-je avoir du thé, s'il vous plaît ?

— Oui ! Oui ! Prendre taxi plus tard, okay ?

— Merci. »

> gai. Sociable, tu vois. Suffit pour l'histoire de la famille. Maintenant, j'ai quelques idées à te soumettre.

Des idées sur le cortex surrénal hypertrophié de l'Amérique et son mensonge sacramentel. Cher Skip, tu devrais faire très attention maintenant à ton cœur humain si tu ne veux pas le voir définitivement brisé. À force de consacrer tous tes efforts à la cruelle et folle dévastation qui sévit ici.

> Tu ne trouveras peut-être aucun lieu de repentance bien que tu le cherches avec soin au milieu des larmes. D'où me vient cette citation? Quelque part dans la Bible. Voilà que je remets ça! Attention aux larmes.
>
> Le jour où j'ai quitté Damulog avec les os de Timothy, je t'ai vu en train de prendre un bain à la source.

Elle était allée lui dire au revoir avant de partir pour Davao City, puis Manille. Dans la ruelle en terre battue, elle le vit quitter la bâtisse à trois étages qui abritait l'hôtel de Freddy Castro, traverser la cour en tongs et short à carreaux, une serviette blanche jetée sur l'épaule, une casserole à la main. Elle le laissa aller se baigner, se dirigea vers l'entrée de l'établissement de Castro afin de dire au revoir à la famille, mais elle entendit alors les voix excitées de jeunes enfants et elle rejoignit malgré tout le modeste vallon pour voir Skip Sands se baigner devant une foule de gamins. Le tuyau sortait d'un rocher, l'eau en jaillissait pour remplir un grand bassin naturel et les enfants, peut-être trois douzaines d'entre eux, s'étaient disposés autour de ce bassin comme dans un petit stade sportif, au centre duquel le jeune Américain se savonnait et se versait de l'eau sur la tête avec la casserole en apostrophant son public survolté qui lui répondait par d'autres cris :

« QUEL EST VOTRE SHOW PRÉFÉRÉ ?

— LE SKIP SANDS SHOW ?

— QUEL EST VOTRE SHOW PRÉFÉRÉ ?

— LE SKIP SANDS SHOW ? »

> Des enfants tout autour de toi, que tu faisais rire. C'était une sorte d'âge d'or.

Elle rangea le stylo et le calepin, puis vida la bouteille et retourna au club.

Avec trois bières dans l'estomac, le vacarme semblait plus uniformément absurde et inintelligible. La femme qui était peut-être Lan n'était plus là, il ne restait que la voix distordue, électrique, de Nancy Sinatra, les putes gazouillantes et les soldats de l'infanterie en pleine déconnade, tous au moins aussi pétés qu'elle – aussi éméchés qu'elle – aussi heureux.

« T'es partie longtemps ! » C'était le même GI chauve.

« Je n'ai pas bougé d'ici.

— Vraiment ? Jamais de la vie ! »

Elle le contourna pour que le visage de l'homme fût dans la lumière. Il avait le regard vide et amical. C'était peut-être un simple troufion, mais il portait des vêtements civils et il s'agissait d'une supposition. Il ne désirait rien d'elle. S'il avait eu envie d'une femme, il y en avait tout autour de lui. Voilà ce qu'il lui dit. D'ailleurs, il avait déjà une femme à Pleiku. Il l'entretenait. Ce n'était pas une prostituée. C'était sa petite amie. Toute la famille de cette femme avait été tuée, sauf un neveu à qui il ne restait plus que la moitié du visage. Ce garçon avait le cerveau endommagé. Dehors, il y avait une citerne en béton pour l'eau de pluie. Parfois le gamin grimpait sur cette citerne, personne ne savait pourquoi, il tombait dedans et il se faisait mal. Plusieurs familles habitaient ce bâtiment, une sorte de gigantesque hutte, il y avait deux étages et un escalier extérieur, des marches en bois brut sans garde-corps, à peine davantage qu'une grande échelle. La nuit, il fallait attacher ce garçon par la cheville à un clou fiché dans le sol, sinon il se baladait, il marchait dans son sommeil, il risquait de rater l'escalier, de tomber dans le vide et de se rompre le cou. Bon, tu étais triste pour les gamins pendant un certain temps, un mois, deux mois, trois mois. Tu es triste pour les gamins, pour les animaux, faut pas baiser les femmes, faut pas buter les animaux, mais ensuite tu comprends que c'est une zone de guerre et que tout le monde y habite. Tu te fiches que ces gens vivent ou meurent demain, tu te fiches que toi-même tu vives ou meures demain, tu maltraites les gamins, tu baises les femmes, tu butes les animaux.

1970

Accroupi près de la fenêtre il écouta en tremblant le bruit de lignes à haute tension arrachées qui au-dehors caressaient l'obscurité, bourdonnaient tantôt plus près tantôt plus loin, tâtonnaient dans les ténèbres à la recherche de la peur. L'électricité tressautait sur l'axe de la peur vers le cœur invisible qui l'engendrait et brûlait l'âme de l'intérieur. C'était la Vraie Mort. Ensuite, plus personne ne vivait dans ce cœur, plus personne ne voyait par ces yeux. Toute la nuit, la puanteur de cette brûlure entra en flottant dans la chambre et en sortit de même.

Dès le point du jour, les mouches se mirent à décoller et à atterrir dans toute la pièce. La radio posée sur le bord de la fenêtre annonça : « Aujourd'hui j'ai ici avec moi les gars de Kitchen Cinq. Vous connaissez la musique créée par Kitchen Cinq, surtout célèbre à cause de son *happy sound*. C'est quoi, ce nom, les gars ? Comment l'avez-vous trouvé ?

— Eh bien, Kenny, ce nom a été concocté pour nous par notre manager, Trav Nelson. On l'a trouvé vraiment chouette et puis...

— Au fait, comment épelez-vous ça ? C-I-N-Q, c'est plutôt inhabituel.

— Ces quatre lettres signifient le chiffre cinq en français. Et puis nous sommes cinq et quand on le prononce en français, ça fait *sank*. Comme on vient tous du Texas, on le prononce aussi comme ça : *Kitchen Sank*.

— Et vous êtes connus à cause de votre *happy sound*.

— Pour moi, Kenny, c'est seulement le résultat de nos diverses personnalités, parce qu'on est tous des gens toujours heureux en général.

— Et moi je serais très heureux de bavarder avec vous toute la journée, mais le moment est venu de se quitter, restez heureux, et merci d'être venus. – Les Kitchen Cinq. Cinq types heureux. C'était

Kenny Hall et l'émission *In Sound,* pour le réseau de radiodiffusion militaire.

— Au revoir, Kenny, et merci à toi aussi.

— Retournons à la musique. »

Il laissa la musique jouer.

« C'est quoi qui brûle? demanda-t-il, même s'il le savait.

— Je veux plus jamais que tu parles de trucs qui brûlent. C'est valable vingt-quatre heures sur vingt-quatre.

— Très bien.

— C'est cette putain de merde, mec, le moustique. Tu devrais savoir que c'est seulement ça.

— J'ai pigé. Le moustique.

— Ces putain de spirales vertes qu'ils font cramer pour les moustiques? Y a quelqu'un qu'en fait brûler une en bas, okay?

— Okay.

— Okay, James?

— Tu suintes la trouille, l'avertit James. Tu l'entends qui bourdonne autour de toi?

— Oh, mec!

— Vaincs la peur. »

Joker s'assit près de lui sur le lit.

« Je peux dire un truc sans risquer de me gourer : t'es vachement chtarbé, mec.

— Tu parles d'un scoop.

— Bon, quand même – tu pourrais pas lever un peu le pied? »

James haussa les épaules. À quoi bon poursuivre cette petite discussion ridicule?

Ming arriva d'un autre univers mitoyen et dit : « Vous vouloir noules?

— Nan, je veux pas de nouilles, bordel.

— Nous pouvoir aller lestaulant noules?

— Non, j'ai dit non. Tu crois que j'ai envie de mater une bande de bridés bouffer avec leur gueule?

— J'ai besoin d'algent, Cow-boy. »

James dit : « Ces putain de saloperies de tortillons glissants et visqueux de mes deux. »

Elle le regarda comme un lézard. « Donne-moi algent, Cow-boy. Dire-lui de donner algent, demanda-t-elle à Joker, ma sœur a très faim, son ventre lui faire mal. »

Joker prit la fillette sur un genou et dit : « T'es mignonne comme un cœur tout neuf. »

La gamine dit quelque chose en bridé, Ming répondit en anglais : « Lui tuer des gens. »

James lui demanda de calmer sa fille.

Ming dit « *Bou-cou* fuck you* » avant d'emmener la fillette en dehors de la pièce.

Joker dit : « C'est pas sa sœur.

— Elle prétend que c'est sa sœur.

— Sans doute que c'est sa gosse.

— De toute façon on s'en bat l'œil. » Il se leva, fit quelques pas vers un coin de la pièce, ouvrit sa fermeture Éclair et pissa dans un pot de chambre bleu décoré de fleurs rouges. Il n'y avait pas de plomberie. Il ne voyait pas où elle pissait. Quand l'envie la prenait, elle allait quelque part en bas.

« Allons-y, dit Joker. Écoute-moi, mec – Cow-boy ? Cow-boy ? – je sais tout sur cette merde.

— Bien obligé de te croire.

— Y a une différence entre la ville et la cambrousse.

— De toute façon c'est pas la vraie vie.

— J'ai pas dit ça. Tu veux bien écouter ce que je dis ? On peut pas retourner en ville. »

James se dirigea vers la porte. « Prends le volant, chéri, j'ai plus de mains ! »

Il faisait nuit, mais il n'était pas très tard. Joker le surveilla tandis qu'ils marchaient pendant un bon moment jusqu'à la Croix-Rouge, où ils firent longtemps la queue. Quand le tour de James arriva pour téléphoner, Joker le laissa parler tranquillement à sa mère. Il avait à peine dit bonjour qu'il regrettait déjà d'avoir appelé. Elle éclata en sanglots déchirants.

« Voilà je sais pas combien de temps qu'on a aucune nouvelle de toi. Je sais même pas si t'es vivant ou mort !

— Moi non plus. Personne le sait.

— Bill junior est en prison !

— Qu'est-ce qu'il a encore fait ?

— Je sais pas, moi. Un peu de tout. Ça fait presque un an qu'il y est, depuis le 20 février dernier.

— C'est quel mois en ce moment ?

— Tu sais pas quel mois on est ? C'est janvier. » Elle semblait en colère. « Pourquoi tu rigoles ?

— Je rigole pas.

— Alors qui est-ce qui rigolait dans mon oreille?

— Conneries. J'ai pas rigolé.

— Dis pas de gros mots dans mon téléphone.

— Y a pas un endroit de la Bible où on dit merde?

— Sors ta langue de la cuvette des toilettes. C'est ta mère qui te l'ordonne. Ta mère qui sait même pas où t'es!

— Nha Trang.

— Eh bien Dieu soit loué, s'écria-t-elle, de t'avoir permis de quitter le Vietnam. »

Alors quelqu'un rit pour de bon. Peut-être lui, même s'il n'y avait rien de drôle.

Le 20 février 1970 en début de matinée, Bill Houston roulait sur la Route 89 en direction de Phoenix dans un van de l'État en compagnie de deux fonctionnaires pénitentiaires et de trois autres gredins, après avoir effectué douze mois d'une peine de un à trois ans dans la prison de Florence, sans qu'il sût très bien pourquoi au juste on l'y avait enfermé, ni pourquoi on le libérait maintenant. Apparemment, depuis le jour où il avait quitté la marine, les poursuites judiciaires s'accumulaient contre lui : une mise à l'épreuve après un vol de voiture, une condamnation avec sursis pour voies de fait, ce qui dans son cas voulait dire continuer à se bagarrer quand des flics étaient là pour vous en empêcher et vous alpaguer, ensuite un mandat d'arrêt pour absence au tribunal après un vol à la tire ; enfin l'appropriation illégale d'une seule et unique caisse de bière, vingt-quatre cannettes au total, avait précipité tout l'édifice pénal sur sa tête. Alors qu'il se baladait en picolant dans une ruelle qui donnait sur la Quatrième Avenue, il avait avisé la porte de derrière d'un bar ouverte et coincée par une livraison de Lucky Lager, et il avait pris la caisse du dessus de la pile. Cette marque de bière, pourtant censée lui porter chance, avait provoqué toute une série d'affreux malheurs. Car deux rues plus loin, il attendait de traverser au carrefour comme un honorable citoyen près d'un signal lumineux DON'T WALK – passant la caisse de son épaule gauche à la droite en se demandant où trouver un frigo pour ses cannettes –, quand la voiture de patrouille le rattrapa. Deux brèves audiences, un mois à la prison du comté, et le voilà enfermé derrière des murs hauts de trois mètres.

En route vers la prison un an plus tôt, peut-être à bord de ce même van avec ces mêmes fonctionnaires pénitentiaires à destination du juste châtiment que sa mère et ses professeurs lui avaient jadis promis, il s'était senti très excité et adulte. Était-il vrai qu'en taule on essayait de vous poignarder et de vous violer? Alors pourquoi n'avait-il pas vécu ce genre de chose à la prison du comté de Maricopa? Ça ne l'inquiétait guère. De sa vie il n'avait jamais perdu le moindre combat et il mourait d'envie de dérouiller tous les types qui allaient tenter de le faire chier. D'un autre côté, c'étaient des tueurs et des individus de ce calibre, qui là-bas n'avaient rien à foutre en dehors de la gonflette et du sport, si tel était bien ce qu'ils avaient envie de faire. Mieux valait donc garder un profil bas. Apprendre un métier utile. Peut-être qu'il se mettrait au travail du cuir, des ceintures et des mocassins, des étuis à cigarettes. Après tout il était connu dans la rue sous le nom de Bill Cuir. Est-ce qu'on le laisserait fabriquer des fourreaux pour couteaux? Il en doutait.

Aiguillé vers le quartier de sécurité moyenne, il trouva les prisonniers pas plus méchants que ceux avec qui il avait partagé la geôle du shérif, et la bouffe un peu meilleure. Il y avait une piste de quatre cents mètres pour courir et toute une batterie d'haltères. Dès son deuxième jour de prison, il joua ailier gauche dans un match de baseball, marqua deux points et frappa un coup de circuit. Neuf manches réglementaires – huit joueurs seulement par équipe, mais ils avaient tout le matos nécessaire, y compris les casques pour les batteurs et toutes les protections pour l'attrapeur.

Au troisième mois de son incarcération, il se sentit chez lui. Vues à cette distance, les choses qui, avait-il cru, lui manqueraient le plus semblaient dérisoires. Ses divers boulots avaient exigé son âme et lui avaient donné la pauvreté en échange, les femmes qu'il avait fréquentées étaient très vite devenues insupportables. L'alcool lui avait fait passer de bons moments, mais l'avait souvent dirigé droit vers les bras de la police. Parmi les citoyens libres il avait constamment eu mal au ventre. Et seulement envie d'avaler de la gnôle. Mais dès son premier jour de détention, il eut faim et il se concentra tel un chien sur le repas suivant. Il prit plus de sept kilos, rien que du muscle – tous les matins, des pompes et des flexions-extensions, cinquante de chaque. Quatre fois par semaine il soulevait de la fonte. Le samedi après-midi il boxait, et deux ou trois anciens pros lui avaient déjà dit que la bagarre était un art. Il avait du souffle et il savait encaisser. Il devint le meilleur Bill Houston qu'il eût jamais été depuis la marine.

Et maintenant en route vers l'ouest, vers Phoenix, retour à la case départ. Le soleil levant dans le dos, il roulait vers une existence qu'il était incapable d'imaginer. On lui avait donné le numéro de téléphone de son contrôleur judiciaire, un chèque de vingt dollars et les vêtements qu'il avait portés treize mois plus tôt lors de son arrestation. Il regardait la route devant lui, le désert gelé dans la lumière matinale, plat et verdoyant après les pluies de l'hiver, l'asphalte noir et parfaitement rectiligne devant le pare-brise du van, et il sentit une aventure fourmiller sous son corps, comme le jour où à dix-sept ans il avait regardé la côte de la Californie du Sud réduite à presque rien derrière le bastingage de sa première traversée.

À Phoenix il entra dans le premier bar qu'il trouva et s'acoquina avec la première femme qui se montra vaguement aimable avec lui. Quand elle lui annonça qu'elle était épileptique, il ne s'en formalisa pas. Toutes les deux heures elle prenait un cachet, un calmant, du Seconal. Elle en avait plusieurs flacons sur elle et affirma que son médecin lui prescrivait ce médicament. Après deux bières elle fut ivre. Il dut lui parler longtemps.

Ils déambulèrent dans les rues. Elle tenait à ce qu'il marche du côté de la chaussée, car, insista-t-elle, s'il plaçait la femme de ce côté-là, ça voulait dire qu'il la maquereautait. Elle semblait tout connaître sur ce sujet, mais elle ne réclama pas d'argent. Quand ils montèrent jusqu'à sa chambre dans un hôtel qui donnait sur le Diable, dans le quartier de la Deuxième Rue, le Seconal cessa de faire son effet. Pendant la nuit le lit se mit à trembler.

« C'est quoi ? demanda-t-il.

— J'ai eu une crise », dit-elle. La femme ne paraissait plus se souvenir de lui.

« Il reste de la bière ? » fit-il. Ils avaient seulement acheté un pack de six ; il découvrit le carton de l'emballage aplati sous son cul nu. « Faut que j'aille voir ma famille. Je viens de sortir de taule », dit-il.

La nuit était fraîche. Il traversa le Diable. Il se serait volontiers assis pour faire un somme, mais l'aube approchait, le trottoir était vraiment froid, et les clochards qui avaient dormi dessus, la tête posée sur les bras, remuaient et se réveillaient déjà, avant d'entamer leur errance à travers les rues silencieuses. Bill Houston rejoignit le défilé des âmes qui attendaient le soleil.

La marche le dégrisa et il resta sobre jusqu'à son premier rendez-vous avec son contrôleur judiciaire dans un bâtiment du centre-ville, sur Jefferson Street, l'abstinence étant une condition indispensable de sa libération anticipée. Mais comme personne ne vérifiait, il retomba bientôt dans ses anciennes habitudes et retrouva seulement un semblant de lucidité le mardi pour la confrontation hebdomadaire avec l'homme qui d'un simple coup de fil pouvait le renvoyer en prison. Sam Webb, son contrôleur judiciaire, une espèce de jeune rancher citadin et corpulent, qui traitait Houston de « cow-boy du centre-ville », lui trouva une formation. Deux mois après sa sortie de prison, Houston se présenta un jour à son rendez-vous en empestant l'alcool ; pourtant, face à cette inconduite, Webb se contenta de ricaner : « Je pourrais te faire coffrer pour le week-end, dit-il, mais ensuite on te relâcherait. À Florence ils ont besoin des cellules pour les vrais durs à cuire. »

Houston acheva sa formation et se mit à toucher des salaires réguliers. Il conduisait un Fenwick dans la cour du plus gros entrepôt de bois de tout le sud-ouest, disait-on, Californie exclue. Toute la journée, entre d'énormes camions et d'énormes hangars, il déplaçait des tonnes et des tonnes de planches fraîchement sciées qui puaient le vomi, ne construisant jamais autre chose que des piles rectilignes, qu'ensuite il démantelait petit à petit. D'autres employés distribuaient le bois. Il le regardait seulement s'en aller. Peu sociable même s'il buvait comme un trou, évitant les ennuis, vivant presque en solitaire, hésitant néanmoins à redevenir lui-même, il travailla à l'entrepôt de bois jusqu'au milieu du printemps, lorsque ses absences de plus en plus longues le rendirent presque superflu, et qu'on le vira.

La mission avait eu un sens jusqu'à ce qu'elle soit accomplie. Ils n'avaient rien trouvé. Ils cherchèrent un endroit sécurisé où passer la nuit. Un campement des forces spéciales les avait refusés. Selon toute probabilité, la seule présence des forces spéciales avait suffi à nettoyer la zone de toute activité ennemie, mais personne n'avait été informé de leur présence. Sur la foi de renseignements périmés, les six Lurps s'étaient défoncés avant de partir alors qu'ils auraient dû passer la nuit à Nha Trang. La mission n'avait aucun sens.

L'incident tint davantage de l'assassinat que de l'embuscade. James venait de parcourir cinq cents mètres en se tenant sans arrêt prêt à tirer. La nuit était dépourvue d'étoiles, mais l'obscurité savait ce qu'elle savait. Il s'y fondit. Encore quelques centaines de pas et l'obscurité se dissiperait, ils atteindraient un endroit qu'ils connaissaient, où ils pourraient souffler et attendre l'aube, peut-être réclamer une extraction.

Une arme ouvrit le feu derrière lui, trois courtes rafales. Il se laissa tomber à terre, revint sur ses pas en rampant, mais s'arrêta quelque mètres plus loin, car à cet endroit précis sa vie bifurquait abruptement à gauche. Des feuilles churent sur lui quand les autres ripostèrent. Des bruits de pas résonnèrent sur le sentier. Une grenade percuta les arbres et il enfonça son visage dans la terre quand elle explosa. Se fiant à son intuition, il roula à gauche vers les fourrés et guetta des éclairs de l'autre côté du sentier. Rien. Les coups de feu avaient cessé. Le hurlement des insectes avait cessé. L'instant était intense et paisible. Une vibration profonde saturait l'air. Jusqu'à la dernière particule de connerie venait d'être incinérée.

Il avança en ondulant à travers la végétation magnifiquement lacérée jusqu'à ce qu'il entende un de ses copains ramper sur le sentier, et il fit claquer sa langue. Il entendit un gémissement. Il sentit l'odeur de la merde. Le gémissement s'éleva en un chant, mais n'attira aucun coup de feu.

« Un homme au tapis! Un homme au tapis!

— Sur le sentier! Sur le sentier! » C'était la voix de Dirty. James entendit des bruits de bottes sur le sentier, tira trois rafales pour protéger le groupe, puis s'arrêta. Un homme était accroupi au-dessus du blessé.

« Prends une cheville. Filons.

— Putain. Y a aucune planque. »

Joker se mit à marcher sur le sentier comme dans un jardin public. « C'est fini. » Il se posta au bord du sentier, le doigt sur la détente. « C'était juste un enfoiré, point final.

— Conneries.

— J'ai vu tous les éclairs. J'ai jamais baissé les yeux. »

Dirty dit au blessé : « Regarde ici, regarde-moi!

— Je vois rien que des merdes.

— Bakers!

— C'est qui?

— C'est Dirty. C'est moi. Ferme pas les yeux!

— Putain, j'suis plus de ce monde, mec. Rideau pour moi.

— T'es ici. T'es okay.

— Je sens rien. C'est des conneries.

— T'es ici.

— Je sens plus ce monde, mec.

— Qui a balancé la grenade?

— Moi, dit Joker. L'enfoiré a envoyé trois rafales avant de se tirer.

— Il a les yeux vides. » Dirty s'approcha tout près à la recherche du souffle du mourant. « Flingué, dit-il. Flingué baisé. »

Les cinq hommes étaient maintenant réunis. James se tint de nouveau prêt à tirer, chacun des autres saisit un bras ou une jambe, puis ils traînèrent le cadavre de Baker vers la clairière qu'ils savaient être à trois cents mètres environ sur le sentier.

« De la bidoche à ensacher.

— Il s'est effondré d'un coup. Il est mort en un clin d'œil.

— J'aime bien ce qu'il a fait, mec. Il est resté lui-même.

— Ouais?

— Il s'est pas mis à chouiner comme un bébé, mec », fit Dirty. Alors que Dirty lui-même pleurait.

James ne connaissait pas très bien Bakers. Mais il se sentit submergé de gratitude et d'amour parce que Bakers avait clamsé et non l'un des autres. Surtout lui-même.

« On va choper un bridé dans un des villages et faire passer notre message.

— Mort à ces trouducs. C'est de leur faute, aux bérets verts. T'y crois, toi, à cette merde?

— Non, j'y arrive pas.

— S'ils nous avaient laissés entrer dans leur périmètre, ce type-là serait vivant. Il serait en train de se marrer.

— Appelons la base et sortons-le de là.

— Pas tout de suite.

— Dirty, mec, c'est fini, mec.

— Touche pas cette radio. » Du pouce, Dirty manipula bruyamment son sélecteur.

« *Sí, señor!* Je touche pas ce bordel.

— Qui vient avec moi? »

Dirty et Conrad partirent en chasse, les trois autres restèrent avec le cadavre.

« Ce type est mort parce que ces enculés ont refusé de nous laisser entrer dans leur périmètre.

— Le prochain petit bébère que je croise en ville, je lui file le train jusqu'à ce que je puisse le planter dans le dos.

— Attaque maximale sur ces faux culs de merde. »

James s'accroupit, puis s'adossa à un tronc d'arbre pour rouler une cigarette avec de l'herbe. Quand il lécha le papier, il sentit sur ses lèvres le goût métallique de ses doigts.

Il se leva et alluma son joint quand les autres se furent regroupés autour de lui pour cacher la lueur.

« T'as entendu ce qu'il a dit sur les conneries ? Il savait. Il savait.

— Il a le dos explosé.

— C'est mieux comme ça pour lui. Sinon, ce serait le fauteuil électrique à vie. T'y coupes pas, mec. Tu te déplaces en soufflant dans un tube.

— C'est plus bas que ça. Il aurait encore ses bras.

— Moi je voudrais pas du fauteuil. Je me balancerais au plafond dans un hamac. »

James les quitta pour se rasseoir contre l'arbre. Il n'avait aucune envie de parler de ce genre de truc quand il planait et que l'adrénaline refluait enfin. Il renversa la tête en arrière et regarda le ciel. L'obscurité, le néant, le pur néant, juste une électricité paisible. L'âme de tout. « Je crois pas à cette merde, dit-il.

— Ces petits bébères ont leurs consignes bien enfoncées dans leur sale caboche.

— Pour eux pas question de merder. Faut rester *clean* jusqu'au bout.

— Attaque maximale sur ces putain de faux culs. »

James dit : « Venez par ici. » Les autres s'approchèrent et s'accroupirent autour de lui. « Il me faudrait une grenade chinoise. Dès que je me suis trouvé une grenade chinoise, je transforme ces fils de pute en barbaque bien morte.

— Cette nuit ?

— Dès que j'en ai trouvé une.

— Conrad en a une.

— Je sais.

— Balançons un peu de fumée dans leur nuit paisible. Zigouillons une bonne vingtaine de ces enculés. »

Conrad se matérialisa parmi eux aussi silencieusement qu'une pensée.

« De retour ?

— Tout seul.

— Où est Dirty?

— Il a chopé une femme. »

James se leva. « File-moi ta grenade.

— Quoi?

— Tu sais de quoi je parle. Ce truc chinois.

— Je la rapporte à la maison.

— Où ça à la maison?

— À la maison maison.

— J'emmerde la maison.

— En souvenir.

— Tu peux pas rapporter une grenade dans le monde réel.

— Et merde. D'ac.

— Je t'en trouverai une autre. »

Conrad la rangeait dans sa poche de poitrine. James tendit le bras et l'en sortit. « Tu viens avec moi?

— Où ça?

— Là où les bébères roupillent.

— Tu déconnes?

— J'ai l'air?

— J'y vais si t'attends l'interrogatoire. »

Dirty revint accompagné d'une petite femme nue et entra dans le champ de vision nocturne de James comme dans un cercle de lucioles. Elle avançait sa lèvre inférieure luisante en une moue coléreuse comme si on venait de l'injurier. Elle semblait assez furieuse pour tuer, au cas où elle aurait eu une arme entre les mains. Ils la maintinrent immobile par terre et les autres la prirent tour à tour, mais Dirty avait déjà tiré son coup et James tenait à garder toute son énergie en vue de son attaque perso contre les bérets verts. Lorsque les autres eurent terminé, il devint inutile de la tenir immobile. James tomba à genoux, posa le bout de son couteau Bowie contre le ventre de la femme et dit : « C'est quoi ton grade, soldat? T'as déjà vu un de ces schlasses au boulot, soldat? T'en as déjà vu un, soldat? C'est quoi ton grade, petit soldat? Qu'est-ce tu regardes? Tu te prends pour ma mère? T'es ma mère, mais alors putain qui est mon père? » Il l'interrogea jusqu'à ce que sa main soit trop faible pour continuer à tenir le manche.

À Bill Houston, Phoenix fit l'effet d'une ville beaucoup plus grande qu'avant. Des lotissements de banlieue envahissaient le désert. La circulation était sauvage. Le matin, l'horizon demeurait souvent caché derrière des couches de smog marron. Chaque fois que cette chape pesait trop lourd sur lui, il prenait du fil à pêche, deux ou trois hameçons, puis s'asseyait au bord d'un des grands canaux d'irrigation où attendaient de paisibles poissons-chats parfaitement ignorants du vingtième siècle. On lui avait dit qu'ils venaient de la rivière Colorado, on lui avait conseillé d'utiliser comme appât des bouts de saucisse de Francfort et un flotteur en plastique pour empêcher son hameçon de couler jusqu'au fond, mais il n'avait pas de flotteur, pas même une canne ou un moulinet, et pas la moindre chance. Ça ne le dérangeait absolument pas. Attendre et espérer, tel était son objectif, regarder l'eau filer à travers le désert immémorial, réfléchir à ses voyages. Souvent, Houston s'attardait pour espionner les allées et venues des gens en ce lieu solitaire, jusqu'au soir où il réussit à surprendre trois hippies qui échangeaient de la drogue et à leur voler trois cent cinquante dollars en liquide ainsi qu'une brique d'herbe mexicaine enveloppée dans de la Cellophane rouge. Les garçons regardèrent la machette qui tremblait dans sa main et lui dirent que c'était une herbe mexicaine très banale, de qualité tout à fait ordinaire, rien de spécial, mais qu'il pouvait garder le paquet. Il le leur rendit, même s'il aurait très bien pu trouver moyen de la vendre lui-même. Voilà donc une idée. Il pourrait brutaliser un peu des gamins, les dévaliser ; le cas échéant, il aurait même pu en poignarder un. Mais il ne dealerait jamais de la came.

Pas loin de l'heure de la fermeture il restait debout sur le trottoir devant la porte ouverte d'un bar, baigné dans la tiède haleine alcoolisée de l'établissement et dans une musique country qui s'insinuait en lui, qui le déchiquetait. Un petit homme sortit en pestant et en essayant de rassembler sur son buste les lambeaux d'un T-shirt déchiré par un assaillant. Un maigrichon, trop vieux pour se bagarrer, les lèvres en sang, un œil fermé et gonflé. Il eut un sourire d'enfant puni. « Ça m'apprendra. C'est fini. » Maintes et maintes fois Bill Houston s'était promis la même chose.

Le capitaine Galassi exprima quelques soucis relatifs au sens du devoir de James, une expression qu'il prononçait « sens dessus d'voir ». Ce n'était pas un enfant de chœur, mais un vrai capitaine, dans le pays depuis 1963, promu sur le champ de bataille et tout le saint-frusquin, mais il avait laissé croître en lui une préoccupation pour le « sens dessus d'voir » de James, qu'il exprima tandis que le sergent Lorin, assis tout près, les poings sur les cuisses, n'exprimait rien.

« Quel est ton prénom, caporal ?

— James.

— Je vais t'appeler James et non caporal, car en un rien de temps tu vas redevenir un civil ici même. Et puis, à mes yeux, t'es pas un soldat. Tu désires émettre un commentaire, James ?

— Non.

— Ils t'ont sacrément dérouillé, pas vrai ? Ils t'ont bien niqué la gueule. Crois-tu que vas décrocher un Purple Heart pour ça ?

— J'en ai déjà un. Et ça aussi c'était une connerie.

— Tu vois, James, c'est des soldats. Des types réglo. En fait, ma sœur a épousé un béret vert. Ils savent ce qu'ils sont venus faire ici, et ils font ce qu'ils doivent faire. Ils savent qui est l'ennemi et ils n'ont pas la moindre intention de trucider les gars de leur propre camp. C'est des types qui, si jamais des gars de leur propre camp essaient de les niquer, si un Américain essaie de les niquer, et même lance une grenade parmi eux, ils tueront pas cet Américain, parce que cet Américain n'est pas leur ennemi. Ils lui niquent juste un peu la gueule, parce que cet Américain est un putain de nom de Dieu de fils de pute. »

James n'émit aucun commentaire.

« Ils t'ont dérouillé comme tu le méritais. Tu pisses toujours le sang ?

— Non, *sir.*

— Tu peux bouffer des aliments solides ?

— J'ai pas demandé à grailler.

— Comptes-tu me raconter que t'as pas balancé cette saleté ?

— J'ai pas lancé de grenade.

— Cette saloperie est donc tombée du ciel par magie.

— Je sais que dalle sur cette grenade, bordel. Mais je vais vous dire une bonne chose sur ces bérets verts : ils préfèrent laisser leurs copains se faire massacrer dans la jungle quand leurs copains leur demandent : "Est-ce qu'on peut rester dans votre périmètre ?" Et un de nos gars s'est bel et bien fait buter. Elle a divorcé ?

— Qui ?

— Votre sœur.

— Ça te regarde pas.

— C'est quoi votre prénom ?

— Ça non plus ça te regarde pas.

— Okay, Jack. T'es pas un soldat pour moi non plus. Pas si tu soutiens ces enfoirés des forces spéciales contre tes propres Lurps. Je t'emmerde, Jack.

— Tu sais ce que je pense ? Je pense que le sergent et moi on va t'emmener par-derrière et te passer à tabac comme les bérets verts.

— Un bon tabassage dans le style bérets verts, confirma le sergent Lorin.

— J'adorerais ça. Allons-y.

— Excuse-toi auprès du capitaine.

— Mes excuses, *sir*.

— Excuses acceptées. James, je crois que tu as perdu tout contrôle et toute capacité de raisonnement dans cette atmosphère pourrie et sous la pression de la guerre. C'est pas vrai ?

— Je pense que c'est vraiment possible. »

Le capitaine Galassi alluma une Kool. La clim de la cabane en préfabriqué n'éliminait pas entièrement les odeurs extérieures, de bonnes vieilles odeurs américaines, l'huile, les patates frites, la viande grillée, des latrines qui ne puaient pas trop, pas des latrines débordant des infectes merdes puantes des bridés. Le capitaine Galassi exhala un nuage de fumée qui anéantit toutes les autres odeurs.

Lieut Givré lui aurait proposé une Kool. James regretta la belle époque du Lieut Givré, quand les officiers étaient les seuls à être cinglés.

« Je peux fumer, *sir* ?

— Vas-y.

— Je viens de griller ma dernière clope.

— Alors je crois pas que ce sera possible.

— Je m'en passerai.

— Qu'est-ce qui t'a fait partir en vrille ? As-tu pris beaucoup de *elle esse déé*, mon garçon ?

— Je prends pas de drogue. Sauf indications contraires.

— Qui te fournit ces indications ? Ton dealer ?

— Les impératifs de la mission, *sir*.

— Tu veux dire du speed.

— Je veux dire ce que j'ai dit, point final.

— Tu veux dire que t'es un petit Speedy Gonzales, hein? Te rends-tu compte de la merde dans laquelle tu barbotes? Tes opérations de reconnaissance à longue portée t'ont entraîné très loin des frontières de la santé mentale. Faut que tu rentres au bercail.

— Je viens de signer un autre tour.

— Tu resteras pas ici. Je veux pas de toi dans ma guerre. »

James ne dit rien.

« Les genoux de ton pantalon sont dégueulasses.

— J'ai creusé, *sir*.

— Ou t'as marché à genoux, raide défoncé dans Trang Khe Street il y a quatre nuits.

— Y a quatre nuits? J'en sais rien, *sir*.

— Comment se fait-il que tu n'ailles plus au Midnight Massage avec les autres gars? »

Pas de réponse.

« Tu t'es dégoté une régulière. Une petite bonne femme à "Tranky" Street. Étais-tu dans Trang Khe Street il y a quatre nuits?

— Je crois bien. Je sais pas.

— Oui ou non?

— Je crois.

— Ou bien étais-tu en patrouille?

— J'en sais rien.

— Qu'est-ce qui s'est passé?

— Quand? À Tranky?

— Durant la patrouille où une femme a été assassinée, espèce de raclure d'assassin. »

James détesta brusquement ces deux fils de pute, car s'ils voulaient continuer à l'asticoter, ils auraient d'abord dû lui filer une chaise et une cigarette.

« Qu'est-il arrivé à cette indigène, James?

— On a buté rien que des éléments hostiles, c'est tout.

— Faisais-tu partie de cette patrouille?

— Non.

— Il y a quatre nuits?

— Non.

— Non? Dis *sir* quant tu t'adresses à moi.

— Qui nous a balancés? »

Le sergent Lorin intervint : « Ça te regarde pas.

— Y a quelqu'un qui ment.

— Quelqu'un qui ment sur quoi ? » dit le sergent.

James attendit que le capitaine parle.

« As-tu fait ça ?

— J'en sais rien.

— Tu sais pas ? Nom de Dieu, mec, dis *sir* quand tu t'adresses à moi.

— J'en sais rien, *sir*.

— As-tu fait ça, oui ou non ?

— Je me rappelle pas quelle nuit c'était, *sir*. Je crois que j'ai bu trop de bière la semaine dernière. »

Le sergent dit : « Il s'est payé une biture carabinée.

— Tu aimes la bière, James ? Eh ben, y a pas de bière à Leavenworth.

— Z'y êtes déjà allé ?

— M'énerve pas.

— J'ai des potes là-bas.

— M'énerve pas.

— Excuse-toi auprès du capitaine.

— Mes excuses, *sir*.

— Qu'as-tu fait à cette bridée ?

— C'était une Viêt-cong.

— Conneries.

— C'était une pute viêt-cong.

— Conneries.

— Je vous réponds pareil.

— Trêve d'insolence. Je sais de quoi il retourne. Du moins je crois.

— C'était une pute et c'est la guerre. *Sir*.

— As-tu l'intention de faire un quatrième tour de service ?

— *Yes, sir*.

— Non, *sir*. Fini pour toi.

— *Sir*, j'ai une patrouille à dix-sept zéro zéro.

— Une patrouille ? Seigneur Dieu. Un : nous n'envoyons pas en patrouille les types aux côtes défoncées et qui ont un bras dans le plâtre.

— J'ai juste le bras en écharpe. C'est pas un plâtre. Ça s'enlève.

— Deux : nous n'envoyons pas les civils en patrouille.

— Je suis pas un civil.

— Eh bien, commença le capitaine et soudain une telle colère s'empara de lui qu'il se mit à bafouiller, est-ce que tu me permets de te dire que, si t'es pas un civil, t'as pas fini d'entendre parler de ça ? Je vais faire le point sur cette affaire, et puis je me retournerai vers toi et t'as pas fini d'en entendre parler. Je compte t'accuser. Peut-être que beaucoup de gens t'accuseront. Peut-être que l'armée tout entière va se mettre à t'accuser.

— Je crois pas.

— Tu crois pas ? Tu fais preuve d'insubordination ?

— Je dis juste un truc.

— Que dis-tu ?

— Je sais pas.

— Que dis-tu ?

— Que vous croyez que vous allez m'accuser, mais je crois pas que vous allez m'accuser, parce que c'était une pute et que c'est la guerre. Et voilà le genre de truc qu'arrive, parce que c'est la guerre, parce que c'est pas seulement la guerre.

— Faudrait peut-être choisir : c'est la guerre, ou pas seulement la guerre ?

— C'est ce que je vous dis.

— Espèce de sale petite frappe. Je participais à cette guerre avant même que t'aies appris à te polir la saucisse. D'accord ?

— D'accord.

— D'accord », répéta le capitaine. Durant une trentaine de secondes ils restèrent simplement là, immobiles.

James dit : « *Sir*, capitaine, faut que j'y aille, faut que je bouge.

— Non, James, impossible. Seigneur Dieu. *La patrouille ?*

— Yes, *sir*. »

Le capitaine Galassi se leva. D'un pas décidé il rejoignit la porte de la cabane en préfabriqué, saisit la poignée et ouvrit le battant en grand. Dehors, la poussière, le vacarme des camions, des hélicoptères – un temps lourd et gris. « Sergent, dit-il, parlez à cet homme. » Il sortit et referma la porte derrière lui en laissant les choses de nouveau à peu près tranquilles dans le bourdonnement de la climatisation.

Le sergent s'assit au bureau du capitaine et proposa un siège à James. Mais pas de cigarette.

Lorin dit : « T'aurais pu dégommer jusqu'à quatre de ces fils de pute. – Mais, je sais, le seul qu'a morflé c'est toi. » Après un silence Lorin reprit : « Tout de même, ce micmac avec cette Viêt.

— Y a tout le temps des merdes. »

Lorin se contenta de le dévisager. Longtemps. « James, dit-il enfin.

— Quoi ?

— Non. C'est toi qui racontes. »

James demanda : « Bordel, d'où ça vient ce micmac avec la bridée, elle fait quoi cette merde dans mon film ?

— Il te botte, ton film ?

— C'est le genre de binz où j'ai mes capteurs. À la seconde où la merde commence, j'ai l'esprit qui bascule en Technicolor. Grâce à mes capteurs.

— T'as donc envie de continuer à capter ?

— Ouais.

— À mater ton film en Technicolor ?

— Ouais.

— Jusqu'à ce que la merde te bouffe tout cru et que tu clamses ?

— Ouais.

— Là, je serais assez d'accord avec toi, James. Je crois pas qu'il soit hautement recommandé de te lâcher sur le territoire des États-Unis. Je conseillerais plutôt de te garder bien au chaud ici jusqu'à ce que tu te fasses buter. Car si c'est pas complètement nase broque, c'est pas l'armée américaine, pas vrai ?

— On opère toujours de nuit, Sarge. On fait parfois des bourdes.

— Ouais, pas de doute. Mais cette petite bourde avec cette petite Viêt, le capitaine ça le fait vraiment chier un max. Et la cerise sur le gâteau, c'est ta grenade sur nos soldats : tu fais vraiment désordre, mec.

— Pourriez pas me filer une clope ?

— Minute, je cause.

— Okay.

— Je crois donc qu'y a pas à tortiller, Cow-boy. Va falloir que tu rentres à la maison.

— À la maison ?

— Là d'où tu viens.

— Je sais pas quoi dire.

— Dis que t'es un type pas net.

— Je suis un type pas net.

— Si tu refuses un billet pour sortir de l'enfer, alors c'est que t'as pété un plomb, c'est bien ça, soldat ?

— Quand tu causes, faut que j'écoute. T'as toujours mis le doigt en plein dans le mille, mec.

— L'oncle Hô a vraiment passé l'arme à gauche, mon pote. T'as gagné la guerre. C'est terminé pour toi.

— Ah bon?

— Absolument. Rejoins Tan Son Nhut, trouve un vol MAC et taille la route. Casse-toi. Je te mettrai en permission et dès que tu seras au pays on remplira toute la paperasse pour rendre cette permission définitive. »

Le sergent sortit une cigarette. Il en donna une autre à James, avant de prendre une boîte d'allumettes du Midnight Massage et d'allumer les deux cigarettes. Il dit : « Ce sera avec les honneurs.

— Quoi donc?

— La mise en congé.

— Oh... Ouais. Avec les honneurs?

— Mise en congé de l'armée avec les honneurs.

— Si tu le dis.

— Je dis avec les honneurs. Et j'en démordrai pas. »

À la mi-juin, Bill Houston paya la caution de son frère James pour le faire sortir de prison. James était arrivé à Phoenix deux semaines plus tôt, mais il n'avait contacté personne jusqu'au jour où il s'était fait arrêter pour voie de fait simple, après quoi il avait téléphoné à leur mère. Quand James quitta le bureau du directeur, il souriait. Sinon, il semblait apeuré, comme s'il redoutait de se faire attaquer par-derrière.

« Crois surtout pas que je souris parce que je suis fier. Je souris parce que je suis vachement content de me tirer d'ici.

— T'as du bol que j'avais quelques billets.

— Désolé que t'aies dû les dépenser comme ça.

— D'habitude je suis raide, mais dernièrement ma situation s'est un peu améliorée.

— On dirait que t'as pris un chouia de poids.

— Bah, j'étais à Florence. »

Une fois dans la rue, James pencha la tête et plissa les yeux pour se protéger de la lumière.

« J'apprécie vraiment, Bill Junior. Sans déc.

— La famille ça compte. Parce que le reste c'est pipeau.

— Tu l'as dit.

— Prêt pour un hamburger?

— Tu parles, Charles. » James cracha une chique qui rebondit sur le trottoir comme un petit étron. « Combien que t'as donné au gars des cautions?

— Cent biftons. Mais si tu fais le con et que tu te pointes pas à l'audience, je lui en devrai mille.

— J'y serai.

— Je compte sur toi.

— Et puis je te rembourserai les cent billets.

— Te presse pas. Y a pas le feu. »

La main droite de Bill Houston plongea dans la poche gauche de son jean pour en sortir les clefs.

« T'as une caisse.

— Ouais. Une Rolls.

— Tu déconnes? »

C'était une vieille Lincoln dont le capot ressemblait au pont d'un porte-avions. « D'accord, c'est pas une Rolls. Mais dès que tu mets les gaz, elle s'arrache. »

Il emmena James dans un McDo où il lui offrit trois énormes burgers et deux milk-shakes au chocolat. James mangea très vite, puis resta assis là, les bras croisés sur le buste, à défier tous les clients du regard.

« Hé. »

James rota bruyamment.

Ils parlèrent de leur mère. James dit : « Au fait, quel âge elle a?

— Au moins cinquante-huit balais, répondit Bill, peut-être cinquante-neuf. Mais elle ressemble à une centenaire.

— Je sais. Ouais. C'est vrai. Ça fait même un bail qu'on dirait une vioque. »

Bill dit : « Bon. Moi c'est Bill junior. Mais t'as rien remarqué de bizarre? Moi, y a longtemps que ça me travaille.

— Quoi?

— Y a pas de Bill senior. »

Un vieux assis à la petite table voisine leur demanda : « Vous avez quel âge, les gars? »

Ils se regardèrent. Le vieux continua :

« J'ai soixante-six ans. Vous savez, la Route 66? Pareil. Soixante-six ans.

— Je t'emmerde », fit James.

Bill Houston observa James qui se préparait à chiquer. Il prit une boulette de tabac dans une boîte en fer, fourra la boulette à l'intérieur d'une joue, referma le couvercle, s'essuya les doigts contre le haut de son pantalon.

« Le mec des cautions a dit que c'était la quatrième fois en deux semaines que les flics te ramassaient en plein baston, si bien qu'ils ont fini par t'inculper.

— Il a dit ça ? »

Bill Houston était furieux, en proie à une rage déraisonnable, parce que James jouait les vieux soldats durs à cuire, comme s'il avait exploré quelque région mystérieuse et y avait été torturé.

« Tu veux un autre burger ?

— Ça va bien.

— Vrai ? Ça va bien ?

— Ouais.

— On dirait le contraire. »

Le lendemain de sa sortie de prison James entra dans un petit bureau où un gros type triste l'aida à remplir quelques formulaires. Il déclara que le premier chèque arriverait dans quatre semaines environ si tout ne se passait pas trop mal. L'homme lui parla d'un endroit du centre-ville où James pourrait sans doute décrocher une autre pension, et il y alla donc, mais on lui demanda alors de faire la queue et de remplir d'autres formulaires stupides.

On l'autorisa à résider pendant plusieurs jours dans un foyer des quartiers est, dans Van Buren Street, la rue des hors-la-loi et des putains, à une trentaine de rues de l'endroit où sa mère avait vécu avant le départ de James pour l'Asie du Sud-Est. Peut-être y résidait-elle encore.

Le matin, il partait à pied vers le nord, le sud ou l'est, jamais vers l'ouest, et il s'arrêtait rarement. À l'ouest se trouvaient les usines et les entrepôts. Dans les autres directions, la ville faisait place à des lotissements de banlieue, au désert vide ou à des cultures irriguées. C'était le début de l'été dans le désert, il faisait très chaud, mais sec. Il portait un chapeau de cow-boy en paille et gardait tout du long le soleil derrière lui, s'arrêtant dans les restaurants pour demander de l'eau. Quand le soleil commençait à descendre devant lui, il tournait les talons et revenait sur ses pas. La moitié de son cerveau seulement semblait connectée. L'autre moitié était plongée dans le noir. Il sentait ses capteurs en train de mourir.

James n'entra pas en contact avec Stevie. Elle vint le trouver juste avant qu'il ne quitte définitivement le foyer, et ils sortirent boire quelques verres, mais à la Aces Tavern il se mit à l'injurier si violemment que le barman cria à James de sortir, et Stevie resta là en déclarant qu'elle comprenait très bien ce qu'il voulait lui montrer, qu'elle avait reçu le message cinq sur cinq, qu'elle refusait de continuer à fréquenter un homme qui, malgré sa propre gentillesse, l'abreuvait d'injures et d'insultes. Alors que le barman expédiait de force son client vers la nuit, James se retourna et vit Stevie en larmes qui oscillait dans la lueur du juke-box. Une demi-heure plus tard Stevie le découvrit immobile dans la Vingt-quatrième Rue devant l'entrée de l'hôpital psychiatrique d'État, regardant derrière les barreaux du portail les vastes pelouses qui dans la lumière des lampes à arc paraissaient uniformément argentées et magiques. Elle ne pleurait plus. Elle lui dit qu'elle ne pouvait pas s'arrêter de l'aimer. Il lui jura qu'il allait trouver un boulot.

Il avait quitté le théâtre de la guerre avec un peu moins de quatre cents dollars en poche. Il loua un appartement dans une espèce de bâtisse en contreplaqué baptisée Rob Roy Suites et acheta une Harley en pièces détachées, qu'il commença d'assembler dans le salon tout en sachant très bien qu'il n'en terminerait jamais le montage. Il détestait sa voisine qui habitait de l'autre côté de la cour, une gouine baraquée à l'haleine fétide. On voyait bien qu'elle avait dû être sexy, mais qu'elle avait toujours détesté les hommes. James ne savait pas quoi faire. Qu'attendaient donc de lui toutes ces bonnes âmes? Presque tous les soirs il se rendait dans un bar à quelques rues de là, où l'on pouvait presque toujours provoquer une bonne bagarre, ou bien il picolait du porto dans des gobelets en plastique dans des endroits bourrés de vieux pochetrons déglingués. Il attendit l'arrivée de son premier chèque. Dès qu'il le toucha, il acheta un Colt de calibre .45, un vrai six-coups. Il était à peu près sûr de finir par buter la femme qui habitait de l'autre côté de la cour, il lui semblait qu'aucune force humaine ne pourrait l'en empêcher.

Au bout d'un mois aux Rob Roy Suites il déménagea pour s'installer aux Majestic Palms Apartments dans la Trente-deuxième Rue, à un demi-bloc au-dessus de Van Buren Street. Tous les matins il restait longtemps assis et nu près de la fenêtre aux stores remontés, en agitant les genoux, pour regarder un Noir affreusement obèse, au T-shirt vaste comme une tente de cirque, traverser la rue en venant de l'endroit où il habitait et puis ouvrir le Circle K du carrefour.

James se baladait dans le quartier, passait devant les putains indolentes assises sur les bancs de l'arrêt de bus, regardait les vieux qui traversaient la rue à tout petits pas, observait les Mexicaines, leurs hauts talons effilés et leur pantalon rose moulant, qui paraissaient à vendre mais ne l'étaient pas.

Il s'assied à un arrêt de bus. Il fume une Kool. Crache entre ses pieds. Ses doigts serrent le goulot d'une demi-pinte de vodka Popov, il penche la tête très bas sous le poids colossal et absurde de ces millions de monstres et de leurs jeux.

Un type plus âgé assis près de lui, un journal ouvert sur les cuisses, qui lisait en plissant les yeux dans la lueur aveuglante du soleil, se mit à invectiver tous les gens qui disqualifiaient l'effort militaire au Vietnam. « Ces garçons font de leur mieux. C'est nos garçons. Ils font de leur mieux », dit-il. James avait envie de fumer une cigarette, et l'annonça. « Je fume pas, répondit l'autre. Je bois même pas de café. J'ai été élevé dans la foi des mormons. Ouaip. Élevé comme un mormon. Mais maintenant j'y crois plus. Tu sais pourquoi ? Parce que c'est bidon. » James répéta qu'il fumerait bien une cigarette. L'homme se leva et s'éloigna. Alors un chien arriva, s'arrêta, le regarda, et James dit : « T'as une gueule, mon pote », il lui gratta le crâne entre les oreilles et répéta : « Ouais, mon pote, t'as une gueule. »

Un soir à la Aces Tavern il tomba sur son frère aîné Bill et sur le vieux copain de Bill, Pat Patterson. Celui-ci venait de sortir de la prison d'État de l'Arizona à Florence, où il avait fait la connaissance de Bill. C'était un mince jeune homme qui se tenait très droit et qui semblait avoir été parachuté parfaitement intact à partir des années cinquante rockabilly, les cheveux longs coiffés en crête sur la nuque, les manches remontées au-dessus du triceps, le col lui aussi remonté.

Bill parla un peu de la prison à son frère : « T'as tes mecs, les autres ont leurs mecs, selon la couleur de la peau. C'est pas le bien ou le mal. C'est qui est qui — qui est le type à côté de toi. Et chacun défend les gars de son clan.

— Je sais tout ça.

— Je sais que tu sais tout ça. Bien sûr que tu le sais. T'as été des deux côtés d'un flingue.

— Jamais de la vie.

— Ce que je veux dire, c'est que t'as sans doute vécu plein d'expériences.

— Jamais de la vie. Jamais de la vie. »

Soudain renfrogné, Bill junior fit tourner son verre entre ses mains. « Ta manière d'agir commence à me faire sérieusement chier, James. » Il se racla la gorge, s'assura que le barman regardait ailleurs, puis cracha par terre. « Genre : "James est de retour dans le monde réel. Et le monde réel est une grosse bouse dégueu, alors James lui pisse à la raie." Combien de temps tu vas continuer à jouer au con ?

— Jusqu'à ce que je sois convaincu de plus le faire. »

Bill vida son verre, se leva, franchit la porte.

Patterson dit à James : « J'ai une question pour toi : c'est la Aces Tavern comme dans "Mec, j'ai quatre as" ? Ou c'est la Aces Tavern comme dans "Cette taverne appartient à un certain Ace" ? » Il montra la barmaid en disant : « Cette jeunesse est une petite machine brûlante. » James confirma qu'elle était en effet petite, mais ajouta qu'elle n'était plus jeune depuis belle lurette. La chair flasque ballait sous ses bras tandis que la barmaid plongeait les chopes de bière dans l'évier, les secouait puis les posait sur un torchon. James le fit remarquer. « Je reluque pas ses bras, dit Patterson. Je mate son cul qui s'agite.

— Je ferais bien d'aller voir ce que fout junior.

— Oublie ce mec, putain. On est très bien sans lui. »

James sortit sur le trottoir, mais Bill était parti. Il y avait seulement un jeune type devant le bar qui enquiquinait les passants en essayant de leur vendre la chemise qu'il portait sur le dos. James rentra dans la taverne et retrouva Patterson qui demanda si James avait une arme et James lui répondit que oui.

« T'as pas été Lurp là-bas au Vietnam ? »

James dit que oui.

Patterson avait l'intention de dévaliser un casino tenu par quelques gars dans une maison isolée, proche de Gila Bend, et il envisageait de faire gagner un peu de thunes à James. Voler un casino en plein désert et au milieu de la nuit, expliqua Patterson, ça ressemblait presque à une action de commando. « D'accord », dit James.

On leur avait annoncé que le patient était un enfant, mais il s'agissait en fait d'un adulte, un trentenaire, sans doute viêt-cong. Les hommes qui les avaient conduits jusqu'au blessé le décrivirent alors comme étant un paysan qui avait déterré un projectile non explosé. La nature de sa blessure – un bras mutilé, le restant du corps apparemment intact – indiquait sans doute qu'il avait voulu récupérer cet engin de guerre et le retourner contre ses fabricants américains. La raison des blessures du patient était parfaitement indifférente au docteur Mainichikoh, et de fait Kathy s'en désintéressait aussi. En compagnie du médecin, à bord de sa Land Rover, elle se rendait plus librement dans les villages qu'elle n'aurait pu le faire en attendant d'y aller avec une équipe de WCS, et elle le dédommageait en lui servant d'infirmière. Les villageois avaient surnommé le docteur Mainichikoh « docteur Mai », ce qui avec une certaine inflexion ascendante de la voix pouvait s'entendre « docteur Américain », et ce jour-là son surnom avait abouti à un quiproquo : Kathy, de toute évidence l'Anglo-Saxonne de leur duo, fut prise pour le médecin, et les autochtones confondirent le petit Japonais qui l'accompagnait avec l'infirmier au service de la jeune femme. Mai ne fit aucun effort pour les détromper, sinon en prenant aussitôt la situation en main et en donnant ses ordres. Elle aimait travailler avec lui. Il était plein de ressource – une nécessité absolue, compte tenu du manque de ressources matérielles – et d'une telle bonne humeur qu'il semblait complètement insensible aux horreurs qu'ils côtoyaient. Elle comprenait qu'il était riche, originaire d'une famille de Tokyo ayant fait fortune dans l'import-export. Elle ne savait pas si la famille du médecin japonais travaillait avec le Vietnam.

Les deux hommes qui venaient de les guider jusqu'ici avaient installé une sorte d'abri ombragé par une bâche en toile. Ils avaient aussi allongé le blessé sur une table faite de planches et de bois brut maculés de sang, et ils annoncèrent à Kathy qu'ils se tenaient prêts à stériliser tout de suite les instruments. Quand le docteur Mai entama son examen, ils commencèrent à comprendre son rôle réel et ils lui demandèrent s'ils devaient activer le feu. Il leur répondit : « Oui, sans attendre. »

La blessure proprement dite avait abouti à une amputation presque complète, mais l'avant-bras restait relié par un morceau d'os, des muscles et de la chair en dessous du coude. Par une journée aussi torride et sans instruments pour mesurer à quel endroit du membre commençait le défaut de pression artérielle, ce qu'il fallait enlever et ce qu'on pouvait laisser relevait de la pure conjecture, mais le docteur Mai ne doutait pas une seconde de sa capacité à estimer l'étendue des tissus dévitalisés. « Il peut garder le coude, annonça-t-il. C'était un petit explosif. Dans le cas d'une mine terrestre, eh bien mieux vaut amputer le membre entier, n'est-ce pas ? Parce que tout le bras va mourir. » Elle aurait pu lui rétorquer que, le blessé tenant là sa seule chance de subir une opération chirurgicale avant longtemps, il valait mieux amputer plus haut, et peut-être tout le bras, mais le docteur Mai ne s'adressait pas à elle. Il parlait d'habitude tout seul, et toujours en anglais. « Cet homme est très costaud. Très résistant. Même pas en état de choc. » Le blessé fixait obstinément la bâche en toile qui les protégeait du soleil et semblait bien décidé à ne pas perdre conscience. Sur son visage et son buste une douzaine de plaies dues à des éclats de métal avaient déjà été nettoyées et suturées avec du fil à coudre. Un éclat, qui lui avait ouvert la pommette, avait raté de peu l'œil gauche.

Ils disposaient seulement de Xylocaïne, mais le médecin effectua avec jovialité un blocage axillaire du plexus brachial et se mit au travail tandis que Kathy lui tamponnait le visage pour en ôter la sueur avec un bandana stérilisé dans l'alcool à 90 degrés.

Les deux camarades du blessé restaient accroupis près d'un arbre tout proche, prêts à aller chercher ce qu'on pourrait bien leur demander, comme s'ils avaient la moindre chance de trouver quoi que ce fût alentour. Les parents du blessé étaient réunis dans une des huttes voisines, tous sauf une *mamasan* édentée qui accomplissait un rituel énigmatique à quelques mètres seulement de la tente improvisée, sous le soleil implacable, dans la fumée du charbon de bois et la vapeur de la grande casserole où les instruments chirurgicaux nageaient dans l'eau bouillante : une danse faite d'hésitations sinistres, de bonds soudains, d'arabesques. Le docteur Mai autorisa cette chorégraphie sans émettre le moindre commentaire, et Kathy l'accueillit comme un signe de bon augure pour le blessé. L'idée que parmi les miséreux, les fous, les êtres aux yeux tourbillonnants et aux lèvres écumantes, au milieu des parias, des marmonnants, des gesticulants, des hilares, un peu d'attention aimante suffirait à repérer les pauvres d'esprit bénis du ciel, les ardents visionnaires, les saints errants – elle avait toujours eu un faible pour cette idée, cette romance.

Le docteur Mai prit sa machette dans la casserole, versa dessus un demi-litre d'alcool, puis s'écria : « Banzaï! » Kathy éclata de rire et retroussa la peau en direction du coude. « Du temps de votre guerre civile, dit le docteur Mai en pratiquant l'entaille initiale avant de se mettre à découper de manière circulaire à travers la première couche de chair jusqu'aux fascias inférieurs, l'amputation était une chose vraiment affreuse à accomplir. Aujourd'hui nous pouvons être optimistes.

— Ma guerre civile? s'étonna-t-elle. Vous voulez dire la guerre civile américaine, la guerre de Sécession?

— Oui.

— Je suis canadienne, dit-elle. Canadienne.

— Je vois. Entre l'armée de l'Union et les Confédérés.

— Les Canadiens n'ont pas participé à cette guerre.

— Je vois... Le Canada.

— Vous savez que je suis canadienne.

— Oui. Mais je croyais que le Canada faisait partie des États-Unis.

— Nous sommes au nord des États-Unis.

— Si souvent le nord et le sud. Plus rarement la guerre civile entre l'est et l'ouest. »

Elle lâcha la peau et, lorsque celle-ci se rétracta, le docteur Mai, appuyant la paume contre la face arrière de la lame tout en faisant osciller le manche de bas en haut, coupa les fascias et la première couche de muscles, et à mesure que chaque couche se rétractait il entamait la suivante. Chaque fois qu'il tombait sur un vaisseau sanguin, Kathy l'obturait avec du fil. Des deux mains elle exerçait une pression verticale sur le moignon de muscles suivant. Après que les muscles internes se furent rétractés, le médecin prit la scie dans la casserole et s'attaqua à l'os tandis qu'elle irriguait le site avec la solution saline d'une grosse seringue.

Le médecin fit glisser jusqu'au bord de la table le bras coupé qui tomba par terre entre ses pieds, puis il prit le bandana et s'essuya le visage pendant que Kathy saisissait l'un après l'autre les plus gros nerfs, les tirait vers l'extérieur et les coupait le plus haut possible. L'une des artères saignait toujours et elle la recousit.

Elle nettoya et remballa les instruments tandis que le docteur Mai s'emparait de la main de la vieille folle pour danser avec elle une petite gigue. Il venait de découper un joli moignon bien concave

– c'était un excellent technicien, doté d'un authentique sixième sens médical –, mais Kathy se demandait toujours s'ils avaient bien fait de laisser une telle longueur de bras. S'exprimant en un vietnamien impeccable, le médecin expliqua alors aux compagnons du blessé comment s'occuper du moignon et éviter toute rétraction de la peau en utilisant du ruban adhésif et un bandage Ace. Il n'était tout bonnement pas équipé pour fabriquer un plâtre autour de la partie restante du membre, confectionner une attelle réglable, un jersey, un écarteur en fil de fer et tout le saint-frusquin, mais c'était sans importance. Un seul coup d'œil au visage de ce blessé, et l'on savait sans l'ombre d'un doute qu'il allait survivre. Kathy possédait dans sa trousse sept petites seringues contenant chacune un quart de grain de morphine, qu'elle laissa toutes à ces hommes, car on voyait bien que le blessé allait s'en tirer.

Le docteur Mai rejoignit la Land Rover, prit sa gourde sur le siège avant, but à longues goulées, puis l'apporta à Kathy. Elle la refusa.

« Je ne vous vois pas boire assez d'eau, Kathy.

— J'en bois beaucoup.

— Vous vous êtes bien adaptée aux tropiques. Combien de temps avez-vous mis pour vous y faire ?

— J'ai passé deux ans aux Philippines avant de mettre les pieds ici.

— Ça vous fait cinq ans dans la région, alors ?

— Cinq ans. Presque.

— Oui. Combien de temps comptez-vous encore y rester ?

— Jusqu'à ce que ce soit fini. »

Par une matinée ensoleillée de novembre, deux semaines seulement avant d'aller en prison, James épousa Stevie au tribunal.

La famille du marié assista à la cérémonie. Vêtue de la robe aux épaules rembourrées qu'elle mettait pour se rendre à l'église, la mère de James ressemblait à la péquenaude de l'Oklahoma qu'elle était. Bill junior portait un veston sport au-dessus d'un T-shirt blanc et, tandis que la famille réunie se tenait devant le magistrat, il transpirait comme s'il comparaissait à son propre procès, alors que le jeune Burris ricanait et pouffait de rire comme une fille – d'ailleurs il ressemblait vraiment à une fille avec ses cheveux qui lui arrivaient presque aux épaules.

Les parents de Stevie pensaient qu'elle épousait un criminel. Dans un premier temps ils promirent d'assister à la cérémonie, mais finalement ils s'en abstinrent.

Tandis que les jeunes mariés sortaient du tribunal, James vit le Diable, cette partie de la Deuxième Avenue où les clochards roulaient dans le caniveau et, au-delà de ce quartier, celui où lui-même habitait.

Ensuite, ils rejoignirent South Mountain Park et firent griller de petites entrecôtes au barbecue. Bill junior prit une cuite mémorable, et Burris, qui avait peut-être quatorze ans mais n'en faisait même pas onze, fuma sans se cacher. Leur mère resta à l'écart, prête à se lancer dans un prêche destiné au premier venu qui voudrait bien l'écouter, ou à ressasser les drames familiaux.

Ce mariage ne changea pas grand-chose. James continua d'habiter son appartement et Stevie chez ses parents pendant que James se dépatouillait des accusations de voies de fait aggravées et de vol à main armée. Il avait plaidé innocent et versé une caution, mais bientôt il se retrouverait de nouveau devant le juge, il changerait de stratégie et entendrait le verdict. Aucun doute ne planait sur sa destination. Malgré tout, son avocat commis d'office insista pour faire durer la procédure jusqu'à son terme afin de pouvoir négocier au mieux avec le procureur. James et Pat Patterson le rescapé de l'ère rockabilly avaient bien commencé leur opération, mais ils avaient joué de malchance et les flics les avaient cueillis sans coup férir devant un bar, une heure environ après leur quatrième braquage. Patterson, libéré sur parole, était retourné tout droit à la prison de Florence.

Suite à ce premier délit grave et compte tenu de ses états de service au Vietnam, James pouvait espérer rester moins de trois années à l'ombre, peut-être même seulement deux. Stevie jura de l'attendre. James aurait pu s'enfuir au Mexique, mais il était fatigué, très fatigué.

À quatre jours du verdict, à quatre jours de la bouffe carcérale, dix jours après son mariage et sans avoir jamais goûté à un seul repas préparé par sa femme, James alla prendre son petit déjeuner dans South Central Avenue. Il s'installa dans une gargote au milieu d'une poignée de clients cinglés, l'un grimaçant, un autre vociférant, puis commanda un œuf. La propriétaire grassouillette, sans doute chinoise, petit-déjeunait debout près de la caisse et mangeait des flocons d'avoine dans un mug. Elle déchiqueta la moitié d'une tranche de pain entre ses dents et retroussa les lèvres, parlant alors la bouche pleine dans une langue qu'elle prenait sans doute pour de l'anglais, mais James ne comprit pas un seul mot – car elle s'exprimait avec un accent nasillard et gémissant. Soudain, il retrouva de manière saisissante les odeurs et les goûts de Nha Trang.

Il fut distrait par l'homme installé dans le box à côté de sa table, assis en biais, les jambes dans le couloir. « Je suis bourré de speed. Oui, dit-il très doucement, je suis un petit garçon très speedy.

— Je suis pas d'humeur à trouver ça intéressant, rétorqua James.

— Tu sais où j'étais il y a sept heures et vingt minutes ? J'étais chez moi. Tu sais où c'est chez moi ? San Diego. T'sais ce que je faisais ? J'étais debout devant un miroir – un miroir en pied, okay ? – nu comme un ver, un .357 en main, que je pointais sur ma tronche juste comme ça. Je vais me faire sauter le caisson. Tu me crois ? »

James posa sa fourchette.

« Ouais. Un petit problème avec le jeu. Petit ? Putain. Le jeu m'a piqué toutes les merdes qu'étaient à moi. Femme. Enfants. Maison. Je suis à la rue. Elle a gardé la maison. Et un million d'années de traites à rembourser. Putain. Je vais redécorer en rouge toute la chambre à coucher de ma sœur. Oh oui. Et comment, putain. Mais je voulais pas que ma sœur rentre chez elle et découvre tout ce merdier – ou alors, reconnaissons-le, j'ai pas eu les couilles de me buter. Je me dis donc que j'ai besoin de trouver un moyen de mettre fin à ce film d'horreur, un moyen rapide et indolore, et personne saura que c'est moi qui me suis supprimé. Je me suis rhabillé et j'ai pris mes décisions, je vais sortir, grimper dans cette petite bestiole étrangère, cette petite Coccinelle Volkswagen, une bagnole minuscule, la caisse de ma sœur, c'est pas la mienne. Je me suis donc installé au volant, j'ai démarré et je suis parti vers l'est sur l'Interstate 8, mon ami, j'ai quitté San Diego, je me suis mis pleins phares et dit que le premier semi-remorque qui me fait des appels de phares je lui rentre dedans bille en tête, je me volatilise dans le plus pur style kamikaze. Tout du long j'ai gardé les mains sur le volant, je les ai pas enlevées de là sauf pour me gratter les couilles ou pour faire sauter le couvercle d'un flacon de bennies et m'en envoyer deux autres derrière la cravate. Et je vais te dire un truc. Pendant tout ce voyage, au moins cinq cents bornes, y a pas eu un seul véhicule pour me balancer des appels de phares. Voilà le miracle. C'est un miracle que je sois assis dans ce rade, toujours vivant. Je sais pas ce que ça veut dire. Mais je suis vivant. C'est tout ce que je sais. Franchement je sais rien d'autre sur cette terre en dehors de ça. Je suis vivant. »

Il ne semblait pas être sous benzédrine. Il paraissait très calme, il restait bien immobile, la jambe droite repliée sur le genou gauche, les doigts gentiment croisés devant lui sur la cuisse. Il avait les yeux rouges, mais c'était la lumière de l'amour qui brillait dans son regard. Il commanda des toasts de pain blanc sans beurre, qu'il réduisit en petits morceaux avant de les glisser entre ses lèvres, gratta une allumette, alluma une cigarette, lança la boîte d'allumettes dans son assiette.

James dit : « T'as fait le parcours du suicidé.

— Ouais. Et comment.

— Ça m'est arrivé deux ou trois fois, à moi aussi.

— Ouais.

— Hé. T'as toujours ton flingue ? Tu veux que je te bute ? »

L'homme avait l'air élégant, il portait une espèce de veston sport en tweed sur un mince pull beige, un pantalon de pyjama bleu pâle et des chaussons d'appartement en tissu. Il tira une bouffée de cigarette et parut réfléchir. « J'ai laissé le flingue à la maison », dit-il.

Bill Houston emmena son frère James faire une promenade la veille de son ultime comparution au tribunal. Il l'invita dans un café plutôt que dans un bar ; James ferait bien de comprendre que c'était sérieux. « Écoute-moi, tu sais rien. Moi, tout ce que je sais, c'est que tu veux éviter les quartiers de sécurité maximum, parce que là-bas y a toujours quelqu'un pour te casser le moral, toujours quelqu'un pour te boucler à double tour. Alors pendant qu'ils te font poireauter et qu'ils décident où qu'ils vont te mettre, parle sans arrêt de ton désir d'éducation. À tous les conseillers, à tous les gars qui te causeront, répète sans arrêt "éducation, éducation". Tu veux finir le lycée, tu veux apprendre un métier. Parle de trucs comme ça et ils te colleront en sécurité moyenne. C'est là que t'as envie d'être. C'est plus détendu. Les mecs sont moins fêlés. Tu vas dans la cour à peu près quand tu veux. C'est sympa. Crois-moi, t'as pas envie de la sécurité maximum.

— Y a qui là-dedans ?

— Où ça? En sécu moyenne?

— À Florence. Peu importe, moyenne ou maxi.

— Ben, y a plein de types.

— Le paternel, il est là-bas? Ton père.

— C'est pas mon père. C'est le tien.

— Est-ce qu'il est là-bas, le paternel?

— Ouais. Il est en maxi. Non. Je crois qu'il est sorti.

— T'en es sûr?

— Ouais. Je crois qu'il est sorti. En tout cas, elle a arrêté ses visites.

— Elle y va plus?

— Pas depuis que je suis sorti. Pour ce que j'en sais. Alors le mari de la vioque doit être quelque part ailleurs.

— Où ça?

— J'en sais rien. Ailleurs. »

Bill quitta son petit frère après une ultime poignée de main, sans être certain de s'être bien fait comprendre, puis il rejoignit le centre-ville pour voir s'il y avait du boulot au bureau de placement journalier, ou bien pour traîner dans le parc. L'automne était arrivé dans le désert, l'époque de la taille des arbres fruitiers. Il regarda les employés couper les branches des oliviers le long des avenues avec des tronçonneuses gémissantes et il sentit ce carnage se produire en lui.

Il avait envie d'une moto. Il se demanda s'il était difficile d'en voler une. Il se promena en en cherchant une devant les bars, puis il y entra pour le *happy hour* et les ristournes sur le porto. Ce vin n'était la boisson préférée de personne, mais les gens comme lui, poussés à ce genre d'extrémité, avaient calculé que le porto offrait le meilleur rapport ébriété/prix. « Sirupeux et affreusement doux, dit une femme d'âge mûr en levant son verre à la santé de Bill. Pas toi! ajouta-t-elle. Je parle du porto. C'est un alcool doux, alors que t'as l'air amer. Moi aussi je suis amère. » Son problème, lui confia-t-elle, c'était que son gendre était mort au Vietnam. Houston répondit qu'il avait un frère qui en revenait tout juste. « Non. Vraiment? Viens un peu ici, dit-elle. Faut que je te présente quelqu'un », et elle l'emmena par la main jusqu'à un box où se trouvait sa fille, une veuve de guerre après une longue année de séparation loin du garçon qu'elle avait épousé une semaine seulement avant son embarquement. Il avait été tué alors qu'il achevait son tour de service. Houston regarda les photographies de mariage. Pas vraiment son idée d'une bonne fiesta. Les dames payèrent une tournée. La jeune veuve but trop de bières, mais au lieu de s'effondrer en larmes, elle déclara qu'elle avait pleuré tant et plus à l'enterrement de son jeune époux, qu'elle était heureuse d'avoir pleuré, qu'elle avait redouté d'être incapable de pleurer. Depuis qu'elle avait appris la nouvelle, elle avait passé ces dix derniers jours en proie à un immense soulagement. Car elle était désormais dispensée d'accueillir de nouveau son mari à la maison, d'apprendre de nouveau à le connaître. En l'absence de son mari, elle avait beaucoup changé. Elle n'avait pas su comment réagir à ce changement. À l'enterrement on lui avait offert un drapeau plié en triangle. « Oui, j'ai eu droit à un drapeau.

— Sans blague ? Un drapeau ? Oh, tu veux dire un drapeau américain. *Old Glory.* » Houston avait la cuisse collée contre celle de la fille.

« Eh bien, ça s'appelle pas *Old Glory*, il me semble. C'est autre chose.

— Ouais, je crois que c'est autre chose.

— La bannière épaulée, un truc comme ça.

— Mon petit frère aussi était là-bas. Dans l'infanterie. Il a décroché un Purple Heart.

— Vrai ? Un Purple Heart ?

— Exactement.

— Qu'est-ce qu'il lui est arrivé ?

— Il est tombé dans un piège au fond d'un tunnel. Un de ces bambous taillés en pointe. Il lui est arrivé un truc comme ça.

— Ouh. Bon Dieu.

— Ç'aurait pu être pire. Ces petits salopards de bridés fabriquent des pièges super vicieux. Le sien, c'était juste un bambou effilé. Mais ça fait une blessure. Ça vaut un Purple Heart.

— Ouh là là. Il était rat de tunnel ?

— Je sais pas ce qu'il était. Il a fini chez les Lurps. Seigneur, je le tenais cloué au sol et je laissais ma salive couler sur son visage. Tu sais, je laisse couler un filet de salive et après je l'aspire entre les lèvres.

— Beurk ! firent ensemble les deux femmes.

— C'est comme ça que nous autres les marins on traite les Lurps.

— Beurk !

— Ouais. C'est dégueu, non ?

— Mon mari a divorcé, dit la mère. Ça me fait la même impression que s'il était mort. Sauf qu'on vous offre pas de drapeau et que tous les jours j'envisage encore de le tuer.

— C'est de ton père qu'elle parle ? demanda Houston à la fille.

— Si j'en crois les toubibs », répondit-elle.

Dès que la mère se fut éclipsée pour rendre visite aux toilettes, Houston se lança : « Ça te dirait d'aller dans un motel douillet pour regarder la télé ou autre chose ?

— Si t'as l'argent, chéri, j'ai tout mon temps.

— Vise un peu ici. Tu vois ce que c'est ?

— C'est un demi-dollar Kennedy.

— Exact. Les économies d'une vie. Cette pièce, je suis prêt à me la fourrer dans le cul pour cinquante cents de plus. Je suis prêt à me casser une bouteille sur le crâne.

— J'ai de l'argent, chéri. Je touche la pension de guerre. »

La fille se pencha contre lui et ses doigts effleurèrent les poils qui poussaient sur la poitrine de Houston. La nuit, dans le désert, la température chutait en dessous de dix degrés, mais Bill Houston se baladait torse nu sous un blouson de cuir noir. Son nom dans la rue était Bill Cuir. Le restant de sa garde-robe se composait d'un jean et d'une paire de chaussures très usés par les épreuves de l'existence.

« Vaudrait mieux rejoindre la sortie avant le retour de maman », dit la fille.

Le lendemain matin quand il ouvrit les yeux, il découvrit qu'un peu plus tôt la fille avait trouvé la sortie du motel. Un homme sérieusement impliqué dans sa mission se serait levé le premier pour faire l'inventaire du sac à main de la belle endormie. Mais à la place, il était resté blotti dans des rêves dont il ne se souvenait pas.

Il vivait depuis presque vingt-cinq années, ses galères transformées à ses yeux en aventures de jeunesse, qui sans nul doute devaient bientôt déboucher sur une période d'intense amélioration de soi, avant l'accomplissement et l'aisance. Mais ce matin-là en particulier il eut l'impression d'être un homme tombé par-dessus bord en plein océan, qui réussissait seulement à flotter comme un bouchon, qui attendait en fait que ses forces l'abandonnent.

Quand essaierait-il d'atteindre le rivage ? Quand recevrait-il le don du désespoir ? Il resta sous les couvertures dans la chambre glacée qui sentait le Lysol, jusqu'à ce que la direction vienne frapper à la porte. Il demanda un délai de dix minutes, prit une douche puis se recoucha en attendant qu'on revienne frapper à sa porte, cette fois d'un poing ferme.

James avait un colocataire, un vétéran comme lui, un motard prénommé Fred, et la Harley de Fred occupait presque tout le salon. Un jour, James remarqua qu'il n'avait pas vu son ami depuis un bon moment, peut-être un mois, voire deux, et afin de le faire revenir, s'il était toujours vivant, James perpétra le sacrilège mystique consistant à enfourcher la Harley de Fred et à tourner la clef de contact. Trois coups de talon et le moteur démarra de manière explosive avant de gronder et de trembler entre les cuisses de James. Quand il lâcha l'embrayage, la moto bondit droit vers le mur et James se retrouva allongé dans le salon sous l'engin vrombissant. Il réussit à peine à relever la Harley tout seul – il buvait trop, il restait trop souvent assis sans rien faire, il était une épave. Pas étonnant qu'il perdît tant de bagarres. Mais il adorait perdre, il adorait l'espèce de léthargie vertueuse qui s'emparait de lui tandis qu'il se recroquevillait en position fœtale et qu'un type lui flanquait des coups de pied à la tête, sur le dos et les jambes, il adorait rester allongé le visage baignant dans son propre sang tandis que des voix criaient « Arrête ! Ça suffit ! T'es en train de le tuer ! T'es en train de le tuer ! » parce qu'elles avaient tort. Jamais ses adversaires n'avaient même failli le tuer.

1983

Hao posa le *New Straits Times* sur la table de la cuisine et arrêta le petit ventilateur électrique pour lire en paix. Ce n'était pas le ronronnement du ventilateur qui le dérangeait, comprit un jour Kim, mais le courant d'air qui agitait les pages du journal. Tous les soirs il s'installait là en sous-vêtements avec l'édition matinale du *New Straits Times* du docteur Bourgois, il épluchait les nouvelles en anglais ainsi que, le jeudi ou le vendredi, l'*Asiaweek* du médecin. À quoi pouvait bien servir de lire le journal tous les jours dans un pays qui n'était pas le vôtre? Même si vous y habitiez? Elle ne voyait aucun inconvénient à ce qu'il lui relatât quelques événements hétéroclites, mais elle lui avait interdit de faire la moindre allusion aux obscènes fêtes malaises. Kim s'inquiétait des influences islamiques qui les entouraient, les vociférations des mosquées, les cérémonies publiques de circoncision pour des princes âgés de treize ans. Malgré tout, cet endroit lui convenait. Elle avait retrouvé toutes les forces de son adolescence. Le docteur Bourgois la soignait avec des médicaments gratuits de son hôpital, et Kuala Lumpur regorgeait d'herboristes chinois qui la gardaient en bonne santé. Plusieurs lui promettaient même une immunité définitive contre tous les maux. Elle n'en voulait pas. Quand la maladie ne vous tuait pas, vous deveniez victime de la malchance.

Son mari interrompit sa lecture et leva le visage vers elle. Il tendit la main vers sa tasse vide et regarda à l'intérieur, comme si le besoin soudain d'en examiner le contenu venait d'interrompre sa lecture.

Kim dit : « Qu'y a-t-il?

— Rien.

— Il y a quelque chose. Ne me dis pas que c'est rien.

— Quelqu'un de Saigon. »

Elle s'arrêta derrière lui. Il couvrit de la main une partie de la page, Kim se pencha au-dessus de l'épaule de Hao et écarta la main. « Le Canadien ?

— Un Américain.

— Non. C'est écrit "Canadien". Je peux lire "Canadien". Et "Benét".

— Il n'est pas canadien. Et ce n'est pas son nom. Mais je me souviens de lui. Je le connaissais.

— Où donc ? Ici à Kuala Lumpur ?

— Non, au pays.

— Alors n'y pense plus. »

N'y pense plus ? Mais si. Je pense à la chance... au désespoir... à la gratitude... le tout mélangé en poison. Et nous le buvons.

La chance et le sacrifice d'autres hommes leur avaient permis de vivre ici dans les quartiers réservés aux domestiques, derrière la maison du médecin de Marseille. Kim s'occupait du linge et faisait parfois le ménage chez le médecin, ainsi qu'elle l'avait fait toute sa vie et même si le médecin avait d'autres employés qui s'en chargeaient ; et Hao conduisait la voiture. Il emmenait les fillettes à l'école, allait les y chercher, il les accompagnait aux cours de piano et de danse. Elles fréquentaient l'école américaine et parlaient très bien anglais. Avec les parents, Hao communiquait en français. Tous les jours le docteur Bourgois effectuait à pied les trajets entre son domicile et l'hôpital dont il était le directeur. Hao conduisait l'épouse jusqu'aux magasins, au club de bridge, aux librairies. Tout ça grâce à la chance et au sacrifice des autres. Mais ceux qui s'étaient sacrifiés n'avaient pas tous choisi de le faire. Il avait choisi pour eux. Alors commençait le désespoir. L'entourloupe qu'il avait faite à Trung Than – l'action la plus vile de toute son existence. Mais tellement facile. Les Américains s'étaient débrouillés pour que ce soit aisé. Son crime le plus terrible, et à quoi avait-il abouti ? Les Américains avaient jeté Trung dans un camp de prisonniers, d'où il était sorti en authentique héros de la cause, avec une maison à Saigon et un poste de dignitaire du parti. Les historiens venaient lui réclamer des entretiens. Tant mieux pour Trung. Il avait senti le vent venir. Et Saigon s'appelait Hô Chi Minh-Ville.

Certains de ces autres avaient pourtant choisi de se sacrifier de leur plein gré, avec toute la force de leur cœur ; alors commençait la gratitude. Pour le colonel. Pour le soldat qui avait jeté son casque sur la grenade, avant de se jeter lui-même sur le casque. Et pour ces autres Américains qui les avaient aidés à fuir. Les Américains s'étaient souvenus, ils avaient tenu leur promesse faite à lui, et même à ce pays. Ils n'avaient pas manqué à leur promesse. Ils avaient simplement perdu la guerre.

Et demain, ou après-demain, il voulait annoncer à Kim qu'il avait eu des nouvelles de leur neveu Minh – par le biais d'une famille vietnamienne qui dirigeait un restaurant à Singapour, des émigrés de longue date qui avaient tissé tout un réseau à travers le monde afin de créer des connexions entre clans dispersés. Minh avait survécu – qui savait à quelles épreuves il avait survécu ? – et il habitait près de Boston, dans le Massachusetts. Minh était entré en contact avec des parents éloignés au Texas qui pêchaient dans le golfe du Mexique et qu'on pourrait peut-être convaincre d'aider leur cousin Hao et son épouse à s'installer en Amérique. Et là encore, la chance. Il avait choisi le bon camp. Quelle vie chanceuse !

Son épouse avait allumé le gaz et la bouilloire frémissait sur la cuisinière. Il ne l'avait pas remarqué. Il avait cru qu'elle était toujours là, debout derrière lui, à examiner le visage sur la photo du journal.

Elle lui apporta la théière. « Que dit-on ?

— Il a beaucoup d'ennuis.

— Peux-tu faire quelque chose ?

— Non. Je le connaissais, c'est tout. »

8/1/83

Cher Eduardo Aguinaldo,

Peut-être avez-vous déjà reçu une lettre de moi. Mais à supposer que ce ne soit pas le cas :

Je m'appelle William Benét. On me surnomme « Skip ». En fait, vous m'appeliez jadis « Skip ». Est-ce que par hasard vous vous souviendriez de moi ? Disons simplement que je ne suis plus le même qu'autrefois, et restons-en là. Mais vous souvenez-vous de moi ?

Je vis le plus souvent à Cebu City. Ou plutôt j'y vivais. Je n'y suis pas allé depuis deux ans, environ. Là-bas, on me connaît sous le nom de « William Benét, le Canadien ».

J'ai une famille à Cebu City, une ~~femme~~ épouse et trois enfants. Ce n'est pas une union légale. Allez voir comment ils vont, d'accord ? Elle s'appelle Cora Ng. Son cousin est propriétaire du magasin Ng près du port. Ce cousin pourra la trouver pour vous. La dernière fois que j'ai vérifié, je possédais deux immeubles dans le quartier. Cora pourra vous indiquer lesquels. Elle comprend mieux l'argent liquide que l'immobilier, alors peut-être aurez-vous la bonté de vous occuper pour elle de la vente de ces biens et veiller à ce qu'elle touche l'argent.

Je sais que ça fait longtemps, Eddie. Je sais que je m'impose comme un malotru, mais je ne sais pas vers qui d'autre me tourner. Tous les gens que je connais sont des escrocs, comme moi.

Si cette lettre est la seconde que vous recevez, pardonnez-moi de vous solliciter deux fois, mais je ne sais pas très bien laquelle vous atteindra. Ça ne me dérange absolument pas d'écrire une lettre de plus, je peux vous en assurer. Ici je passe mon temps à écrire des lettres que je ne sais pas à qui envoyer. Les conditions de vie sont acceptables, je me lave dans le seau commun, je mange du riz avec des morceaux de poisson, pas de vers, l'eau a bon goût. Ce n'est pas exactement un camp japonais de prisonniers en Birmanie. Vous vous rappelez le Colonel? Comparé à ses histoires de « Kilo 40 », cet endroit ressemble à un après-midi passé au club de polo.

Si un jour vous rencontrez un gars de notre bande de l'époque, je veux que vous lui disiez que le Colonel n'est pas mort. Certes, son corps est mort, mais l'homme continue de vivre en moi. Quant à ceux aux gens qui prétendent qu'il n'est jamais mort physiquement et qu'il continue d'écumer le Sud-Est asiatique avec un poignard entre les dents, en brandissant un coutelas ensanglanté ou autre chose – ils se trompent. Il est bel et bien décédé. Vous pouvez me croire sur parole.

Les accusations portées contre moi ne sont pas près d'être effacées. Qu'on me pende ou qu'on me garde en prison, je ne vais pas crapahuter en Asie du Sud-Est pendant un bon bout de temps. Veillez donc sur ma famille, vous voulez bien, mon vieux?

Votre ancien copain,
Skip
(William French Benét)

Quel toupet de mentionner le club de polo! Cette lettre arriva avec une liasse de courrier qu'Eddie avait emportée au club pour l'examiner pendant le déjeuner – un aérogramme couvert d'une écriture minuscule et posté à Kuala Lumpur, en Malaisie. Les accusations? La pendaison? Pour quoi? Eddie n'avait jamais entendu parler de tout ça. Il avait un ami au *Times* de Manille qui pourrait peut-être se renseigner. Et le colonel, vivant? Il n'avait jamais eu la moindre nouvelle du contraire, jamais appris le décès du colonel. Il n'était plus en contact avec aucun membre de la « bande de l'époque », mais on l'aurait sûrement informé de l'éventuel décès du colonel.

Il avait très souvent repensé à Skip Sands. Sans jamais faire le moindre effort pour agir. Il n'avait jamais rien tenté pour retrouver sa trace. Il associait Skip au meurtre du prêtre le long de la rivière Pulangi en 1965, de loin la pire chose qu'il ait jamais accomplie de sa vie, et les circonstances, la guerre, le devoir, les intentions louables n'y changeaient rien.

Eddie quitta sa table sous l'auvent, près de la piscine, puis traversa le restaurant pour rejoindre les pistes de bowling. L'employé connaissait par cœur la taille des chaussures de cet habitué et ne lui posait donc aucune question. Deux ou trois gamins qui jouaient sur la piste centrale se débrouillaient plutôt mal avec les quilles miniatures, deux fois plus petites que les normales, et une boule sans trous pour les doigts, qu'on tenait dans la paume, sans pouvoir bien viser ni lui donner le moindre effet. Après chaque lancer un gosse se laissait choir de la cage obscure située au-dessus des quilles tombées pour les récupérer et les remettre en place. Adolescent, Eddie avait lancé sa boule à toute volée et envoyé les quilles valser dans l'espoir de frapper le petit employé en pleine tête avec l'une d'elles, mais les gamins philippins connaissaient ce coup tordu et se mettaient alors à l'abri.

Eddie commença de jouer sur une piste, atteignit un score légèrement supérieur à quatre-vingt-dix, pas si mal pour des petites quilles, et il but un 7Up à la grenadine ainsi qu'il en avait l'habitude depuis l'enfance. Six semaines plus tôt, après un réveillon de Nouvel An trop arrosé, il avait renoncé à l'alcool.

Il gravit l'escalier, traversa l'entrée du club jusqu'à l'interphone, avertit Ernesto dans la cahute réservée aux chauffeurs, puis attendit devant l'entrée. Les aménagements extérieurs du club de polo n'avaient pas changé depuis des décennies, et au-delà des grilles, dans cette enclave de Forbes Park, tout était encore impeccable, mais dès qu'on quittait le parc, le chaos régnait. La ville étouffante assiégeait littéralement ce petit paradis aux belles pelouses et aux demeures majestueuses. Il envisageait de déménager. Il était riche, il pouvait aller là où il le désirait. Lui manquait seulement l'idée d'une destination.

Imogene n'était pas à la maison. À cette heure, les enfants étaient sans doute sortis de l'école, en visite chez des amis ou en train de chercher des ennuis.

Dans son bureau, à l'étage, il s'assit devant sa table de travail, le fauteuil tourné vers la fenêtre, et prit entre ses mains la tasse de café. Il n'aimait pas le café. Il en buvait par habitude.

« Une lettre est arrivée.

— Quoi ? »

Carlos, le boy. Imogene, jadis très belle, préférait le terme de « domestique ».

Carlos posa l'enveloppe sur la table. « C'est de la part de M. Kingston. Son chauffeur est venu déposer cette lettre en voiture. »

Kingston, un Américain, habitait tout près. La lettre, constata Eddie, venait de la prison de Pudu et lui était adressée aux bons soins du consul canadien de Manille. Kingston y avait fixé un mot avec un trombone : « Cette lettre m'a été transmise par John Liese, de l'ambassade du Canada. Je crois que c'est pour vous – Hank. » La connexion, devina Eddie, c'était que Kingston faisait beaucoup d'affaires avec Imperial Oil of Canada, et Sands se faisait passer pour un Canadien.

18/12/82

Cher Eduardo Aguinaldo,

Monsieur Aguinaldo, je m'appelle William Benét. Je suis actuellement incarcéré dans la prison de Kuala Lumpur, où j'attends d'être condamné pour trafic d'armes. Mes avocats me disent que je serai sans doute pendu.

Monsieur Aguinaldo, je vais mourir et m'en réjouis. Je vous imagine devant la baie vitrée d'un immeuble élevé dominant le smog, baissant les yeux sur la ville de Manille qui flotte comme un rêve parmi les fumées et la pollution, un homme imposant sans aucun doute, un ventre rebondi, un type que je ne connais pas et qui ne se souvient peut-être pas de moi.

Mais je vous écris car vous êtes la seule personne en mesure de transmettre un message de ma part à l'Eddie Aguinaldo d'il y a dix-huit ans, le jeune commandant qui combattait les Huks, courtisait de jeunes et riches *mestizas*, qui jouait le rôle de Henry Higgins dans *My Fair Lady* – vous vous rappelez ? –, et qui constituait le clou du spectacle. En dehors de vous, je n'ai rien à dire à personne. Rien à signaler aux citoyens de cette région, aux héritiers de nos mensonges. Je m'adresse donc à Eddie Aguinaldo. L'Eddie Aguinaldo au cœur d'or qui prit le temps et le risque de m'envoyer un mot pour m'avertir de ce danger où j'avais déjà plongé tête baissée à Cao Quyen au Vietnam, cet acide corrodant l'âme où les types comme moi barbotaient tout en nous cachant poliment la bouche derrière un mouchoir, en nous plaignant du DDT et des herbicides tandis que notre âme bouillait et se dissolvait dans une mixture plus nocive que n'importe quel poison.

J'espère que vous apprendrez avec surprise que j'ai vécu à Cebu City entre 73 et 81. Depuis cette date je ne suis jamais resté très longtemps au même endroit, jusqu'à il y a quelques mois quand j'ai été arrêté dans la vallée de Belum, du côté malais de la frontière thaïe. Le mauvais côté, croyez-moi, où se faire arrêter. Je réside actuellement à la prison de Pudu, à Kuala Lumpur. Si vos voyages vous amènent dans cette région au cours des quelques mois qui viennent, passez donc me dire bonjour. Je serais très heureux de voir un visage connu.

Vous auriez raison de conclure de cette lettre que ma vie a tourné vinaigre. C'est assez déprimant. Ou plutôt ce devrait l'être. Car je ne me sens pas particulièrement déprimé.

> Bien à vous,
> Skip
> (William French Benét)

Il regarda encore la première lettre :

On me surnomme « Skip ». En fait, jadis vous m'appeliez « Skip ». Est-ce que par hasard vous vous souviendriez de moi ? Disons simplement que je ne suis plus le même qu'autrefois, et restons-en là. Mais vous souvenez-vous de moi ?

Celle-ci était arrivée adressée à Eduardo Aguinaldo, Forbes Park, Makati, Rizal, Philippines. Pas de numéro ni de nom de rue, mais elle l'avait trouvé. Et il ne s'appelait pas Eduardo. Il s'appelait Edward. Comme une espèce de blague entre copains, Skip l'avait surnommé Eduardo. Skip s'était aussi ridiculisé. Cédant peut-être à une influence latine dans ces îles baptisées du nom d'un souverain espagnol, il s'était laissé pousser une moustache grotesque, et Eddie l'avait surnommé Zorro. Bien sûr qu'il se souvenait du jeune Américain moustachu à la coupe en brosse.

Debout devant la fenêtre de son bureau, il regarda la piscine, la cabine de bain, les pétales blancs de l'acacia tombés en cercle sur la pelouse, et se demanda si l'époque la plus heureuse de sa vie n'avait pas été son adolescence, quand il quittait l'école militaire de Baguio pour passer ses vacances ici à Manille et faire les quatre cents coups dans une métropole illimitée ; et puis, vers l'âge de vingt-cinq ans, ces patrouilles dans la jungle avec Skip Sands, l'homme de la CIA.

Ses fenêtres donnaient sur des immeubles élevés qui ne semblaient pas très solides et, ainsi que Skip l'avait imaginé, la pollution voilait ces bâtiments. Autrefois, les constructions dotées de la plus belle vue s'étaient dressées parmi des champs d'immense et rude herbe éléphant, des chemins de terre, de grandes étendues où apparaissaient çà et là de rares immeubles élevés. Le cinéma Rizal avait autrefois été visible à trois kilomètres de distance. Eddie avait passé toute son existence à Forbes Park. À la lisière d'un champ en feu il avait un jour découvert une chienne morte et des chiots nouveau-nés accrochés à ses mamelles ; il avait ramené chez lui ces minuscules bestioles et tenté de les nourrir avec un compte-gouttes. Voilà le garçon qu'il avait jadis été.

Il avait récemment eu l'idée d'une satire au vitriol de *My Fair Lady* – une pièce en un acte, *La Nuit de noces de Liza Doolittle et de Henry Higgins*, un texte scabreux plaqué sur les airs célèbres de *The Street Where You Live* et de *I've Grown Accustomed to Her Face*.

Le problème c'était que dans son environnement culturel un tel spectacle serait, comme Liza Doolittle (du moins telle qu'il l'imaginait dans sa nouvelle mise en scène), impossible à monter. Et pour les mêmes raisons : conformisme, pruderie, lâcheté féminine. Il pouvait seulement faire un pas de côté et se moquer de sa propre classe sociale constituée d'imitateurs bien élevés des manières britanniques et américaines – son épouse, son beau-père le brave sénateur, tous ces gens –, l'écume impalpable de la bonne éducation flottant sur un marigot.

Et tous les autres, ses concitoyens philippins : une horde de cinglés superstitieux, d'amateurs de miracles, d'adorateurs de statues, de stigmatisés sanguinolents, de flagellants illuminés qui le vendredi saint sillonnaient les provinces avec leurs plaies purulentes auto-infligées, tandis que d'autres cinglés sortaient de chez eux pour les battre avec des bâtons ou soigner leurs blessures en y versant de l'eau à l'aide de vieilles boîtes de conserve de soupe, sans oublier un homme de la province de Cotabato qui chaque année se crucifiait dans une église devant ses voisins éplorés.

Skip Sands au gibet. Moi aussi.

Et pourquoi pas, foutre Dieu ?

Il pense alors : Je suis un type vraiment bonnard et un homme malheureux.

En arrivant devant les marches de l'ancienne Cour suprême de Kuala Lumpur le jour du verdict, Jimmy Storm leva les yeux vers le premier étage et avisa plusieurs femmes aux robes chamarrées – peut-être des secrétaires – qui pique-niquaient sur un balcon, déjeunaient d'un bol de riz posé sur le pan de tissu coloré qui recouvrait leurs cuisses. Elles levaient le bol vers leur visage pour manger, tout en bavardant et en riant, un peu comme si chacune d'entre elles entonnait à son tour une chanson destinée aux autres.

Il s'arrêta sur la marche du haut. Il ne savait pas où aller. Il consulta l'ordre du jour imprimé derrière le panneau d'affichage vitré tout en laissant tomber sa cigarette par terre avant de l'écraser sous son talon, puis il poussa les grandes portes en bois de l'ancienne Cour suprême – une architecture mauresque, de vastes espaces décorés dans le style colonial tropical, pleins d'ombres et d'échos, qui émoussaient et refroidissaient considérablement les passions de ceux qui y pénétraient.

Il s'assit sur le banc le plus proche de l'entrée dans la salle de tribunal numéro sept, où à une heure de l'après-midi un trafiquant d'armes chinois nommé Lau apprendrait son verdict. Ensuite, à deux heures, suivrait le prisonnier qui se faisait appeler William French Benét.

Un extincteur jaune. Douze néons fixés au plafond. Une pancarte en malais ou dans la langue parlée par ce peuple – DI-LARANG MEROKOK –, ce qui signifiait sans doute « Interdit de fumer ». Onze ventilateurs électriques muraux, au cas où la climatisation tomberait en panne. Storm douta qu'un tel incident arrivât jamais. Tout fonctionnait parfaitement à Kuala Lumpur. Les gens semblaient compétents et affables.

À l'autre bout de la salle du tribunal, un avocat en costume gris assis à la table de la défense examinait les preuves retenues contre son client, faisait tourner le barillet de ce qui semblait être un Detective Special Smith & Wesson, armait le chien, visait, l'espace d'un instant vide et méditatif, le banc élevé où, selon l'ordre du jour affiché dans l'immense entrée, M. le juge Shaik Daud Hadi Ponusammy présiderait bientôt.

Storm excepté, l'avocat avait le tribunal pour lui tout seul. Il braqua son arme sur le bureau vide du greffier, puis sur la pancarte DI-LARANG MEROKOK. Il appuya sur la détente et le chien claqua.

Le déjeuner se termina. Storm entendit des bruits de pas résonner dans tout le bâtiment. Il se leva puis rejoignit une fenêtre qui donnait sur l'allée d'accès, où un van bleu arriva bientôt de la prison de Pudu. Sur le flanc du véhicule il lut POLIS RAJA DI MALAYSIA. Parmi la demi-douzaine de prisonniers chinois et malais il repéra facilement le faux Canadien Benét, son petit visage blême encadré dans la vitre arrière du van.

Storm alla se rasseoir. Quelques personnes s'étaient entre-temps installées un peu partout sur les bancs, une demi-douzaine de journalistes, deux ou trois spectateurs. Le greffier entra dans la salle du tribunal, puis un garde de sécurité, suivi par l'avocat de Benét, Ahmed Ismail. Il semblait mou et gâté, doté des yeux globuleux et humides d'un enfant ; il arrangea ses papiers devant lui dans l'ombre du bureau élevé du juge. Les très élégants rideaux pourpres qui recouvraient tout le mur du fond accordaient à ce tribunal l'aspect d'un cinéma vieillot, et l'espace d'un instant Ismail ressembla à un écolier, absurdement vêtu d'un costume trois-pièces noir, venu voir un film.

Un escalier menait directement de l'étage inférieur jusqu'au box des accusés au milieu de l'ancienne Cour suprême, si bien que le prisonnier Lau, un jeune Chinois qui jetait des coups d'œil effarés autour de lui, fit soudain surface au beau milieu de son dilemme.

Tous se levèrent pour l'entrée de M. le juge Ponusammy, qui se posta derrière la grosse massue de cérémonie posée sur son bureau. Le prisonnier s'appuya sur la barre du box, en se soutenant de ses deux mains ligotées.

Tous s'assirent.

L'audience se déroula en anglais. L'avocat de l'accusé expliqua que son client ne parlait pas cette langue et aurait donc recours à un interprète. Le garçon avait été reconnu coupable de trafic d'armes à feu et de recel d'une grande quantité de munitions. Le juge passa en revue les conclusions, les précédents et le reste. Le petit interprète venu aider le prisonnier semblait nerveux, assis sur une chaise en bois à côté de l'avocat, et il agitait violemment les jambes. Quand le juge s'adressa à lui, il bondit sur ses pieds et le prisonnier se leva aussi, même si personne ne lui avait demandé de le faire.

En apprenant la nouvelle de son arrestation, la mère du jeune Chinois s'était suicidée en avalant de l'insecticide. « Il ne le sait pas encore », dit son avocat au juge en anglais. L'accusé restait là sans rien comprendre, car son interprète ne traduisit pas cet échange verbal. « Il l'apprendra bientôt et ce sera peut-être sa punition la plus terrible. »

Pas une fois le juge Ponusammy ne regarda le prisonnier. Il le condamna à six ans de prison et six coups de canne en rotin, puis à trois ans de plus à cause des munitions.

Durant la pause, alors qu'ils attendaient l'arrivée du prisonnier Benét dans la salle, Storm s'engagea dans la travée centrale et s'approcha de l'avocat Ismail. « Je m'appelle Storm.

— Monsieur Storm. Oui.

— Votre client. Benét.

— Oui.

— Il va arriver?

— Oui, dans cinq minutes.

— Pouvez-lui lui transmettre un message de ma part? Un message de Storm?

— Je crois que c'est possible, oui.

— Dites à Benét que je suis absolument capable de tout ce qu'il redoute le plus.

— Pour l'amour du ciel!

— Avez-vous compris mes paroles?

— Oui, monsieur Storm. Vous vous déclarez capable de tout ce qu'il redoute le plus.

— Dites-lui que je serai à la prison demain. Dites-lui que c'est M. Storm.

— Est-ce une métaphore?

— Dites-lui. »

Quand Storm fut retourné à sa place, l'avocat le regardait toujours.

Ismail tourna la tête lorsque son client Benét gravit les dernières marches de l'escalier inférieur, les mains menottées devant lui. Ainsi que Storm l'avait prévu, il s'agissait bien de William Sands.

Comme le précédent accusé, Sands s'appuya des deux mains contre la barre du box lorsque le juge fit son entrée et que tout le monde se leva dans la salle.

Sands arborait toujours ses cheveux courts et sa moustache – laquelle ne semblait plus ni ridicule ni affectée, mais longue, négligée et grandiose, accentuant la tristesse du personnage. Il aurait eu besoin de se raser. Il portait un pull bleu élimé pour se protéger de l'air froid émis par la climatisation du bâtiment et son état d'esprit paraissait se situer quelque part entre la bouderie et l'abrutissement. Il était maigre, il avait les yeux profondément enfoncés dans leurs orbites et l'on aurait presque dit qu'il possédait une âme.

Dès que tout le monde fut de nouveau assis, le prisonnier se remit à baisser les yeux d'un air hébété. Absolument immobile. Sonné.

Comme s'il observait son propre visage reflété dans une tasse d'amer karma.

Pendant trois quarts d'heure le juge lut des mots extraits d'une pile de documents, évoqua tous les tenants et les aboutissants de l'affaire, à voix haute et pour son seul bénéfice pesa le pour et le contre, se fia à son intuition. Le jeune Chinois récemment jugé avait trafiqué des armes pour William French Benét, comme tant d'autres l'avaient aussi fait. Le juge passa en revue les chefs d'inculpation dont Benét était évidemment coupable. Il qualifia ensuite le prisonnier de « gros trafiquant d'armes illégales ; fléau de nos existences ; malédiction infiltrée dans notre propre sang ».

Storm comprit que le banc du fond n'était pas la meilleure place. Rien ne l'empêchait de se lever et de se glisser vers le devant de la salle. Il se trouva bientôt assis juste derrière le prisonnier.

Sands se retourna à ce remue-ménage. Vit Storm. Le reconnut. Se détourna.

Le juge paraissait tout petit derrière son bureau gigantesque. Il traita le prisonnier d'« imposteur » et de « psychopathe ». Il ordonna à l'accusé de se lever, puis il le condamna à être ligoté avec une corde, battu avec une canne, puis suspendu par le cou jusqu'à ce que mort s'ensuive.

Les Malais avaient décoré l'ancienne Cour suprême comme un Capitole d'État. Mais deux rues plus loin se trouvait le quartier de Little India, où Storm avait pris une chambre. Très droit, il traversa des foules qui parmi les rues se prosternaient à ses pieds tandis que les cris grinçants de l'appel à la prière islamique de l'après-midi résonnaient dans des haut-parleurs. Un commerce effréné de part et d'autre de la rue : un voyant allongé sur le dos à même l'asphalte, un mouchoir noir étendu sur le visage, marmonnait ses prédictions. Son associé psalmodiait au-dessus d'une collection d'ossements humains couleur rouille, dont un crâne, disposés sur une écharpe rouge autour d'un œuf de poule blanc. Ils vendaient de minuscules gris-gris fabriqués avec l'emballage doré des paquets de cigarettes 555 et des bouts de ficelle crasseux. L'associé soulève le couvercle d'un petit panier, un cobra long de deux mètres se dresse en déployant son capuchon. Grâce à l'un de ses puissants charmes magiques, que l'homme brandit et agite devant la face sifflante du serpent, il réussit à lui faire réintégrer son panier. Tout près, un autre bonimenteur exhibe en tas trois bons kilos de dents humaines qu'il a réussi à arracher. Ils sont tous rassemblés ici, venus des quatre coins délirants de l'Extrême-Orient avec leurs nattes de paille et leurs pilules d'immortalité. Divers élixirs pour faire grossir le pénis de l'homme ; et puis, dans le même but, un dispositif passablement effrayant de ceintures et d'anneaux. Des albums de photos montrent les individus qui ont réagi favorablement à cette prothèse. Des herbes, des onguents. Toutes sortes de concoctions. Des racines médicinales conservées dans des bocaux de verre y flottent telles des amputations.

Il entra dans un modeste magasin de vêtements. L'air saturé d'encens y était presque irrespirable. Impossible de s'y déplacer sans se frotter contre la soie, les tapis. Au-dehors, les cris perpétuels de la mosquée. Les femmes hindoues, debout et immobiles, le regardèrent. Très belles. Toutes les trois. L'une, au regard particulièrement insistant, était sans doute la mère.

« Je suis venu voir Rajik.

— Mister attend, dit-elle.

— Par ici ?

— Oui. De nouveau. Comme hier. » Hier ? Son visage incroyablement séduisant dissimulait une profonde froideur. Il ne l'avait pas vue la veille.

Il franchit un rideau de perles peintes, traversa cette évocation du dieu Krishna parmi le groupe des vierges qui se baignaient sous une cascade, entra dans l'obscurité.

« Venez ici... C'est bien... Juste ici.

— J'y vois rien.

— Attendez vos yeux. »

Storm se déplaça avec prudence vers la voix de M. Rajik, puis s'assit sur le coussin d'un tabouret.

M. Rajik leva la main pour tirer sur une ficelle et allumer derrière lui une constellation de petites lumières de Noël. C'était un Hindou à l'aspect ordinaire, assis à une table devant un service à thé, le visage inexpressif. « Je vais me contenter de quelques questions. Acceptez-vous de répondre ?

— Allez-y, vous verrez bien.

— Au cours de la période de la semaine dernière, ou même un peu plus longtemps... vous est-il arrivé de regarder à l'endroit où votre ombre devait être et de constater qu'elle n'y était pas ?

— Non.

— Avez-vous vu un oiseau noir?

— Des milliers. Le monde est plein d'oiseaux noirs.

— Un que vous auriez remarqué en particulier? Parce qu'il n'avait rien à faire là – je pourrais vous donner l'exemple d'un oiseau dans une maison ou celui d'un oiseau noir perché sur le rebord de votre fenêtre. Ce genre de chose.

— Non. Rien de tel.

— Avez-vous vu quelque chose – n'importe quel objet, n'importe... Là encore, je prendrai un exemple : vous froissez une feuille de papier et elle ressemble à la tête de quelqu'un. Ou bien une tache, ou une décoloration du sol – quelque chose qui ressemble à un visage humain, aux traits d'un individu qui vous a été proche dans le passé. Ces deux dernières semaines avez-vous vu une chose semblable? Une chose qui vous a soudain montré le visage d'un proche?

— Non.

— Je vais réciter une prière pour vous. Que sera cette prière?

— À vous de me le dire.

— Non, je ne peux pas être celui qui vous le dira. Ce n'est pas mon rôle. C'est à vous de me dire ce que vous diriez si vous vous adressiez à Dieu.

— *Break on Through* (Passe de l'autre côté). »

Mister allait maintenant procéder à une prière silencieuse. Comme s'il ne parlait plus anglais.

« Je peux vous écrire ça. »

Mister leva le bras pour éteindre les guirlandes de Noël. Puis ses mains fouillèrent en bruissant le contenu de ses poches, il gratta une allumette, alluma un bâton d'encens. Les ténèbres s'incurvèrent en tunnel autour d'eux, comme des murs solides.

Il se sentit soudain trempé de sueur, nauséeux. « Je me casse, mec, si tu veux me faire chier avec ça. »

Mister souffla l'allumette. Plus rien. « Vos yeux. » Vingt secondes plus tard la minuscule braise rouge de l'encens devint visible, puis le petit œil qui accompagnait la voix, ou le nez – cette chose était le visage, il ne voyait rien d'autre, et ça parlait. « Passer de l'autre côté – vous voulez dire franchir une frontière.

— *Break on Through*, c'est une chanson. C'est ma philosophie, ma devise. Vous me demandez quoi dire et voilà ce que je peux vous dire. Passe de l'autre côté.

— Revenez demain.

— C'est ce que vous m'avez déjà dit la dernière fois. »

Mister parla sans précipitation, très doucement. « Vous ai-je demandé de l'argent ? Croyez-vous que je n'inspire pas confiance ? Alors je vous le répète, revenez demain. Je ne peux pas vous donner aujourd'hui ce que je n'ai pas aujourd'hui.

— Ouais, ouais. Fais ce que tu dois faire. Ouais. »

Quand Storm arriva à deux mètres des grosses plaques métalliques qui recouvraient la porte de la prison de Pudu, il sentit sur son visage la chaleur matinale qui s'y réfléchissait. À l'entrée le garde fit coulisser un petit panneau et, dans la pénombre de sa guérite, il observa Storm, examina sa lettre d'introduction rédigée en anglais, puis téléphona. Storm attendit plusieurs minutes dans la rue avant que le garde n'ouvrît la porte métallique de taille humaine, insérée dans le mur en béton.

Un grand jeune homme en civil accompagna Storm à travers la cour où deux douzaines de gardes en uniforme vert et violet répétaient un défilé. Affreux salauds. Mais bientôt ils pendraient Skip Sands, alors mille fois merci.

Storm attendit devant le bureau du gardien avec la lettre qui l'identifiait comme un journaliste nommé Hollis, le nom figurant sur son passeport australien. Une lettre insistant sur son statut de journaliste ne lui servirait à rien, il le savait. Storm y avait donc ajouté une note de son invention, pour expliquer au gardien qu'il représentait aussi une organisation caritative et qu'il désirait rendre visite au prisonnier non pas en qualité de reporter, mais strictement comme un bienfaiteur de l'humanité.

Manual Shaffee, le directeur et gardien de la prison de Pudu, accueillit cordialement Storm. « Toutes mes excuses encore une fois, dit-il, pour notre politique qui m'empêche de vous permettre d'entrer à l'intérieur de la prison. » Mais Storm était déjà à l'intérieur, ici dans le bureau de Shaffee parmi les photos des neuf sultans qui occupaient un mur entier, dans l'atmosphère verdâtre de l'unique néon circulaire fixé au plafond.

Shaffee était un petit bonhomme grassouillet d'origine indienne, doté du visage triangulaire et moustachu du rongeur dans les dessins animés, d'une veste à brandebourgs dorés et de cinq médaillons différents sur chaque épaulette rembourrée. Et puis, sur la poitrine, des tas de rubans. L'impression générale était celle d'une mièvrerie imbécile.

« Êtes-vous musulman ? s'enquit Storm.

— Non.

— Moi-même, *sir*, je suis chrétien.

— Moi aussi ! dit le gardien. Je me suis converti. Croyez-moi, je déteste pendre les gens.

— Je vous prie de transmettre cette note à M. Benét, d'accord ? J'ai déjà parlé à son avocat aujourd'hui et je crois avoir vu le prisonnier m'adresser un signe affirmatif de la tête juste avant le verdict.

— Tous les règlements l'interdisent.

— Je suis ici dans un rôle humanitaire. Je vous fais cette demande de chrétien à chrétien. »

Le gardien insista sur le fait que Benét refuserait de le voir. Il prononçait le nom du prisonnier « Benny ». « Benny ne veut pas de visiteurs, dit-il à Storm. Benny s'est même montré grossier envers le consul du Canada.

— Et sa famille ?

— Personne ne vient. Le Canada est trop loin.

— Assurez-vous qu'il comprenne bien que je suis le type qui a parlé à son avocat. Je suis certain qu'il acceptera de me voir.

— Mais Benny ne vous verra pas. Je peux seulement vous le répéter. Benny a craché au visage du consul du Canada. Est-ce que ça ne vous permet pas de tirer certaines conclusions sur Benny ?

— Je suis à peu près sûr qu'il acceptera de me voir.

— Il a refusé tous les visiteurs. Sinon je pourrais vous aider. »

Parce qu'il avait choisi cette stratégie, qu'il avait rendu Benét et non lui-même responsable de ce refus, le directeur se sentit alors contraint d'obliger Benét à le prouver.

« Si vous voulez bien attendre », dit-il avant d'envoyer un garde parler au prisonnier. Le directeur alluma une cigarette pendant que Storm écoutait les gardes manœuvrer dehors dans la cour, abattre à l'unisson la crosse de leurs fusils contre le béton fissuré.

Sands et le garde apparurent bientôt au seuil de la pièce. Shaffee, à la torture, leur fit signe d'entrer.

Sands-Benét s'approcha pieds nus, en short et T-shirt. Il était très agréable de le voir aussi décavé, amaigri et le regard blessé, très agréable de le voir ressembler ainsi à un prisonnier.

« Puis-je lui parler en privé ?

— Non.

— Cinq minutes. »

Le visage du directeur se ferma, Storm renonça.

Il dit : « Comment va la vie ?

— Je m'ennuie ferme.

— Tu fumes ?

— Je m'y suis enfin mis.

— Tu as des clopes ? Ces Malais fument des 555, je crois.

— Oui, dit Sands.

— Je refilerai deux cartouches au bavard.

— Merci.

— C'est un bon ?

— Il est assez bon pour se faire payer pendant que je me balancerai.

— Tu comprends ce qui se passe ici. Je suis simplement un humanitaire, un anglophone comme toi.

— Je pige.

— Le consul de Benny est venu le voir, dit le directeur, et Benny a craché.

— Tu es mon premier visiteur.

— Essaie un peu de me cracher dessus. »

Sands fixa ses pieds nus.

« Le gardien Shaffee est un brave type, reprit Storm. Il me permet de te parler. Il tient à s'assurer de ton confort.

— C'est la perspective de sortir d'ici qui me réconforterait.

— Impossible, mec. Tu as été déclaré coupable et condamné. Ça badine pas dans ce pays. Quatre-vingt-trois personnes ont été condamnées à cause des nouvelles lois sur le trafic d'armes, et quatre-vingt-deux pendues.

— Je connais les statistiques. »

Storm demanda : « Et ça te fait quoi cette pendaison ?

— Question suivante ! » s'écria Shaffee bien que personne ne lui ait demandé son avis.

Benét haussa les épaules. « Bah, au point où j'en suis, ça me va.

— Question suivante ! répéta Shaffee. Mais je suis chrétien. Je crois que vous connaissez ma réponse. »

Storm fit un pas vers Benét. « Le moment est venu de penser à ton âme.

— Arrête de jouer au con !

— Je t'offre une chance de laver ta conscience.

— Je n'ai pas de conscience, dit Sands.

— La perspective de la pendaison te fait pas chier dans ton froc ?

— J'ai déjà vécu trop longtemps.

— Et l'enfer alors, espèce de crétin ?

— Nous aurons tout le temps de discuter de ça plus tard. Toi et moi. Tout le temps du monde.

— Benny a des livres. Il a toutes sortes de choses à lire. Il a une bible », affirma le directeur.

Sands, qui regardait toujours ses pieds nus et hideux, parla très doucement.

« Qu'est-ce qu'il a dit ? C'était quoi ? » s'enquit le directeur.

Storm reprit : « Dis-moi qui voir.

— Pour quoi faire ?

— Ton vieil oncle.

— Il est mort, mec. Il est mort.

— Ah bon ? Toi aussi, soi-disant.

— Bientôt je vais mourir pour de bon. »

Le malaise de Shaffee était désormais palpable. Il indiqua le garde : « J'ai un témoin. Dans quelques mois je serai à la retraite. Je pourrais avoir beaucoup d'ennuis. » Mais il ne fit rien pour interrompre l'entrevue. Il semblait incapable de la moindre grossièreté à cet instant indispensable pour faire appliquer le règlement de la prison.

Storm s'approcha encore. « Veux-tu prier ? » Il inclina la tête. « Notre Père », dit-il à voix haute, puis plus doucement : « Je sais que t'as de la famille aux Philippines. Je peux les trouver. »

Il recula et regarda le prisonnier trembler comme un jouet, même après que cet imbécile de directeur l'eut remarqué : « Il est malade ? Qu'y a-t-il ?

— C'est le pouvoir de la conscience, dit Storm.

— Tenez, fit le directeur en se levant. Asseyez-vous. Oui. Le combat. »

Maintenant le directeur Shaffee et Storm étaient debout tels deux prisonniers, et c'était Sands qui occupait le fauteuil du directeur.

Sands saisit à deux mains le rebord du bureau et son regard passa plusieurs fois d'une main à l'autre. « Ju-shuan ou quelque chose comme ça. Il possède un tripot à Gerik. On l'appelle M. John, ou Johnny.

— Dis-moi comment y aller.

— T'as pas besoin d'un plan. Il alpague tous les Blancs à la descente du car.

— Et c'est le type à voir.

— Si tu en ressens le besoin.

— À voir pour quoi? » intervint le directeur. Non qu'il n'ait pas compris. Il comprenait, il saisissait toute l'affaire, mais il ne voulait tout simplement pas s'avouer qu'il avait commis une erreur.

Déjà, Shaffee n'avait pas réussi à empêcher cette conversation. Le mieux qu'il pouvait espérer désormais, c'était d'en contrôler le cours. « Les deux Australiens qui ont été exécutés n'ont reçu aucune aide de leur ambassade, se rappela-t-il alors. Nous avons eu de nombreux prisonniers étrangers – des trafiquants de drogue et des malfaiteurs de cet acabit, expliqua-t-il. Je n'ai jamais vu une ambassade se donner autant de mal. Les Canadiens sont très secourables pour Benny. Benny a eu des livres, plein de choses comme ça.

— Tu vas te balancer au bout d'une corde, dit Storm au prisonnier, mais la vie continue, tout suit son cours. À l'intérieur de chaque cycle se trouve un autre cycle. Tu vois ce que je veux dire?

— J'entends tes paroles, mec. Mais je ne vois pas ce que tu veux dire. »

Storm approcha sa chaise plus près de Sands, se pencha en avant et dit : « C'est juste une machine. Détends-toi.

— Si tu laisses ma famille en dehors de tout ça. »

Shaffee dit : « Nous sommes des fonctionnaires. S'il vous plaît. Nous avons nos bols de riz, nous voulons qu'ils restent remplis.

— Tu n'es pas celui que tu crois être, reprit Storm. Tu es mort à l'intérieur. »

Sands dit : « Écoute, j'ignore quel genre de revanche tu désires, mais tu ne l'auras pas.

— Les choses doivent suivre leur cours. »

Sands se leva. « Nous n'avons pas prié. » Il fit signe à Storm de s'approcher.

Le directeur dit : « Moi aussi je suis chrétien. Anglican. Je prie pour Benny. Il est un peu psychotique. Déprimé. Mais depuis quelques semaines il est plus gai. »

Sands inclina la tête, son front touchant presque celui de Storm, et il le frappa d'un uppercut sous le sternum. Les jambes de Storm se dérobèrent sous son corps, une nuée de têtards lumineux envahit son champ visuel. Il lâcha : « Ouh là là... »

Shaffee avança pour l'empêcher de tomber. « Vous êtes malade ? Quel est le problème, *sir* ? »

Ni le prisonnier ni le visiteur ne prirent la peine de lui répondre.

Cette pause dans la conversation fut très pénible pour Shaffee. Il lui fallut parler. « La Croix-Rouge nous a donné le type de rapport que je qualifierais d'utile. Certes, il y a certaines choses dans cette prison qu'il faudrait améliorer. L'hygiène, le régime alimentaire, j'ai beaucoup apprécié leurs suggestions. Mais pas Amnesty International ! Par exemple nous avons ces gangs chinois. Si nous n'enfermons pas leurs membres sans caution, ils ressortent aussitôt et peuvent s'en prendre aux témoins. Les gens qui ont adressé leur rapport à Amnesty International n'ont pas saisi ce point. Ils nous ont donné un rapport très défavorable. Par conséquent, vous comprenez pourquoi nous ne voulons plus de rapports. Pourquoi devrions-nous le permettre ? Nous ne voulons pas de vous si vous êtes un humanitaire, dit-il. Nous ne voulons pas de vous si vous êtes journaliste. Vous n'êtes pas chrétien. Moi je sais à quoi ressemble un chrétien parce que moi-même je suis chrétien. » Ce petit discours lui avait donné confiance en lui. « Dehors ! » s'écria-t-il. Il se tourna vers le garde : « Oui ! Cet homme n'a pas le droit d'être ici ! »

Une demi-heure plus tard, Storm dégustait une entrecôte dans un restaurant au décor en bambou, mais qui portait un nom anglo-saxon – Planter's Inn Pub –, tout en écoutant une splendide et déchirante complainte interprétée par des flûtes indigènes, où il reconnut lentement toute la tristesse d'un vieux tube des Moody Blues, *Nights in White Satin*.

Il avait déjà essayé Phangan, la minable station balnéaire pour camés, sur une île à l'est de la Thaïlande – mais ne s'y était pas plu. Beaucoup de hippies sur le retour au regard fondu, de « ganja freaks » indiens décatis, divers échantillons d'Européens psychédéliques au cerveau cramé. Une bande de délirants qui planaient dans un air vicié. Du vent. Il ne les avait pas supportés.

Cela après son évasion de la prison du comté de Barnstable dans le Massachusetts : un jour la porte était tout bonnement restée ouverte – sans doute un coup de l'Agence, probablement une bonté du colonel – et il avait filé.

Cela après la grande bataille navale, le seul échange de coups de feu de sa vie, durant laquelle les gardes-côtes avaient coulé son bateau et plusieurs tonnes d'herbe colombienne, tué un membre de son équipage composé de trois Colombiens et noyé un autre.

À Bangkok, il avait entendu dire que le colonel achetait et raffinait de l'opium brut dans la région. Il quitta Bangkok où les putes étaient amicales et s'envoyaient toutes sortes de produits, pour Kuala Lumpur où les putes travaillaient avec la froide efficacité d'une machine automatique à cirer les chaussures. Kuala Lumpur, un nom qui évoquait étrangement la mollesse et l'absence de chaleur, comme dans *cold lump*. Une ville décaféinée, un cerveau lucide, acrylique, l'exact contraire de Phangan. Une climatisation qu'on pouvait raisonnablement qualifier de brutale, tout le monde semblait souffrir d'un problème respiratoire. Très occidentale, très moderne, une espèce d'Akron (Ohio) asiatique, avec des soldes, des fruits tropicaux, et tous les automobilistes roulaient à gauche... En découvrant la photo de William Benét dans le *New Straits Times*, il avait compris que tout du long une sorte de gravitation psychique et spirituelle avait guidé chacun de ses pas, qu'il avait vaincu l'Assassin, survécu aux Trafiquants, transcendé la Prison, erré parmi les Fêlés, qu'il affronterait bientôt le Pendu ou le Traître – Sands deviendrait enfin celui qu'il était – et que le colonel était maintenant possible.

Storm resta assez longtemps à Kuala Lumpur pour se faire faire un nouveau tatouage et s'assurer que Sands s'était bel et bien balancé au bout d'une corde. À Little India il habita un crachoir de l'humanité nommé le Bombay, au-dessus d'un changeur d'argent. On lui donna un petit ventilateur électrique bleu et une serviette blanche, mais pas de savon. Il pouvait écouter sept radios en même temps à travers le mince contreplaqué des murs.

Les hôtels bon marché étaient pris d'assaut. Dans ces établissements on se retrouvait invariablement tout près de la rue, presque dedans : coups de sifflet et exclamations, klaxons semblables à des cris de nourrissons.

Les couloirs du Bombay étaient imprégnés d'une odeur lourde mais pas désagréable de curry et d'encens Nag Champa. À l'aube, après le premier appel à la prière, il sentait dans l'air immobile l'odeur du pain qui cuisait. Puis les gaz d'échappement des moteurs diesel engloutissaient tout et se densifiaient avec le vacarme de la circulation. Chaque cycle en contenait un autre. On ne pouvait échapper à cette machine.

Il passait ses matinées à lire une bible souillée par quelque musulman avec un Magic Marker. Ou à écouter la radio. Dans ses discours le Premier ministre insistait sur la tranquillité émotionnelle.

Ou bien il écrivait dans son carnet. Des tentatives de poèmes. Il admirait Gregory Corso, un homme qui vomissait des litres de génie. Quant à lui, un vers de temps à autre. Pas question de surmener les muses.

Ou alors il lisait le *Zohar*, « Livre de la splendeur ». Il avait acheté son exemplaire dans une librairie anglaise voici des années, à Saigon, avant que le destin ne rebaptise cette cité Hô Chi Minh-Ville.

Rabbi Yesa dit : Adam se présente à chaque homme à l'instant où il va quitter cette vie, pour déclarer que cet homme est en train de mourir non pas à cause du péché d'Adam, mais suite à ses propres péchés.

Il lisait jusqu'à ne plus y voir clair, jusqu'à ce que les lignes du texte se divisent, se dupliquent et se mettent à flotter sur la page.

Dormant à demi, il rêve qu'il arrive devant le colonel à la fin et que le colonel dit : « Tu sais qu'il existe un cycle de fantasmagorie et de désir, de désir et de mort, de mort et de naissance, de naissance et de fantasmagorie. Nous avons été attirés dans sa gueule. Et il nous a avalés. »

Il imagina l'expression des yeux du colonel qui voyait Storm rompre ce cycle simplement parce qu'il était curieux de voir ce qui se passerait quand il le romprait.

Il sillonna la ville sans s'autoriser à désirer les femmes – leur soie l'effleurant dans les couloirs étroits, les bus, les cafés.

Lors de sa quatrième visite à Rajik, l'Hindou fournit à Storm sa réponse, en s'exprimant une fois encore avec une immense douceur : « Vous ne pouvez pas être soigné. Vous n'avez pas le droit de l'espérer. Vous ne pouvez pas être sauvé. »

Quatre jours après la pendaison, Storm monta à bord d'un car de luxe équipé de la climatisation et même de la télévision, pour rejoindre le terminus qui marquait aussi la fin de la route, à Gerik, une ville compliquée, de taille respectable, constituée de structures en bois et de rues en terre battue. Il faisait nuit lorsqu'il y arriva. Sur la place où les cars s'arrêtaient, il déambula parmi les tables des vendeurs.

Sands avait eu raison : aussitôt Ju-shuan l'accosta. Un homme lourd, trapu. Il portait un short et un grand T-shirt. Les pieds chaussés de tongs, il marchait en crabe.

« Hé, je suis content que vous soyez là. Appelez-moi M. John, okay ?

— Monsieur John okay.

— Voulez masse-âge ? Voulez femme ? »

Storm dit : « Est-ce que tu as massage-garçon ?

— Massage-garçon ? Hah ! Oui. Voulez garçon ?

— Est-ce que c'est trop tordu pour toi, Johnny ?

— Garçon, fille, très bon. N'importe quoi.

— Fille c'est très bien.

— Massage-fille alors. Vous allez à mon hôtel, okay ? Deux rues. Vous êtes américain ? Allemagne ? Canada ? Tout le monde descend chez moi.

— Laisse-moi manger un morceau.

— J'ai à manger dans mon café.

— Je vais prendre des fruits. »

Storm se dirigea vers les tables des vendeurs. Il acheta deux caramboles. Une mangue. Johnny ne le lâcha pas d'une semelle.

« Vous aimez noix de coco ?

— J'ai tout ce qu'il faut.

— Alors vous pouvez dîner chez mon café et ensuite avoir tout ce que vous vouloir. Je m'occupe de la dame pour le masse-âge.

— Le dîner d'abord. La femme après », lui dit Storm.

Alors qu'ils entraient chez Johnny, il montra à Storm l'établissement voisin. « N'allez surtout pas dans cet endroit, dit-il. N'y allez pas. C'est un mauvais endroit. » L'autre hôtel ressemblait comme deux gouttes d'eau à celui de Johnny.

Johnny l'installa dans une chambre où un tatami en paille recouvrait le plancher et des toilettes à la turque voisinaient avec un tuyau métallique. « Attendez une demi-heure, lui dit Johnny.

— Ne m'en refile pas une qui ne sourit pas. »

Johnny amena la fille vingt minutes plus tard. « Souris, lui dit-il en anglais.

— Je crois que je connais ton ami, dit-il à la fille après le départ de Johnny.

— M. John est mon ami.

— Je crois qu'il s'appelle Ju-shuan.

— Je connaître pas Ju-shuan. J'ai jamais entendre Ju-shuan. »

Elle aussi était chinoise. Grasse et chaleureuse. Elle sentait l'idolâtrie, l'encens. Peut-être qu'en venant ici, elle s'était arrêtée pour prier, ou pour donner son obole. Il espéra que ce n'était pas pour consulter les moines au sujet de quelque maladie.

« T'as l'air triste, dit-il.

— Triste ? Non. Pas triste.

— Alors pourquoi tu souris pas ? »

Elle lui adressa un bref sourire triste.

Ensuite, Storm mangea devant l'hôtel de Johnny à une petite table en bois installée sous un auvent, dans la rue et sous une lanterne en papier, au milieu d'une tempête de papillons et de termites ailés.

Il partagea cette table avec un Malais qui essaya de lui parler en anglais.

« Arrête de me faire chier, *maestro*.

— Peu importent les paroles. Serviteur ! »

Hormis la petite lanterne accrochée au-dessus de leurs têtes et quelques entrées de maisons faiblement éclairées, tout était obscur autour d'eux – humide, chaud, puant comme une haleine fétide.

Émergea soudain des ténèbres un Européen très maigre, un jeune homme au corps anguleux à la fois adolescent et typiquement britannique, qui arriva vers eux comme la momie dans un film d'horreur, la ceinture bien serrée, le pantalon bouffant légèrement à la taille, le crâne enveloppé dans des bandages crasseux.

Il s'assit à leur table et dit : « Bonsoir. Comment puis-je me faire servir ? »

Johnny se joignit à eux, se présenta, commanda à manger pour le voyageur, conversa quelque temps en malais avec l'autre convive, jusqu'à ce que celui-ci ait fini son thé et décidé de partir. « Il ne connaît pas l'anglais. C'est un parent de ma femme », expliqua Johnny. Il fit apporter d'autres bols de riz mélangé à une herbe verte citronnée et à des morceaux de crustacés, ou bien de porc croustillant, Storm n'arrivait pas à le savoir avec précision. « Qu'est-il arrivé à votre tête ? demanda Johnny à son nouvel hôte. Vous êtes okay maintenant, j'espère. »

Le jeune homme mangeait son repas avec un grand sérieux, entouré d'insectes tourbillonnants. Il s'interrompit, le temps de répondre : « La semaine dernière j'étais de passage à Bangkok, quand je suis tombé dans un égout à ciel ouvert. »

Puis il retourna à son repas. Il mangeait tout. Ils sont ainsi. Dans les montagnes de Colombie, Storm avait un jour vu un Britannique dévorer des tripes de bétail attendries dans l'essence, les dévorer sans rien laisser.

« Noir comme dans un tunnel. Je marchais seul. Suis tombé dans un fossé en béton. Pas très ragoûtant ce qu'il y avait au fond de ce truc, vous pouvez me croire. Depuis cette chute je surveille mes symptômes. » Il s'adressait surtout à Storm. « Au fond de ce cloaque je me suis évanoui, le crâne bien ouvert. À cet instant précis je me représente parfaitement une horde de microbes qui monte à l'assaut de mon cuir chevelu. Je me suis traîné jusqu'à un taxi et aux urgences médicales les plus proches, où une jeune infirmière m'a dit : "La prochaine fois que vous partez en promenade, emportez donc une petite loupiote avec vous." Une petite loupiote. Elle me l'a dit à mon arrivée, puis elle l'a répété quand je suis parti avec le crâne couvert de points de suture. "Pour votre prochaine promenade, emportez donc une petite loupiote." On dirait une réplique extraite d'une comédie musicale. »

Johnny dit : « Je peux vous introduire à un guérisseur. Une femme. Masse-âge. Pour vous guérir.

— J'aime bien les Asiatiques, dit le Britannique. De manière générale je constate que je les apprécie vraiment beaucoup. Contrairement à nous, ils ne jouent pas sans arrêt à des jeux. Évidemment, je veux dire, ils font les mêmes choses que nous, mais ce ne sont pas des jeux. Ils sont simplement là. Ils se contentent d'agir.

— C'est votre premier séjour ?

— Mais pas mon dernier. Et vous ?

— Je me balade ici depuis les années soixante.

— Oh. Impressionnant. En Malaisie, donc ?

— Oui. Toute la région.

— Comment est Bornéo ? Y êtes-vous allé ?

— Bornéo pas bon, intervint Johnny. N'allez pas là. C'est ridicule.

— Je possède maintenant une lampe torche, vous pouvez me croire. Et ce n'est pas une petite loupiote. Regardez un peu. » Il sortit de sa poche de pantalon une lampe de dimensions modestes, mais d'apparence solide. « Ça vous troue la peau comme un rien. » Pour plaisanter, il la braqua sur un gamin qui hésitait à la lisière des ténèbres. « Je vais te faire un gros trou dans la peau !

— S'il vous plaît, ne lui donnez pas d'argent, fit Johnny.

— Non, je ne comptais pas le faire, lui assura le Britannique. J'ai déjà beaucoup trop d'amis en ville.

— Vous avez beaucoup d'amis ici ? s'étonna Johnny.

— Je joue simplement avec eux », dit le jeune homme. À Storm il fit remarquer : « Vous voyez ? M. John ne joue pas à des jeux. »

Johnny demanda : « Êtes-vous touriste ?

— Je le suis quand je n'ai pas trente points de suture sur le crâne.

— Vous êtes touriste. Je peux vous trouver un guide pour la forêt demain.

— Laissez-moi me reposer un peu. Après-demain je serai prêt pour le Kilimandjaro.

— Et vous ? demanda Storm à Johnny. Vous faites le guide ?

— Bien sûr, si vous désirez, dit Johnny. Mais nous irons lentement et puis je ne peux pas monter en haut de la montagne. Juste pour visiter les cavernes de la rivière Jelai. Je vous montrerai les cavernes et c'est tout.

— Ça pourrait marcher.

— Il y a une petite montagne que nous devons franchir.

— Je vais y réfléchir.

— Cette montagne n'est rien. Simplement un peu plus de la même chose : monter, monter, monter. Êtes-vous touriste ? Peut-être nous verrons un éléphant.

— J'ai dit que j'allais y réfléchir. »

Le jeune homme au crâne couvert de points de suture dit : « J'ai rencontré un missionnaire à Bangkok. Il m'a conseillé de lire le Psaume 121 : "Je lève les yeux vers les montagnes." Je lui ai dit que j'étais un païen. Il a insisté pour que je lise tous les jours le Psaume 121 pendant mon voyage. Alors. Jouait-il à un jeu ? Pourquoi me dire une chose pareille ? » Il remplit une fois de plus son bol. Storm le regarda manger.

« Parce que c'était un message.

— Un message, vraiment. Mais à qui s'adressait ce message ? »

Storm ne lui dit pas à qui s'adressait ce message.

Johnny déclara : « Je n'aime pas parler des choses religieuses. Cela rendre les gens inamicaux.

— Non, monsieur John, rétorqua le Britannique, nous n'allons pas nous disputer, pas à cause de la religion. C'est trop barbant.

— Une femme pour vous ce soir ? Et un bon masse-âge ? »

Le Britannique sembla perturbé par cette offre et dit : « Nous en reparlerons plus tard, compris ? »

Le lendemain Storm engagea les services de Johnny pour le guider dans la forêt du gouvernement. À trois rues de l'hôtel de Johnny ils montèrent à bord d'un bateau à moteur long de sept mètres et dépourvu de cabine, puis ils furent emmenés vers l'amont de la rivière Jelai à travers une légère averse par un homme vêtu de plusieurs sacs plastique translucides.

« Cet homme vient des primitifs, annonça Johnny. Mais il vit maintenant en ville, avec nous. Nous allons rencontrer ses parents, son clan. Le gouvernement les aide. Ils vivent comme il y a mille ans. »

Ils remontèrent le courant. Une rivière plate, méandreuse, brune. Ils ne parlaient pas. Les pétarades assourdies du moteur hors bord. Ses gaz d'échappement nauséabonds. La ville s'éloigna. Ensuite, quelques habitations sur les berges, puis plus aucune.

Plusieurs kilomètres en amont, les deux passagers débarquèrent sur un ponton de bois qui semblait ne servir à aucun village proche ni à aucune habitation.

« Merde alors, il va où ? » Ils regardèrent le bateau s'éloigner vers l'eau profonde puis vers l'aval.

« Il a envie de voir son peuple. Il va revenir. Quand nous serons de retour à l'heure du dîner, il sera là. »

Storm noua un bandana autour de son front. Ils prirent leurs sacs à dos et s'engagèrent sur le sentier usé, Johnny devant, qui se mit à éviter de nombreuses et grandes flaques de bouse d'éléphant où poussaient des champignons minuscules. Des gens vivaient ici : l'écorce des hévéas sauvages était entaillée en spirale et la sève s'écoulait dans des bols de bois fixés au tronc à hauteur du genou.

Le rabat du gros sac à dos de Johnny s'ornait d'un drapeau américain. Storm le regardait se déplacer dans la jungle, flotter au-dessus du sentier. Dans son propre sac, beaucoup plus petit, il transportait seulement des cigarettes et des allumettes, son carnet, des chaussettes et des bandanas, le tout emballé dans un sac plastique, ainsi qu'une lampe torche. Et des piles. Il était inutile d'avoir un pistolet. L'ennemi était toujours beaucoup plus nombreux.

La pluie s'arrêta. C'était sans importance : que ce fût à cause de la transpiration ou de la pluie, on était toujours mouillé. « Tu t'appelles Ju-shuan.

— Ju-shuan?

— C'est ce qu'on m'a dit.

— Ju-shuan? C'est un bruit ridicule. Ju-shuan n'est pas un nom chinois. »

Ils montaient, le souffle court, mais Johnny s'arrêta pour fumer brièvement.

Le sentier longeait la paroi d'une falaise. Ils restèrent debout, les yeux baissés vers le dais vert inégal et le ruban brun de la rivière Jelai qui l'entaillait.

Johnny lui demanda : « Quel est votre nom?

— Hollis.

— Quel âge avez-vous?

— Quarante et quelques.

— Quarante et quelques, répéta Johnny, quarante et quelques. » Un peu plus tard, il dit encore : « Quarante et quelques.

— Ça veut dire que j'ai plus de quarante ans.

— Quarante et un. Quarante-deux. Quarante-trois.

— Quarante-trois.

— Quarante-trois ans.

— Ouais. »

Johnny écrasa son mégot sous le talon de sa sandale noire et l'enfonça dans la terre. « Je vous connais.

— Bien sûr. Et tu connais Benét. »

Les yeux de Johnny cherchèrent un mensonge dans le paysage. Il choisit la sincérité : « Je le connaissais, évidemment.

— Il est mort. Pendu.

— Bien sûr, je sais, c'est une célébrité. C'est ce que je veux dire. J'ai entendu parler de lui dans les journaux, voilà tout. »

Il se remit à monter, Storm sur ses talons.

« Pourquoi vous ne parlez pas? J'ai beaucoup d'informations sur cette région. Pourquoi vous ne me demandez pas?

— Quand je serai prêt, je te demanderai. »

Cinq cents mètres plus loin ils s'arrêtèrent encore pour se reposer. Le sentier était étroit, ils pouvaient seulement s'adosser à la paroi de la falaise. « Voilà le sommet. Ensuite nous descendrons et tout en bas nous trouverons les cavernes. »

Storm alluma une cigarette.

« J'ai dit sept heures et vous êtes descendu à sept heures, fit Johnny. Vous êtes très ponctuel. » Son visage n'avait rien de mystérieux. Il avait l'air perplexe et désespéré.

« Je suis comme ça.

— Je n'ai pas dormi correctement, confia Johnny à son client. Pendant la nuit j'ai senti mon âme quitter mon corps. Vous saviez que je prie ? Mais ces derniers jours, rien ne s'est passé normalement. Quand je prie, je ne vois pas d'ombre sur le mur – mais je ne suis pas superstitieux.

— Tu causes, tu causes... »

Johnny montra du doigt un affleurement rocheux sur un promontoire situé de l'autre côté du ravin. « Je vois le visage de mon père sur ce rocher. »

Storm ne répondit pas et ils reprirent leur ascension, Johnny toujours devant, mais désormais il avait en permanence la tête tournée de trois quarts vers Storm qui avançait derrière lui. « Écoutez, je vous dis deux choses, fit-il sans s'arrêter. Je ne connais pas Benét et aussi mon nom n'est pas Ju-shuan. »

Quand ils atteignirent la crête, Johnny se débarrassa de son sac et s'assit à côté. « Il est trop lourd. J'ai une petite tente à l'intérieur. Après les cavernes nous pourrons camper. J'ai à manger. Voulez-vous un fruit ? »

Storm dévora une mangue, dont il racla le noyau avec les dents. Les nuages avaient disparu. Le soleil tapait maintenant sur les deux hommes, transformait le dais en contrebas en une pulsation verte et vivante, lançait des éclairs éblouissants sur la rivière lointaine. C'était la première fois que Storm s'aventurait pour de bon dans la jungle. La seule expérience qu'il en ait eue durant la guerre, c'était du haut d'un hélicoptère. Toute une gamme de verts spongieux, comme ici, sauf que parfois des balles traçantes en montaient, ou bien les déflagrations des bombes l'illuminaient la nuit.

« Nous devons trouver un bâton. Si c'est trop mouillé, nous risquons de glisser en descendant. »

Chacun ramassa donc une branche, puis ils entamèrent leur descente vers les cavernes. Tout en bas de la pente, Johnny lui montra un trou de un mètre carré à la base de la falaise. « Les indigènes amenaient les garçons ici pour les transformer en hommes. Pour entrer à l'intérieur il faut naître une deuxième fois. Vous verrez. C'est pour ça qu'ils ont choisi cette caverne. Vous verrez. Mais d'abord, avez-vous faim ? »

Ils s'installèrent sur une bûche, puis mangèrent avec les doigts le riz contenu dans des sachets en plastique, tandis qu'un singe furieux perché sur la falaise les bombardait de mottes de terre et de bouts d'écorce. « C'est toujours bien de manger, dit Johnny. Maintenant nous allons entrer. Nous devons laisser nos affaires. »

Storm s'accroupit devant le trou. Des cailloux dégringolaient sous ses yeux : en haut de la falaise le singe ne décolérait pas. Il braqua sa lampe torche à l'intérieur. Le trou allait s'étrécissant. « Putain.

— C'est sans aucun danger. Il n'y a personne ici pour nous voler.

— C'est une saloperie de petit tube, mec.

— Nous pouvons le faire facile. Je vais aller. Ça tourne à gauche. Quand vous ne voyez plus ma lumière, vous venez, okay ? » Il se mit à quatre pattes en grognant, puis rampa en faisant glisser sa lampe torche contre le sol. Storm s'accroupit à l'entrée et le suivit des yeux. Quelques secondes plus tard, la lumière de Johnny disparut au-delà du virage assez sec. Storm le suivit à quatre pattes. Le faisceau lumineux de la lampe qu'il tenait entre ses doigts bondissait sur les parois et l'éblouissait parfois. Après le virage il vit la lumière de Johnny dirigée vers lui. Quelques mètres plus loin, il dut s'allonger et se tortiller dans le goulot d'étranglement, les bras collés au corps, la lumière de sa lampe dirigée derrière lui, la tête posée bien à plat contre la terre. Johnny parlait tout seul en chinois. Storm dut chasser l'air hors de ses poumons pour continuer, mais il ne voyait pas comment retourner en arrière, de toute façon ce gros lard était passé et il devait rester avec lui – il était prêt à tout pour rester avec lui et il se souvint qu'il se fichait de vivre ou de mourir. Il se faufila tête baissée vers l'obscurité, incroyablement vite. Alors la lumière s'épanouit autour de lui. Johnny se tenait debout dans une chambre dont les murs étaient trop éloignés pour être visibles. Avec l'aide de Johnny, Storm se releva prudemment au-dessus du sol glissant, mais il réussit à peine à se dresser sur ses jambes. Johnny chuchota : « Doucement, s'il vous plaît. »

Il dirigea le faisceau de sa lampe vers le haut. Des chauves-souris recouvraient le plafond élevé comme un épais tapis de feuilles accrochées là. Des dizaines de milliers de chauves-souris.

Johnny fit claquer ses doigts une seule fois et chaque chauve-souris frissonna légèrement à l'endroit où elle se tenait suspendue – le bruit qui en résulta évoquait le vacarme d'une locomotive lancée à toute vitesse. Ce vacarme mourut vite, mais l'obscurité semblait maintenant habitée d'une certaine vie.

« Regardez là où ils ont gratté la pierre. Les indigènes. »

Storm examina quelques tracés à peine visibles dans le cercle du faisceau lumineux, mais rien qu'il pût comprendre.

Johnny déplaça sa lampe parmi ces symboles vagues et demanda : « Qu'est-ce que cela dit ?

— Quoi ? Je ne sais pas.

— Je croyais que vous savoir. Peut-être vous connaître ces gens de votre université. »

Storm éclata de rire. Ce rire jaillit de sa gorge comme un coup de feu et les chauves-souris rugirent encore.

Il coinça la lampe sous son bras pour essuyer contre l'arrière de ses jambes de pantalon la pâte visqueuse qui lui recouvrait les paumes. « C'est quoi, cette merde ?

— Oui. C'est le guano. Des chauves-souris.

— Bordel. Elles vont jusqu'où ces cavernes ?

— Ceci est la seule caverne. Nous pouvons ressortir de l'autre côté.

— Bordel de merde. Tu veux dire qu'il y a une entrée plus facile ?

— Seulement pour sortir. Nous devons nous laisser tomber dans un petit trou, mais c'est plus facile que retourner par là. Très facile de se laisser tomber. Mais impossible de monter dans l'autre sens. Trop glissant.

— Bon, merde, allons-y.

— Par ici. » Johnny avança très lentement devant lui vers un espace vide bientôt obturé par un mur, où ils découvrirent alors un trou un peu plus grand que celui qu'ils avaient emprunté pour entrer.

« Moi d'abord », annonça Storm.

Il leur fallait seulement pencher la tête pour aller de l'avant, mais le sol immonde était presque impraticable. Storm ne vit aucune chauve-souris dans ce passage, même si leur merde était partout.

La lumière de Johnny vacilla, tomba et roula par terre. Storm se retourna et fit deux pas précautionneux en arrière pour ramasser la lampe ; il découvrit alors Johnny allongé sur le dos et il lâcha la lampe près de lui.

« Je ne vous vois pas », dit Johnny.

Storm fit jouer le bouton-pression du couteau fixé à sa ceinture et plongea la lame dans le faisceau de sa propre lampe. « Tu vois ça, connard ? » Il s'accroupit et de la pointe effilée souleva l'ourlet du T-shirt de Johnny.

« Que faites-vous ? »

Il braqua le faisceau lumineux sur le visage de Johnny, lequel plissa les yeux et se détourna. « Je veux savoir ce que vous faites, répéta-t-il.

— Je vais te découper une bonne tranche de gras sur le bide.

— Que faites-vous ! Vous êtes cinglé ! » Dans la vaste salle au bout du tunnel les chauves-souris rugirent.

« Je vais te dépiauter morceau par morceau. Ensuite je lancerai tes bouts de bidoche là-bas, et tu pourras regarder les singes les bouffer. Et les fourmis te dévoreront tout cru.

— Vous êtes cinglé !

— Suppose que je le sois pas.

— De l'argent ! De l'argent ! Je peux en trouver !

— T'as dit que tu connaissais Bénét.

— Oui, c'est mal d'être exécuté. Mais vous devez voir que c'est le mal du destin qui l'a mis là-bas. C'était une position terrible.

— Bienvenue à la position terrible.

— Mais je n'ai rien à voir avec ça !

— Revenons à ta position présente. »

Johnny marmonna quelques mots de chinois, puis on eut l'impression qu'il répondait à ses propres questions. « Okay. Je sais. Je sais ce que vous voulez.

— Alors donne-le-moi.

— Ceci – écoutez, s'il vous plaît – ceci n'était pas à cause de moi, *sir*. Comprenez, s'il vous plaît.

— Va falloir que tu me parles.

— Laissez-moi prendre ma lampe.

— Me braque pas la lumière dans la gueule.

— Juste sur le côté. » Johnny dirigea sa lampe vers le mur. Il releva la tête et chercha très soigneusement le signe d'un avenir possible sur les traits de Storm. « Puis-je s'il vous plaît vous dire une chose ? Nous formons une seule famille.

— Johnny. Où est le colonel ?

— Oh, pour l'amour de Dieu, le colonel. Oui. Dites-moi ce que vous voulez. Il n'est pas loin. Seulement en Thaïlande, de l'autre côté de la frontière. Vous pouvez y aller sans problème par les sentiers. Retournons en ville et je vais arranger ça pour vous. Celui qui prend la piste du caoutchouc jusqu'à ces villages de la vallée de Belum, il peut trouver le colonel facilement. Tout le monde le sait. »

Storm recula de deux pas et rangea son couteau. « Debout.

— Je peux me lever. Je peux me lever facilement! » Il se remit sur pied avec un entrain que Storm reconnut, car lui aussi avait survécu alors qu'il pensait que les gardes-côtes l'assassineraient. Johnny lui fit parcourir une quarantaine de mètres jusqu'à un trou brillant dans le sol.

Storm lâcha sa lampe torche dans l'ouverture et la suivit, les pieds devant, se laissant tomber d'une hauteur de deux mètres vers la lumière du jour. Quand les pieds de Johnny se balancèrent au-dessus de lui, il saisit le short du gros type qui s'abaissa jusqu'à avoir les bras tendus sur toute leur longueur au-dessus de la tête, les mains agrippées au rocher, après quoi il se laissa choir. Il eut un sourire idiot et secoua la tête.

Storm dit : « En route. »

Il resta tout près de Johnny tandis qu'ils contournaient la montagne jusqu'à l'endroit où ils avaient déjeuné. « Et voilà! s'écria Johnny. Vous voyez? dit-il comme s'il prouvait par là une vérité cruciale.

— J'ai besoin d'une carte.

— Bien sûr! Bien sûr! J'ai des cartes à mon hôtel.

— Y a quoi dans ton sac?

— Bien sûr! J'ai oublié que j'ai une carte dans mon sac! » Il s'accroupit, ouvrit violemment le rabat de son sac et sortit ses sachets de nourriture, un poncho bleu, trois mètres de tissu coloré qui se déroulèrent autour de lui tandis qu'il expliquait que c'était sa couverture, puis il tendit à Storm une carte fatiguée pliée n'importe comment. « Malheureusement elle est en malais. Mais vous avez seulement besoin de suivre la piste du caoutchouc et de parler aux chefs en chemin. Quelqu'un vous guidera. »

Storm déplia la carte par terre. « Montre-moi.

— Nous allons rentrer en ville. Demain vous pouvez louer une voiture jusqu'à cet endroit. Ensuite il n'y a plus de route. La moto peut vous emmener.

— C'est la frontière thaïe, là?

— Oui, mais voici le village où vous irez.

— Je ne vois pas de village.

— Il est là. Je ne peux pas faire de marque. Il n'y a pas de crayon. »

Storm s'efforça de replier la carte le plus soigneusement possible et la fourra dans son propre sac à dos. « En route. »

Ils installèrent leurs sacs sur leurs épaules et repartirent. Ils ne parlèrent pas en gravissant la colline. Ce n'était pas aussi élevé de ce côté-ci qu'il l'avait cru en sortant de la caverne. Storm le talonna quand ils franchirent la crête, puis le précéda pour redescendre de l'autre côté. Même dans la descente, Johnny soufflait comme un bœuf et n'avait rien à dire.

Lorsqu'ils rejoignirent le sentier au bord de la rivière, il parut retrouver tout son aplomb. « Vous m'avez fait un souci ! Mais maintenant tout va bien entre nous.

— Si tu m'as pas baisé.

— Bien sûr. Je ne fais pas ça. Nous sommes amis.

— Tu parles...

— Je le crois ! Nous sommes amis ! »

À un endroit où la rivière boueuse affleurait au ras de la berge, ils s'arrêtèrent pour laver le guano.

« Je ne vais pas m'enfuir, dit Johnny en entrant dans l'eau. Alors vous pouvez faire confiance en moi. De toute façon c'est trop loin de l'autre côté. Et là-bas — je vois un crocodile. »

Aussitôt il se lança. Storm le regarda barboter à une trentaine de mètres de la berge. Il rencontra un trou et se mit à battre des bras dans le courant, à bondir comme une bouée virevoltante, après quoi il eut enfin pied et, s'aidant de la végétation, il se hissa à quatre pattes hors de la rivière, épuisé et comme ratatiné, il releva la tête, chercha son souffle, l'abaissa encore. Pas une seule fois il ne se retourna vers Storm.

L'Américain le regarda encore quelques secondes, puis il fit demi-tour et se hâta sur le sentier pour retrouver le marinier avant Johnny.

Tout le temps qu'il marcha le long de la rivière, il se demanda : Pourquoi ai-je parlé du colonel avant qu'il ne le fasse ? Je lui ai soufflé sa réplique. Peut-être qu'il m'envoie au diable vauvert à la poursuite de n'importe quoi.

Assis sur le tatami en paille de l'hôtel de Johnny, il retira une chaussette couverte d'une tache brune : son propre sang. Avec de la vase de rivière il avait frotté les endroits de sa peau où les sangsues s'étaient mises, mais il en avait oublié une.

La vieille épouse de Johnny arriva dans l'entrée en agitant la poussière avec un balai long d'un mètre. « Ah ! Vous être de retour !

— Sans blague ?

— Où est mon mari?

— Resté avec ses amis de la jungle.

— Alors Johnny il reste encore plus longtemps peut-être.

— Ouais. Un truc comme ça.

— Vous vouloir thé?

— Non. Je veux une voiture pour la frontière.

— Vous avoir argent?

— Je suis le type le plus riche que tu connaîtras jamais.

— Je vous trouver une voiture demain matin. Des amis à vous en Thaïlande?

— Et comment.

— Votre ami attendre.

— C'est parfaitement possible. » Il la dévisagea, il scruta le visage de cette femme. Mais il ne le sentait pas encore. Il avait beau brûler, il ne le sentait pas. « Je crois que je vais changer d'hôtel », annonça-t-il.

Sur une vingtaine de kilomètres, à en croire le compteur de vitesse crasseux, il roula à tombeau ouvert dans une Morris Minor. Devant le pont qui enjambait une rivière dont il ignorait le nom, son chauffeur réclama le prix de sa course et le somma de descendre, car il refusait d'aller plus loin. Les planches du pont, rongées par le climat, semblaient pourries. Storm lui proposa une prime de risque, mais l'homme dit alors : « Peux-tu m'acheter une voiture neuve?

— Trouillard. Va niquer ta mère », lui rétorqua Storm.

Il monta ensuite sur un tas de petit bois à bord d'un cyclo-pousse modifié, conduit par un vieil homme et tiré par un animal qui aurait pu être un âne mais aussi un cheval chétif. Storm portait un jean aux jambes coupées et le petit bois lui érafla le dessous des cuisses. Il ne transportait pas grand-chose dans son sac, aucun vêtement de rechange, simplement sa lampe torche, son couteau et un poncho en plastique, ainsi que son carnet et la carte de Johnny. Trois ou quatre kilomètres plus loin, ils s'arrêtèrent à un village où Storm essaya de marchander une étape supplémentaire avec le vieux bûcheron, mais en vain. Les jeunes hévéas envahissaient la chaussée dès la sortie du village, interdisant la piste au cyclo-pousse. Les gens du cru sortirent sur le seuil de leur hutte pour regarder la scène. Un homme s'approcha de Storm, hésita, puis franchit avec audace le dernier pas pour toucher le bras de l'étranger. Les gens se mirent à crier. L'homme décampa en riant.

Storm ignorait quelle distance il lui restait à parcourir à pied pour atteindre la frontière. Moins de vingt kilomètres, s'il lisait la carte correctement.

Le vieux bûcheron sortit de derrière une hutte en compagnie d'un jeune homme au visage plat et au regard effaré, qui faisait rouler une moto. Le garçon appuya sur la pédale, monta sur la selle et démarra si vite que Storm douta qu'il s'attendît à prendre un passager, mais il bondit malgré tout derrière le motard en criant : « Où tu vas ? Où tu vas ? » Il crut entendre le gamin répondre : « La route. » Alors qu'ils approchaient de la lisière des habitations, une vieille femme au visage empourpré, qui hurlait et gémissait, se jeta dans la poussière devant la moto – les freins grincèrent, Storm bascula en avant, ses lèvres touchèrent les cheveux du conducteur. Le garçon allongea les jambes et tenta de contourner le corps étendu à terre, mais la vieille pivotait prestement comme une nageuse et donnait des coups de pied dans la terre pour essayer de lui barrer le passage. Storm rebondit brusquement sur la selle lorsqu'ils lui passèrent sur le corps, un pneu puis l'autre, et qu'elle fit « Hmm ! Hmm ! » Les indigènes plantés sur le seuil de leurs huttes leur lancèrent des cris – certains riaient –, un enfant s'approcha et leur cracha dessus. Quand ils accélérèrent, Storm sentit le vent de la vitesse étaler le filet de salive sur sa cuisse nue. Ils franchirent le virage à la sortie du village, il arracha quelques feuilles sur un plant de thé et nettoya la salive avec. La route se réduisait à une boue rouge creusée d'ornières. Une grande flaque les obligeait parfois à ralentir, le garçon la contournait alors en se servant de ses pieds pour conserver l'équilibre.

Devant eux poussaient surtout des hévéas. Un tapis de feuilles recouvrait la piste. La lumière pleuvait parmi les arbres. La moto rebondit deux fois sur un gros serpent couvert de bandes brillantes. La piste devint plus étroite et ils butaient continuellement contre des racines, le petit moteur vrombissait comme un cornet à pistons, paraissait très insignifiant, noyé parmi toute cette vie organique. Trois heures, quatre heures de route, mais ils ne s'arrêtèrent pas pour déjeuner, ni même pour boire. Storm restait tassé derrière les épaules du garçon, car dès que la piste fut moins large, des branches minces se mirent à fouetter le visage du conducteur. Lequel s'essuyait sans arrêt la figure, et chaque fois davantage de sang lui couvrait le bras. Mais il allait de l'avant, en hurlant et en pleurant. Ils roulaient presque tout le temps en première, tant le terrain était raviné. Storm sentit le caoutchouc de sa semelle en train de brûler contre le pot d'échappement et il rajusta ses talons sur les cale-pieds, même s'ils n'arrêtaient pas d'en glisser.

À quatre heures de l'après-midi il régnait une lumière crépusculaire parmi les grands arbres, et la route boueuse, désormais réduite à un sentier, était presque impraticable, puis ils émergèrent soudain au grand jour, dans un espace immense, parmi l'herbe éléphant grise et des rizières couleur émeraude. Ici, le sentier butait sur un lit de rivière à sec aux berges verticales hautes de deux mètres. La moto ne pouvait les franchir.

Ils mirent pied à terre, puis le garçon guida son véhicule quelques mètres à l'écart du sentier, parmi les herbes hautes, où il le laissa tomber sur le côté, lui-même s'écroulant avec la moto. Il bondit aussitôt sur ses pieds, puis revint en s'essuyant le visage. Le sang dégoulinait en spirales le long de son avant-bras, qu'il s'était profondément entaillé lors de sa chute. Il remarqua sa blessure et sourit à Storm, puis fondit soudain en sanglots coléreux. Storm lui saisit le bras. « Laisse ton âme s'épanouir, mec. T'es pas mort. Putain, dit-il, c'est profond. » Il dénoua le bandana autour de son front pour le mettre sur la blessure et il avait à peine fini d'en nouer les extrémités que le gamin s'éloigna pour montrer à nouveau le chemin. Ils descendirent une berge en se servant de leurs mains, puis escaladèrent l'autre. Storm tenta sa chance : « Petit. Petit. Je veux te donner de l'argent, de l'argent », mais le garçon ne lui répondit ni ne ralentit l'allure, et ils poursuivirent le long des talus des rizières avant d'entrer dans un village où tout s'agitait dans le vent de l'après-midi.

Sur la véranda d'une maison en bois se tenait un homme en pantalon marron et chemise bleue, tel le citadin moyen au carrefour de n'importe quelle grande ville. « Bienvenue à vous ! Entrez donc prendre le thé, je vais vous montrer mes spécimens.

— Nous avons besoin d'eau.

— Entrez dans mon musée. Je vous en prie. Venez. »

Il les guida à l'intérieur de ce qui aurait pu être un café dépourvu de chaises, seulement meublé de plusieurs tables où des gros bocaux étaient posés. Il en souleva un, particulièrement massif, qui contenait un insecte marron et sans doute long comme le bras s'il n'avait été incurvé tel un bracelet, un gros insecte qui flottait dans ce qui ressemblait à de la pisse rance. « J'ai une très belle collection d'insectes. Ce mille-pattes a tué un garçon de treize ans.

— On pourrait avoir un peu d'eau?

— Voulez-vous que je la fasse d'abord bouillir? Car vous êtes américain. » Tandis qu'il parlait, ses sourcils s'éloignaient puis se rejoignaient violemment. Des yeux globuleux et de grosses lèvres. Un grand front. Hormis sa lippe, il aurait pu faire partie de sa propre collection de spécimens.

« Remplis mon truc, putain. S'il te plaît, je veux dire. J'ai la saloperie qui fait ce boulot. »

L'homme bizarre prit la gourde de Storm, l'emporta dans sa cuisine où une paillasse et un réchaud étaient visibles, l'immergea dans un tub en acier galvanisé et la maintint sous l'eau. Storm l'y suivit, lui arracha des mains la gourde ruisselante, puis y glissa deux comprimés. Il en revissa le bouchon et la secoua. « Putain, j'ai soif.

— Je vous crois, oui », dit l'homme.

Ils se tenaient debout immobiles parmi les spécimens, Storm engloutit la moitié de sa gourde en une succession de gorgées violentes, puis il la tendit au garçon, qui avala le restant, vida ses poumons et inhala à fond quand le goulot quitta sa bouche, puis grimaça de surprise.

« C'est l'iode.

— Oui », fit l'homme avant de s'adresser au gamin en malais.

« Il refuse de me dire son nom. C'est son droit. Je suis le docteur Mahathir. Puis-je vous demander le vôtre?

— Jimmy.

— Jimmy. Oui. Vous dites un gros mot souvent, Jimmy. Vous dites "putain". Ne s'agit-il pas d'un gros mot?

— C'est vrai, putain, je parle comme un charretier. Où as-tu trouvé ces bocaux, mec?

— Je suis un scientifique. Un entomologiste.

— Donc ces gros bocaux, tu les chies par le cul?

— Oh! – ces bocaux. J'en ai vingt-six. On me les vend. Les gens comprennent qu'un entomologiste a besoin de bocaux pour ses spécimens. Voici un scorpion.

— Ouais. Combien de gosses de treize ans il a tués?

— Sa piqûre n'est pas mortelle. Elle vous engourdit seulement pendant un long moment. Un bel œdème à l'endroit de la piqûre. C'est le plus gros scorpion qu'on trouve dans la région. Donc, oui, je le conserve.

— Formol, c'est ça?

— Oui. Formol.

— Est-ce que cette merde est antiseptique ?

— Bien sûr.

— Vous auriez pas un bocal bien propre de ce machin ? Le gamin s'est ouvert le bras.

— Oui, je m'en suis aperçu. » Il s'adressa alors au garçon, qui tendit le bras tandis que le scientifique dénouait doucement le bandana protégeant la blessure. « Rien de grave. Nous allons nettoyer la plaie et poser quelques points de suture. Je peux m'en occuper.

— Des points de suture médicaux ? Vous avez le matos ?

— Non. Du fil et une aiguille.

— De la Xylocaïne ?

— Non.

— Feriez bien de lui expliquer tout ça, doc. »

Ils parlèrent ensemble et le gamin continua de sembler furieux.

« Il dit qu'il doit cacher cette blessure. Son corps doit être sans tache.

— Sans tache ? Visez un peu sa tronche. Il est couvert d'égratignures à force de foncer à travers la jungle comme s'il avait une grenade dans le cul.

— Je ne sais pas. C'est son idée.

— Il va te recoudre », expliqua Storm au gamin tandis que le médecin allait chercher son matériel à la cuisine. « Ça va être désagréable. »

Le médecin revint en traînant d'une main un banc, une bouteille de Pepsi dans l'autre. Il serrait entre ses lèvres une aiguille d'où pendait une longueur de fil. « Assieds-toi ici, s'il te plaît. » Le garçon et lui s'installèrent sur le sol en terre battue, il posa le bras du gamin en travers du banc, puis il abaissa dans le goulot de la bouteille son matériel médical improvisé. « Je vais stériliser », annonça-t-il en repêchant l'aiguille au bout du fil, puis sans attendre il referma la plaie en en pinçant les bords et enfonça l'aiguille dans la chair. Le garçon aspira entre ses dents l'air qui siffla, et rien de plus. « Il est stoïque », constata le scientifique.

« Tu peux parler à ce gosse ? Traduis pour moi, vieux.

— Bien sûr.

— D'abord, qui était cette centenaire qu'il a à moitié écrasée avec sa moto ? »

Les deux Malais parlèrent ensemble, puis le scientifique dit : « C'était sa grand-mère.

— Tu déconnes. Mais qui est ce type?

— Il n'a pas le droit de nous révéler son vrai nom. Je sais qui il est. J'ai entendu parler de lui. Il voyage jusqu'à un village situé un peu plus loin. »

Dans un silence seulement interrompu par les sifflements du garçon à chaque point de suture, le scientifique acheva son travail. La plaie, qui ne saignait plus, était maintenant fermée grâce à cinq nœuds bleus bien serrés. Storm dit : « Voilà une merde *number one*. T'es un champion.

— Oui. C'est bien. Merci. »

Le garçon se releva et prononça quelques mots.

« Il dit qu'à partir d'ici nous devons marcher.

— Sans déc? Ça fait déjà une bonne heure qu'on crapahute.

— Demain aura lieu une cérémonie importante. Cet homme a pris le ferme engagement d'y participer.

— Ça se passe où? Il a parlé de "la route".

— Oui. Je vais l'écrire pour vous. Vous pouvez l'orthographier ainsi. » De l'index, il entama la pellicule de poussière durcie sur le plateau de la table, parmi les monstruosités flottantes : *Les Roo*. « J'irai aussi.

— On peut trouver une voiture?

— Nous pouvons seulement marcher. C'est à quelques heures d'ici, une vraie promenade de santé. Nous sommes sur une plaine, voyez-vous. Ensuite nous descendrons vers le bas de la vallée.

— D'accord, putain, on va marcher.

— Comptez-vous nous accompagner?

— Non, mec. C'est *toi* le nouveau venu, putain. Moi je suis déjà membre à part entière de cette excursion. »

Le scientifique se frotta les mains l'une contre l'autre et se renfrogna. « Très bien! Vous pouvez nous accompagner un moment, Jimmy, okay? »

Le garçon avait déjà franchi la porte. Storm le suivit, et le docteur Mahathir les rattrapa sur le sentier qui aboutissait de nouveau aux rizières, au-delà du village. « Avez-vous de l'eau dans votre gourde?

— Elle est à moitié pleine.

— Parfait. »

Pas une fois le garçon ne se retourna vers eux. Sans s'arrêter ni même ralentir, il enfila sa chemise en la faisant passer au-dessus de sa tête. Les trois hommes allaient de l'avant à une allure si rapide qu'aucun d'eux n'avait le loisir ni l'envie de parler. Mais après cinq cents mètres de divers talus et fossés, ils retrouvèrent le sentier et Mahathir apostropha le gamin en malais avec dans la voix une nuance de supplique.

« Je viens de lui dire que nous devons nous arrêter pour nous reposer dès que possible. Je crois qu'il nous le permettra.

— *Señor*, qu'est-ce qu'il trafique ce gosse ? Demande-lui de me dire ce qu'il fout.

— Il ne peut pas vous répondre. À partir de cet endroit jusqu'à ce que nous ayons atteint tel autre endroit, il doit garder le silence.

— Pourquoi ?

— Il a un rôle à tenir. Il y aura une cérémonie.

— Et il s'agit de quel genre de cérémonie, monsieur Formol ?

— C'est très inhabituel. Elle n'a pas lieu souvent. Je compte l'observer. »

Au village suivant, ils s'arrêtèrent devant une petite maison en bois, s'assirent à l'ombre sur deux bancs et burent du thé glacé sans glace. L'entomologiste dit : « C'est une journée très chaude.

— Et comment.

— Voici un bon endroit. C'est assez loin pour vous. Vous allez vous reposer ?

— Pas question que je reste ici. Je vais plus loin que vous.

— Plus loin, c'est la Thaïlande.

— Alors ce sera la Thaïlande. »

Mahathir rentra la tête dans les épaules et but le thé de son gobelet en plastique en grimaçant comme si cette boisson avait un goût infect. Il plissa le front, se racla la gorge, versa les dernières gouttes par terre, puis essuya le gobelet avec l'ourlet de son maillot de corps en prenant bien soin de ne pas salir sa chemise blanche.

Tous trois se levèrent et reprirent leur marche. Lorsqu'ils atteignirent la dernière maison à la lisière du village, Mahathir s'arrêta, se serra le buste entre les bras et dit : « Excusez-moi, Jimmy. Je crois que vous ne devriez pas aller plus loin. Non, vous ne devez pas continuer maintenant. Je suis vraiment désolé de vous amener ici. »

Le garçon prenait de l'avance.

« En route, toubib. Faut que je parle à des gens.

— Ce n'est pas le jour convenable pour votre entreprise. Faites-le un autre jour, d'accord ? »

Ils avaient laissé derrière eux le village et l'ombre des arbres, puis ils traversèrent bientôt des buissons rabougris couverts de traînées poussiéreuses dues à la pluie. « C'est mal, c'est même terrible. Oui, c'est terrible », reprit Mahathir. Storm fit la sourde oreille.

Ils entamèrent la descente vers la vallée de Belum.

« Il est là, dit Storm, il est là.

— Qui est là ? »

Devant eux s'étendait le dais de la jungle sous lequel des MIA [1] se faisaient en ce moment même torturer à mort dans un substrat invisible aux yeux de Disneyland.

« Qui est là ?

— En route. Ce gamin nous attend pas. »

Le sentier descendait peu à peu à flanc de colline ou de montagne, Storm ne savait pas à quoi s'en tenir, car même sur les pentes abruptes les arbres étaient assez grands pour cacher à la fois le ciel et le fond de la vallée. Au bout d'un autre kilomètre de marche forcée ils arrivèrent dans un paysage plat et herbeux. Le sentier les conduisit jusqu'à une clairière et quelques habitations, des huttes de paille et de lattes tressées, recouvertes de tôle ondulée. Il entendit la rivière quelque part ainsi que des oiseaux ou peut-être des gens.

« Le garçon va s'arrêter ici. Je m'arrête aussi ici.

— Où sont-ils ?

— Nous allons nous approcher de la rivière. »

Une centaine de mètres plus loin, au bord du cours d'eau, ils trouvèrent deux douzaines de villageois et un bûcher haut de presque cinq mètres et deux fois plus large à la base. Sa construction était apparemment terminée. Trois femmes enveloppées dans des sarongs crasseux s'activaient autour de l'édifice, les bras chargés de branches sèches, qu'elles enfonçaient là où elles le pouvaient. Derrière ces femmes, des hommes en string, les chevilles plongées dans la rivière, prenaient leur bain, d'une main s'éclaboussaient les aisselles, se mouillaient la tête, puis, penchés en avant, oscillaient d'un pied sur l'autre pour faire tomber les gouttes d'eau de leurs longs cheveux.

« Ils ont construit le bûcher funéraire.

— Ils vont brûler le gamin ?

— Ce garçon ? Non.

— Alors qui ? » – Storm se demanda si ce n'allait pas être lui-même.

---

1. MIA : voir note p. 240. (*N.d.T.*)

« Avec ce feu ils vont détruire son âme. »

Quatre hommes, également en string, se tenaient à l'écart sans accorder la moindre attention aux autres, à croire qu'ils attendaient d'être photographiés, un peu comme le bûcher proprement dit qui se dressait tel un dieu fait de membres et d'os assemblés tandis que le garçon tournait son visage plat vers le monticule.

Mahathir s'adressa aux quatre hommes. Comme s'il venait soudain de rompre un charme paralysant, ils s'approchèrent en parlant et en gesticulant. « Il y a un problème, annonça Mahathir, une infestation. Ils sont accablés, tourmentés par une infestation maléfique. Ils disent que, si nous regardons bien, nous verrons les marques de dents sur leurs objets. Quelle est la nature de cette infestation ? L'un parle de singes, d'autres évoquent des rongeurs. Ils ne savent pas. Ils sont en colère à cause de la peur. Ils vont tout perdre. Ils vont mourir de faim. »

Un homme s'approcha et s'adressa seulement à Mahathir. « Il dit que le prêtre attend dans un endroit spécial. Nous pouvons aller le voir. »

Storm, Mahathir et le garçon passèrent devant les habitations, l'entomologiste précédant les deux autres sur un sentier qui aboutissait à une petite clairière où ils découvrirent trois huttes minuscules et un homme en string, debout et seul.

« Encore un enfoiré à poil.

— C'est le prêtre, spécialement embauché pour cette importante cérémonie. Mais ne vous en faites pas. C'est un faux prêtre. Un charlatan. »

Le garçon s'arrêta à quelques mètres du petit sauvage, qui s'accroupit comme s'il allait sauter violemment en l'air, et l'observa.

Mahathir posa la main sur le bras de Storm. « Restez ici. Ce n'est pas pour nous. »

Au bout de quelques secondes le prêtre se détendit, se releva, s'approcha de Storm et de Mahathir en restant à distance du garçon. À Storm il tendit les deux mains, comme s'il s'attendait à ce que Storm les saisît, mais elles étaient couvertes de boue.

« Dis-lui que, s'il veut me serrer la pince, il ferait bien de se laver d'abord.

— Ils creusent la terre pour trouver des larves. Ne vous inquiétez pas. Elles contiennent de bonnes protéines. C'est mieux que le riz. Le riz donne de l'énergie, mais aucune force. C'est quand même une bonne source d'hydrate de carbone. »

Les hommes debout dans la rivière portaient un simple morceau de toile de jute devant l'entrejambe, mais le string du prêtre était tissé selon des motifs complexes de verts, de rouges et de bruns. Mahathir lui parla longtemps, en s'interrompant souvent. Le scientifique était de toute évidence très excité.

« Il y a une sorte d'animal, dit-il à Storm, un singe, ces gens l'appellent *sanan*. Je ne sais pas ce que ça veut dire. C'est leur langue à eux. Ils croient qu'il s'agit d'un petit homme, d'un être humain. Maintenant, ce *sanan* est en guerre contre eux. Il y a un mois, non, au moins deux mois de ça, presque mille *sanans* sont venus dans cet endroit, ils ont dévoré toutes les plantes qu'ils pouvaient manger, alors les gens n'ont plus rien à manger, seulement un peu de riz. Et il me dit aussi qu'il y a un mois ces mille *sanans* ont attaqué le village, volé le riz et détruit les biens des habitants. Et puis, ajouta-t-il, ces *sanans* ont mordu beaucoup de gens et ils ont mis en pièces quelques bébés. » Le prêtre parla. « J'ignore s'ils sont morts. Il dit qu'ils sont arrivés comme un typhon. De toutes parts. Impossible de s'enfuir. » L'homme montra la vallée tout en parlant. « Il dit qu'un enfant a disparu. Les *sanans* ont emmené cet enfant. Un autre enfant, une fillette, a été kidnappé, mais le lendemain matin on l'a retrouvée vivante. Je crois qu'il exagère. Pour un visiteur ils aiment bien rendre tout ça palpitant. Comment mille *sanans* pourraient-ils vivre ensemble ? Ils ne trouveraient jamais de quoi se nourrir. Je connais ces singes. Ils forment des groupes d'environ deux douzaines d'animaux au maximum. C'est leur limite. Ce type de singe a un visage blanc couvert de beaucoup de poils, des poils blancs. Il semble très intelligent, doté en permanence d'une expression cruelle. Ce n'est pas une personne. Ils croient que le *sanan* est un petit être humain. Bah, on exige de cet homme qu'il dise ce genre de chose. Ils le paieront pour ça. Et ils donneront encore plus au jeune. »

Pendant tout ce temps, le garçon était resté seul à l'écart. L'homme poursuivit en le regardant. « Il dit que nous ne devons pas parler à ce garçon parce qu'il a conclu un marché très important. Et puis il désire des informations sur vous, rapporta Mahathir à Storm. Il demande si vous êtes un ami de l'homme blanc qui vit de l'autre côté.

— Quel autre côté ?

— De l'autre côté de la vallée.

— Je suis l'ami de tout le monde.

— Si vous y allez, vous serez en Thaïlande.

— Est-ce un problème?

— C'est un autre endroit, voilà tout.

— Je vais passer la nuit ici.

— La cérémonie aura lieu demain. Elle doit commencer au coucher du soleil et s'achever dans l'obscurité.

— Où va dormir le gamin?

— Dans une de ces huttes. Nous pourrons y passer la nuit.

— Je mangerais bien quelque chose.

— Ils n'ont rien. Mais il y a un magasin. »

Ils retournèrent au village. Le soleil était descendu derrière les collines qui leur faisaient face. Le vendeur du village avait relevé son auvent puis allumé une lanterne, et il se dressait en contre-jour devant cette lumière, régnant sur quelques sachets et boîtes de conserve posés sur deux étagères en bois brut. Storm acheta un paquet de 555 et une bouteille de bière Tiger sans doute vieille de plusieurs années, à l'étiquette effritée à peine lisible. La bière n'avait pas plus mauvais goût que celle d'une bouteille récente.

« Ces gens ont rassemblé tous leurs ornements et leurs pierres précieuses, ils les ont mis avec tout le caoutchouc qu'ils ont récolté depuis un an, puis ils sont venus vendre ces marchandises dans mon village où je vous ai rencontré. J'ai vu leur chef quand il est venu les vendre. Voilà comment j'ai appris l'existence de ce garçon. Il va être payé. Ce garçon va gagner beaucoup d'argent. Mais il va détruire son âme.

— C'est comme ça partout, mec. »

Storm but sa bière rapidement, puis dans les dernières lueurs du jour tous trois repartirent vers le domaine du prêtre et ils s'installèrent dans les huttes, Mahathir et le prêtre en occupant chacun une, Storm et le garçon partageant la troisième. Ils s'allongèrent dans des hamacs tandis que des braises odorantes fumaient dans un petit brasero en pierre posé par terre afin de les protéger contre la malaria. Storm plongea son bandana dans l'eau de la rivière pour s'en couvrir le visage et filtrer ces émanations.

Toute la nuit les pleurs du garçon empêchèrent l'Américain de dormir. À l'aube il partit pour l'autre côté.

Trois hommes lui montrèrent où traverser la rivière à un endroit particulièrement étroit de son cours. L'un s'y engagea jusqu'à la taille en riant, les bras levés, afin d'en indiquer la profondeur. Storm croyait que les deux autres désiraient l'emmener jusqu'à un autre gué, mais parce que le sentier qui remontait sur le versant opposé était visible d'ici, il agita le bras, inclina le buste, fit un doigt, se déchaussa, puis traversa dans un courant peu rapide, ses chaussures et ses chaussettes brandies très haut dans une main, son sac à dos dans l'autre. Quand il fut tout près de l'autre berge, il lança ses affaires sur la terre sèche, repartit et les rejoignit, puis examina ses jambes à la recherche de sangsues et n'en trouva aucune. Les trois hommes lui prodiguèrent maints encouragements alors qu'il nouait ses lacets, puis, tout le temps qu'il gravit le sentier en pente et jusqu'à ce qu'il eût disparu, ils le suivirent d'un regard possessif, comme s'ils l'avaient façonné avant de l'envoyer en mission.

De hauts cumulus dans un ciel exceptionnellement bleu. Il bénéficiait encore de l'ombre matinale qui tombait de la montagne. Il avançait d'un bon pas. Une heure plus tard, le soleil franchit la crête et éclaira la vallée. La lumière envahissait très vite le terrain situé devant lui et elle l'assaillit enfin, s'abattant sur Storm pour l'écraser de tout son poids. Le sentier longeait la pente sans trop monter, mais le versant lui-même était trop abrupt pour accueillir le moindre arbre. Dès que des arbustes un peu élevés prodiguaient leur ombre, il s'y arrêtait pour profiter de la brise qui soufflait régulièrement dans la vallée de Belum.

Le sentier l'emmena vers le nord jusqu'à ce que dans les hauteurs il contournât une pointe et bifurquât vers le sud, le versant de la montagne maintenant situé à l'est ombrageant le marcheur, qui s'arrêta pour s'asseoir et boire. Il avait atteint une immense pince de crabe où il distinguait le trajet qui l'attendait, le chemin s'incurvant vers l'ouest puis au nord, sans monter ni descendre jusqu'à ce qu'il file droit au nord derrière le sommet de la montagne. De l'autre côté, la Thaïlande.

En l'absence de toute nouvelle épreuve prévisible, il se convainquit que les rencontres et les négociations de ces derniers jours touchaient à leur terme, qu'il lui restait seulement à affronter l'épreuve physique de la marche et qu'il avait déjà pénétré dans la province du dieu inconnu qui le tenait désormais sous sa coupe. Il se dit que toute cette approche aurait sans doute été plus facile – grâce à une route, voire à des moyens de transport publics – à partir de la Thaïlande. Mais dans ce cas il n'aurait pas payé le droit d'entrée.

En vingt minutes il contourna la crête et gravit le versant nord de la montagne pour découvrir deux arpents de terrain plat bordés de petites collines. Des montagnes plus élevées se dressaient au loin. À ses pieds, une maison en bois au toit de tôles et une modeste grange ou une cabane. Un mince ruisseau descendait de la pente occidentale, passait derrière la maison, puis franchissait le bord du terrain. Des poulets étiques s'agitaient parmi les pilotis de la maison en cherchant à manger. Storm entendit une chèvre chevroter non loin.

Il se dirigea vers le ruisseau. Cherchant un endroit où s'allonger à plat ventre pour boire, il suivit ce cours d'eau en restant à l'orée de la clairière. À vingt mètres des deux bâtiments, il s'arrêta. Sur le devant du plus vaste des deux, sous un auvent en chaume, dans une brise capable de tenir les moustiques à distance, un homme blanc se tenait assis sur un banc, adossé au mur en bois, les jambes croisées.

Quand Storm approcha, l'homme leva une main molle en guise de salut. Il portait une chemise sport bleu ciel, un pantalon gris lavé et repassé de frais, ainsi que des espadrilles de corde. Il était mince, et une couronne de cheveux argentés entourait son crâne chauve couvert de coups de soleil.

« *Io, bwana.*

— Bonjour. Nous vous adressons nos meilleures salutations.

— Vous êtes britannique ?

— Oui, c'est exact.

— Vous avez besoin d'un de ces casques de *bwana* britannique.

— Un casque colonial ? J'en ai deux. Puis-je vous en offrir un ?

— Pourquoi n'en portez-vous pas ?

— Inutile. Je profite de l'ombre.

— Et vous faites quoi, à part ça ? »

L'homme haussa les épaules.

Storm dit : « J'ai marché depuis les Roo.

— Ah, oui. Des gens très doux.

— Qui ?

— Les Roo.

— Ouais. Et comment.

— Ils ne mangent pas leurs voisins. Ni ne leur réduisent la tête.

— C'est vrai. C'est ce qui me botte chez eux. Vous vivez seul ?

— Pour l'instant.

— Qui d'autre vit ici ? »

L'homme décroisa les jambes, posa les mains de part et d'autre de ses cuisses et se redressa, les bras très raides, la tête rentrée dans les épaules. « J'ai déjà déjeuné, mais vous devez avoir faim.

— Je fais un jeûne.

— Alors je pense qu'un peu de thé vous conviendra.

— Vous avez de la glace ?

— Non. Ce sera à la température du ruisseau. Lequel est assez frais. Il descend du haut pays situé au nord-ouest.

— Vous n'allez pas me demander qui je suis ?

— Qui êtes-vous ?

— Ça reste à voir. »

L'homme sourit. Son regard semblait las.

Quand il se leva, Storm le suivit vers le ruisseau, où l'homme se pencha pour saisir l'extrémité d'une corde et hisser un gros bocal en verre entouré d'un pull en macramé. « Notre thé sera peut-être un peu fade. Je le fais bouillir une demi-heure. Entrez donc dans la maison, nous allons nous occuper de vous. »

Storm alla jusqu'à la véranda. Debout sur le seuil, il regarda. Il y avait à l'intérieur un plancher en bois parfaitement lisse. À chaque extrémité de la pièce, de grands volets maintenus ouverts par des cales laissaient pénétrer la brise et la lumière. Il avisa une cuisine donnant de plain-pied sur la vaste pièce, où l'homme servait le thé dans deux grands verres, puis la porte de ce qui était peut-être une chambre à coucher. Dès que Storm entendit le bruit du liquide, ses pieds le transportèrent à l'intérieur. « De bons verres, dit l'homme. Pas des vieux bocaux. » Storm vida le sien très vite. Sans un mot, son hôte lui prit le verre des mains et le remplit. Il sirota le sien à petites gorgées et posa la main sur un réfrigérateur de taille réduite installé près de l'évier. « Pas de propane aujourd'hui. Il faut que quelqu'un l'apporte à cheval de la ville.

— Où est la ville ?

— À environ dix kilomètres au nord.

— Nous sommes en Thaïlande.

— Absolument. Mais de peu. »

Storm avait fini son thé.

« Nous ferions bien de garder ce bocal à portée de main pour vous.

— Quelle est votre fonction ici ? Quel est votre rôle ? »

Il souleva le récipient par sa corde. « Je me tiens à l'écart des événements. » Il restait avec son verre et son bocal à côté de la porte.

« Apportez une chaise sur la véranda, voulez-vous ? » Il attendit que Storm le précédât pour sortir, puis il s'assit sur le banc et croisa les jambes tandis que Storm positionnait la chaise pour que les quatre pieds reposent sur des planches plutôt que dans les interstices, puis il ôta son sac à dos et s'assit avant d'y plonger la main à la recherche de son matériel de fumeur. Storm était bien décidé à ne pas parler en premier. Il fuma une cigarette déchirée et observa les poulets qui fouillaient mécaniquement le sol.

« Je crois que je vais vous redemander votre nom, si vous n'y voyez pas d'inconvénient.

— Sergent J. S. Storm. Sergent-chef. Du moins autrefois.

— Préférez-vous que je vous appelle Sarge ?

— Non. Préférez-vous que je vous traite de barbouze ?

— Je ne suis pas dans les services de renseignements. »

Storm attendit la suite.

« Peut-être jadis.

— Pour qui travaillez-vous ?

— Solutions chimiques combinées. Grâce au ciel, je suis à la retraite.

— Solutions comme dans : "Nous avons trouvé la solution du problème" ? Ou solutions comme dans : "Nous dissolvons les connards dans l'acide" ?

— La solution du problème, oui. Mais ce jeu de mots était très apprécié parmi nous, sergent, n'ayez crainte.

— Vous avez travaillé pour la Maison ?

— La CIA ? Non. Solutions est entièrement privé.

— Quand êtes-vous arrivé ici ?

— Il y a au moins deux ans de ça. Voyons voir. Peut-être en juin. Juste au début de la saison des pluies. Oui. Vers le 1er juin.

— Comment était Saigon ?

— Je n'ai pas voyagé aussi souvent que certains. J'aimerais bien me rendre un jour dans cette ville.

— N'importe quoi, enfoiré.

— J'ai entendu dire que Coca-Cola ouvrait une usine dans le Nord. À Hanoi. »

D'une chiquenaude Storm envoya son mégot dans le jardin. « Êtes-vous en train de me raconter que vous supervisiez une opération au Nord Vietnam ? »

L'homme le dévisagea en plissant les yeux et but une gorgée de thé.

« Qu'est-ce qui pouvait bien se passer dans le Nord? Une sorte de poste d'écoute. Faites-vous la même chose ici? La même opération, x années plus tard?

— Hum, fit l'homme.

— Quelle est la situation, mec? »

L'homme se pencha en avant et releva les épaules. Il ne semblait pas tant mal à l'aise que pensif.

« Vous savez pourquoi je suis ici.

— Je crains bien que non.

— Le colonel. »

L'homme se redressa et inclina la tête. « Quel colonel?

— Le colonel F. X., vieux *maestro*. Le colonel Sands. »

Son hôte but une autre gorgée. À cause de ses gestes, de la minceur de ses doigts posés sur le verre, de la fragilité de la peau qui recouvrait la pomme d'Adam tressautante lorsqu'il déglutissait, il paraissait vraiment très âgé. « Sergent, je ne me rappelle pas quand j'ai eu avant vous un visiteur blanc. Votre présence ici est donc pour moi inhabituelle. Mais je pense que de manière plus générale votre approche des choses semblerait déplacée n'importe où. Puis-je vous poser une question : étiez-vous un ami du colonel?

— Nous étions très liés.

— Un ami, je veux dire, et non un ennemi.

— Reçu cinq sur cinq. "Qui va là?" "Ami."

— Félicitations, donc.

— Où est-il?

— Le colonel est hélas décédé.

— J'y crois pas.

— Si, c'est la vérité. Il y a longtemps. Quelqu'un aurait dû vous en informer avant que vous ne vous donniez tout ce mal.

— J'y crois pas.

— Je ne saurais influer sur vos convictions. Mais la vérité est bel et bien que le colonel est mort.

— C'est ce qu'ils ont raconté il y a des années. Sa femme touchait une pension de veuve à Boston et pendant ce temps-là il se baladait ici, il opérait dans cette région.

— Je n'en ai jamais été informé.

— Moi si. Et je sais que le colonel n'est pas mort.

— Je vois. Il n'est pas mort.

— Putain, non.

— Vous en êtes absolument sûr?

— Putain, non. Mais je connais bien le colonel. Il applique le plan B.

— Et qu'est donc le plan B?

— Il s'est laissé capturer en 69, il s'est même débrouillé pour, mec, ça faisait partie d'un scénario *Psy Ops*, et la suite de cette merde reste cachée derrière le voile, mais je peux t'assurer d'une chose, réglée comme du papier à musique à la con : il se débrouille toujours pour que les cocos en chient un peu plus chaque jour.

— Et ça c'est le plan B?

— Du cousu main.

— A-t-il partagé ce plan avec vous?

— Ce genre de merde, dès que tu la partages, ça foire. C'est un one-man show.

— Un one-man show. » L'homme sourit. « Voilà bien le portrait craché du colonel.

— Y a quoi dans cette cabane? »

L'homme dit : « Vous savez, quand je l'ai rencontré, il était capitaine. Mais pas officiellement. Officiellement, il était en congé de l'armée. »

Storm alluma une autre cigarette, puis fit claquer le couvercle de son Zippo. « Ah bon?

— Les choses fonctionnaient ainsi à l'époque. Son unité est arrivée comme un groupe de volontaires civils. L'Amérique n'avait pas encore rejoint les autres pays en guerre contre le Japon. Contrairement au capitaine. Quelques-uns d'entre vous les Yankees bombardaient les Japs avant qu'ils ne coulent votre flotte à Pearl Harbor.

— La Seconde Guerre mondiale. La numéro deux, putain.

— Pour vous les Yankees, la meilleure des guerres. Pour moi, la meilleure des guerres se déroula ici en Malaisie, de 51 à 53. Nous nous battions contre les communistes et nous les avons vaincus. Tout du long le colonel nous a donné des coups de main, y compris pour l'Opération Helsby ici même dans la vallée de Belum. Lui et moi avons peut-être traversé à pied cette clairière où nous sommes en ce moment. Nous avons peut-être déambulé dans mon salon avant même qu'il n'existe. Et peut-être plus d'une fois. Je ne m'en souviens pas. Lui et moi avons fait partie de la Longue Patrouille partie d'Ipoh – cent trois jours de gadoue et d'épreuves diverses. Cent trois jours à cavaler. On apprend à connaître un homme dans ce genre d'occasion. S'il était vivant, j'en serais certain. Et il n'aurait pas besoin de m'avertir. C'est inutile quand on connaît vraiment un homme. »

Storm faillit le croire. « Alors, que lui est-il arrivé ?

— Cherchez-vous la légende, ou les faits ?

— Je veux savoir la vérité, mec.

— J'irais jusqu'à dire que la vérité est dans la légende.

— Et les faits, alors ?

— Indisponibles. Rendus opaques par la légende.

— Combien d'airs sais-tu chanter, enfoiré ? Je vais bientôt être à court de monnaie. »

L'homme se leva. « Laissez-moi vous montrer quelque chose. Je vous en prie, suivez-moi. »

Il précéda Storm le long du ruisseau et au-dessus de la colline jusqu'à un trou d'eau parmi un bosquet d'arbres immenses et une grande diversité d'autres plantes, la lumière tombant entre les oreilles d'éléphant, fraîche et humide. Dans le trou, un buffle s'était immergé, dont seuls les naseaux dépassaient hors de l'eau. Le Britannique et l'Américain regardèrent deux petits enfants remplir quatre seaux et les charger sur leurs épaules au bout de longues tiges. Ils semblaient terrifiés. L'homme leur parla et ils achevèrent leur travail avant de s'en aller.

« Là-bas. »

Juste au-delà du bosquet, dominant la longue perspective des montagnes, l'homme posa le pied sur un monticule, puis la main contre une pancarte de dix centimètres sur dix plantée devant à hauteur de la taille.

« Voici le one-man show. »

Storm ferma les yeux et tâtonna à la recherche de la vérité. N'en perçut aucune. « Jamais de la vie.

— Il est vraiment mort, et enterré ici.

— Vous savez combien de tombes bidons j'ai vu ?

— Je n'en ai aucune idée.

— Des connards m'ont montré ses os. J'ai goûté ses soi-disant cendres, mec. J'ai fait bouillir sa graisse dans une cuillère avant de me la shooter dans le bras. Faut pas me faire chier avec ça. Je suis le test ultime, mec. Chaque battement de mon cœur m'affirme qu'il est vivant.

— On m'a dit qu'il était enterré dans ce trou.

— Si c'est sa tombe, alors il est pas mort au Vietnam.

— Tout à fait. S'il s'agit bien de sa tombe.

— Alors – c'est sa tombe, oui ou merde? Quand a-t-il été enterré? Qui l'a enterré? L'avez-vous enterré?

— Non, pas moi.

— Qui l'a enterré?

— Je ne sais pas. On m'a dit qu'il est mort brusquement, sans explication. Je suis donc au regret d'émettre l'hypothèse que quelqu'un l'a peut-être empoisonné. C'est une possibilité. »

Un monstrueux mensonge. Mais de qui émanait-il?

« Je vous ai rencontré à Saigon. En 67 ou 68.

— Voyons voir. En 67 ou 68. C'est parfaitement possible.

— Vous êtes Pitchfork.

— J'ai de nombreuses identités.

— Jouez pas à ce petit jeu. Je vous ai rencontré à Saigon. Vous êtes le vieux pote du colonel. Vous lui avez donné un œuf.

— Un œuf?

— Au camp de prisonniers, quand il avait faim. Vous lui avez donné un œuf.

— Vraiment?

— C'est ce qu'il a dit.

— Ah bon, dans ce cas je l'ai sans doute fait.

— Vous n'avez pas changé. Vous ne changez jamais? Vous ne vieillissez pas? Vous êtes Satan?

— Maintenant c'est vous qui jouez à un jeu.

— Arrêtez de me montrer des tombes.

— Alors que puis-je vous montrer? »

Seul le colonel en chair et en os ferait l'affaire. Le colonel fumant son cigare cubain, obnubilé par ses éternelles magouilles.

« Ci-gît le colonel.

— Alors que faites-vous ici? »

Pitchfork répondit : « J'entretiens la tombe. »

Peu importait que ce monticule de terre fût la tombe du colonel ou celle d'un autre, qu'il fût vivant ou en train de pourrir, sa zone perdurait. Et Storm y avait pénétré.

« Je veux voir ce qu'il y a dans cette cabane. »

Ils tournèrent le dos à la tombe et remontèrent la colline. Le soleil frappa leurs visages, mais à l'est, derrière eux, des nuages s'amassaient. Storm dit : « Ça ressemble à de la pluie.

— Pas ce mois-ci. Jamais de pluie en avril.

— Montrez-moi ce que contient ce truc. »

Une planche posée sur deux tréteaux en bois maintenait fermée la porte de la cabane. Pitchfork abaissa le loquet, puis recula en ouvrant la porte en grand. Storm entra. Dans la bande de lumière une chose longue et massive était couchée par terre. Il ne put imaginer ce que c'était. Il déglutit malgré lui, bruyamment. Un monstre dépourvu de membres. Il regarda l'aspect de cette chose se développer comme une photographie et passa rapidement en revue les innombrables simulacres du colonel.

Pitchfork ouvrit encore un peu la porte.

« C'est quoi ?

— Un bloc d'acajou.

— Un bloc ?

— Un bloc d'acajou. J'entreposais ici du bois de construction. C'est le dernier qui me reste. Jusqu'à ce que j'en fasse venir d'autres. »

Encore un faux prophète. Encore un révélateur bidon.

Storm tira son couteau derrière le vieillard, le saisit à la gorge et enfonça la pointe contre le flanc de l'homme, entre les côtes, à hauteur du foie.

« Où est le colonel ?

— KIA.

— MIA.

— Non. Décédé. »

Il resserra sa prise autour du cou maigre. « Enculé, tu vas me dire la vérité, ou je te bute. Qui a creusé cette tombe ?

— Je ne sais pas. » Sa voix coassait comme celle d'une grenouille.

« Dis-moi qui, ou je te règle ton compte.

— Je ne sais pas qui l'a enterré. Et quand vous me réglerez mon compte, comme vous dites, je ne le saurai toujours pas.

— Tu fais quoi ici ?

— Je suis las du monde.

— Qui es-tu ?

— Anders Pitchfork.

— À une certaine époque, y a longtemps, pas un seul connard de ton genre pouvait me mentir, car c'était moi le distributeur de mensonges. La moitié de tes merdes sortait de mon cul.

— Il est mort.

— Écoute, dit Storm en sentant son cœur se briser, faut que je me tire de cette machine. »

Storm le lâcha. Pitchfork se laissa lourdement tomber à terre, il serra et desserra les poings sans se toucher le cou.

Storm dit : « Je te soupçonne de t'être débarrassé de lui.

— À votre place j'aurais les mêmes soupçons.

— Et c'est quoi ma place ?

— Inconnue. »

Une minute plus tard il essaya de se relever, Storm rangea son couteau et l'aida à se remettre sur pied.

« As-tu la moindre idée de jusqu'où ce type nous a brûlés, mec ? À quelle profondeur cette brûlure est allée ?

— Non.

— Aussi profond que l'enfer est obscur et brûlant, mon frère.

— Je ne suis pas votre frère.

— Me contredis pas, mon frère. »

Pitchfork se dirigea vers la maison et Storm le suivit des yeux. Il en ressortit avec un fusil à culasse doté d'un petit chargeur et d'une crosse filiforme en métal que, tout en avançant, il déplia à partir du corps de l'arme. Dix pas plus loin, il s'arrêta.

« Je crois que c'est un de ces fusils de la Seconde Guerre mondiale.

— Je crois que c'est un Garand M1. Modèle parachutiste. Beaucoup de gens sont morts à cause de lui.

— J'ai entendu dire que vous sautiez d'avions en plein ciel.

— Vous savez quoi ? Pendant la guerre j'ai sauté une seule fois en parachute. Le capitaine Sands était alors aux commandes. Mon premier et dernier saut durant cette guerre. Même si j'en ai fait quelques-uns avec les éclaireurs ici même dans les années cinquante. » Il releva le fusil, fit jouer la culasse, puis visa Storm avec soin à une distance de trois mètres, l'index très ferme sur la détente. « Maintenant vous allez partir. »

Storm tourna les talons et marcha vers le sud en direction du sentier, retrouvant bientôt le chemin par lequel il était arrivé.

Il avait envisagé de poursuivre en Thaïlande, mais le destin venait de diriger ses pas à l'opposé. Quelque part au fil de l'odyssée de ces dernières années il avait franchi une frontière sans honorer son garde ou bien sans payer le tribut nécessaire. C'est seulement après la frontière qu'on reconnaît ces entités pour ce qu'elles sont. Après la disparition des simulacres.

Que pouvait-il bien rester, que restait-il à faire ?

Une fois arrivé sur le sentier, il considéra la distance qu'il avait franchie ce jour-là en montant et il eut une idée du chemin parcouru. Lorsque le soleil de l'après-midi plongea sous les nuages, la lumière explosa dans la vallée.

Il ne ressentait aucune fatigue. Seulement sa force et la chaleur. Il se croyait capable de rejoindre le village avant le coucher du soleil. Il pressa le pas. Il descendait très vite, et tout aussi vite la clarté du jour se retirait de la montagne, il vit alors son destin lié à celui du soleil.

Il s'engouffra dans l'ombre. La vallée oscilla un moment entre la lumière et l'obscurité. Dans ce glissement les animaux se turent. Ils recommenceraient bientôt, avec le premier chœur des insectes nocturnes et celui des oiseaux saluant le coucher du soleil, dès que lui-même atteindrait le replat. Il ne voyait pourtant aucune colonne de fumée, nul signe du moindre feu chez les Roo.

Il atteignit l'endroit de la rivière où les Faux Guides l'avaient allègrement envoyé de l'autre côté en sachant très bien qu'il allait rater cette étape cruciale. Sans retirer ses chaussures, il souleva son sac à dos au-dessus de sa tête, puis divisa les eaux.

Rien d'irrévocable n'avait encore eu lieu. Par terre, au voisinage du grand bûcher funéraire, une myriade de bougies vacillaient à l'intérieur de noix de coco coupées en deux. Les villageois portaient des vêtements propres et bigarrés, semblaient occupés à des tâches futiles, allaient et venaient dans les huttes, restaient très détendus, frappaient dans leurs mains selon un rythme lent, et seulement quelques-uns d'entre eux en se transmettant la cadence d'une paire de paumes à l'autre, personne encore ne s'engageait à fond, l'énergie commençait seulement à s'accumuler. Peut-être le virent-ils. Peut-être décidèrent-ils qu'ils ne l'avaient pas vu. Le prêtre, debout près du bûcher, arborant une coiffe, les cheveux tressés et entremêlés de plumes, tenait à deux mains une bouteille de soda et parlait à Mahathir. Le garçon était à la fois avec eux et à l'écart d'eux.

Mahathir regarda Storm arriver le long de la rivière et leva la main. Le prêtre demeura imperturbable, mais Mahathir manifesta son agacement. « La cérémonie va débuter », dit-il.

Storm rétorqua : « Je le sens.

— Vous n'êtes pas allé en Thaïlande. Pourquoi ? Pourquoi n'êtes-vous pas resté chez votre ami ?

— Si tu le sais pas, je peux pas te le dire.

— Mais Jimmy, ce n'est pas une bonne idée pour vous. Cet homme a quelque chose à faire. Je suis un scientifique, alors bien sûr je peux observer. Mais pour vous ce n'est pas une bonne idée. »

Le garçon restait là, le corps rigide, le visage fermé, le souffle court. Aucun des Roo ne le regardait.

Les femmes avaient entamé leur rassemblement, les plus jeunes et des filles minuscules enveloppées dans des sarongs, portant du rouge à lèvres et du maquillage, des perles glissées dans leur chevelure. Des petits garçons se dressaient derrière elles, les pieds rivés au sol mais les épaules agitées, vibrant de toute l'excitation de l'enfance. Très heureux de se sentir vivants au plus profond de leur corps, ils bondissaient dans leur costume d'esclave. Sodomites de la Vraie Chose.

« Il n'a pas une tenue particulière ? Où est son costume ?

— Il sera sans vêtements. Il sera nu.

— Non, c'est impossible. »

Storm reprit le rythme, d'abord en lui-même, puis en frappant dans ses mains, de plus en plus fort. Tous le regardèrent, sans approuver ni désapprouver. Mahathir fit un signe, comme pour lui intimer le silence.

Storm avança à côté du garçon et lança son défi.

« JE SUIS LE VRAI COMPENSATEUR ! »

Les claquements de paumes continuèrent, mais il avait capté leur attention.

« JE SUIS LE VRAI COMPENSATEUR ! » Il posa les mains sur les hanches et inclina la tête.

Le prêtre parla avec Mahathir.

Storm releva la tête. « Dis-lui que je suis l'élu. Ce gamin est un imposteur.

— Je ne lui dirai pas une chose pareille.

— Dis-le au gamin alors.

— Je ne peux pas.

— Mec, c'est pas bon s'il le fait pour du fric. Faut le faire pour le vrai truc, mec, le vrai truc. Il te faut une raison, il faut que tu sois annoncé par les signes et les messages. »

Le prêtre s'adressa à Mahathir d'une voix pressante, mais Mahathir demeura silencieux.

« Vous voulez prendre la place de cet homme ?

— C'est pas la place de ce gosse. C'est la mienne. Je suis l'envoyé. » Il s'adressa directement au prêtre. « Cet enfoiré sait même pas ce qu'il fout. Moi je sais ce que je fais. Je sais ce qui marche. Je sais ce qui est réel.

— Je ne peux pas lui dire cela. Je ne sais pas ce qui va se passer. Nous allons peut-être nous faire tuer.

— C'est un peuple très doux, mec. Très doux, tu piges?

— Comprenez-vous ce que vous êtes en train de faire? Non.

— Je suis en train de sauver la mise à ce pauvre gosse.

— Non. Vous ne comprenez rien.

— Je croyais que t'étais musulman. Tu crois à tout ce cirque?

— Ici, dans cette région où les arbres sont si grands, où aucun véhicule ne peut circuler, où personne ne vient, cette région est très différente. Dieu s'occupe d'eux très différemment.

— Ouais. Ça tombe sous le sens, mec. Je me demandais seulement si tu pigeais. »

Le prêtre s'exprima alors avec passion. Mahathir lui répondit longuement et le prêtre écouta, la tête baissée, en opinant, interrompant parfois son interlocuteur.

Le prêtre s'adressa brièvement au garçon, qui l'écouta sans protester, et Storm comprit que l'imposture allait être révélée au grand jour.

« Petit, tu t'es lancé dans cette affaire sans avoir réglé un certain nombre de choses dans ton cœur.

— Il fait ça pour sauver sa famille.

— Il aura l'argent. Dis-le-lui. Il aura l'argent. Hé, fiston, l'argent est à toi. Je veux marcher sur les plates-bandes de personne. »

Mahathir discuta avec le garçon. Lequel recula de plusieurs pas, pivota, franchit le cercle des femmes puis celui des jeunes garçons, et resta debout derrière.

Mahathir dit : « Je le savais. Je ne suis pas superstitieux. Mais il n'est pas inhabituel de voir l'avenir. Beaucoup de gens le voient. Ce genre de chose arrive. J'ai vu votre avenir. J'ai tenté de vous avertir. »

Le prêtre se campa près de lui, poussa un cri étranglé dans sa langue indigène, puis posa la main sur la tête de Storm.

Les claquements de mains se turent. Une vieille femme gémit. Storm leva les bras au-dessus de la tête et hurla : « JE SUIS LE COMPENSATEUR, BANDE D'ENFOIRÉS! JE SUIS LE COMPENSATEUR! »

Le prêtre frappa une fois dans ses mains. Puis une autre. Et encore une autre, en reprenant le rythme. Les autres l'imitèrent.

Les hommes formèrent un troisième cercle autour d'eux. Sur un signe du prêtre, le chef rejoignit dans le cercle Storm, le prêtre et Mahathir. Il tenait une hache à la main.

Il faut ce qu'il faut, promit Storm aux puissances supérieures.

Le prêtre s'adressa d'une voix forte au chef.

« Il lui dit de rassembler les dieux du village. »

Le chef leva la main et les cercles concentriques s'ouvrirent pour faire place à quatre femmes, chacune serrant l'angle d'une couverture. Elles la posèrent devant le prêtre – un tas de sculptures en bois, la plupart guère plus grandes qu'une main, plusieurs autres atteignant la moitié de la taille de n'importe lequel de leurs adorateurs roo. Les quatre femmes renversèrent la tête en arrière et se mirent à brailler comme des enfants tandis que le chef abattait sa hache sur les divinités. Alors qu'il s'acharnait dessus et les fracassait toutes, alors que les femmes s'agenouillaient pour en ramasser les morceaux et les lancer sur le bûcher funéraire, Mahathir dit : « Ils détruisent leurs dieux domestiques et les lancent sur le bûcher, parce que ces dieux ne les ont pas aidés. Ces dieux doivent mourir. Le monde risque de s'achever avec la mort de ces dieux. Le sacrifice de l'âme de l'étranger empêchera peut-être la fin du monde. Alors de nouveaux dieux apparaîtront. »

Storm observa ceux qui observaient. Leurs visages étaient à peine visibles dans la lueur des bougies innombrables posées un peu partout à leurs pieds. Ils ne semblaient ni joyeux ni solennels – bouche bée, ils hochaient la tête en frappant et frappant encore dans leurs mains – et leur âme semblait prête.

Le prêtre rejoignit le chef et parla d'une voix forte.

« Allez là-bas, ordonna Mahathir à Storm. Maintenant ils vont vous déshabiller. » Storm marcha vers le prêtre et entendit Mahathir lancer : « Puisse Dieu vous venir en aide ! »

Le prêtre tenait les fragments des icônes. Le chef s'inclina et montra les chaussures trempées de Storm. Storm s'en débarrassa aussitôt. Le chef se baissa encore et toucha le pied de Storm, il pinça le tissu d'une chaussette. Posant une main sur l'épaule du chef, Storm ôta ses chaussettes, puis se redressa. Deux jeunes femmes avancèrent, puis leurs doigts tirèrent sur ses boutons et sur sa braguette. Il envisagea de faire une blague, mais resta sans voix. Elles lui retirèrent son sac à dos, puis sa chemise, l'aidèrent à quitter son short et son caleçon, puis elles reculèrent vers leur cercle. Les claquements rythmés continuaient. Toutes les mains s'activaient désormais. Storm se tenait immobile et nu.

Face à lui, le prêtre sortit du rabat de son string une feuille de papier pliée, qu'il ouvrit puis brandit sous le nez de Storm – qui ne vit rien d'écrit dessus –, il parla d'une voix forte aux Roo, puis montra de nouveau la page vierge à Storm. Il s'adressa ensuite au chef.

Le chef lança un ordre. Un homme lui apporta une lance.

Le prêtre parla. Le chef lui tendit la lance. Le prêtre embrocha la page sur la tige de bois, se dirigea vers le bûcher, puis il tendit la lance à bout de bras et se dressa sur la pointe des pieds pour enfoncer la feuille de papier au milieu des bûches et la faire glisser jusqu'à l'extrémité de la lance.

« Attends », fit Storm.

Il s'accroupit près de son sac à dos, dont il sortit la poche plastique contenant son carnet. Il en déchira la dernière page, remit le carnet dans le sac, se releva et tendit cette page.

« C'est un petit poème, mec. »

Le prêtre s'approcha de Storm, la lance dirigée droit sur l'homme nu, accepta l'offrande, l'emporta jusqu'au bûcher et l'intégra au combustible sacré.

Storm lança alors à la cantonade : « LA COMPENSATION, MES CHÉRIS! CE SOIR C'EST LA COMPENSATION! »

Le prêtre parla d'une voix forte et jeta son arme à terre. Storm inclina la tête.

La couverture, désormais en lambeaux, ne contenait presque plus aucun vestige des anciens dieux. Le prêtre réunit les derniers fragments entre ses mains. Le chef traîna ensuite la couverture à quelques mètres du bûcher, tandis que les Roo élargissaient leur cercle. Il prit grand soin d'en aligner les bords, s'interrompant afin de lever les yeux vers le ciel comme s'il naviguait en se guidant sur des étoiles invisibles.

Contre son torse le prêtre serra les morceaux des icônes. Il vint se camper devant Storm.

Il parla encore, et Storm entendit la voix de Mahathir qui arrivait de derrière les cercles des Roo : « À genoux. » Il obtempéra. Le prêtre aussi s'agenouilla et parla doucement, puis le chef aida Storm à s'allonger sur le dos à même la couverture en lambeaux. Sur le ventre de Storm le prêtre laissa choir les morceaux de bois, qu'il disposa là en un petit tas.

Il parla et Storm entendit la voix de Mahathir : « Il veut que vous sachiez qu'il s'agit seulement d'un symbole. C'est un feu qui dévore votre chair, mais ils ne l'allumeront pas. Vous ne serez pas physiquement brûlé. »

Choisi pour endurer la pénitence parce qu'il ne reste personne d'autre. Traverser des zones gigantesques, la lueur lointaine tantôt s'embrasant tantôt s'obscurcissant, jamais assez de lumière, aucun signe clair, nul itinéraire pour rentrer chez soi. Un seul personnage dont la vérité n'est pas encore révélée.

Tous avaient tombé le masque, tous les faux-semblants s'étaient dissous, tous les simulacres sauf un, le sien.

Storm tourna la tête afin de suivre des yeux le prêtre qui revint vers le bûcher, où il s'accroupit pour prendre sa bouteille de soda et en verser le contenu autour de la base. Dans l'air monta une odeur de gasoil. Le chef apporta deux moitiés de noix de coco luisantes et chacun des hommes se servit d'une bougie pour mettre le feu au bûcher.

Les flammes se propagèrent lentement. Quand elles montèrent le long des bûches, les claquements de mains accélérèrent. Le bois humide craquait et tonnait. La conflagration dévora bientôt le sommet de l'édifice. Un cri enfla. Lorsque le feu se mit à rugir, Storm sentit un vent se ruer sur son torse nu et il entendit une femme hurler tel un cyclone. Le prêtre s'activait devant la chaleur intense et lançait du liquide dans les flammes orange. Le gasoil se vaporisait et sifflait, l'homme se déplaçait de-ci, de-là en jetant une ombre bleue sur ces vapeurs.

Des arbres qui entouraient la clairière, venaient le crépitement liquide de serres frénétiques et les imprécations des démons chassés dans le vide.

D'autres femmes hurlèrent. Les hommes crièrent. La jungle elle-même se mit à vociférer telle une mosquée. Allongé sur le dos, Storm regarda les nuées et la fumée qui se précipitaient vers le ciel dans la lueur colossale du brasier, et il attendit la lumière pure, les divinités paisibles, le visage du père-mère, la lueur des six mondes, l'aube fuligineuse de l'enfer et la lumière blanche du second dieu, les fantômes affamés errant en proie à un désir vorace, les dieux du savoir et les dieux de colère, le jugement du seigneur de la mort devant le miroir du karma, les punitions des démons et la fuite effrénée vers le refuge, vers la caverne de l'utérus qui lui permettrait de renaître en ce monde.

Son poème s'envola, réduit en cendres. Il disait :

VIETNAM

J'ai acheté au diable une paire de Ray-Ban
Un briquet annonçait Tu Do Bar 69

Bière Glacée Fille Brûlante Mille Pardons Chef
Mec ce Zippo en a vu de toutes les couleurs

Mec quand je serai dans ma tombe je veux pas aller au ciel
Je veux seulement rester allongé les yeux levés vers le ciel
Tout ce que je désire c'est de voir cet enfoiré
Pas besoin de m'envoyer là-haut

Ouvre le gaz dans ma cage
Je bois le poison
Envoie-moi un assassin
Je bois le poison
Démons morts dans mes tripes
Je bois le poison

Je bois le poison
Je bois le poison
Et j'arrête pas de rire

Le vent était piquant, le soleil de l'après-midi très chaud, du moins pour la fin avril, du moins pour Minneapolis. Par une agréable journée sans pluie, elle pouvait faire quatre cents mètres à pied sans trop d'inconfort, s'asseoir afin de se reposer durant seulement une minute, avant de parcourir la même distance et de se reposer encore. Elle laissa sa voiture dans un parking et sa canne dans la voiture, puis elle traversa trois rues en direction du Mississippi et emprunta la passerelle pour piétons. Alors que les véhicules filaient sous ses pieds, elle en sentit les vibrations dans ses tibias. Ses deux genoux lui faisaient mal. Elle marchait trop vite.

Une fois l'hôtel Radisson en vue, elle s'engagea dans Kellogg Street pour traverser quand une camionnette, un de ces petits vans de location, faillit la renverser, le conducteur freinant à mort, ne réussissant pas à s'arrêter, puis le véhicule passant en trombe si près d'elle que les lettres rouges des portières furent, durant une demi-seconde, tout ce qui pour elle exista. Elle bondit en arrière, le sang fourmilla dans ses veines – presque morte, cette fois-ci.

Elle avait laissé tomber son sac dans le caniveau. En se baissant doucement sur un genou dans son tailleur-pantalon en polyester, elle se rappela soudain une période de son existence où la question de sa propre survie ne l'avait nullement intéressée, même de manière secondaire. Quelle époque merveilleuse !

Ginger attendait juste derrière la porte du café parmi les fougères en pot. L'une de ces femmes que tout le monde appelle maman, bien qu'elle ne fût pas plus âgée qu'une autre. Combien d'années avaient donc passé ? Quinze, seize. Depuis le départ enthousiaste de Timothy pour les Philippines, bientôt suivi par Kathy. Ginger habitait sans doute Minneapolis depuis environ cinq ans – elles y vivaient toutes les deux, mais aucune n'avait jamais consenti à cet effort.

« Je peux toujours t'appeler maman ?

— Kathy !

— Il faut que je m'asseye.

— Tu te sens bien ?

— J'ai failli me faire écraser par une camionnette. J'en ai lâché mon sac à main.

— Juste maintenant ? Mais tu vas bien.

— Simplement essoufflée. »

Ginger regarda autour d'elle, en attendant qu'on lui dît où s'asseoir. Elle avait pris quinze kilos.

Kathy déclara : « Je t'aurais reconnue n'importe où.

— Oh...

— Mais tu ne peux pas me dire la même chose.

— Eh bien, tout le monde vieillit. Mais qu'est-ce que je raconte ! Simplement, je suis si heureuse de te voir, et... » Le labeur du mensonge lui tordait les traits. Elle renonça.

« Je me sens un peu fatiguée.

— Il n'y a pas trop de monde. C'est dimanche.

— Si on allait là-bas.

— Près de la fenêtre ! Il n'y a pas de vue, mais au moins...

— J'ai une trentaine de minutes devant moi.

— Au moins il y a de la lumière. Et puis après tout il y a quand même de la vue, dit Ginger, même si tout ce que nous voyons c'est les voitures.

— Je dois prononcer un discours.

— Un discours ? Où donc ?

— Dire au moins quelques mots. Une espèce de récital doit avoir lieu juste à côté d'ici.

— Où ça, à côté ?

— Au Radisson. Dans une des salles de conférences.

— Un récital. Tu veux dire avec un piano et le reste ?

— J'espère qu'ils ont du déca.

— De nos jours on trouve du déca partout. »

Elles commandèrent deux décaféinés et Ginger demanda un petit pain à la cannelle, puis rappela aussitôt la serveuse pour annuler le petit pain. La serveuse remplit les tasses devant un grand récipient en inox, puis les apporta à leur table. « Si ça ne vous dérange pas, dit Kathy, est-ce que je pourrais avoir un peu de vrai lait ?

— Tout de suite », répondit la serveuse avant de s'éloigner, et elles ne la revirent pas.

« De quel genre de récital s'agit-il ?

— Je ne sais pas. C'est au profit des MacMillan Houses. Pour les orphelines vietnamiennes. J'ai le trac.

— Ah oui, d'accord. Tu as écrit un discours ?

— Pas vraiment. J'ai juste réfléchi un peu – je veux dire, ce n'est pas grand-chose : "Merci pour l'argent, maintenant il faut nous en donner davantage."

— L'éternel discours.

— Je suis donc désolée qu'on ne puisse pas déjeuner ensemble.

— Pas de problème. Je vais voir une pièce avec John, de l'autre côté du fleuve. Une comédie musicale. *The Sound of Silence*.

— Oh, c'est excellent.

— Oui, sans aucun doute.

— J'ai vu le film.

— J'ai toujours trouvé ce titre assez idiot, dit Ginger. Car la musique, c'est toujours un son, n'est-ce pas ? Ils auraient simplement dû intituler ça *Music*.

— Je n'y avais pas pensé ! »

Le sac à main de Ginger, un petit modèle en cuir souple et gris, était posé sur la table à côté de sa tasse de café. Elle l'ouvrit et tendit la lettre à Kathy. « Je suis vraiment désolée, Kathy.

— Oh non. Pourquoi ? Je ne vois pas pourquoi.

— Elle est arrivée au bureau d'Ottawa, où elle est restée une semaine. Colin Rappaport l'a trouvée et...

— Tu travailles donc toujours pour WCS ?

— Plus que jamais.

— Comment va Colin ?

— Je crois qu'il va bien, mais franchement nous ne sommes pas souvent en contact. Il s'est souvenu que tu étais revenue à Minneapolis, et sans téléphoner ni rien, il l'a simplement postée à notre bureau. Je crois qu'il a essayé de trouver ton numéro de téléphone dans l'annuaire, mais pas de chance, il y a plein de Kathy Jones, et il ne connaît pas le nom de ton mari. Tu es toujours mariée?

— Toujours mariée. Il est médecin.

— Dans le privé?

— Non. Un hôpital public à St. Luke.

— Je suppose que c'est mieux qu'au Canada.

— Pourquoi?

— Je ne sais pas. La médecine sociale, je veux dire, mais je ne sais vraiment pas. D'ailleurs, je ne sais plus ce que je dis!... Quel est ton nom maintenant?

— Benvenuto. Et le tien? Tu es toujours avec John?

— Ouaip. Pas de changement de ce côté-là.

— Quelle horreur! Prendre des nouvelles du mari de quelqu'un et puis demander "Vous êtes toujours ensemble?"

— Ton mari n'est pas adventiste du septième jour?

— Carlos? Non. C'est un scientifique pur et dur.

— Oh, Carlos. Benvenuto.

— Il est argentin.

— De quel bord est-il? Je veux dire côté religion.

— C'est un scientifique pur et dur. Aucune spiritualité.

— Je ne t'ai jamais vue à l'église. Laquelle fréquentes-tu? Je veux dire...

— Je n'y vais plus. »

Un silence torturé. Kathy remarqua le grand nombre des tableaux accrochés aux murs. De l'art abstrait. C'était un café à prétentions artistiques.

« As-tu perdu la foi?

— Je crois bien que oui. »

Ginger arborait toujours cette expression condescendante, nuancée par la peur – elle avait sans cesse l'air inquiète et menacée, prête à fondre en larmes à cause de la culpabilité, elle semblait en permanence sur le point d'avouer qu'elle se détestait –, une impression trompeuse, car elle était l'amie de tout le monde. « Peut-être que tu n'as pas perdu la foi, Kathy. Ce n'est peut-être pas tout à fait ça. Notre pasteur affirme que l'esprit le plus vigoureux est celui qui a séjourné dans des zones de sécheresse. Mais même dans ces zones sèches, l'Église peut nous aider. Surtout dans ces zones sèches, ne crois-tu pas ? Pourquoi ne pas y aller ensemble samedi prochain ? Accompagne-moi. » Elle avait en fait un visage magnifique, à la fois ascendant et plongeant, tout prêt à vous accueillir.

« Ça fait des années, Ginger. Je n'en ai tout bonnement pas envie.

— Viens quand même.

— Je crois que je n'ai jamais eu la foi. Je crois que j'y allais seulement à cause de Timothy.

— Timothy avait vraiment la foi, lui ! Elle rayonnait sur ses traits. Elle englobait tous ceux qu'il fréquentait, elle nous emportait comme un raz de marée.

— Je sais, dit Kathy. Enfin... »

À la table voisine étaient assises une vieille dame et une autre, d'âge mûr, la mère et la fille, supposa Kathy, la vieille monologuant tandis que la fille écoutait dans un silence saturé de haine. Kathy distingua les mots « et... mais... donc... »

« Bon, fit Ginger, voilà » – elle montra la lettre posée à côté de l'assiette de Kathy – « Colin l'a donc envoyée à St. Paul. Et je vis toujours à St. Paul.

— Et moi à Minneapolis.

— Depuis combien de temps enseignes-tu à l'école d'infirmières ?

— Quatre, non, cinq ans... Depuis 77. Cinq ans en octobre dernier.

— Faisait-il partie de tes amis ?

— Qui ?

— Benét ?

— Oh ! »

L'enveloppe blanche, lourdement lestée par plusieurs pages sans doute, son angle supérieur droit couvert de timbres multicolores, avait été envoyée par Wm Benét, prison de Pudu, Kuala Lumpur, Malaisie. Elle l'ouvrit avec grand soin. Une coupure de presse : la photo d'un homme menotté. N'était-ce pas ce Canadien, William French Benét, récemment condamné par les tribunaux malais ? Condamné à la pendaison pour trafic d'armes ? Le Canada avait officiellement protesté contre ce verdict. Ensuite, on l'avait pendu. Le prisonnier avait écrit à Kathy, le condamné à mort, et voilà sa lettre. Les prisonniers se procuraient toutes sortes d'adresses, ils entraient en contact avec maintes organisations caritatives, tout est bon à prendre pour un homme en plein naufrage, mais comment était-il tombé sur le nom de Kathy Jones ? Cette lettre se composait de plusieurs – de nombreuses – pages de carnet écrites à la main et pliées autour d'un instantané de dix centimètres sur quinze : des douzaines de personnes et leurs bagages bariolés, hétéroclites, entourent un minibus philippin dont on a démonté l'une des roues arrière. Tous les visages sourient, tous les bustes se gonflent de fierté, comme si ces gens venaient de terrasser le véhicule avec leurs lances.

« Il était une fois », ainsi commençait la lettre...

> Chère Kathy Jones,

> Chère Kathy,

> Très chère Kathy,

Le sang se rua vers ses extrémités et son visage comme si elle les avait soudain plongés dans l'eau bouillante : la même impression que vingt minutes plus tôt quand la camionnette avait failli la renverser.

> Il était une fois une guerre.

Elle reposa la lettre. Regarda dans la salle de restaurant.
« Tu te sens bien ? »
Elle saisit les feuilles de papier et les replia autour de l'instantané.
« Ce sont de mauvaises nouvelles ?
— Maman.
— Oui.
— Te souviens-tu de Timothy ?
— Quoi ?
— Te souviens-tu de Timothy ? Très bien, je veux dire ?
— Bien sûr que oui, répondit Ginger. Je pense souvent à lui. Sa rencontre a changé ma vie. Il m'a marquée. C'est ce que je te disais tout à l'heure. Il m'a vraiment marquée.
— Je ne croise plus personne qui le connaissait. Plus maintenant.
— Je voulais te dire que je suis désolée pour Timothy. Je t'ai écrit juste après, mais nous sommes maintenant face à face et – ça fait un moment, je sais, il y a toutes ces années, mais...
— Merci.
— C'était un type remarquable.
— Je n'ai aucun souvenir de lui.
— Oh.

— Autrefois les souvenirs me tombaient dessus comme des piqûres d'abeille, aïe, venus de nulle part, mais la source s'est tarie. Pourtant, il m'arrive parfois de ressentir comme une urgence, oui, une urgence.

— Je vois... Ou plutôt non, je ne vois pas.

— Un poing s'empare de mon cœur pour me traîner comme un chien en me disant "Allez viens, viens..."

— Eh bien, je crois que c'est, c'est... euh... compréhensible, en un sens. Et...

— Je ne te connais pas assez pour te dire des choses pareilles, n'est-ce pas?

— Kathy, non! Enfin, *si*...

— Excuse-moi, dit Kathy.

— Bien sûr. Bien sûr. Bien sûr. »

Elle rejoignit les toilettes pour dames, posa son sac sur un des lavabos, prit de l'eau dans ses paumes et s'en éclaboussa le visage – remercia Dieu de ne pas porter de maquillage. Se regarda dans le miroir. Juste à côté, un graffiti au Magic Marker sur le carrelage :

ado électrique
en
plein trip merdique

Les toilettes puaient. Au Vietnam le sang et les déchets avaient partout débordé, mais tout avait alors appartenu à Dieu, la saleté impersonnelle de Dieu. Ici, dans ces toilettes publiques, elle sentait les émanations d'autres femmes et tout lui était étranger.

Elle s'enferma dans une cabine et s'assit sur la lunette, la lettre posée sur les cuisses. Elle ne pouvait éviter de la lire. En proie à la nausée, elle en déplia les feuillets.

1er avril 1983

Chère Kathy Jones,

Chère Kathy,

Très chère Kathy,

Il était une fois une guerre.

Il y eut jadis une guerre en Asie qui compta parmi ses tragédies le fait qu'elle suivit la Seconde Guerre mondiale, une guerre moderne qui avait réussi à conserver ou à raviver quelque chose de la gloire romantique des conflits plus anciens. Néanmoins, cette guerre asiatique ne réussit pas à produire le moindre romantisme en dehors de mythes infernaux.

Parmi les citoyens broyés au point d'en devenir méconnaissables – même, ou surtout méconnaissables à leurs propres yeux –, se trouvaient une jeune veuve canadienne et un jeune Américain qui se prenait tantôt pour l'Américain bien tranquille tantôt pour l'Affreux Américain et qui souhaitait n'être ni l'un ni l'autre, qui désirait plutôt être le Sage Américain ou le Bon Américain, mais qui finit par se considérer lui-même comme l'Authentique Américain et enfin, plus simplement, comme l'Enfoiré Américain.

C'est moi. Je m'appelle William Benét. Tu me connais sous le nom de Skip. Nous nous sommes vus pour la dernière fois à Cao Quyen, au Sud Vietnam. Je porte toujours la moustache.

Après mon départ du Vietnam j'ai arrêté de travailler pour les criminels XXL ~~pour qui je bossais d~~ que je servais quand je t'ai connue et je me suis mis au boulot pour la taille L. Des horaires démentiels et aucun avantage en nature, mais l'éthique est plus évidente. Et puis les enjeux tombent sous le sens : on prospère jusqu'au jour où on se fait prendre. Alors on perd tout.

En quoi consiste mon métier? Activités diverses et variées. La contrebande. Le trafic d'armes, etc. Un jour j'ai volé un cargo entier ~~un jour~~ et je l'ai vendu en Chine. Un cargo. (Impossible de te dire dans quelle ville je l'ai vendu, parce que ~~quelqu'un~~ notre cher, illustre et bien-aimé directeur Shaffee lit sans doute mon courrier avant qu'il ne parte.) Surtout le trafic d'armes.

Voilà les raisons pour lesquelles je me retrouve en taule ici à Kuala Lumpur. C'est un délit passible de la peine de mort en Malaisie, ainsi en a décidé ce même gouvernement qui achète des armes aux États-Unis. Nous faisons tous partie de la même bande, mais, comme je dis, vue à travers mon télescope personnel, l'éthique est plus claire. Ou comme Truc le disait à Machin, j'ai un bateau et on me traite de pirate. Mais si tu as une flotte, tu deviens empereur. Je ne me rappelle plus qui a dit ça.

Pour faire bref, depuis l'époque où tu m'as connu sous le nom de Benét, j'ai vécu sous une bonne douzaine de pseudonymes, dont pas un seul n'émanait du gouvernement. J'ai brûlé la chandelle par les deux bouts, j'ai connu une vraie vie d'aventurier, sans jamais croire une seconde qu'elle allait s'éterniser. Quand je quitterai ce monde, ce qui ne devrait pas tarder, je ne demanderai pas pardon, je ne regretterai rien. D'ailleurs, comme mon oncle disait toujours, une aventure ne devient vraiment drôle que lorsqu'elle est terminée. Ou bien est-ce toi qui m'as dit ça? En tout cas, celle-ci s'achève. Ce que j'écris ici relève un peu de la bravade, de la forfanterie, mais presque tout est vrai. En fait, si tu reçois cette lettre, je suis au regret de t'informer qu'ils m'ont déjà ~~passé la corde au cou~~ pendu – passé la corde au cou ? Je ne sais pas s'il vaut mieux dire qu'ils m'ont pendu ou passé la corde au cou.

J'ai une ~~épouse~~ concubine et trois gosses à Cebu City aux Philippines. C'est quelque chose qui est arrivé comme ça. Je crois qu'elle est du même avis que moi. Mais j'aime bien ces gosses. Ce sont des adolescents, des gamins sympas. Je ne les ai pas vus depuis un moment. Cebu City est devenu un peu trop brûlant pour moi, au sens policier du terme, et elle a refusé de s'installer à Manille. Elle adore sa famille au complet et tout ça, impossible de quitter ses parents. Elle s'appelle Cora Ng.

Le bon sens t'a sans doute convaincue depuis longtemps de mettre un terme à tes voyages, mais si jamais tu vas faire un tour dans ce coin-là, passe au magasin Ng près des docks, demande Cora et dis-lui bonjour de ma part.

Le directeur m'informe que le consul du Canada doit venir aujourd'hui et que je peux lui transmettre mon courrier pour qu'il le poste. Le consul et moi nous détestons cordialement et je ne lui permets pas de me rendre visite, mais il lui faut venir malgré tout, surtout durant les « Derniers Jours », simplement pour sauver les apparences aux yeux des journalistes. Il me semble donc que cette lettre partira demain, elle est à la fois le bonjour et l'adieu d'un (je l'espère je l'espère) vieil ami.

Je suis enfermé ici depuis le 12 août. Aujourd'hui c'est le 1er avril, le jour des blagues idiotes, une date appropriée pour mettre un terme à un long fiasco, mais je suis en fait programmé pour le 6 avril. Si j'ai attendu aussi longtemps avant d'écrire, c'est pour ne pas devoir passer tout mon temps à me demander si tu as bien reçu ma lettre, à me demander si tu vas me répondre.

Je viens de prendre mon dîner. Maintenant je vais entamer un jeûne de six jours pour que seule mon âme soit nourrie quand je rejoindrai le gibet. Quel était donc ~~mon~~ le dernier repas du condamné ? Le même que d'habitude, du riz avec une sorte de bouillon de poisson, et deux petits pains. *Bon appétit* !*

Kathy, je crois que je t'ai aimée. Ça ne m'est jamais arrivé avec personne d'autre. J'emporte ton souvenir avec moi. En retour je t'adresse mes remerciements.

Avec amour,
Skip

2 avril

Le directeur est passé hier soir pour me convertir à Jésus et prendre mon courrier, mais je ne lui ai pas donné cette lettre. Je vais attendre quelques jours, je crois. Je déteste vraiment

Quelqu'un entra dans les toilettes. Elle reconnut la voix de la vieille dame installée à la table voisine.

« Eugene a-t-il dit de quoi son fils était mort ?

— Eugene n'a jamais eu de fils.

— Une crise cardiaque ? »

La porte d'un W-C éloigné s'ouvrit bruyamment et claqua.

Kathy regarda sa montre. Elle était en retard. Elle glissa les pages dans son sac à main, puis se leva pour sortir et passer devant la vieille dame qui se tenait debout près du miroir, la tête penchée, les yeux baissés vers le sol.

Elle retourna dans la salle du café, retrouva Ginger, s'excusa et partit.

Elle rejoignit l'hôtel Radisson Riverfront, la première porte après le carrefour, et à la réception chercha une pancarte indiquant les MacMillan Houses. Elle crut comprendre que cette réunion incluait quelque chose pour, par ou à propos de jeunes femmes, car elles étaient nombreuses à la réception – très jeunes, douze ou treize ans, toutes jolies, débordant d'énergie et d'excitation, lourdement maquillées comme pour la scène, leurs imperfections rendues criantes par cette mise en valeur de leur beauté – les genoux cagneux, la taille basse, les cuisses marbrées sous l'ourlet de la jupe courte, sans doute parce qu'elles avaient froid.

Se fiant à l'indication d'un petit panneau en cuivre près des ascenseurs, elle traversa la réception, suivit un long couloir au bout duquel une femme était assise à une table devant deux boîtes à chaussures. Par les doubles portes ouvertes de l'auditorium arrivait le bourdonnement aimable et amplifié d'une voix féminine en train de lire un discours écrit à l'avance.

« Vous êtes ici pour le défilé de mode MacMillan ?

— Parfait. Je suis au bon endroit.

— A à L, ou M à Z ?

— Je crois que je cherche Mme Rand. Je dois prendre la parole.

— Eh bien... Mme Keogh est en bas.

— Je ne crois pas connaître Mme Keogh. Il me semble avoir traité avec Mme Rand.

— Mme Rand prononce actuellement son discours.

— Puis-je entrer et m'asseoir ? »

La femme dit : « Oh. » Cette suggestion parut la frapper comme si elle était parfaitement incongrue. « Il va y avoir un entracte.

— Je peux sans doute la voir à l'entracte. Je vais m'asseoir et attendre ici. » Hormis la table et la chaise occupée par cette femme, il n'y avait pas un seul meuble dans le couloir. « Ou plutôt je vais attendre à la réception. Je reviendrai d'ici quelques minutes.

— Si vous voulez bien. Si cela ne vous dérange pas. Je suis désolée...

— Non », dit-elle, mortifiée, le visage en feu. « Je suis en retard. C'est à moi de m'excuser. »

À la réception, elle s'installa dans un fauteuil capitonné au cuir marron orné de clous en cuivre, puis elle ouvrit son sac.

2 avril

Le directeur est passé hier soir pour me convertir à Jésus et prendre mon courrier, mais je ne lui ai pas donné cette lettre. Je vais attendre quelques jours, je crois. Je déteste vraiment prendre congé. Je ne me suis pas non plus converti à Jésus.

Autrefois je croyais être Judas. Mais ça ne me ressemble absolument pas. Je suis le jeune homme à Gethsémani, celui qui apparaît le soir de l'arrestation de Jésus, le type méprisable qui se débarrasse de ses vêtements quand la foule s'empare de lui, et « il s'enfuit au loin, nu ».

Il me semble que le concept de l'enfer t'intéressait. Je me souviens de toi comme d'une sorte d'experte en la matière. Le neuvième cercle de l'Enfer de Dante est réservé à ceux qui ont trahi —

Les parents
Le pays et la cause
Les invités
Les seigneurs & bienfaiteurs
J'ai trahi
Mes parents par fidélité envers mes seigneurs
Mes seigneurs par fidélité envers mon pays
Mon pays par fidélité envers mes parents

Mon crime a consisté à réfléchir à ces choses. À me convaincre que je pouvais arbitrer entre toutes mes loyautés.

Et finalement, à force de modifier sans cesse mes engagements, ~~j'ai réussi à~~ j'ai trahi tout ce à quoi j'ai cru.

Je dois me retenir de consigner la moindre chose par écrit. J'ai l'impression de pouvoir noter la plus infime pensée, de pouvoir décrire chaque molécule de cette cellule et chaque instant de ma vie. Car je dispose de beaucoup de temps. J'ai toute la journée devant moi. ~~Mais une quantité limitée de papier, et peut-être que~~

~~ta~~ Mais j'ai seulement un peu de papier et seulement une foi limitée en ta patience : je vais donc refréner mes pensées.

3 avril

Ce matin ils ont passé la corde au cou, ou pendu, autrement dit exécuté un type, le chef d'un gang chinois. Ils font ça dans la cour, ici, à la prison, la prison de Pudu, ~~non loin du centre-ville de Kuala Lumpur~~, à une centaine de mètres de l'endroit où je suis assis, mais de cette cellule je ne vois pas le gibet. Les cellules situées de l'autre côté de la passerelle ont une bien meilleure vue. Mais pas les condamnés à mort. Ils nous gardent de l'autre côté du bâtiment. En me haussant ~~je peux~~ vers les barreaux de ma fenêtre je peux voir les toits des maisons qui se trouvent de l'autre côté de la rue. Le premier coup d'œil que je jetterai à l'échafaud sera le dernier.

Il y a d'abord quelques bons coups de canne en bambou, c'est la punition préliminaire, mais nous n'entendons aucun cri. En tout cas je n'en ai pas entendu. Le type de ce matin a été le quatrième à se faire allonger les vertèbres depuis mon arrivée ici en août dernier. Je suppose qu'il ne l'a pas volé, même les coups de canne. Ces gangs chinois sont constitués de crapules, de crapules vraiment répugnantes.

Peut-être que je cache ma peur. Je ne veux pas sembler désinvolte. À moins que ce ne soit mon intention réelle, à cause de ma nervosité, mais je ne veux pas que tu croies que je vais aller au gibet avec nonchalance. Dans trois jours c'est fini. Je meurs. Le ventre vide. Pas d'ultime repas, mais la prière d'un incroyant. Si tu as toujours la foi, Kathy, prie pour moi. Prie pour moi si tu as toujours la foi.

4 avril

Au Sud Vietnam je croyais qu'on m'avait mis sur la touche. Relégué en un lieu où je pourrais réfléchir à la guerre. Mais dans une guerre personne n'est épargné et dans une guerre on ne doit pas réfléchir, on ne doit jamais réfléchir. La guerre, c'est l'action ou la mort. La guerre, c'est l'action ou la lâcheté. La guerre, c'est l'action ou la trahison. La guerre, c'est l'action ou la désertion. Comprends-tu ce que je veux dire ? La guerre, c'est l'action. La réflexion aboutit à la trahison.

Mon oncle m'a un jour confié avoir vu un soldat se jeter sur une grenade. Crois-tu que ce type ait beaucoup réfléchi avant d'agir ? Non. Le courage est l'action. La pensée est la trahison.

Ce soldat a survécu. La ~~chose~~ grenade a foiré. Sûr qu'ensuite il a dû y réfléchir, et plutôt deux fois qu'une. Parmi les gens qu'il voulait sauver, qu'il aurait sauvés si cette grenade l'avait réduit en chair à pâté, figurait mon oncle. L'oncle Francis a survécu ce soir-là, mais la guerre a fini par le dévorer. Au fil des ans j'ai entendu des rumeurs suggérant le contraire, mais c'était le genre de type qui générait des rumeurs, mon vieil oncle Francis. Un type qui a au moins trois tombes dont j'ai eu vent, et sans doute davantage, si j'avais pris la peine de me renseigner. Mais je sais qu'il est mort et enterré dans le Massachusetts.

Je suis l'héritier de mon oncle. Après son décès, son esprit est entré en moi. Il est mort peu après que je t'ai vue pour la dernière fois, Kathy. Quelques mois plus tard, je crois.

Il me semble que tu l'as rencontré. Tu l'as qualifié de sale type. Il faisait partie de ces hommes qui paraissent constitués de blocs de pierre, le plus gros bloc logé au centre de leur corps. Ses cheveux poivre et sel arboraient la fameuse coupe « plate-forme ». Tu te souviens de la coupe « plate-forme » ? Tu te souviens de mon oncle ? Il était quand même inoubliable. Il disait souvent : « Il est plus facile d'obtenir l'oubli que la permission. » « Ne te fais aucun souci pour les choix qui s'offrent à toi. » « On ne regrette pas ce qu'on fait, mais ce qu'on ne fait pas. » Ce genre de choses. Il est mort, et son esprit est entré en moi. Quelques-uns se sont demandé s'il était vraiment mort, mais pas moi. Si par le plus grand des hasards il était toujours vivant, son esprit n'aurait pas pu entrer en moi.

S'il te plaît, ne me prends pas pour un mystique à cause de ce que je viens d'écrire. Après le décès d'un proche, je crois qu'il est très fréquent, tout à fait banal, de se mettre à remarquer combien le défunt vous a influencé et peut-être commencer à ~~cultiver ces~~ encourager ces influences. Ainsi, ~~ils continuent de~~ nos mentors continuent de vivre en nous. Je ne parle pas d'autre chose. Ni de possession par les esprits ancestraux ni de rien d'autre.

5 avril

Ce qui laisse Dieu.

Je suis dangereusement près de refuser le pardon. De mourir sans repentir, parce que en colère contre moi-même. De mourir sans prière. Je viens de passer quatorze années sans la moindre prière. Quatorze années à changer de trottoir chaque fois que je croyais mon ombre en danger de tomber sur le mur d'une église.

Je sais que si tu pries pour moi
Tes prières atteindront Dieu
Et Dieu touchera mon cœur
Et je me repentirai

Je crois que tu m'as plu parce que tu étais veuve, comme ma mère. Fils d'une veuve, amant d'une autre. Tu me faisais peur. Ta passion et ta foi. Ta douleur tragique. Ma mère aussi avait cette chose, mais voilée et polie. Je vous ai donc fuies toutes les deux.

Ensuite, je n'ai pas répondu à tes lettres. Et voici le comble : une lettre de moi, à laquelle tu ne pourras jamais répondre.

OK...

OK, Kathy Jones. Notre drôle de petit directeur est debout devant moi et il attend cette lettre. Dernière limite pour le train postal. Demain matin je m'en vais.

Cher directeur, si vous lisez ceci, *au revoir* *.

À toi aussi. *Au revoir* *, Kathy Jones.

Si je pouvais tout recommencer, je ne fuirais pas.

Avec tout mon amour,
Skip

Oui, elle se souvenait de cet oncle. Il était impressionnant au premier coup d'œil. Le mot *bravoure*, qu'elle n'employait jamais, venait aussitôt à l'esprit. Dangereux, mais pas pour les femmes ni les enfants. Ce genre d'individu.

De Skip, elle ne se souvenait pas aussi bien. Davantage un garçon qu'un homme. Il plaisantait, il biaisait, il déguisait, il mentait, il ne donnait rien qu'on pût se rappeler. Cette représentation écrite de lui-même – elle avait beau la bouleverser, elle n'était pas certaine d'y croire.

Elle regarda encore la photographie, ces douzaines de Philippins entourant un minibus en panne, et se sentit très émue – davantage que par la photo de presse de Skip, ce visage flou aux traits sales, ce mélange affligeant d'arrogance et d'apitoiement sur soi, davantage que s'il avait envoyé une photo de lui datant de l'époque de Damulog, ou une photo d'elle, ou de tous les deux ensemble.

Elle rangea ces papiers dans son sac et resta assise, les yeux clos. Elle se souvenait à peine d'avoir dit au revoir à Ginger. S'était-elle montrée désagréable ?

« Êtes-vous Mme Benvenuto ? »

C'était la femme qui s'occupait des billets, guère plus grande debout qu'elle ne l'avait paru assise.

« Oui.

— Je suis navrée – je ne savais pas.

— Ce n'est pas grave.

— En ce moment c'est l'entracte. Mme Rand se trouve sans doute à l'entresol. Dans les salles d'habillage.

— J'arrive tout de suite. »

Kathy longea le couloir carrelé et plein d'échos en pensant à des films de gangsters et à *Last Mile*, la femme la guidant jusqu'à une porte toute proche de l'entrée de l'auditorium, puis le long d'une volée de marches. Les murs jacassaient, des jeunes mannequins couraient en tous sens, le corps surexcité, sourdes à leur directrice qui tentait de les suivre en s'écriant : « Les filles ? – Les filles ? – Les filles ? – Les filles ? » tandis que Kathy entrait dans une vaste pièce au plafond bas. De ravissants modèles posaient. Des flashes crépitaient. Tout aussi électrisées, les filles allaient et venaient parmi les cabines aménagées avec des cloisons mobiles sur roulettes.

« Madame Keogh », lança la vendeuse de billets, et la femme qui dirigeait ces filles agita la main puis approcha. « Voici Mme Benvenuto.

— Pardon pour mon retard.

— Nous sommes toutes en retard ! Je suis très heureuse que vous soyez ici. Je vais prévenir Mme Rand. Si vous voulez bien vous installer avec le public – cela vous convient-il ? – si vous voulez bien vous asseoir et attendre, elle vous appellera et vous présentera quand elle aura parlé du Vol des Orphelines. Nous avons ici deux ou trois filles qui étaient dans ce même vol – dans le même – *votre* vol. Trois filles. »

Elle parlait du vol qui leur avait permis de quitter Saigon, de l'accident d'avion où Kathy avait eu les jambes brisées. Ensuite, quarante des survivantes avaient pris un autre vol. Seules quelques-unes avaient été adoptées aux États-Unis et apparemment deux ou trois ici même, à Minneapolis.

« Trois orphelines ?

— Oui ! Une sorte de réunion. Li – où est Li ? Elle n'est pas encore habillée ! Les filles ! » s'écria Mme Keogh.

Kathy la quitta sans lui dire au revoir, car une jeune Eurasienne venait de passer près d'elles en traversant la vaste pièce pour rejoindre la porte marquée « Exit », et Kathy ne put résister à l'envie de l'examiner de plus près. Elle suivit la fille hors de la salle, puis dans l'escalier en béton ; arrivée au premier palier, la fille s'adossa contre un mur, dans un couloir, seule. Elle se poussa légèrement pour laisser passer Kathy. Laquelle gravit encore deux marches, qui lui permirent de voir le fleuve à un bout du couloir et la rue à l'autre bout. Kathy crut reconnaître cette jeune Eurasienne ou Amérasienne, qui le matin de l'accident aurait sans doute eu quatre ou cinq ans, elle crut se souvenir de cette fillette debout sur son siège dans l'avion, elle se rappela ses jambes étonnamment longues, ses yeux arrondis, la nuance châtaine de ses cheveux. Kathy avait installé l'une des siennes exactement à côté d'elle dans la partie supérieure de l'avion, la partie porte-bonheur. Un grand nombre de ses orphelines avaient pris place sur le pont supérieur, et survécu à la catastrophe. Elle avait fait monter à bord ses propres fillettes, puis aidé à l'embarquement des autres, avant de quitter l'avion pour retourner vers Saigon, mais à la dernière minute une connaissance de l'ambassade qui avait décidé de ne pas partir par ce vol, de rester encore un peu, lui proposa son billet – elle ne se souvenait pas du nom de cet homme, ils ne s'étaient jamais revus – à ce jour il la croyait sans doute morte à sa place – et elle sauta sur cette chance, non pas pour échapper à la chute de Saigon, mais pour aider, pour être utile, pour apaiser les terreurs de ces pèlerins minuscules. Elle ne connaissait même pas la destination de l'avion. L'Australie, probablement. Ils ne l'avaient pas atteinte. Et le voyage de cette enfant s'était terminé à St. Paul. En talons hauts de cinq centimètres, jupe bleue et T-shirt jaune moulant sur un soutien-gorge de sport, avec son rouge à lèvres et son mascara, elle ressemblait à une petite putain arrogante et renfrognée, ses cheveux auburn tordus par le vent qui soufflait de la rue et traversait le couloir en direction du Mississippi. Elle ouvrit son sac, en sortit un paquet de cigarettes et un briquet. Ses joues se creusèrent lorsqu'elle abrita la flamme au creux de sa paume pour allumer une bout-filtre. Quand elle exhala, la brise lui arracha de la bouche le panache de fumée.

Kathy se faufila une fois encore devant la fille en redescendant l'escalier. Elle dépassa sans encombre le chahut de l'entresol et rejoignit l'auditorium supérieur, un endroit agréable et accueillant, de solides sièges rembourrés et une pente marquée, malgré les murs qui réverbéraient légèrement le son des haut-parleurs, et le micro qui accentuait les sifflantes et faisait exploser les « p ». La seconde partie de la réunion venait de commencer. Il faisait sombre dans la salle, mais les projecteurs éclairaient la scène et elle y voyait assez bien. De nombreux sièges restaient vides. Afin de ne déranger personne, elle occupa la première place vacante qu'elle trouva. Derrière le podium, une femme imposante à la mâchoire carrée et à l'impeccable coiffure grise, sans doute Mme Rand, vêtue d'un ensemble rose, parlait des orphelines. Apparemment confrontée à un léger retard, Mme Rand s'était affranchie de son texte écrit pour improviser vaillamment. Elle évoqua la « filière des orphelines » qui avait permis d'acheminer tant d'enfants vers des vies nouvelles au cours des toutes dernières heures de cette terrible, terrible guerre, du vol 75, qu'avait pris Kathy et que le destin avait abattu tel un dragon ; et Kathy se dit, certes pas pour la première fois, que cette guerre n'avait pas été seulement et exclusivement terrible. Car du conflit était née cette conviction, d'abord atterrante et finalement enivrante, qu'une énergie sauvage, magique, ahurissante pouvait jaillir de chaque instant, que la mort elle-même pouvait surgir des volutes de cette haleine, démasquée comme une amie ; et Kathy regretta infiniment ces instants où, assise dans un Galaxy C-5A qui rebondissait parmi des rizières soudain dures comme le roc, entendant l'aluminium du fuselage se déchirer en grandes épées déchiquetées, elle avait seulement eu pitié des enfants autour d'elle, seulement regretté de n'avoir pas réussi à les arracher à cette guerre, ces instants où ses propres jambes brisées n'avaient signifié ni douleur ni horreur, mais seulement l'amère déception de ne plus pouvoir aider autrui. Mme Rand présenta alors les trois filles du vol 75, dont Li, l'Amérasienne, toutes vêtues du haosai traditionnel, la robe évasée portée au-dessus du pantalon en satin, marchant l'une après l'autre jusqu'à la gauche de la scène avant de retourner vers la droite, magnifiquement appliquées et concentrées, l'esprit frémissant dans la chair, pour s'asseoir sur des chaises pliantes de sorte que leurs chaussures noires devinrent visibles ainsi que leurs talons hauts de cinq centimètres. Mme Rand décrivit la catastrophe aérienne, huit ans plus tôt presque jour pour jour, affirma-t-elle – même si elle se trompait d'un mois –, l'un des pires drames de toute l'histoire de l'aviation civile, elle était navrée de le dire, plus de la moitié des trois cents enfants et adultes présents à bord, presque tous les occupants de la soute, pour la plupart des enfants âgés de moins de deux ans, emportés au ciel. Une défaillance mécanique. Durant quelques années après l'accident, Kathy crut qu'un missile avait abattu leur avion. Mme Rand, qui connaissait mieux les détails de cette tragédie que Kathy elle-même, évoqua les toutes dernières secondes, l'appareil se disloquant en plusieurs parties embrasées qui firent bouillir l'eau des rizières, les nuages de gasoil en flammes. Au moment de l'impact Kathy ferma sans doute les yeux. Elle se rappelait seulement les sons, surtout le hurlement du métal déchiré – un idiome très oral constitué de nombreuses voyelles et de consonnes grinçantes, des gutturales rauques, des voyelles magnifiques, toutes les voyelles, A, E, I, O, U, pressantes, stupéfiantes, gigantesques. Puis un silence général, un silence noir lacéré de suppliques, de cris et de pleurs, les siens compris. Et puis les rires d'un ou deux enfants.

Les filles quittèrent la scène, saluées par quelques applaudissements. Mme Rand parla des MacMillan Houses, de leur bon, de leur magnifique travail, des excellents rapports entretenus avec le gouvernement du Vietnam. Plutôt que d'écouter, Kathy prépara sa propre intervention, il est merveilleux de voir tant de, ce type d'entreprise nécessite bien plus que de simples donateurs privés, donc les aides gouvernementales et une législation spécifique, donc vos congressistes, vos sénateurs, et surtout votre cœur, de nouvelles vies remplies d'espoir, une gratitude extrême, non, insiste sur les donateurs privés, le coût annuel des envois postaux d'un seul bureau peut s'élever à, le fait de nourrir une seule bouche pendant un an coûte plus de, non, pas une bouche, un seul enfant, une nourriture correcte pour un seul de ces merveilleux enfants coûte environ, les bâtiments et les frais de fonctionnement, l'éducation, votre générosité, ou plutôt l'enseignement comme moyen d'échapper à la pauvreté, votre générosité sincère, ou plutôt un logement, de quoi manger et de la chaleur pour de jeunes corps, l'enseignement pour échapper à la pauvreté, un authentique espoir pour des vies qui commencent à peine, tout dépend de votre générosité sans faille et sincère, ou simplement sans faille. Ou seulement sincère. Et, non, votre esprit de sacrifice. Regarde-les. Bien plus que la simple et aimable générosité de gens comme vous et moi, mesdames et messieurs, mais, oui, notre sacrifice sans faille. Regarde. À sa droite dans la pénombre une bague brillait au doigt d'un auditeur élégant dont la main soutenait la joue. Il avait les yeux clos. Afin de subir cette épreuve certains de ces hommes avaient peut-être renoncé à leur premier après-midi de golf de la saison. Parmi les femmes assises près d'elle, Kathy remarqua le visage attentif, intéressé, de gens qui essaient de rester éveillés. Un petit gamin au doigt enfoncé tout au fond d'une narine, où il n'en faisait rien, se contentait de le garder là bien au chaud. Sous ses yeux la scène s'aplatit, perdit l'une de ses dimensions, et les bruits se mirent à en ruisseler, absurdes. Quelque chose allait se passer. Cet instant, l'expérience même qu'elle en avait, n'était que la plus impalpable des gazes. Assise parmi le public elle pensa : Quelqu'un ici a le cancer, quelqu'un a le cœur brisé, quelqu'un a perdu son âme, quelqu'un se sent nu et exilé, croit avoir autrefois suivi un chemin dont il a perdu la trace, se sent privé de toute armure et voué à la solitude, il y a des gens dans ce public qui ont les os brisés, d'autres dont les os se briseront tôt ou tard, des gens qui ont détruit leur santé, adoré leurs propres mensonges, craché sur leurs rêves, renié leurs convictions les plus profondes, oui, oui, et tous seront sauvés. Tous seront sauvés. Tous seront sauvés.

Je dédie cette traduction
à Christian Bourgois, *in memoriam.*

B. M.

Rudolph WURLITZER
Lent fondu au noir
Nog
Plans
Tremblement de terre

Adam ZAMEENZAD
Pepsi et Maria

Composition : Firmin Didot
Impression : BRODARD ET TAUPIN
Dépôt légal : Août 2008
N° d'édition : 1950-3 - N° d'impression : 49226
Imprimé en France